완역
성리대전
❺

이 저서는 2010년 정부(교육과학기술부)의 재원으로 한국연구재단의 지원을 받아 수행된 연구임(NRF-2010-322-A00065)

완역
성리대전 ❺

윤용남·이충구·김재열·윤원현
추기연·이철승·심의용·김형석
이치억·김현경 역주

律呂新書
洪範皇極內篇
理氣
鬼神

學古房

성리대전 총목차

性理大全書目錄 성리대전서 목록

律呂新書一 율려신서 1

律呂新書一
율려신서 1

律呂新書序 율려신서서[1]

[22-0-0-0]

古樂之亡久矣. 然秦漢之間, 去周未遠, 其器與聲猶有存者. 故其道雖不行於當世, 而其爲法猶未有異論也. 逮于東漢之末, 以接西晉之初, 則已浸多說矣. 歷魏周齊隋唐五季, 論者愈多而法愈不定. 爰及我朝, 功成治定, 理宜有作. 建隆皇祐元豐之間, 蓋亦三致意焉. 而和胡阮李范馬劉楊, 諸賢之議, 終不能以相一也. 而況於崇宣之季, 姦諛之會, 黥涅之餘, 而能有以語夫天地之和哉? 丁未南狩, 今六十年. 神人之憤, 猶有未攄, 是固不皇於稽古禮文之事. 然學士大夫因仍簡陋, 遂無復以鐘律爲意者, 則已甚矣.

고대 음악이 없어진 지 오래되었다. 그러나 진秦나라와 한漢나라 때에는 주周나라와 시대가 멀리 떨어지지 않아, 고대 음악의 악기와 성음聲音은 아직 남아 있는 것이 있었다. 그러므로 고대 음악의 도道가 당시에 행해지지는 않았지만, 그것이 표준이 된다는 데에는 여전히 다른 견해가 없었다. 동한東漢 말엽부터 서진西晉 초기로 이어지면 이미 점점 이론이 많아졌다. 위魏나라·주周나라·제齊나라·수隋나라·당唐나라·오계五季를 거치면서 논의하는 자가 많아지면 많아질수록 그 표준은 더욱 일정하지 않게 되었다. 우리 송宋나라에 이르러 나라를 세우는 일이 완성되고 정치가 안정되었으니 이치상 마땅히 음악의 표준을 세우는 일이 있어야 했다. 건륭建隆(960~963)·황우皇祐(1049~1053)·원풍元豐(1078~1085) 연간에 또한 세 차례 그런 시도가 있었다. 그러나 화현和峴[2]·호원胡瑗[3]·완일阮逸[4]·

· ·

1 律呂新書序:「律呂新書序」라는 제목은 『性理大全』에는 없지만, 『朱文公文集』권76「序」에서「律呂新書序」라고 한 것에 따라 추가하였다.

2 和峴(933~988): 자는 晦仁이고, 開封 浚儀(현 開封) 사람이다. 아버지 和凝은 晉나라 재상을 지냈다. 화현은 16세에 과거에 급제하여 벼슬은 著作郎, 太常博士, 主客郎中, 判太常寺兼禮儀院事를 역임하였다. 시와 음악

이조李照·범진范鎭[5]·사마광司馬光[6]·유기劉幾[7]·양걸楊傑 등 여러 현인들의 논의가 끝내 서로 일치할 수 없었다. 하물며 숭녕崇寧(1102~1106)·선화宣和(1119~1125) 연간에 간사하고 아첨하는 무리들[8]과 비천한 병졸 따위[9]가 천지의 조화를 말할 수 있었겠는가? 정미丁未(1127)년에 남쪽으로 천도한 지[10] 이제 60년이다. 신神과 사람의 울분이 아직 다 가시지 못했으니, 이에 참으로 고대 예문禮文을 상고할 경황이 없었다. 그러나 학사學士와 대부大夫들은 보잘 것 없고 허술한 것을 그대로 따라서, 마침내 다시는 종율鐘律에 관심을 가지는 자가 없어지고 말았으니 아주 잘못되었다.

吾友建陽蔡君元定季通當此之時, 乃獨心好其說而力求之. 旁搜遠取, 巨細不捐, 積之累年, 乃若冥契. 著書兩卷, 凡若干言. 予嘗得而讀之, 愛其明白而淵深, 縝密而通暢, 不爲牽

에 능숙했다고 한다. 저서는『奉常集』·『秘閣集』 등이 있다.

3 胡瑗(993~1059) : 자는 翼之이고 북송대 泰州 如皐(현 강소성 여고) 사람이다. 선대부터 대대로 섬서성 安定堡에 살았기 때문에 학자들은 그를 안정선생이라고 불렀다. 벼슬은 太子中舍·光祿寺丞·天章閣侍講 등을 역임하였다. 송대 성리학의 개창자 중 한 사람으로서 孫復·石介와 함께 '宋初三先生'으로 불린다. 특히 明體達用의 학문을 강조하여 후학들에게 큰 영향을 끼쳤다. 저술은『周易口義』·『洪範口義』·『論語說』·『春秋口義』 등이 있다.

4 阮逸 : 阮逸女라고도 한다. 자는 天隱이고, 建州 建陽(현 복건성) 사람이다. 天聖 5년(1027년)에 진사에 급제하여 벼슬은 典樂事, 戶部員外郎, 尚書屯田員外郎 등을 역임하였다. 북송대 음악가로서 景祐 3년(1036년)에 조정에서 雅樂을 바로잡으려고 할 때 龍圖閣直學士 鄭向과『樂論』12편을 지어 조정에 바쳤다. 인종 때에는 胡瑗과 함께 鍾管十三律을 교정하고, 鍾과 磬 각 1대씩을 주조하였다. 뒤에 太常鍾磬을 주조하였는데 옛 음률보다 調를 낮추었고 그 樂名을 大安이라고 하였다. 저술로는 胡瑗과 함께『皇祐新樂圖記』를 지었고, 『易筌』·『文中子注』·『皇佑新樂圖記』·『鍾律制儀並圖』 등이 있다.

5 范鎭(1008~1088) : 자는 景仁이고 長嘯公으로도 불리었으며, 시호는 忠文이다. 송대 華陽(현 사천성 城都) 사람으로 벼슬은 知諫院, 翰林學士를 역임하였으며, 蜀郡公으로 봉해졌다. 많은 저술을 남겼는데,『文集』과『正言』·『樂書』가 유명하다.

6 司馬光(1019~1086) : 자는 君實이고, 호는 迂夫·迂叟이며, 시호는 文正이다. 세칭 司馬太師·溫國公·涑水先生이라 한다. 송대 夏縣 涑水鄉(현 산서성 夏縣) 사람으로 翰林侍讀, 權御史中丞, 門下侍郎 등을 역임하였다. 왕안석의 신법에 반대하여 퇴출되었다가 재상으로 복직하여 신법을 폐지하였다. 저서는『文集』과『資治通鑑』·『稽古錄』·『易說』·『潛虛』 등이 있다.

7 劉幾(1008~1088) : 자는 伯壽이고 호는 玉華庵主이다. 송대 洛陽(현 하남성 낙양) 사람이다. 仁宗 때에 진사에 급제하여 通判邠州, 知寧州 등을 역임하였다. 악률을 잘 논하여 아악을 정비하는 데에 참여하여 4淸聲의 부활을 주장한 것으로 유명하다.

8 아첨하는 무리들 : 丘濬은『大學衍義補』에서, '아첨하는 무리들'을 '蔡京의 무리들을 가리킨다.'고 주석하였다.

9 비천한 병졸 따위 : 구준은『大學衍義補』에서 '야만인의 후예는 '魏漢津이다.'고 주석하였다. 송시열,『朱子大全箚疑』권72에는,『宋鑑』에 崇寧 3년에 方士 魏漢津에게 명하여 樂을 바로잡으라고 하였다. 그런데 魏漢津은 본래 蜀 땅의 黥卒(탈영을 막기 위해 얼굴에 입묵한 사병)이라고 하였다.(『宋鑑』「崇寧三年」: "命方士魏漢津定樂. 漢津本蜀黥卒也.")

10 丁未(1127)년에 … 지 : 南宋이 되었음을 말한다. 송나라가 1127년에 金나라에 밀려 남쪽으로 내려가 臨安으로 천도하였는데, 이를 이전의 북쪽에 있던 송나라와 구별하여 南宋이라 한다.

合傅會之談而橫斜曲直, 如珠之不出於盤. 其言雖多出於近世之所未講, 而實無一字不本
於古人已試之成法. 蓋若黃鍾圍徑之數, 則漢斛之積分可攷 ; 寸以九分爲法, 則淮南太史
小司馬之說可推 ; 五聲二變之數, 變律半聲之例, 則杜氏之『通典』具焉 ; 變宮變徵之不得
爲調, 則孔氏之『禮疏』因亦可見. 至於先求聲氣之元而因律以生尺, 則尤所謂卓然者, 而亦
班班雜見於兩漢之制,[11] 蔡邕之說, 與夫『國朝會要』, 以及程子張子之言.

내 친구 건양 채군 원정 계통建陽蔡君元定季通[蔡元定][12]이 이때에 홀로 진심으로 그 이론을 좋아하여
힘써 추구했다. 두루 찾아내고 멀리까지 취하여 크건 작건 버리지 않고 여러 해 동안 축적하여 은연
중에 고대 음악과 합치하게 되었다. 두 권을 저술하였는데 글이 그리 많지도 않다. 내가 그것을
읽어보았더니, 명확하면서도 깊이가 있고, 치밀하면서도 두루 통하며, 견강부회하는 말이 없으면서
도 어떻게 서술했건 종횡곡직縱橫曲直에 맞아 마치 구슬이 쟁반에서 벗어나지 않는 것 같은 점이
좋았다. 그 말이 비록 대부분 근세에 강론하지 않는 것에서 나왔지만, 실은 한 글자도 고대 사람들이
이미 시험해 본 기존의 표준에 근본하지 않은 것이 없다. 예컨대 황종黃鍾의 원지름의 수치는 한漢나
라 곡斛의 적분積分으로 상고할 수 있고, 1촌寸을 9진법으로 셈하는 것을 기준으로 삼은 것은 『회남자
淮南子』[13] · 태사太史[司馬遷][14] · 소사마小司馬[司馬貞][15]의 이론으로 추론할 수 있으며, 오성五聲 · 이변二

....

11 而亦班班雜見於兩漢之制 : 『朱文公文集』 권76 「律呂新書序」에는 '而亦班班雜見於兩漢之志'로 되어 있다. 즉
『前漢書』와 『後漢書』의 「律曆志」를 가리킨다.

12 蔡元定(135~1198) : 자는 季通이고, 세칭 西山先生이라 하였다. 송대 建陽(현 복건성 건양) 사람으로 주희를
경모하여 스승으로 받들었으나, 주희가 도리어 제자가 아닌 친구로 대우하였다. 그의 학문은 신유학뿐 아니라
천문 · 지리 · 樂律 · 曆數 · 兵陣 등에 뛰어났다. 특히 象數學에 조예가 깊어 주희의 『易學啓蒙』 저술에 참여
했다고 알려졌다. 말년에 주희와 함께 慶元黨禁의 표적이 되어 귀양을 가서 생을 마쳤다. 저서는 『律呂新書』 ·
『八陣圖說』 · 『洪範解』 등이 있다.

13 『淮南子』 : 前漢의 淮南王 劉安이 빈객과 方術家들의 글을 모아서 편찬한 책으로 『淮南鴻烈』이라고도 한다.
원래 內外編과 雜錄이 있었으나 내편 21권만이 전한다. 그 내용은 도가 · 음양가 · 묵가 · 법가사상과 유가사
상의 일부를 혼합하여 방대하고 복잡하지만, 주요 종지는 도가사상이라고 할 수 있다. 특히 한대 초기의
黃老사상을 연구하는 데에 귀중한 자료이다.

14 司馬遷(B.C.145?~B.C.86?) : 자는 子長이고, 龍門(현 韓城縣) 사람이다. 서한의 역사가로서 『史記』의 저자이
다. 司馬談의 아들로 7세 때 아버지가 천문 역법과 도서를 관장하는 太史令이 된 뒤 武陵에 거주하며 고문을
독서하던 중, 20세경 郞中(황제의 시종)이 되어 무제를 수행하여 江南 · 山東 · 河南 등의 지방을 여행하였다.
B.C.110년에는 아버지를 이어 무제의 태사령이 되었고 태산 封禪(흙을 쌓아 제단을 만들고 지내는 제사) 의식
을 수행하여 장성 일대와 하북 · 요서 지방을 여행하였다. 이 여행에서 크게 견문을 넓혔고, 『史記』를 저술하
는 데 필요한 귀중한 자료를 수집하였다. B.C.110년 아버지 사마담이 죽으면서 자신이 시작한 『史記』의 완성
을 부탁하였고, 그 유지를 받들어 B.C.108년 태사령이 되면서 황실 도서에서 자료 수집을 시작하였다. 그러나
그는 흉노의 포위 속에서 부득이하게 투항하지 않을 수 없었던 李陵 장군을 변호하다 황제인 무제의 노여움을
사서, B.C.99년 사마천의 나이 48세 되던 해 남자로서 가장 치욕스러운 宮刑(생식기를 제거하는 형벌)을
받았다. 사마천은 옥중에서도 저술을 계속하였으며 B.C.95년 황제의 신임을 회복하여 환관의 최고직인 中書
令이 되어 마침내 『史記』를 완성하였다. 『史記』의 규모는 本紀 권12 年表 권10 書 권8 世家 권30 列傳 권70
모두 권130, 52만 6천 5백 자에 이른다.

變의 수치와 변율變律·반성半聲의 경우는 두씨杜氏[杜佑][16]의 『통전通典』에 갖추어졌고, 변궁變宮·변치變徵가 조調가 될 수 없다는 것은 공씨孔氏[孔穎達][17]의 『예기소禮記疏』에 따라 또한 볼 수 있다. 먼저 성聲·기氣의 원元을 구하고 나서 율律에 따라 척尺이 생겨난다고 하는 것은, 특히 탁월하다고 할 수 있는 것인데, 또한 양한兩漢(前漢·後漢)의 제도와 채옹蔡邕[18]의 이론과 『국조회요國朝會要』[19] 및 정자程子(程顥·程頤)[20]·장자張子[張載][21]의 말에 여러 군데 섞여 나타난다.

· · · · · · · · · · · · · · · · · · · ·

15 司馬貞(생존연대미상) : 자는 子正이고, 당나라 河內(현 沁陽) 사람이다. 唐代의 저명한 사학자로서 『史記索隱』30권의 저자이며, 일명 '小司馬'라고 한다. 사마정은 南朝 宋徐嚴의 『史記音義』, 裴駰의 『史記集解』, 齊朝 鄒誕生의 『史記集注』, 唐朝 劉伯莊의 『史記音義』·『史記地名』 등 여러 학자들의 주석을 모아서 杜預·譙周 등의 저술과 비교하여 후세에 가장 큰 영향을 끼친 역사학의 명저인 『史記索隱』을 저술하였다. 이 책은 배인의 『史記集解』, 당나라 張守節의 『史記正義』와 합해서 '史記三家注'로 일컬어지고 있다. 더욱이 후세의 사학가들은 『史記索隱』의 가치가 배인과 장수절의 책보다 더 높다고 칭찬하기도 한다.

16 杜佑(735~812) : 자는 君卿이고 京兆 萬年(현 섬서성 西安부근) 사람이다. 당나라 정치가·역사가로 덕종·순종·헌종 등 3대에 걸쳐 재상을 지내면서 부국안민을 위해 노력하였다. 무려 36년의 공력을 들여 편찬한 그의 저서 『通典』은 중국제도사 연구에 중요한 자료이며, 이로 인해 漢나라의 사마천 이후 제1의 역사가로 평가받는다. 『通典』 권200은 「食貨」, 「選擧」, 「職官」, 「禮」, 「樂」, 「兵刑」, 「州郡」, 「邊防」 등 8가지로 분류한 중국 제일의 전장제도에 관한 통사이다.

17 孔穎達(574~648) : 자는 仲達이고 시호는 憲公이며, 冀州 衡水(현 하북성 衡水) 사람이다. 동란의 와중에 학문을 닦았으며 남북 2학파의 유학은 물론 曆法에도 정통했다. 唐太宗에게 중용되어, 벼슬은 國子博士를 거쳐 국자감의 祭酒, 東宮侍講 등을 역임하였다. 특히 문장·천문·수학에 능통하였으며, 魏徵과 함께 『隋書』를 편찬하였다. 당 태종의 명에 따라 고증학자 顔師古 등과 더불어 五經 해석의 통일을 시도하여 『五經正義』 권170을 편찬하였다. 이는 위진 남북조 이래 경학의 집대성이라고 할 수 있다.

18 蔡邕(132~192) : 자는 伯喈이고, 陳留 圉縣(현 하남성 杞縣) 사람이다. 한나라 獻帝 때에 左中郎將을 제수받아서 후세사람들이 蔡中郎이라고 불렀다. 經史·천문·음률에 정통했는데, 특히 서예에 조예가 깊어서 飛白體를 창시했고, 음률에 대해서도 연구가 깊어 거문고의 재료와 제작 및 조율 등에 독창적인 견해가 있었다. 焦尾琴의 고사도 유명하다. 저서는 『蔡中郎集』이 있다.

19 『國朝會要』 : 송대의 會要를 말한다. 회요는 그 朝代의 국가제도와 역사·지리 및 풍속·민심 등을 주로 수록한 역사서이다. 당대 이후 회요가 정리되었는데, 특히 송대의 회요가 그 내용이 풍부하기로 유명하다.

20 程顥(1032~1085) : 자는 伯淳이고, 호는 明道이다. 송대 洛陽(현 하남성 낙양) 사람으로 아우 程頤와 함께 '二程'이라 불린다. 太子中允, 監察御史理行 등을 역임하였다. '天理體認'과 '識仁' 등의 사상은 육구연·왕양명 등의 心學 체계에 영향을 끼쳤다. 저서는 『識仁篇』·『定性書』·『文集』 등이 있다. 현행 『二程集』에는 부분적으로 이정의 글이 뒤섞여 있는 곳이 있다.

程頤(1033~1107) : 자는 正叔이고, 호는 伊川이다. 송대 洛陽(현 하남성 낙양) 사람으로서 형 程顥와 함께 二程이라 불린다. 15세 무렵에 형과 함께 주돈이에게 배운 적이 있으며, 18세에는 태학에 유학하면서 「顔子好學論」을 지어 胡瑗(호는 安定)이 경이롭게 여겼다고 한다. 벼슬은 秘書省校書郎, 崇政殿說書 등을 역임하였으나, 거의 30년을 강학에 힘 쏟아 북송 신유학의 기반을 정초하였다. 이정의 학문은 '洛學'이라고 하며, 특히 정이의 학문은 주희에게 결정적으로 영향을 끼쳐 세칭 '程朱學'이라고 하면 정이와 주희의 학문을 지칭한다. 저서는 『易傳』·『經說』·『文集』 등이 있다.

21 張載(1020~1077) : 자는 子厚이고, 세칭 橫渠先生이라고 한다. 송대 大梁(현 하남성 開封) 사람으로 거주지는 鄠縣 橫渠鎭(현 섬서성 眉縣)이었다. 1057년 진사에 급제했고 雲巖令, 崇政院校書 등을 역임하였다. 젊어서

顧讀者不深考, 其間雖或有得於此而又不能無失於彼, 是以晦蝕紛挐無復定論. 大抵不拘攣於習熟見聞之近, 卽肆其臆妄爲穿穴而無所據依. 季通乃能奮其獨見, 超然遠覽, 爬梳別抉, 參互攷尋, 用其半生之力,²² 以至於一旦豁然而融會貫通焉, 斯亦可謂勤矣. 及其著論, 則又能推原本根, 比次條理, 撮取機要,²³ 闡究精微, 不爲浮詞濫說以汩亂於其間, 亦庶幾乎得書之體者.

그러나 독자가 깊이 고찰하지 않으면, 그 사이에 비록 간혹 여기에서는 맞지만 또 저기에서는 어긋나지 않을 수 없기 때문에, 암담하고 혼란하여 다시 정론定論이 없어질 것이다. 대개 익숙하게 보고 듣는 친근함에 얽매이지 않게 되면, 곧 제멋대로 억측해서 함부로 천착하여 의거할 것이 없을 것이다. 계통季通蔡元定은 이에 그 독창적인 견해를 진작시켜 초연하게 멀리 훑어보고, 정리하고 결함을 제거해서 서로 비교하고 탐구하여, 그 반평생의 노력으로 한순간에 활연히 융회·관통하게 되었으니, 이 또한 부지런하다고 할 수 있겠다. 그 논점을 드러낼 때에는 또 근본을 추구하여 조리를 가지런히 하며, 요점을 취하여 정밀한 것을 연구해 밝혀서 터무니없이 쓸데없는 말로 그 논의를 어지럽히지 않았으니, 또한 거의 책의 체계를 잘 잡았다고 하겠다.

予謂國家行且平定中原以開中天之運, 必將審音協律以諧神人. 當是之時, 受詔典領之臣, 能得此書而奏之, 則東京郊廟之樂, 將不待公孫述之瞽師而後備; 而參摹四分之書, 亦無待乎後世之子雲而後知好之矣. 抑季通之爲此書, 詞約理明, 初非難讀, 而讀之者往往未及終篇, 輒已欠伸思睡, 固無由了其歸趣. 獨以予之頑頓不敏, 乃能熟復數過而僅得其指意之仿佛. 季通於是亦許予爲能知己志者, 故屬予以序引而予不得辭焉. 季通更欲均調節族, 被之管絃, 別爲樂書以究其業; 而又以其餘力發揮武侯六十四陳之圖, 緖正邵氏皇極經世之歷, 以大備乎一家之言, 其用意亦健矣. 予雖老病, 黨及見之, 則亦豈非千古之一快也哉?

淳熙丁未正月朔旦, 新安朱熹序.

내 생각에 나라가 장차 중원을 평정하여 태평성세를 연다면, 반드시 음音을 살피고 율律을 조화롭게 하여 신神과 인간을 화합하게 해야 할 것이다. 이때에 조서를 받들어 주관하는 신하가 이 책을 구해서 군주께 아뢰면, 동경東京에서 교제郊祭와 묘제廟祭에 쓰는 음악이 공손술公孫述²⁴의 맹인 악사를 기다

<hr />

병법을 좋아하여 범중엄에게 서신을 보냈다가 『中庸』을 읽기를 권유받고, 얼마 뒤 六經에 전념하게 되었다. 특히 『易』과 『中庸』을 중시하여 『正蒙』·『西銘』·『易說』 등을 지었는데, 이로써 나중에 關學의 창시자가 되었다.

22 用其半生之力 : 『朱文公文集』 권76 「律呂新書序」에는 '用其平生之力'으로 되어 있다.

23 撮取機要 : 『朱文公文集』 권76 「律呂新書序」에는 '管括機要'로 되어 있다.

24 公孫述(?~36) : 자는 子陽이고, 扶風 茂陵(현 섬서성 興平) 사람이다. 後漢 때의 群雄 가운데 한 사람으로서 처음에는 王莽을 섬겼으나, 前漢 말 更始帝가 반란을 일으키자, 成都에서 군사를 일으켰다. 蜀나라·巴나라를 평정하고 25년에 스스로 白帝라 참칭하고 국호를 成家라고 하였다. 36년 후한의 光武帝에게 패하여, 일족과 함께 멸망하였다.

리지 않아도 갖추어질 것이고,[25] '세 번 널리 찾고[參募]' 넷으로 나눈 책[26]도 또한 후세의 양웅揚雄[27]을 기다리지 않아도 그것을 좋아할 줄 알 것이다. 그렇지만 계통季通[蔡元定]이 지은 이 책은 말이 간략하고 이치가 분명하여 애초에 읽기 어렵지 않은데도, 독자들이 종종 끝까지 읽지 않고 번번이 하품하며 기지개를 펴면서 졸려고 하니, 본래 그 종지宗旨를 이해할 길이 없었기 때문이다. 다만 나는 미련하고 민첩하지 못한 재주로 반복해서 몇 차례 숙독하여 겨우 그 어렴풋한 의미를 얻을 수 있었다. 이에 계통季通[蔡元定]은 또한 나를 자신의 뜻을 알 수 있는 자라고 여겨 나에게 서문을 위촉했으니, 내가 그것을 거절할 수 없었다. 계통季通[蔡元定]은 게다가 음조를 고르고 장단을 맞추어 관현악기에 적용하여 별도로 악서樂書를 만들어 그 일을 끝마치려고 했으며, 또 그러고도 여력이 있으면 무후武侯[諸葛亮][28]의 64진도陣圖를 발전시키고 소씨邵氏[邵雍][29]의 『황극경세서皇極經世書』 역법을 바로잡아서 크게 일가一家의 학설을 갖추려하니, 그 의지 또한 굳세다. 내가 비록 늙고 병들었지만 혹시라도 그것을 보게 된다면 또한 어찌 천고千古에 한 번 있을 통쾌한 일이 아니겠는가?

순희淳熙 정미丁未(1187)년 정월 초하룻날, 신안新安 주희朱熹[30]가 서문을 쓰다.

. . . .

25　東京에서 郊祭와 … 것이고 : 後漢 光武帝 建武 13년(37년) 4월에 공손술의 반란이 평정되고 난 뒤, 益州에서 공손술의 전용 '맹인 瞽師'와 郊廟樂器 등을 雒陽(동경)으로 운송하여 비로소 천자의 儀仗이 갖추어진 일을 들어 설명한 것이다.(『後漢書』 권1 「光武帝紀」 제1下)

26　'세 번 … 책 : 揚雄의 『太玄經』을 말한다. 『太玄經』에 대한 范望 注에서, "三摹에서 '摹'는 찾아서 얻는 것이니 '三玄'의 의미이다.(三摹, 摹者索而得之謂, 三玄之義也.)"라고 하였다.

27　揚雄(B.C.53~18) : 자는 子雲이다. 서한시대 城都(현 사천성 성도) 사람으로 成帝 때 給事黃門郞이 되고 王莽 때는 校書天祿閣으로 대부의 반열에 올랐다. 王莽이 정권을 찬탈한 뒤 새 정권을 찬미하는 문장을 썼고 괴뢰 정권에 협조하였기 때문에, 지조가 없는 사람으로 宋學 이후에는 비난의 대상이 되기도 하지만 그의 식견은 漢나라를 대표한다. 사람의 본성에 대해서는 '性善惡混說'을 주장하였다. 초기에는 형식상 司馬相如를 모방하여 『甘泉』, 『河東』, 『羽猟』, 『長楊』 四賦를 지었으나, 후기에는 『易』을 본떠서 『太玄』을 짓고 『論語』를 본떠서 『法言』을 지었다.

28　諸葛亮(181~234) : 자는 孔明이고, 시호는 忠武侯이며, 瑯琊郡 陽都縣(현 산동성 沂南縣) 사람이다. 豪族 출신이었으나 어릴 때 아버지와 사별하여 荊州에서 숙부 諸葛玄의 손에서 자랐다. 후한 말의 전란을 피하여 벼슬하지 않았으나 蜀漢의 정치가 겸 전략가로 명성이 높아 臥龍先生이라 불렸다. 207년 魏의 曹操에게 쫓겨 형주에 와 있던 劉備가 '三顧草廬'의 예로 초빙하여 '天下三分之計'를 진언하고, 군신 관계를 맺었다. 유비를 도와 吳나라의 孫權과 연합하여 남하하는 曹操의 대군을 赤壁의 싸움에서 대파하고, 荊州와 益州를 점령하였다. 221년 한나라의 멸망을 계기로 유비가 제위에 오르자 승상이 되었다. 유비가 죽은 뒤에는 어린 後主 劉禪을 보필하여 吳와 연합해 魏와 항쟁하며, 생산을 장려하여 民治를 꾀하고, 雲南으로 진출하여 개발을 도모하는 등 蜀의 경영에 힘썼다. 그러다가 위의 장군 司馬懿와 五丈原에서 대진하다가 병으로 죽었다.

29　邵雍(1011~1077) : 자는 堯夫이고, 호는 安樂先生이며, 蘇文山 百源에 은거하여 百源先生이라고도 불리었다. 시호는 康節이다. 송대 范陽(현 하북성 涿縣) 사람으로 만년에는 洛陽에 거주하였는데, 이때 司馬光·呂公著·富弼 등이 그를 존경하여 함께 교류하면서 대저택을 증여하였다. 李之才에게 圖書先天象數學을 배웠다고 한다. 그는 도가사상의 영향을 받고 유가의 易哲學을 발전시켜 독특한 數理哲學을 완성하였다. 易이 음과 양의 二元으로서 우주의 모든 현상을 설명하고 있는 데 비하여, 그는 陰·陽·剛·柔의 四元을 근본으로 하고, 4의 倍數로서 모든 것을 설명하였다. 그의 易學은 朱熹에게 큰 영향을 주었다. 저서는 『皇極經世』·『伊川擊壤集』·『漁樵問答』 등이 있다.

朱子曰：“蔡神與, 名發. 博學强記, 高簡廓落. 不能與世俗相俯仰, 因去遊四方, 聞見益廣. 遂於易象・天文・地理・三式之說, 無所不通, 而皆能訂其得失. 杜門掃軌, 專以讀書教子爲事. 季通生十年, 卽教使讀『西銘』; 稍長, 則示以程氏『語錄』, 邵氏『經世』, 張氏『正蒙』, 而語之曰：‘此孔・孟正脉也.’ 季通承厥志, 學行之餘, 尤邃律歷, 討論定著, 遂成一家之言, 使千古之誤, 曠然一新. 而遡其源流, 皆有成法,[31] 是亦足以顯其親於無窮矣.”[32]

주자가 말했다. “채신여蔡神與(蔡發, 채원정의 아버지)는 이름이 발發이다. 박학하고 잘 기억하며, 성품이 고상하고 대범하며 넓고 쇄락하였다. 세속과 더불어 어울릴 수가 없어서 사방을 유람하여 견문이 더욱 넓어졌다. 마침내 역상・천문・지리・삼식三式[33]의 이론에 통달하여, 그 옳고 그름을 모두 바로잡을 수 있었다. 세상사와 담을 쌓고 오로지 독서와 자식교육을 일삼았다. 계통季通[蔡元定]의 나이 10살 때『서명西銘』을 읽게 하였고, 조금 더 자라서는 정씨程氏[程顥・程頤]의『어록語錄』과 소씨邵氏[邵雍]의『황극경세서皇極經世書』와 장씨張氏[張載]의『정몽正蒙』을 보여주면서 ‘이것이 공・맹의 정통이다.’라고 알려주었다. 계통季通[蔡元定]은 부친의 뜻을 받들어 배우고 실천한 나머지 특히 율력律曆에 정통하였으며, 토론하고 저술하여 마침내 일가一家의 학설을 이루어, 아주 오래된 오류를 환히 새롭게 하였다. 그런데 그 원류를 거슬러 가보면 모두 기존의 표준이 있으니, 이 또한 그 부친의 학문을 무궁하게 드러낸 것이었다.”

“季通『律書』法度甚精, 近世諸儒皆莫能及.”[34]

(주자가 말했다.) “계통季通[蔡元定]의『율려신서』는 법도가 매우 정밀하니, 근세의 여러 학자들이 모

---

30 朱熹(1130~1200)：자는 元晦・仲晦이고, 호는 晦庵・晦翁・考亭・紫陽・遯翁 등이다. 송대 婺源(현 강서성 무원현) 사람으로 建陽(현 복건성 건양현)에서 살았다. 1148년에 진사에 급제하여 同安主簿, 秘書郎, 知南康軍, 江西提刑, 寶文閣待制・侍講 등을 역임하였다. 스승 李侗을 통해 二程의 신유학을 전수받고, 북송 유학자들의 철학사상을 집대성하여 신유학의 체계를 정립하였다. 1179~1181년 江西省 南康의 知事로 근무하면서 9세기에 건립되어 10세기에 번성했다가 폐허가 된 白鹿洞書院을 재건했다. 만년에 이르러 政敵인 韓侂胄의 모함을 받아 죽을 때까지 정치활동이 금지되고 그의 학문이 거짓 학문으로 폄훼를 받다가 그가 죽은 뒤에 곧 회복되었다. 저서로는『程氏遺書』・『程氏外書』・『伊洛淵源錄』・『古今家祭禮』・『近思錄』 등의 편찬과 『四書集注』・『西銘解』・『太極圖說解』・『通書解』・『四書或問』・『詩集傳』・『周易本義』・『易學啓蒙』・『孝經刊誤』・『小學書』・『楚辭集注』・『資治通鑑綱目』・『八朝名臣言行錄』 등이 있다. 막내아들 朱在가 편찬한『朱文公文集』(권100 속집 권11 별집 권10)과 黎靖德이 편찬한『朱子語類』(권140)가 있다.

31 皆有成法：『朱文公文集』 권83 「跋蔡神與絶筆」에는 ‘皆有明法’으로 되어 있다.

32 『朱文公文集』 권83 「跋蔡神與絶筆」

33 三式：술수가의 용어로서, 遁甲・太乙・六壬의 셋을 가리킨다. “삼식은, 태을로 天을 알고, 육임으로 사람을 알며, 기문으로 땅을 안다.(三式, 曰太乙以知天也, 曰六壬以知人也, 曰奇門以知地也.)”(『朱子大全箚疑輯補』 권83)

34 『朱文公文集』 권46 「答詹元善」

두 미칠 수 없다."

[22-0-0-3]

"季通『律書』分明是好, 却不是臆說, 自有按據."[35]

(주자가 말했다.) "계통季通의『율려신서』는 확실히 훌륭한데도 개인의 주관적인 주장이 아니라 본래 근거가 있다."

[22-0-0-4]

"季通理會樂律, 大段有心力看得許多書."[36]

(주자가 말했다.) "계통季通은 악률樂律을 이해하는 데에 매우 신경을 써서 많은 책을 읽었다."

[22-0-0-5]

劉文簡公熵曰 : "先生天資高, 聞道早. 於書無所不讀, 於事無所不講 ; 明陰陽消長之運, 達古今盛衰之理 ; 上稽天時, 下放人事. 文公嘗曰 : '人讀易書難, 季通讀難書易.' 又曰 : '造化微妙, 惟深於理者識之. 吾與季通言, 而未嘗厭也.'"[37]

문간공文簡公 유약劉熵[38]이 말했다. "선생(채원정)은 타고난 품성이 뛰어나서 일찍 도를 깨달았다. 읽지 않은 책이 없고 따져보지 않은 일이 없으며, 음양이 줄어들고 불어나는 운행에 밝고 고금의 융성하고 쇠락하는 이치에 통달하여, 위로는 천시天時를 헤아리고 아래로는 인사人事를 고찰하였다. 문공文公[朱熹]께서 일찍이 말하기를, '다른 사람들은 쉬운 책 읽기도 어려워하는데, 계통季通[蔡元定]은 어려운 책 읽기도 쉬워한다.'고 하였으며, 또 '천지의 조화造化는 미묘하니 오직 이치를 깊이 이해한 사람만이 그것을 안다. 내가 계통季通[蔡元定]과 얘기할 때에 싫증 난 적이 없었다.'고 하였다."

[22-0-0-6]

西山眞氏曰 : "先生嘗特召, 堅辭不起, 世謂之聘君. 聘君以師事文公, 而文公顧曰 : '季通吾

---

35 『朱子語類』권92, 44조목
36 『朱子語類』권92, 46조목
37 李幼武, 『宋名臣言行錄』(外集) 권17「蔡元定西山先生」
38 劉熵(1144~1216) : 자는 晦伯이고 자호는 雲莊居士이다. 송대 建陽(현 복건성 건양) 사람으로, 효종 乾道 8년(1172)에 진사에 급제하였다. 건도 6년(1170)부터 아우 劉炳과 함께 건양에 있는 寒泉精舍에서 주희에게 배웠다. 나중에는 주희의 추천으로 呂祖謙에게 배우기도 하였다. 慶元 2년(1196)에 慶元黨禁 기간에는 주희를 따라 武夷山에서 독서와 강학을 하면서, 雲莊山房을 세워 노년에 은거할 계획을 세웠다. 당금이 느슨해지자 다시 출사하여 提擧廣東常平과 國子司業을 역임하고, 나중에 工部尙書가 되어서는 경원당금을 철회하고 주희의 『四書集注』를 간행할 것을 주청하였다. 후대 사람들에 의해 주희의 '四大弟子' 및 '建陽七賢' 가운데 한 사람으로 추숭되었다. 저술은 『奏議史稿』·『雲莊外稿』·『經筵故事』·『易經說』·『禮記解』·『四書集成』 등이 있다.

老友也.' 凡性與天道之妙, 他弟子不得聞者, 必以語季通焉. 異篇奧傳, 微辭窔旨, 先令討究而後親折衷之. 先生於經無不通, 嘗語三子曰 : '淵! 汝宜紹吾易學.' 曰 : '沈! 汝宜演吾『皇極數』. 而『春秋』則以屬知方焉.'"[39]

서산 진씨西山眞氏[眞德秀][40]가 말했다. "선생(채원정)은 황제의 특별한 부름을 받은 적이 있었는데, 굳게 사양하고 조정에 나아가지 않아서 세상 사람들이 빙군聘君(조정에 초빙된 선비)이라고 불렀다. 빙군은 문공文公[朱熹]을 스승으로 섬겼는데, 문공은 도리어 '계통季通[蔡元定]은 나의 친구이다.'라고 말했다. 다른 제자들이 들어볼 수 없었던 성性과 천도天道에 관한 오묘한 이치를 계통에게는 반드시 일러주었다. 특이한 책과 심오한 전傳, 미묘한 표현과 깊은 뜻에 대해서는 먼저 채원정에게 탐구하도록 한 다음에 몸소 그것을 절충하였다. 선생(채원정)은 경經에 통달하지 않음이 없었으니, 일찍이 3명의 아들에게 이르기를, '연淵[41]아! 너는 나의 역학易學을 계승해라.'라고 하고, '침沈[42]아! 너는 나의 『황극수皇極數』[43]를 발전시켜라. 『춘추』는 지방知方[44]에게 맡길 것이다.'고 하였다."

[22-0-0-7]

黃瑞節曰 : "按蔡氏祖·子·孫, 於斯文可知也. 而盛時遠引, 三世一轍. 朱子云 : '蔡神與所以教其子者, 不干利祿而開之以聖賢之學, 其志識高遠, 非世人所及.' 西山先生辭聘不起. 九峯先生三十歲卽棄擧子業, 一以聖爲師. 九峯之子抗, 始擢進士第, 理宗寶祐參政云."

황서절黃瑞節[45]이 말했다. "생각건대, 채씨 집안의 할아버지와 아들과 손자는 우리 유학에서 알 만한

---

39 眞德秀, 『西山文集』 권42 「九峯先生蔡君墓表」

40 眞德秀(1178~1235) : 자는 希元·景元·景希이고, 호는 西山이며, 시호는 文忠이다. 송대 浦城(복건성 蒲城) 사람으로 1199년에 진사에 급제하여 太學正·參知政事에 이르렀다. 어려서는 주희의 문인인 詹體仁에게 배우고, 스스로 '주희를 사숙하여 얻은 것이 있다.'라고 하였다. 특히 『大學』을 중시하여 窮理·持敬을 강조하였다. 저서는 『大學衍義』·『四書集編』·『讀書記』·『文章正宗』·『唐書考疑』·『西山文集』 등이 있다.

41 蔡淵(1156~1236) : 자는 伯靜이고, 호는 節齋이다. 송대 建陽(현 복건성 건양) 사람으로 채원정의 맏아들이다. 부친의 뜻을 이어 주경야독하여, 특히 『易』에 조예가 깊었고 그에 관한 저술이 많다. 저서는 『周易訓解』·『易象意言』·『卦爻辭旨』 등이 있다.

42 蔡沈(1176~1230) : 자는 仲黙이고, 호는 九峰이다. 송대 建陽(현 복건성 건양) 사람으로 채원정의 셋째 아들이다. 어려서부터 가학을 이으면서 주희에게 배웠다. 慶元黨禁으로 부친과 스승이 화를 당하자 구봉에 은거하여, 스승과 부친의 유지를 받들어 『書經集傳』과 『洪範皇極』을 저술하였다.

43 『皇極數』 : 『皇極數』 3권은 永樂大典 판본이 현존하는데, 작자 미상이다. 그 주요 내용은 8괘의 수를 사람의 길흉화복에 미루어 보는 것이다. 사마광이 소옹에게서 얻었다고 하고, 소옹의 아들 소백온은 또 사마광에게서 그 책을 얻었다고 하는데, 아마 소옹이 『皇極經世書』에 기초해서 저술했다고 볼 수 있을 것이다. 여기에서 채원정이 '나의 『皇極數』'라고 한 것은 기존의 『皇極數』에 대한 주석으로 보는 것이 좋겠다.

44 虞知方 : 채원정의 둘째 아들이다. 원래 이름은 蔡沇이었는데, 6세 때에 채원정의 이종사촌형인 虞英의 후사로 보내졌다. 그도 또한 주희에게 사사하였으며 벼슬은 文林郎, 兩浙運幹을 역임하였다. 채원정의 遺命으로 『春秋五論』·『春秋衍義』를 저술하였다.

45 黃瑞節 : 자는 觀樂이다. 송·원대 安福 사람으로 송대에 泰和州學을 역임했으나, 원대에는 은거하여 학문에 힘썼다. 주희가 편찬한 『太極解義』·『通書解』·『正蒙解』·『易學啓蒙』·『家禮』·『律呂新書』·『皇極經世』

사람들이다. 그렇지만 젊었을 때 멀리 유람한 것은 삼대가 같은 길을 걸었다. 주자는, '채신여蔡神與[蔡發]는 그 아들을 가르쳐서 재물과 벼슬을 구하지 않고 성현의 학문을 열어주었으니, 그 뜻과 식견이 높고 원대하여 세상 사람들이 미칠 수 없다.'[46]고 하였다. 서산선생西山先生[蔡元定]은 황제의 초빙을 사양하고 조정에 나아가지 않았으며, 구봉선생九峯先生[蔡沈]은 30세에 과거공부를 버리고 한결같이 성인을 스승으로 삼았다. 구봉선생의 아들 항抗이 비로소 진사進士에 발탁되어 이종理宗 보우寶祐(1253~1258) 연간에 참정參政을 지냈다고 한다."

[22-0-0-8]

"『律呂書』蓋朱·蔡師弟子相與成之者. 朱子與西山書云: '但用古書·古語, 或注·疏, 而以己意附其下方, 甚簡約而極周盡. 學者一覽, 可得梗槩. 其他推說之泛濫, 旁正之異同,[47] 不盡載也.'"

(황서절이 말했다.) "『율려신서』는 주자와 채원정 사제가 서로 교류하면서 이룬 것이다. 주자가 서산西山[蔡元定]에게 보낸 편지에서, '단지 고서古書와 고어古語 혹은 주注·소疏를 인용하되, 자신의 생각을 그 아래에 붙였으니 매우 간략하지만 지극히 두루 상세하였다. 배우는 사람은 한 번 죽 훑어보아도 개략을 알 수 있다. 그 밖에 넘쳐나는 추론과 서로 다른 방증傍證은 다 신지는 않았다.'[48]고 하였다."

律呂本原 율려본원

[22-1]

黃鐘 第一 以『漢志』斛銘文定.

제1장 황종 『한서』「율력지」의 곡명문斛銘文[49]에 의거하여 정했다.

[22-1-1]

長九寸, 空圍九分, 積八百一十分.

길이는 9촌寸이고 공위空圍(율관 구멍의 단면적)[50]는 9분分(평방분)이며, 용적[積]은 810분分(입방분)이다.

. . . .

에 주석을 가하여 『朱子成書』라는 책을 지었다.

46 『朱文公文集』 권83 「跋蔡神與絶筆」
47 旁正之異同 : 『朱文公文集』 권44 「答蔡季通」에는 '旁證之異同'으로 되어 있다.
48 『朱文公文集』 권44 「答蔡季通」
49 斛銘文 : 斛이라는 부피단위 용기에 새긴 글을 말한다.

按: 天地之數, 始於一, 終于十. 其一三五七九爲陽, 九者, 陽之成也; 其二四六八十爲陰, 十者, 陰之成也. 黃鐘者, 陽聲之始, 陽氣之動也, 故其數九. 分寸之數具于聲氣之元, 不可得而見. 及斷竹爲管, 吹之而聲和, 候之而氣應, 而後數始形焉. 均其長得九寸, 審其圍得九分. 此章凡言分者, 皆十分寸之一. 積其實得八百一十分. 長九寸, 圍九分, 積八百一十分, 是爲律本. 度量衡權, 於是而受法, 十一律, 由是而損益焉. 算法置八百一十分, 分作九重, 每重得九分. 圓田術三分益一, 得一十二; 以開方法除之, 得三分四釐六毫强, 爲實徑之數, 不盡二毫八絲四忽. 今求圓積之數, 以徑三分四釐六毫自相乘, 得十一分九釐七毫一絲六忽, 加一開方不盡之數二毫八絲四忽, 得一十二分, 以管長九十分乘之, 得一千八十分爲方積之數. 四分取三爲圓積, 得八百一十分.

생각건대 천지의 수數는 1에서 시작하여 10에서 끝난다. 그 가운데 1·3·5·7·9는 양陽이고 9는 양의 완성이며, 그 가운데 2·4·6·8·10은 음陰이고 10은 음의 완성이다.[51] 황종은 양성陽聲의 시작이고 양기陽氣의 움직임이므로, 그 수는 9이다. 분分·촌寸의 수는 성聲·기氣의 근원에 갖추어져 있지만 볼 수 없다. 대나무를 잘라서 관管을 만들고 그것을 불어서 성聲이 조화를 이루며, 그것을 증험하여 기氣가 반응한 뒤에 수가 비로소 드러난다. 그 길이를 재서 9촌을 얻고 공위空圍를 살펴서[52] 9분分(평방분)을 얻으며, 이 장章에서 말하는 분分은 모두 1/10촌이다. 그 속을 채워서 810분分(입방분)을 얻는다. 길이 9촌과 단면적 9분分(평방분)과 용적 810분分(입방분)이 율律의 근본이 된다. 도度·량量·형권衡權은 이것을 기준으로 하며, 나머지 11율은 이것으로부터 덜어내고 보탠다. 계산법에 810분分(입방분)을 두고는 9겹(9개의 단면적)으로 나누어 매 겹이 9분分(평방분)을 얻는다. 원전술圓田術[53]로 삼분익일三分益一[54]하여

50 空圍(율관 구멍의 단면적): 空圍를 '율관 구멍의 단면적'이라고 풀이한 것은 다음의 전거에 근거한다.
　倪復은 『鐘律通考』 권1에서, "9분은 9평방분이다.(九分者, 九方分也.)"라고 했다.
　또 秦蕙田은 『五禮通考』 권72에서 '空圍九分'에 대하여, "원의 면적 9평방분을 말한다.(言圓面積九方分也.)"고 주석하였다.
　그리고 柳僖는 『律呂新書摘解』 「律呂本原」에서, "'空圍'라는 두 글자는 蔡邕의 「銅龠銘」에서 나왔는데, 그 둘레 가운데의 구멍을 말한다. 단지 하나의 단면을 계산하지 그 두께와 부피를 논하지 않으니, 面冪과 마찬가지이다. 그러나 斛의 형태는 밑바닥이 있어서 그 분分·촌寸을 볼 수 있기 때문에 面冪으로 그것을 말했고, 율관의 형태는 비어있고 통해서 다만 그 용량에 의거하기 때문에 空圍로 그것을 말했다.('空圍'二字, 出蔡邕「銅龠銘」, 言其圍中之空也. 只計其一面, 而不論其厚積者, 與面冪一也. 而斛形有底可睹其分寸, 故以面冪言之; 律形虛通, 但憑其容受, 故以空圍言之.)"라고 하였다.

51 천지의 數는 … 완성이다.: 『易』 「繫辭上」 9에서, "하늘은 1, 땅은 2, 하늘은 3, 땅은 4, 하늘은 5, 땅은 6, 하늘은 7, 땅은 8, 하늘은 9, 땅은 10이다. 하늘의 수 5개와 땅의 수 5개가 5개의 자리에서 서로를 얻어서 각기 결합함이 있다. 하늘의 수는 25이고 땅의 수는 30이며, 하늘과 땅의 수는 55이니, 이것으로써 변화를 이루고 귀신을 행한다.(天一, 地二, 天三, 地四, 天五, 地六, 天七, 地八, 天九, 地十. 天數五, 地數五, 五位相得而各有合. 天數二十有五, 地數三十, 凡天地之數五十有五. 此所以成變化而行鬼神也.)"라고 하였다.

52 空圍를 살펴서: 원문은 '審其圍'인데 이렇게 번역했다. 유희는 『律呂新書摘解』 「律呂本原」에서, "註 중에 '그 圍를 살핀다.(審其圍.)'고 할 때의 '圍' 또한 空圍이지, '둘레 3(圍三)'이나 '둘레의 길이(圍長)'라고 할 때의 圍가 아니다.(註中'審其圍'之'圍', 亦'空圍'也, 非'圍三'·'圍長'之'圍'.)"라고 하였다.

12를 얻고(9+9/3=12), 개방법開方法[55]으로 그것을 나누어서 3분分 4리釐 6호毫 강강强[56]을 얻으니($\sqrt{12}=3.46\cdots$) 이것이 관의 안지름의 수가 되며, 2호毫 8사絲 4홀忽이 남는다.(12-3.46×3.46=0.0284) 이제 원통 부피의 수치를 구하면, 지름 3분 4리 6호를 서로 곱하여 11분 9리 7호 1사 6홀을 얻고, 개방법으로 남은 수 2호 8사 4홀을 더하여 12분分(평방분)을 얻으며, 그것에 관의 길이 90분을 곱하여 1,080분分(입방분)을 얻어 입방체 부피의 수가 된다. 그것을 넷으로 나누고 셋을 취하여 원통의 부피가 되니 810분分(입방분)을 얻는다.

[22-1-1-1]

朱子曰 : "「本原」第一章圍徑之數,[57] 此是最大節目, 不可草草."[58] 又曰 : "古者只說空圍九分, 不說徑三分, 蓋不啻三分, 猶有奇也."[59]

주자가 말했다. "「율려본원」 제1장의 원주와 지름의 수는 가장 중요한 항목이니 대충 넘어가서는 안 된다." 또 말했다. "옛날에는 다만 단면적이 9분分(평방분)임을 말했지 지름이 3분임은 말하지 않았으니, 3분 뿐 아니라 또한 나머지가 있기 때문이다."

[22-1-1-2]

魯齋彭氏曰 : "黃鐘律管, 有周, 有徑, 有面冪, 有空圍內積, 有從長. 如『史記』論從長, 「律歷志」論從長及積, 東漢鄭氏注「月令」論冪, 東漢蔡氏『月令章句』論從長, 皆不易之論. 獨周·徑之說, 漢以前俱無明文. 漢律歷志, 開端未竟 ; 東漢蔡氏, 始創爲徑三分之說 ; 晉孟氏以後諸儒, 續爲徑三分·圍九分之說 ; 宋胡氏·蔡氏, 又爲徑三分四釐六毫, 圍十分三釐八毫之說. 然攷之古方圍周·徑·冪·積, 率皆未有合.

노재 팽씨魯齋彭氏가 말했다. "황종율관에는 둘레가 있고, 지름이 있으며, 단면적[面冪]이 있고, 공위의 안 부피가 있으며, 세로 길이가 있다. 예컨대 『사기史記』에서는 세로 길이를 논했고, 『한서』「율력지」에는 세로 길이 및 부피를 논했으며, 동한 때 정씨鄭氏[鄭玄][60]가 『예기』「월령月令」에 주석을 붙여서는

---

53 圓田術 : 원주를 구하는 방법을 말한다.

54 三分益一 : 셋으로 나누어서 그 가운데 하나를 원래의 수에 더하는 것이다.

55 開方法 : 제곱근이나 세제곱근 따위를 계산하여 그 답을 구하는 방법을 말한다.

56 强 : 본서 제2편 「律呂證辨」 제2장 「율의 길이와 律長短圍徑之數」에서 채원정은 "나머지가 많은 것을 강으로 하고 적은 것을 약으로 한다.(餘分之多者爲强, 少者爲弱.)"라고 하였다.

57 「本原」第一章圍徑之數 : 『朱文公文集』 권44 「答蔡季通」에는 '「本原」第一章圍徑之說, 殊不分明.'으로 되어 있다.

58 『朱文公文集』 권44 「答蔡季通」

59 『朱子語類』 권92, 45조목

60 鄭玄(127~200) : 자는 康成이며, 北海(현 산동성 高密) 사람이다. 중국 後漢 말기의 대표적 유학자로서, 시종 在野의 학자로 지내다가 말년에 大司農을 임명받았다. 제자들에게는 물론 일반인들에게서도 訓詁學·경학의 시조로 깊은 존경을 받았다. 젊었을 때부터 학문에 뜻을 두었고, 경학의 今文과 古文 외에 天文·曆數에 이르기까지 광범한 지식을 갖추었다. 처음에 鄕嗇夫라는 지방의 말단관리가 되었으나 그만두고, 洛陽에 올라가 太學에 입학하여, 馬融 등에게 배웠다. 그가 낙양을 떠날 때, 마융이 "나의 학문이 정현과 함께 동쪽으로 떠나는구나!" 하고 탄식하였을 만큼 학문에 힘을 쏟았다. 그는 고문·금문에 모두 정통하였으며, 가장 옳다고

면적[羃]을 논했고, 동한 때 채씨蔡氏[蔡邕]의 『월령장구月令章句』에서는 세로 길이를 논했으니, 모두 바뀔 수 없는 이론이다. 다만 둘레와 지름에 대한 이론만은 한나라 이전에는 모두 명백하게 기록된 글이 없다. 『한서』「율력지」는 단서는 열었으나 끝을 맺지 못하였고, 동한 때 채씨蔡氏[蔡邕]는 처음으로 지름이 3분이라는 이론을 내었으며, 진晉나라 맹씨孟氏[孟康][61] 이후 여러 학자들이 이어서 지름 3분과 원주 9분이라는 이론을 주장하였고, 송대에 호씨胡氏[胡瑗]와 채씨蔡氏[蔡元定]가 또 지름 3분 4리 6호와 원주 10분 3리 8호라는 이론을 주장하였다. 그러나 고대의 정방형과 원의 둘레와 지름 및 면적과 부피를 상고해보면 모두 부합되지 않는다.

嘗依東漢蔡氏所言徑三分, 以『九章』少廣内祖氏密率乘除, 止得空圍内面羃七分七釐奇, 乃少一分九十二釐奇 ; 空圍内積實, 止得六百三十六分奇, 乃少一百七十三分奇. 如此, 則黃鐘之管, 無乃太狹? 蓋黃鐘空積忽 · 微, 若徑内差一忽, 卽面羃及積所差忽數至多. 此東漢蔡氏之說所以不合也.

일찍이 동한 때 채씨蔡氏[蔡邕]가 지름 3분이라고 한 말에 의거하여 『구장산술九章算術』의 소광술少廣術[62]로 조씨祖氏[祖沖之][63]의 밀율密率[64]을 넣어 곱하고 나누어보니, 다만 공위空圍 안의 단면적[面羃]이 7분 7리와 나머지를 얻어서 1분 92리와 나머지가 모자랐고, 공위空圍 안에 채워진 부피는 다만 632분과

. . . .

믿는 설을 취하여 『周易』 · 『尚書』 · 『毛詩』 · 『周禮』 · 『儀禮』 · 『禮記』 · 『論語』 · 『孝經』 등 경서에 주석을 하였고, 『儀禮』 · 『論語』 교과서의 定本을 만들었다. 그의 저서 가운데 완전하게 현존하는 것은 『毛詩』의 箋과 『周禮』 · 『儀禮』 · 『禮記』의 주해뿐이고, 그 밖의 것은 단편적으로 남아 있다.

61 孟康 : 자는 公休이고, 安平 廣宗(현 邢台市 廣宗縣) 사람이다. 黃初(220~226) 연간에 散騎侍郎이 되고, 正始(240~248) 연간에 弘農太守, 嘉平(249~254) 연간 말에 渤海太守를 거쳐, 中書監을 역임하고 廣陵亭侯에 봉해졌다. 삼국시대 위나라의 저명한 학자로서 특히 천문지리와 음운학에 정통하였다. 저서로는 『漢書音義』와 『老子注』가 있다. 그의 『漢書音義』는 훈고와 고증 방면으로 비교적 높은 성과를 보여 고대 전적에서 자주 인용되었는데, 원본은 오래전에 망실되었다.

62 少廣術 : 開方法을 말한다. 개방법은 제곱근이나 세제곱근 따위를 계산하여 그 답을 구하는 방법이다.

63 祖沖之(429~500) : 자는 文遠이고, 남북조 시대 宋나라의 范陽郡 遒縣(현 하북성 淶水縣) 사람이다. 조부 때부터 전해오는 가학을 익혀 당시 가장 뛰어난 수학자로서 천문학 · 지질학 · 지리학 · 물리학 등에 정통하였다. 벼슬은 南徐州從事史 · 公府參軍 · 婁縣令 · 謁者僕射 · 長水校尉 등을 역임하였다. 그는 역사상 최초로 원주율을 소수점 아래 6자리(3.1415926~3.1415927)까지 계산하였다. 그가 제시한 約率 22/7과 密率 355/113는 원주율 계산의 시조이다. 그의 수학적 연구 성과는 『綴術』로 편찬되어 당대에 국학의 수학 교재가 되었다. 또한 그가 편찬한 『大明曆』에서는 391년에 144개 윤달을 배치하여 1년을 평균 365.24281481일로 하였는데, 현대와 비교할 때 그 오차는 겨우 50초 좌우이다. 그 외에 음악과 기계 제작 방면으로도 뛰어난 연구를 하였다. 저서로는 『釋論語』 · 『釋孝經』 · 『易義』 · 『老子義』 · 『莊子義』와 소설 『述異記』 등이 있었는데 모두 실전되었다.

64 密率 : 정밀한 원주율 또는 도수를 말한다. 이에 대하여 『隋書』 권16 「律曆志上」에는, "밀률은 원지름이 113일 때 원주가 355/113이고, 약률은 원지름이 7일 때 원주가 22/7이다.(密率, 圓徑一百一十三, 圓周三百五十五. 約率, 圓徑七, 周二十二.)"라고 하였으나, 『樂律全書』 권25 「樂學新說」에는, "이 두 가지는 모두 약률이지 밀률이 아니다.(按, 二皆約率, 非密率也.)"라고 하였다. 본 『律呂新書』에서는 22/7를 밀률로 적용하고 있다.

나머지를 얻어서 173분과 나머지가 모자랐다. 이와 같으면 황종의 관이 너무 좁지 않겠는가? 대개 황종에 공연히 홀忽·미微[65]를 쌓아,[66] 만약 지름 안이 1홀忽 차이가 나면 단면적 및 부피에서 차이가 나는 홀忽의 수는 매우 많을 것이다. 이것이 동한 때 채씨蔡氏[蔡邕]의 이론이 부합되지 못하는 까닭이다.

晉孟氏諸儒言徑三分·圍九分, 又用徑一圍三之法, 雖是古率, 然古人大約以此圓田. 若以密率推之, 徑一, 則圍三有奇. 假如徑七, 則圍當二十有二. 今依孟氏所言徑三分, 則圍長當九分四釐二毫一秒彊, 不但止於九分也. 若依九分圍長之數, 則徑當止有二分八釐六毫二秒六忽彊, 又不及三分也. 此晉孟氏諸儒之說所以不合也.

진晉나라 맹씨孟氏[孟康]와 여러 학자들은 지름이 3분이고 원주가 9분이라고 말하고 또 지름 1에 원주 3이라는 표준을 사용하였으니, 이것은 비록 고대의 원주율이지만 고대 사람들은 대략 이것으로써 원전술圓田術을 삼았다. 만약 밀율密率로 그것을 미루어보면 지름이 1이면 원주는 3과 나머지가 있다. 만약 지름이 7이면 원주는 22에 상당한다. 이제 맹씨孟氏[孟康]가 말한 지름 3분에 의거하면 원주의 길이는 9분 4리 2호毫 1초秒 남짓에 상당하여 다만 9분에 그치지 않는다.[67] 만약 9분이 원주 길이의 수인 것에 의거하면 지름은 마땅히 2분 8리 6호 2초 6홀忽 남짓에 그쳐야 할 것이니 또한 3분에 미치지 못한다.[68] 이것이 진晉나라 맹씨孟氏[孟康]와 여러 학자들의 이론이 부합하지 못하는 까닭이다.

宋胡氏不主徑三·圍九之說, 大意疑其管狹耳. 然所言徑長三分四釐六毫, 圍長十分三釐八毫, 亦用徑一·圍三之率. 若依所言三分四釐六毫徑, 當得圍長十分八釐七毫六秒二忽彊, 不但止於十分三釐八毫也. 若依十分三釐八毫圍長之數, 則徑止得三分三釐奇, 又不及三分四釐六毫也. 此宋胡氏之說所以不合也.

· · · · · · · · · · · · · · · · · · · ·

65 忽·微: 10미가 1홀이다.

66 공연히 忽·微를 쌓아: 黃鎭成『尙書通考』권3에서, "맹강이 말했다. '홀·미는 있는 듯 없는 듯하여 머리카락 보다 가늘다는 것이다. 空積(공연히 쌓는다)은 마치 정씨가 1촌을 나누어 수천으로 하는 것과 같다.(孟康曰, '忽·微, 若有若無, 細於髮者. 空積, 若鄭氏分一寸爲數千.')'"라고 하였다.
또 陳埴은『木種集』권10에서, "'공연히 忽·微를 쌓아'라는 말은 무슨 뜻인가? 공연히 수를 세워 홀·미의 수를 구한다는 것이다.(空積忽·微, 如何言? 起空立數以求忽微之數也.)"라고 하였다.

67 이제 孟氏[孟康]가 … 않는다. : 유희는『律呂新書摘解』「律呂本元」에서, "부주에 노재 팽씨가 논한 계산법은 자못 상세하면서도 간단하지만 그것을 기록한 수는 오차가 많다. 이제 密率로 그것을 헤아려 보니 만약 지름이 3분이면 둘레는 9분 4리 2호 8사 강을 얻는다. 그러므로 둘레의 반과 반지름을 서로 곱하면 707리 강을 얻어서 그것을 9분과 비교하면 1분 92리와 나머지가 부족하다. 그렇다면 '1초'라고 말한 것은 잘못이다.(附註彭氏論籌頗爲詳簡, 而所記之數, 多有差誤. 今以密率推之, 若徑三分, 則周得九分四里二毫八絲强. 故半周半徑相乘得七百零七里强, 以之較九分而不足一分九十二里奇也. 然則其云一秒者, 誤也.)"라고 하였다.

68 만약 9분이 … 못한다. : 유희는『律呂新書摘解』「律呂本元」에서, "만약 둘레가 9분이면 지름은 2분 8리 6호 3초 6홀 강을 얻는데 그것을 '2초'라고 말한 것은 잘못이다.(若周九分, 則徑得二分八里六毫三秒六忽强, 其云二秒誤也.)"라고 하였다.

송대 호씨胡氏[胡瑗]는 지름이 3분이고 원주가 9분이라는 이론을 주장하지 않았으니, 대체로 그 관이 좁다고 생각했을 뿐이다. 그러나 그가 말한 지름의 길이 3분 4리 6호와 원주의 길이 10분 3리 8호도 역시 지름 1에 원주 3의 원주율을 쓴 것이다. 만약 그가 말한 3분 4리 6호의 지름에 의거하면 마땅히 원주의 길이는 10분 8리 7호 6초 2홀 남짓을 얻어야 하니 다만 10분 3리 8호에 그치지 않는다.[69] 만약 10분 3리 8호라는 원주 길이의 수에 의거하면 지름은 다만 3분 3리와 나머지를 얻을 것이니 또한 3분 4리 6호에 미치지 못한다. 이것이 송대 호씨胡氏[胡瑗]의 이론이 부합하지 못하는 까닭이다.

宋蔡氏說徑·圍分數與胡氏同. 至於筭法用圓田術, 三分益一, 得一十二, 開方除之求徑. 又以徑相乘, 以管長乘之, 用三分益一, 四分退一之法求羃·積. 今姑依其說, 以九方分平置▦, 又三分益一, 以三方分割置於九方分之外如此▦, 共積十二方分, 其從橫可得三分四釐六毫彊, 不盡二毫八絲四忽, 的如蔡氏之說. 但依此徑以密率相乘, 則空圍內面羃, 不但止得九方分, 乃得九方分零四十釐六十毫五十七秒十四忽奇. 空圍內積實, 不但止得八百一十分, 乃得八百四十六分五百四十五釐一百四十二秒六百忽奇. 如此, 則黃鐘之管, 無乃太大? 細考之, 方內之圓所占者不止四分三, 圓外之方所當退者又不及四分一. 以此知三分益一, 四分退一, 乃虛加實退, 筭家大約之法. 此宋蔡氏之說所以又不能以盡合也.

송대 채씨蔡氏[蔡元定]가 지름과 원주의 분수分數를 말한 것은 호씨胡氏[胡瑗]와 같다. 계산법의 경우는 원전술圓田術을 써서 삼분익일三分益一하여 12를 얻고, 개방법開方法으로 그것을 나누어 지름을 구했다. 또 지름을 서로 곱하고 관 길이를 거기에 곱하여, 삼분익일과 사분퇴일四分退一[70]의 방법을 써서 면적과 부피를 구했다. 이제 우선 그(호원)의 이론에 의해 9평방분을 '고르게 두고平置'▦[71] 또 삼분익일하여 3평방분을 9평방분의 밖에 이와같이▦ '분할하여 두면割置',[72] 총 면적은 12평방분이고, 그 가로 세로는 3분 4리 6호 강彊과 남은 수 2호 8사 4홀을 얻을 수 있으니, 확실히 채씨蔡氏[蔡元定]의 이론과 같다. 그러나 이 지름에 의거해서 밀율密率로 서로 곱하면 공위空圍 안의 단면적은 단지 9평방분을 얻는데 그치지 않고 9평방분과 40리 60호 57초 14홀의 나머지를 얻는다.[73] 공위 안에

<hr />

69 만약 그가 … 않는다. : 유희는 『律呂新書摘解』「律呂本元」에서, "만약 지름이 3분 4리 6호라고 하면 둘레는 10분 8리 7호 4초 2홀 강을 얻는다. 그것을 '6초'라고 말한 것은 잘못이다.(若徑三分四里六毫 則周得十分八里七毫四秒二忽強 其云六秒, 誤也.)"라고 하였다.

70 四分退一 : 넷으로 나누어 그 가운데 하나를 원래의 수에서 덜어내는 것이다.

71 이제 우선 … 두고'▦ : 유희는 『律呂新書摘解』「律呂本元」에서, "만약 9개의 평방분이 원의 면적이 되면 그 형태는 마땅히 ▦이어야 하는데 ▦라고 지은 것은 잘못이다.(若九個方分 爲圓積 則其形當爲▦, 其作▦ 誤也.)"라고 하였다.

72 또 삼분익일하여 … 두면割置' : 유희는 『律呂新書摘解』「律呂本元」에서, "만약 12평방분으로써 사각형의 면적을 삼는다면 그 형태는 마땅히 ▦여야 하는데, 그것을 ▦ 라고 한 것 역시 잘못이다.(若以十二方分爲方積, 則其形當爲▦, 其又作▦ 亦誤也.)"라고 하였다.

73 그러나 이 … 얻는다. : 유희는 『律呂新書摘解』「律呂本元」에서, "만약 지름이 3분 4리 6호라고 한다면 단면적은 9평방분과 40리 62호 47초 14홀 강을 얻는데, 그것을 단지 '60호'라고 말한 것은 문장에 빠트린 것이 있다.

채워진 부피는 다만 810분에 그치지 않고 846분과 545리 142초 600홀의 나머지를 얻는다.[74] 이와 같으면 황종의 관이 너무 크지 않겠는가? 자세히 살펴보면, 사각형 안의 원이 사각형에서 차지하고 있는 면적은 원의 3/4에 그치지 않고, 원 밖의 사각형이 원에서 덜어내야 할 면적도 1/4에 미치지 못한다. 이로써 삼분익일과 사분퇴일의 계산법은 곧 빈 것에는 더하고 채워져 있는 것에는 덜어내는 것이니 산술가의 대략적인 계산법이라는 것을 알 수 있다. 이것이 송대 채씨蔡氏[蔡元定]의 이론이 또 완전히 부합될 수는 없었던 까닭이다.

今欲求黃鐘律管從長·周·徑·羃·積的實定數者, 須依蔡氏多截管候氣之說, 又以祖氏冲之密率乘除方可. 蓋祖冲之乃古今筭家之最, 而蔡氏多截管候氣之說, 實得造律本原, 其說有前人未發者. 今宜依此說, 先多截竹以擬黃鐘之管, 或短, 或長, 長短之內, 每差纖微, 各爲一管, 悉以此諸管埋地中, 俟冬至時驗之.

이제 황종율관의 세로길이와 둘레와 지름과 면적과 부피의 정확한 수를 구하려고 하는 자는 반드시 많은 관을 잘라 후기候氣(절기변화의 징험함)한 채씨蔡氏[蔡元定]의 이론에 의거하고 또 조씨 충지祖氏冲之[祖冲之]의 밀율로 계산해야만 될 것이다. 조충지는 바로 고금의 산술가 가운데 최고이고, 많은 관을 잘라 후기候氣한 채씨蔡氏[蔡元定]의 이론은 실로 율律을 제정하는 본원을 얻어서 그 이론이 이전 사람들이 드러내지 못한 것이 있기 때문이다. 이제 마땅히 이 이론에 의거해서 먼저 대나무를 많이 잘라서 황종의 관으로 가늠하여 혹은 짧게 혹을 길게 하되, 길고 짧은 사이에 매번 그 차이를 매우 미세하게 해서 각각 하나의 관을 만들어, 이 관들을 모두 땅에 묻고는 동지 시각이 되기를 기다려 증험해야 한다.

若諸管之中有氣應者, 卽取其管而計之. 知此管合於造化自然, 非人力可爲, 卽以此管分作九寸, 寸作九分, 分作九釐, 釐作九毫, 毫作九秒, 秒作九忽, 以合八十一終天之數. 及元氣運行, 自子至亥, 得十七萬七千一百四十七之數. 凡用此管三分損益, 上下相生由此. 又取此管九寸, 寸作十分, 分作十釐, 釐作十毫, 毫作十秒, 秒作十忽, 以合天·地五位終於十之數. 乃以十乘八十一, 得八百一十分. 以八百一十分, 配九十分管, 知此管長九十分, 空圍中容八百一十分. 卽十分管長空圍中容九十分, 一分管長空圍中容九分. 凡求度·量·衡由此.

만약 여러 관 가운데에 기氣가 호응하는 것이 있으면 그 관을 가져다가 계산한다. 이 관은 천지자연의 조화造化에 부합한 것이지 사람의 힘으로 그렇게 한 것이 아님을 알 수 있으니, 곧 이 관을 9촌으로 나누고, 1촌을 9분으로 하며, 1분을 9리로 하고, 1리를 9호로 하며, 1호를 9초로 하고, 1초를 9홀로 하여 81이라는 '종천의 수終天之數'[75]에 합치시킨다. 원기元氣의 운행에 이르러서는 자子로부터

....

(若徑三分四里六毫, 則羃得九方分四十里六十二毫五十七秒十四忽强, 其但云'六十毫', 闕文也.)"라고 하였다.

74 공위 안에 … 얻는다. : 유희는 『律呂新書摘解』「律呂本元」에서, "이 수에 9를 곱하면 부피 846분과 563리 142호 600초의 나머지를 얻는데, 그것을 545리 142초 600홀이라고 한 것은 잘못이다.(九乘此數, 得積八百四十六分五百六十三里一百四十二秒六百忽奇, 其云五百四十五里一百四十二秒六百忽, 誤也.)"라고 하였다.

해亥까지 177,147의 수를 얻는다. 모두 이 관을 가지고 삼분손익三分損益하니, 상하로 상생하는 것이 이것으로 말미암는다. 또 이 관 9촌을 가지고 1촌을 10분으로 하고, 1분을 10리로 하며, 1리를 10호로 하고, 1호를 10초로 하며, 1초를 10홀로 하여 '하늘의 수 5개와 땅의 수 5개[天地五位]'[76]가 10의 수로 끝나는 것과 합치시킨다. 이에 10으로 81에 곱해서 810분을 얻는다. 810분으로 90분 관에 배당하면, 이 관의 길이가 90분이고 공위空圍 가운데에 810분을 담을 수 있다는 것을 알 수 있다. 곧 10분 길이의 관은 공위 속에 90분(입방분)을 담을 수 있고, 1분 길이의 관은 공위 속에 9분(입방분)을 담을 수 있다. 도·량·형을 구하는 것은 여기에서 말미암는다.

乃以此管面空圍中所容九分, 以平方羃法推之, 知一分有百釐, 釐有百毫, 毫有百秒, 秒有百忽. 積而計之, 一平方分, 通有面羃一萬萬忽 ; 九平方分, 通有面羃九萬萬忽. 乃以此九萬萬忽, 依『筭經』「少廣章」所載宋祖冲之密率乘除, 得圓周長的計十分六釐三毫六秒八忽, 萬分忽之六千三百一十二. 又一圓周求徑, 計三分三釐八毫四秒四忽, 萬分忽之五千六百四十五. 又以半徑·半周相乘, 仍得九萬萬忽, 內一忽弱. 通得面羃九平方分也.

이에 이 관 단면의 공위 속의 용량 9분(입방분)을 평방 면적법[平方羃法]으로 추산하면 1분에는 100리가 있고, 1리에는 100호가 있으며, 1호에는 100초가 있고, 1초에는 100홀이 있음을 안다. 그것을 누적해서 계산하면 1평방분에는 통틀어 단면적 100,000,000홀이 있고, 9평방분에는 통틀어 단면적 900,000,000홀이 있다. 이에 이 900,000,000홀을 『산경筭經[九章算術]』「소광장少廣章」에 실려 있는 남조의 송나라 조충지의 밀율에 의거하여 계산하면, 원주의 길이의 정확한 계산인 10분 6리 3호 6초 8홀과 6,312/10,000홀($2 \times 22/7 \times 16,922.2822445 = 106,368.6312511$)을 얻는다. 또 원주를 지름으로 구하면 3분 3리 8호 4초 4홀과 5,645/10,000홀로($\sqrt{900,000,000 \times 22/7} \times 2 = 33,844.5644980$) 계산된다. 또 반지름과 둘레의 반을 서로 곱하면 여전히 900,000,000홀을 얻고, 그 안에 1홀이 약弱하다.(16,922.2822445× 16,922.2822445×22/7=899,999,999.9964113)[77] 통틀어 단면적 9평방분을 얻는다.

· ·

75 '종천의 수[終天之數]' : 『前漢書』권21上「律曆志」제1上에서, "종천의 수는 81을 얻어서, 하늘과 땅의 각각 5개 자리의 합이 10에 끝난 것으로 그것을 곱하면 810분이 되고, 이것은 역법에서 1번 통일되는 1,539년이라는 章數와 상응하니, 황종의 實이다.(終天之數, 得八十一, 以天地五位之合終於十者乘之, 爲八百一十分, 應曆一統千五百三十九歲之章數, 黃鐘之實也.)"라고 하였다.

76 '하늘의 수 5개와 땅의 수 5개[天地五位]' : 『易』「繫辭上」에서, "하늘은 1, 땅은 2, 하늘은 3, 땅은 4, 하늘은 5, 땅은 6, 하늘은 7, 땅은 8, 하늘은 9, 땅은 10이다. 하늘의 수 5개와 땅의 수 5개가 5개의 자리에서 서로를 얻어서 각기 결합함이 있다.(天一, 地二, 天三, 地四, 天五, 地六, 天七, 地八, 天九, 地十. 天數五, 地數五, 五位相得而各有合.)"라고 하였다. 여기에서 '하늘의 수 5개'는 '天一, 天三, 天五, 天七, 天九'를 가리키고, '땅의 수 5개'는 '地二, 地四, 地六, 地八, 地十'을 가리킨다.

77 그 안에 1홀이 弱하다.(16,922.2822445×16,922.2822445×22/7=899,999,999.9964113) : 유희는 『律呂新書摘解』「律呂本元」에서, "9만만홀을 두고 면적법으로써 8.25를 제하면 2.33766…을 얻는데, 그것으로써 개방하여 4.8349377812…를 얻는다. 이것으로써 22를 곱하면 둘레 10분 6리 3호 6초 8홀 6312를 얻는다. 별도로 7을 곱하여 지름 3분 5리 8호 4홀 6447을 얻고, 반지름과 둘레의 반을 서로 곱하여 89,999홀과 8,562,781을 얻는다. 이것이 이른바 9만만홀에 곧 1홀이 약하다는 것이다.(置九萬萬忽, 以羃法八二五除之, 得二三三七六六奇, 以

既以周·徑相乘, 復得面冪, 如此, 則黃鐘之廣與長, 及空圍內積實, 皆可計矣. 故面冪計九方分. 深一分管, 則空圍內當有九立方分；深九十分管, 計九寸, 則空圍內當有八百一十立方分. 此卽黃鐘一管之實, 其數與天地造化無不相合, 此算法所以成也. 算法既成之後, 或以竹, 或以銅, 別爲之依其長, 各作八十一分以爲十二律相生之法. 又依其長作九十分, 乃取九十分之分計三分三釐八毫四秒四忽, 萬分忽之五千六百四十五以合孔徑. 如此, 則圓長·面冪與夫空圍內積, 自然無不諧會. 特徑數自八毫以下, 非可細分. 而算法積忽與秒, 不容不然.”

원주와 지름을 서로 곱하여 다시 단면적을 얻은 것이 이미 이와 같다면, 황종의 너비[廣(지름)]와 길이 및 공위 안의 용적을 모두 계산할 수 있다. 그러므로 단면적은 9평방분으로 계산된다. 깊이가 1분 관이면 공위 안은 당연히 9입방분이 되어야 하고, 깊이 90분 관은 계산하면 9촌이니, 공위 안에는 당연히 810입방분이 되어야 한다. 이것이 곧 '황종관의 실實(3^{11})'[78]이고, 그 수는 천지의 조화造化와 서로 부합되지 않음이 없으니, 이에 계산법이 완성되었다. 이미 계산법이 완성된 뒤에 혹은 대나무로 혹은 동銅으로 따로 만드는데, 그 길이에 의거하여 각각 81분으로 만들어 12율이 상생하는 법을 삼는다. 또 그 길이에 의거하여 90분을 만드니, 이에 90분의 1분을 가지고 3분 3리 8호 4초 4홀과 5,645/10,000홀로 계산하여 구멍의 지름에 부합된다. 이와 같으면 원의 길이·단면적과 공위 안의 용적은 저절로 잘 들어맞지 않는 경우가 없다. 다만 지름의 수는 8호 이하부터는 세분할 수 있는 것이 아니다. 그러나 계산법에서는 홀과 초를 누적하니 그렇게 하지 않을 수 없다.”

[22-2]

黃鐘之實 第二 以『淮南子』·漢前志定. 其寸·分·釐·毫·絲之法, 以「律書」生鐘分定.

제2장 황종의 실 『회남자』와 『전한서』 「율력지」에 의거하여 정했다. 그 촌·분·리·호·사의 법은 『사기』 「율서」 생종분生鐘分에 의거하여 정했다.

[22-2-1]

子一, 黃鐘之律.
자子는 1(3^0)이니 황종의 율律이다.

之開方得四八三四九三七七八一二强. 乃以二十二乘之, 得周十分六里三毫六秒八忽六三一二. 另以七乘之, 得徑三分五里八毫四忽五六四四七, 半徑半周相乘, 得數八萬九千九百九十九忽八五六二七八一. 此所謂九萬萬忽乃一忽弱也.)”라고 하였다.

78 '황종관의 實(3^{11})' : 이 말의 의미는, 황종관을 기준으로 삼분손익하여 나머지 11개의 율관을 만들려면, 그 계산을 위해 가장 작은 3의 배수는 3^{11}(177,147)이라는 것이다. 다음 장의 '황종의 실(黃鐘之實)'도 같은 의미이다.

丑三, 爲絲法.

축丑은 3(3^1)이니 (황종의) 사법絲法이다.[79]

寅九, 爲寸數.

인寅은 9(3^2)이니 (황종의) 촌수寸數이다.[80]

卯二十七, 爲毫法.

묘卯는 27(3^3)이니 (황종의) 호법毫法이다.

辰八十一, 爲分數.

진辰은 81(3^4)이니 (황종의) 분수分數이다.

巳二百四十三, 爲釐法.

사巳는 243(3^5)이니 (황종의) 리법釐法이다.

午七百二十九, 爲釐數.

오午는 729(3^6)이니 (황종의) 리수釐數이다.

未二千一百八十七, 爲分法.

미未는 2,187(3^7)이니 (황종의) 분법分法이다.

申六千五百六十一, 爲毫數.

신申은 6,561(3^8)이니 (황종의) 호수毫數이다.

---

79 丑은 … 絲法이다. : 絲法은 사단위로 환산할 때 '나누는 수(분모)'이다. 이에 황종의 實 177,147(3^{11})을 사단위로 환산하면 황종의 絲數는 $3^{11} \div 3^1 = 3^{10}$이 된다. 아래의 호법·리법·분법·촌법도 마찬가지로 환산하면 된다. 유희는 『律呂新書摘解』「律呂本元」에서, "산술가는 그것으로서 다른 수를 곱하거나 나누는 수를 일러 法이라고 하고, 그 다른 수를 일러 實이라고 한다. 지금 황종의 실은 177,147인데 3으로 그것을 나누면 59,049를 얻어 황종의 絲數가 되고, 또 3으로써 사수를 곱하면 다시 황종의 실을 얻으므로, 3을 사법이라고 명명한다. 호법·리법·분법·촌법도 모두 이를 따른다.(籌家謂所以乘除他數之數曰法, 謂其他數曰實. 今黃鐘之實, 一十七萬七千一百四十七, 而以三除之, 則得五萬九千零四十九爲黃鐘之絲數, 又以三乘絲數復得其實, 故命三曰絲法也. 毫·釐·分·寸之法, 皆倣此.)"라고 하였다.

80 寅은 … 寸數이다. : 寸數는 촌단위로 환산하여 얻은 수이다. 이에 황종의 實 177,147(3^{11})을 촌단위로 환산하면 황종의 촌수는 $3^{11} \div 3^9 = 3^2$이다. 아래의 사수·호수·리수·분수도 마찬가지로 환산하면 된다.

酉一萬九千六百八十三, 爲寸法.

유酉는 19,683(3^9)이니 (황종의) 촌법寸法이다.

戌五萬九千□□四十九, 爲絲數.

술戌은 59,049(3^{10})이니 (황종의) 사수絲數이다.

亥一十七萬七千一百四十七, 黃鐘之實.

해亥는 177,147(3^{11})이니 황종의 실實이 된다.

[22-2-1-0]

按: 黃鐘九寸, 以三分爲損益. 故以三歷十二辰, 得一十七萬七千一百四十七爲黃鐘之實. 其十二辰所得之數, 在子寅辰午申戌六陽辰, 爲黃鐘寸分釐毫絲之數; 子爲黃鐘之律, 寅爲九寸, 辰爲八十一分, 午爲七百二十九釐, 申爲六千五百六十一毫, 戌爲五萬九千四十九絲. 在亥酉未巳卯丑六陰辰, 爲黃鐘寸分釐毫絲之法. 亥爲黃鐘之實, 酉之一萬九千六百八十三爲寸, 未之二千一百八十七爲分, 巳之二百四十三爲釐, 卯之二十七爲毫, 丑之三爲絲. 其寸分釐毫絲之法, 皆用九數. 故九絲爲毫, 九毫爲釐, 九釐爲分, 九分爲寸爲黃鐘. 蓋黃鐘之實, 一十七萬七千一百四十七之數. 以三約之, 爲絲者五萬九千四十九; 以二十七約之, 爲毫者六千五百六十一; 以二百四十三約之, 爲釐者七百二十九; 以二千一百八十七約之, 爲分者八十一; 以一萬九千六百八十三約之, 爲寸者九. 由是三分損益, 以生十一律焉.

생각건대, 황종 9촌은 3등분 한 것을 덜어내거나 더하는 기준으로 삼는다. 그렇기 때문에 3으로 12신辰을 거쳐서 177,147(3^{11})을 얻어 황종의 실이 된다. 그 12신이 얻은 수가 자子·인寅·진辰·오午·신申·술戌 6개의 양신陽辰에 있는 것은 황종의 촌寸·분分·리釐·호毫·사絲의 수數가 되고, 자子는 황종의 율律이 되고, 인寅은 9촌이 되며, 진辰은 81분이 되고, 오午는 729리가 되고, 신申은 6,561호가 되며, 술戌은 59,049사가 된다. 해亥·유酉·미未·사巳·유卯·축丑 6개의 음신陰辰에 있는 것은 황종의 촌寸·분分·리釐·호毫·사絲의 법法이 된다. 해亥는 황종의 실수가 되고, 유酉의 19,683은 촌이 되며, 미未의 2,187은 분이 되고, 사巳의 243은 리가 되고, 묘卯의 27은 호가 되며, 축丑의 3은 사가 된다. 그 촌寸·분分·리釐·호毫·사絲의 법法은 모두 9진법을 적용한다. 그러므로 9사는 1호이고, 9호는 1리이며, 9리는 1분이고, 9분은 1촌이 되며 (9촌은) 황종이 된다. 황종의 실은 그 수가 177,147이다. 그것을 3으로 나누면 사絲가 되는 것이 59,049이고, 그것을 27로 나누면 호毫가 되는 것이 6,561이며, 그것을 243으로 나누면 리釐가 되는 것이 729이고, 그것을 2,187로 나누면 분分이 되는 것이 81이며, 그것을 19,683으로 나누면 촌寸이 되는 것이 9이다. 이로부터 삼분손익하여 11율을 낳는다.

或曰: "徑圍之分以十爲法, 而相生之分釐毫絲以九爲法, 何也?"

曰: "以十爲法者, 天地之全數也; 以九爲法者, 因三分損益而立也. 全數者卽十而取九;

相生者約十而爲九. 卽十而取九者, 體之所以立. 約十而爲九者, 用之所以行. 體者所以定
中聲, 用者所以生十一律也." 或問: "算到十七萬有餘之數, 當何用?" 朱子曰: "以定管之長短而出是聲.
大抵考究其法是如此."

어떤 사람이 물었다. "지름과 원주를 계산할 때에는 10진법을 쓰는데, 상생을 계산할 때의 리釐·호
毫·사絲는 9진법을 쓰니 무엇 때문입니까?"

대답했다. "천지의 전체 수는 10진법을 쓰고, 삼분손익에 따라 세운 것은 9진법을 쓴다. 전체 수는
10에서 9를 취하는 것이고, 상생은 10을 줄여서 9가 되는 것이다. 10에서 9를 취하는 것은 체體가
정립되는 것이고, 10을 줄여서 9가 되는 것은 용用이 유행하는 것이다.[81] 체는 중성中聲을 정하는
것이고, 용은 11율을 낳는 것이다." 어떤 사람이 물었다. "177,147이라는 수까지 계산한 것을 어디에 쓸
것입니까?" 주자가 대답했다. "그것으로 관의 길고 짧음을 정하여 이 성聲을 내는 것이다. 대체로 그 환산법을
고찰한 것이 이와 같다."[82]

[22-3]

黃鐘生十一律 第三 제3장 황종이 11율을 낳는다.

[22-3-1]

子一分.

자子는 1/1이다.

一爲九寸.

1등분한 것이 9촌이다.[83]

....

81 10에서 9를 … 것이다. : 劉瑾은 『律呂成書』 권2에서, "땅의 수는 10에서 끝나는데 10은 음수이니 조화의
體가 정립된다. 하늘의 수는 9에서 끝나는데 9는 양수이니 조화의 用이 유행하는 것이다.(蓋地之數極於十,
十者陰數也, 造化之體所以立也. 天之數極於九, 九者陽數也, 造化之用所以行也.)"라고 주석하였다.

82 어떤 사람이 … 같다." : 『朱子語類』 권92, 45조목에는 "물었다. '17만 얼마라는 수까지 계산한 것을 어디에
쓸 것입니까?' 주자가 대답했다. '그것으로 관의 길고 짧음을 정하여 이 聲을 내는 것이다. 예컨대 태주 4촌은
오직 半聲을 써야 조화롭다. 대체로 그 환산법을 고찰한 것이 이와 같으니, 또한 쓸 수 있는지 여부를 아직
알지 못할 뿐이다.'(問, '算到十七萬有餘之數, 當何用?' 曰, '以定管之長短而出是聲. 如太簇四寸, 惟用半聲方
和. 大抵考究其法是如此, 又未知可用與否耳.')"라고 하였다.

83 1등분한 것이 9촌이다. : 劉瑾은 『律呂成書』 권2에서, "子의 1이 9촌이라는 것은 1로써 황종의 전체를 묶는다
는 것이다. 나머지 11신에서 세어지는 수도 각각 그 많고 적음에 따라 그것을 묶되 모두 황종의 촌·분·리·
호·사의 本數와 합치한다.(子之一爲九寸者, 是以一而約黃鍾之全體也. 餘十一辰所歷之數, 各随其多寡約之,
而皆合黃鍾寸·分·釐·毫·絲之本數.)"라고 하였다.

丑三分二.

축丑은 2/3이다.

一爲三寸.

3등분한 것 중에 1등분이 3촌이다.[84]

寅九分八.

인寅은 8/9이다.

一爲一寸.

9등분한 것 중에 1등분이 1촌이다.[85]

卯二十七分十六.

묘卯는 16/27이다.

三爲一寸, 一爲三分.

27등분한 것 중에 3등분이 1촌이고, 1등분이 3분이다.

辰八十一分六十四.

진辰은 64/81이다.

九爲一寸, 一爲一分.

---

84 3등분한 것 … 3촌이다. : 유근은 『律呂成書』 권2에서, "丑의 3이라는 수로 묶은 것은 1을 3촌으로 삼은 것이니 합계 9촌이 되어 황종의 본수이다. 2는 子의 1을 배가하여 임종을 下生하는 것이다. 임종이 얻은 2라는 수로 묶은 것에 의거하면 1이 3촌이 되니 합계 6촌이다. 이것은 황종을 묶는 방법으로서 임종을 묶은 촌수이다.(丑之三數約, 以一爲三寸, 則共爲九寸, 是黃鍾本數也. 二者倍其子之一以下生林鍾也. 據林鍾所得二數約, 以一爲三寸, 則共爲六寸. 此以所約黃鍾之法而約林鍾寸數也.)"라고 하였다.

85 9등분한 것 … 1촌이다. : 유근은 『律呂成書』 권2에서, "寅의 9라는 수로 묶은 것은 1을 1촌으로 삼은 것이니 합계 9촌이 되어 역시 황종의 본수이다. 8은 임종의 2라는 수를 4배하여 태주를 上生하는 것이다. 태주가 얻은 8이라는 수로 묶은 것에 의거하면 1이 1촌이 되니 합계 8촌이다. 이것은 황종을 묶는 방법으로서 태주를 묶은 촌수이다.(寅之九數約, 以一爲一寸, 則共爲九寸, 亦黃鍾本數也. 八者四倍林鍾之二數, 以上生太簇也. 據太簇所得八數約, 以一爲一寸, 則共爲八寸. 此以所約黃鍾之法而約太簇寸數也.)"라고 하였다. 아래의 寅 8/9부터 亥 65,536/177,147까지도 같은 방법으로 하생과 상생을 교대로 하면서 남려부터 중려까지의 촌수를 말하고 있다.

81등분한 것 중에 9등분이 1촌이고, 1등분이 1분이다.

巳二百四十三分一百二十八.

사巳는 128/243이다.

二十七爲一寸, 三爲一分, 一爲三釐.

243등분한 것 중에 27등분이 1촌이고, 3등분이 1분이며, 1등분이 3리이다.

午七百二十九分五百一十二.

오午는 512/729이다.

八十一爲一寸, 九爲一分, 一爲一釐.

729등분한 것 중에 81등분이 1촌이고, 9등분이 1분이며, 1등분이 1리이다.

未二千一百八十七分一千二十四.

미未는 1,024/2,187이다.

二百四十三爲一寸, 二十七爲一分, 三爲一釐, 一爲三毫.

2,187등분한 것 중에 243등분이 1촌이고, 27등분이 1분이며, 3등분이 1리이고, 1등분이 3호이다.

申六千五百六十一分四千九十六.

신申은 4,096/6,561이다.

七百二十九爲一寸, 八十一爲一分, 九爲一釐, 一爲一毫.

6,561등분한 것 중에 729등분이 1촌이고, 81등분이 1분이며, 9등분이 1리이고, 1등분이 1호이다.

酉一萬九千六百八十三分八千一百九十二.

유酉는 8,192/19,683이다.

二千一百八十七爲一寸, 二百四十三爲一分, 二十七爲一釐, 三爲一毫, 一爲三絲.

19,683등분한 것 중에 2,187등분이 1촌이고, 243등분이 1분이며, 27등분이 1리이고, 3등분이 1호이며, 1등분이 3사이다.

戌五萬九千四十九分三萬二千七百六十八.

술戌은 32,768/59,049이다.

六千五百六十一爲一寸, 七百二十九爲一分, 八十一爲一釐, 九爲一毫, 一爲一絲.

59,049등분한 것 중에 6,561등분이 1촌이고, 729등분이 1분이며, 81등분이 1리이고, 9등분이 1호이며, 1등분이 1사이다.

亥一十七萬七千一百四十七分六萬五千五百三十六.

해亥는 65,536/177,147이다.

一萬九千六百八十三爲一寸, 二千一百八十七爲一分, 二百四十三爲一釐, 二十七爲一毫, 三爲一絲, 一爲三忽.

177,147등분한 것 중에 19,683등분이 1촌이고, 2,187등분이 1분이며, 243등분이 1리이고, 27등분이 1호이며, 3등분이 1사이고, 1등분이 3홀이다.

[22-3-1-0]

按 : 黃鐘生十一律, 子寅辰午申戌, 六陽辰皆下生 ; 丑卯巳未酉亥, 六陰辰皆上生. 其上以三歷十二辰者, 皆黃鐘之全數. 其下陰數以倍者, 卽筭法倍其實. 三分本律而損其一也, 陽數以四者, 卽筭法四其實. 三分本律而增其一也. 六陽辰當位自得, 六陰辰則居其衝. 其林鐘南呂應鐘, 三呂在陰無所增損 ; 其大呂夾鐘仲呂, 三呂在陽則用倍數, 方與十二月之氣相應. 蓋陰之從陽, 自然之理也.

생각건대, 황종이 11율을 낳는 것에는, 자子·인寅·진辰·오午·신申·술戌 6개의 양신陽辰은 모두 하생下生하고,[86] 축丑·묘卯·사巳·미未·유酉·해亥 6개의 음신陰辰은 모두 상생上生한다.[87] 그 위(분모)의 경우[88] 3으로 12신辰을 거치는 것이 모두 황종의 전체 수이다. 그 아래(분자)의 경우[89] 음수陰數(음신에 해당하는 수)는 2배로 한 것이니 곧 계산법에서 그 실實을 2배(2/3)로 하는 것이다. '해당 율관本律'을 3등분해서 그 1등분을 덜어낸 것이며, 양수陽數(양신에 해당하는 수)는 4배로 한 것이니 곧 계산법에서 그 실實을 4배(4/3)로 하는 것이다. 해당 율관을 3등분해서 그 1등분을 보탠 것이다. 6개의 양신陽辰은 해당하는 자리를 저절로 얻고 6개의 음신陰辰은 그 반대편에 자리 잡는다.[90] 그 가운데 임종林鐘·남

---

86 下生하고 : 삼분손일을 가리킨다.
87 上生한다. : 삼분익일을 가리킨다.
88 그 위(분모)의 경우 : 예컨대 "丑三分二.(축은 2/3이다.)"에서 '分' 자 위의 것 즉 '3'을 가리킨다.
89 그 아래(분자)의 경우 : 예컨대 "丑三分二.(축은 2/3이다.)"에서 '分' 자 아래의 것 즉 '2'를 가리킨다.
90 6개의 陽辰은 … 잡는다. : 유근의 『율려성서』 권2에서, "안성 황씨가 말했다. '子는 양신이니 황종은 해당하는 자리를 저절로 얻었다. 未는 丑의 반대편인데 임종은 축으로써 미에 자리 잡았으므로 그 반대편에 자리 잡았다. 다른 것도 이와 같다.(安成黃氏曰, '子爲陽辰, 黃鍾當位自得也. 未爲丑衝, 林鍾以丑而居未, 居其衝也. 他

려南呂·응종應鐘 3개의 려呂는 음의 자리에 있어서 더하거나 덜어내는 것이 없지만, 대려大呂·협종夾鐘·중려仲呂 3개의 려呂는 양의 자리에 있으니 2배를 해야 비로소 12월의 기氣와 상응한다. 대개 음이 양을 따르는 것은 자연의 이치이다.[91]

[22-3-1-1]

習軒吳氏曰 : "'子一分'者, 數起子得一也. '丑三分二'者, 三其法爲三分, 兩其實爲二也. '寅九分八'者, 三其法爲九分, 四其實爲八也. 以下生者倍其實, 以上生者四其實也. 其法以子析爲三分, 每分五萬九千四十九, 丑於三分之中得其二爲十一萬八千九十八, 積六寸爲林鐘,

· ·

倣此.')"라고 주석하였다.

유희는 『律呂新書摘解』「律呂本元」에서, "율려를 12신에 분배하는 것에는 두 가지 방법이 있다. 그 한 가지는 수의 손익상생으로 시작하는 것이니, 子에서부터 亥에 이르기까지 12자리를 거쳐 황종·임종·태주·남려·고선·유빈·대려·이칙·협종·무역·중려가 된다. 또 한 가지는 길이의 순서로 끝맺는 것이니, 동지에서부터 소설에 이르기까지 12개월을 거쳐 황종·대려·태주·협종·고선·중려·유빈·임종·이칙·남려·무역·응종이 된다. 6律의 경우, 子의 자리에서 생겨나는 것은 子月에 속하고 寅의 자리에서 생겨나는 것은 寅月에 속하므로, 해당하는 자리를 저절로 얻는다고 했다. 6呂의 경우, 丑의 자리에서 생겨나는 것은 未月에 속하고 卯의 자리에서 생겨나는 것은 酉月에 속하므로, 그 반대편에 자리 잡는다고 했다.(律呂之分配十二辰者, 有二術. 其始之以損益相生也, 自子至亥歷十二位, 而爲黃鐘·林鐘·太簇·南呂·姑洗·應鍾·蕤賓·大呂·夷則·夾鐘·無射·仲呂. 其終之以長短相次也, 自冬至至小雪歷十二月, 而爲黃鐘·大呂·太簇·夾鐘·姑洗·仲呂·蕤賓·林鐘·夷則·南呂·無射·應鐘. 是六律, 則生於子位者, 屬於子月 ; 生於寅位者, 屬於寅月, 故曰當位自得. 六呂, 則生於丑位者, 屬於未月 ; 生於卯位者, 屬於酉月, 故曰居其衝也.)"라고 하였다.

91 그 가운데 … 이치이다. : 유근은 『律呂成書』권2에서, "생각건대 자·인·진·오·신·술이 양신이 되고 축·묘·사·미·유·해가 음신이 되는 것은 주자의 이른바 작은 음양이다. 子에서부터 巳까지가 양의 쪽이고 午에서부터 亥까지가 음의 쪽이라는 것은 주자의 이른바 큰 음양이다. 자·인·진은 양 중의 양이고, 축·묘·사는 양 중의 음이며, 오·신·술은 음 중의 양이고 미·유·해는 음 중의 음이다. 6개의 양율은 해당하는 자리를 저절로 얻었으니 본디 보태거나 덜 것이 없고, 임종·남려·응종은 음으로서 양쪽에 자리 잡았으니 또한 보태거나 덜 것이 없다. 오직 대려·협종·중려는 음으로서 양을 쫓아서 축·묘·사의 자리에 자리 잡았으므로 배수를 쓴 다음에야 천지의 기와 부합할 수 있다.(按, 子·寅·辰·午·申·戌爲陽辰, 丑·卯·巳·未·酉·亥爲陰辰, 朱氏所謂小陰陽者也. 自子至巳爲陽方, 自午至亥爲陰方, 朱子所謂大陰陽者也. 子·寅·辰爲陽中陽, 丑·卯·巳爲陽中陰, 午·申·戌爲陰中陽, 未·酉·亥爲陰中陰. 其六陽律當位自得, 固無增損, 林鍾·南呂·應鍾陰居陰方, 亦無增損. 惟大呂·夾鍾·仲呂以陰從陽, 而居丑·卯·巳, 故用倍數然後與天地之氣相符也.)"라고 하였다.

유희는 『律呂新書摘解』「律呂本元」에서, "이것은 다음을 말한다. 6려는 下生에서 나왔기 때문에 그 율관이 모두 양율보다 짧다. 그러나 임종·남려·응종 3가지는 午의 뒤 음이 생겨날 때에 속하여 양율 또한 이미 매우 줄어들어, 3려가 충분히 그것(양율)과 서로 어울릴 수 있기 때문에, 더 증가시킬 필요가 없다. 대려·협종·중려 3가지는 子의 뒤 양이 줄어들 때에 속하여 율관은 오히려 길어 3려가 짧은 것으로서는 그 사이에 끼일 수 없기 때문에, 그 수를 배로 하여 관을 만든 뒤에 그것을 가지고 候氣할 수 있다. 악곡의 경우에는 배수를 쓰지 않는다.(此謂六呂出於下生, 故其管皆短於陽律. 然林·南·應三者, 則屬在午後陰生之時, 陽律亦已甚殺, 呂足與之相稱, 故無庸更增也. 大·夾·仲三者 則屬在子後陽息之時, 律管猶長, 呂不可以短間之, 故倍其數爲管, 然後可用以候氣也. 若其入調, 則有用不倍者矣.)"라고 하였다.

此黃鐘之實三分損一下生林鐘也. 以子一析爲九分, 每分得萬九千六百八十三, 寅於九分之中得其八爲十五萬七千四百六十四, 積八寸爲太簇, 此林鐘之實三分益一上生太簇也. 自卯而下放此. "

습헌 오씨習軒吳氏가 말했다. "'자子는 1/1이다.'라는 것은 수가 자子에서 시작하여 1을 얻은 것이다. '축丑은 2/3이다.'라는 것은 그 법法(분모)을 3배로 하여 3분이 되고 그 실實(분자)을 2배로 하여 2가 된다. '인寅은 8/9이다.'라는 것은 그 법을 3배로 하여 9분이 되고 그 실을 4배로 하여 8이 된다. 하생下生하는 것은 그 실을 2배로 하고, 상생上生하는 것은 그 실을 4배로 한다. 그 법은 자子(177,147)를 갈라 3등분하여 매 1등분이 59,049인데, 축丑은 3등분 가운데에 그 2등분을 얻어서 118,098이 되고 6촌을 누적하여 임종林鐘이 되니, 이는 황종의 실이 삼분손일하여 임종을 하생하는 것이다. 자子 1을 9등분하여 매 1등분이 19,683인데, 인寅은 9등분 가운데에 그 8등분을 얻어 157,464가 되고 8촌을 누적하여 태주太簇가 되니, 이는 임종의 실이 삼분익일하여 태주를 상생하는 것이다. 묘卯 이하도 이와 같다. "

[22-3-1-2]

黃瑞節曰 : "'其上'云者, 十二辰'分'字以上, 如'子一分'·'丑三分'是也 ; '其下'云者, 十二辰 '分'字以下, 如二·八·十六是也. '其上'爲黃鐘全數, '其下'爲損益相生之數. "

황서절黃瑞節이 말했다. "'그 위'라고 한 것은 12신辰의 '분分' 자 위이니 예컨대 '자1분子一分'·'축3분丑三分'과 같은 것(분모)이 이것이다. '그 아래'라고 한 것은 12신辰의 '분分' 자 아래이니 예컨대 '2·8·16'과 같은 것(분자)이 이것이다. '그 위'는 황종의 전체 수이고, '그 아래'는 삼분손익하여 상생相生하는 수이다. "

[22-3-1-3]

"此損益數, 卽下章十二律實數. 吳氏算法, 全載圖類. 今擧二律起例附此. "

(황서절이 말했다.) "이 삼분손익하는 수는 곧 아래 장章의 12율의 실의 수이다. 오씨吳氏[習軒吳氏]의 계산법은 전부 도표에 실려 있다.[92] 여기서는 2개의 율을 예로 들어 여기에 붙였다."[93]

[22-3-1-4]

"子爲陽辰, 黃鐘當位自得也. 丑爲未衝, 林鐘以未而居丑, 居其衝也. 他放此. '衝', 一作 '衡'. 餘載後「辨證」. "

(황서절이 말했다.) "자子는 양신陽辰이 되니 황종의 해당하는 자리를 저절로 얻는다. 축丑은 미未와 반대편에 자리 잡았는데, 임종이 미未로서 축丑에 자리 잡기 때문에 그 반대편에 자리 잡은 것이다. 다른 것도 이와 같다. '반대편에 자리 잡는다衝.'는 글자는 다른 판본에서 '평형을 이루다衡.'는 글자

· ·

92 吳氏[習軒吳氏]의 … 있다. : 제4장 '12율의 실(十二律之實)'을 가리킨다.
93 여기서는 2개의 … 붙였다. : [22-3-1-1]에서 언급한 임종·태주 2개의 율을 말한다.

로 썼다. 나머지는 뒤의 「변증辨證」[94]에 실려 있다."

[22-4]

十二律之實 第四 제4장 12율의 실

[22-4-1]

子黃鐘十七萬七千一百四十七.

자子인 황종黃鐘은 177,147이다.

　全九寸. 半無.

　전체는 9촌이다. 반은 없다.[95]

丑林鐘十一萬八千□□九十八.

축丑인 임종林鐘은 118,098이다.

　全六寸. 半三寸不用.

　전체는 6촌이다. 반은 3촌인데 쓰지 않는다.

寅太簇十五萬七千四百六十四.

인寅인 태주太簇는 157,464이다.

　全八寸. 半四寸.

　전체는 8촌이다. 반은 4촌이다.

卯南呂十□萬四千九百七十六.

묘卯인 남려南呂는 104,976이다.

　全五寸三分. 半二寸六分不用.

　전체는 5촌 3분이다. 반은 2촌 6분인데 쓰지 않는다.

----

94 「辨證」: 본서 후반부의 「律呂證辨」을 가리킨다.
95 반은 없다. : 9촌의 반은 4.4…로 나누어지지 않는다는 의미이다.

辰姑洗十三萬九千九百六十八.

진辰인 고선姑洗은 139,968이다.

全七寸一分. 半三寸五分.

전체는 7촌 1분이다. 반은 3촌 5분이다.

巳應鐘九萬三千三百一十二.

사巳인 응종應鐘은 93,312이다.

全四寸六分六釐. 半二寸三分三釐不用.

전체는 4촌 6분 6리이다. 반은 2촌 3분 3리인데 쓰지 않는다.

午蕤賓十二萬四千四百一十六

오午인 유빈蕤賓은 124,416이다.

全六寸二分八釐. 半三寸一分四釐.

전체는 6촌 2분 8리이다. 반은 3촌 1분 4리이다.

未大呂十六萬五千八百八十八.

미未인 대려大呂는 165,888이다.

全八寸三分七釐六毫. 半四寸一分八釐三毫.

전체는 8촌 3분 7리 6호이다. 반은 4촌 1분 8리 3호이다.

申夷則十一萬□□五百九十二.

신申인 이칙夷則은 110,592이다.

全五寸五分五釐一毫. 半二寸七分二釐五毫.

전체는 5촌 5분 5리 1호이다. 반은 2촌 7분 2리 5호이다.

酉夾鐘十四萬七千四百五十六.

유酉인 협종夾鐘은 147,456이다.

全七寸四分三釐七毫三絲. 半三寸六分六釐三毫六絲.

전체는 7촌 4분 3리 7호 3사이다. 반은 3촌 6분 6리 3호 6사이다.

戌無射九萬八千三百□□四.

술戌인 무역無射은 98,304이다.

全四寸八分八釐四毫八絲. 半二寸四分四釐二毫四絲.

전체는 4촌 8분 8리 4호 8사이다. 반은 2촌 4분 4리 2호 4사이다.

亥仲呂十三萬一千□□七十三.

해亥인 중려仲呂는 131,072이다.

全六寸五分八釐三毫四絲六忽. 餘二筭. 半三寸二分八釐六毫二絲二忽.[96]

전체는 6촌 5분 8리 3호 4사 6홀이다. 나머지는 2이다. 반은 3촌 2분 8리 6호 2사 3홀이다.

[22-4-1-0]
按: 十二律之實約以寸法, 則黃鐘林鐘太簇得全寸; 約以分法, 則南呂姑洗得全分; 約以釐法, 則應鐘蕤賓得全釐; 約以毫法, 則大呂夷則得全毫; 約以絲法, 則夾鐘無射得全絲. 至仲呂之實, 十三萬一千七十二, 以三分之不盡二筭, 其數不行, 此律之所以止於十二也.

생각건대, 12율의 실을 촌법寸法으로 나누면[97] 황종黃鐘·임종林鐘·태주太簇는 촌寸 단위로 똑 떨어지고, 분법分法으로 나누면 남려南呂·고선姑洗은 분分 단위로 똑 떨어지며, 리법釐法으로 나누면 응종應鐘·유빈蕤賓은 리釐 단위로 똑 떨어지고, 호법毫法으로 나누면 대려大呂·이칙夷則은 호毫 단위로 똑 떨어지며, 사법絲法으로 나누면 협종夾鐘·무역無射은 사絲 단위로 똑 떨어진다. 중려仲呂의 실인 131,072의 경우는 3등분했을 때에 2가 남아서 그 수는 더 이상 계산할 수 없으니, 이것이 율律이 12개에서 그치는 까닭이다.

[22-5]

變律 第五 제5장 변율

[22-5-1]
黃鐘十七萬四千七百六十二. 小分四百八十六.

---

96 二忽.: 계산하면 三忽이 되어야 한다.
97 나누면: 柳僖는 『律呂新書摘解』 「律呂本原」에서, "산술가는 單數로 나누는 것을 '約한다.'고 한다.(筭家謂以 單數除之曰約之.)"라고 하였다.

황종은 174,762이다. 소분小分은 486이다.[98]

　全八寸七分八釐一毫六絲二忽不用. 半四寸三分八釐五毫三絲一忽.

　전체는 8촌 7분 8리 1호 6사 2홀인데 쓰지 않는다. 반은 4촌 3분 8리 5호 3사 1홀이다.

林鐘十一萬六千五百□□八. 小分三百二十四.

임종은 116,508이다. 소분小分은 324이다.

　全五寸八分二釐四毫一絲一忽三初. 半二寸八分五釐六毫五絲六初.

　전체는 5촌 8분 2리 4호 1사 1홀 3초이다. 반은 2촌 8분 5리 6호 5사 6초이다.

太簇十五萬五千三百四十四. 小分四百三十二.

태주는 155,344이다. 소분小分은 432이다.

　全七寸八分二毫四絲四忽七初不用. 半三寸八分四釐五毫六絲六忽八初.

　전체는 7촌 8분 2호 4사 4홀 7초인데 쓰지 않는다. 반은 3촌 8분 4리 5호 6사 6홀 8초이다.

南呂十□萬三千五百六十三. 小分四十五.

남려는 103,563이다. 소분小分은 45이다.

　全五寸二分三釐一毫六絲一初六秒. 半二寸五分六釐七絲四忽五初三秒.

　전체는 5촌 2분 3리 1호 6사 1초初 6초秒이다. 반은 2촌 5분 6리 7사 4홀 5초初 3초秒이다.

姑洗十三萬八千□□八十四. 小分六十.

고선은 138,084이다. 소분小分은 60이다.

· · · · · · · · · · · · · · · · · · · ·

98　小分은 486이다. : 통분한 나머지가 486이라는 의미이다. 실제 수는 486/729이다. 유희는 『律呂新書摘解』「律
　呂本元」에서, "중려의 원래 실은 이미 3으로써 나눌 수 없으므로 729를 곱하여 그 수를 가상으로 늘린다.
　그런 뒤에 삼분손익하여 황종 이하의 율을 얻고 다시 729로 나누어 그 가상의 수를 줄인다. 그러나 당초의
　나머지가 이렇게 한다고 해서 어찌 다 나누어지겠는가? 그러므로 본래 729를 채우지 못하는 수가 없을 수
　없어서, 우선 남겨두고 버리지 않는 것을 이름하여, 소분이라고 한다. 제7장의 소분도 이와 같다.(中呂原實旣
　不可分之三, 故以七百二十九乘之, 虛演其數. 然後三分益損以得黃鐘以下之律, 更以七百二十九除之, 以殺
　其虛數. 然當初之所不能盡者, 豈容至是而盡分乎? 故自不能無不滿七百二十九之數, 姑留不棄, 名之曰小分. 第
　七章小分倣此.)"라고 하였다.

全七寸一釐二毫二絲一初二秒不用. 半三寸四分五釐一毫一絲一初一秒.

전체는 7촌 1리 2호 2사 1초初 2초秒인데 쓰지 않는다. 반은 3촌 4분 5리 1호 1사 1초初 1초秒이다.

應鐘九萬二千□□五十六. 小分四十.

응종은 92,056이다. 소분小分은 40이다.

全四寸六分七毫四絲三忽一初四秒. 餘筭 半二寸三分三毫六絲六忽六秒彊不用

전체는 4촌 6분 7호 4사 3홀 1초初 4초秒이다. 나머지는 1[餘筭]이다. 반은 2촌 3분 3리 3홀 6사 6홀 6초秒 강彊인데 쓰지 않는다.

[22-5-1-0]

按：十二律各自爲宮, 以生五聲二變. 其黃鐘林鐘太簇南呂姑洗應鐘六律, 則能具足；至蕤賓大呂夷則夾鐘無射仲呂六律, 則取黃鐘林鐘太簇南呂姑洗應鐘六律之聲, 少下不和, 故有變律. 變律者, 其聲近正而少高於正律也. 然仲呂之實一十三萬一千□□七十二, 以三分之不盡二筭, 既不可行, 當有以通之. 律當變者有六, 故置一而六三之, 得七百二十九；以七百二十九, 因仲呂之實十三萬一千□□七十二, 爲九千五百五十五萬一千四百八十八, 三分益一, 再生黃鐘林鐘太簇南呂姑洗應鐘六律. 又以七百二十九歸之以從十二律之數, 紀其餘分以爲忽秒, 然後洪纖高下, 不相奪倫. 至應鐘之實六千七百一十□萬八千八百六十四, 以三分之又不盡一筭, 數又不可行, 此變律之所以止於六也. 變律非正律, 故不爲宮也.

생각건대, 12율은 각자 궁宮이 되어 5성五聲(宮·商·角·徵·羽)·2변二變(變宮·變徵)을 낳는다. 그 가운데 황종·임종·태주·남려·고선·응종 6개 율은 (5성·2변이) 충분히 표현될 수 있지만, 유빈·대려·이칙·협종·무역·중려 6개 율의 경우는 황종·임종·태주·남려·고선·응종 6개 율의 성聲을 (5성·2변으로) 취할 때에, 조금 낮아서 조화하지 못하므로 변율變律이 있게 된다. 변율은 그 성聲이 정율正律에 가깝지만 정율보다 조금 높다.[99] 그러나 중려의 실인 131,072는 3등분했을 때에 2가 남아서 그 수는 더 이상 계산할 수 없으니, 당연히 통분해야 한다. 율律에 변해야 할 것이 6개가 있으므로,[100] 1을 두고 3을 6제곱해서 729를 얻고,[101] 729를 중려의 실인 131,072에 곱하여 95,551,488

---

99 변율은 그 … 높다. : 倪復은 『鐘律通考』 권2에서, "예컨대 黃鐘變 半律 4촌 3분 8리 5호 3사 1홀은 正半律에 가깝지만 조금 짧으며, 林鐘變律 5촌 8분 2리 4호 1사 1홀 3초는 正律 6촌에 가깝지만 조금 짧고, 林鐘變半律 2촌 8분 5리 6호 5사 6초는 正半律 3촌에 가깝지만 조금 짧다. 그 율이 조금 짧으면 그 聲이 조금 높다.(如黃鐘變半律四寸三分八釐五毫三絲一忽, 近乎正半律而少短；林鐘變律五寸八分二釐四毫一絲一忽三秒, 近乎正律六寸而少短, 林鐘變半律二寸八分五釐六毫五絲六初, 近乎正半律三寸而少短. 其律少短則其聲稍高矣.)"라고 주석하였다.

이 되며, 그것을 삼분익일三分益一하여 다시 황종·임종·태주·남려·고선·응종 6개의 율을 낳는다. 또 729로 나누어서 12율의 수를 따라[102] 그 여분을 정리하여 홀忽·초秒로 삼은 뒤에 크고 작음과 높고 낮음이 서로 그 질서를 빼앗지 않게 된다. 응종의 실 67,108,864에 이르러 3등분하는 데에 또 1이 남아서 그 수는 다시 계산할 수 없으니, 이것이 변율이 6개에 그치는 까닭이다. 변율은 정율이 아니기 때문에 궁宮이 되지 못한다.

朱子曰: "自黃鐘至仲呂, 相生之道, 至是窮矣, 遂復變而上生黃鐘之宮. 再生之黃鐘不及九寸, 只是八寸有餘. 然黃鐘, 君象也, 非諸宮之所能役, 故虛其正而不復用, 所用只再生之變者. 就再生之變又缺其半. 所謂‘缺其半’者, 蓋若大呂爲宮, 黃鐘爲變宮時, 黃鐘管最長, 所以只得用其半. 其餘宮亦放此."[103]

주자가 말했다.[104] "황종으로부터 중려에 이르기까지 상생相生의 도는 여기에 이르러 끝나고, 마침내 다시 변하여 위로 황종의 궁을 낳는다. 다시 생겨난 황종은 9촌에 미치지 못하니 다만 8촌과 나머지가 있을 뿐이다. 그러나 황종은 군주의 상象이라서 다른 궁들이 부릴 수 있는 것이 아니므로, 그 정正을 비워 다시 쓰지 않고 쓰는 것은 다만 다시 생겨난 변變이다. 다시 생겨난 변變에서는 또 그 반으로 줄인다. 이른바 ‘그 반으로 줄인다.’는 것은 대려가 궁이 되고 황종이 변궁이 될 때 황종관이 가장 길기 때문에 다만 그 반을 쓸 뿐이다. 그 나머지 궁도

· · · · · · · · · · · · · · · · · · · ·

100 律에 변해야 … 있으므로: 예복은 『鐘律通考』 권2에서, "律에 변해야 할 것이 6개가 있다는 것은, 황종·임종·태주·남려·고선·응종 6개 율이 宮이 되면 그 五聲·二變이 12율의 밖을 벗어나지 않으니, 스스로 충분히 갖출 수 있어서 변율을 쓰지 않지만, 만약 유빈·대려·이직·협종·무역·중려 6개 율이 宮이 되면 황종·임종·태주·남려·고선·응종 6개 율을 써서 五聲·二變으로 삼을 때, 그 사이에 혹 조금 낮아서 조화하지 못하는 것이 있기 때문에 6율의 變을 써서 서로를 이루어준다. 그러므로 율이 비록 12개이지만 變은 6개에 그친다.(當變者有六, 謂黃鐘·林鐘·太簇·南呂·姑洗·應鐘六律爲宮, 則其五聲·二變不出十二律之外, 自能其具足而不用變律也; 若蕤賓·大呂·夷則·夾鐘·無射·仲呂六律爲宮, 當用黃鍾·林鍾·太簇·南呂·姑洗·應鐘之律, 以爲五聲·二變, 其間有或稍低不和者, 故用六律之變以相濟之. 故律雖十二而變止於六也.)"라고 주석하였다.

101 1을 두고 … 얻고: 유근은 『律呂成書』 권2에서, "子의 1을 두고 3을 6제곱하므로 729의 수를 얻는다.(置子之一而六次三之, 故得七百二十九數.)"라고 주석하였다. 또한 倪復, 『鐘律通考』 권2에서는, "1을 두고 3을 6제곱한다는 것은 황종 1을 두고 3을 6제곱 계산하여 729를 이루었다는 것을 말한다.(置一而六三之, 謂置黃鐘一筭以三因之六次而成七百二十九也.)"라고 주석하였다.

102 또 729로 … 따라: 유근은 『律呂成書』 권2에서, "729로 그 實(분자)을 나누어 각각 그 안에 1/729을 얻고, 이어서 황종의 촌·분·리·호·사의 본래 法(분모)으로 나누어서 각각 전율·반율의 장단의 수를 얻는다.(以七百二十九歸除其實, 各得其內七百二十九分之一, 仍以黃鍾寸·分·釐·毫·絲之本法除之, 各得全律·半律長短之數.)"라고 주석하였다.

103 『朱子語類』 권92, 14조목에는, "問, ‘自黃鍾下生林鍾, 林鍾上生太簇; 太簇下生南呂, 南呂上生姑洗; 姑洗下生應鍾, 應鍾上生蕤賓. 蕤賓本當下生, 今卻復上生大; 呂大呂下生夷則, 夷則上生夾鍾; 夾鍾下生無射, 無射上生中呂. 相生之道, 至是窮矣, 遂復變而上生黃鍾之宮. 〈再生之黃鍾不及九寸, 只是八寸有餘.〉 然黃鍾, 君象也, 非諸宮之所能役, 故虛其正而不復用, 所用只再生之變者. 就再生之變又缺其半, 〈所謂缺其半者, 蓋若大呂爲宮, 黃鍾爲變宮時, 黃鍾管最長, 所以只得用其半聲.〉 而餘宮亦皆倣此.’ 曰, ‘然.’"이라고 되어 있다.

104 주자가 말했다.: 『朱子語類』 권92, 14조목에 의하면 주자의 말이 아니라, 주자의 문인인 楊道夫가 질문한 말이고, 주자가 동의한 것이다.

이와 같다."

[22-6]

律生五聲圖 第六 제6장 율생5성도

[22-6-1]

宮聲八十一, 商聲七十二, 角聲六十四, 徵聲五十四, 羽聲四十八.

궁성은 81이고, 상성은 72이며, 각성은 64이고, 치성은 54이며, 우성은 48이다.

[22-6-1-0]

按: 黃鐘之數九九八十一, 是爲五聲之本. 三分損一以下生徵, 徵三分益一以上生商, 商三
分損一以下生羽, 羽三分益一以上生角. 至角聲之數六十四, 以三分之不盡一筭, 數不可
行, 此聲之數所以止於五也. 或曰: "此黃鐘一均五聲之數, 他律不然." 曰: "置本律之實以
九九因之, 三分損益以爲五聲. 再以本律之實約之, 則宮固八十一, 商亦七十二, 角亦六十
四, 徵亦五十四, 羽亦四十八矣."

생각건대, 황종의 수 9×9=81은 5성의 근본이다. 삼분손일하여 치를 하생하고, 치가 삼분익일하여
상을 상생하며, 상이 삼분손일하여 우를 하생하고, 우가 삼분익일하여 각을 상생한다. 각성의 수
64에 이르러 3등분했을 때에 1이 남아서 그 수는 더 이상 계산할 수 없으니, 이것이 성의 수가 5개에
서 그치는 까닭이다. 어떤 사람이 말했다. "이것은 황종운黃鐘均[105] 5성의 수이니, 다른 율은 그렇지
않다." 대답했다. "해당 율의 실을 두어 9×9(81)를 곱하고 삼분손익하여 5성을 삼는다. 다시 해당
율의 실로써 나누면, 궁은 본디 81이고, 상도 역시 72이며, 각도 역시 64이고, 치도 역시 54이며,
우도 역시 48이다."[106]

假令應鐘九萬三千三百一十二, 以八十一乘之, 得七百五十五萬八千二百七十二爲宮. 以九萬三千三百一十
二約之, 得八十一. 三分宮損一, 得五百□□三萬八千八百四十八爲徵. 以九萬三千三百一十二約之, 得五十
四. 三分徵益一, 得六百七十一萬八千四百六十四爲商. 以九萬三千三百一十二約之, 得七十二. 三分商損一,

---

105 黃鐘均: 여기에서 '均'은 '韻'의 古字이다.

106 "해당 율의 … 48이다.": 유희는 『律呂新書摘解』「律呂本元」에서, "만약 54를 임종의 궁으로 하고 72를 태주
의 궁으로 하면, 삼분손익하는 방법은 다만 5개에서만 행해지고 12율에 분배할 수 없으므로 반드시 81로
부연해야만 또한 11율의 실수는 이에 삼분손익하여 치·상·우·각이 되고 다시 實數로 그것을 수렴할 수
있다. 이것으로 산술가의 통분의 의미를 미루어 볼 수 있다.(若以五十四爲林鐘之宮, 七十二爲太簇之宮, 則
三分之術, 只(行)於五, 不得以分排於十二律, 故必以八十一演, 却十一律之實數, 乃損益爲徵·商·羽·角, 而
復以實數收之. 此推籌家通分之意也.)"라고 하였다.

得四百四十七萬八千九百七十六爲羽. 以九萬三千三百一十二約之, 得四十八. 三分羽益一, 得五百九十七萬一千九百六十八爲角. 以九萬三千三百一十二約之, 得六十四.

가령 응종 93,312에 81을 곱하면 7,558,272를 얻어 궁이 된다. 그것을 93,312로 나누면 81을 얻는다. 궁을 삼분손일하면 5,038,848을 얻어 치가 된다. 그것을 93,312로 나누면 54를 얻는다. 치를 삼분익일하면 6,718,464를 얻어 상이 된다. 그것을 93,312로 나누면 72를 얻는다. 상을 삼분손일하면 4,478,976을 얻어 우가 된다. 그것을 93,312로 나누면 48을 얻는다. 우를 삼분익일하면 5,971,968을 얻어 각이 된다. 그것을 93,312로 나누면 64를 얻는다.[107]

[22-7]

變聲 第七 제7장 변성

[22-7-1]

變宮聲四十二. 小分六. 變徵聲五十六. 小分八.

변궁성은 42이다. 소분小分은 6이다.[108] 변치성은 56이다. 소분小分은 8이다.

---

107 가령 응종 … 얻는다. : 예복은 『鐘律通考』 권2에서, "내 생각에, 채원정의 이 주장은 5성이 상하로 상생하는 수에는 통할 수 있지만, 사실 분명하지 않다. 본율의 실을 두고 삼분손익하면 마땅히 높고 낮은 차례가 있을 것이지만 이미 81로 곱하고 다시 본수로 나누면 보태거나 덜 것이 없다. 예컨대 응종 5성을 균일하게 9만 3천여 수로 나누면 그 아래 상·각·치·우는 다만 5성의 수만 있을 뿐 본율에는 간여하는 것이 없으니 어찌 분명하지 않게 되지 않겠는가? 11율은 각각 5성이 있고 그 聲의 높고 낮음은 서로 간에 보태거나 덜어낸다. 가령 임종의 실인 118,098을 81분으로 나누고 81분을 얻으면 1,458이 궁이 된다. 삼분손일하여 78,732를 얻어 태주의 실의 절반이 되니 54분으로 계산하면 1,458이 치가 된다. 삼분익일하여 104,976을 얻어 남려의 실이 되니 72분으로 계산하면 1,458이 상이 된다. 삼분손일하여 69,984를 얻어 고선의 실의 절반이 되니 48분으로 계산하면 1,458이 우가 된다. 삼분익일하여 92,312를 얻어 응종의 실이 되니 64분으로 계산하면 1,458이 각이 된다. 나머지 10율도 이와 같다. 12율이 각각 5성이 있는데 그 수가 모두 81부터 64에 이르는 것이 그렇지 않은 것이 없으니, 어찌 사람이 억지로 그렇게 한 것이겠는가? 만약 5성이 黃鐘一均에 그치고 나머지 율이 없다면 또 어찌 궁을 돌려서 64조를 이룰 수 있겠는가?(愚按蔡氏此説, 於五聲上下相生之數雖可通, 而其實不明. 蓋置本律之實, 三分損益, 當有高下之次, 既以八十一乘之, 復以本數約之, 而無有增損. 如應鐘五聲, 均以九萬三千餘數約之, 則其下商·角·徵·羽, 但有五聲之數, 而本律無所與焉, 豈不爲未明乎? 蓋十一律各有五聲, 而其聲之高下, 互相增損. 假令林鐘之實十一萬八千零九十八, 析爲八十一分, 得八十一分, 一千四百五十八爲宮. 三分損一, 得七萬八千七百三十二爲太簇實之半, 計五十四分, 一千四百五十八爲徵. 三分益一, 得十萬四千九百七十六爲南呂之實, 計七十二分, 一千四百五十八爲商. 三分損一, 得六萬九千九百八十四爲姑洗實之半, 計四十八分一千四百五十八爲羽. 三分益一, 得九萬二千三百一十二爲應鐘之實, 計六十四分一千四百五十八爲角. 餘十律皆此. 蓋十二律各有五聲, 其數皆自八十一至六十四, 無弗然者, 豈人之所強爲哉? 若五聲止在黃鐘一均, 而餘律無有, 則又何以爲旋宮而成六十調也哉?)"라고 논평하였다.

108 小分은 6이다. : 통분한 나머지가 6이라는 의미이다. 실제 수는 6/9이다.

按: 五聲宮與商, 商與角, 徵與羽, 相去各一律; 至角與徵, 羽與宮, 相去乃二律. 相去一律, 則音節和; 相去二律, 則音節遠. 故角徵之間近徵收一聲, 比徵少下, 故謂之變徵. 羽宮之間近宮收一聲, 少高於宮, 故謂之變宮也. 角聲之實六十有四, 以三分之不盡一筭, 既不可行, 當有以通之. 聲之變者二, 故置一而兩三之得九, 以九因角聲之實六十有四, 得五百七十六, 三分損益再生變徵變宮二聲. 以九歸之, 以從五聲之數, 存其餘數, 以爲强弱. 至變徵之數五百一十二, 以三分之又不盡二筭, 其數又不行, 此變聲所以止於二也. 變宮變徵, 宮不成宮, 徵不成徵, 古人謂之'和繆'. 又曰所以濟五聲之不及也, 變聲非正, 故不爲調也.

생각건대, 5성에서 궁과 상, 상과 각, 치와 우는 상호 간의 거리가 각각 1율이고, 각과 치, 우와 궁의 경우는 상호 간의 거리가 2율이다.[109] 상호 간의 거리가 1율이면 음절音節音程이 조화롭지만 상호 간의 거리가 2율이면 음절이 멀다. 그 때문에 각과 치 사이에서 치에 가깝게 1성聲을 거두어들이니 치에 비해 조금 낮으므로, 그것을 변치變徵라고 한다. 우와 궁 사이에서 궁에 가깝게 1성聲을 거두어들이니 궁보다 조금 높으므로, 그것을 변궁變宮이라고 한다.[110] 각성의 실 64는 3등분했을 때에 1이 남아서 그 수는 더 이상 계산할 수 없으니, 마땅히 통분해야 한다. 성이 변한 것이 2개이므로 1을

---

109 5성에서 궁과 … 2율이다. : 유희는 『律呂新書摘解』 「律呂本元」에서, "황종·임종 … 의 차례로 가는 것은 12율의 선후 순서이다. 황종·대려…의 차례로 가는 것은 12율의 높고 낮음의 순서이다. 궁·치·상·우·각은 5성의 선후 순서이고, 궁·상·각·치·우는 5성의 높고 낮음의 순서이다. 그러므로 그 선후의 분배가 황종을 궁으로 하면, 임종이 치가 되고 태주가 상이 되며 남려가 우가 되고 고선이 각이 된다. 그러나 만약 높고 낮음을 기준으로 취하면, 궁과 상과의 사이에는 대려 하나가 있고, 상과 각 사이에는 협종 하나가 있으며, 치와 우 사이에는 이칙 하나가 있다. 그러므로 '상호 간의 거리가 각각 1율이다.'라고 하였다. 각과 치의 사이에는 중려와 유빈이 있고, 우와 궁 사이에는 무역와 응종이 있기 때문에, '상호 간의 거리가 2율이다.'라고 하였다.(黃鐘·林鐘而往, 十二律先後之序也; 黃鐘·大呂而往, 十二律高下之序也. 宮·徵·商·羽·角, 五聲先後之序也; 宮·商·角·徵·羽, 五聲高下之序也. 故其先後之分配, 如以黃鐘爲宮, 則林鐘爲徵, 太簇爲商, 南呂爲羽, 姑洗爲角. 然若以高下取準, 則宮·商之間, 有一大呂; 商·角之間, 有一夾鐘; 徵·羽之間; 有一夷則. 故曰, '相去各一律'也. 角·徵之間有仲呂及蕤賓, 羽·宮之間有無射及應鐘, 故曰, '相去乃二律'也.)"라고 하였다.

110 그 때문에 … 한다. : 예복은 『鐘律通考』 권2에서, "이것은 변궁과 변치의 순서를 말한다. 예컨대 황종일운 宮은 子에 자리 잡고 태주 商은 寅에 자리 잡으며 고선 角은 辰에 자리 잡으니 모두 상호 간의 거리가 1율이다. 임종이 徵가 되어 未에 자리 잡고 남려가 羽가 되어 酉에 자리 잡는 경우는, 辰으로부터 未에 이르기까지 巳·午 2개의 자리를 간격을 두고, 酉로부터 子에 이르기까지 戌·亥 2개의 자리를 간격을 두어 상호 간의 거리가 모두 2율이다. 그러므로 角과 徵 사이에서는 午가 未에 가깝지만 임종 1성을 수렴하여 徵聲의 율에 비해 조금 길고 그 聲이 조금 낮기 때문에 變徵라고 한다. 羽와 宮 사이에서는 亥가 子에 가깝지만 응종 1성을 수렴하여 宮聲의 율에 비해 조금 짧고 그 聲이 조금 높기 때문에 變宮이라고 한다. 나머지 11율도 이와 같다.(此言變宮·變徵之序. 如黃鐘一均宮居子, 太簇商居寅, 姑洗角居辰, 皆相去間一律. 及林鐘爲徵居未, 南呂爲羽居酉, 自辰至未, 隔巳·午二位, 自酉至子, 隔戌·亥二位, 相去皆二律. 故於角·徵之間, 午近未而收林鐘一聲, 比徵聲之律稍長, 其聲少下, 故謂之變徵. 於羽宮之間, 亥爲近子收應鐘一聲, 比宮聲之律稍短, 其聲少高, 故謂之變宮. 餘十一律放此.)"라고 하였다.

두고 3을 2제곱하여 9를 얻는다. 9로써 각성의 실 64를 곱해서 576을 얻고, 삼분손익하여 다시 변치·변궁의 2성을 낳는다. 9로 나누어서 5성의 수를 따라 그 나머지 수를 남겨두어 강·약으로 삼는다.[111] 변치의 수 512에 이르러 3등분하는 데에 또 2가 남아서 그 수 또한 계산할 수 없으니, 이것이 변성이 2개에 그치는 까닭이다. 변궁과 변치는 궁이면서 궁을 이루지 못하고 치이면서 치를 이루지 못하므로 옛사람이 '조화가 잘못되었다.[和繆]'고 하였다.[112] 또 그것(변성)으로써 5성이 미치지 못하는 것을 이루어주었다고 했으니,[113] 변성은 정성正聲이 아니므로 조調가 될 수 없다.

朱子曰: "五聲之序, 宮最大而沈濁, 羽最細而輕清. 商之大次宮, 徵之細次羽, 而角居四者之中焉. 然世之論中聲者, 不以角而以宮, 何也?

주자가 말했다. "5성의 차례는 궁성이 가장 굵고 가라앉고 탁하며, 우성이 가장 가늘고 가볍고 맑다. 상성의 굵기는 궁성 다음이고, 치성의 가늘기는 우성 다음이며, 각성은 앞에서 말한 4개 성의 중간에 위치한다. 그런데 세간에서 중성中聲을 논하는 사람들이 각성을 중성中聲으로 하지 않고 궁성을 중성으로 하는 것은 무엇 때문인가?

曰: 凡聲, 陽也. 自下而上未及其半, 則屬於陰而未暢, 故不可用. 上而及半, 然後屬於陽而始和, 故卽其始而用之以爲宮. 因其每變而益上, 則爲商, 爲角, 爲變徵, 爲徵, 爲羽, 爲變宮, 而皆以爲宮之用焉. 是以宮之一聲, 在五行爲土, 在五常爲信, 在五事爲思, 蓋以其正當衆聲和與未和, 用與未用, 陰陽際會之中, 所以爲盛.

자답이다. 무릇 성聲은 양이다. 아래에서부터 위로 그 절반에 미치지 못하면 음에 속하여 소리가 나지 않으므로 쓸 수 없다. 위로 올려서 절반에 이르게 한 다음에야 양에 속하여 비로소 조화하므로, 처음 조화된 것을 써서 궁성으로 삼는다. 그것이 매번 변하는 것에 따라 더욱 올라가면 상성, 각성, 변치성, 우성, 변궁성이 되니, 모두 궁성의 작용이다. 그러므로 궁성은 오행에서는 토土가 되고, 오상에서는 신信이 되며, 오사五事에서는 사思가 되니,[114] 그것이 바로 모든 성聲의 조화와 부조화, 쓰임과 쓰이지 못함, 음이 되고 양이 되는 분기점의 가운데를

---

111 9로 나누어서 … 삼는다. : 유근은 『律呂成書』 권2에서, "576을 3등분하면 각 등분이 192이다. 576의 수 안에서 삼분손일하여 192를 제거해서 變宮을 낳으면, 384를 얻어서 9로 나누어 42.666…을 얻는다. 이것이 변궁의 聲이 된다. 또 변궁의 수 384를 3등분하면 각 등분이 128이다. 384의 수 안에서 삼분익일하여 128을 다시 첨가해서 變徵를 낳으면, 512를 얻어서 9로 나누어 56.888…을 얻는다. 이것이 변치의 聲이 된다.(三分五百七十六, 每分一百九十二. 三分損一於五百七十六數內去其一百九十二以生變宮, 則得三百八十四以九歸之得四十二餘分六. 是爲變宮之聲也. 又以變宮之數三百八十四, 以三分之每分一百二十八. 三分益一於三百八十四數內再添一百二十八以生變徵, 則得五百一十二以九歸之得五十六餘分八. 是爲變徵之聲也)"라고 하였다.

112 옛사람들이 조화가 … 하였다. : 『淮南子』 권3 「天文訓」에서, "치는 궁을 낳고 궁은 상을 낳으며 상은 우를 낳고 우는 각을 낳는다. 각이 고선을 낳고 고선이 응종을 낳는 것은 정음에 가깝기 때문에 조화롭고[和], 응종이 유빈을 낳는 것은 정음에 가깝지 않기 때문에 잘못되었다.[繆](徵生宮, 宮生商, 商生羽, 羽生角. 角生姑洗, 姑洗生應鍾, 比於正音, 故爲和; 應鍾生蕤賓, 不比正音, 故爲繆.)"라고 하였다.

113 5성이 미치지 … 했는데 : 예복은 『鐘律通考』 권2에서, "『春秋左氏傳』에서 안자가 '선왕이 5미를 이루어주고 5성을 조화롭게 하여 마음을 평안히 하고 정사를 이루었다.(『春秋左氏傳』, 晏子曰, '先王之濟五味, 和五聲也, 以平其心, 成其政也.')"라고 주석하였다.

114 五事에서는 思가 되니 : 『書』「周書·洪範」에서 "5사는 하나는 貌이고, 둘은 言이며, 셋은 視이고, 넷은 聽이

담당하여 왕성하기 때문이다.

若角則雖當五聲之中而非衆聲之會. 且以七均論之, 又有變徵以居焉, 亦非五聲之所取正也. 然自其聲之始和者推而上之, 亦至於變宮而止耳. 自是而上, 則又過乎輕淸而不可以爲宮. 於是就其兩間而細分之, 則其別又十有二, 以其最大而沈濁者爲黃鐘, 以其極細而輕淸者爲應鐘. 及其旋相爲宮而上下相生以盡五聲・二變之用, 則宮聲常不越乎十二之中, 而四聲者或時出於其外, 以取諸律半聲之管, 然後七均備而一調成也. 黃鐘之與餘律, 其所以爲貴賤者亦然.

각성은 비록 5성의 중간에 해당되지만 모든 성이 연계되는 것이 아니다. 그리고 7운七均[115]으로 따지면 또 변치가 그 중간에 위치하지만[116] 역시 5성이 정성正聲을 취한 것이 아니다. 그러나 그 성이 처음 조화하는 것으로부터 미루어 올라가면 또한 변궁에 이르러 그칠 뿐이다. 이것부터 올라가면 또 지나치게 가볍고 맑으므로 궁성이 될 수 없다. 이에 그 둘 사이를[117] 세분하면 그 구별되는 것이 또 12개가 있으니, 그 가장 굵고 가라앉고 탁한 것을 황종으로 삼고, 매우 가늘고 가볍고 맑은 것을 응종으로 삼는다. 그것이 돌아가며 서로 궁이 되어 위・아래로 서로 낳아서 5성・2변의 쓰임을 다하면, 궁성은 항상 12율을 넘어서지 않지만, 4성은 간혹 그 밖으로 벗어나서 여러 율의 반성半聲의 관을 취한 다음에야 7운이 갖추어지고 1조調가 이루어진다. 황종과 나머지 율과의 관계에서 황종이 귀하고 나머지 율이 천한 까닭도 역시 그러하다.

若諸半聲以上, 則又過乎輕淸之甚而不可以爲樂矣. 蓋黃鐘之宮, 始之始, 中之中也. 十律之宮, 始之次, 而中少過也. 應鐘之宮, 始之終, 而中已盡也. 諸律半聲, 過乎輕淸, 始之外, 而中之上也. 半聲之外, 過乎輕淸之甚, 則又外之外, 上之上, 而不可爲樂者也. 正如子時初四刻屬前日, 正四刻屬後日, 其兩日之間, 卽所謂始之始, 中之中也. 然則聲自屬陰以下, 亦當黙有十二正・變・半律之地, 以爲中聲之前段, 如子初四刻之爲者. 但無聲・氣之可紀耳. 由是論之, 則審音之難, 不在於聲而在於律, 不在於宮而在於黃鐘. 蓋不以十二律節之, 則無以著夫五聲之實; 不得黃鐘之正, 則十一律者, 又無所受以爲本律之宮也."[118]

모든 반성半聲 위의 것들은 또 아주 지나치게 가볍고 맑으므로 악樂이 될 수 없다. 황종궁은 시작의 시작이고 중中의 중中이다. 10개 율의 궁은[119] 시작의 다음이고 중中을 조금 벗어난다. 응종의 궁은 시작의 끝이고 중中이 이미 다했다. 모든 율의 반성半聲은 지나치게 가볍고 맑으니 시작의 밖이고 중中의 위이다. 반성半聲의 밖은 아주 지나치게 가볍고 맑으니 또 밖의 밖이고 위의 위라서 악樂이 될 수 없다. 마치 자시子時의 초4각初四刻(23시~24시)은 전날에 속하고 정4각正四刻(0시~1시)은 다음날에 속하는 것과 똑같이, 그 이틀 사이는 곧 이른바 시작의 시작이

며, 다섯은 思이다.(五事, 一曰貌, 二曰言, 三曰視, 四曰聽, 五曰思.)"라고 하였다.

115 七均: 七聲(궁, 상, 각, 변치, 치, 우, 변궁)을 12율에 적용하여 매 율이 모두 궁성이 될 수 있으므로, 율을 궁성이 만든 7개 음계로 여긴다는 측면에서 七均이라고 한다.

116 변치가 그 … 위치하지만: 七聲의 음계 순서가 '궁, 상, 각, 변치, 치, 우, 변궁'이므로, 그 중간은 변치이다.

117 그 둘 사이를: 궁성과 변궁성 사이를 말한다. 송시열은 『朱子大全箚疑』에서, "궁성과 변성 둘 간의 사이를 말한다.(謂宮聲變宮之兩間也.)"라고 하였다.

118 『朱文公文集』권72 「聲律辨」

119 10개 율의 궁은: 대려에서 무역까지 10개 율의 궁성을 가리킨다. 송시열은 『朱子大全箚疑』권72에서, "대려에서부터 무역까지이다.(自大呂至無射也.)"라고 하였다.

고 중간의 중간이다. 그렇다면 성聲은 음에 속하는 것부터 그 이하는 역시 12개의 정성·변성·반율을 잠재하고 있는 율의 경우에 해당하여 중성中聲의 전단계가 되니, 마치 자시子時의 초4각이 되는 것과 같다. 다만 기록할 수 있는 성聲·기氣가 없을 뿐이다.[120] 이에 근거해서 논하면, 음音을 변별하는 어려움은 성聲에 달려있지 않고 율律에 달려있으며, 궁宮에 달려있지 않고 황종黃鐘에 달려있다. 대개 12율로 마디 지우지 않으면 5성聲의 실實을 나타낼 방도가 없으며, 정확한 황종을 얻을 수 없으면 11율은 또 해당하는 율을 받을 곳이 없다.”

[22-8]

八十四聲圖 第八 正律墨書, 半聲朱書; 變律朱書, 半聲墨書.

제8장 84성도 정율은 검은 글자이고 그 반성은 붉은 글자이며, 변율은 붉은 글자이고 그 반성은 검은 글자이다.[121]

[22-8-1]

十一月	黃鐘宮				
六月	林鐘宮	黃鐘徵			
正月	太簇宮	林鐘徵	黃鐘商		
八月	南呂宮	太簇徵	林鐘商	黃鐘羽	
三月	姑洗宮	南呂徵	太簇商	林鐘羽	黃鐘角

120 그렇다면 聲은 … 뿐이다. : 송시열은 『朱子大全箚疑』 권72에서, “예컨대 처음 4각 이후는 陽이므로 聲·氣로 기록하지만, 그 이전은 陰이므로 聲·氣로 기록할 것이 없다. 침묵은 말이 없는 것이지만 그 자체는 있다.(如初四刻以後是陽也, 故紀之以聲·氣, 而其以前是陰也, 故無聲·氣之可紀也. 默有不言而自有也.)”라고 하였다.

121 정율은 검은 … 글자이다. : 이 도표를 보는 방법은, 제2열의 12律名은 해당 율이 宮임을 뜻하고, 제3열 이하 열에 있는 12율명은 그 위 행의 왼쪽 대각에 있는 같은 이름의 율명과 연결된다. 제3열 이하에 있는 율명과 오성은 각각 그 율이 궁일 때의 그 성은 맨 앞의 율명이 해당 성이라는 것을 의미한다. 율명이 검은 글자이면 正律이고, 붉은 글자이면 變律이며, 聲의 이름은 붉은 글자이면 正律일 때는 半聲이고, 變律일 때는 全聲이다. 예를 들어 正月行은 “太簇宮, 林鐘徵, 黃鐘商”으로 되어있는데, 태주궁은 태주가 궁임을 의미하고, 임종치는 임종이 궁일 때 치성은 태주가 되며 붉은 글자인 치는 正律 半聲인 태주를 사용한다는 것을 의미한다. 마찬가지로 황종상은 황종이 궁일 때 상성은 태주가 되며, 그 상성은 正律 半聲임을 의미한다. 유희는 『律呂新書摘解』「律呂本元」에서, “여기에서 말하는 ‘임종궁·황종치’ 등은 6월의 율을 임종조에 사용하면 궁이 되고 황종조에 사용하면 치가 된다는 말이지, 임종이 궁이 되고 황종이 치가 된다는 말이 아니다. 그러므로 그 도표는 똑바로 보면 황종은 다만 한 곳에서 사용되고 임종은 다만 두 곳에서 사용되지만, 비스듬히 보면 황종의 궁이 황종에 있지만 그 치는 임종에 있다. 나머지도 모두 이와 같다.(此云林鐘宮·黃鐘徵等者, 謂六月之律, 用之於林鐘之調, 則爲宮; 用之於黃鐘之調, 則爲徵, 非謂林鐘爲宮, 而以却黃鐘爲徵也. 故其圖, 正看, 則黃鐘止用於一處, 林鐘止用於二處; 斜看, 則黃鐘之宮, 在於黃鐘, 而其徵在於林鐘. 餘皆倣此.)”라고 하였다.

十月	應鐘宮	姑洗徵	南呂商	太簇羽	林鐘角	黃鐘變宮	
五月	蕤賓宮	應鐘徵	姑洗商	南呂羽	太簇角	林鐘變宮	黃鐘變徵
十二月	大呂宮	蕤賓徵	應鐘商	姑洗羽	南呂角	太簇變宮	林鐘變徵
七月	夷則宮	大呂徵	蕤賓商	應鐘羽	姑洗角	南呂變宮	太簇變徵
二月	夾鐘宮	夷則徵	大呂商	蕤賓羽	應鐘角	姑洗變宮	南呂變徵
九月	無射宮	夾鐘徵	夷則商	大呂羽	蕤賓角	應鐘變宮	姑洗變徵
四月	仲呂宮	無射徵	夾鐘商	夷則羽	大呂角	蕤賓變宮	應鐘變徵
	黃鐘變	仲呂徵	無射商	夾鐘羽	夷則角	大呂變宮	蕤賓變徵
	林鐘變		仲呂商	無射羽	夾鐘角	夷則變宮	大呂變徵
	太簇變			仲呂羽	無射角	夾鐘變宮	夷則變徵
	南呂變				仲呂角	無射變宮	夾鐘變徵
	姑洗變					仲呂變宮	無射變徵
	應鐘變						仲呂變徵

[22-8-1-0]

按：律呂之數往而不返, 故黃鐘不復爲他律役, 所用七聲皆正律, 無空積忽微. 自林鐘而下, 則有半聲；大呂 太簇一半聲, 夾鐘姑洗二半聲, 蕤賓林鐘四半聲, 夷則南呂五半聲, 無射應鐘六半聲, 仲呂爲十二律之窮三半聲. 自蕤賓而下, 則有變律；蕤賓一變律, 大呂二變律, 夷則三變律, 夾鐘四變律, 無射五變律, 仲呂六變律. 皆有空積忽微, 不得其正. 故黃鐘獨爲聲氣之元. 雖十二律, 八十四聲, 皆黃鐘所生, 然黃鐘一均, 所謂純粹中之純粹者也. 八十四聲, 正律六十三, 變律二十一. 六十三者, 九七之數也；二十一者, 三七之數也. 或問聲 氣之元. 朱子曰："律歷家最重這元聲. 元聲一定, 向下都定；元聲差, 下都差."[122]

생각건대, 율려의 수는 나아가되 되돌아오지 않으므로 황종은 다시 다른 율에 부림을 당하지 않으며, 사용된 7성은 모두 정율正律이니 공적空積(미세하게 계산하는 분모)의 홀忽과 미微가 없다.[123] 임종궁부터 그 이하는 반성半聲이 있고,[124] 대려와 태주는 1개가 반성半聲이고, 협종과 고선은 2개가 반성이며, 유빈과

....

122 『朱子語類』 권92, 15조목

123 사용된 7성은 … 없다. :『前漢書』「律曆志」 顏師古의 注에는, "孟康이 말했다. '忽과 微는 있는 듯하기도 하고 없는 듯하기도 하여 머리털보다 미세한 것이니, 正聲에는 잔존하는 나머지가 없다는 것이다. … 空積은 鄭氏(鄭玄)가 1촌을 나누어 수천으로 한 것과 같다.(孟康曰, '忽・微, 若有若無, 細於髮者也, 謂正聲無有殘分也. … 空積, 若鄭氏分一寸爲數千.')"라고 하였다.
유희는『律呂新書摘解』「律呂本元」에서, "10微가 1홀이다. '空積忽微' 4개 글자는『前漢書』「律曆志」에 나오는데, 가운데 빈 곳의 부피를 忽과 微로 세밀하게 계산하는 것을 말하니, 대려 이하에는 毫・絲・忽・秒의 수가 있다는 것을 가리킨다.(十微爲忽. 空積忽微四字出『漢前志』, 謂中空之積, 細計以忽與微者, 指大呂以下有毫・絲・忽・秒之數者.)"라고 하였다.

124 임종궁부터 그 … 있고：유희는『律呂新書摘解』「律呂本元」에서, "이것은 임종 등 11율이 궁이 되면 반드시

응종은 4개가 반성이고, 이칙과 남려는 5개가 반성이며, 무역과 응종은 6개가 반성이고, 중려는 12율의 끝이니 3개가 반성이다. 유빈궁부터 그 이하는 변율變律이 있어서,[125] 유빈은 변율이 1개이고, 대려는 변율이 2개이며, 이칙은 변율이 3개이고, 협종은 변율이 4개이며, 무역은 변율이 5개이고, 중려는 변율이 6개이다. 모두 공적의 홀과 미가 있으니, 그 정율을 얻지 못했다.[126] 그러므로 황종만이 성聲·기氣의 근원이 된다. 비록 12율과 84성은 모두 황종이 낳은 것이지만 황종일운黃鍾一均은 이른바 순수한 것 가운데 순수한 것이다. 84성은 정율이 63개이고 변율이 21개이다. 63은 7×9의 수이고 21은 7×3의 수이다. 어떤 사람이 성·기聲·氣의 근원에 대해 물었다. 주자가 대답했다. "율력가는 이 근원이 되는 성을 가장 중시한다. 근원이 되는 성이 한 번 확정되면 그 아래는 모두 확정되고, 근원이 되는 성이 틀려지면 그 아래는 모두 틀려진다."

[22-9]

六十調圖 第九 以『周禮』, 『淮南子』, 『禮記』鄭氏註 · 孔氏『正義』定.

제9장 60조도 『주례』, 『회남자』, 『예기』 정씨鄭氏[鄭玄] 주註, 공씨孔氏[孔穎達]의 『정의正義[禮記正義]』에 의거하여 정했다.

· ·

半聲이 그 調에 섞여있다는 것을 말한다. 예컨대 임종의 조에는 4개의 반성이 있으니, 대려가 변치가 되고, 태주가 치가 되며, 고선이 우가 되고, 유빈이 변궁이 되는 것이 이것이다. 태주의 조에는 1개의 반성이 있으니, 대려가 변궁이 되는 것이 이것이다. 〈보주에, 앞의 일설에는 임종이 궁이 되면 1개의 반성이 있고 남려가 궁이 되면 2개의 반성이 있다고 말한 것은, 다만 대려·협종·중려의 3개 呂를 반성이라고 한 것이니, 蔡氏(蔡元定) 주의 본래의 뜻과 같지 않다.〉(此謂林鐘等十一律爲宮, 則必有半聲參其調. 如林鐘之調, 有四半聲 : 大呂爲變徵, 太簇爲徵, 姑洗爲羽, 蕤賓爲變宮, 是也. 太簇之調, 有一半聲, 大呂爲變宮, 是也. 〈補註, 前一說, 林鐘爲宮, 有一半聲; 南呂爲宮, 有二半聲云者, 只以大·夾·中三呂謂半聲, 與蔡註本意不同.〉)라고 하였다.

125 유빈궁부터 그 … 있어서: 유희는 『律呂新書摘解』「律呂本元」에서, "이것은 유빈 등 6율이 궁이 되면 반드시 變聲(變律)이 그 調에 섞여 있다는 것을 말한다. 예컨대 유빈의 조에는 하나의 변율이 있으니, 황종이 치가 되는 것이 이것이다. 대려의 조에는 2개의 변율이 있으니, 황종이 변궁이 되고 임종이 변치가 되는 것이 이것이다.(此謂蕤賓等六律爲宮, 則必有變聲(變律)參其調. 如蕤賓之調, 有一變律, 黃鐘爲徵, 是也. 大呂之調, 有二變律, 黃鐘爲變宮, 林鐘爲變徵, 是也)"라고 하였다.

126 모두 공적의 … 못했다.: 劉瑾은 『律呂成書』권2에서, "潛室陳氏(陳埴)가 말했다. '황종이 궁일 때 5성이 모두 正聲이라서 마땅히 모두 온전한 수이니, 이것을 空積의 忽과 微가 없다고 한 것이다. 그 나머지 11궁은 꼭 모두 正聲이지는 않아서 혹은 變律이거나 혹은 半聲으로서 모두 온전한 수가 아니므로 공적의 홀과 미가 있다. 예컨대, 대려의 8과 104/243촌에서 8촌이 실수인 것을 제외하고 243분(분모)을 말한 것은 모두 공적이고 1촌의 104(분자 : 즉 104/243촌)는 홀과 미이다. 이렇게 셈하는 수를 가상으로 만드니, 그 공적은 매우 많고 얻은 수는 매우 미세하다.'(潛室陳氏曰, '黃鍾爲宮, 五聲皆正聲, 應皆全數, 是謂無空積忽微. 若其他十一宮, 則未必皆正聲, 或變或半, 皆非全數, 故有空積忽微. 如大呂之八寸二百四十三分寸之一百四, 除八寸是實數也外, 言二百四十三分者, 皆空積也, 寸之一百四者, 忽·微也. 蓋虛起此筭數, 其空積甚多而所得甚微細也.')"라고 하였다.

	宮	商	角	變徵	徵	羽	變宮
黃鐘宮	黃正	太正	姑正	蕤正	林正	南正	應正
無射商	無正	黃變半	太變半	姑變半	仲半	林變半	南變半
夷則角	夷正	無正	黃變半	太變半	夾半	仲半	林變半
仲呂徵	仲正	林變	南變	應變	黃變半	太變半	姑變半
夾鐘羽	夾正	仲正	林變	南變	無正	黃變半	太變半
大呂宮	大正	夾正	仲正	林變	夷正	無正	黃變半
應鐘商	應正	大半	夾半	仲半	蕤半	夷半	無半
南呂角	南正	應正	大半	夾半	姑半	蕤半	夷半
蕤賓徵	蕤正	夷正	無正	黃變半	大半	夾半	仲半
姑洗羽	姑正	蕤正	夷正	無正	應正	大半	夾半
太簇宮	太正	姑正	蕤正	夷正	南正	應正	大半
黃鐘商	黃正	大正	姑正	蕤正	林正	南正	應正
無射角	無正	黃變半	太變半	姑變半	仲半	林變半	南變半
林鐘徵	林正	南正	應正	大半	太半	姑半	蕤半
仲呂羽	仲正	林變	南變	應變	黃變半	太變半	姑變半
夾鐘宮	夾正	仲正	林變	南變	無正	黃變半	太變半
大呂商	大正	夾正	仲正	林變	夷正	無正	黃變半
應鐘角	應正	大半	夾半	仲半	蕤半	夷半	無半
夷則徵	夷正	無正	黃變半	太變半	夾半	仲半	林變半
蕤賓羽	蕤正	夷正	無正	黃變半	大半	夾半	仲半
姑洗宮	姑正	蕤正	夷正	無正	應正	大半	夾半
太簇商	太正	姑正	蕤正	夷正	南正	應正	大半
黃鐘角	黃正	太正	姑正	蕤正	林正	南正	應正
南呂徵	南正	應正	大半	夾半	姑半	蕤半	夷半
林鐘羽	林正	南正	應正	大半	太半	姑半	蕤半
仲呂宮	仲正	林變	南變	應變	黃變半	太變半	姑變半
夾鐘商	夾正	仲正	林變	南變	無正	黃變半	太變半
大呂角	大正	夾正	仲正	林變	夷正	無正	黃變半
無射徵	無正	黃變半	太變半	姑變半	仲半	林變半	南變半
夷則羽	夷正	無正	黃變半	太變半	夾半	仲半	林變半
蕤賓宮	蕤正	夷正	無正	黃變半	大半	夾半	仲半
姑洗商	姑正	蕤正	夷正	無正	應正	大半	夾半

太簇角	太正	姑正	蕤正	夷正	南正	應正	大半
應鐘徵	應正	大半	夾半	仲半	蕤半	夷半	無半
南呂羽	南正	應正	大半	夾半	姑半	蕤半	夷半
林鐘宮	林正	南正	應正	大半	太半	姑半	蕤半
仲呂商	仲正	林變	南變	應變	黃變半	太變半	姑變半
夾鐘角	夾正	仲正	林變	南變	無正	黃變半	太變半
黃鐘徵	黃正	太正	姑正	蕤正	林正	南正	應正
無射羽	無正	黃變半	太變半	姑變半	仲半	林變半	南變半
夷則宮	夷正	無正	黃變半	太變半	夾半	仲半	林變半
蕤賓商	蕤正	夷正	無正	黃變半	大半	夾半	仲半
姑洗角	姑正	蕤正	夷正	無正	應正	太半	夾半
大呂徵	大正	夾正	仲正	林變	夷正	無正	黃變半
應鐘羽	應正	大半	夾半	仲半	蕤半	夷半	無半
南呂宮	南正	應正	大半	夾半	姑半	蕤半	夷半
林鐘商	林正	南正	應正	大半	太半	姑半	蕤半
仲呂角	仲正	林變	南變	應變	黃變半	太變半	姑變半
太簇徵	太正	姑正	蕤正	夷正	南正	應正	大半
黃鐘羽	黃正	太正	姑正	蕤正	林正	南正	應正
無射宮	無正	黃變半	太變半	姑變半	仲半	林變半	南變半
夷則商	夷正	無正	黃變半	太變半	夾半	仲半	林變半
蕤賓角	蕤正	夷正	無正	黃變半	太半	夾半	仲半
夾鐘徵	夾正	仲正	林變	南變	無正	黃變半	太變半
大呂羽	大正	夾正	仲正	林變	夷正	無正	黃變半
應鐘宮	應正	大半	夾半	仲半	蕤半	夷半	無半
南呂商	南正	應正	大半	夾半	姑半	蕤半	夷半
林鐘角	林正	南正	應正	大半	太半	姑半	蕤半
姑洗徵	姑正	蕤正	夷正	無正	應正	大半	夾半
太簇羽	太正	姑正	蕤正	夷正	南正	應正	大半

[22-9-1-0]

按: 十二律旋相爲宮, 各有七聲, 合八十四聲. 宮聲十二, 商聲十二, 角聲十二, 徵聲十二, 羽聲十二, 凡六十聲, 爲六十調. 其變宮十二, 在羽聲之後, 宮聲之前; 變徵十二, 在角聲之後, 徵聲之前. 宮不成宮, 徵不成徵, 凡二十四聲, 不可爲調.

생각건대, 12율이 돌아가며 서로 궁이 되는데 각각 7성이 있으니 합계 84성이다. 궁성이 12개이고, 상성이 12개이며, 각성이 12개이고, 치성이 12개이며, 우성이 12개이니 모두 60성이 60조調가 된다.

그 변궁 12개는 우성의 뒤 궁성의 앞에 있고, 변치 12개는 각성의 뒤 치성의 앞에 있다. 궁이면서 궁을 이루지 못하고 치이면서 치를 이루지 못하므로 24개 성은 조調가 될 수 없다.

黃鐘宮至夾鐘羽, 並用黃鐘起調, 黃鐘畢曲. 大呂宮至姑洗羽, 並用大呂起調, 大呂畢曲.
太簇宮至仲呂羽, 並用太簇起調, 太簇畢曲. 夾鐘宮至蕤賓羽, 並用夾鐘起調, 夾鐘畢曲.
姑洗宮至林鐘羽, 並用姑洗起調, 姑洗畢曲. 仲呂宮至夷則羽, 並用仲呂起調, 仲呂畢曲.
蕤賓宮至南呂羽, 並用蕤賓起調, 蕤賓畢曲. 林鐘宮至無射羽, 並用林鐘起調, 林鐘畢曲.
夷則宮至應鐘羽, 並用夷則起調, 夷則畢曲. 南呂宮至黃鍾羽, 並用南呂起調, 南呂畢曲.
無射宮至大呂羽, 並用無射起調, 無射畢曲. 應鐘宮至太簇羽, 並用應鐘起調, 應鐘畢曲.
是爲六十調. 六十調, 卽十二律也; 十二律, 卽一黃鐘也. 黃鐘生十二律; 十二律生五聲二變. 五聲各爲綱紀, 以成六十調. 六十調, 皆黃鐘損益之變也. 宮商角三十六調, 老陽也; 其徵羽二十四調, 老陰也. 調成而陰陽備也.

황종궁에서 협종우까지는 모두 황종으로 조調를 시작하고 황종으로 곡曲을 마친다. 대려궁에서 고선 우까지는 모두 대려로 조를 시작하고 대려로 곡을 마친다. 태주궁에서 중려우까지는 모두 태주로 조를 시작하고 태주로 곡을 마친다. 협종궁에서 유빈우까지는 모두 협종으로 조를 시작하고 협종으로 곡을 마친다. 고선궁에서 임종우까지는 모두 고선으로 조를 시작하고 고선으로 곡을 마친다. 중려 궁에서 이칙우까지는 모두 중려로 조를 시작하고 중려로 곡을 마친다. 유빈궁에서 남려우까지는 모두 유빈으로 조를 시작하고 유빈으로 곡을 마친다. 임종궁에서 무역우까지는 모두 임종으로 조를 시작하고 임종으로 곡을 마친다. 이칙궁에서 응종우까지는 모두 이칙으로 조를 시작하고 이칙으로 곡을 마친다. 남려궁에서 황종우까지는 모두 남려로 조를 시작하고 남려로 곡을 마친다. 무역궁에서 대려우까지는 모두 무역으로 조를 시작하고 무역으로 곡을 마친다. 응종궁에서 태주우까지는 모두 응종으로 조를 시작하고 응종으로 곡을 마친다. 이것이 60조이다.[127] 60조는 곧 12율이고, 12율은 곧 하나의 황종이다. 황종이 12율을 낳고 12율은 5성·2변을 낳는다. 5성이 각각 기준이 되어 60조를 이룬다. 60조는 모두 황종이 삼분손익한 변화이다. 궁·상·각 36조는 노양이고, 치·우 24조는 노음

127 이것이 60조이다. : 유희는 『律呂新書摘解』「律呂本元」에서, "이것은 1곡 5조로 예를 삼은 것이다. 황종의 곡에서 황종이 궁이 되면 궁조를 이루고, 무역이 궁이 되면 즉 상조를 이루며, 이칙이 궁이 되면 각조를 이루고, 중려가 궁이 되면 치조를 이루며, 협종이 궁이 되면 우조를 이루니, 모두 황종이 자리 잡는 곳을 기준으로 調를 시작하고 끝마친다는 것을 말한다. 대려 이하 매 5조 1곡은 모두 이와 같다. 〈음악가가 능멸 하여 침범하는 것을 반드시 피하는 까닭이 어찌 참으로 신하와 백성이 윗사람에게 거드름 피우는 것을 싫어해서이겠는가? 무릇 그런 뒤에야 높고 낮음과 크고 작음이 점점 줄어들어 혹시라도 차례를 빼앗는 일이 없을 것이다. 沈存中(沈括)이 4청성을 두루 쓰지 않음을 걱정하여 마침내 사물은 서로 능멸하는 것을 피하지 않는다고 했는데, 어찌 그의 말이 이와 같이 어리석은가?〉(此以一曲五調爲例也, 謂黃鐘之曲, 黃鍾爲宮則成 宮調, 無射爲宮則成商調, 夷則爲宮則成角調, 仲呂爲宮則成徵調, 夾鐘爲宮則成羽調, 並以黃鐘所次者, 起調而 畢之也. 大呂以下, 每五調一曲, 皆倣此. 〈樂家所以必避陵犯者, 豈眞爲臣民僈上之嫌哉? 夫然後高下洪纖以漸 而殺, 無或有奪倫矣. 沈存中爲患四淸之不周於用, 至謂事物不避相陵, 何其說夢之若是癡也?〉)"라고 하였다.

이다. 조調가 이루어지면 음·양이 갖추어진다.[128]

或曰: "日辰之數由天五地六錯綜而生, 律呂之數由黃鐘九寸損益而生, 二者不同. 至數之成, 則日有六甲, 辰有五子爲六十日.; 律呂有六律五聲, 爲六十調. 若合符節, 何也?"

어떤 사람이 물었다. "일진日辰의 수는 하늘 5와 땅 6이 뒤섞이는 것으로부터 생겨나고, 율려의 수는 황종 9촌이 삼분손익하는 것으로부터 생겨나니, 양자는 같지 않다. 그런데 수를 이루고 나면, 일日에 6갑甲이 있고 진辰에 5자子가 있어서[129] 60일이 되며, 율려에는 6율과 5성이 있어서 60조가 된다. 이 둘은 마치 부절을 합한 것과 같으니 무엇 때문인가?"

曰: "卽上文之所謂'調成而陰陽備也.' 夫理必有對待, 數之自然者也. 以天五地六合陰與陽言之, 則六甲五子究於六十, 其三十六爲陽, 二十四爲陰. 以黃鐘九寸紀陽不紀陰言之, 則六律五聲究於六十, 亦三十六爲陽, 二十四爲陰. 蓋一陽之中, 又自有陰陽也. 非知天地之化育者, 不能與於此."

대답했다. "이것이 곧 윗글에서 이른바, '조調가 이루어지면 음·양이 갖추어진다.'는 것이다. 무릇 이치에 반드시 대대對待가 있는 것은 수가 저절로 그러한 것이다. 하늘 5와 땅 6이 음·양과 합하는 것으로 말하면, 6갑甲과 5자子는 60에서 끝나니, 그 36은 양이 되고 24는 음이 된다. 황종 9촌이 양을 기준으로 하고 음을 기준으로 하지 않는 것으로 말하면, 6율과 5성은 60에서 끝나니, 그 또한 36은 양이 되고 24는 음이 된다. 대개 하나의 양 가운데에는 또 그 자체로 음·양이 있다. 천지의 화육을 아는 사람이 아니라면 이것에 참여할 수 없을 것이다."

[22-9-1-1]

朱子曰: "律呂有十二箇, 用時只使七箇. 若更揷一聲,[130] 便拗了."[131]

· ·

128 궁·상·각 … 갖추어진다. : 劉瑾은 『律呂成書』권2에서, "歐陽潁伯이 말했다. '악은 양에서부터 나오므로 성은 모두 양성이고, 수는 모두 양수이다. 음은 양을 나눈 것일 뿐이다. 무릇 성이 있는 것은 모두 양에 속하고 성이 없는 것은 음에 속한다. 『周禮』에서 말한 陽聲·陰聲은 성이 있는 것 가운데에서 또 그 자체로 음과 양을 나눈 것이다. 蔡氏(蔡元定)가 36개 조를 건효의 策에 배당시키고 24개 조를 곤효의 책에 배당시킨 것 또한 『周禮』의 의미일 뿐이다.'(歐陽潁伯曰, '樂由陽來, 故聲皆陽聲, 而數皆陽數也. 陰則分陽而已. 凡有聲皆属陽, 無聲皆属陰. 若『周禮』所謂陽聲·陰聲, 則於有聲之中, 又自分陰·陽者也. 蔡氏以三十六調, 配乾爻之策; 以二十四調, 配坤爻之策, 則亦『周禮』之義云爾.')"라고 하였다.

129 日에 6甲 … 있어서 : 『前漢書』권21상 「律曆志」에 나오는 말로, 「律曆志」 注에는, "孟康이 말했다. '6갑 가운데 오직 甲寅이 子가 없으므로 5子가 있다.'(孟康曰, '六甲之中, 唯甲寅無子, 故有五子.')"라고 하였다. 이에 대해 邢雲路는 『古今律曆考』권11에서, "일의 6甲은 甲子·甲寅·甲辰·甲午·甲申·甲戌을 가리키고, 辰의 5子는 甲子·丙子·戊子·庚子·壬子를 가리킨다. 甲寅으로 시작하는 열흘 중에는 子가 없으므로 5子에 그친다.(日有六甲, 甲子·甲寅·甲辰·甲午·甲申·甲戌也. 辰有五子, 甲子·丙子·戊子·庚子·壬子. 惟甲寅旬中無子, 故止五子也.)"라고 설명하였다.

주자가 말했다. "율려는 12개가 있지만 그것을 쓸 때에는 다만 7개를 사용한다. 만약 다시 1개의 성聲이라도 더 끼워 넣으면 곧 어그러진다."

[22-9-1-2]

"旋宮, 且如大呂爲宮, 則大呂用黃鐘八十一之數, 而三分損一, 下生夷則 ; 又用林鐘五十四之數,[132] 而三分益一, 上生夾鐘. 其餘皆然."[133]

(주자가 말했다.) "돌아가며 궁이 되는 것은 예컨대 대려가 궁이 되면 대려가 황종 81의 수를 써서 삼분손일하여 이칙을 하생下生하고, (이칙은) 또 임종 54의 수를 써서 삼분익일하여 협종을 상생上生하는 것과 같다. 그 나머지도 모두 그러하다."

[22-9-1-3]

"旋相爲宮, 若到應鐘爲宮, 則下四聲都當低去. 所以有半聲. 亦謂之'子聲'. 近時所謂淸聲', 是也."[134]

(주자가 말했다.) "서로 돌아가며 궁이 되는 데에 만약 응종이 궁이 되는 경우에는, 아래의 4개의 성은 모두 줄여가야 한다. 그러므로 반성半聲이 있고 또한 그것을 '자성子聲'이라고 한다. 근래의 이른바 '청성淸聲'이라고 하는 것이 이것이다."

[22-9-1-4]

"樂家大率最忌臣民陵君, 故商聲不得過宮聲."[135]

(주자가 말했다.) "음악가들은 대체로 신하와 백성이 군주를 능멸하는 것을 가장 기피하였으므로, 상성商聲은 궁성을 넘을 수 없다."

[22-9-1-5]

"如應鐘爲宮, 其聲最短而淸. 或蕤賓爲之商, 則是商聲高似宮聲, 爲臣陵君不可用. 遂乃用蕤賓律減半爲淸聲以應之. 雖然減半, 只是此律,[136] 故亦能相應也.[137]·[138]

(주자가 말했다.) "예컨대 응종이 궁이 되면 그 성이 가장 짧고 고음이다. 혹 유빈이 상商이 되면 이 상성商聲은 높이가 궁성과 비슷하여 신하가 군주를 능멸하므로 쓸 수 없다. 이에 마침내 유빈율을 반으로 줄여 청성淸聲을 만들어서 상응하게 한다. 비록 반으로 줄였지만 다만 그 율이므로 또한 상응할 수 있다."

---

130 若更揷一聲 : 『朱子語類』 권92, 19조목에는, '若更揷一聲' 앞에 '自黃鐘下生至七,'이라는 말이 더 있다.

131 『朱子語類』 권92, 19조목

132 又用林鐘五十四之數 : 『朱子語類』 권92, 13조목에는, '又用林鐘五十四之數' 앞에 '夷則'이라는 말이 더 있다.

133 『朱子語類』 권92, 13조목

134 『朱子語類』 권92, 15조목

135 『朱子語類』 권92, 15조목

136 只是此律 : 『朱子語類』 권92, 15조목에는, '只是出律'이라고 되어 있다.

137 故亦能相應也. : 『朱子語類』 권92, 15조목에는, '故亦自能相應也.'라고 되어 있다.

138 『朱子語類』 권92, 15조목

[22-9-1-6]

"若以黃鐘爲宮, 則餘律皆順; 若以其他律爲宮, 便有相陵處. 今且以黃鐘言之, 自第九宮後四宮, 則或爲角, 或爲羽, 或爲商, 或爲徵. 若以爲角, 則是民陵其君; 若以爲商, 則是臣陵其君. 徵爲事, 羽爲物, 皆可類推, 故製黃鐘四淸聲用之. 淸聲短其律之半, 是黃鐘淸長四寸半也. 若後四宮用黃鐘爲角·徵·商·羽, 則以四淸聲代之, 不可用黃鐘本律, 以避陵慢. 沈存中云, 唯君臣民不可相陵, 事·物則不必避."139

(주자가 말했다.) "만약 황종을 궁으로 삼으면, 나머지 율이 모두 순조롭지만, 만약 다른 율을 궁으로 삼으면 곧 서로 능멸하는 곳이 있다. 이제 황종으로서 말하면, 제9궁으로부터 뒤의 4개의 궁은 혹은 각이 되고, 혹은 우가 되며, 혹은 상이 되고, 혹은 치가 된다. 만약 각이 되면 백성이 그 군주를 능멸하는 것이고, 만약 상이 되면 신하가 그 군주를 능멸하는 것이다. 치가 사事가 되고 우가 물物이 되는 것도 모두 유추할 수 있으므로, '황종의 4개의 청성(黃鐘四淸聲[黃鐘·大呂·太族·夾鐘])이 4개의 청성이 된다.'을 만들어 썼다. 청성은 짧기가 그 율의 반이니, 황종청성의 길이는 4촌 반이다. 만약 뒤의 4개의 궁이 황종으로 각·치·상·우를 삼으면 4개의 청성으로 대신하여 황종 본율을 쓰지 못하게 해서 능멸하는 오만함을 피하도록 했다. 심존중沈存中[沈括]140은 오직 군주와 신하·백성은 서로 능멸할 수 없지만, 사事와 물物은 굳이 피할 필요가 없다고 하였다."141

[22-10]

候氣 第十 제10장 후기

[22-10-1]

候氣之法, 爲室三重, 戸閉, 塗釁必周密, 布緹縵室中, 以木爲案, 每律各一案, 內庳外高, 從其方位, 加律其上, 以葭灰實其端, 覆以緹素, 按曆而候之. 氣至則吹灰動素. 小動, 爲氣

139 『朱子語類』 권92, 51조목

140 沈括(1031~1095) : 자는 存中이고 호는 夢溪丈人이다. 절강성 杭州 사람이다. 宋 仁宗 嘉祐 8년(1063년)에 진사에 급제하여, 神宗 때에 왕안석의 變法運動에 참여하였다. 변법운동이 실패한 뒤 보수파에게서 탄압받던 그는 58세에 완전히 정계에서 물러나, 강소성 鎭江에 있는 夢溪園에서 은거하여 그 동안의 경험에 의거하여 다방면으로 연구에 몰두하였다. 이에 정치·경제·문화·군사뿐 아니라 수학·천문·역법·음악·의학·기상·지질·지리·물리·과학·생물·농업·수리·건축 등을 망라하는 백과전서적인 저술인『夢溪筆談』을 완성하였다. 특히 이 책은 북송대 과학발전의 지표를 가늠할 수 있는 대표적인 저술로 평가된다.

141 "만약 황종을 … 하였다.' : 유근은『律呂成書』권2에서, "악가가 반드시 陵犯을 피하는 까닭이 어찌 참으로 신하와 백성이 윗사람에게 오만한 혐의 때문이겠는가! 무릇 그런 연후라야 높고 낮음이나 크고 작음이 점점 줄어들고 혹시라도 질서를 빼앗는 일이 있지 않을 것이다. 沈存中(沈括)이 4청성을 두루 쓰지 않음을 걱정하여, 事와 物은 서로 능멸하는 것을 피하지 않는다고까지 말했는데, 이 어찌 이렇듯 어리석게 허황한 말을 하는가!(樂家所以必避陵犯者, 豈眞爲臣民慢上之嫌哉! 夫然後高下·洪纖以漸而殺, 無或有奪倫矣. 沈存中爲患四淸之不周於用, 至謂事物不避相陵, 何其說夢之若是癡也!)"라고 하였다.

60 · 性理大全書卷之二十二

和；大動, 爲君弱臣强專政之應；不動, 爲君嚴猛之應. 其升降之數, 在冬至, 則黃鐘九寸. 升五分一釐三毫. 大寒, 則大呂八寸三分七釐六毫. 升三分七釐六毫. 雨水, 則太簇八寸. 升四分五釐一毫六絲. 春分, 則夾鐘七寸四分三釐七毫三絲. 升三分三釐七毫三絲. 穀雨, 則姑洗七寸一分. 升四分□□五毫四絲三忽. 小滿, 則仲呂六寸五分八釐三毫四絲六忽. 升三分□□三毫四絲六忽. 夏至, 則蕤賓六寸二分八釐. 升二分八釐. 大暑, 則林鐘六寸. 升三分三釐四毫. 處暑, 則夷則五寸五分五釐五毫. 升二分五釐五毫. 秋分, 則南呂五寸三分. 升三分□□四毫一絲. 霜降, 則無射四寸八分八釐四毫八絲. 升一分二釐四毫八絲. 小雪, 則應鐘四寸六分六釐.

후기(候氣)(기의 변화를 증험함)의 방법은, 세 겹의 벽으로 된 방을 만들어 문을 막고 반드시 치밀하게 틈을 흙칠하고는, 방 안에 붉은 명주를 펴고 나무로 받침을 만드는데 매 율관마다 각각 받침을 하나씩 두되, 안쪽은 낮고 바깥쪽은 높게 하고, 그 방위에 따라서 받침 위에 율관을 놓아두며,[142] 갈대청을 태운 재로 그 끝을 채우고 흰 비단으로 덮고서, 역서曆書에 따라 그것을 증험하는 것이다.[143] 기氣가 이르면 (기가) 재를 내뿜어 흰 비단을 움직인다. 조금 움직이면 기가 조화로운 것이고, 크게 움직이면 군주가 약하고 신하가 강하여 정사를 전횡하는 것의 응험應驗이며, 움직이지 않으면 군주가 엄격하고 사나운 것의 응험이다. 그 오르내리는 수는, 동지에는 황종 9촌이다. 5분 1리 3호를 올린다.[144] 대한에는 대려

• • • • • • • • • • • • • • • • • • •

142 안쪽은 낮고 … 놓아두며 : 劉瑾은 『律呂成書』 권2에서, "이것은 12개의 받침을 12개의 방위에 배열하여 놓는데 받침의 형태는 모두 비스듬히 기울게 하는 것이다. 이미 그 위에 율관을 놓으면 여러 율관들의 높은 부분이 밖으로 나온 것은 서로 향하여 마치 바퀴살이 모여드는 것 같다.(此謂以十二案列置十二方位, 而案形皆斜倚. 既置管其上, 則衆管高頭之出外者, 相向如輻湊也.)"라고 하였다.
유희는 『律呂新書摘解』「律呂本元」에서, "이것은 12개 받침을 12개 방위에 배열하여 놓는데 받침의 형태는 모두 비스듬히 기울게 하는 것이다. 이미 그 위에 율관을 놓으면 여러 율관들의 높은 부분이 밖으로 나온 것은 서로 향하는 것이 마치 바퀴살이 모여드는 것 같다. 〈반고의 『漢書』「律曆志」 이래로 그 높고 낮음의 분수를 말하지 않았으니 지금 상고해서 알 수 없다. 그러나 대개 땅의 방위에는 남과 북이 있고 氣가 이르는 데는 선후가 있으니, 그 받침대를 비스듬히 기댄 것 역시 반드시 기준을 삼아서 차이 나게 하는 것이 있을 것이다. 내 생각에는 각각 그 땅의 적도의 고도를 받침대의 높낮이의 형태로 삼아야 한다고 본다. 예컨대 동쪽의 우리나라는 적도와의 거리가 50도 남짓(强)이 되니, 받침대 높이와 주변 거리를 아래로 평평하게 해서 역시 50도 남짓으로 하면 될 것이다.〉(此謂以十二案列置十二方位, 而案形皆斜倚. 既置管其上, 則衆管高頭之出外者, 相向如輻湊也.〈自『班志』以來, 未有言其卑高之分數者, 今不可攷知. 然蓋地方有南北, 氣至有先後, 則其案之斜倚, 亦必有所準而爲差者. 愚意當各以其地赤度之高度爲案高卑之形. 如我東赤道距地爲五十度强, 則案之高邊距下平, 亦以五十度强, 可也.〉)"라고 하였다.
143 역서에 따라 … 것이다. : 유근은 『律呂成書』 권2에서, "율관에서 재를 증험하는 방법은 반드시 동지를 관측하는 것을 먼저 해야 할 일로 삼아야 한다. 대개 동지를 관측하기 어려운 점은 내가 이미 『觀象志』에서 논하였다. 그러므로 마땅히 먼저 춘분과 추분을 관측하고 그 중간을 취해서 동지와 하지로 삼아야 한다. 曆書에 의거하고 儀器를 기준으로 하여 협종·남려·황종·유빈 4개의 율관을 증험하는데, 4개의 율관이 이미 응하였으면 나머지는 저절로 미루어갈 수 있다.(律管候灰之法, 必以測冬至爲先務. 夫冬至之難測, 愚既於『觀象志』論之矣. 故當先測春分·秋分, 而取其中, 以爲冬至與夏至. 按之歷書, 準之儀器, 以候夾鐘·南呂·黃鐘·蕤賓四律之管, 四管既應, 而餘自推去矣.)"라고 하였다.

8촌 3분 7리 6호이다. 3분 7리 6호를 올린다. 우수에는 태주 8촌이다. 4분 5리 1호 6사를 올린다. 춘분에는 협종 7촌 4분 3리 7호 3사이다. 3분 3리 7호 3사를 올린다. 곡우에는 고선 7촌 1분이다. 4분 5호 4사 3홀을 올린다. 소만에는 중려 6촌 5분 8리 3호 4사 4홀이다. 3분 3호 4사 6홀을 올린다. 하지에는 유빈 6촌 2분 8리이다. 2분 8리를 올린다. 대서에는 임종 6촌이다. 3분 3리 4호를 올린다. 처서에는 이칙 5촌 5분 5리 5호이다. 2분 5리 5호를 올린다. 추분에는 남려 5촌 3분이다. 3분 4호 1사를 올린다. 상강에는 무역 4촌 8분 8리 4호 8사이다. 1분 2리 4호 8사를 올린다. 소설에는 응종 4촌 6분 6리이다.

[22-10-1-0]

按：陽生於復，陰生於姤，如環無端．今律呂之數，三分損益，終不復始，何也？

曰："陽之升始於子，午雖陰生而陽之升于上者未已，至亥而後窮上反下；陰之升始于午，子雖陽生而陰之升于上者亦未已，至巳而後窮上反下．律於陰則不書，故終不復始也．是以升陽之數，自子至巳差彊，在律爲尤彊，在呂爲少弱；自午至亥漸弱，在律爲尤弱，在呂爲差彊．分數多寡雖若不齊，然其絲分毫別，各有條理，此氣之所以飛灰，聲之所以中律也．"

생각건대, 양이 복復(䷗)괘에서 생겨나고 음이 구姤(䷫)괘에서 생겨나는 것은 마치 고리가 끝이 없는 것과 같다. 이제 율려의 수는 삼분손익하여 끝내 다시 시작하지 않으니 무엇 때문인가?

대답했다. "양의 오름은 자子에서 시작하여 오午에서 비록 음이 생기지만, 양이 위로 오르는 것은 그치지 않아서 해亥에 이른 뒤에 오름을 다하고 되돌아 내려온다. 음의 오름은 오午에서 시작하여 자子에서 비록 양이 생기지만, 음이 위로 오르는 것은 또한 그치지 않아서 사巳에 이른 뒤에 오름을 다하고 되돌아 내려온다. 율은 음에 대해서는 기록하지 않으므로 끝내 다시 시작하지 않는다.[145] 이 때문에 양을 올리는 수는, 자子에서부터 사巳에 이르기까지가 비교적 강彊한데, 율律에서는 더욱

• • • • • • • • • • • • • • • • • •

144 5분 1리 … 올린다. : 유희는『律呂新書摘解』「律呂本元」에서, "이것으로써 12관이 위를 가지런히 하고 아래를 가지런히 하지 않은 것을 알 수 있다.(此以見十二管之齊上, 而不齊下也.) 《小注》 예컨대 황종관이 9촌인데 5분 1리 3호를 올려서 8촌 3분 7리 6호의 관을 두면 대려이고, 황종과 그 위를 가지런히 한다. 또 3분 7리 6호를 올려서 8촌 관을 두면 태주이고, 또 대려와 그 위를 가지런히 한다. 그러므로 응종의 아래에는 다시 올린다는 글이 없다.(如黃管九寸, 而升五分一釐三毫, 加八寸三分七釐六毫之管, 則大呂, 與黃鐘齊其上也. 又升三分七釐六毫, 而加八寸之管, 則太簇, 又與大呂齊其上也. 故應鐘之下, 更無所升之文.)》"라고 하였다. 여기에서의 촌법은 역시 9진법으로 셈한다.

145 양의 오름은 … 않는다. : 유희는『律呂新書摘解』「律呂本元」에서, "이것은 양이 亥에서 끝나고 子는 다시 다른 양을 시작하므로, 중려가 낳는 황종은 다시 원래의 수를 얻을 수 없으며, 음은 巳에서 끝나고 午에서부터는 또한 다시 다른 음을 시작하니, 응종이 낳는 유빈은 이치상 원래의 수가 될 수 없다는 것이다. 그런데 율려의 법칙은 본래 음을 살피지 않으므로, 정율로 보면 유빈의 앞에는 유빈이 있은 적이 없고, 변율로 보면 응종의 뒤에는 마침내 변율이 없으니, 다시는 시작하는 흔적을 볼 수 없다.(此言陽窮於亥, 而子則更始他陽, 故中呂所生之黃鐘, 不得復爲原數也；陰窮於巳, 而自午亦更始他陰, 則應鐘所生之蕤賓, 理當不得爲原數. 而律呂之法, 本不察於陰, 故以正, 則蕤賓之前未有蕤賓；以變, 則應鐘之後, 遂無變律, 更始之迹不可見矣.)"라고 하였다.

강강彊强하고 려呂에서는 조금 약弱하며, 오午에서부터 해亥에 이르기까지가 점점 약해지는데, 율에서는 더욱 약하고 려에서는 비교적 강하다.[146] 분수分數의 많고 적음이 비록 가지런하지 않은 것 같지만, 그 사絲·호毫로 분별되는 것이 각각 조리가 있으니, 이것이 기氣가 재를 날리는 까닭이고, 성聲이 율에 들어맞는 까닭이다."

或曰: "易以道陰陽, 而律不書陰, 何也?"
曰: "易者盡天下之變, 善與惡無不備也. 律者致中和之用, 止於至善者也. 以聲言之, 大而至於雷霆, 細而至於蟻蠓, 無非聲也. 易則無不備也; 律則寫其所謂黃鐘一聲而已矣. 雖有十二律六十調, 然實一黃鐘也. 是理也, 在聲爲中聲, 在氣爲中氣, 在人則喜怒哀樂未發與發而中節也. 此聖人所以一天人, 贊化育之道也."

어떤 사람이 물었다. "역易에서는 음과 양을 말하는데, 율에서는 음을 기록하지 않는 것은 무엇 때문인가?"
대답했다. "역은 천하의 변화를 다 표현하니 선과 악이 갖추어지지 않음이 없다. 율은 중화中和의 작용을 다 실현하니 지극히 선한 것에서 그친다. 성聲으로서 말하면, 크게는 천둥소리에 이르기까지, 작게는 눈에놀이[蟻蠓] 소리에 이르기까지가 성聲 아닌 것이 없다. 역은 갖추어지지 않은 것이 없지만, 율은 이른바 황종 1성聲을 기록할 뿐이다. 비록 12율·60조가 있지만, 사실 하나의 황종이다. 이 이치는 성聲에서는 중성中聲이 되고, 기氣에서는 중기中氣가 되며, 사람에게서는 희노애락이 아직 드러나지 않은 것과 드러나되 절도에 맞는 것이다. 이것이 성인이 천天과 인人을 하나로 하고 화육을 돕는 도이다."

[22-10-1-1]

魯齋彭氏曰: "西山蔡氏所述, 『禮記』「月令」章句蔡邕說也. 如邕所云, 則是爲十二月律布室內十二辰, 若其月氣至, 則辰之管灰飛而管空也. 然則十二月各當其辰, 斜埋地下, 入地處庫, 出地處高, 故云, '內庫外高.' 黃鐘之管埋於子位, 上頭向南. 以外諸管, 推之可悉知. 又律書云, '以河內葭莩爲灰, 宜陽金門山竹爲管.' 熊氏云, '灰實律管, 以羅縠覆之, 氣至, 則吹灰動縠矣.' 又長樂陳氏曰, '候氣之法, 造室三重, 各啟門. 爲門之位, 外之以子, 中之以午, 內復以子, 揚子所謂九閟之中也. 蓋布緹縵室中, 上圓下方, 依辰位埋律管, 使其端與地齊, 而以薄紗覆之. 中秋白露降, 採葭莩爲灰加管端, 以候氣至灰去. 爲氣所動者灰散, 爲物所動者灰聚. 今採諸說具圖云.'"

146 이 때문에 … 강하다. : 유희는 『律呂新書摘解』「律呂本元」에서, "이것은 위의 小註에서 몇 분을 올린다는 글을 살펴보면, 잘 알 수 있다.〈율관을 分·釐를 올리는 수에 대해서는 설명할 필요가 없다. 다만 12개 율관의 그 윗부분을 가지런히 하도록 하는 것이 저절로 이와 같다. 그런데 蔡氏(蔡元定)는 율려의 강약을 각각 조리가 있다고 하고, 또 '비록 가지런하지 않은 것 같다.'는 말을 붙였으니, 그것이 (12율관의) 위를 가지런히 하는 데에서 나오는 까닭을 알지 못하여 별도로 象數가 있어 그렇다고 생각한 것 같다.〉(此以上小註升幾分之文考較, 可見.〈升管分·釐之數不須講解. 只令十二管齊其上頭, 自然如是. 而蔡氏以律呂强弱謂各有條理, 又着'雖若不齊'四字, 似不識其出於齊上之故, 而疑別有象數然也.〉)"라고 하였다.

노재 팽씨魯齋彭氏가 말했다. "서산 채씨西山蔡氏[蔡元定]가 서술한 것은 『예기』「월령」장구에 있는 채옹의 말이다. 예컨대 채옹이 말한 것은, 곧 12개월의 율관을 실내에 12신辰으로 펼쳐놓고, 만약 그 달의 기氣가 이르면 그 신辰에 있는 율관 속의 재가 날아서 관이 비게 된다는 것이다. 그렇다면 12개월이 각각 그 신辰에 해당하도록 하여 땅속에 비스듬히 묻는데, 들어가는 곳은 낮게 하고 나오는 곳은 높게 하니, 그 때문에 '안쪽이 낮고 바깥쪽이 높다.'고 말했다. 황종관은 자子의 자리에 묻고 윗부분은 남쪽을 향하게 한다. 그 밖의 나머지 율관들은 미루어서 다 알 수 있다. 또 율서에서, '하내河內(하북지방)의 갈대청으로 재를 만들고, 의양宜陽(하남성의 서부지역)의 금문산金門山 대나무로 율관을 만든다.'라고 하였다. 웅씨熊氏는, '재를 율관 속에 채우고 얇은 비단으로 덮는데, 기氣가 이르면 재를 내뿜어 비단을 움직인다.'고 하였다. 또 장락 진씨長樂陳氏[陳祥道]는, '후기의 방법은 세 겹의 벽으로 된 방을 만들고 여는 문을 각각으로 한다. 문을 만드는 위치는 바깥 문은 자子의 위치이고, 중간 문은 오午의 위치이며, 안쪽 문은 다시 자子의 위치이니, 양자揚子[揚雄]의 이른바 구폐지중九閉之中[147]이다. 방 가운데에 붉은 명주를 펴는데 위는 둥글게 하고 아래는 네모나게 하며, 신辰의 위치에 따라 율관을 묻는데 그 끝이 바닥면과 가지런하게 하고, 얇은 깁[薄紗]으로 덮는다. 중추에 찬 이슬이 내리면 갈대청을 채취하여 재로 만들어 율관의 끝에 채우고서, 기氣가 이르러 재가 제거되는 것을 증험한다. 기에 의해 움직이는 것은 재가 흩어지고, 물物에 의해 움직이는 것은 재가 모인다. 이제 여러 학설을 채록하고 도표를 갖추었다.'고 하였다."

[22-11]

審度 第十一 제11장 심도

[22-11-1]

度者, 分寸尺丈引, 所以度長短也, 生於黃鐘之長. 以子穀秬黍中者九十枚度之, 一爲一分. 凡黍實於管中, 則十三黍, 三分黍之一而滿一分. 積九十分, 則千有二百黍矣. 故此九十黍之數, 與下章千二百黍之數, 其實一也. 十分爲寸; 十寸爲尺; 十尺爲丈; 十丈爲引. 數始於一, 終於十者, 天地之全數也. 律未成之前, 有是數而未見; 律成而後, 數始得以形焉. 度之成在律之後, 度之數在律之前, 故律之長短圍徑, 以度之寸分之數而定焉.

도도(길이를 재는 단위)는 분分·촌寸·척尺·장丈·인引이니 그것으로써 길이를 재는데, 이것은 황종의 길이에서 생겨났다. 알곡 '검은 기장[秬黍][148] 중간크기 90알로 길이를 재게 되니 1알의 길이가 1분分이다.

---

147 九閉之中 : 여러 겹으로 닫아 막은 속을 가리키는 말로, 양옹의 『太玄經』권1「從中至增」에서 '閑'을 '閉'로 풀이하면서 9차례에 걸쳐 막는다고 하였다.

148 '검은 기장[秬黍]' : 倪復은 『鐘律通考』권4에서, "顏師古가 말하기를, 秬黍는 검은 기장이다.(顏師古曰, 秬黍即黑黍.)"라고 하였다.
유희는 『律呂新書摘解』「律呂本元」에서, "秬黍는 검은 기장으로 형태가 크기 때문에 글자에 巨자가 있다. 옛사람은 곡식 가운데 기장을 중시하였고 이 품종은 또한 좋은 품종이기 때문에 그것으로 숫자의 기준을 삼은 것이지, 검은 기장에 뜻을 지극히 둔 것은 아니다.(秬黍黑黍, 形巨故字從巨. 古人穀品重黍, 而此種又晥

기장을 관 속에 채우면 13과 1/3알이 1분 높이를 꼭 채운다. 90분을 쌓으면 기장 알 1,200개가 들어간다.[149] 그러므로 여기에서의 기장 알의 수 90은 다음 장章에서 말하는 기장 알의 수 1,200과 사실은 한가지이다. 10분이 1촌이고, 10촌이 1척이며, 10척이 1장이고, 10장이 1인이다. 수가 1에서 시작하여 10에서 끝나는 것이 천지의 전체수[全數]이다. 율律이 이루어지기 전에 이 수가 있었지만 미처 드러나지 않았는데, 율이 이루어진 뒤에 비로소 수가 드러나게 되었다. 도度가 이루어진 것은 율의 뒤이고 도의 수는 율 이전에 있었기 때문에, 율의 길이와 원지름은 도의 촌·분의 수로써 정했다.

[22-12]

嘉量 第十二 제12장 가량

[22-12-1]

量者, 龠合升斗斛, 所以量多少也, 生於黃鐘之容. 以子穀秬黍中者一千二百實其龠; 以井水准其槩; 以度數審其容. 一龠積八百一十分. 合龠爲合. 兩龠也, 積一千六百二十分. 十合爲升. 二十龠也, 積一萬六千二百分. 十升爲斗. 百合, 二百龠也, 積十六萬二千分. 十斗爲斛. 二千龠, 千合, 百升也; 積一百六十二萬分.

량量(부피를 재는 단위)은 약龠·합合·승升·두斗·곡斛이니 그것으로써 부피를 재는데, 이것은 황종의 용량에서 생겨났다. 알곡 검은 기장[秬黍] 중간크기 1,200알로 그 약龠을 채우게 되니, 우물물을 넣어 평미레로 밀어서 도수度數로 그 용량을 살펴본다. 1약은 부피가 810입방분이다. 2개의 약을 합한 것이 1합이고 2약이니 부피는 1,620입방분이다. 10합이 1승이며 20약이니 부피는 16,200입방분이다. 10승이 1두이고 100합으로 200약이니 부피는 162,000입방분이다. 10두가 1곡이다. 2,000약으로 1,000합이고 100승이니 부피는 1,620,000입방분이다.

[22-13]

謹權衡 第十三 제13장 근권형

[22-13-1]

權衡者, 銖兩斤鈞石, 所以權輕重也, 生於黃鐘之重. 以子穀秬黍中者一千二百實其龠; 百黍一銖, 一龠十二銖. 二十四銖爲一兩. 兩龠也. 十六兩爲斤. 三十二龠, 三百八十四銖也. 三十斤

····················
好, 故以之準數, 非有所致意於秬黍也.)"라고 하였다.
149 90분을 쌓으면 … 들어간다. : 13과 1/3에 90을 곱하면 1,200이 된다.

爲鈞. 九百六十龠, 一萬一千五百二十銖, 四百八十兩也. **四鈞爲石**. 三千八百四十龠, 四萬六千八十銖, 一萬[150] 九百二百兩也.

권형權衡(무게를 재는 단위)은 수銖·량兩·근斤·균鈞·석石이니 그것으로써 무게를 재는데, 이것은 황종의 무게에서 생겨났다. 알곡 검은 기장[秬黍] 중간크기 1,200알로 그 약龠을 채우게 되니, 100알이 1수이고, 1약은 12수이다. 24수가 1량이고, 1량은 2약龠이다. 16량이 1근이며, 1근은 32약이고 384수이다. 30근이 1균이고, 1균은 960약이고 11,520수이며, 480량이다. 4균이 1석이다. 1석은 3,840약이고 46,080수이며, 1,920량이다.

---

150 萬 : 계산상 '千' 자라고 해야 한다. 번역문은 교정한 것에 따랐다.

律呂新書二 율려신서 2

律呂新書二
율려신서 2

律呂證辨 율려증변

[23-1]

造律 第一 제1장 조율

[23-1-1]

班固『漢前志』曰："黃帝使伶倫自大夏之西, 昆侖之陰, 取竹之解谷生其竅厚均者,[1] 斷兩節間而吹之, 以爲黃鐘之宮；制十二筩以聽鳳之鳴. 其雄鳴爲六, 雌鳴亦六, 比黃鐘之宮而皆可以生之, 是爲律本. 至治之世, 天地之氣合以生風；天地之風氣正, 十二律定."[2]

반고의 『전한서』「율력지」에서 말했다. "황제黃帝가 영륜伶倫에게 대하大夏[3]의 서쪽, 곤륜昆侖의 북쪽으로 가서, 해곡解谷[4]에서 나는 그 구멍과 두께가 고른 대나무를 취하여 두 마디 사이를 잘라서 불어보게

. . . .

1 取竹之解谷生其竅厚均者：유희는 『律呂新書摘解』「律呂證辨」에서, "『漢書』의 여러 판본에 혹은 '之' 자가 없다.(『漢書』諸本或無'之'字.)"라고 하였다.

2 『前漢書』권21上「律歷志」

3 大夏：朱熹는 『儀禮經傳通解』권13에서, "응소가 말했다. '대하는 서융에 있는 나라이다.(應劭曰, '大夏, 西戎之國也.')"라고 하였다.

4 解谷：주희는 『儀禮經傳通解』권13에서, '해계의 골짜기(嶰溪之谷)'라고 하였다. 또 맹강의 말에 의거하여, 嶰溪는 곤륜산 북쪽에 있는 계곡의 이름이라고 하였다.(孟康曰, "嶰溪, 昆侖之北谷名也.")
유희는 『律呂新書摘解』「律呂證辨」에서, "설명하는 사람 중에 어떤 사람은 해곡을 지명인 嶰谷으로 여기기도 하고, 어떤 사람은 곁의 움푹 들어간 곳을 벗어나는 것으로 삼고 '生'이라는 글자를 아래 구절에 소속시키기도 한다. 내 생각에, 위 구절에서 이미 '대하의 서쪽, 곤륜의 북쪽'이라고 말했으니 다시 그 아래에서 지명을 거론할 필요가 없을 것이다. 또 대나무 관 곁에 만약 움푹 패인 곳이 있다면 그 가운데의 空圍(단면적)가

하여 그것을 황종의 궁성宮聲으로 삼고,[5] 12개의 대통을 만들어 봉황의 울음소리에 따르도록 하였다. 봉황 수컷의 울음소리에 따르도록 하는 것이 6개이고 암컷의 울음소리에 따르도록 하는 것이 6개인데, 황종의 궁성과 조화하여[6] 모두 생겨나올 수 있으니 이것(황종의 궁성)이 율의 근본이 된다.[7] 잘 다스려지는 세상에는 천지의 기氣가 조화하여 바람을 일으키고, 천지의 바람은 기氣가 바를 때에 12율이 정해진다."

[23-1-2]
劉昭『漢後志』曰："伏羲作易, 紀陽氣之初以爲律法. 建日冬至之聲, 以黃鐘爲宮, 太簇爲商, 姑洗爲角, 林鐘爲徵, 南呂爲羽, 應鐘爲變宮, 蕤賓爲變徵, 此聲氣之元, 五音之正也."[8]
又曰："截管爲律, 吹以攷聲, 列以候氣, 道之本也."[9]

유소의 『후한서』「율력지」에서 말했다. "복희가 역을 만드는 데에 양기가 처음 생겨나는 것을 기준으로 율법을 삼았다. 동짓날의 소리를 설정하여 황종으로 궁을 삼고, 태주로 상을 삼고, 고선으로 각을 삼고, 임종으로 치를 삼고, 남려로 우를 삼고, 응종으로 변궁을 삼고, 유빈으로 변치를 삼았으니, 이것이 성기聲氣의 근원이고 5음의 바름이다."

(유소의 『후한서』「율력지」에서) 또 말했다. "관을 잘라서 율관을 만들어 그것을 불어서 성聲을 고찰하고[10] 벌려놓아 후기候氣하는 것이 도의 근본이다."[11]

. . . .

어찌 度數에 부합하겠는가? 그러므로 반드시 그 둘레가 고루 둥글게 생긴 것을 취할 뿐이다.(說者, 或以解谷爲地名嶰谷, 或以爲解脫旁合, 而以'生'字屬下句. 愚謂上句旣言'大夏之西, 崑崙之陰', 則不必更擧地名於其下. 且竹管之旁, 若有凹谷, 則其中空圍, 豈合度數乎? 故必取其勻圓而生者耳.)"라고 하였다.

5 解谷에서 나는 … 삼고 : 유희는 『律呂新書摘解』「律呂證辨」에서, "『漢書』의 글은 『呂覽(呂氏春秋)』에서 왔는데, '해곡의 골짜기에서 대나무를 취해 두 마디 사이를 잘라서, 그 길이를 3촌 9분으로 하여 그것을 불어보아 황종의 율관으로 삼았다.'고 하였다.(『漢書』文出自『呂覽』, 曰, '取竹於解谿之谷, 斷兩節間, 其長三寸九分, 而吹之以爲黃鐘之管.')"라고 하였다.

6 조화하여 : 주희는 『儀禮經傳通解』권13에서, 顔師古의 말에 의거하여 '比' 자를 '合' 자로 풀이하였다.(師古曰, "比, 合也.") 또 『儀禮經傳通解』권27에서는, 같은 문장에서의 '合' 자를 '조화하다和諧'로 풀이하였다.(合, 和諧.)

7 모두 생겨나올 … 된다. : 倪復은 『鐘律通考』권3에서, "顔師古가 말했다. '모두 생겨나올 수 있다는 것은 상하로 相生하는 것을 말한다. 11개 율관이 모두 황종관의 궁성에서 생겨나기 때문에 황종이 율려의 근본이라고 말했다.'(師古曰, '可以生之, 謂上下相生也. 十一管皆生於黃鐘之宮, 故曰黃鐘律呂之本.')"라고 하였다.

8 『後漢書』권11「律歷志」

9 『後漢書』권11「律歷志」

10 관을 잘라서 … 고찰하고 : 유희는 『律呂新書摘解』「律呂證辨」에서, "율관은 소리가 없지만 오히려 불어서 소리를 낼 수는 있다. 또 지금의 대금과 尺八(피리의 일종으로 길이가 1척 8촌이므로 이렇게 명명한다.) 같은 것은 노력을 해야 소리를 얻을 수 있다. 〈대금은 즉 笛이고 척팔은 속세에서 퉁소라고 칭한다.〉 진실로 소리를 얻을 수 없는 자는 마땅히 갈대를 깎아 율관에 吹口를 꽂고 그것을 불면 簹律 소리와 같은 것을 가질 수 있다.(律管無聲, 猶能吹出. 亦猶今大笒·尺八, 以工夫得聲也. 〈大笒卽笛, 尺八俗所稱洞簫.〉 苟不能得聲者, 當削蘆爲嘴插諸律管而吹之, 有若簹律之聲.)"라고 하였다. 또 유희는 이 단락 小注에서, "율관이 율관다운

[23-1-3]

『國朝會要』曰：“古者黃鐘爲萬事根本, 故尺量權衡, 皆起於黃鐘. 至晉隋間累黍爲尺, 而以制律, 容受卒不能合, 及平陳得古樂遂用之. 唐典, 因聲以制樂, 其器雖無法, 而其聲猶不失於古. 五代之亂, 大樂淪散, 王朴始用尺定律, 而聲與器皆失之. 故太祖患其聲高, 特減一律. 至是又減半律. 然太常樂比唐之聲猶高五律；比今燕樂高三律. 帝雖勤勞於制作而未得其當者, 有司失之於以尺而生律也. 按此皆范蜀公之説.

『국조회요國朝會要』[12]에서 말했다. “옛날에는 황종이 만사의 근본이 되었으니 도량형이 모두 황종에서 비롯하였다. 진晉나라·수隋나라에 이르러 기장 알을 쌓아 척尺을 삼고 그것으로 율관을 제정하였으나 끝내 용량이 부합하지 않다가, 진陳나라를 평정하고서야 옛 악기를 얻어 마침내 쓸 수 있게 되었다. 당唐나라가 흥기하여 성聲에 따라 악樂을 제정하였는데, 그 악기는 비록 법도가 없었지만 그 성聲은 여전히 옛것을 잃지 않았다. 5대五代의 혼란 속에 대악大樂이 흩어져 없어지니, 왕박王朴[13]이 비로소 척尺을 사용하여 율관을 제정했지만 성聲과 악기가 모두 잘못되었다. 그러므로 태조[14]께서 그 성聲이 높은 것을 근심하여 특별히 1율을 덜어내었다. 이에 와서 또 반율을 덜어내었다. 그러나 태상악太常樂은 당나라 성聲에 비하여 여전히 5율이 높고 지금의 연악燕樂에 비해도 3율이 높았다.[15] 비록 태조께서

....

것은 중요함이 氣와 도량형에 있지 않고, 그것으로써 樂의 聲을 가지런히 하는 데에 있다. 옛사람들이 율관을 제작할 때 반드시 먼저 그것을 불어서 그 조화로움이 적절한지를 구했다. 그런 뒤에 기에 증험을 하고 그것을 도량형에 미루어 보았다. 다만 후대에 귀로 듣는 것이 옛사람에 미치지 못했기 때문에 그 소리의 작은 차이를 잘 알 수가 없었다. 그러므로 구차하게 갈대 재나 기장 알을 채우는 것에 매달렸지만, 오히려 반드시 소리를 살피는 것이 기가 모이는 것을 증험하는 것보다 먼저 제기되어야 할 것이다. 《補註》 율관을 불 수 있는 것이 아니라고 말하는 데에 이르면, 그것이 궁·치·상·각이 되는 것이 어디에서 나오는 것인지를 알지 못하는 것이다. 군자는 한마디 말로 알지 못하는 것이 된다는 것이 바로 이러한 부류이다.》(律之爲律, 所重不在於氣, 度量衡也, 所以齊諸樂之聲者也. 古人製律, 必先吹之以求適其和. 然後驗之於氣, 推之於度量衡也. 只緣後代耳聞不及古人, 無的以知其聲之微差. 故區區於葭灰黍粒之間, 而猶必以攷聲先擧於候氣鍾之. 《補註》至謂律管非可吹者, 則未知其爲宮·徵·商·角者 將從何出乎. 君子一言而爲不知, 正謂此類也.》”라고 하였다.

11 그것을 불어서 … 근본이다 : 예복은 『鐘律通考』권3에서, “내 생각에, 그것을 불어서 聲을 고찰하고 벌려놓아 候氣하는 것은 율관을 제작하는 데에 중요한 방법이다.(愚按吹以攷声, 列以候氣, 此造律之要法也.)”라고 하였다.

12 『國朝會要』 : 송대의 『會要』를 말한다. 『會要』는 그 代代의 국가제도와 역사·지리 및 풍속·민심 등을 주로 수록한 역사서이다. 당대 이후 『會要』가 정리되었는데, 특히 송대의 『會要』가 그 내용이 풍부하기로 유명하다.

13 王朴(906~959) : 자는 文伯이고 산동성 東平 사람이다. 오대시대 後周의 大臣으로 知開封府事·戶部侍郎·樞密使를 역임하면서 정치적 치적을 남겼다. 특히 陰陽·律曆에 정통하여 왕명으로 曆法을 校定하여 『欽天曆』15권을 편찬하였으며, 역시 왕명으로 雅樂을 고증하여 81調를 얻고 『律准』을 저술했다.

14 태조 : 宋 태조 조광윤을 가리킨다.

15 그러나 太常樂은 … 높았다. : 유희는 『律呂新書摘解』「律呂證辨」에서, “5율이 높다고 한 것은 응종의 소리를 유빈에 맞출 수 있다는 것이다. 3율이 높으면 이칙에 맞출 수 있다. 그 1율을 줄인 것은 황종의 소리를 대려에 비교되게 하는 것이고, 또 반율을 낮추면 대려와 태주의 사이에 비교되도록 하는 것이다.(云高五律者, 應鐘之聲可準蕤賓也. 高三律, 則可準夷則也. 減其一律者, 黃鐘之聲, 使比大呂也；又減半律, 則使比大呂·太簇之間也.)”라고 하였다. 율려는 황종, 대려, 태주, 협종, 고선, 중려, 유빈, 임종, 이칙, 남려, 무역, 응종이 음고의

율관을 제작하는 데에 부지런히 힘썼지만 합당한 것을 얻지 못한 까닭은 유사有司가 (잘못된) 척尺으로 율관을 만든 잘못에 있다." 생각건대 이 말은 모두 범촉공范蜀公[范鎭][16]의 주장이다.

[23-1-4]
河南程氏曰: "黃鐘之聲亦不難定. 世自有知音者, 將上下聲攷之, 旣得正,[17] 便將黍以實其管看管實得幾粒, 然後推而定法, 可也. 古法律管當實千二百粒黍. 今羊頭黍不相應, 則將數等驗之, 看如何大小者方應其數, 然後爲正. 昔胡先生定樂, 取羊頭山黍, 用三等篩子篩之, 取中等者, 特未定也."[18]

하남 정씨河南程氏[程頤]가 말했다. "황종의 성聲은 또한 확정하기 어렵지 않다. 세상에는 원래 음音을 잘 아는 사람이 있으니 높고 낮은 성聲을 살펴보아 바름을 얻었으면, 기장으로 율관을 채워서 몇 알로 채워졌는지를 본 뒤에 그것으로 미루어서 율법을 확정하면 된다. 옛 율법의 율관에는 기장 1,200알이 채워졌다. 지금 양두산羊頭山의 기장은 상응하지 않으니, 같은 수량으로 시험하여 어느 정도 크기면 그 수량에 상응하는지를 본 다음에야 바르게 될 것이다. 예전에 호선생胡先生[胡瑗][19]이 악樂을 정할 때에 양두산의 기장을 가지고 3등급 굵기의 체로 쳐서 중간 크기를 취하였으나 결국 정하지 못했다."

又曰: "以律管定尺, 乃是以天地之氣爲準, 非秬黍之比也. 秬黍積數, 在先王時, 惟此適與度量合, 故可用. 今時則不同."[20]

(하남 정씨가) 또 말했다. "율관으로 척尺을 정하는 것은 곧 천지의 기氣를 기준으로 하는 것이지 검은 기장으로 부합시키는 것이 아니다. 검은 기장을 누적한 수는 선왕 때에 오직 이것이 마침 도량형과 합치되었기 때문에 쓸 수 있었다. 그러나 이제는 같지 않다."

차례이기 때문에, 유빈과 응종 사이는 5율이고, 이칙과 응종 사이는 3율이며, 황종과 대려사이 및 대려와 태주 사이는 1율이다.

16 范鎭(1008~1088): 자는 景仁이고 長嘯公으로도 불리었으며, 시호는 忠文이다. 송대 華陽(현 사천성 城都) 사람으로 벼슬은 知諫院·翰林學士를 역임하였으며, 蜀郡公으로 봉해졌다. 많은 저술을 남겼는데, 『文集』과 『正言』·『樂書』가 유명하다.

17 旣得正: 程頤의 『二程遺書』 권2上에는, '須得其正'이라 하고 '一作旣'라고 주석하였다.

18 程頤, 『二程遺書』 권2上

19 胡瑗(993~1059): 자는 翼之이고 북송 泰州如皐(현 강소성 여고) 사람이다. 선대부터 대대로 섬서성 安定堡에 살았기 때문에 학자들은 그를 安定先生이라고 불렀다. 벼슬은 太子中舍·光祿寺丞·天章閣侍講 등을 역임하였다. 송대 성리학의 개창자 중 한 사람으로서 孫復·石介와 함께 '宋初三先生'으로 불린다. 특히 明體達用의 학문을 강조하여 후학들에게 큰 영향을 끼쳤다. 저술은 『周易口義』·『洪範口義』·『論語說』·『春秋口義』 등이 있다.

20 程頤, 『二程遺書』 권3

[23-1-5]

橫渠張氏曰: "律呂有可求之理. 德性淳厚者, 必能知之."[21]

횡거 장씨橫渠張氏[張載]가 말했다. "율려는 구할 수 있는 방법이 있다. 덕성이 순박하고 두터운 사람만이 그것을 알 수 있을 것이다."

[23-1-5-0]

按: 律呂散亡, 其器不可復見. 然古人所以制作之意, 則猶可攷也. 太史公曰, "細若氣, 微若聲, 聖人因神而存之, 雖妙必効. "言黃鐘始於聲氣之元也. 班固所謂黃帝使伶倫取竹, 斷兩節間吹之以爲黃鐘之宮; 又曰", 天地之風氣正而十二律定. ; "劉昭所謂伏羲紀陽氣之初以爲律法; 又曰, "吹以攷聲, 列以候氣. ; "皆以聲之淸濁氣之先後求黃鐘者也". 是古人制作之意也. 夫律長則聲濁而氣先至, 極長則不成聲而氣不應. 律短則聲淸而氣後至, 極短則不成聲而氣不應. 此其大凡也.

생각건대, 율려가 흩어져 없어지고 그 악기도 다시 볼 수 없게 되었다. 그러나 옛사람들이 악기를 제작한 뜻은 아직도 고찰할 수 있다. 태사공太史公[司馬遷]은, "가늘기는 기氣(태역의 기)와 같고 작기는 성聲(5성의 성)과 같지만, 성인께서 신령함으로 그것을 보존하니 비록 미묘하더라도 반드시 드러날 것이다."[22]라고 말했다. 이것은 황종이 성기聲氣의 근원에서 비롯한다는 것을 말한다. 반고는 이른바 황제黃帝가 영윤伶倫에게 대나무를 가져다가 두 마디 사이를 잘라서 불어보아 황종의 궁성宮聲으로 삼게 했다고 하고, 또 "천지의 바람은 기氣가 바를 때에 12율이 정해진다."고 말했으며, 유소는 이른바 복희가 양기가 처음 생겨나는 것을 기준으로 율법을 삼았다고 하고 또 "그것을 불어서 성聲을 고찰하고 벌려놓아서 후기候氣하였다."고 말한 것은 모두 성聲의 청탁과 기氣의 선후로써 황종을 구한 것이다. 이것이 옛사람들이 악기를 제작한 뜻이다. 율관이 길면 성聲이 탁하고 기氣가 먼저 이르며, 지나치게 길면 성聲을 이루지 못하고 기氣는 이르지 않는다. 율관이 짧으면 성聲은 청淸하고 기氣가 뒤에 이르며, 지나치게 짧으면 성聲을 이루지 못하고 기氣는 응하지 않는다. 이것이 그 대강이다.

今欲求聲氣之中而莫適爲準則, 莫若且多截竹以擬黃鐘之管. 或極其短, 或極其長, 長短之內, 每差一分以爲一管, 皆卽以其長權爲九寸, 而度其圍徑如黃鐘之法焉. 如是而更迭以吹, 則中聲可得; 淺深以列, 則中氣可驗. 苟聲和氣應, 則黃鐘之爲黃鐘者信矣. 黃鐘者信, 則十一律與度量衡權者得矣.

지금 성기聲氣의 적절함中을 구하려고 하지만 적합한 준칙이 없으면, 대나무를 많이 잘라서 황종의 율관으로 삼아보는 것만 못하다. 어떤 것은 매우 짧게 하고 어떤 것은 매우 길게 하는데 그 짧고 긴 간격이 각각 1분씩 차이 나게 율관을 만들어, 모두 그 길이를 임시로 9촌으로 삼고 그 원지름을

----

21 張載, 『張子全書』 권5 「禮樂」
22 司馬遷, 『史記』 권25 「律書」 제3

재어서 황종관을 만드는 법도와 같게 한다. 이와 같이 하고서 번갈아 불면 중성中聲을 얻을 수 있을 것이고, 얕고 깊게 묻어서 배열하면 중기中氣를 증험할 수 있을 것이다. 만약 성聲이 조화롭고 기氣가 응하면 황종관이 황종관 다운 것을 확신하게 될 것이다. 황종관을 믿을 수 있으면 11개의 율관과 도량형을 얻을 수 있을 것이다.

後世不知出此, 而唯尺之求. 晉氏而下, 則多求之金石; 梁隋以來, 又參之秬黍. 下至王朴, 剛果自用, 遂專恃累黍而金石亦不復攷矣. 夫金石眞僞, 固難盡信. 若秬黍, 則歲有凶豐, 地有肥瘦, 種有長短小大圓妥不同, 尤不可恃. 況古人謂秬穀秬黍中者實其龠, 則是先得黃鐘而後度之以黍. 不足則易之以大, 有餘則易之以小, 約九十黍之長, 中容千二百黍之實, 以見周徑之廣, 以生度量衡權之數而已, 非律生於黍也. 百世之下, 欲求百世之前之律者, 其亦求之於聲氣之元, 而毋必之於秬黍, 則得之矣.

후세에는 이것을 만들어낼 줄 모르고 오직 척尺만을 구하였다. 진晉나라 이후로는 대부분 금석金石으로 척尺을 구했는데, 양梁나라·수隋나라 이후로는 또 검은 기장을 참고하였다. 왕박王朴에 이르러 과감하게 자신의 방법을 옳다고 여겨서, 마침내 기장 알을 쌓는 방법만을 신뢰하고 금석은 다시 고찰하지 않았다. 금석척이 제대로 된 것인지 잘못된 것인지의 여부는 참으로 다 믿기 어렵다. 만약 검은 기장 알이라면 풍년과 흉년에 따라 다르고 땅이 비옥한 여부에 따라 다르며 종자의 길이와 크기 및 둥근 정도에 따라 다르니, 더욱 믿을 수 없다. 게다가 옛사람들은 검은 기장 중간크기 알곡으로 그 약龠을 채운다고 했으니, 이것은 먼저 황종관을 얻은 뒤에 기장 알로 그것을 잰 것이다. 기장 알이 채우기에 부족하면 큰 것으로 바꾸고 남으면 작은 것으로 바꾸어, 대략 기장 알 90개의 길이로 기장 알 1,200개를 율관 속에 채워 넣어서 원둘레와 지름의 넓기를 보고 도량형의 수치를 만들어낸 것일 뿐이니, 율관이 기장에서 나온 것이 아니다. 몇 백 년이 지난 뒤에 몇 백 년 전의 율관을 구하려고 하는 자는 성기聲氣의 근원에서 구해야 하고, 검은 기장에서 구하려고 하지 않아야, 그것을 얻을 것이다.

[23-2]

律長短圍徑之數 第二 제2장 율의 길이와 원지름의 수치

[23-2-1]
司馬遷律書

사마천의 율서

	律名	本文	改正
1	黃鐘	八寸七分一宮	八寸十分一

		본문	개정
2	林鐘	五寸七分四角	五寸十分四
3	太簇	七寸七分二商	七寸十分二
4	南呂	四寸七分八徵	四寸十分八
5	姑洗	六寸七分四羽	六寸十分四
6	應鐘	四寸二分三分二羽	四寸二分三分二
7	蕤賓	五寸六分三分一	五寸六分三分二強四百八十六
8	大呂	七寸四分三分	七寸五分三分二強四百□□五
9	夷則	五寸四分三分二商	五寸□□三分二弱二百一十六
10	夾鐘	六寸一分三分一	六寸七分三分一強一百九十八
11	無射	四寸四分三分二	四寸四分三分二強六百□□二
12	仲呂	五寸九分三分二徵	五寸九分三分二強五百八十一

	율명	본문	개정
1	황종	8촌 7분의 1 궁	8촌 10분의 1
2	임종	5촌 7분의 4 각	5촌 10분의 4
3	태주	7촌 7분의 2 상	7촌 10분의 2
4	남려	4촌 7분의 8 치	4촌 10분의 8
5	고선	6촌 7분의 4 우	6촌 10분의 4
6	응종	4촌 2분 3분의 2 우	4촌 2분 3분의 2
7	유빈	5촌 6분 3분의 1	5촌 6분 3분의 2 강486
8	대려	7촌 4분 3분의 1	7촌 5분 3분의 2 강405
9	이칙	5촌 4분 3분의 2 상	5촌 □□3분의 2 강216
10	협종	6촌 1분 3분의 1	6촌 7분 3분의 1 강198
11	무역	4촌 4분 3분의 2	4촌 4분 3분의 2 강602
12	중려	5촌 9분 3분의 2 치	5촌 9분 3분의 2 강581

[23-2-1-0]

按: 律書此章所記分寸之法, 與他記不同, 以難曉, 故多誤. 蓋取黃鐘之律九寸. 一寸九分, 凡八十一分. 而又以十約之爲寸, 故云八寸十分一. 本作七分一者, 誤也. 今以相生次序列而正之, 其應鐘以下, 則有小分. 小分以三爲法, 如歷家太少餘分强弱耳, 其法未密也. 今以二千一百八十七爲全分, 七百二十九爲三分一, 一千四百五十八爲三分二. 餘分之多者爲强, 少者爲弱, 列於逐律之下, 其誤字悉正之.

생각건대, 『사기』「율서」의 이 장에서 기록한 분촌법分寸法은 다른 기록과 같지 않아 분명하게 알기 어렵기 때문에 잘못된 곳이 많다. 황종율은 9촌을 취하는데, 1촌이 9분이므로 모두 81분이다. 그리고 또 그것을 10으로 묶어서 촌寸으로 하기 때문에 8과 1/10촌이라고 하였다. 본문(「율서」)에 '7분의 1'이라고 한 것은 잘못이다. 이제 상생相生의 차례로 바로잡으면, 응종 아래로는 소분小分이 있게 된다. 소분은 3으로 나누는 것이 그 방법인데, 예컨대 역법曆法 전문가들은 많거나 적은 나머지를 강强과 약弱으로 할 뿐이니 그 방법은 엄밀하지 못하다.[23] 이제 2,187을 '전체의 분수全分'로 하니, 729가 3분의 1이고, 1,458이 3분의 2이다. 나머지가 많은 것을 강으로 하고 적은 것을 약으로 해서 매 율 아래에 나열하여 그 잘못된 글자를 모두 바로 잡았다.

『隋志』引此章中黃鐘林鐘太簇應鐘四律寸分,   以爲與班固司馬彪鄭氏蔡邕杜夔荀勗所論, 雖尺有增減而十二律之寸數並同, 則是時律書尚未誤也. 及司馬貞『索隱』, 始以舊本作七分一爲誤, 其誤亦未久也. 沈括亦曰, "此章七字皆當作十字, 誤屈中畫耳." 大要律書用相生分數, 相生之法, 以黃鐘爲八十一分. 今以十爲寸法, 故有八寸一分. 漢前後志及諸家用審度分數. 審度之法, 以黃鐘之長爲九十分. 亦以十爲寸法, 故有九十分. 法雖不同, 其長短則一. 故隋志云寸數並同也.

『수서隨書』「율력지」는 이 장 가운데 황종·임종·태주·응종 4개 율의 촌분寸分을 인용하면서, 반고班固[24]·사마표司馬彪[25]·정씨鄭氏[鄭玄][26]·채옹蔡邕[27]·두기杜夔[28]·순욱荀勗[29]이 논한 것과 척尺에는

• •

23 曆法 전문가들은 … 못하다. : 유희는 『律呂新書摘解』「律呂證辨」에서, "산술가들이 매번 나머지 수를 일컬으면서, 대략 여분의 수가 3분의 2에 가까우면 太半이라고 하고, 3분의 1에 가까우면 少半이라고 하며, 4분의 3에 가까우면 强半이라고 하고, 4분의 1에 가까우면 弱半이라 하였다. 계산을 추산하는 것은 여분이 가장 많으므로 누차 이러한 문자를 사용하였다. 예컨대 曆書를 반포할 때에 宿度를 추산하여 몇 도가 크다고 하고 몇 도가 적다고 말하며, 또 예컨대 『書經』의 공영달의 疏에서 閏法(윤달을 적절하게 두는 방법)에 대하여, '며칠은 강하고 며칠은 약하다.'고 말했다. 〈여기의 '强·弱'이라는 글자는 强半·弱半의 의미와 조금 다르다.〉 무릇 이 부류는 모두 상세하지 않아서 '所强'과 '所弱'이라는 수를 기록하였으므로, '그 법도가 아직 엄밀하지 않다.'라고 말했다. (籌家每稱餘分之數, 大約近於三分之二, 謂之太半 ; 三分之一, 謂之少半 ; 四分之三, 謂之强半 ; 四分之一, 謂之弱半. 歷籌最多餘分, 故屢用此等文字. 如授時歷宿度, 言幾度太, 幾度少, 又如『書』孔疏閏法言, '幾日强, 幾日弱.' 〈此强·弱字與强半·弱半之意微異.〉 凡此類皆不詳, 記所强·所弱之數, 故曰, '其法未密也.')"라고 하였다.

24 班固(32~92) : 자는 孟堅이며, 산서성 咸陽 사람이다. 중국 후한 초기의 역사가이며 문학가이다. 아버지 班彪의 유지를 받들어 고향에서 기전체 역사서인 『漢書』의 편집에 종사하였으나, 62년경 국사를 改作한다는 중상모략으로 투옥되었다. 그의 아우인 班超의 노력으로 明帝의 용서를 받아, 20여 년 걸려서 『漢書』를 저술하다가 완성하지 못하여 여자 아우 班昭가 완성하였다. 79년 여러 학자들이 白虎觀에서 五經의 同異를 토론할 때, 황제의 명을 받아 『白虎通義』를 편집하였다. 和帝 때 竇憲의 中護軍이 되어 흉노 원정을 수행하고, 92년 두헌의 반란사건에 연좌되어 옥사하였다. 저서로는 『漢書』·『白虎通義』·『兩都賦』 등이 있다.

25 司馬彪(?~306) : 자는 紹統이고, 河內 溫縣(현 하남성 溫縣) 사람이다. 西晉의 역사학자이며, 晉나라의 皇族으로서 高陽王 司馬睦의 長子이다. 어릴 적부터 학문을 좋아했지만, 여색을 밝히고 행실이 가벼워 왕위를 계승하지 못했다. 사마표는 이 때문에 두문불출하며 공부해서 많은 서적을 섭렵했다. 벼슬은 騎都尉, 秘書郞 등을 역임하였다. 그는 특히 漢나라의 중흥을 살펴보면서 80여 편이 되는 『續漢書』를 편찬하였다. 그 가운데

증감이 있지만 12율의 촌수寸數는 모두 같다고 여겼으니, 이 때의 율서는 아직 잘못이 없었다. 사마정司馬貞[30]의 『사기색은史記索隱』에 이르러 비로소 옛 판본에서 7분의 1이라고 한 것을 잘못이라고 여겼으니, 그 잘못은 또한 오래된 것이 아니다.[31] 심괄沈括[32]도 "이 장의 '7七'이라는 글자는 모두 '10十'

八志라고 일컫는 「律曆志」, 「禮儀志」, 「祭祀志」, 「天文志」, 「五行志」, 「郡國志」, 「百官志」, 「興服志」는 특히 사료적 가치가 높다. 그 외에 『莊子注』 21권·『兵記』 20권·『九州春秋』·『文集』 4권이 있으나 모두 망실됐다. 지금은 단지 『文選』 중에 『贈山濤』·『雜詩』 등이 남아 있을 뿐이다.

26　鄭玄(127~200) : 자는 康成이며, 北海(현 산동성 高密) 사람이다. 중국 後漢 말기의 대표적 유학자로서, 시종 在野의 학자로 지냈으며, 제자들에게는 물론 일반인들에게서도 訓詁學·경학의 시조로 깊은 존경을 받았다. 젊었을 때부터 학문에 뜻을 두었고, 경학의 今文과 古文 외에 天文·曆數에 이르기까지 광범한 지식을 갖추었다. 처음에 鄕嗇夫라는 지방의 말단관리가 되었으나 그만두고, 洛陽에 올라가 太學에 입학하여, 馬融 등에게 배웠다. 그가 낙양을 떠날 때, 마융이 "나의 학문이 정현과 함께 동쪽으로 떠나는구나!" 하고 탄식하였을 만큼 학문에 힘을 쏟았다. 그는 고문·금문에 모두 정통하였으며, 가장 옳다고 믿는 설을 취하여 『周易』, 『尙書』, 『毛詩』, 『周禮』, 『儀禮』, 『禮記』, 『論語』, 『孝經』 등 경서에 주석을 하였고, 『儀禮』, 『論語』 교과서의 定本을 만들었다. 그의 저서 가운데 완전하게 현존하는 것은 『毛詩』의 箋과 『周禮』, 『儀禮』, 『禮記』의 주해뿐이고, 그 밖의 것은 단편적으로 남아 있다.

27　蔡邕(132~192) : 자는 伯喈이고, 陳留 圉縣(현 하남성 杞縣) 사람이다. 한나라 獻帝 때에 左中郎將을 제수받아서 후세사람들이 蔡中郎이라고 불렀다. 經史·천문·음률에 정통했는데, 특히 서예에 조예가 깊어서 飛白體를 창시했고, 음률에 대해서도 연구가 깊어 거문고의 재료와 제작 및 조율 등에 독창적인 견해가 있었다. 焦尾琴의 고사도 유명하다. 저서는 『蔡中郎集』이 있다.

28　杜夔(?~188) : 한대 말기 河南郡(현 하남성 洛陽) 사람으로 음률에 뛰어났다. 벼슬도 雅樂郎, 太樂令, 協律都尉 등 음악을 관장하는 직책을 역임하면서 장기적인 전란으로 망실된 전대의 古樂을 발굴하고 정리하는 데 공헌했다. 특히 曹操가 그에게 아악 정비를 맡겨서 종묘와 郊祀에서 연주하는 악곡을 제작하도록 했다고 한다. 그가 전한 옛 아악 4개의 곡 즉 「鹿鳴」·「騶虞」·「伐檀」·「文王」은 晉나라 때까지 보존되었다고 한다.

29　荀勖(?~289) : 자는 公曾이고 晉나라 穎川 穎陰(현 하남성 許昌市) 사람이다. 동한의 司空인 荀爽의 증손이다. 司馬炎이 魏나라를 다스릴 때 濟北郡公에 봉해졌기 때문에 荀濟北이라고 불렸다. 晉나라에서 中書監, 侍中, 領著作, 光祿大夫, 守尙書令 등의 벼슬을 역임하면서 법령을 수정하고 많은 계책을 올려 개국공신이 되었다. 또한 音律에 밝아 음악과 관련된 일을 관장하면서 율려를 수정하였다. 특히 中書令 張華와 함께 유향의 『別錄』에 의거해서 궁중의 장서를 정리하여 편찬한 『中經新簿』는 그 규모가 광범위하기로 유명하다.

30　司馬貞(생존연대미상) : 자는 子正이고, 당나라 河內(현 沁陽) 사람이다. 唐代의 저명한 사학자로서 『史記索隱』 30권의 저자이며, 일명 '小司馬'라고 한다. 사마정은 南朝 宋徐嚴의 『史記音義』, 裴駰의 『史記集解』, 齊朝 鄒誕生의 『史記集注』, 唐朝 劉伯莊의 『史記音義』, 『史記地名』 등 여러 학자들의 주석을 모아서 杜預·譙周 등의 저술과 비교하여 후세에 가장 큰 영향을 끼친 역사학의 명저인 『史記索隱』을 저술하였다. 이 책은 裴駰의 『史記集解』, 당나라 張守節의 『史記正義』와 합해서 '史記三家注'로 일컬어지고 있다. 더욱이 후세의 사학가들은 『史記索隱』의 가치가 배인과 장수절의 책보다 더 높다고 칭찬하기도 한다.

31　그 잘못은 … 아니다. : 황종율의 寸分에 대하여 『隋書』 「律曆志」까지는 10분의 1로 제대로 되어 있었으나, 사마정이 본 당나라 때에 전해진 『漢書』 「律書」 판본에 7분의 1로 잘못 표기되었음을 의미한다. 그러므로 그 잘못이 오래된 것이 아니라고 한 것이다.

32　沈括(1031~1095) : 자는 存中이고 호는 夢溪丈人이다. 절강성 杭州 사람이다. 宋 仁宗 嘉祐 8년(1063년)에 진사에 급제하여, 神宗 때에 왕안석의 變法運動에 참여하였다. 변법 운동이 실패한 뒤 보수파에게서 탄압받던 그는 58세에 완전히 정계에서 물러나, 강소성 鎭江에 있는 夢溪園에 은거하며 그 동안의 경험에 의거하여

자로 해야 되니, '10十' 자의 '가운데 획一'을 잘못해서 구부렸을 뿐이다."라고 하였다. 대체로 율서는 상생相生의 분수分數를 썼으니, 상생의 방법은 황종을 81분으로 삼았다. 이제 10진법으로 촌법寸法을 쓰기 때문에 8촌 1분이 있게 되었다. 『전한서』, 『후한서』의 「율력지」 및 여러 학자들은 심도審度(길이를 살핌)의 분수分數를 썼으니, 심도의 방법은 황종의 길이를 90분으로 삼았다. 이것 역시 10진법으로 촌법寸法을 쓰기 때문에 90분이 있게 되었다. 비록 방법은 다르지만 그 길이는 같기 때문에 『수서』 「율력지」에서 "촌수寸數는 모두 같다."고 하였다.

其黃鐘下有宮, 太簇下有商, 姑洗下有羽, 林鐘下有角, 南呂下有徵字. 晉志論律書五音相生而以宮生角, 角生商, 商生徵, 徵生羽, 羽生宮, 求其理用, 罔見通達者, 是也. 仲呂下有徵, 夷則下有商, 應鐘下有羽字. 三者未詳, 亦疑後人誤增也. 下云上九商八羽七角六宮五徵九者, 即是上文聲律數. 太簇八寸爲商, 姑洗七寸爲羽, 林鐘六寸爲角, 南呂五寸爲徵, 黃鐘九寸爲宮. 其曰宮五徵九, 誤字也.

'황종' 아래에 '궁宮' 자가 있고, '태주' 아래에 '상商' 자가 있으며, '고선' 아래에 '우羽' 자가 있고, '임종' 아래에 '각角' 자가 있으며, '남려' 아래에 '치徵' 자가 있다. 『진서晉書』 「율력지」에서는 율서에서 5음이 상생하는 것에 대해 논하여, 궁이 각을 낳고 각이 상을 낳으며 상이 치를 낳고 치가 우를 낳으며 우가 궁을 낳는다고 하였는데, 그렇게 되는 작용원리를 추구하니 확실하게 아는 사람을 볼 수 없었다고 한 것이 이것이다. 중려 아래에 '치' 자가 있고 이칙 아래에 '상' 자가 있으며 응종 아래에 '우' 자가 있는데, 이 세 가지는 확실하지 않으니 또한 후세 사람들이 잘못 첨가시킨 것 같다.[33] 그 아래에 상上은 9이고, 상商은 8이며, 우羽는 7이고, 각角은 6이며, 궁宮은 5이고, 치徵는 9라고 말한 것은[34] 곧 위 글의 성율聲律의 수이다. 태주 8촌은 상이 되고, 고선 7촌은 우가 되며, 임종 6촌은 각이 되고, 남려 5촌은 치가 되며, 황종 9촌은 궁이 된다. 여기에서 궁宮은 5이고, 치徵는

• •

다방면으로 연구에 몰두하였다. 이에 정치 · 경제 · 문화 · 군사 뿐 아니라 수학 · 천문 · 역법 · 음악 · 의학 · 기상 · 지질 · 지리 · 물리 · 과학 · 생물 · 농업 · 수리 · 건축 등을 망라하는 백과전서적인 저술인『夢溪筆談』을 완성하였다. 특히 이 책은 북송대 과학발전의 지표를 가늠할 수 있는 대표적인 저술로 평가된다.

33 '황종' 아래에 … 같다. : 유희는 『律呂新書摘解』「律呂證辨」에서, "『史記』「律書」의 이 조목은 본래 오자가 많아서 후세 사람들이 많이 의심했다. 그리고 '宮 · 商' 등의 글자는 더욱 통하지 않는다. 명나라 유학자 李光地는, 그 4개로써 4방의 聲을 구별하고, 그 5개로써 황종1운의 聲을 갖추었다고 하였다. 그렇다면 태주는 봄이고 첫머리는 角이며, 이칙은 가을이고 첫머리는 商이며, 응종은 여름이고 첫머리는 徵이며, 중려는 겨울이고 첫머리는 羽이어야 하니, '羽' 자와 '徵' 자가 잘못해서 바뀌었다. 황종이 궁성이 되면 태주는 마땅히 상성이 되고, 고선은 마땅히 각성이 되며, 임종은 마땅히 치성이 되고, 남려는 마땅히 우성이 되어야 하니, '角' · '徵' · '羽' 세 글자는 잘못해서 돌아가며 바뀌었다.(『律書』此條本多誤字, 後人多疑. 而'宮 · 商'等字, 尤不可通. 明儒李光地謂其四以別四方之聲, 其五以備黃鐘一均之聲. 然則太簇春首曰角, 夷則秋首曰商, 應鐘夏首曰徵, 中呂冬首當曰羽, 而乃'羽 · 徵'字誤換也. 黃鐘爲宮, 則太簇當爲商, 姑洗當爲角, 林鐘當爲徵, 南呂當爲羽, 而'角 · 徵 · 羽'三者誤遞換也.)"라고 하였다.

34 그 아래에 … 것은 : 司馬貞은『史記索隱』권8「律書第三」에서, "이 5성의 수도 또한 삼분익일하여 上生하고 三分去一하여 下生한 것이다. 궁성이 치성을 하생하고, 치성은 삼분익일하여 상성을 상생하며, 상성은 우성을 하생하고, 우성은 삼분익일하여 각성을 상생한다. 그러나 이 글은 숫자가 틀린 것 같은데 아직 자세히 밝혀내지 못했다.(此五聲之數, 亦上生三分益一, 下生三分去一. 宮下生徵, 徵益一上生商, 商下生羽, 羽益一上生角. 然此文似數錯, 未暇研覈也.)"라고 하였다.

9라고 말한 것은 오자이다.

[23-2-2]

『漢志』曰: "『易』曰, '參天兩地而倚數.' 天之數始於一, 終於二十五. 其義紀之以三, 故置一得三. 又二十五分之六, 凡二十五置終天之數得八十一. 以天地五位之合終於十者乘之, 爲八百一十分, 應歷一統 孟康曰: '十九歲爲一章, 一統凡八十一章.' 千五百三十九歲之章數, 黃鐘之實也. 繇此之義, 起十二律之周徑. 孟康曰: '律孔徑三分, 參天數也. 圍九分, 終天數也.' 地之數始於二, 終於三十. 其義紀之以兩, 故置一得二, 凡三十置終地之數得六十. 以地中六數乘之, 爲三百六十分, 當期之日, 林鐘之實也. 孟康曰: '林鐘長六寸, 圍六分. 以圍乘長, 得三百六十分.' 人者, 繼天順地, 序氣成物, 統八卦, 調八風, 理八政, 正八節, 諧八音, 舞八風, 監八方, 被八荒, 以終天地之功. 故八八六十四, 其義極天地之變. 以天地五位之合終於十者乘之, 爲六百四十分以應六十四卦, 太簇之實也. 孟康曰: '太簇長八寸, 圍八分, 爲積六百四十分也.'"[35]

『전한서』「율력지」에서 말했다. "『역』에서 '하늘을 3으로 하고 땅을 2로 하여 수를 의지한다.'[36]고 하였으니, 하늘의 수는 1에서 시작하여 25에서 끝난다.[37] 그 의미는 3을 규칙으로 삼으므로 1을 두어 3을 얻는다는 것이다. 또 25에 6을 나누어주고 25에 하늘의 끝수(3)를 두어 81(25×3+6=81)을 얻는다.[38] 하늘의 수 5개(1·3·5·7·9)와 땅의 수 5개(2·4·6·8·10)[39]의 합인 10으로 (81에) 곱하면 810분이 되어, 이것은 역법曆法의 1통統인 맹강孟康[40]이 말했다. '19년이 1장章이 되고 1통은 모두 81장이다.'

<hr/>

35 『前漢書』 권21上 「律曆志」

36 '하늘을 3으로 … 의지한다.': 『易』「說卦傳」 1장

37 하늘의 수는 … 끝난다.: 『周易』「繫辭上」 9장에서, "天一, 地二, 天三, 地四, 天五, 地六, 天七, 地八, 天九, 地十. … 天數二十有五, 地數三十, 凡天地之數五十有五."라고 하였는데, 여기에서 '하늘 1'과 '하늘의 수 25'를 가지고 말했다.

38 그 의미는 … 얻는다.: 유희는 『律呂新書摘解』「律呂證辨」에서, "『漢書』「繫辭上」는 원래 반드시 율을 曆에 합치하려고 하는데, 황종 81을 갑자기 기준으로 삼기 어려우므로 25에 3을 곱하고 다시 6을 더하여 그 수(81)를 얻었는데, 6은 의미가 없으므로 25를 끌어다 붙였으니 마치 帶分數가 있는 것 같다. 그러나 그 이치는 억지이고 그 글은 이해하기 어려우니, '하늘의 수는 1에서 시작하고 9에서 끝나는데 3을 기준으로 하므로 1을 두고 3을 얻으며, 9로써 하늘이 끝나는 수로 두고 다시 3을 곱하여 81을 얻는다. …'라고 고쳐서 말하면 잘 모르겠지만 옳지 않겠는가? 회남자의 9×9=81의 설명이 곧 이 의미이다.(『漢志』必自欲以律合歷, 而黃鐘八十一猝難取準, 三乘二十五, 更加六得之, 而六無意義, 故牽連 二十五, 有若帶分者然. 然其理强· 其文晦, 若改云, '天數始於一, 終於九, 紀之以三, 故置一得三, 以九置終天之數, 再以三因得八十一云云,' 未知可歟? 淮南子九九八十一之說, 卽此義也.)"라고 하였다.

39 하늘의 수 … 5개(2·4·6·8·10): 『周易』「繫辭上」 9장에서, "天一, 地二, 天三, 地四, 天五, 地六, 天七, 地八, 天九, 地十. 天數五, 地數五, 五位相得而各有合."이라고 하였는데, 여기에서 '하늘 1', '하늘 3', '하늘 5', '하늘 7', '하늘 9'를 '하늘의 수 5개'라 하고, '땅 2', '땅 4', '땅 6', '땅 8', '땅 10'을 '땅의 수 5개'라고 한다.

40 孟康: 자는 公休이고, 安平 廣宗(현 邢台市廣宗縣) 사람이다. 黃初(220~226) 연간에 散騎侍郎이 되고, 正始(240~248) 연간에 弘農太守, 嘉平(249~254) 연간 말에 渤海太守를 거쳐, 中書監을 역임하고 廣陵亭侯에 봉해

1,539(19× 81=1,539)년의 장章의 수에 상응하니 황종의 실實이다. 이러한 의미로부터 12율의 원둘레와 지름이 생겨났다. 맹강이 말했다. '율관의 구멍 지름 3분은 하늘 3의 수이다. 원둘레 9분은 하늘 9終天의 수이다.' 땅의 수는 2에서 시작하여 30에서 끝난다.[41] 그 의미는 2를 규칙으로 삼으므로 1을 두어 2를 얻는다는 것이며, 30에 땅의 끝수(2)를 두어 60(30×2=60)을 얻는 것이다. 땅 6의 수로 (60에) 곱하면 360이 되어, 1년의 일수에 해당하니 임종의 실實이다. 맹강이 말했다. '임종관의 길이 6촌과 원둘레 6분이다. 원둘레를 길이에 곱하면 360입방분을 얻는다.' 사람은 하늘을 이어받고 땅에 순응하여 기氣에 순서를 매겨서 만물을 이루며, 8괘를 통괄하고 8풍八風[42]을 조화롭게 하며, 8정八政[43]을 다스리고 8절八節[44]을 바로잡으며, 8음八音[45]을 조화롭게 하고 8풍八風[46]으로 춤을 추며, 8방八方을 살피고 덕이 8황八荒(8방의 황폐한 지방)을

· · · · · · · · · · · · · · ·

졌다. 삼국시대 위나라의 저명한 학자로서 특히 천문지리와 음운학에 정통하였다. 저서로는 『漢書音義』와 『老子注』가 있다. 그의 『漢書音義』는 훈고와 고증 방면으로 비교적 높은 성과를 보여 고대 전적에서 자주 인용되었는데, 원본은 오래전에 망실되었다.

41 땅의 수는 … 끝난다 : 『周易』「繫辭上」9장에서, "天一, 地二, 天三, 地四, 天五, 地六, 天七, 地八, 天九, 地十. … 天數二十有五, 地數三十, 凡天地之數五十有五."라고 하였는데, 여기에서 '땅 2'와 '땅의 수 30'을 가지고 말했다.

42 八風 : 『禮記註疏』권38 「樂記」에서 공영달은, "8풍은 8방의 바람이다. 율은 12월의 율이다. 악의 음은 8풍과 같아야 그 악이 절도를 얻기 때문에 8풍과 12율이 8절에 호응하여 간특하지 않게 된다. 8풍에 대해서『白虎通』에서는 다음과 같이 말했다. '동지에서 45일을 지나 條風이 불어오는데, 條는 생겨난다는 것이다. 45일을 지나 明庶風이 불어오는데, 明庶는 많은 것을 맞이한다는 것이다. 45일을 지나 淸明風이 불어오는데, 淸明은 바쁘대芒는 것이다. 45일을 지나 景風이 불어오는데, 景은 크다는 것이니 양기가 길러진다는 것을 말한다. 45일을 지나 凉風이 불어오는데, 凉은 차다는 것이니, 음기가 활동을 하는 것이다. 45일을 지나 閶闔風이 불어오는데, 閶闔은 모두 거두어 감춘다는 것이다. 45일을 지나 不周風이 불어오는데, 不周는 교착하지 않는 것이니, 음기가 아직 융합하지 못한다는 것을 말한다. 45일을 지나 廣莫風이 불어오는데, 廣莫은 아주 크다는 것이니 양기가 열린다는 것이다.(八風, 八方之風也. 律謂十二月之律也. 樂音象八風, 其樂得其度, 故八風·十二月律應八節, 而不爲姦慝也. 八風者, 白虎通云: 距冬至四十五日條風至, 條者, 生也. 四十五日明庶風至, 明庶者, 迎來也. 四十五日淸明風至, 淸明者, 芒也. 四十五日景風至, 景者, 大也, 言陽氣長養也. 四十五日凉風至, 凉, 寒也, 陰氣行也. 四十五日閶闔風至, 閶闔者, 咸收藏也. 四十五日不周風至, 不周者, 不交也, 言陰氣未合化矣. 四十五日廣莫風至, 廣莫者, 大莫也, 開陽氣也.)"라고 주석하였다.

43 八政 : 『禮記』권5 「王制」에는, "8정은 음식, 의복, 백공의 事爲, 각종 용기의 異別, 度, 量, 數, 천의 制.(八政, 飮食, 衣服, 事爲, 異別, 度, 量, 數, 制.)"이라고 하였다.(衛湜의 『禮記集說』, "事爲謂百工技藝也, 異別五方用器不同也, 度丈尺也, 量斗斛也, 數百十也, 制布帛幅廣狹也." 참조)

44 八節 : 『禮記註疏』권38 「樂記」에서 공영달은, "8절은 입춘·춘분·입하·하지·입추·추분·입동·동지이다.(八節者, 立春·春分·立夏·夏至·立秋·秋分·立冬·冬至.)"라고 주석하였다.

45 八音 : 『毛詩註疏』권20에서 공영달은, "8음에 대해서 「春官太師」에서, '8음은 금·석·토·혁·사·목·포·죽이다.'라고 하였고, 여기에 주석하여, '금은 종이고, 석은 경쇠이며, 토는 질나발(흙으로 빚은 나팔)이고, 혁은 북이며, 사는 금슬이고, 목은 柷敔이고, 포는 생황이며, 죽은 피리이다.'(八音者, 春官太師云, '八音, 金·石·土·革·絲·木·匏·竹.' 注云: '金鍾也, 石磬也, 土塤也, 革鼓也, 絲琴瑟也, 木柷敔也, 匏笙也, 竹管也.'"라고 하였다.

46 八風 : 『前漢書』권21上 「律曆志」에는, '八風'을 '八佾'이라고 하였다. 한편 『春秋左氏傳』「隱公 5년」에는, "춤은 八音을 조절해서 八風을 실행하는 것이다.(夫舞, 所以節八音以行八風.)"라고 하였다.

덮어서, 하늘과 땅의 공로를 끝마친다. 그러므로 8×8=64의 의미는 하늘과 땅의 변화를 끝까지 다한 것이다. 하늘의 수 5개(1 · 3 · 5 · 7 · 9)와 땅의 수 5개(2 · 4 · 6 · 8 · 10)의 합인 10으로 (64에) 곱하면 640분이 되어, 이것은 64괘에 상응하니 태주의 실實이다. 맹강이 말했다. '태주관은 길이가 8촌이고 원둘레가 8분으로, 면적은 640입방분이다.'"

[23-2-2-0]

按:『漢志』以黃鐘林鐘太簇三律之長自相乘, 又因之以十也. 黃鐘長九寸, 九九八十一, 又以十因之, 爲八百一十. 林鐘長六寸, 六六三十六, 又以十因之, 爲三百六十. 太簇長八寸, 八八六十四, 又以十因之, 爲六百四十. 黃鐘應曆一統, 林鐘當期之日, 太簇應六十四卦, 皆倚數配合爲說而已. 獨黃鐘云, 繇此之義, 起十二律之周徑, 蓋黃鐘十其廣之分以爲長, 十一其長之分以爲廣, 故空圍九分, 積八百一十分, 其數與此相合, 長九寸積八百一十分, 則其周徑可以數起矣. 卽胡安定所謂徑三分四釐六毫, 圍十分二釐八毫者, 是也. 孟康不察, 乃謂凡律圍徑不同, 各以圍乘長而得此數者, 蓋未之攷也.

생각건대 『후한서』 「율력지」에서는 황종 · 임종 · 태주 3율의 길이를 제곱하고 또 그것에 10을 곱했다. 황종의 길이는 9촌이니 9×9=81이고 또 10을 곱하여 810이 되었다. 임종의 길이는 6촌이니 6×6=36이고 또 10을 곱하여 360이 되었다. 태주의 길이는 8촌이니 8×8=64이고 또 10을 곱하여 640이 되었다. 황종은 역법曆法의 1통統에 상응하고, 임종은 1년의 일수에 해당하며, 태주는 64괘에 상응하니, 모두 수를 의지하여 배합해서 말했을 뿐이다. 유독 황종에 대해서만 "이러한 의미로부터 12율의 원둘레와 지름이 생겨났다."고 말한 것은, 황종은 그 넓이의 분分을 10배하여 길이로 삼고 그 길이의 분分을 10분의 1로 하여 넓이를 삼으므로, 공위는 9분이고 면적은 810분이니 그 수는 이것과 서로 합하고, 길이는 9촌이고 면적은 810분이니 그 원둘레와 지름은 수를 일으킬 수 있다. 곧 호안정胡安定[胡瑗]의 이른바 지름이 3분 4리 6호이고 원둘레가 10분 2리 8호라는 것이 이것이다. 맹강孟康은 자세히 살펴보지 않고 율관의 원지름이 같지 않으니 각각 원둘레를 길이에 곱하여 이 수치를 얻었다고 말했는데, 제대로 고찰하지 않은 것이다.[47]

[23-2-3]

後漢鄭康成「月令」註曰: "凡律空圍九分."[48] 孔穎達疏曰: "諸律雖短長有差, 其圍皆以九分爲限."

---

47 孟康은 자세히 … 것이다. : 유희는 『律呂新書摘解』 「律呂證辨」에서, "맹강이 『漢書』 「律曆志」의 주에서 매번 '율관의 길이와 둘레를 서로 곱하여 分數를 얻는다.'라고 말했는데, 이것은 율관이 짧은 것은 둘레도 역시 따라서 작다고 오인했기 때문일 뿐이다. 무릇 율관의 둘레는 모두 같지만 길이의 길고 짧음이 같지 않으므로 聲에 청탁이 있는 것이다. 만약 둘레가 그에 따라서 같지 않다면 황종이 탁한 것은 다만 聲에 굵고 가늠이 있지 않음이 없을 뿐이니 옳겠는가?(孟康註『漢志』每云, '律長 · 圍相乘以得分數者,' 誤認律短者圍亦隨而小故爾. 夫律管圍則皆同, 而長短不同, 故聲有濁淸. 若使圍隨不同, 則無非黃鐘之濁, 但聲有巨細耳, 可乎?)"라고 하였다.

후한의 정강성鄭康成[鄭玄]은 『예기』「월령月令」주註에서 말했다. "모든 율관의 공위는 9분이다." 공영달孔穎達[49]이 소疏에서 말했다. "모든 율관은 비록 길이는 차이가 있지만 그 원둘레는 모두 9분으로 제한하였다."

[23-2-4]

蔡邕「銅龠銘」曰："龠, 黃鐘之宮長九寸空圍九分, 容秬黍一千二百粒, 稱重十二銖, 兩之爲一合. 三分損益, 轉生十一律." 『月令章句』曰："古之爲鐘律者, 以耳齊其聲 ; 後人不能, 則假數以正其度. 度正, 則音已正矣. 鐘以斤兩尺寸中所容受升斗之數爲法, 律亦以寸分長短爲度. 故曰, '黃鐘之管長九寸, 徑三分.' 其餘皆稍短, 雖大小圍數無增減, 以度量者可以文載口傳與衆共知, 然不如耳決之明也."

채옹이 「동약명銅龠銘」에서 말했다. "1약龠은 황종의 궁이니 길이가 9촌이고 공위(단면적)가 9분이며, 용량은 검은 기장 1,200알이고 무게는 12수銖이니, 2약이 1합合이 된다. 삼분손익하여 돌아가며 11율을 낳는다." 『월령장구』[50]에서 말했다. "옛날에 종鐘과 율律을 만드는 사람은 귀로 그 성聲을 가지런히 하였는데, 후대 사람들은 그렇게 할 수 없어서 수數를 빌어서 그 도수를 바로잡았다. 도수가 바르면 음音이 바르게 된다. 종鐘은 무게와 크기로 그 속에 담을 수 있는 부피의 수를 기준으로 삼고, 율律도 그 길이를 도수로 삼았다. 그러므로 '황종의 관은 길이가 9촌이고 지름이 3분이다.'고 하였다. 그 나머지는 모두 조금 짧은데, 비록 길이가 다르더라도 그 원둘레의 수는 증감이 없어서 그것을 재는 자가 글이나 말로 전하여 많은 사람들과 다 함께 알 수 있지만, 귀로 결정하는 것만큼 분명하지 못했다."

[23-2-5]

韋昭「周語」註曰："黃鐘之變也,[51] 管長九寸, 徑三分, 圍九分. 因而九之,[52] 九九八十一, 故黃鐘之數立焉."

위소韋昭[53]가 『국어國語』「주어周語」주註에서 말했다. "황종은 양陽이 변한 것이니, 율관의 길이는 9촌이고 지름은 3분이며 원둘레는 9분이다. 율관의 길이가 9촌이니 그것에 9를 곱하여 9×9=81이 되므로,

---

48 정현, 『禮記正義』 권14 「月令」

49 孔穎達(574~648) : 자는 仲達이고 시호는 憲公이며, 冀州 衡水(현 하북성 衡水) 사람이다. 동란의 와중에 학문을 닦았으며 남북 2학파의 유학은 물론 曆法에도 정통했다. 唐太宗에게 중용되어, 벼슬은 國子博士를 거쳐 국자감의 祭酒·東宮侍講 등을 역임하였다. 특히 문장·천문·수학에 능통하였으며, 魏徵과 함께 『隋書』를 편찬하였다. 당 태종의 명에 따라 고증학자 顔師古 등과 더불어 五經 해석의 통일을 시도하여 『五經正義』 170권을 편찬하였다. 이는 위진 남북조 이래 경학의 집대성이라고 할 수 있다.

50 『月令章句』: 蔡邕의 저작이다.

51 黃鐘之變也 : 『國語』 권3 「周語下」의 韋昭 주에는 '黃鐘, 陽之變也'라고 되어 있다.

52 因而九之 : 『國語』 권3 「周語下」의 韋昭 주에는 '因而九之' 앞에 '律長九寸'이 더 있다. 본 역문은 위소의 원전에 따랐다.

53 韋昭(204~273) : 자는 弘嗣이고, 吳郡雲陽(현 강소성 丹陽) 사람이다. 삼국시대 吳나라에서 西安令, 太史令, 中書郎·博士·祭酒 등의 관직을 역임하였다. 저술로는 『博弈論』으로 당시에 이미 명성을 떨쳤고, 『吳書』 편찬에 주도적으로 참여하였으며, 『孝經』·『論語』·『國語』를 주석하였고, 그 외에 『洞記』·『官職訓』·『辯釋名』 등의 저술이 있다.

황종의 수가 정립되었다."

[23-2-5-0]

按 : 鄭康成「月令」註云, ‘凡律空圍九分.’ 蔡邕『銅龠銘』亦云, ‘空圍九分.’ 蓋空圍中廣九分也. 東都之亂, 樂律散亡, 邕之時未亂, 當親見之, 又曉解律呂, 而『月令章句』云, ‘徑三分’, 何也? 孟康韋昭之時, 漢斛雖在而律不存矣. 康昭等不通律呂. 故康云, ‘黃鐘林鐘太簇圍徑各異’, 昭云, ‘黃鐘徑三分.’ 皆無足怪者. 隋氏之失, 豈康昭等有以啓之與? 不知而作, 宜聖人所深戒也.

생각건대 정강성鄭康成[鄭玄]은 『예기』「월령月令」에 주석하여 ‘모든 율관의 공위(단면적)는 9분이다.’고 말했고, 채옹도 「동약명銅龠銘」에서 ‘공위가 9분이다.’라고 말했으니, 공위의 속의 넓이는 9분이다. 동도東都洛陽의 난리 때에 악률이 흩어져 없어졌으나, 채옹이 살던 시대에는 아직 혼란하지 않아 몸소 그것을 볼 수 있었고 또 율려를 분명히 이해했는데, 『월령장구』에서 ‘지름이 3분이다.’라고 한 것은 무엇 때문인가? 맹강과 위소가 살던 시대에는 비록 한나라의 곡斛은 있었지만 율관은 남아있지 않았다. 맹강과 위소 등은 율려에 통달하지 못했다. 이 때문에, 맹강이 ‘황종관과 임종관과 태주관의 원지름이 각각 다르다.’고 말했고, 위소가 ‘황종관은 지름이 3분이다.’라고 말한 것은 모두 괴이할 것이 없다. 수나라 때의 잘못이 어찌 맹강과 위소 등의 탓이겠는가? 알지 못하면서 지어내는 것은 성인도 스스로 깊이 경계한 것이다.[54]

[23-2-6]

魏徵『隋志』曰 : "開皇元年平陳後, 牛弘, 辛彦之, 鄭譯, 何妥等參攷古律度, 合依時代制律. 其黃鐘之管, 俱徑三分, 長九寸. 度自有損益, 故聲有高下 ; 圍徑長短與度而差, 故容黍不同. 今列其數云 :

위징魏徵[55]이 『수서隋書』「율력지」에서 말했다. "개황開皇[56] 원년(581년)에 진陳나라를 평정한 뒤에, 우홍牛弘,[57] 신언지辛彦之,[58] 정역鄭譯,[59] 하타何妥[60] 등이 옛 율관의 도수度數를 참고해 보니, 시대에 따라 도수

---

54 알지 못하면서 … 것이다. : 『論語』「述而」편의 "공자가 말했다. ‘대개 알지 못하면서 지어내는 사람이 있지만 나는 이런 점이 없다.’(子曰, 蓋有不知而作者, 我無是也.)"를 참조

55 魏徵(580~643) : 자는 玄成이고 시호는 文貞公이다. 당대 巨鹿(현 하북성 邢台市巨鹿縣) 사람이다. 隋나라 말의 혼란기에 李密의 군대에 참가했으나 곧 唐高祖에게 귀순하여 고조의 장자 李建成의 유력한 측근이 되었다. 황태자 건성이 아우 世民과의 경쟁에서 패했으나 위징의 인격에 끌린 태종의 부름을 받아 諫議大夫 등의 요직을 역임한 뒤 재상으로 중용되었다. 특히 중국역사상 과감한 直諫으로 저명하며, 周나라·隋나라·五代 등의 역사편찬 사업과『類禮』,『群書治要』등의 편찬에도 크게 공헌했다. 『隋書』의 서론과『梁書』·『陳書』·『齊書』의 총론 등을 직접 지었다.

56 開皇 : 隋나라 文帝 때의 연호. 581~600년

57 牛弘(545~610) : 자는 里仁이고 隋나라 安定 鶉觚(현 섬서성 長武縣相公鎭) 사람이다. 隋文帝 때에 散騎常侍, 秘書監, 禮部尚書를 역임하면서 예악제도를 수정하였다. 저술로는 칙명을 받아『五禮』100권을 편찬하였

度數에 맞게 율관을 제작했었다. 그 황종관은 모두 지름이 3분이고 길이가 9촌이었다. 도수度數에 원래 보태거나 덜어냄이 있기 때문에 성聲에 높고 낮음이 있었고, 원지름의 길이가 도수度數와 차이가 나기 때문에 기장을 담는 것이 같지 않았다. 이제 그 수數를 아래와 같이 나열한다.

晉前尺黃鐘容黍八百八粒

梁法尺黃鐘容八百二十八

梁表尺黃鐘三, 其一容九百二十五, 其一容九百一十, 其一容一千一百二十

漢官尺黃鐘容九百三十九

古銀錯題黃鐘龠容一千二百

宋氏尺卽鐵尺黃鐘凡二, 其一容一千二百, 其一容一千四十七

後魏前尺黃鐘容一千一百一十五

後周玉尺黃鐘容一千二百六十七

後魏中尺黃鐘容一千五百五十五

後魏後尺黃鐘容一千八百一十九

東魏尺黃鐘容二千八百六十九

萬寶常水尺律母黃鐘容黍一千三百二十

梁表鐵尺律黃鐘副別者, 其長短及口空之圍徑並同, 而容黍或多或少, 皆是作者旁庇其腹, 使有盈虛."

진晉나라 전척前尺은 황종관이 기장 808알을 담는다.

양梁나라 법척法尺은 황종관이 기장 828알을 담는다.

· · · · · · · · · · · · · · · · · · · ·
고, 『文集』이 있다.

58 辛彦之(?~691): 隋나라의 學官으로 隴西 狄道(현 감숙성 臨洮) 사람이다. 9세에 고아가 되었으나 經·史를 두루 박람하고 牛弘과 함께 학문을 연구하였다. 北周 閔帝 때에 典祀, 太祝, 樂部, 御史 등 四曹大夫를 역임하면서 예악을 정비하였고, 隋高祖 때에는 太常少卿, 國子祭酒, 禮部尚書 등을 역임하였으며, 우홍과 『新禮』를 편찬하였다. 수나라가 통일한 뒤에는 조정의 禮典을 제작하고 儀禮를 수정하였다. 저서에는 『墳典』·『六官』· 『禮要』·『五經異議』가 있었다.

59 鄭譯(540~591): 자는 正義이고, 隋나라 滎陽 開封(하남성 開封) 사람으로 鄭孝穆의 아들이다. 北周 때에는 內史上大夫를 거쳐 沛國公에 봉해졌고, 수나라 때에는 隆州刺史, 岐州刺史 등을 역임하면서 律令과 禮樂을 참정하였다. 楊堅과 학술적 교류를 오래했다고 알려져 있다. 저술로는 칙령에 따라 편찬한 『樂府聲調』가 있다.

60 何妥: 隋나라 西城 사람으로 자는 棲風이다. 아버지가 상인으로서 蜀 땅에 들어와 郫縣(현 사천성 成都)에서 살았다. 8세에 國子學에 들어가 배우고, 後周 때에는 太學博士가 되었고, 수나라의 통일 뒤에는 國子博士, 通直散騎常侍 등의 관직을 역임하였다. 경전에도 밝았지만 음률에 뛰어나 수대의 궁중음악을 거의 대부분 제정하였다. 저서는 『周易講疏』·『孝經義疏』·『莊子義疏』·『文集』 등이 있다.

양梁나라 표척表尺은 황종관이 3가지이니, 그 하나는 기장 925알을 담고, 또 하나는 기장 910알을 담으며, 그리고 하나는 기장 1,120알을 담는다.

한漢나라 관척官尺은 황종관이 기장 939알을 담는다.

옛날 은銀으로 제목을 상감한 황종약黃鐘龠은 기장 1,200알을 담는다.

송씨척宋氏尺 곧 철척鐵尺은 황종관이 2가지이니, 그 하나는 기장 1,200알을 담고, 또 하나는 기장 1,047알을 담는다.

후위後魏의 전척前尺은 황종관이 기장 1,115알을 담는다.

후주後周의 옥척玉尺은 황종관이 기장 1,267알을 담는다.

후위後魏의 중척中尺은 황종관이 기장 1,555알을 담는다.

후위後魏의 후척後尺은 황종관이 기장 1,819알을 담는다.

동위東魏의 척尺은 황종관이 기장 2,869알을 담는다.

만보상萬寶常[61]의 수척水尺 율모律母는 황종관이 기장 1,320알을 담는다.

양梁나라 표척表尺과 철척鐵尺의 율관인 황종관은 다른 것과 부합하여 그 길이와 구멍의 원지름이 모두 같은데, 기장을 담은 것이 어떤 것은 많고 어떤 것은 적었으니, 모두 그것을 만든 사람이 그것의 배 부분 옆을 ‘오목하게 하여庣’[62] 가득 차거나 비게 한 것이다.”

[23-2-6-0]

按: 梁表尺三律與宋氏尺二律, 容受不同. 『史』謂“作者旁庣其腹, 使有盈虛,” 則當時制作之疎, 亦可見矣. 晉前尺律黃鐘止容八百八黍者, 失在於徑三分也. 古銀錯與玉尺玉斗合.

• •

61 萬寶常: 隋나라 사람. 거주지와 생몰연대는 미상이다. 北齊 때 아버지가 죄를 받아 죽자 樂戶에 編配되어 그 때문에 음악을 잘 알게 되었다. 隋나라로 들어와서 鄭譯등과 樂을 정리하고, 詔勅을 받아 악기를 만들었다. 집이 가난하고 아들이 없는데다 병들어 아내가 재물을 가지고 도주하자 굶어 죽었다. 죽을 때 지은 글을 불태워 없앴다.

62 ‘오목하게 하여[庣]’: 『前漢書』「律曆志」에서 ‘庣’ 자에 대하여 “안사고는, ‘庣’는 다 채우지 못한 곳이라고 했다.(師古曰, 庣不滿之處也.)”라고 주석하였다. 『書』卷首「律度量衡圖」의 다음 그림은 참조할 만하다.

方圓冪法

玉斗之容受與晉前尺徑三分四釐六毫者不甚相遠. 但玉尺律徑不及三分, 故其律遂長而尺長於晉前尺一寸五分八釐. 蓋自漢魏而下造律竟不能成, 而度之長短, 量之容受, 權衡之輕重, 皆戾於古, 大率皆由徑三分之說誤之也.

생각건대 양梁나라 표척表尺 3가지 율관과 송씨척宋氏尺 2가지 율관은 용량이 같지 않다. 『수서隋書』 「율력지」에서 "그것을 만든 사람이 그것의 배 부분의 옆을 '오목하게 하여[庣] 가득 차거나 비게 한 것이다.'라고 하였으니, 당시에 거칠게 제작한 것을 또한 알 수 있다. 진晉나라 전척前尺의 율관인 황종관이 다만 기장 808알을 담는다는 것은 그 잘못이 지름을 3분으로 한 것에 있다. 옛날의 은銀으로 제목을 상감한 것과 옥척玉尺·옥두玉斗는 부합한다. 옥두의 용량과 진晉나라 전척前尺이 지름을 3분 4리 6호로 한 것은 서로 별로 다르지 않다. 그러나 옥척玉尺 율관의 지름이 3분에 미치지 못하기 때문에 그 율관은 마침내 길어져서 척尺이 진晉나라 전척前尺보다 1촌 5분 8리 길어졌다. 한나라·위나라 이래로 율관을 제작하는 것이 마침내 이루어질 수 없어서 도度의 장단長短과 양量의 용량과 권형權衡의 경중輕重이 모두 옛것보다 어그러졌으니, 대체로 모두 지름을 3분으로 한 이론에 말미암아 잘못되었다.

[23-2-7]

本朝胡安定『律呂議』曰:"按:歷代律呂之制, 黃鐘之管長九十黍之廣, 積九寸, 度之所由起也;容千二百黍, 積八百一十分, 量之所由起也;重十有二銖, 權衡之所由起也. 既度量權衡皆出於黃鐘之龠, 則黃鐘之龠圍徑容受, 可取四者之法交相酬驗, 使不失其實也. 今驗黃鐘律管每長一分内實十三黍, 又三分黍之一, 圍中容九方分也. 後世儒者執守孤法, 多不能貫知權量之法. 但制尺求律, 便爲堅證;因謂圍九分'者, 取空圍圓長九分爾. 以是'圍九分'之誤, 遂有'徑三分'之説. 若從徑三圍九之法, 則黃鐘之管, 止容九百黍, 積止六百七分半. 如此則黃鐘之聲, 無從而正;權量之法, 無從而生;周之嘉量, 漢之銅斛, 皆不合其數矣."

우리 송나라 호안정胡安定[胡瑗]이 『율려의律呂議』에서 말했다. "생각건대 역대로 율려를 제작하는 데에, 황종관은 길이가 기장 알 90개를 펼쳐놓은 것이고 쌓은 것이 9촌이니 도度가 거기에서 말미암았으며, 용량이 기장 알 1,200개이고 부피가 810분이니 양量이 거기에서 말미암았으며, 무게가 12수銖이니 권權(저울추)·형衡(저울대)이 거기에서 말미암았다. 이미 도度·량量·권權·형衡이 모두 황종약黃鐘龠에서 나왔다면, 황종약의 원지름과 용량은 도度·량量·권權·형衡 4가지의 기준을 가지고 서로 돌아가면서 증험하여, 황종의 실實을 잃지 않도록 해야 한다. 이제 황종율관을 증험해보면, 매 길이 1분 안에 기장 알 13과 1/3개를 채우고,[63] 원둘레 속에 9평방분을 담았다. 후세의 학자들은 이 고루한 법도를 굳게

---

63 매 길이 … 채우고:유희는 『律呂新書摘解』「律呂證辨」에서, "이것은 이른바 1分은 가로로 배열하는 것과 세로로 배열하는 것을 말하는 것이 아니다. 넓이를 9평방분으로 하고 두께를 1분으로 하면, 담을 수 있는 수량을 이와 같이 얻을 수 있다는 것이다.(此所謂一分非橫說及竪說也. 以廣而九方分 以厚而一分則所容之數得如是也.)"라고 하였다.

지켰기 때문에 대부분 권량權量의 법도를 알 수 없었다. 다만 척尺을 제작하고 율관을 구할 때에 곧 확고한 증거로 삼아서, 이로 인해 '공위 9분[圍九分]'이라는 것은 공위를 취하여 원둘레 길이가 9분일 뿐이라고 여겼다. 이렇듯 '공위 9분[圍九分]'을 잘못 이해한 것 때문에 마침내 '지름 3분'이라는 이론이 있게 되었다. 만약 '지름 3분'·'공위 9분'의 법도를 따른다면 황종관은 다만 기장 알 900개를 담고 부피는 607과 1/2입방분에 그칠 것이다. 이와 같으면 황종의 성聲은 바로잡을 근거가 없어지고, 권량權量의 법도도 생겨날 근거가 없었을 것이며, 주周나라의 가량嘉量과 한漢나라의 동곡銅斛도 모두 그 수치가 맞지 않았을 것이다."

[23-2-7-0]

按：十二律圍徑, 自先漢以前『傳記』並無明文. 惟班『志』云, "黃鐘八百一十分, 繇此之義, 起十二律之周徑." 然其說乃是以律之長自乘而因之以十, 蓋配合爲説耳, 未可以爲據也.

생각건대, 12율관의 원지름에 대해서 전한前漢 이전의 『전傳』이나 『기記』에는 결코 분명한 글이 없었다. 오직 반고班固의 『전한서』「율력지」에 "황종관은 부피가 810입방분이니, 이러한 의미로부터 12율관의 원둘레와 지름이 생겨났다."고 하였다. 그러나 그 이론은 곧 율관의 길이를 제곱하고 그것에 10을 곱한 것으로 배합해서 말한 것일 뿐이니 아직 근거로 삼을 수 없다.

惟審度章云, "一黍之廣度之九十分, 黃鐘之長一爲一分," 嘉量章則"以千二百黍實其龠," 謹權衡章則"以千二百黍爲十二銖," 則是累九十黍以爲長, 積千二百黍以爲廣可見也.

오직 『전한서』「율력지」 심도장審度章에서, "기장 알 1개의 폭으로 재서 90분이니, 황종의 길이는 기장 알 1개의 폭을 1분으로 한다."고 했고, 같은 책 가량장嘉量章에서는, "기장 알 1,200개로 그 약龠을 채운다."고 했으며, 같은 책 근권형장謹權衡章에서는, "기장 알 1,200개를 12수銖로 한다."고 했으니, 이것은 기장 알 90개를 겹친 것을 길이로 삼고, 기장 알 1,200개를 누적한 것을 부피로 삼았다는 것을 알 수 있다.

夫長九十黍, 容千二百黍, 則空圍當有九方分, 乃是圍十分三釐八毫, 徑三分四釐六毫也. 每一分容十三黍, 又三分黍之一, 以九十因之, 則一千二百也.

무릇 길이가 기장 알 90개이고 용량이 기장 알 1,200개이면 공위는 마땅히 9평방분이니 곧 원둘레는 10분 3리 8호이고 지름은 3분 4리 6호이다. 매 1평방분의 용량이 기장 알 13과 1/3이니 그것에 90을 곱하면 기장 알 1,200개이다.

又漢斛銘文云, "律嘉量方尺, 圓其外, 庣旁九釐五毫, 冪百六十二寸, 深尺, 積一千六百二十寸, 容十斗." 嘉量之法, 合龠爲合, 十合爲升, 十升爲斗, 十斗爲石. 一石, 積一千六百二十寸, 爲分者一百六十二萬. 一斗, 積一百六十二寸, 爲分者十六萬二千. 一升, 積十六寸二分, 爲分者一萬六千二百. 一合, 積一寸六分二釐, 爲分者一千六百二十. 則黃鐘之龠,爲八百一十分明矣.

또 한漢나라의 곡명문斛銘文에서는, "율가량곡律嘉量斛(한대의 표준용기)의 내면은 네모진 것이 1척이고,[64] 그 바깥을 둥글게 하는데[65] 옆을 '오목하게 한 것[庣]'이 9리 5호이니, 단면적[羃]은 162평방촌이고 깊이 1척의 부피는 1,620입방촌이며 용량은 10두斗이다."라고 하였다. 가량嘉量의 법도는 약龠 2개를 합한 것이 1합合이고 10합이 1승升이며 10승이 1두斗이고 10두가 1석石이다. 1석은 부피가 1,620입방촌이니 분分으로 하면 1,620,000입방분이고, 1두는 부피가 162입방촌이니 분分으로 하면 162,000입방분이며, 1승은 부피가 입방 16촌 2분이니 분分으로 하면 16,200입방분이고, 1합은 부피가 입방 1촌 6분 2리이니 분分으로 하면 1,620입방분이다. 그렇다면 황종의 1약은 810입방분임이 분명하다.

空圍八百一十分, 則長累九十黍, 廣容一千二百黍矣. 蓋十其廣之分以爲長, 十一其長之分以爲廣, 自然之數也. 自孟康以律之長十之一爲圍之謬, 其後韋昭之徒遂皆有'徑三分'之說, 而『隋志』始著以爲定論. 然累九十黍, 徑三黍, 止容黍八百有奇, 終與一千二百黍之法兩不相通, 而律竟不成. 唐因聲制樂, 雖近於古, 而律亦非是.

공위가 810입방분이면 길이는 기장 알 90개를 겹쳐놓은 것이고, 부피는 기장 알 1,200개를 담은 것이다. 그 너비의 분分을 10배한 것으로서 길이를 삼고, 그 길이의 분分을 1/10한 것으로서 너비를 삼는 것은 자연의 수이기 때문이다. 맹강이 율관의 길이를 1/10로 하여 원둘레를 삼은 잘못에서부터, 그 뒤에 위소의 무리들은 마침내 모두 '지름이 3분이다'라는 이론이 있게 되었는데, 『수서隋書』「율력지」에서 비로소 드러내어 정론定論으로 삼았다. 그러나 (길이가) 기장 알 90개를 겹쳐놓은 것이고 지름이 기장 알 3개의 길이라면 다만 기장 알 800여 개 남짓을 담을 수 있을 뿐이니, 끝내 기장 알 1,200개를 담는다는 법도와는 둘이 서로 통할 수 없고 율관도 결국 이루어질 수 없다. 당唐나라 때에 성聲에 따라 악樂을 제작한 것은 비록 옛 악에 가깝지만 율관은 역시 옳지 않다.

本朝承襲, 皆不能覺; 獨胡安定以爲九分者方分也, 以破'徑三分'之法. 然所定之律不本於聲氣之元, 一取之秬黍, 故其度量權衡, 皆與古不合, 又不知變律之法. 但見仲呂反生不及黃鐘之數, 乃遷就林鐘已下諸律圍徑以就黃鐘淸聲, 以夷則南呂爲徑三分圍九分, 無射爲徑二分八釐圍八分四釐, 應鐘爲徑二分六釐五毫圍七分九釐五毫.

우리 송나라가 답습하였으나 모두 깨닫지 못하고 오직 호안정胡安定[胡瑗]만이 9분分을 9평방분이라고 하여 '지름이 3분이다'라는 법도를 파기하였다. 그러나 그렇게 정한 율관은 성기聲氣의 근원에 근본하지 않고 한결같이 검은 기장에서 취하였기 때문에 그 도度·량量·권權·형衡이 모두 옛것과 부합하

----

64 律嘉量斛(한대의 표준용기)의 … 1척이고: 劉瑾은 『律呂成書』 권1에서, "斛면의 안은 네모진 것이 1척이다.(斛面內平方一尺也.)"라고 하였다.

65 그 바깥을 둥글게 하는데: 劉瑾은 『律呂成書』 권1에서, "그 사각진 것 바깥을 따라서 둥글게 하는데, 그 지름은 1척 4촌 남짓이다.(循其方外四角而規圓之, 其徑一尺四寸有奇.)"라고 하였다.

지 않았고 변율變律의 법칙도 알지 못했다. 다만 중려가 생겨나는 것이 도리어 황종의 수에 미치지 못한다는 것을 알고서, 이에 임종관 이하 여러 율관의 원지름을 낮추어 황종 청성淸聲으로부터 이칙관과 남려관을 지름 3분과 원둘레 9분으로 하였고, 무역관을 지름 2분 8리와 원둘레 8분 4리로 하였으며, 응종관을 지름 2분 6리 5호와 원둘레 7분 9리 5호로 하였다.

夫律以空圍之同, 故其長短之異可以定聲之高下, 而其所以爲廣狹長短者, 又莫不有自然之數, 非人之所能爲也. 今其律之空圍不同如此, 則亦不成律矣. 遂使十二律之聲, 皆不當位, 反不如和峴舊樂之爲條理, 亦可惜也. 房庶以徑三分, 周圍九分, 累黍容受不能相通, 遂廢一黍爲一分之法, 而增益班志八字以就其説. 范蜀公乃從而信之, 過矣.

율관은 공위가 같기 때문에 그 길이의 다름이 성聲의 높낮이를 정할 수 있지만, 율관이 넓거나 좁으며 길거나 짧게 되는 것은 또한 저절로 그렇게 되는 수가 있지 않음이 없으니, 사람이 그렇게 할 수 있는 것이 아니다. 이제 율관의 공위가 이처럼 같지 않다면 역시 율관을 이룰 수 없다. 마침내 12율의 성聲이 모두 제자리를 잡지 못하게 되어 도리어 화현和峴[66]의 옛 음악이 조리 있는 것만 못하니 또한 애석하다. 방서房庶[67]는 지름 3분과 원둘레 9분을 가지고 기장 알을 겹쳐놓은 용량이 서로 통할 수 없기 때문에 마침내 기장 알 1개를 1분으로 하는 법칙을 폐기하고 반고의 『전한서』「율력지」에 8개의 글자를 더 보태어서[68] 그 이론을 확정하였다. 범촉공范蜀公范鎭은 마침내 그것을 좇아 믿었으니, 잘못되었다.

[23-3]

黃鐘之實 第三 제3장 황종의 실

[23-3-1]

『淮南子』曰: "規始於一. 一不生, 故分而爲陰陽. 陰陽合和而萬物生, 故曰, '一生二, 二生三, 三生萬物.' 天地三月而爲一時, 故祭祀三飯以爲禮, 喪紀三踊以爲節, 兵重三軍以爲

---

66 和峴(933~988): 자는 晦仁이고, 開封 浚儀(현 開封) 사람이다. 아버지 和凝은 晉나라 재상을 지냈다. 16세에 과거에 급제하여 벼슬은 著作郎, 太常博士, 主客郎中, 判太常寺兼禮儀院事를 역임하였다. 시와 음악에 능숙했다고 한다. 저서는 『奉常集』·『秘閣集』 등이 있다.

67 房庶: 北宋의 음악가로서 房昭庶라 불리기도 하였다. 蜀 사람이다. 宋 仁宗 때에 진사에 급제하여 악률제정의 공로로 秘書省校書郎을 역임하였다. 스스로 古本 『漢書』「律曆志」를 터득하여, 기장 알을 겹쳐놓는 것으로 尺을 만들고 그것으로 율을 제정할 줄 알았다고 한다. 范鎭 등이 그의 방법에 의거하여 악률을 바로잡고 율을 완성했다고 한다. 저서로는 『樂書補亡』·『眞館飮福』 등이 있었다.

68 『前漢書』「律曆志」에 … 보태어서: 방서는 "古本 『漢書』를 얻어 보니 '기장 알 一黍' 자 아래에 '시작하여 용적이 기장 알 1,200개(之起積一千二百黍)'라는 8개 글자가 있었다. 현행본 『漢書』는 그것을 빠뜨렸다.(得古本 『漢書』, '一黍'字下有'之起積一千二百黍'八字. 今本 『漢書』闕之.)"라고 하였다.

制.[69] 三參物, 三三如九, 故黃鐘之九寸而宮音調. 因而九之, 九九八十一, 故黃鐘之數立焉. 黃者土德之色, 鐘者氣所種也. 日冬至德氣爲土, 土色黃, 故曰黃鐘. 律之數六分爲雌雄, 故曰十二鐘, 以副十二月. 十二各以三成, 故置一而十一三之爲積分十七萬七千一百四十七, 黃鐘大數立焉."

『회남자』에서 말했다. "법도는 하나—에서 시작한다. 하나는 낳지 못하므로 나뉘어서 음과 양이 되었다. 음과 양이 화합하여 만물이 생겨나므로, '하나가 둘을 낳고 둘이 셋을 낳으며 셋이 만물을 낳는다.'[70]고 하였다. 천지는 3개월이 한 계절이 되므로, 제사는 3번 식사를 올리는 것을 예禮로 하고, 상례는 3번 슬퍼하며 발을 구르는 것을 절도로 삼고, 병사는 삼군三軍을 중시하는 것을 제도로 삼는다. 3으로써 만물에 참여하여 3×3은 9이므로 황종관은 9촌이고 궁宮음이 조화롭다. 거기에다 9를 곱하여 9×9는 81이므로 황종관의 수가 여기에서 정립된다. 황종에서의 '황黃'은 토덕土德의 색깔이고 '종鐘'은 기氣가 뿌리를 심는 곳이다. 동짓날에 덕기德氣는 토土이고 토의 색은 황색이므로 황종이라고 한다. 율의 수는 6개씩 나누어 자웅이 되므로 12종이라고 하고 그것을 12월에 부합시켰다. 12는 각각 3으로 이루어지므로 1을 두고 3을 11제곱하여 누적해서 나눈 것이 177,147이 되니, 황종의 큰 수가 여기에서 정립된다."

[23-3-2]

『前漢志』曰: "太極元氣, 函三爲一. '極,' 中也; '元,' 始也. 行於十二辰; 始動於子, 參之於丑得三; 又參之於寅得九; 又參之於卯得二十七; 又參之於辰得八十一; 又參之於巳得二百四十三; 又參之於午得七百二十九; 又參之於未得二千一百八十七; 又參之於申得六千五百六十一; 又參之於酉得萬九千六百八十三; 又參之於戌得五萬九千□□四十九; 又參之於亥得十七萬七千一百四十七. 此陰陽合德, 氣鐘於子, 化生萬物者也."

『전한서』「율력지」에서 말했다. "태극의 원기元氣는 3을 머금어서 1이 된다. 태극에서의 '극極'은 가운데[中]이고, 원기에서의 '원元'은 시작[始]이다. 12신에서 유행하는데, 자子에서 움직이기 시작하여 그것에 3을 곱하여 축丑에서 3을 얻고, 또 그것에 3을 곱하여 인寅에서 9를 얻으며, 또 그것에 3을 곱하여 묘卯에서 27을 얻고, 또 그것에 3을 곱하여 진辰에서 81을 얻으며, 또 그것에 3을 곱하여 사巳에서 243을 얻고, 또 그것에 3을 곱하여 오午에서 729를 얻으며, 또 그것에 3을 곱하여 미未에서 2,187을 얻고, 또 그것에 3을 곱하여 신申에서 6,561을 얻으며, 또 그것에 3을 곱하여 유酉에서 19,683을 얻고, 또 그것에 3을 곱하여 술戌에서 59,049를 얻으며, 또 그것에 3을 곱하여 해亥에서 177,147을 얻는다. 이것이 음·양이 덕을 합하고 기氣가 자子에서 뿌리를 심어 만물을 변화·생성하는 것이다."

[23-3-3]

「律書」曰: "置一而九三之以爲法. 實如法得長一寸, 凡得九寸, 命曰黃鐘之律."

....

69 軍: 대본에 "罕"으로 되어 있는 것을 『樂律全書』 등에 의하여 고쳤다.
70 '하나가 둘을 … 낳는다.': 노자, 『道德經』 42장

『사기』「율서律書」에서 말했다. "1을 두고 3을 9제곱하는 것으로 분모[法]를 삼는다. 분자[實]가 분모와 같아야[71] 길이 1촌을 얻는데 모두 9촌을 얻은 것을 황종의 율이라고 명명한다."

[23-3-3-0]

按：『淮南子』謂'置一而十一三之以爲黃鐘之大數,' 卽此置一而九三之以爲寸法者, 其術一也. 夫置一而九三之旣爲寸法, 則七三之爲分法, 五三之爲釐法, 三三之爲毫法, 一三之爲絲法, 從可知矣.

생각건대, 『회남자』에서 '1을 두고 3을 11제곱한 것으로 황종의 큰 수를 삼는다.'고 했는데, 이것은 곧 1을 두고 3을 9제곱한 것으로 촌법寸法을 삼는 것과 그 방법이 한가지이다. 무릇 1을 두고 3을 9제곱한 것이 이미 촌법寸法이 되었으니, 3을 7제곱한 것이 분법分法이 되고, 3을 5제곱한 것이 리법釐法이 되며, 3을 3제곱한 것이 호법毫法이 되고, 3을 1제곱한 것이 사법絲法이 되는 것은 따라서 알 수 있다.

「律書」獨擧寸法者, 蓋已於生鐘分內默具律寸分釐毫絲之法, 而又於此律數之下, 指其大者以明凡例也.

『사기』「율서律書」에서 다만 촌법寸法만을 제기한 것은 이미 『사기』「율서」 생종분生鐘分장[72] 안에 율의 촌법·분법·리법·호법·사법을 은연중에 갖추었고 또 이 율수의 아래에 그 큰 것을 가리켜 범례를 밝혔기 때문이다.

一三之而得三, 三三之而得二十七, 五三之而得二百四十三, 七三之而得二千一百八十七, 九三之而一萬九千六百八十三. 故一萬九千六百八十三以九分之, 則爲二千一百八十七; 二千一百八十七以九分之, 則爲二百四十三; 二百四十三以九分之, 則爲二十七; 二十七以九分之, 則爲三. 三者, 絲法也; 九其三, 得二十七, 則毫法也; 九其二十七, 得二百四十三, 則釐法也; 九其二百四十三, 得二千一百八十七, 則分法也; 九其二千一百八十七, 得一萬九千六百八十三, 則寸法也. 一寸九分, 一分九釐, 一釐九毫, 一毫九絲, 以之生十一律, 以之生五聲二變. 上下乘除, 參同契合, 無所不通, 蓋數之自然也.

3을 1제곱하여 3을 얻고, 3을 3제곱하여 27을 얻으며, 3을 5제곱하여 243을 얻고, 3을 7제곱하여 2,187을 얻으며, 3을 9제곱하여 19,683을 얻는다. 그러므로 19,683을 9로 나누면 2,187이 되고, 2,187을 9로 나누면 243이 되며, 243을 9로 나누면 27이 되고, 27을 9로 나누면 3이 된다. 3은 사법絲法이고,

----

71 분재[實]가 분모와 같아야 : 유희는 『律呂新書摘解』「律呂證辨」에서, "분자가 분모와 같아야 한다는 것은 촌법으로써 황종지실을 나눈 것이다.(實如法者, 以寸法除黃鐘之實也.)"라고 하였다.

72 生鐘分장 : 『史記索隱』에서는 生鐘分에 대하여, "이것은 생종율을 산술하는 방법이다.(此算術生鐘律之法也.)"라고 주석하였다.

그 3을 9배하여 27을 얻으면 호법毫法이며, 그 27을 9배하여 243을 얻으면 리법釐法이고, 그 243을 9배하여 2,187을 얻으면 분법分法이며, 그 2,187을 9배하여 19,683을 얻으면 촌법寸法이다. 1촌은 9분이고, 1분은 9리이며, 1리는 9호이고, 1호는 9사이니, 그것으로써 11율이 생겨나고 5성五聲과 2변二變이 생겨난다. 아래·위로 곱하고 나누면 서로 꼭 들어맞는 것을 검증하여 통하지 않는 곳이 없으니, 수가 저절로 그러한 것이다.

顧自『淮南』太史公之後, 卽無識其意者. 如京房之六十律, 雖亦用此十七萬七千一百四十七之數, 然乃謂不盈寸者十之所得爲分. 又不盈分者十之所得爲小分. 以其餘爲强弱. 不知黃鐘九寸, 以三損益, 數不出九. 苟不盈分者十之, 則其奇零無時而能盡. 雖泛以强弱該之, 而卒無以見强弱之爲幾何, 則其數之精微, 固有不可得而紀者矣.

돌아보건대, 『회남자』와 태사공太史公 司馬遷 이후에는 곧 그 의미를 아는 사람이 없었다. 예컨대 경방京房[73]의 60율은 역시 이 177,147의 수를 사용하였으나, 오히려 1촌을 채우지 못하는 것에 대해서는 그것을 10배해서 얻은 것을 분分으로 삼고, 또 1분을 채우지 못하는 것에 대해서는 그것을 10배해서 얻은 것을 소분小分으로 삼아서, 그 나머지를 강强과 약弱으로 한다고 하였다. 이것은 황종 9촌이 3으로 손익損益하여 그 수가 9를 벗어나지 않음을 알지 못한 것이다. 만약 1분을 채우지 못하는 것에 대해서 그것을 10배하면 그 나머지는 어떤 경우에도 계산을 다할 수 없다. 비록 범범하게 강强과 약弱으로 그것을 포괄할지라도 마침내 그 강과 약이 얼마나 되는지를 알 수 없으니, 그 정밀한 수는 원래 기록할 수 없을 것이다.

至於杜佑, 胡瑗, 范蜀公等, 則又不復知有此數而以意强爲之法. 故『通典』則自南呂而下各自爲法, 固不可以見分釐毫絲之實. 胡范則止用八百一十分, 乃是以積實生量之數爲律之長, 而其因乘之法亦用十數, 故其餘筭亦皆棄而不録. 蓋非有意於棄之, 實其重分累析至於無數之可紀, 故有所不得而録耳. 夫自絲以下, 雖非目力之所能分. 然旣有其數, 而或一筭之差, 則法於此而遂變. 不以約十爲九之法分之, 則有終不可得而齊者. 故『淮南』太史公之書, 其論此也已詳, 特房等有不察耳. 司馬貞『史記索隱』注, '黃鐘八寸十分一,' 云, "律九九八十一,

73 京房(B.C.77~B.C.37) : 자는 君明이고, 前漢 때 東郡 頓丘(현 하남성 淸豊) 사람이다. 본래의 성은 李氏였는데, 律을 미루어 스스로 京씨로 고쳤다. 梁나라 사람 焦延壽에게서 易學을 배웠으며, 孝廉으로 관리가 되었다. 災異思想에 밝았으므로 元帝의 총애를 받았고, 나중에 魏郡太守가 되었으나, 災異占候에 대하여 자주 황제에게 아뢰었기 때문에 石顯·五鹿充宗 등의 미움을 사서, 하옥된 후에 살해당했다. 그는 또한 당시의 음악이론가였으며, 音律에 조예가 깊었다. 그는 그때까지의 律管에 의한 12律의 算定法이 삼분손익으로 11율을 만든 뒤 다시 처음의 율로 돌아오지 못하는 불합리함을 알고, 새로이 絃에 의한 음률측정기인 準을 발명함으로써 60율을 산정하였다. 이 60율은 극히 미세한 음의 차이로서 음률을 변환시키는 이론적 가치가 뛰어나지만, 악기 제작과 실제 연주에 곤란한 점이 많아 실제에 적용되지 못한 단점도 있었다. 저서에는 『京氏易傳』이 유명하다.

故云'八寸十分一.'『漢書』云'長九寸者,' 九分之寸也." 此則古人論律以九分爲寸之明驗也.

두우杜佑[74]와 호원胡瑗, 범촉공范蜀公范鎭 등의 경우는 또 다시 이 수가 있는 것을 알지 못하여 제멋대로 억지로 법도를 만들었다. 그러므로 두우의 『통전通典』에서는 남려부터 그 이하가 각자 법이 되어 본래 분·리·호·사의 실實을 알 수 없다. 호원과 범촉공은 다만 810분만을 사용하여 이에 실實을 누적해서 양量이 생겨나는 수를 율의 길이로 삼고, 그 곱하고 제곱하는 방법도 역시 10을 사용하였으므로 그 나머지 계산도 또한 모두 버리고 기록하지 않았다. 이것은 그것을 버리는 데에 뜻이 있었던 것이 아니라, 실은 그 거듭 나누고 누차 가르는 것이 기록하기에는 너무 많게 되므로, 기록할 수 없게 되었을 뿐이다. 사絲로부터 그 이하는 비록 눈으로 나눌 수 있는 것이 아니지만 이미 그 수가 있으니 혹시 하나의 계산이라도 차이가 나면 법은 여기에서 마침내 변할 것이다. 10으로 약분하는 것을 9로 약분하는 방법으로 대체하여 그것을 나누지 않으면 끝내 가지런할 수 없을 것이다. 그러므로 『회남자』와 태사공太史公[司馬遷]의 책에서는 이것을 논한 것이 또한 이미 상세한데, 다만 경방 등이 살피지 못했을 뿐이다. 사마정司馬貞은 『사기색은史記索隱』 주석에서, '황종 8과 1/10촌'에 대하여 "율은 9×9=81이므로 '8과 1/10촌'이라고 하였다. 『한서』에서 '길이 9촌이다.'라고 한 것은 9분을 1촌으로 한 것이다."[75]라고 하였다. 이것은 곧 옛사람들이 율을 논한 것이 9분을 1촌으로 삼았다는 분명한 증거이다.

[23-4]

三分損益 上下相生 第四 제4장 삼분손익 상하상생

[23-4-1]

『呂氏春秋』曰: "黃鐘生林鐘, 林鐘生太簇, 太簇生南呂, 南呂生姑洗, 姑洗生應鐘, 應鐘生蕤賓, 蕤賓生大呂, 大呂生夷則, 夷則生夾鐘, 夾鐘生無射, 無射生仲呂. 三分所生益之一分以上生, 三分所生去其一分以下生. 黃鐘大呂太簇夾鐘姑洗仲呂蕤賓爲上, 林鐘夷則南呂無射應鐘爲下."

『여씨춘추』에서 말했다. "황종은 임종을 낳고, 임종은 태주를 낳으며, 태주는 남려를 낳고, 남려는 고선을 낳으며, 고선은 응종을 낳고, 응종은 유빈을 낳으며, 유빈은 대려를 낳고, 대려는 이칙을 낳으며, 이칙은 협종을 낳고, 협종은 무역을 낳으며, 무역은 중려를 낳는다. 삼분하여 생긴 것에 그 하나를

---

74 杜佑(735~812) : 자는 君卿이고 京兆 萬年(현 섬서성 西安부근) 사람이다. 당나라 정치가·역사가로 덕종·순종·헌종 등 3대에 걸쳐 재상을 지내면서 부국안민을 위해 노력하였다. 무려 36년의 공력을 들여 편찬한 그의 저서 『通典』은 중국제도사 연구에 중요한 자료이며, 이로 인해 漢나라의 사마천 이후 제1의 역사가로 평가받는다. 『通典』200권은 「食貨」,「選擧」,「職官」,「禮」,「樂」,「兵刑」,「州郡」,「邊防」등 8가지로 분류한 중국 제일의 전장제도에 관한 통사이다.

75 "율은 … 것이다.' : 司馬貞, 『史記索隱』 권8 「禮書」

더하여 상생上生하고, 삼분하여 생긴 것에 그 하나를 덜어내서 하생下生한다. 황종·대려·태주·협종·고선·중려·유빈은 상생하고, 임종·이칙·남려·무역·응종은 하생한다."

[23-4-2]

『淮南子』曰: "黃鐘位子, 其數八十一, 主十一月, 下生林鐘. 林鐘之數五十四, 主六月, 上生太簇. 太簇之數七十二, 主正月, 下生南呂. 南呂之數四十八, 主八月, 上生姑洗. 姑洗之數六十四, 主三月, 下生應鐘. 應鐘之數四十二, 主十月, 上生蕤賓. 蕤賓之數五十六, 主五月, 上生大呂. 大呂之數七十六, 主十二月, 下生夷則. 夷則之數五十一, 主七月, 上生夾鐘. 夾鐘之數六十八, 主二月, 下生無射. 無射之數四十五, 主九月, 上生仲呂. 仲呂之數六十, 主四月, 極不生."

『회남자』에서 말했다. "황종은 자子에 자리 잡고, 그 수는 81이며 11월을 주관하여 임종을 하생한다. 임종의 수는 54이고 6월을 주관하며 태주를 상생한다. 태주의 수는 72이고 정월을 주관하며 남려를 하생한다. 남려의 수는 48이고 8월을 주관하며 고선을 상생한다. 고선의 수는 64이고 3월을 주관하며 응종을 하생한다. 응종의 수는 42이고 10월을 주관하며 유빈을 상생한다. 유빈의 수는 56이고 5월을 주관하며 대려를 상생한다. 대려의 수는 76이고 12월을 주관하며 이칙을 하생한다. 이칙의 수는 51이고 7월을 주관하며 협종을 상생한다. 협종의 수는 68이고 2월을 주관하며 무역을 하생한다. 무역의 수는 45이고 9월을 주관하며 중려를 상생한다. 중려의 수는 60이고 4월을 주관하며 끝까지 가서 낳지 못한다."

[23-4-2-0]

按: 『呂氏』, 『淮南子』上下相生, 與司馬氏『律書』, 『漢前志』不同. 雖大呂夾鐘仲呂用倍數則一, 然『呂氏』, 『淮南』不過以數之多寡爲生之上下, 律呂陰陽皆錯亂而無倫, 非其本法也.

생각건대 『여씨춘추』와 『회남자』에서의 상하로 상생相生하는 것은 사마천의 『사기』「율서」와 『전한서』「율력지」와는 같지 않다. 비록 대려·협종·중려가 배수를 쓰는 것은 마찬가지이지만,[76] 『여씨춘

---

76 비록 대려 … 마찬가지이지만: 유희는 『律呂新書摘解』「律呂證辨」에서, "무릇 上生하는 것은 3분의 4이고 下生하는 것은 3분의 2이다. 상생의 수는 매번 하생의 倍數이므로 대려·협종·중려 3려는 상생하여 전체의 수를 사용하니, 하생하여 배수를 사용하는 것과 사실은 한가지이다. 상생하는 것이 매번 하생하게 되는 것은 하생하는 것이 매번 상생하게 되는 것과 수가 같으므로, 이칙·무역 2율은 전체의 수를 하생하니, 半數를 상생하는 것과 사실은 역시 한가지이다. 蔡氏(蔡元定)는 다만 양은 반드시 음을 하생하고 반드시 상생하는 법에 구애되어서, 『呂氏春秋』와 『淮南子』의 설명이 모두 혼란스러워 질서가 없다고 생각하였다. 그러나 주자는, '유빈의 율관으로부터 음이 반대로 하생하고 양이 반대로 상생하여 천지의 氣를 상징하였다. 운운'이라고 말하였으니, 보주에서 채씨의 법의 근본이 다한 것을 애석해 한 것은 참으로 옳다.(凡上生者, 三分之四也 ; 下生者, 三分之二也. 上生之數, 每爲下生之倍數, 故大·夾·仲三呂則上生而用全, 與下生而用倍, 其實一也. 上生者所下生, 每與下生者所上生同數, 故夷·無二律則下生於全數, 與上生於半數, 其實亦一也. 蔡氏只拘於陽必下生, 陰必上生之法, 而以爲呂氏·淮南子皆錯亂無倫. 然朱子有曰, '自蕤賓之管, 陰反下生, 陽反上生, 以象天地之氣云,' 則補註所惜蔡法之本盡者, 良是也.)"라고 하였다.

추』와 『회남자』에서는 수의 많음과 적음으로 상생上生과 하생下生을 삼은 것에 지나지 않아 율려와 음양이 모두 착란하여 질서가 없으니, 그 본래의 방법이 아니다.

[23-4-3]
律書生鐘分

       子一分.

       丑三分二.

       寅九分八.

       卯二十七分十六.

       辰八十一分六十四.

       巳二百四十三分一百二十八.

       午七百二十九分五百一十二.

       未二千一百八十七分一千□□二十四.

       申六千五百六十一分四千□□九十六.

       酉一萬九千六百八十三分八千一百九十二.

       戌五萬九千□□四十九分三萬二千七百六十八.

       亥一十七萬七千一百四十七分六萬五千五百三十六.

『사기』「율서」 생종분生鐘分장

       자子는 1분이다.

       축은 2/3이다.

       인은 8/9이다.

       묘는 16/27이다.

       진은 64/81이다.

       사는 128/243이다.

       오는 512/729이다.

       미는 1024/2187이다.

       신은 4096/6561이다.

       유는 8192/19683이다.

       술은 32768/59049이다.

       해는 65536/177149이다.

[23-4-3-0]
  按: 此卽三分損益上下相生之數. 其'分'字以上者, 皆黃鐘之全數, 子律數, 寅寸數, 辰分數, 午

釐數, 申毫數, 戌絲數. 其丑卯巳未酉亥, 則三分律寸分釐毫絲之法也. **其分字以下者, 諸律所取於黃鐘長短之數也.** 假令子一分, 則一爲九寸, 是黃鐘之全數. 丑三分二, 則一爲三寸, 三三如九, 亦是黃鐘之九寸三分取其二, 故林鐘得六寸. 寅九分八, 則一爲一寸, 亦是黃鐘之九寸九分取其八, 故太簇得八寸.

생각건대 이것은 곧 삼분손익하여 상하로 상생相生하는 수이다. 그 '분分' 자의 위는 모두 황종의 전체 수이고, 자子는 율수律數이고, 인寅은 촌수寸數이며, 진辰은 분수分數이고, 오午는 리수釐數이며, 신申은 호수毫數이고, 술戌은 사수絲數이다. 그 축丑·묘卯·사巳·미未·유酉·해亥는 율律·촌寸·분分·리釐·호毫·사絲를 삼분三分하는 법法(분모)이다. 그 '분分' 자의 아래는 여러 율이 황종에서 취한 길거나 짧은 수이다. 가령 자子는 1분이니, 1은 9촌이 되고 황종의 전체 수이다. 축丑은 2/3이니, 1이 3촌이 되고 3×3=9이며 또한 황종 9촌에서 2/3를 취했으므로 임종은 6촌을 얻는다. 인寅은 8/9이니, 1이 1촌이 되고 또한 황종 9촌의 8/9을 취했으므로 태주는 8촌을 얻는다.

其上下相生之敍, 則『晉志』所謂"在六律爲陽, 則當位自得而下生於陰, 六呂爲陰, 則得其所衝而上生於陽者, 是也. 丑爲林鐘. 卯爲南呂. 巳爲應鐘. 未爲大呂. 酉爲夾鐘. 亥爲仲呂. **大呂夾鐘仲呂止得半聲, 必用倍數, 乃與天地之氣相應. 其寸分釐毫絲, 皆積九以爲法. 詳見上章.**

그 상하로 상생相生하는 순서는 『진서晉書』「율력지」에서 이른바 "6율에 있는 것은 양이 되니 해당하는 자리를 스스로 얻어서 음을 하생下生하고, 6려에 있는 것은 음이 되니 그 반대편 자리를 얻어서 양을 상생上生한다."는 것이 이것이다. 축丑은 임종이 되고, 묘卯는 남려가 되며, 사巳는 응종이 되고, 미未는 대려가 되며, 유酉는 협종이 되고, 해亥는 중려가 된다. 대려·협종·중려는 다만 반성半聲을 얻으니 반드시 그 배수를 써야만 이에 천지의 기氣와 상응하게 된다. 그 촌·분·리·호·사는 모두 9를 누적하는 것을 분모로 삼는다. 상세한 것은 앞 장에 있다.

[23-4-4]
『漢前志』曰: "黃鐘三分損一下生林鐘, 三分林鐘益一上生太簇, 三分太簇損一下生南呂, 三分南呂益一上生姑洗, 三分姑洗損一下生應鐘, 三分應鐘益一上生蕤賓, 三分蕤賓損一下生大呂, 三分大呂益一上生夷則, 三分夷則損一下生夾鐘, 三分夾鐘益一上生無射, 三分無射損一下生仲呂. 陰陽相生, 自黃鐘始而左旋, 八八爲伍."

『전한서』「율력지」에서 말했다. "황종은 삼분손일하여 임종을 하생下生하고, 임종은 삼분익일하여 태주를 상생上生하며, 태주는 삼분손일하여 남려를 하생下生하고, 남려는 삼분익일하여 고선을 상생上生하며, 고선은 삼분손일하여 응종을 하생下生하고, 응종은 삼분익일하여 유빈을 상생上生하며, 유빈은 삼분손일하여 대려를 하생下生하고, 대려는 삼분익일하여 이칙을 상생上生하며, 이칙은 삼분손일하여 협종을 하생下生하고, 협종은 삼분익일하여 무역을 상생上生하며, 무역은 삼분손일하여 중려를 하생下生한다. 음양이 상생相生하는 것은 황종으로부터 왼쪽으로 돌아 8개씩 건너뛰는 것이 짝이 된다."[77]

· ·

77 8개씩 건너뛰는 … 된다. : 劉瑾은 『律呂成書』 권2에서, "注에서 말했다. '子에서부터 辰을 세어 未에 이르기까

[23-4-5]

『律書』曰 : "術曰, '以下生者倍其實, 三其法 ; 上生者四其實, 三其法.' 假令黃鐘九寸下生, 則倍其實爲一尺八寸. 三其法乃爲六寸而得林鐘. 林鐘六寸上生, 則四其實爲二尺四寸. 三其法乃爲八寸而得太簇. 他皆倣此."

『사기』「율서律書」에서 말했다. "생황종生黃鐘의 술술術에서, '하생下生하는 것은 그 분자[實]를 2배로 하고 그 분모[法]를 3으로 한다는 것이며,[78] 상생上生하는 것은 그 분자[實]를 4배로 하고 그 분모[法]를 3으로 한다는 것이다.'[79]라고 하였다. 가령 황종 9촌이 하생下生하면, 그 분자[實]를 2배로 하여 1척 8촌이 된다. 그 분모[法]를 3으로 하여 이에 6촌을 되어 임종을 얻는다. 임종 6촌이 상생上生하면, 그 분자[實]를 4배로 하여 2척 4촌이 된다. 그 분모[法]를 3으로 하여 이에 8촌을 되어 태주를 얻는다. 다른 것도 모두 이와 같다."

[23-4-6]

『漢後志』曰 : "術曰, '陽以圓爲形, 其性動 ; 陰以方爲節, 其性靜. 動者數三, 靜者數二. 以陽生陰倍之, 以陰生陽四之, 皆三而一. 陽生陰曰下生, 陰生陽曰上生. 上生不得過黃鐘之淸濁, 下生不得及黃鐘之數實, 皆參天兩地, 圓蓋方覆, 六耦承奇之道也. 黃鐘律呂之首而生十一律者也.'"

『후한서』「율력지」에서 말했다. "율律의 술술術에서, '양陽은 원圓으로 형태를 삼으니 그 성질이 움직이고, 음陰은 네모[方]로 절도를 삼으니 그 성질이 고요하다. 움직이는 것은 수가 3이고 고요한 것은 수가

지 8을 얻어서(건너뛰어서) 임종을 下生하고, 未에서 세어 寅에 이르기까지 8을 얻어서(건너뛰어서) 태주를 上生하니, 율이 상하로 相生하는 것은 모두 이것을 비율로 삼는다. 伍는 짝[耦]이다. 8개씩 건너뛰는 것이 짝이 된다.(注曰, '從子數辰至未得八, 下生林鐘 ; 數未至寅得八, 上生太簇 ; 律上下相生, 皆以此爲率. 伍, 耦也. 八八爲耦.')"라고 하였다.

78 下生하는 것은 … 것이며 : 司馬貞은 『史記索隱』 권8에서, "생각건대 채옹은 '양이 음을 낳는 것이 下生이고 음이 양을 낳는 것이 上生이다. 子午 동쪽이 상생이고 서쪽이 하생이다.'라고 했다. 또 『史記』「律曆志」에서는 '음양이 相生하는 것은 황종으로부터 시작하여 황종이 태주를 낳는다. 왼쪽으로 돌아 8개씩 건너뛰는 것이 짝이 된다. 子에서부터 未에 이르기까지 8을 얻어서(건너뛰어서) 임종을 下生하는 것이 이것이다. 또 未에서 부터 寅에 이르기까지도 역시 8을 얻어서(건너뛰어서) 태주를 上生한다. 그러나 상하로 相生하는 것은 모두 이것을 비율로 삼는다.'고 했다. (하생한다는 것은) 황종이 임종을 下生하는 것을 말하니, 황종의 길이 9촌에 그 분자[實]를 2배로 한다는 것은 2×9=18이고, 그 분모[法]를 3으로 한다는 것은 3을 분모로 한다는 것이니, 그것을 약분하여 6을 얻어서 임종의 길이가 된다.(按, 蔡邕曰, '陽生陰爲下生, 陰生陽爲上生. 子午已東爲上生, 巳西爲下生.' 又「律曆志」云, '陰陽相生, 自黃鍾始, 黃鍾生太簇. 左旋八八爲五. 從子至未得八, 下生林鍾是也, 又自未至寅, 亦得八上生太簇. 然上下相生, 皆以此爲率也.' 謂黃鍾下生林鍾, 黃鍾長九寸, 倍其實者, 二九十八 ; 三其法者, 以三爲法, 約之得六爲林鍾之長也.)"라고 하였다.

79 上生하는 것은 … 것이다. : 司馬貞은 『史記索隱』 권8에서, "그 분자[實]를 4배로 한다는 것은 임종이 태주를 上生하는 것을 말하니, 임종의 길이 6촌에서 6을 4배하여 24를 얻고, 3으로 약분하여 8을 얻는 것이 곧 태주의 길이가 된다.(四其實者, 謂林鍾上生太簇, 林鍾長六寸, 以四乘六得二十四, 以三約之, 得八卽爲太簇之長.)"라고 하였다.

2이다. 양이 음을 낳을 때는 2배로 하고 음이 양을 낳을 때는 4배로 하니 모두 1/3을 덜어내거나 보탠 것이다. 양이 음을 낳는 것을 하생下生이라 하고, 음이 양을 낳는 것을 상생上生이라고 한다. 상생은 황종의 청탁淸濁을 넘을 수 없고 하생은 황종의 수의 실實에 미칠 수 없으니,[80] 모두 하늘을 3으로 하고 땅을 2로 하여, 원圓이 덮고 네모[方]가 엎드려서 6개의 짝이 홀을 계승하는 도이다. 황종은 율려의 우두머리이고 11율을 낳는 것이다.'라고 하였다."[81]

[23-5]

和聲 第五 제5장 화성

[23-5-1]

『前漢志』曰："黃鐘爲宮, 則太族姑洗林鐘南呂皆以正聲應, 無有忽微, 不復與他律爲役者, 同心一統之義也. 非黃鐘而他律雖當其月自宮者, 則其和應之律有空積忽微, 不得其正, 此黃鐘至尊亡與並也."

『전한서』「율력지」에서 말했다. "황종이 궁이 되면, 태주·고선·임종·남려는 모두 정성正聲으로 응하여 홀忽·미微(미세한 나머지)가 없으니, 다시 다른 율에게 부림을 당하지 않는다는 것은 (다른 율이) 같은 마음으로 하나로 통괄된다는 의미이다. 황종이 아닌 다른 율은 비록 그 달에 해당하여 스스로 궁宮이 된 것이라도, 그 조화롭게 응하는 율에 공연히 홀忽·미微를 쌓은 것이 있어서 그 정성正聲을 얻지 못할 것이니, 이것은 황종이 지극히 존귀하여 다른 것과 나란히 하지 않는다는 것이다."

---

80 상생은 황종의 … 없으니, : 유희는 『律呂新書摘解』「律呂證辨」에서, "'過(넘어선다.)'와 '及(미친다.)'은 같은 말이다. 수의 실제는 청탁을 이어가는 것이 의미가 되니, 대개 두 구절은 서로 대응하는 문장이다. 上生하고 또 상생하는 것은 황종 濁聲의 9촌을 넘어서려고 하고, 下生하고 또 하생하는 것은 황종 淸聲의 4촌 3분에 미치려고 하지만, 이제 상하로 相生하므로 두 가지의 걱정이 있을 수 없다.('過'·'及'一語也. 數實承淸濁爲義, 蓋兩句互文也. 上生而又上生, 將過黃濁之九寸；下生而又下生, 將及黃淸之四寸三分零, 今使上下相生, 故不得有二者之患.)"라고 하였다.

81 『律의 術에서 … 하였다.』: 倪復은 『鐘律通考』 권2에서, "내 생각에, 『史記』「律書」와 『後漢書』「律曆志」에서 말한 術法은 12율을 낳는 가장 중요한 요점이다. 길고 짧은 수가 이로 말미암아 나오니 깊이 살피지 않을 수 없다. 律은 陽이고 그 수는 홀수로서 하늘의 도가 있으며, 呂는 陰이고 그 수는 짝수로서 땅의 도가 있다. 율이 여를 낳는 것을 下生이라고 하니 圓이 덮는 의미이고, 여가 율을 낳는 것을 上生이라고 하니 네모[方]가 엎드리는 의미이다. 홀수는 위에서 존귀하고 짝수는 아래에서 비천하므로 6개의 짝이 홀을 계승한다고 했다. (愚考兩書所言術法, 最爲生十二律之要. 長短之數, 由是以出, 而不可不深考者也. 律陽也, 其數奇, 有天之道；呂陰也, 其數耦, 有地之道. 律生呂曰下生, 圓蓋義也；呂生律曰上生, 方覆之義也. 奇者在上而尊, 耦者在下而卑, 故曰六耦承奇.)"라고 하였다.

[23-5-1-0]

按：黃鐘爲十二律之首. 他律無大於黃鐘, 故其正聲不爲他律役. 其半聲當爲四寸五分, 而前乃云無者, 以十七萬七千一百四十七之數不可分, 又三分損益上下相生之所不及, 故亦無所用也. 至於大呂之變宮, 夾鐘之羽, 仲呂之徵, 蕤賓之變徵, 夷則之角, 無射之商, 自用變律半聲, 非復黃鐘矣. 此其所以最尊而爲君之象. 然亦非人之所能爲, 乃數之自然, 他律雖欲役之而不可得也. 此一節最爲律呂旋宮用聲之綱領. 古人言之已詳. 唯杜佑『通典』再生黃鐘之法爲得之, 而他人皆不及也. 佑説見下條.

생각건대 황종은 12율의 우두머리이다. 다른 율은 황종보다 큰 것이 없기 때문에 그 정성正聲은 다른 율에게 부림을 당하지 않는다. 그 반성半聲은 당연히 4촌 5분인데 앞에서 곧바로 없다고 한 것은 177,147이라는 수는 나눌 수 없고, 또 삼분손익하여 상하로 상생相生하는 곳도 미칠 수 없으므로 역시 쓸 곳이 없어서이다. 대려의 변궁變宮과 협종의 우羽와 중려의 치徵와 유빈의 변치變徵와 이칙의 각角과 무역의 상商 경우는 스스로 변율의 반성半聲을 쓰니 다시 황종이 아니다. 이것이 황종이 가장 존귀하여 군주가 되는 모습이다. 그러나 또한 사람이 그렇게 할 수 있는 것이 아니라 곧 수가 저절로 그러한 것이니, 다른 율이 비록 그것을 부리려고 해도 그렇게 할 수 없다. 이 한 구절이 율려가 궁宮을 돌면서 성聲을 쓰는 데에 가장 강령이 되는 구절이다. 옛사람이 말한 것이 이미 상세하다. 오직 두우杜佑의『통전』만이 황종을 다시 낳는 방법을 얻었는데 다른 사람은 모두 미치지 못했다. 두우의 설명은 아래의 조목에 있다.

[23-5-2]

『漢後志』京房六十律

黃鐘　子	黃鐘生林鐘未	林鐘生太簇寅
太簇生南呂酉	南呂生姑洗辰	姑洗生應鐘亥
應鐘生蕤賓午	蕤賓生大呂丑	大呂夷則申
夷則生夾鐘卯	夾鐘生無射戌	無射生仲呂巳
仲呂生執始子	執始生去滅未	去滅生時息寅
時息生結躬酉	結躬生變虞辰	變虞遲內亥
遲內生盛變午	盛變生分否丑	分否生解形申
解形生開時卯	開時生閉掩戌	閉掩生南中巳
南中生丙盛子	丙盛生安度未	安度生屈齊寅
屈齊生歸期酉	歸期生路時辰	路時生未育亥
未育生離宮午	離宮生凌陰丑	凌陰生去南申
去南生族嘉卯	族嘉生鄰齊戌	鄰齊生內負巳
內負生分動子	分動生歸嘉未	歸嘉生隨時寅

隨時生未卯_酉　未卯生形始_辰　形始生遲時_亥

遲時生制時_午　制時生少出_丑　少出生分積_申

分積生爭南_卯　爭南生期保_戌　期保生物應_巳

物應生質未_子　質未生否與_未　否與生形晉_寅

形晉生惟汗_酉　惟汗生依行_辰　依行生包育_亥

包育生謙待_未　謙待生未知_寅　未知生白呂_酉

白呂生南授_辰　南授生分烏_亥　分烏生南事_午

『후한서』「율력지」의 경방京房 60율

황종자子　　　　　　　　　황종이 임종林鐘미未를 낳고,

임종이 태주太簇인寅을 낳으며, 태주가 남려南呂유酉를 낳고,

남려가 고선姑洗진辰을 낳으며, 고선이 응종應鐘해亥를 낳고,

응종이 유빈蕤賓오午를 낳으며, 유빈이 대려大呂축丑을 낳고,

대려가 이칙夷則신申을 낳으며, 이칙이 협종夾鐘묘卯를 낳고,

협종이 무역無射술戌을 낳으며, 무역이 중려仲呂사巳를 낳았다.

중려가 집시執始자子를 낳으며, 집시가 거멸去滅미未를 낳고,

거멸이 시식時息인寅을 낳으며, 시식이 결궁結躬유酉를 낳고,

결궁이 변우變虞진辰을 낳으며, 변우가 지내遲內해亥를 낳고,

지내가 성변盛變오午를 낳으며, 성변이 분부分否축丑을 낳고,

분부가 해형解形신申을 낳으며, 해형이 개시開時묘卯를 낳고,

개시가 폐엄閉掩술戌을 낳으며, 폐엄이 남중南中사巳를 낳았다.

남중이 병성丙盛자子를 낳으며, 병성이 안도安度미未를 낳고,

안도가 굴제屈齊인寅을 낳으며, 굴제가 귀기歸期유酉를 낳고,

귀기가 노시路時진辰을 낳으며, 노시가 미육未育해亥를 낳고,

미육이 리궁離宮오午를 낳으며, 리궁이 능음淩陰축丑을 낳고,

능음이 거남去南신申을 낳으며, 거남은 족가族嘉묘卯를 낳고,

족가가 인제鄰齊술戌을 낳으며, 인제가 내부內負사巳를 낳았다.

내부가 분동分動자子를 낳으며, 분동이 귀가歸嘉미未를 낳고,

귀가가 수시隨時인寅을 낳으며, 수시가 미묘未卯유酉를 낳고,

미묘가 형시形始진辰을 낳으며, 형시가 지시遲時해亥를 낳고,

지시가 제시制時오午를 낳으며, 제시가 소출少出축丑을 낳고,

소출이 분적分積신申을 낳으며, 분적이 쟁남爭南묘卯를 낳고,

쟁남이 기보期保술戌을 낳으며, 기보가 물응物應사巳를 낳았다.

물응이 질미質未자子를 낳으며, 질미가 부여否與미未를 낳고,

부여가 형진形晉인寅을 낳으며, 형진이 유한惟汗유酉를 낳고,
유한이 의행依行진辰을 낳으며, 의행이 포육包育해亥를 낳고,
포육이 겸대謙待미未를 낳으며, 겸대가 미지未知인寅을 낳고,
미지가 백려白呂유酉를 낳으며, 백려가 남수南授진辰을 낳고,
남수가 분오分烏해亥를 낳으며, 분오가 남사南事오午를 낳았다.

[23-5-2-0]

按: 世之論律者, 皆以十二律爲循環相生, 不知三分損益之數往而不返. 仲呂再生黃鐘, 止得八寸七分有奇, 不成黃鐘正聲. 京房覺其如此, 故仲呂再生別名執始, 轉生四十八律. 其三分損益不盡之筭, 或棄或增.

생각건대 세상에서 율律을 논하는 사람들은 모두 12율을 순환하며 상생相生하는 것으로 여기는데, 삼분손익한 수가 나아가기만 하지 되돌아오지 않는다는 것을 모른다. 중려가 황종을 다시 낳으면 다만 8촌 7분과 나머지를 얻어서 황종 정성正聲을 이루지 못한다. 경방京房은 그것이 이와 같은 것을 깨달았으므로 중려가 다시 낳는 것을 별도로 집시執始라고 이름 짓고 돌아가며 48율을 낳았다. 그 삼분손익하면서 '계산을 다하지 못한 것(즉 나머지를 말함)'은 버리기도 하고 늘이기도 했다.

夫仲呂上生不成黃鐘, 京房之見則是矣. 至於轉生四十八律, 則是不知變律之數止於六者出於自然不可復加, 雖强加之而亦無所用也. 況律學微妙, 其生數立法, 正在毫釐秒忽之間! 今乃以不盡之筭不容損益, 遂或棄之, 或增之, 則其畸贏贅虧之積, 亦不得爲此律矣.

중려가 상생上生해도 황종이 될 수 없다는 것은 경방의 견해가 옳다. 돌아가며 48율을 낳는다는 것의 경우는 변율의 수가 6에서 그친다는 것이 저절로 그러한 데에서 나와 다시 더할 수 없다는 것을 알지 못한 것이니, 비록 억지로 더한다고 할지라도 쓸 데가 없다. 하물며 율학이 미묘하여 그 수를 낳고 법을 세우는 것이 바야흐로 호毫·리釐·초秒·홀忽의 사이에 있으니 어떻겠는가! 이제 계산을 다하지 못한 것으로는 삼분손익을 할 수가 없어 마침내 버리기도 하고 늘이기도 했으니, 그 군더더기 수와 없어져버린 수가 누적되어 역시 이 율律이 될 수 없을 것이다.

又依行在辰上生包育, 編於黃鐘之次, 乃是隔九. 其黃鐘林鐘太簇南呂姑洗, 每律統五律; 蕤賓應鐘, 每律統四律. 大呂夾鐘仲呂夷則無射, 每律統三律. 三五不周, 多寡不例, 其與反生黃鐘, 相去五十百步之間耳.

또 의행依行이 진辰에서 포육包育을 상생上生하는 것은, 황종의 차례로 편성하면 곧 9개를 간격으로 둔 것이다. 그 황종·임종·태주·남려·고선은 매 율마다 5개의 율을 통괄하고, 유빈·응종은 매 율마다 4개의 율을 통괄하며, 대려·협종·중려·이칙·무역은 매 율마다 3개의 율을 통괄한다. 3개 5개로 보편적이지 못하여 많고 적은 것이 규칙적이지 않으니,[82] 그것은 (중려가) 황종을 돌이켜 낳는 것과 서로간의 차이가 비슷할 뿐이다.

意者房之所傳出于焦氏, 焦氏卦氣之學, 亦去四而爲六十. 故其推律亦必求合卦氣之數, 不知數之自然在律者不可增, 而於卦者不可減也.

대개 경방이 전한 것은 초씨焦氏[焦延壽][83]에게서 나왔고, 초씨의 괘기卦氣의 학문은 또한 4를 버리고 60으로 하였다.[84] 그러므로 그가 율을 미루어 본 것도 역시 반드시 괘기의 수에 합치하도록 했을 것이니, 수의 저절로 그러함이 율에서는 증가될 수 없고 괘에서는 감소될 수 없다는 것을 알지 못했다.

何承天, 劉焯譏房之病, 蓋得其一二. 然承天與焯, 皆欲增林鐘已下十一律之分, 使至仲呂反生黃鐘, 還得十七萬七千一百四十七之數. 如此, 則是惟黃鐘一律成律, 他十一律皆不應三分損益之數, 其失又甚於房矣. 可謂目察秋毫而不見其睫也.

하승천何承天[85]과 유작劉焯[86]은 경방의 문제점을 비판하여 한두 가지를 얻었다. 그러나 하승천과 유작

• • • • • • • • • • • • • • • • • • • •

82 또 依行이 … 않으니 : 유희는 『律呂新書摘解』「律呂證辨」에서, "생각건대 依行은 고선의 변이니 그것이 낳는 것은 마땅히 亥月의 궁이 된다. 그런데 이제 包育이 황종의 변이니, 〈본문의 포육 아래 '亥' 자는 '子' 자로 본다는 것에 의거하여 말했다.〉 대개 경방의 뜻은 반드시 60율이 子에서 일어나서 午에서 끝마치게 하려고 한 것이다. 그러므로 이치로써 하면 12율은 마땅히 각각 4변을 통괄하는데, 이제 1개의 자, 1개의 미, 1개의 인, 1개의 유, 1개의 진을 중간에 첨부하였고 1개의 축, 1개의 진, 1개의 묘, 1개의 술, 1개의 사를 끝에서 잘라내었으니, 그러므로 '많고 적은 것이 규칙적이지 않다.'라고 한 것이다.(按, 依行是姑洗之變, 則其所生當爲亥月之宮. 而今此包育乃是黃鐘之變, 〈本文包育下'亥'字, 据作'子'字而言.〉 蓋京意必欲使六十律起於子而終於午也, 故以理則十二律當各統四變, 而今乃添一子 · 一未 · 一寅 · 一酉 · 一辰於中間, 而截去一丑 · 一申 · 一卯 · 一戌 · 一巳於末終, 故曰, '多寡不例也.')"라고 하였다.

83 焦延壽 : 자는 贛이고 西漢의 梁(현 하남성 商丘縣) 사람이다. 집안이 가난했지만 배우기를 좋아해서 梁敬王의 후원을 받았다. 특히 易學을 깊이 연구하여 災異를 60괘로 설명하는 데에 뛰어났다. 『漢書』「儒林傳」에서, "京房은 梁나라 사람 焦延壽에게서 『易』을 전수받았고, 초연수는 孟喜에게서 『易』을 배웠다."고 하였다. 저술에는 『易林』이 있는데, 일명 『焦氏易林』이라고 한다.

84 초씨의 卦氣의 … 하였다. : 卦氣는 원래 64괘를 四時 · 月令 · 氣候 등에 서로 배치하는 방법을 말한다. 文王이 易을 序하여 坎 · 離 · 震 · 兌를 四時卦로 하고, 復으로부터 乾에 이르고, 姤로부터 坤에 이르는 12괘를 열두 달 消息卦로 했다. 한대 학자 焦延壽와 京房 등은 나머지 48괘를 열두 달에 배치하여 매월의 4괘와 消息卦 한 괘를 합쳐 5괘, 합계 30爻를 한 달의 날수에 배당하고, 다시 매월의 5괘를 군신들의 位階에 배치하였다. 결과적으로 초연수 등은 坎 · 離 · 震 · 兌의 四時卦를 正卦라고 하여 포함시키지 않고, 나머지 60괘를 가지고 괘기의 변화를 설명하였다.

85 何承天(370~447) : 南朝 宋나라의 대신으로 저명한 천문학자 · 수학자이다. 東海 郯(현 산동성 郯城) 사람이다. 衡陽內史, 國子博士, 御史中丞 등의 벼슬을 역임하였기 때문에 세칭 何衡陽이라고도 불렸다. 曆法에 밝아 기존 역법의 문제점을 개선한 「元嘉曆」을 제정하여 후세 역법에 큰 영향을 끼쳤다. 또한 음악에 정통하여 12평균율에 근사한 새로운 율을 발명하기도 하였다. 저서로는 『禮論』 · 『分明土制』 · 『曆術』 · 『驗日食法』 · 『漏刻經』 등이 있었다.

86 劉焯(544~610) : 자는 士元이고, 隋나라 信都 昌亭(현 하북성 冀縣) 사람이다. 수대의 저명한 천문학자로 『九章算術』, 『周髀』, 『七曜曆』 등에 대한 연구가 깊었다. 隋文帝 때에는 국사편찬 및 천문 율력 제정에 참여하였다. 隋煬帝 때에는 太學博士를 역임하면서 태양과 달의 운행속도를 계산한 『皇極曆』을 편찬하기도 했다.

은 모두 임종 이하 11율의 분分을 증가하여 중려가 황종을 돌이켜 낳아 177,147의 수에 이르도록 하려고 했다. 이와 같으면 오직 황종율만이 율을 이루고 기타 11율은 모두 삼분손익의 수에 상응하지 못하니 그 잘못은 또 경방보다 심하다. 눈으로 추호같이 미세한 것을 살피면서도 속눈썹은 보지 못했다고 할 수 있겠다.

[23-5-3]

杜佑『通典』曰："陳仲儒云, '調聲之體, 宮商宜濁, 徵羽宜淸. 若依公孫崇止以十二律而云,[87] 還相爲宮, 淸濁悉足. 非惟未練五調調器之法, 至於五聲次第, 自是不足. 何者? 黃鐘爲聲氣之元, 其管最長. 故以黃鐘爲宮, 太簇爲商, 林鐘爲徵, 則一相順.[88] 若均之八音, 猶須錯採衆聲, 配成其美. 若以應鐘爲宮, 大呂爲商, 蕤賓爲徵, 則徵濁而宮淸, 雖有其韻, 不成音曲. 若以無射爲宮, 則十二律中惟得取仲呂爲徵, 其商角羽並無其韻；若以仲呂爲宮, 則十二律內全無所取. 何者? 仲呂爲十二律之窮, 變律之首也. 依京房書仲呂爲宮, 乃以去減爲商, 執始爲徵, 然後成韻. 而崇乃以仲呂爲宮, 猶用林鐘爲商, 黃鐘爲徵, 何由可諧.'"[89]

두우杜佑는 『통전通典』에서 말했다. "진중유陳仲儒[90]는 '성聲을 조율하는 체體는 궁성과 상성은 마땅히 낮아야濁 하고 치성과 우성은 마땅히 높아야[淸] 한다. 만약 공손숭公孫崇[91]에 의하면, 다만 12율을 가지고서 돌아가며 서로 궁宮이 되면 높은 음과 낮은 음이 모두 충족된다고 했다. 단지 5조五調로 악기를 조율하는 방법에 숙련되지 않았을 뿐 아니라 5성五聲의 차례에 대해서도 원래 부족하다. 왜 그런가? 황종은 성기聲氣의 근원이고 그 율관이 가장 길기 때문이다. 그러므로 황종을 궁宮으로 하여 태주를 상商으로 삼고 임종을 치徵로 삼으면, 한결같이 서로 순조롭다. 만약 8음八音으로 고르게 하면 또한 여러 성聲을 교착하여 찾아내어야만 배합이 아름답게 될 것이다. 만약 응종을 궁宮으로 하여 대려를 상商으로 삼고 유빈을 치徵로 삼으면, 치성이 낮고 궁성이 높으니, 비록 그 운韻은 있지만 음악의 곡조를 이루지 못할 것이다. 만약 무역을 궁宮으로 삼으면 12율 가운데 오직 중려만을 취하여 치徵를 삼을 수 있고 상商·각角·우羽는 모두 그 운韻이 없을 것이며, 만약 중려를 궁宮으로 삼으면 12율 안에 전혀

그 외 후진 양성에도 노력하여 문하에 당대 최고의 경학자인 孔穎達이 있었다. 저서로는 『稽極』·『曆書』·『五經述義』 등이 있다.

87 若依公孫崇止以十二律而云 : 杜佑의 『通典』 권143 「樂」 3에는 '若依公孫崇止以十二律聲而云'이라고 되어 있다.

88 則一相順 : 두우의 『通典』 권143 「樂」 3에는 '則一任相順'이라고 되어 있다.

89 杜佑, 『通典』 권143 「樂」 3

90 陳仲儒 : 北魏 사람으로 宣武帝(500~515재위) 때에 악률을 논하면서, 경방이 제작한 准의 사용방법을 문제로 제기했다고 한다. 특히 孝明帝 神龜 2年(519)에 기록된 그의 "瑟調는 宮을 주인으로 삼고, 淸調는 商을 주인으로 삼으며, 平調는 角을 주인으로 삼는다.(其瑟調以宮爲主, 淸調以商爲主, 平調以角爲主爲主.)"라는 곡조에 대한 언급은 중국음악사상 중요한 가치를 지닌 것으로 유명하다. 저술로는 일종의 악기연주법인 『烏絲欄指法』이 있다.

91 公孫崇 : 北魏의 악률학자로서 正始 연간(504~507)에 太樂令으로서 金石을 다시 조율하고, 음률의 기준을 새로 제정하였다. 또한 八音의 악기와 新尺을 제작하였다고 한다.

취할 것이 없을 것이다. 왜 그러한가? 중려는 12율의 끝이고 변율의 첫머리이기 때문이다. 경방의 글에 의거하면, 중려가 궁宮이 되면 곧 거멸去滅을 상商으로 삼고, 집시執始를 치徵로 삼은 뒤에 운韻을 이루게 된다. 그러나 공손숭公孫崇은 곧 중려를 궁宮으로 삼고 또한 임종을 상商으로 삼으며, 황종을 치徵를 삼았으니, 어떻게 조화로울 수 있겠는가?'라고 하였다."

[23-5-3-0]

按: 仲儒所以考公孫崇者當矣. 其論應鐘爲宮, 大呂爲商, 蕤賓爲徵, 商徵皆濁於宮, 雖有其韻, 不成音曲; 又謂仲呂爲宮, 則十二律内全無所取, 尤爲的切. 然仲儒所主, 是京氏六十律; 不知依行爲宮, 包育爲徵, 果成音曲乎, 果有其韻乎? 蓋仲儒知仲呂之反生不可爲黃鐘, 而不知變至於六則數窮不生. 雖或增或棄, 成就使然之數, 強生餘律, 亦無所用也.

생각건대 진중유陳仲儒가 공손숭을 고찰한 것은 마땅하다. 그가 응종이 궁宮이 되고 대려가 상商이 되며 유빈이 치徵가 되면 상商과 치徵가 모두 궁성보다 낮아서 비록 그 운韻은 있지만 음악의 곡조를 이루지 못한다고 논한 것과 또 중려가 궁宮이 되면 12율 안에 전혀 취할 것이 없다고 한 것은 더욱 적절하다. 그러나 진중유가 주장한 것은 경방의 60율이니, 의행依行이 궁宮이 되고 포육包育이 치徵가 되면 과연 음악의 곡조가 이루어지고 과연 그 운韻이 있겠는가?[92] 대개 진중유는 중려가 돌이켜 낳는 것이 황종이 될 수 없다는 것을 알았지만, 변율이 6에 이르면 수가 끝나서 낳을 수 없다는 것을 알지 못했다. 비록 증가시키기도 하고 버리기도 하여 이와 같이 되게 한 수를 성취하였지만, 억지로 나머지 율을 만들었으니 또한 쓸 데가 없다.

[23-5-4]

『通典』曰: "十二律相生之法, 自黃鐘始,[93] 黃鐘之管九寸. 三分損益下生林鐘, 林鐘上生太簇, 太簇下生南呂, 南呂上生姑洗, 姑洗下生應鐘, 應鐘上生蕤賓, 蕤賓上生大呂, 大呂下生夷則, 夷則上生夾鐘, 夾鐘下生無射, 無射上生仲呂. 仲呂之管長六寸一萬九千六百八十三分寸之萬二千九百七十四. 此謂十二律長短相生, 一終於仲呂之法. 又制十二鐘, 以准十二律之正聲. 又

---

92 依行이 宮이 … 있겠는가?: 유희는 『律呂新書摘解』「律呂證辨」에서, "依行은 고선에 속하고, 包育은 황종에 속한다. 고선은 본래 황종이 81일 때 64에 지나지 않으니, 이는 궁성을 짧게 하고 치성을 길게 한 것이다. 그 聲이 능멸하여 침범하니 韻曲으로 삼을 수 없다. 〈蔡氏(蔡元定)의 이 註는 경방이 제작한 것을 공격할 수 있지만 진중유가 聲을 운용한 것은 공격할 수 없다. 대개 경방이 執始라고 일컬은 것은 곧 채원정의 變黃鐘이고, 경방이 去滅이라고 일컬은 것은 채원정의 變林鐘이다. 경방의 설치한 조목이 비록 많아서 60개에 이르지만, 진중유가 사용한 것은 물론 6개에 그치니, 하필 包育을 미리 끌어들이는 실수로서 중려가 궁이 되는 변율을 사용하는 것을 막았는가?〉(依行爲姑洗之屬, 包育爲黃鐘之屬. 姑洗本不過爲黃鐘八十一分之六十四, 則是將宮短而徵長. 其聲陵犯, 無以爲韻曲矣. 〈蔡氏此註可以攻京房之制作, 而非可以攻仲儒之用聲也. 蓋京稱執始, 卽蔡之變黃也; 京稱去滅, 卽蔡之變林也. 京之設目雖多至六十, 仲儒所用自當止於其六, 何必預引包育之失, 以禁其仲呂爲宮之用變律乎?〉)"라고 하였다.

93 自黃鐘始: 두우의 『通典』 권143 「樂」 3에는 '皆以黃鐘始'라고 되어 있다.

梟氏爲鐘, 以律計自倍半; 以子聲比正聲, 則正聲爲倍; 以正聲比子聲, 則子聲爲半. 但先儒釋用倍聲有二義. 一義云, 半十二律正律爲十二子聲之鐘; 二義云, 從於仲呂之管寸數, 以三分益一上生黃鐘, 以所得管之寸數, 然後半之以爲子聲之鐘. 其爲變正聲之法者,[94] 以黃鐘之管正聲九寸, 子聲則四寸半. 又上下相生之法者, 以仲呂之管長六寸一萬九千六百八十三分寸之萬二千九百七十四上生黃鐘; 三分益一得八寸五萬九千□□四十九分寸之五萬一千八百九十六, 半之得四寸五萬九千□□四十九分寸之二萬五千九百四十八以爲黃鐘. 又上下相生以至仲呂, 皆以相生所得之律寸數, 半之以爲子聲之律."[95]

『통전通典』에서 말했다. "12율이 상생相生하는 법은 황종으로부터 시작하여 황종관은 9촌이다. 삼분손익하여 임종을 하생下生하고, 임종은 태주를 상생上生하며, 태주는 남려를 하생하고, 남려는 고선을 상생하며, 소선은 응종을 하생하고, 응종은 유빈을 상생하며, 유빈은 대려를 상생하고, 대려는 이칙을 하생하며, 이칙은 협종을 상생하고, 협종은 무역을 하생하며, 무역은 중려를 상생한다. 중려관은 길이가 6과 12974/19683촌이다. 이것은 12율의 길고 짧음이 상생相生하여 한 번 중려에서 끝나는 법을 말한다. 또 12종鐘을 제작하는 데에도 12율의 정성正聲을 기준으로 한다. 또 부씨梟氏[96]가 종을 만드는 데에도 율律을 본래 2배로 하고 절반으로 계산하는데,[97] 자성子聲으로 정성正聲을 비교하면 정성이 2배가 되고, 정성으로 자성을 비교하면 자성이 절반이 된다. 다만 선대 학자들이 2배의 성聲을 쓰는 데에 대한 해석은 두 가지가 있다. 하나는 12율 정율을 절반으로 하는 것이 12자성子聲의 종鐘이 된다는 것이고, 또 하나는 중려관의 촌수寸數에서부터 삼분익일하여 황종을 상생上生해서 율관의 촌수를 얻은 뒤에, 그것을 절반으로 하여 자성子聲의 종鐘으로 삼는다는 것이다. 그것이 변성變聲과 정성正聲이 되는 법은, 황종관 정성이 9촌이니 자성子聲은 4촌 반이라는 것이다. 또 상하로 상생相生하는 법은 중려관 길이 6과 12974/19683촌으로 황종을 상생上生하는 것이니, 삼분익일하여 8과 51896/59049촌을 얻고 그것을 절반으로 하여 4와 25948/59049촌을 얻어 황종으로 삼는 것이다. 또 상하로 상생相生하여 중려에 이르면 모두 상생相生하여 얻은 율관의 촌수를 절반으로 하여 자성子聲의 율관으로 삼는다."

---

94 其爲變·正聲之法者: 두우의 『通典』 권143 「樂」 3에는 '其爲半·正聲之法者'라고 되어 있다.

95 杜佑, 『通典』 권143 「樂」 3

96 梟氏: 『周禮』 「冬官·考工記」에 나오는 鐘을 만드는 기술자이다.

97 또 梟氏가 종을 … 계산하는데: 유희는 『律呂新書摘解』 「律呂證辨」에서, "생각건대 「考工記」에 梟氏가 담당하는 일에 관한 문장의 疏에서, 율의 계산에 2배와 절반의 설명이 있는데, 그 설명은 「律曆志」에서 나왔다. 가령 황종의 율관 길이 9촌을 2배로 하면 1척 8촌을 얻고, 그것을 절반으로 하면 4촌 반을 얻는데, 총계 2척 2촌 반을 鐘 입구의 지름 및 상생과 하생의 수로 삼았다. 이에 의거하면 본문의 2배와 절반의 의미는 『通典』과 같지 않다.(按, 「考工記」梟氏職文疏有律計倍半之說, 而其說出自「律曆志」. 假令黃鐘之律長九寸, 倍之得尺八寸, 半之得四寸半, 摠二尺二寸半以爲鐘口之徑及上下之數. 据此, 本文倍半之義與『通典』不同.)"라고 하였다.

按: 此説黃鐘九寸生十一律, 有十二子聲, 所謂正律正半律也. 又自仲呂上生黃鐘, 黃鐘八寸五萬九千□□四十九分寸之五萬一千八百九十六. 又生十一律, 亦有十二子聲, 卽所謂變律變半律也. 正變及半, 凡四十八聲上下相生, 最得『漢志』所謂黃鐘不復爲他律役之意, 與『律書』五聲大小次第之法. 但變律止於應鐘, 雖設而無所用, 則其實三十六聲而已. 其間陽律不用變聲, 而黃鐘又不用正半聲; 陰呂不用正半聲, 而應鐘又不用變半聲, 其實又二十八聲而已. 其詳見於前篇之八章.

생각건대 이것은 황종 9촌이 11율을 낳고 12자성子聲을 가진다는 것을 말하니, 이른바 정율正律과 정반율正半律이다. 또 중려로부터 황종을 상생上生하니, 황종은 8과 51896/59049촌이다. 또 11율을 낳고 역시 12자성子聲을 가지니 곧 이른바 변율變律과 변반율變半律이다. 정율과 변율 및 반율은 모두 48성聲이 상하로 상생相生한 것이니, 『전한서』「율력지」의 이른바 황종은 다시 다른 율에 부림을 당하지 않는다는 의미와 『사기』「율서律書」의 5성五聲의 크고 작음을 순서 짓는 법을 가장 잘 얻은 것이다. 그러나 변율이 응종에서 그쳐서 비록 늘어놓아 두었지만 쓸 데가 없으니, 사실은 36성聲일 뿐이다. 그 사이에 양율陽律은 변성을 쓰지 않고 황종은 또 정성正聲과 반성半聲을 쓰지 않으며, 음려陰呂는 정성正聲과 반성半聲을 쓰지 않고 응종은 또 변성變聲과 반성半聲을 쓰지 않으니, 사실은 또 28성聲[98]일 뿐이다.[99] 상세한 내용은 전편前篇 8장에 있다.

· · · · · · · · · · · · · · · · · · · ·

98 28聲: 유희는 『律呂新書摘解』「律呂證辨」에서, "12율은 각각 정율과 변율, 全聲과 半聲이 있으니, 이치상 마땅히 48성이 된다. 그러나 그 사용하지 않는 것을 〈유빈 이하 변율 및 변율의 반성 합계 12개이다. : 유빈·대려·이칙·협종·무역·중려 6개는 변율로 쓰지 않는다. 그리고 그것의 반성 6개를 합하여 12개가 된다.〉 제거하고 취한 수는 36개에 그친다. 또 사용하지 않는 것을 내버려두고 〈황종의 정반성 및 변성, 태주와 고선의 변성, 임종과 남려의 정반성, 응종의 정반성 및 변반성 모두 8개의 聲이다.〉 율관으로 만드는 것은 28개에 그친다. 그러므로 편종과 편경 따위는 모두 마땅히 28개를 그 숫자로 한다. 〈율에 변성과 반성이 있는 것은 본래 음악을 조절하려는 것이다. 반드시 그 율관을 만들어 불어서 소리가 나온 다음에야 악기의 聲도 역시 의거하여 본뜰 것이 있다. 鐘氏(鐘過)가 곧 子聲은 꼭 율이 있을 필요가 없다고 한 것은 다만 鐘을 만들 때 그 數와 度를 덜어내고 보탤 뿐이니, 이 어찌 죽관이 많아지는 것에 인색하여 마침내 여러 악기들이 취하여 기준으로 삼을 것이 없도록 했겠는가?〉(十二律各有正半·全半, 則理當爲四十八聲. 然去其無用者, 〈蕤賓以下, 變律及半十二聲〉而所取爲數, 止於三十六也. 又置其不用者, 〈黃鐘之正半及變, 太簇·姑洗之變, 林鐘·南呂之正半, 應鐘之正半及變半, 凡八聲.〉而所制爲管, 止於二十八也. 故編鐘·編磬之類, 皆當以二十八爲數矣. 〈律之有變及半, 本欲以節樂者也. 必造其管吹以出聲, 然後樂器之聲, 亦有所依倣焉. 鐘氏乃謂子聲不必有律, 只當於爲鐘之時, 損益其數度而已,. 是何吝於多少竹管, 遂令衆樂無所取而爲準也哉?〉)"라고 하였다.

99 그 사이에 … 뿐이다. : 유희는 『律呂新書摘解』「律呂證辨」에서, "'그 사이'라는 것은 변율 및 반성 12성의 사이이다. 황종·태주·고선 3율은 본래 너무 길기 때문에 정율을 사용할 때 절반을 사용할 수 있지만, 변율을 사용할 때에는 전체를 사용할 수 없다. 임종·남려·응종 3려는 본래 너무 짧기 때문에 변율을 사용할 때 전체를 사용할 수 있지만, 정율을 사용할 때에는 꼭 그 절반을 사용할 필요가 없으니, 다만 각각 그 계승하는 것을 관찰하여 서로 보충하는 것을 구할 뿐이다. 또 황종은 正律의 절반을 사용하지 못하고

[23-6]

五聲小大之次第 第六 제6장 5성의 크고 작은 순서

[23-6-1]

『國語』曰：“大不踰宮, 細不過羽. 夫宮, 音之主也, 第以及羽.”[100]

『국어國語』에서 말했다. “크게는 궁성을 넘지 않으며 작게는 우성을 지나치지 않는다. 궁성은 음音의 주인이고 차례로 우성에까지 미친다.”

[23-6-2]

「律書」曰：“律數九九八十一以爲宮. 三分去一, 五十四以爲徵；三分益一, 七十二以爲商；三分去一, 四十八以爲羽；三分益一, 六十四以爲角.”

『사기』「율서律書」에서 말했다. “율수는 9×9=81을 궁성으로 삼는다. 삼분거일三分去—하여 54를 치성으로 삼고, 삼분익일하여 72를 상성으로 삼으며, 삼분거일하여 48을 우성으로 삼고, 삼분익일하여 64를 각성으로 삼는다.”[101]

[23-6-3]

『通典』曰：“古之神瞽攷律均聲, 必先立黃鐘之均. 五聲十二律, 起於黃鐘之氣數. 黃鐘之管以九

. . . .

응종은 變律의 절반을 사용하지 못하는 것은 그것을 두고서 사용하지 못하는 것이 아니니, 그 實數에 나머지가 있기 때문에 절반을 취할 수 없는 것이다. 〈예컨대 임종이 궁성이 되면, 남려의 정율 전체 5촌 3분은 商聲이 되고, 응종의 정율 전체 4촌 6분이 角聲이 되며, 대려는 마땅히 이어서 變徵聲이 되지만 8촌 2분이 너무 길어서 능멸하여 침범하므로 다만 그 절반인 4촌 1분을 사용하고, 태주는 마땅히 이어서 徵聲이 되지만 8촌이 너무 길어서 다만 그 절반인 4촌을 사용한다. 또 예컨대 중려가 궁성이 되면, 가서 되돌아오지 않아서 정율은 다시 사용할 수 없으므로, 임종은 변율의 전체 5촌 8분은 商聲이 되고, 남려의 변율 전체 5촌 2분은 角聲이 되며, 응종의 변율 전체 4촌 6분이 變徵聲이 되고, 황종은 마땅히 이어서 徵聲이 되지만 8촌 7분이 너무 길어서 능멸하여 침범하므로 다만 그 절반인 4촌 3분을 사용하고, 태주는 또 마땅히 이어서 羽聲이 되지만 7촌 8분이 너무 길어서 다만 그 절반인 3촌 8분을 사용한다. 나머지도 모두 이와 같다.〉(‘其間’, 謂變律及牛十二聲之間也. 黃·太·姑三律本自過長, 故用正之時可以用牛, 而用變之時不得用其牛. 林·南·應三呂本自過短, 故用變之時可以用全, 而用正之時不必用牛, 各觀其所承以求相補而已. 又若黃鐘不用正牛, 應鐘不用變牛者, 非置而不用也, 由其實數有奇, 不得折牛而取之也. 〈如林鐘爲宮, 則南呂正全五寸三分爲商, 應鐘正四寸六分爲角, 大呂當承爲變徵, 而八寸三分太長爲陵犯, 故只得用其牛四寸一分也；太族又當承爲徵, 而八寸太長, 只得用其牛四寸也. 又如仲呂爲宮, 則往者不返, 而正律不得復用, 故林鐘變全五寸八分爲商, 南呂變全五寸二分爲角, 應鐘變全四寸六分爲變徵；黃鐘當承爲徵, 而八寸七分太長爲陵犯, 故只爲用其牛四寸三分也；太族又當承爲羽, 而七寸八分太長, 只得用其牛三寸八分也. 餘皆倣此.〉)”라고 하였다.

100 『國語』 권3 「國語下」
101 “율수는 … 삼는다.”：『史記』 권25 「律書」 제3

寸爲法, 度其中氣, 明其陽數之極. 故用九自乘爲管絲之數. 九九八十一數. 其增減之法, 又以三爲度. 以上生者皆三分益一. 下生者皆三分去一. 宮生徵, 三分宮數八十一, 則分各二十七. 下生者去一, 去二十七, 餘有五十四以爲徵, 故徵數五十四也. 徵生商, 三分徵數五十四, 則分各十八. 上生者益一, 加十八於五十四, 得七十二以爲商, 故商數七十二也. 商生羽, 三分商數七十二, 則分各二十四. 下生者去其一, 去二十四, 得四十八以爲羽, 故羽數四十八也. 羽生角, 三分羽數四十八, 則分各十六. 上生者益一, 加十六於四十八, 則得六十四以爲角, 故角數六十四也. 此五聲小大之次也. 是黃鐘爲均用五聲之法. 以下十一辰, 辰各有五聲. 其爲宮商之法亦如之. 辰各有五聲, 合爲六十聲, 是十二律之正聲也."

『통전』에서 말했다. "옛날에 신고神瞽[102]는 율律을 고찰하여 성聲을 고르게 하는 데에 반드시 먼저 황종의 운均을 확립하였다. 5성五聲과 12율十二律은 황종의 기수氣數에서 일어난다. 황종관은 9촌을 법도로 하므로 그 중화中和의 기氣를 헤아려 그 양수의 극한을 밝혔다. 9를 제곱해서 율관과 현弦의 수로 삼는다. 9×9=81의 수이다. 그 수가 늘어나거나 줄어드는 법도는 또 3을 규칙으로 하니, 상생上生하는 것은 모두 삼분익일하고 하생下生하는 것은 삼분손일한다. 궁성宮聲은 치성徵聲을 낳고, 궁성의 수 81을 3으로 나누면 몫이 각각 27이다. 하생下生하는 것은 그 몫 하나를 버리니 27을 버려서 나머지 54를 치성으로 삼으므로 치성의 수는 54이다. 치성은 상성商聲을 낳으며, 치성의 수 54를 3으로 나누면 몫이 각각 18이다. 상생上生하는 것은 그 몫 하나를 더하니 54에 18을 더하여 72를 얻어 상성으로 삼으므로 상성의 수는 72이다. 상성은 우성羽聲을 낳고, 상성의 수 72를 3으로 나누면 몫이 각각 24이다. 하생下生하는 것은 그 몫 하나를 버리니 24를 버려서 48을 얻어 우성으로 삼으므로 우성의 수는 48이다. 우성은 각성角聲을 낳으니, 우성의 수 48을 3으로 나누면 몫이 각각 16이다. 상생上生하는 것은 그 몫 하나를 더하니 48에 16을 더하여 64를 얻어 각성으로 삼으므로 각성의 수는 64이다. 이것이 5성의 크고 작은 순서이다. 이것은 황종이 운均이 되어 5성을 쓰는 법도이다. 그 이하의 11신辰은 신辰마다 각각 5성이 있다. 그것이 궁성·상성이 되는 법도도 마찬가지이다. 신辰마다 각각 5성이 있어 합계 60성이 되니, 이것이 12율의 정성正聲이다."

[23-6-3-0]

按 : 宮聲之數八十一, 商聲之數七十二, 角聲之數六十四, 徵聲之數五十四, 羽聲之數四十

---

102 神瞽 : 상고시대 樂官으로, 천도를 알 수 있는 사람을 일컫는다. 『國語』「周語下」에서, "옛날의 神瞽는 中聲을 고찰해서 그것을 헤아려 악률을 제정하고, 律을 헤아려 鐘을 고르게 하여 백관이 준칙으로 삼았는데, 3(천·지·인)으로 기강을 세우고 6(6율)으로 고르게 하여, 12(12율려)에서 이루었으니 하늘의 도이다.(古之神瞽, 考中聲而量之以制, 度律均鍾, 百官軌儀 ; 紀之以三, 平之以六, 成於十二, 天之道也.)"라고 하였다. 韋昭는 이에 대한 주석에서, "신고는 상고시대의 樂正으로 천도를 아는 사람이다. 죽어서 樂의 시조가 되었고 瞽宗(은대 학교 명칭)에서 제사를 지냈으니, 신고라고 했다. … 3은 천·지·인이다. 옛날에는 聲에 기강을 세우고 樂을 합하여 天神·地祇·人鬼를 고무시켰으므로, 신의 경지에 들어가 조화로울 수 있었다. 12는 율려이다. 음과 양이 서로 도와주어서 율이 妻인 呂를 취하여 자식을 낳으니, 상하고 相生하는 수가 갖추어졌다.(神瞽, 古樂正, 知天道者也. 死以爲樂祖, 祭於瞽宗, 謂之神瞽. … 三, 天·地·人也. 古者紀聲合樂以舞天神·地祇·人鬼, 故能人神以和. 十二, 律呂也. 陰陽相扶助, 律取妻呂生子, 上下相生之數備也.)"라고 하였다.

八, 是黃鐘一均之數, 而十一律於此取法焉. 『通典』所謂'以下十一辰, 辰各五聲, 其爲宮爲商之法亦如之'者, 是也. 夫以十二律之宮長短不同, 而其臣民事物, 尊卑莫不有序而不相陵犯, 良以是耳.

생각건대 궁성의 수 81과 상성의 수 72와 각성의 수 64와 치성의 수 54와 우성의 수 48은 황종운黃鐘均의 수이고, 11율은 여기에서 법도를 취한다. 『통전』의 이른바 '그 이하의 11신辰은 신辰마다 각각 5성이 있고, 그것이 궁성·상성이 되는 법도도 마찬가지이다.'라는 것이 이것이다. 무릇 11율의 궁성의 길이가 같지 않고, 그 신臣·민民·사事·물物이 존귀함과 비천함에 순서가 있지 않음이 없지만 서로 능멸하여 침범하지 않는 것은 진실로 이것 때문이다.

沈括不知此理, 乃以爲五十四, 在黃鐘爲徵, 在夾鐘爲角, 在仲呂爲商者, 其亦誤矣. 俗樂之有淸聲, 蓋亦畧知此意. 但不知仲呂反生黃鐘, 黃鐘又自林鐘再生太簇, 皆爲變律已非黃鐘太簇之淸聲耳.

심괄은 이 이치를 알지 못하고 곧 54가 황종에서는 치성이고, 협종에서는 각성이며, 중려에서는 상성이라고 여겼으니 그 또한 잘못이다.[103] 속악俗樂에 청성淸聲이 있는 것도 또한 이 의미를 대략 아는 것이다.[104] 그러나 중려가 황종을 돌이켜 낳고 황종은 또 임종으로부터 태주를 다시 낳는 것이, 모두 변율變律이 이미 황종과 태주의 청성淸聲이 아니라는 것을 알지 못했다.

胡安定知其如此, 故於四淸聲皆小其圍徑. 則黃鐘太簇二聲雖合, 而大呂夾鐘二聲又非本律之半. 且自夷則至應鐘四律, 皆以次小其圍徑以就之, 遂使十二律五聲皆有不得其正者, 則亦不成樂矣.

호안정胡安定胡瑗은 그것이 이와 같은 것을 알았기 때문에 4개의 청성淸聲에 대하여 모두 그 원지름을 작게 하였다. 그렇게 하면 황종과 태주 2개의 성聲은 비록 합치하지만 대려와 협종 2개의 성聲은

----

103 심괄은 이 … 잘못이다. : 유희는 『律呂新書摘解』「律呂證辨」에서, "심괄이 54로 임종의 궁성을 삼은 것은 수가 이미 11율에 통할 수 있는 방법이 아니다. 그런데 반성과 변율을 사용하지 않고 곧바로 정율로서의 임종을 협종의 角聲으로 삼았으니, 그 羽聲은 장차 정율로서의 황종을 사용하여 존비가 마침내 도리에서 벗어날 것이므로 잘못되었다고 했다.(沈以五十四爲林鐘之宮, 數已非可通十一律之術. 而不用半聲與變律, 直以正林爲夾鐘之角, 則其羽將用正黃, 而尊卑遂不倫, 故曰誤矣.)"라고 하였다.

104 俗樂에 淸聲이 … 것이다. : 유희는 『律呂新書摘解』「律呂證辨」에서, "五代에 王朴은 궁성이 짧고 우성이 길어서 능멸하여 침범하는 잘못을 싫어하였다. 그러나 오히려 변율의 이치를 알지 못하고 다만 가장 긴 황종율관·대려율관·태주율관·협종율관 4개 율관을 취하여 절반으로 하였으며, 아울러 모든 正聲을 16개로 삼아 사용하였다. 宋나라 李照는 '鄭나라·衛나라의 樂(음란한 음악)'이라고 하여 제거했으나, 元豊 연간에 劉幾가 進言하여 다시 사용하였다. 세속에서 四淸聲이라고 한다.(五代王朴爲嫌宮短羽長陵犯之失. 而猶不知變律之理, 只取最長之黃·大·太·夾四管而半之, 幷諸正聲爲十六而用之. 宋李照以爲鄭·衛之樂而去之, 元豊中劉幾進言而復用之. 俗號四淸聲.)"라고 하였다.

또 본율本律의 절반이 아니다.[105] 또한 이칙으로부터 응종에 이르기까지 4개의 율은 모두 차례대로 그 원지름을 작게 만들어, 마침내 12율과 5성이 모두 그 올바름을 얻지 못하게 하였으니, 또한 악樂을 이루지 못하였다.

若李照蜀公止用十二律, 則又全然不知此理者也. 蓋樂之和者在於三分損益, 樂之辨者在 於上下相生. 若李照蜀公之法, 其合於三分損益者則和矣, 自夷則已降, 則其臣民事物, 豈 能尊卑有辨而不相陵犯乎? 晉荀勗之笛, 梁武帝之通, 亦不知此而有作者也.

이조李照와 범촉공范蜀公范鎭 같은 사람들은 다만 12율만을 사용하였으니 또 전혀 이 이치를 알지 못한 사람들이다. 대개 악樂의 조화는 삼분손익에 달려 있고, 악樂의 변별은 상하로 상생相生하는 것에 달려 있다. 이조와 범촉공의 방법과 같은 것은 삼분손익에는 합치하니 조화롭지만, 이칙으로부 터 그 이하는 그 신臣 · 민民 · 사事 · 물物이 어찌 존귀함과 비천함을 분별하여 서로 능멸하여 침범하 지 않을 수 있겠는가? 진晉나라 순욱荀勗의 피리와 양梁나라 무제武帝의 통通(표준악기의 이름)[106]도 역시 이것을 알지 못하고 만든 것들이다.

[23-7]

變宮變徵 第七 제7장 변궁 · 변치

[23-7-1]

『春秋左氏傳』晏子曰: "先王之濟五味, 和五聲也, 以平其心, 成其政也. 聲亦如味, 一氣,

---

105 그렇게 하면 … 아니다. : 유희는 『律呂新書摘解』「律呂證辨」에서, "胡氏(胡瑗)는 이미 4청성의 율관을 취해서 원지름을 감소시켰다. 황종 · 태주는 오히려 변반성의 실질에 부합하지만, 만약 대려와 협종을 변반성이라고 하면 본래 변성의 도리가 없고, 정반성이라고 하면 누적하고 나누는 것이 이미 차이가 난다. 이것이 이칙율관 · 남려율관 · 무역율관 · 응종율관 4개 율관의 원지름을 모두 줄여서 4개 청성의 잘못을 구제하는 까닭이다.(胡氏既取四淸之管, 減小圍徑矣. 黃鐘 · 太簇猶符於變半之實, 而若大呂 · 夾鐘, 謂是變半, 則本無 變道, 謂是正半, 則積分已差. 此所以並減夷 · 南 · 無 · 應四管之圍徑以救四淸之失者也.)"라고 하였다.

106 晉나라 荀勗의 … 通(표준악기의 이름) : 유희는 『律呂新書摘解』「律呂證辨」에서, "순욱의 피리와 양무제의 통은 모두 다만 12聲을 사용하였지만, 존비가 서로 능멸하여 침범하므로 '알지 못하고 만들었다.'고 하였다. 〈통은 즉 律準(율의 기준이 되는 기구)이다. 『國語』에서 말하는 '均鐘(종의 음을 고르게 하는 기구)을 세우고 度律(율을 헤아리는 기구)을 낸다.(立均出度)'의 '均鐘'이라는 것이 바로 이것이다. 경방이 만든 것은 예컨대 거문고瑟 13줄에 1줄은 全律의 황종이고, 또 황종에서부터 응종에 이르기까지 12줄은 각각 줄을 걸어두는 나무로 分寸을 정하고 聲이 나오는 것으로써 기준을 취해 琴瑟이 악기가 되도록 한 것이다.)(荀笛 · 梁通俱 只用十二聲, 而尊卑相陵犯, 故曰, '不知而作.'〈通, 卽律準也. 『國語』所云, '立均出度'之均, 是也. 京房之制, 如瑟十三絃, 一絃是全律黃鐘, 又自黃鐘至應鐘爲十二絃, 各以柱子定分寸, 出聲以取準, 琴瑟使之成器者.〉)" 라고 하였다.

二體, 三類, 四物, 五聲, 六律, 七音, 八風, 九歌, 以相成也."[107]

『춘추좌씨전』에서 안자晏子[晏嬰][108]가 말했다. "선왕이 '5가지 맛[五味]'을 맞추고 5성五聲을 조화롭게 한 것은 그 마음을 평정하게 하여 그 정사政事를 이루려는 것이다. 성聲도 맛과 같으니, 1기一氣,[109] 2체二體,[110] 삼류三類,[111] 4물四物,[112] 5성五聲,[113] 6율六律,[114] 7음七音,[115] 8풍八風,[116] 9가九歌[117]로써 서로 소리를 이

• • • • • • • • • • • • •

107 『春秋左氏傳』「昭公」20년

108 晏嬰(?~B.C.500) : 춘추시대 齊나라의 정치가로 諱(이름)는 嬰, 자는 仲이다. 諡號는 平으로서 平仲이라고도 불리며, 晏子라고 존칭되기도 하였다. 萊州 夷維(현 산동성 萊州) 사람이다. 제나라 靈公, 莊公, 景公 3대에 걸쳐 몸소 검소하게 생활하며 나라를 바르게 이끌어 管仲과 더불어 훌륭한 재상으로 후대에까지 존경을 받았다. 안영은 기억력이 뛰어난 독서가였으며, 합리주의적 경향이 강했다고 평가된다. 그와 관련된 기록은 『晏子春秋』로 편찬되어 전해진다.

109 一氣 : 杜預는 "모름지기 氣로써 움직인다.(須氣以動.)"라고 주석하였다. 육덕명의 『音義』에서는 "一氣에 대하여 두예는 사람의 氣라고 해석하였고, 服虔은 노래의 氣라고 하였다.(一氣, 杜解以爲人氣也, 服虔以爲歌氣也.)"라고 하였다. 공영달의 『春秋左傳正義』에서는 "服虔이 노래의 氣라고 하였지만 두예는 '모름지기 氣로써 움직인다.(須氣以動.)'고 하였으니, 一氣는 노래의 氣가 되기에 그치지는 않는다. 사람은 氣로써 생겨나니 움직임은 모두 기로 말미암는다. 彈·絲·擊·石 등의 악기는 기를 사용하지 않음이 없으니 기는 樂을 만드는 주체이므로 먼저 一氣를 말했다. 사람이 여러 樂을 만드는 것은 모두 모름지기 氣로써 움직이므로 복건의 해석과는 조금 다르다.(服虔云歌氣也, 杜言須氣以動, 則一氣不止爲歌吹. 人以氣生, 動皆由氣, 彈·絲·擊·石莫不用氣, 氣是作樂之主, 故先言之. 人作諸樂皆須氣以動, 則與服少異.)"라고 하였다.

110 二體 : 杜預는 "춤에는 文舞와 武舞가 있다.(舞者有文·武.)"라고 주석하였다. 공영달의 『春秋左傳正義』에서는 "음악에 신체를 움직이는 것은 오직 춤이 있을 뿐이다. 文舞에는 깃털과 피리를 잡고 춤을 추며, 武舞에는 방패와 도끼를 잡고 춤을 춘다. 춤에는 文舞와 武舞의 2가지 형태가 있다.(樂之動身體者, 唯有舞耳. 文舞執羽籥, 武舞執干戚. 舞者有文·武之二體.)"라고 하였다.

111 三類 : 杜預는 "風·雅·頌이다.(風·雅·頌.)"라고 주석하였다. 공영달의 『春秋左傳正義』에서는 "음악은 시를 읊조리는 것을 위주로 하는데, 시에는 風·雅·頌이 있고 그 종류는 각각 다르다. 이 3가지 종류는 풍·아·송이라는 것을 알 수 있다. 어떤 한 나라의 일에서 제후의 시는 風이 되고, 천하의 일에서 천자의 시는 雅가 되며, 공로를 이루어 신에게 아뢰는 것은 頌이 된다. 이 3가지는 그 종류가 각각 다르다.(樂以歌詩爲主, 詩有風·雅·頌, 其類各別. 知三類是風·雅·頌也. 一國之事, 諸侯之詩爲風, 天下之事, 天子之詩爲雅, 成功告神爲頌. 是三者, 類別各不同.)"라고 하였다.

112 四物 : 杜預는 "사방의 물건을 두루 섞어 사용하여 악기를 만든다.(雜用四方之物以成器.)"라고 주석하였다. 공영달의 『春秋左傳正義』에서는 "음악에서 8음에 사용되는 악기는 金·石·絲·竹·匏·土·革·木인데, 그 물건들은 한 곳에서 갖출 수 있는 것이 아니기 때문에, 사방의 물건을 두루 섞어 사용하여 악기를 만든다.(樂之所用八音之器, 金·石·絲·竹·匏·土·革·木, 其物非一處能備, 故雜用四方之物以成器.)"라고 하였다.

113 五聲 : 杜預는 "宮·商·角·徵·羽이다.(宮·商·角·徵·羽.)"라고 주석하였다. 육덕명의 『音義』에서는 "五聲은 궁은 君이 되고, 상은 臣이 되며, 각은 民이 되고, 치는 事가 되며, 우는 物이 된다.(五聲, 宮爲君, 商爲臣, 角爲民, 徵爲事, 羽爲物.)"라고 하였다.

114 六律 : 杜預는 "황종·태주·고선·유빈·이칙·무역이다. 陽聲은 律이 되고 陰聲은 呂가 된다. 이것이 12월의 氣이다.(黃鍾·太簇·姑洗·蕤賓·夷則·無射也. 陽聲爲律, 陰聲爲呂. 此十二月氣.)"라고 주석하였다.

115 七音 : 杜預는 "周나라 武王이 紂王을 토벌함에 午일에서부터 子일까지 모두 7일이 걸렸다. 왕은 이 때문에

룬다.""118

[23-7-2]
『漢前志』曰: "『書』曰, '予欲聞六律五聲八音七始, 詠以出納五言, 汝聽.'"119

· ·

數로써 그것을 합치시키고 聲으로써 그것을 밝혔으므로, 7로써 그 수를 같게 했고 律로써 그 聲을 조화롭게
하였으니, 그것을 七音이라고 한다.(周武王伐紂, 自午及子凡七日. 王因此以數合之, 以聲昭之, 故以七同其
數, 以律和其聲, 謂之七音.)"라고 주석하였다. 육덕명의 『音義』에서는 "七音은 宮·商·角·徵·羽·變宮·
變徵이다.(七音, 宮·商·角·徵·羽·變宮·變徵也.)"라고 하였다.

116 八風: 杜預는 "『易緯』「通卦驗」에서 말하기를, 동북쪽은 條風이라고 하고, 동쪽은 明庶風이라고 하며, 동남
쪽은 淸明風이라고 하고, 남쪽은 景風이라고 하며, 서남쪽은 凉風이라고 하고, 서쪽은 閶闔風이라 하며,
서북쪽은 不周風이라고 하고, 북쪽은 廣莫風이라고 한다. 條風은 또 融風이라고도 하며, 景風은 일명 凱風이
라고도 한다고 하였다.(八風, 『易緯』「通卦驗」云, 東北曰條風, 東方曰明庶風, 東南曰淸明風, 南方曰景風, 西
南曰凉風, 西方曰閶闔風, 西北曰不周風, 北方曰廣莫風. 條風又名融風, 景風一名凱風.)"라고 주석하였다. 육
덕명의 『音義』에서는 "7음은 宮·商·角·徵·羽·變宮·變徵이다.(七音, 宮·商·角·徵·羽·變宮·變
徵也.)"라고 하였다. 공영달의 『春秋左傳正義』에서는 "『易緯』「通卦驗」에서 말했다. '입춘에는 調風이 이르
고, 춘분에는 明庶風이 이르며, 입하에는 淸明風이 이르고, 하지에는 景風이 이르며, 입추에는 凉風이 이르
고, 추분에는 閶闔風이 이르며, 입동에는 不周風이 이르고, 동지에는 廣莫風이 이른다. 調風은 일명 融風이
라고도 한다. 『春秋左傳』昭公 18년 傳에서, 「이것을 融風이라고 한다.」고 하였는데, 여기에서의 調와 融은
같다. 이 八方 바람은 8가지 절기에 따라 이르는데, 다만 八方의 바람의 氣의 차갑기와 덥기가 같지 않지만,
樂은 음양을 조절하고 절기를 조화롭게 할 수 있다. 『春秋左傳』隱公 5년 傳에서, 「춤은 八音을 절도 있게
하고 八風을 실행하는 것이다.」라고 했으므로, 樂은 八風으로 서로 이루는 것이다. 8가지 바람은 또한 八卦
와 八音과 서로 짝을 이룬다. 賈達가 말하기를, 「兌卦는 金이 되고 閶闔風이 되며, 乾卦는 石이 되고 不周風
이 되며, 坎卦는 革이 되고 廣莫風이 되며, 艮卦는 匏가 되고 融風이 되며, 震卦는 竹이 되고 明庶風이
되며, 巽卦는 木이 되고 淸明風이 되며, 離卦는 絲가 되고 景風이 되며, 坤卦는 土가 되고 凉風이 된다.」라고
했다. 이것은 선대 학자가 『易緯』에 의거해서 八風을 짝지은 것이다.'(『易緯』「通卦驗」云, '立春, 調風至;
春分, 明庶風至; 立夏, 淸明風至; 夏至, 景風至; 立秋, 凉風至; 秋分, 閶闔風至; 立冬, 不周風至; 冬至,
廣莫風至. 調風一名融風. 十八年傳云, 「是謂融風.」 是調·融同也. 此八方之風, 以八節而至, 但八方風氣寒暑
不同, 樂能調陰陽和節氣. 隱五年傳曰, 「舞, 所以節八音而行八風,」 故樂以八風相成也. 八節之風, 亦與八卦·
八音相配. 賈達云, 「兌爲金, 爲閶闔風也; 乾爲石, 爲不周風也; 坎爲革, 爲廣莫風也; 艮爲匏, 爲融風也; 震
爲竹, 爲明庶風也; 巽爲木, 爲淸明風也; 離爲絲, 爲景風也; 坤爲土, 爲凉風也.」 是先儒依『易緯』配八風也.)"
라고 하였다.

117 九歌: 杜預는 "九功의 덕은 모두 노래 부를 만하다. 六府와 三事를 9공이라고 한다.(九功之德, 皆可歌也.
六府·三事謂之九功.)"라고 주석하였다. 육덕명의 『音義』에서는 "六府는 水·火·金·木·土·穀이다. 三
事는 正德·利用·厚生이다.(六府, 水火金木土穀. 三事, 正德·利用·厚生也.)"라고 하였다. 공영달의 『春秋
左傳正義』에서는 "九歌의 일은 『尙書』「大禹謨」와 『春秋左傳』文公 7년 傳에 모두 그 글이 있다.(九歌之事,
『尙書』「大禹謨」與文七年傳具有其文.)"라고 하였다.

118 서로를 이룬다. : 杜預는 "이 9가지가 결합한 다음에 서로를 이루어서 조화로운 樂이 된다는 것을 말한다.(言
此九者合, 然後相成爲和樂.)"라고 주석하였다.

119 '予欲聞六律·五聲·八音·七始, 詠以出納五言, 汝聽.' : 이 글은 『古文尙書』에 실린 것이고, 『今文尙書』에

『전한서』「율력지」에서 말했다. "『서書』에서, '나는 6율과 5성과 8음과 7시七始[120]를 들어 읊조리면서 5언五言[121]을 출납하려고 하니, 그대는 듣도록 하라.'라고 하였다."

[23-7-3]

『淮南子』曰 : "宮生徵, 徵生商, 商生羽, 羽生角, 角生應鐘,[122] 不比於正音,[123] 故爲和. 應鐘生蕤賓, 不比於正音, 故爲繆."[124]

『회남자』에서 말했다. "궁성은 치성을 낳고, 치성은 상성을 낳으며, 상성은 우성을 낳고, 우성은 각성을 낳는데, 각성이 응종을 낳는 것은 정음正音과는 견줄 수 없으므로 조화롭게 되며, 응종이 유빈을 낳는 것은 정음正音과는 견줄 수 없으므로 화목하게 된다."[125]

· · · · · · · · · · · · · · · · · · ·

는 "予欲聞六律, 五聲, 八音, 在治忽, 以出納五言, 汝聽."이라고 되어 있다.

120　七始 : 『朱子語類』권78, 246조목에서는, "七始는 七均과 같은 따위이다.(七始, 如七均之類.)"라고 하였다. 『尙書注疏』권4 考證에는, "李光地가 말했다. '七始는 宮·徵·商·羽·角·變宮·變徵이다. 七音의 청탁은 모두 사람의 소리에서 시작하므로 七始라고 했다.'(李光地曰, '七始, 宮·徵·商·羽·角·變宮·變徵也. 七音之淸濁, 皆始於人聲, 故曰七始也.')"라고 하였다.

121　五言 : 『書集傳』에는, "五言은 詩이다. 읊조리는 말을 五聲에 붙이는데, 대개 聲으로 말하기 때문에 五言이라고 한다.(五言者, 詩也. 以諷詠之言寄之於五聲, 蓋以聲言也, 故謂之五言.)"라고 주석하였다. 『朱子語類』권78, 246조목에서는, "五言을 출납한다는 것은 또한 아마 樂를 자세히 살피고 政事를 아는 것 따위일 것이다.(出納五言', 卻恐是審樂知政之類.)"라고 하였다.

122　角生應鐘 : 현행본 『淮南子』권3 「天文訓」에는 "角生姑洗, 姑洗生應鍾."이라고 되어 있다.

123　不比於正音 : 현행본 『淮南子』권3 「天文訓」에는 "比於正音"이라고 되어 있다.

124　유희는 『律呂新書摘解』「律呂證辨」에서, 『淮南子』본문에는 '角生' 아래에 '姑洗, 姑洗生'이라는 5개 글자가 있고, '應鐘' 아래에 '不'이라는 글자가 없다. '繆' 자는 고대에는 '穆' 자와 통했으니, 혹 '謬' 자로 쓴 것은 잘못이다.(『淮南子』本文'角生'下有'姑洗, 姑洗生'五字, '應鐘'下無'不'字. '繆古通'穆', 或作'謬'字誤.)"라고 교감하였다.

125　각성이 응종을 … 된다. : 주희는 『儀禮經傳通解』권13 「學禮」에서, "이제 생각건대, 五聲이 相生하여 角성의 자리에 이르면 그 수는 64이다. 8개의 자리를 건너뛰어 下生하여 궁성을 얻어야 하므로 그 이전 1개의 자리를 변궁으로 삼는다. 그러나 그 수를 삼분손일하면 매 1분은 각각 21을 얻고 여전히 나머지 1(64-21÷3=1)을 삼분손익할 수 없으므로, 5성의 正聲은 여기에 이르러 끝난다. 만약 낮으려고 한다면, 반드시 다시 나머지 1을 분석하여 9로 삼고 그 3으로 나눈 것의 1분을 덜어내어 이에 42와 6/9을 얻은 뒤에 변궁의 수를 이룰 수 있다. 또 변궁에서부터 8개의 자리를 건너뛰어 上生하여 치성을 얻어야 하므로 그 이전 1개의 자리는 그 수 56과 8/9을 변치의 수로 삼으니 꼭 相生의 법칙에 부합한다. 이로부터 또 下生해야 하면 또 나머지 2/9(8/9-6/9=2/9)를 삼분손익할 수 없고 그 수는 또 끝이 나므로 均을 세우는 방법은 여기에 이르러 끝난다. 그러나 2개의 변성은 다만 조화롭게 되고 화목하게 되는 것일 뿐이니, 이미 正聲이 될 수 없다.(今按, 五聲相生, 至于角位, 則其數陸拾有肆. 隔捌下生當得宮, 前壹位以爲變宮. 然其數叄分損壹, 每分各得貳拾有壹, 尙餘壹分不可損益, 故伍聲之正至此而窮. 若欲生之, 則須更以所餘壹分析而爲玖, 損其叄分之壹分, 乃得肆拾貳分餘玖分分之陸, 而後得成變宮之數. 又自變宮隔捌上生當得徵, 前壹位, 其數伍拾有陸餘玖分分之捌以爲變徵, 正合相生之法. 自此又當下生, 則又餘貳分不可損益, 而其數又窮, 故立均之法至於是而終焉. 然而貳變但爲和·繆, 已不得爲正聲矣.)"라고 하였다.

[23-7-4]

『通典』注曰：“按：應鐘爲變宮，蕤賓爲變徵. 自殷以前，但有五音；自周以來，加文武二聲，謂之七聲. 五聲爲正，二聲爲變. 變者，和也.”[126]

『통전』의 주석에서 말했다. “생각건대, 응종은 변궁이 되고 유빈은 변치가 된다. 은나라까지는 다만 5음이 있었는데 주나라 이래로 문文과 무武 2개의 성聲을 더하여 7성이라고 하였다. 5성은 정성正聲이고 문文과 무武 2개의 성聲은 변성變聲이다. 변성은 조화시키는 것이다.”

[23-7-4-0]

按：宮與商，商與角，徵與羽，相去皆一律；角與徵，羽與宮，相去獨二律. 一律則近而和，二律則遠而不相及. 故宮羽之間有變宮，角徵之間有變徵，此亦出於自然. 『左氏』所謂七音，『漢前志』所謂七始，是也. 然五聲者正聲，故以起調畢曲，爲諸聲之綱；至二變聲，則宮不成宮，徵不成徵，不比於正音，但可以濟五聲之所不及而已. 然有五音而無二變，亦不可以成樂也.

생각건대, 궁성과 상성, 상성과 각성, 치성과 우성 사이의 거리는 모두 1율인데, 각성과 치성, 우성과 궁성 사이의 거리는 유독 2율이다. 서로간의 거리가 1율이면 가까워서 조화롭지만, 2율이면 멀어서 서로 미치지 못한다. 그러므로 궁성과 우성의 사이에 변궁성이 있고, 각성과 치성의 사이에 변치성이 있으니, 이 또한 저절로 그러한 데서 나왔다. 『춘추좌씨전』의 이른바 7음七音과 『전한서』「율력지」의 이른바 7시七始가 이것이다. 그러나 5성은 정성正聲이므로 곡조를 시작하고 끝맺어서 여러 성聲의 기강이 되지만, 2개의 변성 경우는 궁성이 궁성을 이루지 못하고 치성이 치성을 이루지 못하여 정음正音과는 견줄 수 없고, 다만 5성이 미치지 못하는 것을 구제할 수 있을 뿐이다. 그러나 5음만 있고 2개의 변성이 없으면 또한 악樂을 이룰 수 없다.

. . . .

유희는 『律呂新書摘解』「律呂證辨」에서, “蔡氏(蔡元定)가 본문의 ‘고선’ 한 구절을 빼버리고 또 대구가 되지 않는 곳에 ‘不’ 자를 추가한 것은, 고선이 이미 角聲이면 곧바로 ‘각성이 응종을 낳는다.’라고 하면 되기 때문이다. 만약 그 변궁과 변치가 본래 같지 않음이 없는데, 한 번은 ‘正音과는 견줄 수 있다.’고 하고, 한 번은 ‘正音과는 견줄 수 없다.’고 하면 참으로 의심스럽게 된다. 補註에서 비록 많은 설명을 했지만 끝내 구차함을 면하지 못했다. 〈만약 변궁이 우성을 이었다고 말한 뒤에 견줄 수 있다고 하면 변치는 홀로 각성의 뒤를 잇지 못하는가? 만약 변치가 우성과 각성의 사이에 있어서 견줄 수 없다면 변궁은 홀로 우성과 상성의 사이에 있지 못하는가?〉 ‘견줄 수 없다.’고 하는 것도 역시 의미를 이루지 못한다. 이미 ‘견줄 수 없다.’고 했는데 어찌 조화롭게 되고 화목하게 된다고 일컬을 수 있겠는가? 하물며 무엇 때문에 2개의 변성이 정음과는 견줄 수 없다고 말했겠는가? 그러므로 나는 위의 ‘不’이라는 글자는 빠트린 글자가 아니고, 아래의 ‘不’이라는 글자는 곧 쓸데없이 더 들어간 글자라고 생각한다.(蔡氏刪去本文‘姑洗’一句，又加一‘不’字於句語之不齊者，夫姑洗旣是角，則直謂之‘角生應鐘’可也. 若其變宮與變徵本無不同，而一言‘比於正音’，一言‘不比於正音’，誠爲可疑. 補註雖費詞說，終不免苟且. 〈若謂變宮繼羽之後，而爲比則變徵獨不繼角後乎? 若謂變徵間於角·羽而爲不比，則變宮獨不間羽·商乎?〉謂之‘不比’，亦不成意義. 夫旣‘不比’，安得稱和·繆? 況何以云二變不得比正音乎? 故愚意上‘不’字非闕文也，下‘不’字乃衍文爾.)”라고 하였다.

126　두우，『通典』권143「樂」3 주석

[23-8]

六十調 第八 제8장 60조

[23-8-1]

『周禮』曰：“「春官」大司樂, 凡樂圜鐘爲宮, 黃鐘爲角, 太簇爲徵, 姑洗爲羽, 雷鼓雷鼗, 孤竹之管, 雲和之琴瑟, 雲門之舞, 冬日至於地上之圜丘奏之. 若樂六變, 則天神皆降, 可得而禮矣.

『주례』에서 말했다. “「춘관春官」 대사악大司樂에서, 무릇 악樂은 원종圜鐘[夾鐘][127]을 궁성으로 삼고, 황종을 각성으로 삼으며, 태주를 치성으로 삼고, 고선을 우성으로 삼아서, 뇌고雷鼓·뇌도雷鼗[128]와 고죽孤竹(홀로 자란 대나무)의 관管과 운화雲和(지명 혹은 산 이름)의 금슬琴瑟과 운문雲門(고대 황제시대의 춤 이름)의 춤으로 동짓날에 지상地上의 원구圜丘(둥근 언덕)에서 그것을 연주한다. 만약 악樂이 6변六變하면 천신이 모두 강림하여 예禮를 이룰 수 있을 것이다.

凡樂函鐘爲宮, 大簇爲角, 姑洗爲徵, 南呂爲羽, 靈鼓靈鼗, 孫竹之管, 空桑之琴瑟, 咸池之舞, 夏日至於澤中之方丘奏之. 若樂八變, 則地示皆出, 可得而禮矣.

무릇 악樂은 함종函鐘[林鐘][129]을 궁성으로 삼고, 태주를 각성으로 삼으며, 고선을 치성으로 삼고, 남려를 우성으로 삼아서, 영고靈鼓·영도靈鼗[130]와 손죽孫竹(끝뿌리에서 자란 대나무)의 관管과 공상空桑(지명 혹은 산 이름)의 금슬琴瑟과 함지咸池(요임금 때의 악곡이름)의 춤으로 하짓날에 택중澤中의 방구方丘(네모진 언덕)에서 그것을 연주한다. 만약 악樂이 8변八變하면 지기地示가 모두 출현하여 예禮를 이룰 수 있을 것이다.

凡樂黃鐘爲宮, 大呂爲角, 太簇爲徵, 應鐘爲羽, 路鼓路鼗, 陰竹之管, 龍門之琴瑟, 九德之歌, 九磬之舞, 於宗廟之中奏之. 若樂九變, 則人鬼可得而禮也.”

무릇 악樂은 황종을 궁성으로 삼고, 대려를 각성으로 삼으며, 태주를 치성으로 삼고, 응종을 우성으로 삼아서, 노고路鼓·노도路鼗[131]와 음죽陰竹(산의 북쪽에서 자란 대나무)의 관管과 용문龍門(지명 혹은 산 이름)의

---

127 圜鐘[夾鐘]：『周禮注疏』권22 「春官宗伯下」에서, "圜鐘은 협종이다. 협종은 28宿 가운데 房宿와 心宿의 氣에서 생겨나는데, 房宿와 心宿는 큰 별로서 천제의 明堂이다.(圜鍾, 夾鍾也. 夾鍾生於房·心之氣, 房·心爲大辰, 天帝之明堂.)"라고 주석하였다.

128 雷鼓·雷鼗：『周禮註疏』권22 「春官宗伯下」에서, "鄭司農이 말했다. '뇌고와 뇌도는 모두 6면에 가죽을 붙여서 칠 수 있도록 한 것이다.'(鄭司農云, '雷鼓·雷鼗, 皆謂六面有革可擊者也.')"라고 주석하였다.

129 函鐘[林鐘]：『周禮註疏』권22 「春官宗伯下」에서, "函鍾은 임종이다. 임종은 未의 氣에서 생겨나는데, 未는 坤의 자리로서 어떤 사람은 '天社는 東井(28수 가운데 井宿)과 輿鬼(28수 가운데 鬼宿)의 밖에 있으니, 天社는 地神이다.'라고 하였다.(函鍾, 林鍾也. 林鍾生於未之氣, 未坤之位, 或曰, '天社在東井·輿鬼之外, 天社, 地神也.')"라고 주석하였다.

130 靈鼓·靈鼗：『周禮註疏』권22 「春官宗伯下」에서, "정사농이 말했다. '영고와 영도는 모두 4면에 가죽을 붙여서 칠 수 있도록 한 것이다.'(鄭司農云, '靈鼓·靈鼗, 四面.')"라고 주석하였다.

금슬琴瑟과 9덕九德의 노래[132]와 9경九磬[133]의 춤으로 종묘宗廟 가운데에서 그것을 연주한다. 만약 악樂이 9변九變하면 인귀人鬼에 대하여 예禮를 이룰 수 있을 것이다."

[23-8-1-0]

按: 此祭祀之樂, 不用商聲, 只有宮角徵羽四聲, 無變宮變徵; 蓋古人變宮變徵不爲調也. 『左氏傳』曰, "中聲以降, 五降之後不容彈矣." 夫五降之後更有變宮變徵, 而曰不容彈者, 以二變之不可爲調也. 或問: "『周禮』大司樂說宮角徵羽與七聲不合, 如何?" 朱子曰: "此是降神之樂, 如黃鐘爲宮, 大呂爲角, 大簇爲徵, 應鐘爲羽, 自是四樂各擧其一者而言之. 以大呂爲角, 則南呂爲宮; 太簇爲徵, 則林鐘爲宮; 應鐘爲羽, 則太簇爲宮. 以七聲推之合如此, 注家之說非也."

생각건대, 이들 제사의 악樂은 상성商聲을 사용하지 않고[134] 다만 궁성·각성·치성·우성의 4가지 성聲만 있지 변궁과 변치는 없으니, 옛사람들은 변궁과 변치가 곡조가 되지 못한다고 여긴 것 같다. 『춘추좌씨전』에서는, "중화中和의 성聲이 낮아져서, 5성五聲이 내려간 뒤에는 연주할 수 없다."고 하였다. 무릇 5성五聲을 내린 뒤에는 다시 변궁과 변치가 있게 되니, '연주하지 않는다.'고 한 것은 2개의 변성이 곡조가 될 수 없기 때문이다. 어떤 사람이 물었다. "『주례』 대사악에서 궁성·각성·치성·우성은

· ·

131 路鼓·路鼗: 『周禮註疏』 권22 「春官宗伯下」에서, "정사농이 말했다. '노고와 노도는 모두 2면에 가죽을 붙여서 칠 수 있도록 한 것이다.'(鄭司農云, '路鼓·路鼗, 兩面.')"라고 주석하였다.

132 九德의 노래: 『周禮註疏』 권22 「春官宗伯下」에서, "정사농이 말했다. '9덕의 노래에 대해서, 『春秋傳』에서 이른바 水·火·金·木·土·穀을 일러 六府라 하고, 正德·利用·厚生을 일러 三事라고 한다. 6부와 3사를 일러 九功이라고 하니 9공의 덕은 모두 노래 부를 만하므로 그것을 일러 九歌라고 한다.'(九德之歌, 『春秋傳』 所謂水·火·金·木·土·穀謂之六府, 正德·利用·厚生謂之三事 六府·三事謂之九功, 九功之德, 皆可歌也, 謂之九歌也.)"라고 주석하였다.

133 九磬: 『周禮註疏』 권22 「春官宗伯下」에서, "정현이 말했다. '九磬은 마땅히 大韶로 읽어야 한다. 글자가 잘못되었다.'(玄謂 … 九磬讀當爲大韶, 字之誤也.)"라고 주석하였다.

134 이들 제사의 … 않고: 유희는 『律呂新書摘解』 「律呂證辨」에서, "蔡氏(蔡元定)의 뜻을 상세하게 관찰해보면, 대개 圜鐘이 궁성이 되면 황종은 각성이 되고 태주는 치성이 되며 고선은 우성이 되어서, 상성과 2개의 변성이 없다. 이것은 본래 정현의 주에서 나온 의미이다. 정현이 이른바 天神과 地祇의 樂이 서로 함께 자리를 같이하면, 그것을 피하는 것이 이치에 맞지 않음이 특히 심하다. 지금 주자가 '五聲이 갖추어지지 않으면 무엇으로써 악을 삼을 수 있겠는가?' 라는 말로써 보면, 상성도 역시 그것을 없앨 수 없으며, 혹 2개의 변성이 있는 것에는 미치지 못한다. 만일 원종이 궁성이 되면 중려는 상성이 되고, 황종이 각성이 되면 무역은 상성이 된다. 그러므로 『禮記』 「禮運」에서는, '5성과 6율과 12율관이 돌아가면서 서로 궁성이 된다.'라고 말했다. 다만 周나라 사람들이 木을 숭상하여 聲이 상성에 미치는 것을 음란하게 여겼으므로 곡조에 상성이 없고 다만 4개의 聲만을 사용할 뿐이었다. 〈원종은 곧 협종이고, 함종은 곧 임종이니, 옛날의 다른 명칭이다.〉(詳觀蔡氏之意, 蓋謂圜鐘爲宮, 則黃鐘爲角, 太簇爲徵, 姑洗爲羽, 而無商與二變也. 此本出於鄭註之義, 而鄭所云天神地祇之樂, 相與同位, 則避之者無理特甚. 今以朱子'五聲不備何以爲樂'之語觀之, 則商聲亦不容無之, 或未及有二變也. 如圜鐘爲宮, 則中呂爲商; 黃鐘爲角, 則無射爲商. 故「禮運」曰, '五聲·六律·十二管, 還相爲宮也.' 但周人尙木以聲之及商爲淫, 故於調無商而只用四爾. 〈圜鐘卽夾鐘, 函鐘卽林鐘, 古異稱也.〉)"라고 하였다.

7성七聲과 어울리지 않는다고 말했는데 어떻습니까?" 주자가 대답했다. "이것은 강신降神의 악樂이니, 예컨대 황종을 궁성으로 삼고, 대려를 각성으로 삼으며, 태주를 치성으로 삼고, 응종을 우성으로 삼는 것은 원래 4가지 악樂에서 각각 그 1가지를 들어서 말한 것이다. 대려를 각성으로 삼으면 남려가 궁성이 되고, 이 태주를 치성으로 삼으면 임종이 궁성이 되며, 응종을 우성으로 삼으면 태주가 궁성이 된다. 7성七聲으로 미루어보아도 마땅히 이와 같아야 하니, 주석가들의 주장이 잘못되었다."[135]

[23-8-2]

『禮記』「禮運」曰:"五聲六律十二管還相爲宮也."

『예기』「예운禮運」에서 말했다. "5성五聲은 6율 12관十二管에서 돌아가며 서로 궁성이 된다."

鄭氏注曰:"五聲宮商角徵羽也. 其管陽曰律, 陰曰呂. 布十二辰始於黃鐘, 管長九寸. 下生者三分去一, 上生者三分益一, 終於仲呂, 更相爲宮, 凡六十也."

정씨鄭氏[鄭玄]가 주注에서 말했다. "5성五聲은 궁성 · 상성 · 각성 · 치성 · 우성이다. 그 12관十二管에서 양陽을 율律이라고 하고 음陰을 여呂라고 한다. 12신辰에 배치하면 황종에서 시작하는데, 율관의 길이는 9촌이다. 하생下生하는 것은 삼분손일하고 상생上生하는 것은 삼분익일하여, 중려에서 끝마치고 다시 서로 궁성이 되니 모두 60조調이다."

孔氏疏曰:"黃鐘爲第一宮, 下生林鐘爲徵, 上生太簇爲商, 下生南呂爲羽, 上生姑洗爲角. 林鐘爲第二宮, 上生太簇爲徵, 下生南呂爲商, 上生姑洗爲羽, 下生應鐘爲角. 太簇爲第三宮, 下生南呂爲徵, 上生姑洗爲商, 下生應鐘爲羽, 上生蕤賓爲角. 南呂爲第四宮, 上生姑洗爲徵, 下生應鐘爲商, 上生蕤賓爲羽, 下生大呂爲角. 姑洗爲第五宮, 下生應鐘爲徵, 上生蕤賓爲商, 上生大呂爲羽, 下生夷則爲角. 應鐘爲第六宮, 上生蕤賓爲徵, 上生大呂爲商, 下生夷則爲羽, 上生夾鐘爲角. 蕤賓爲第七宮, 上生大呂爲徵, 下生夷則爲商, 上生夾鐘爲羽, 下生無射爲角. 大呂爲第八宮, 下生夷則爲徵, 上生夾鐘爲商, 下生無射爲羽, 上生仲呂爲角. 夷則爲第九宮, 上生夾鐘爲徵, 下生無射爲商, 上生仲呂爲羽, 上生黃鐘爲角. 夾鐘爲第十宮, 下生無射爲徵, 上生仲呂爲商, 上生黃鐘爲羽, 下生林鐘爲角. 無射爲第十一宮, 上生仲呂爲徵, 上生黃鐘爲商, 下生林鐘爲羽, 上生太簇爲角. 仲呂爲第十二宮, 上生黃鐘爲徵, 下生林鐘爲商, 上生太簇爲羽, 下生南呂爲角. 是十二宮各有五聲, 凡六十聲."

공씨孔氏[孔穎達]가 소疏에서 말했다. "황종이 제1궁성이 되어 하생하여 임종이 치성이 되고, 상생하여 태주가 상성이 되며, 하생하여 남려가 우성이 되고, 상생하여 고선이 각성이 된다. 임종이 제2궁성이 되어 상생하여 태주가 치성이 되고, 하생하여 남려가 상성이 되며, 상생하여 고선이 우성이 되고, 하생

· ·
135 어떤 사람이 … 잘못되었다.":『朱子語類』권92, 18조목

하여 응종이 각성이 된다. 태주가 제3궁성이 되어 하생하여 남려가 치성이 되고, 상생하여 고선이 상성이 되며, 하생하여 응종이 우성이 되고, 상생하여 유빈이 각성이 된다. 남려가 제4궁성이 되어 상생하여 고선이 치성이 되고, 하생하여 응종이 상성이 되며, 상생하여 유빈이 우성이 되고, 상생하여 대려가 각성이 된다. 고선이 제5궁성이 되어 하생하여 응종이 치성이 되고, 상생하여 유빈이 상성이 되며, 상생하여 대려가 우성이 되고, 하생하여 이칙이 각성이 된다. 응종이 제6궁성이 되어 상생하여 유빈이 치성이 되고, 상생하여 대려가 상성이 되며, 하생하여 이칙이 우성이 되고, 상생하여 협종이 각성이 된다. 유빈이 제7궁성이 되어 상생하여 대려가 치성이 되고, 하생하여 이칙이 상성이 되며, 상생하여 협종이 우성이 되고, 하생하여 무력이 각성이 된다. 대려가 제8궁성이 되어 하생하여 이칙이 치성이 되고, 상생하여 협종이 상성이 되며, 하생하여 무역이 우성이 되고, 상생하여 중려가 각성이 된다. 이칙이 제9궁성이 되어 상생하여 협종이 치성이 되고, 하생하여 무역이 상성이 되며, 상생하여 중려가 우성이 되고, 상생하여 황종이 각성이 된다. 협종이 제10궁성이 되어 하생하여 무역이 치성이 되고, 상생하여 중려가 상성이 되며, 상생하여 황종이 우성이 되고, 하생하여 임종이 각성이 된다. 무역이 제11궁성이 되어 상생하여 중려가 치성이 되고, 상생하여 황종이 상성이 되며, 하생하여 임종이 우성이 되고, 상생하여 태주가 각성이 된다. 중려가 제12궁성이 되어 상생하여 황종이 치성이 되고, 하생하여 임종이 상성이 되며, 상생하여 태주가 우성이 되고, 하생하여 남려가 각성이 된다. 이렇게 12궁성이 각각 5성을 가지니 모두 60성聲이다."

[23-8-3]

『淮南子』曰: "一律而五音, 十二律而爲六十音. 因而六之, 六六三十六, 故三百六十音, 以當一歲之日. 故律歷之數, 天之道也."

『회남자』에서 말했다. "1율에 5음이니 12율에 60음이 된다. 거기에 6을 곱해서 6×6=36이므로 360음은 1년의 일수에 해당한다. 그러므로 율력의 수數는 하늘의 도道이다."[136]

[23-8-3-0]

按: 聲者所以起調畢曲, 爲諸聲之綱領. 「禮運」所謂'還相爲宮,' 所以始於黃鐘, 終於南呂也. 後世以變宮變徵參而八十四調, 其亦不攷也.

생각건대 성聲은 곡조를 시작하고 끝맺는 것으로서 여러 성聲의 강령이 된다. 『예기』「예운」의 이른바 '돌아가며 서로 궁성이 된다.'는 것은 황종에서 시작하여 남려에서 끝나는 것이다. 후세에 변궁과

• • • • • • • • • • • • • • • • • • • •

136 "1율에 5음이니 … 도이다.": 유희는 『律呂新書摘解』「律呂證辨」에서, "60음이 각각 5성 2변성이 있다는 것을 만약 아울러 논하면 마땅히 60×7=420음이 된다. 만약 2변성을 계산하지 않으면 마땅히 5×60=300음이 된다. 한결같이 '거기에 6을 곱한다.'고 말한 것은 무엇을 가리키는지를 알지 못하겠다. 그러나 반드시 1년에 합치한다는 것을 의미하기 때문에 이렇게 모호해서 분명하지 않은 말이 있게 되었을 것이다!(六十音各有五聲二變, 苟並而論之, 則當爲六七四百二十音矣. 苟不計二變, 則當爲五六三百音矣. 一云, '因而六之'者, 未知是何指耶. 抑以必合於一幕爲意, 故有此含糊不明之語歟!)"라고 하였다.

변치를 섞어 넣어서 84조調가 된 것은 또한 고찰하지 못한 것이다.

[23-9]

候氣 第九 제9장 후기

[23-9-1]

『後漢志』, "候氣之法, 爲室三重, 戶閉, 塗釁必周密; 布緹縵室中, 以木爲案, 每律各一, 內庳外高, 從其方位, 加律其上, 以葭莩灰抑其內端, 按曆而候之. 氣至者灰去, 其爲氣所動者其灰散, 人及風所動者其灰聚."[137]

『후한서』「율력지」에서, "후기候氣(기의 변화를 증험함)의 방법은 세 겹의 벽으로 된 방을 만들어 문을 막고 반드시 치밀하게 틈을 흙칠하고는, 방 안에 붉은 명주를 펴고 나무로 받침을 만드는데 매 율관마다 각각 받침을 하나씩 두되, 안쪽은 낮고 바깥쪽은 높게 하고, 그 방위에 따라서 받침 위에 율관을 놓아두며, 갈대청을 태운 재로 그 안쪽 끝을 채워 막고, 역서曆書에 따라 그것을 증험하는 것이다. 기氣가 이른 것은 재가 떨어져 나가니, 기에 의해서 움직이게 된 것은 그 재가 흩어지고, 사람과 바람에 의해 움직이게 된 것은 그 재가 응취된다."라고 하였다.

[23-9-2]

『隋志』, "後齊神武霸府田曹參軍信都芳深有巧思, 能以管候氣, 仰觀雲色. 嘗與人對語, 即指天曰, '孟春之氣至矣.' 人往驗管而飛灰已應. 每月所候, 言皆無爽. 又爲輪扇二十四埋地中, 以測二十四氣. 每一氣感, 則一扇自動, 他扇並住, 與管灰相應若符契焉.

『수서隋書』「율력지」에서 말했다. "후제後齊 때에 신무패부神武霸府의 전조참군田曹參軍인 신도방信都芳[138]이 매우 교묘한 생각을 잘해서 율관으로 후기候氣하고 우러러 구름의 색깔을 관찰할 수 있었다. 일찍이 사람들과 대화하다가 하늘을 가리키면서, '맹춘의 기氣가 이르렀다.'고 하였다. 사람들이 가서 율관을 검증해 보니 날아 흩어지는 재가 이미 호응해 있었다. 매월 절기 때마다 증험한 것이 말하는 것마다 모두 틀림이 없었다. 또 윤선輪扇(절기를 측정하는 일종의 기구) 24개를 땅속에 묻어서 24절기를 측정하였다. 매 1개의 절기가 감지되면 1개의 윤선이 저절로 움직이고 다른 윤선은 모두 가만히 있었는데, 그것이

----

137 『後漢書』 권11 「律歷志」
138 信都芳: 자는 玉琳이고, 河間(현 하북성 河間市) 사람이다. 北朝 北齊의 수학자·천문학자이다. 조충지의 아들 祖暅에게서 수학과 천문학을 배웠다고 한다. 慕容保의 동생 紹宗이 北齊 神武帝에게 천거하여 中外府의 田曹參軍을 역임하였다. 그는 개천설과 혼천설의 장단점을 분석하여 『器准圖』를 편찬하였는데, 전반적으로 張衡이 지은 『靈憲』의 천문학을 긍정하였다. 그 외 저술로는 『樂書』·『遁甲經』·『四術周宗』·『黃鍾算法』 등이 있다.

율관의 재와 상응하는 것이 마치 부절과 같이 들어맞았다.

開皇九年平陳後高祖遣毛爽, 及蔡子元于普明等以候節氣. 依古於三重密室之內, 以木爲按十有二具, 每取律呂之管, 隨十二辰位置于按上而以土埋之, 上平於地, 中實葭莩之灰, 以輕緹素覆律口. 每其月氣至與律冥符, 則灰飛衝素散出于外, 而氣應有早晚, 灰飛有多少. 或初入月其氣卽應, 或至中下旬間氣始應者, 或灰飛出三五夜而盡, 或終月纔飛少許者.

수나라 개황 9년開皇九年(589년)에 진陳나라를 평정한 뒤에 고조高祖隋文帝는 모상毛爽과 채자원蔡子元·우보명于普明 등을 파견하여 절기를 증험하게 하였다. 옛날 방식에 따라 세 겹의 벽으로 된 밀실 안에 나무로 12개의 받침을 만들고, 받침마다 율려의 관管을 가져다가 12신辰의 방위에 따라 그 위에 두고는 흙으로 묻어서 위가 지면과 평평하게 했으며, 그 율관 속에 갈대청을 태운 재로 채우고 가벼운 흰 비단으로 율관의 구멍을 덮었다. 매번 그 달의 기氣가 이르러 율관과 그윽하게 부합하면 재가 날아서 흰 비단을 밀쳐내고 밖으로 흩어져 나왔는데, 그 기氣가 응하는 것이 빠르고 늦음이 있었고, 재가 날리는 것이 많고 적음이 있었다. 어떤 때는 월초에 그 기가 곧 응하기도 하고, 어떤 때에는 중순이나 하순이 되어서야 기가 비로소 응하는 경우도 있었으며, 어떤 때에는 보름날 한밤중에 재가 모두 다 날려 나오기도 하고, 어떤 때에는 월말에서야 겨우 조금 날리는 경우도 있었다.[139]

高祖異之, 以問牛弘. 牛弘對曰, '灰飛半出爲和氣吹, 灰全出爲猛氣吹, 灰不能出爲衰氣吹. 和氣應者其政平, 猛氣應者其臣縱, 衰氣應者其君暴.' 高祖駁之曰, '臣縱君暴, 其政不平, 非日別而月異也. 今十二月於一歲之內應用不同, 安得暴君縱臣若斯之甚也?' 弘不能對.

- - - - - - - - - - - - - - - - - - - -

139 매번 그 … 있었다. : 유희는 『律呂新書摘解』 「律呂證辨」에서, "생각건대, 재가 날아다니는 것에 늦고 빠르며 많고 적음이 있다는 것은 다만 율관을 만드는 것이 정밀하지 않아서 일 뿐 아니라, 오히려 그 曆法이 엄밀하지 못한데도 그것을 가지고 검사하여 그 때를 맞추지 못했기 때문이다. 옛날에는 반드시 1년을 고르게 나누어 24절기로 삼았으므로, 태양이 실제로 운행한 것은 대부분 천문을 추산하는 것과 합치되지 않았으니, 황도가 적도에 교차하는 것은 원주의 正半(꼭 맞는 절반)에 있은 적이 없기 때문이다. 춘분에서부터 추분까지는 181일 12시 强을 얻고, 추분에서부터 춘분까지는 178일 17시 강을 얻는다. 그 사이의 절기는 각각 때에 따라서 오래되거나 가까운 차이가 있다. 이 이치를 알지 못하면서 억지로 율력의 방술을 만들고, 그것이 합치되지 않는 것을 힐문 받게 되면 대번에 政令이 고르지 못한 것에 귀결시키니 또한 잘못이 아니겠는가? 그러므로 蔡氏(채원정)는 '曆數에 정밀하지 않으면 절기 역시 쉽게 바로잡지 못한다.'라고 말했다. 생각건대, 『太玄經』에서 冷竹으로 율관을 만들고 재를 채워서 증험하는 것은 서한 시대에 이미 있었던 候氣의 방법인데, 채씨가 『後漢志』에서 인용한 것은 미처 보지 못했기 때문일 것이다!(按, 灰飛之有遲速多少者, 非特造律之不精耳, 乃其曆法之不密而驗之, 不以其時故也. 古者必用一朞平分爲二十四氣, 故太陽實行多與推步不合, 蓋黃道之交於赤道, 未嘗在圓周之正半. 自春分至秋分, 得一百八十六日十二時强 ; 自秋分至春分, 得一百七十八日十七時强. 其間節氣, 各隨而有久近之不同. 不知此理而强爲律曆之術, 及詰其不合, 則輒歸之政令之不平, 不亦謬乎? 故蔡氏曰, '非精於曆數, 氣節亦未易正也.' 按, 『太玄經』冷竹爲管, 室灰爲候, 是西漢時已有候氣之法, 蔡氏引自『後漢志』, 蓋未及見歟!)"라고 하였다.

令爽等草定其法. 爽因稽諸故實以著于篇, 名曰『律譜』.

고조가 이상하게 여겨서 우홍牛弘에게 물었다. 우홍이 대답하기를, '재가 날아서 절반이 나오는 것은 조화로운 기가 불어낸 것이고, 재가 전부 나오는 것은 맹렬한 기가 불어낸 것이며, 재가 나오지 못한 것은 쇠약한 기가 불어낸 것입니다. 조화로운 기가 응한 것은 그 정사政事가 평안한 것이고, 맹렬한 기가 응한 것은 그 신하가 방종한 것이며, 쇠약한 기가 응한 것은 그 군주가 난폭한 것입니다.'라고 하였다. 고조가 반박해서 말하기를, '신하가 방종하고 군주가 난폭하여 그 정사가 평안하지 않은 것은 나날이 분별이 있고 다달이 달라지는 것이 아니다. 이제 1년에서 12달의 호응이 같지 않음이 어찌 난폭한 군주와 방종한 신하가 이와 같이 심하게 할 수 있겠는가?'라고 하였다. 우홍은 대답하지 못했다. 이에 고조는 모상 등에게 그 법도의 초안을 잡아 확정하라고 명령했다. 모상은 이에 따라 여러 가지 옛날 사실들을 검토하여 책을 저술하고, 『율보律譜』라고 이름을 붙였다.

其略云, '漢興張蒼定律, 乃推五勝之法以爲水德. 寔因戰國官失其守, 後秦滅學, 其道浸微, 蒼補綴之, 未獲詳究.

『율보律譜』에서는 대략 다음과 같이 말했다. '한漢나라가 흥기하여 장창張蒼[140]이 율律을 제정함에 오행상승五行相勝의 법도를 미루어서 수덕水德으로 (나라의 덕을) 삼았습니다. 이것은 전국시대에 관원이 그 지켜오던 것을 잃고 뒤에 진秦나라가 학문을 없애버려 그 도가 점점 쇠미해졌기 때문에, 장창이 그것을 보완해서 수정하려고 했지만 상세하게 연구할 수 없었습니다.

及孝武創制, 乃置協律之官用李延年以爲都尉, 頗解新聲變曲, 未達音律之源. 至于元帝自曉音律, 郎官京房亦達其妙. 於後劉歆典領, 奏著其始末, 理漸研精. 班氏『漢志』, 盡歆所出也; 司馬彪『志』, 並房所出也.

효무제孝武帝(재위기간 B.C.141~B.C.87)가 율을 창제할 때에 협율協律(율려를 조화시킴) 관원을 두어 이연년李延年[141]을 도위都尉로 삼았는데, 새로 만든 악곡과 변곡變曲을 제법 이해하였으나 아직 음률의 근원에는 통달하지 못했습니다. 원제元帝에 이르러 그 스스로 음률에 밝았고 낭관郎官 경방京房도 역시 음률의 오묘함에 통달했습니다. 뒤에 유흠劉歆이 주관하면서 그 전말을 저술하기를 주청하여, 그 이치를 연구

---

140 張蒼(B.C.256~B.C.152) : 西漢의 陽武縣(현 하남성 原陽縣) 사람으로 秦나라에서는 御史를 역임하였다. 한고조 유방이 흥기하자 그를 도와 한나라의 건립과 안정에 공을 세워 여러 벼슬을 두루 거치고 北平侯에 봉해졌다. 漢文帝 때에는 丞相을 역임하였다. 전국 말기 荀子의 문하에서 李斯・韓非 등과 동문수학했다. 그의 대표적인 문인으로는 賈誼가 있다. 『九章算術』을 교정하고 曆法을 제정하였다.

141 李延年 : 西漢의 음악가로서 中山(현 하북성 定州市) 사람이다. 부모형제가 모두 음악과 춤을 직업으로 하는 예술가 집안 출신이라고 한다. 漢武帝의 寵妃였던 李夫人의 오빠이다. 이부인이 昌邑王 劉髆을 낳자 관직이 올라 協律都尉가 되어 궁중의 악기를 관리하는 직무를 총괄하게 되었다. 그러나 얼마 뒤에 이부인이 죽자 동생 李季가 후궁을 간통했다는 죄에 연루되어 무제에게 일족이 주살당했다. 대표작은 『佳人曲』이 있다고 한다.

하는 것이 점점 정밀하게 되었습니다. 반씨班氏[班固]의 『한서』「율력지」는 모두 다 유흠에게서 나왔고, 사마표司馬彪의 『속한서續漢書』「율력지」는 모두 경방에게서 나왔습니다.

至于後漢, 尺度稍長, 魏代杜夔亦制律呂, 以之候氣, 灰悉不飛. 晉光祿大夫荀勗得古銅管, 校夔所制長古四分. 方知不調, 事由其誤. 乃依『周禮』更造古尺, 用之定管, 聲韻始調.

후한에 이르러 척도가 점점 길어졌고, 위魏나라 때에 두기杜夔도 역시 율려를 제작하여 그것으로 후기候氣하였지만 재가 전혀 날지 않았습니다. 진晉나라 광록대부光祿大夫 순욱荀勗이 옛날 동관銅管을 얻어 두기가 제작한 것과 비교하니 옛날 동관보다 4분分이 길었습니다. 비로소 조화롭지 못함은 일이 거기에서 잘못되었다는 것을 알았습니다. 이에 『주례』에 의거하여 다시 고척古尺을 만들고 그것을 사용하여 율관을 제정하니 성운聲韻이 비로소 조화롭게 되었습니다.

左晉之後, 漸又訛謬. 至梁武帝時猶有汲冢玉律, 宋蒼梧時鑽爲橫吹, 然其長短厚薄, 大體具存. 臣先人栖誠學算於祖暅, 問律於何承天, 沈研三紀, 頗達其妙. 後爲太常丞, 典司樂職, 乃取玉管及宋太史尺, 並以聞奏. 詔付大匠, 依樣制管. 自斯以後, 律又飛灰. 侯景之亂, 臣兄喜於太樂得之. 後陳宣帝詣荊州爲質, 俄遇梁元帝敗, 喜沒於周, 適欲上聞. 陳武帝立, 遂以十二管衍爲六十律, 私候氣序, 並有徵應. 至太建乃與均鐘器合.'"

좌진左晉[東晉] 뒤에 또 점점 잘못되어졌습니다. 양梁나라 무제武帝(재위기간 502~549) 때까지 여전히 급총汲冢[142]의 옥율玉律이 있었고, 남북조 시대 송宋의 창오왕蒼梧王(재위기간 472~477) 때에는 구멍을 뚫어서 횡취橫吹(악기 이름, 즉 횡적橫笛)를 만들었지만, 그 길이와 두께의 대체大體는 모두 남아 있었습니다. 신臣의 아비 모서성毛栖誠은 조환祖暅[143]에게서 산술을 배우고 하승천何承天[144]에게서 율려를 익혀서, 36년[三紀]을 침잠하여 연구해서 그 오묘함을 상당히 통달하였습니다. 뒤에 태상승太常丞이 되어 악직樂職을 주관하니, 이에 옥관玉管과 송宋(남조의 송)나라 태사척太史尺을 취하여 모두 아뢰었습니다. 조서로 대장大匠에게 맡겨 그 모양대로 본떠서 율관을 제작하였습니다. 이 때 이후로 율관에는 또 재가 날아올랐습니다. 후경侯景의 난亂[145]에 신臣의 형 모희毛喜가 태악太樂에서 그것을 얻었습니다. 뒤에 진陳의 선제宣帝(재위기

---

142 汲冢 : 汲郡(현 하남성 汲縣)에서 발굴된 魏나라 襄王의 왕릉

143 祖暅 : 자는 景爍이고 남북조 시대 남조의 수학자이자 과학자인 祖沖之의 아들이다. 아버지의 영향으로 수학과 과학 연구에 매진하여 劉徽가 충분히 해결하지 못한 원주율 및 원면적에 관한 공식을 총정리한 것으로 평가된다. 벼슬은 太府卿 등을 역임하였다. 특히 조충지가 462년에 편찬한 『大明曆』은 조환이 세 차례나 건의한 기초에서 완성된 것으로 유명하다. 『綴術』의 상당히 많은 부분도 그의 저술이라고 고증되었다.

144 何承天(370~447) : 南朝 宋나라의 대신으로 저명한 천문학자·수학자이다. 東海郯(현 산동성 郯城) 사람이다. 衡陽內史, 國子博士, 御史中丞 등의 벼슬을 역임하였기 때문에 세칭 何衡陽이라고도 불렸다. 曆法에 밝아 기존 역법의 문제점을 개선한 元嘉曆을 제정하여 후세 역법에 큰 영향을 끼쳤다. 또한 음악에 정통하여 12평균율에 근사한 새로운 율을 발명하기도 하였다. 저서로는 『禮論』·『分明士制』·『曆術』·『驗日食法』·『漏刻經』 등이 있다.

간 568~582)가 형주荊州에 이르러 인질이 되었다가 잠시 후 양梁나라 원제元帝(재위기간 552~554)를 만나 패배하여, 모희가 주周나라에서 죽었기에 마침 황제께 아뢰려고 하던 참입니다. 진陳 무제武帝(재위기간 557~559)가 즉위하여 마침내 12율관으로 부연하여 60율을 만들고 은밀히 기氣가 이르는 순서를 증험해 보니 모두 반응이 있었습니다. 태건太建[146]에 이르러 비로소 균종기均鐘器[147]와 합치하게 되었습니다.'"[148]

[23-9-2-0]

按 律者陽氣之動, 陽聲之始, 必聲和氣應, 然後可以見天地之心. 今不此之先而乃區區於黍之縱橫, 古錢之大小, 其亦難矣. 然非精於曆數, 則氣節亦未易正也.

생각건대, 율律은 양기陽氣의 움직임이고 양성陽聲의 시작이니 반드시 성聲이 조화롭고 기氣가 응한 뒤에 천지의 마음을 알 수 있다. 지금 이것을 먼저 하지 않고, 도리어 기장 알의 가로 세로 길이와 옛 돈의 크기에 구애되는 것은 그 또한 어렵다. 그러나 역수曆數에 정밀하지 않으면 절기 역시 쉽게 바로잡지 못한다.

---

145 侯景의 亂 : 남북조 시대 梁武帝 太淸 2년(548년) 8월에 東魏의 항복한 장수인 侯景이 京城守將 蕭正德과 모의하여 군사를 일으킨 모반을 가리킨다. 양 무제가 불교에 빠져 국정을 소홀히 한 틈을 타서 반군 10만 대군을 모아서 양나라의 도읍인 建康(현 남경)을 함락하고, 양 무제를 궁중에 유폐시켜 죽게 하였다. 그리고 스스로 丞相이 되어 국정을 장악하다가 551년에는 스스로를 봉하여 황제로 칭하고 국호를 漢이라고 하였다. 그러나 민심을 얻지 못하고 사회를 더욱 혼란하게 해서 황제로 칭한 이듬해에 양나라의 장수인 王僧弁과 陳覇先에 의해 평정되었다. 후경의 난 뒤에 양나라는 급속히 쇠잔하여 멸망의 길에 들어섰다.

146 太建 : 陳 宣帝 때의 연호. 569~582년

147 均鐘器 : 『國語』 권3 「周語下」에서 "율을 헤아려 종을 고르게 한다.(度律均鐘)"고 하였다. 均鐘器는 음의 높이를 조율하는 표준기구이다.

148 마침내 12율관으로 … 되었습니다. : 유희는 『律呂新書摘解』 「律呂證辨」에서, "연역해서 60율을 만든 것은 경방이다. 경방의 60율 이후에 송나라 錢樂之가 다시 연역해서 360율을 만들고, 梁沈重도 역시 360율을 사용하여 阿·衡·歸·仁 등의 명칭이 있었으니, 여기에 이르러 다시 경방에 의거해서 제작하였다. 太建은 陳나라 宣帝의 연호이다. 均은 '均聲'의 '均'이 아니라 곧 律準(율의 기준이 되는 기구)이다. 〈『國語』에 있다.〉 鐘은 12율종이다. 옛날에는 율을 본떠서 종을 만들고 여러 악기를 펼쳐내었으니 종의 이름은 반드시 율로 했다. 예컨대 黃帝가 伶倫에게 12종을 주조하게 했다는 것과 〈『呂氏春秋』에 있다.〉 成王이 康叔에게는 대려를 만들고 季武子(?~B.C.535)에게는 임종을 만들도록 분배한 것이 이것이다. 〈모두 『春秋左傳』에 있다.〉 율관을 관측하여 호응함이 있은 뒤에 2개의 기구의 聲을 살펴보니 또한 조화하므로 합치한다고 말했다.(衍爲六十律, 蓋京房也. 京氏六十律之後, 宋錢樂之更演爲三百六十律, 梁沈重亦用三百六十有 阿·衡·歸·仁等名, 至此復依京氏制爾. 太建, 陳宣帝年號也. 均, 非'均聲'之'均', 乃律準也. 〈見『國語』.〉 鐘, 十二律鐘也. 古者象律以鐘, 播諸樂器, 故鍾名必以律. 如黃帝命伶倫鑄十二鐘, 〈『呂覽』.〉 成王分康叔以大呂季武子作林鐘, 是也. 〈並見『左傳』.〉 候律有應, 然後考之兩器之聲, 而亦諧, 故曰合.)"라고 하였다.

[23-10]

度量權衡 第十　제10장 도량권형

[23-10-1]

『周禮』「典瑞」“璧羨以起度.”「玉人」“璧羨度尺, 好三寸以爲度.”

『주례』「전서典瑞」에서는, “벽선璧羨으로 도度(길이를 재는 단위)를 시작한다.”[149]고 하였고, 「옥인玉人」에서는, “벽선의 도척度尺은 ‘구멍 안 부분[好]’ 3촌으로 도度(길이를 재는 단위)를 삼는다.”[150]라고 하였다.

[23-10-1-0]

按: 『爾雅』曰, “肉倍好謂之璧.”‘羨’, ‘延’也. 此璧本圓, 徑九寸, 好三寸, 肉六寸, 而裁其兩旁各半寸以益上下也. 其好三寸, 所以爲璧也; 裁其兩旁以益上下, 所以爲羨也. 袤十寸廣八寸, 所以爲度尺也. 以爲度者, 以爲長短之度也, 則周家十寸八寸皆爲尺矣.

생각건대 『이아爾雅』에서 말하기를, “구멍 바깥부분[肉]이 ‘구멍 안 부분[好]’의 2배인 것을 벽璧이라고 한다.”[151]고 하였다. ‘선羨’은 ‘늘인다.’는 것이다. 이 벽璧은 본래 원형이니 지름 9촌에 ‘구멍 안 부분[好]’은 3촌이고 ‘구멍 바깥부분[肉]’은 6촌인데, 그 양쪽 곁에 각각 반촌半寸을 마름질하여 아래위에 보탠다. 그 ‘구멍 안 부분[好]’이 3촌인 것을 벽璧이라고 하고, 그 양쪽 곁을 마름질하여 아래 위에 보탠 것을 선羨이라고 한다. 세로길이[袤]가 10촌이고 가로길이[廣]가 8촌인 것을 도척度尺이라고 한다. 도度(길이를 재는 단위)로 삼은 것은 길고 짧은 것의 도度(길이를 재는 단위)로 삼은 것이니, 주周나라에서는 10촌과 8촌이 모두 1척尺이 되었다.

陳氏曰: “以十寸之尺起度, 則十尺爲丈, 十丈爲引. 以八寸之尺起度, 則八尺爲尋, 倍尋爲常.” 説文曰: “人手却十分, 動脉爲寸口, 十寸爲尺. 周制寸咫尺尋常仞, 皆以人體爲法.” 又曰: “婦人手八寸謂之咫, 周尺也.” 又曰: “丈, 丈夫也. 周制以八寸爲尺, 十尺爲丈. 人長八寸, 故曰丈夫.”

진씨陳氏[陳祥道][152]가 말했다. “10촌을 1척尺으로 하여 도度(길이를 재는 단위)를 시작하면, 10척은 1장丈이 되고 10장은 1인引이 된다. 8촌을 1척尺으로 하여 도度(길이를 재는 단위)를 시작하면, 8척은 1심尋이 되고 2심이 1상常이 된다.”『설문해자』에서 말했다. “사람의 손에서 10분分을 물러나 맥박이 뛰는 곳이 촌구寸

---

149 『周禮』 권5 「典瑞」
150 『周禮』 권12 「玉人」
151 『爾雅』「釋器」 제6
152 陳祥道(1042~1093): 자는 用之 혹은 祐之이고 복건성 閩淸(현 복건성 복주시 福州市 閩淸縣) 사람이다. 宋 英宗 治平 4년(1067년)에 진사에 급제하여 王安石을 스승으로 모셨고, 벼슬은 秘書省正字, 館閣校勘, 國子監 直講, 太學博士 등을 역임하였다. 북송의 저명한 경학자로서 특히 三禮에 정통하여 『儀禮注解』와 『禮記講義』 등을 저술하였다.

口(손목에 맥을 짚는 곳)이니, 10촌이 1척이다. 주周나라의 제도에 촌寸·지咫·척尺·심尋·상常·인仞은 모두 사람의 몸을 법도로 삼았다." (『설문해자』에서) 또 말했다. "부인의 손 8촌을 1지咫라고 하니, 주周나라의 1척尺이다." (『설문해자』에서) 또 말했다. "장丈은 장부丈夫이다. 주周나라의 제도에 8촌을 1척으로 삼고 10척을 1장으로 삼았다. 사람의 키가 8척이므로 장부丈夫라고 하였다."

[23-10-2]

『淮南子』曰: "秋分蔈定, 蔈定而禾熟. 律之數十二, 故十二蔈而當一粟, 十二粟而當一寸. 律以當辰, 音以當日. 日之數十, 故十寸而爲尺, 十尺而爲丈."[153]

『회남자』에서 말했다. "추분에 벼이삭이 빳빳해지니 벼이삭이 빳빳해지고서야 벼가 익는다. 율의 수는 12이므로 12개의 벼이삭이 1속粟에 해당하고, 12속은 1촌寸에 해당한다. 율律은 신辰에 해당하고, 음音은 일日에 해당한다. 일日의 수는 10이므로[154] 10촌은 1척尺이 되고, 10척은 1장丈이 된다."

[23-10-3]

『說苑』曰: "度量權衡, 以粟生之. 一粟爲一分, 十分爲一寸, 十寸爲一尺, 十尺爲一丈."[155]

『설원說苑』에서 말했다. "도度·량量·권權·형衡은 곡식[粟]에서 생겨났다. 1속粟은 1분分이 되고, 10분은 1촌寸이 되며, 10촌은 1척尺이 되고, 10척은 1장丈이 된다."

[23-10-4]

『易緯』「通卦驗」以十馬尾爲一分.

『역위易緯』「통괘험通卦驗」에서는 10개의 말꼬리로 1분分을 삼았다.

[23-10-5]

『孫子筭術』曰: "蠶所吐絲爲忽. 十忽爲一絲, 十絲爲一毫, 十毫爲一釐, 十釐爲一分, 十分爲一寸, 十寸爲一尺, 十尺爲一丈."

『손자산술孫子筭術』에서 말했다. "누에가 자아낸 실이 홀忽이다. 10홀은 1사絲가 되고, 10사는 1호毫가 되며, 10호는 1리釐가 되고, 10리는 1분分이 되며, 10분은 1촌寸이 되고, 10촌은 1척尺이 되며, 10척은 1장丈이 된다."

[23-10-6]

『漢前志』曰: "度者, 分寸尺丈引也, 所以度長短也. 本起黃鐘之長, 以子穀秬黍中者一黍

153 『淮南子』 권3 「天文訓」
154 日의 수는 10이므로: 『淮南鴻烈解』 권3 「天文訓」 에서, "10은 甲부터 癸까지이다.(十從甲至癸也.)"라고 하였다.
155 『說苑』 권18 「辨物」

房庶云: "得古本『漢書』'一黍'字下有'之起積一千二百黍'八字. 今本『漢書』闕之." 之廣度之, 九十分黃鐘之長. 一爲一分, 十分爲寸, 十寸爲尺, 十尺爲丈, 十丈爲引, 而五度審矣."

『전한서』「율력지」에서 말했다. "도度(길이를 재는 단위)는 분分·촌寸·척尺·장丈·인引이니 그것으로써 길고 짧은 것을 잰다. 본래 황종의 길이에서 시작되니, 알곡 '검은 기장[秬黍]' 중간 크기 1알의 방서房庶가 말했다. "고본『한서』를 얻어 보니 '1알一黍'이라는 글자 아래에 '~에서 시작하여 1,200알을 쌓는다.'라는 글자가 있었는데, 현행『한서』에는 빠졌다." 폭으로 그것을 재는데, 90분分이 황종의 길이이다. 1알의 길이가 1분分이고, 10분이 1촌이며, 10촌이 1척이고, 10척이 1장이며, 10장이 1인이 되어, 5가지 길이를 재는 단위가 정해졌다."

[23-10-6-0]

按: 一黍之廣爲分, 故累九十黍爲黃鐘之長, 積千二百黍爲黃鐘之廣, 古人蓋三五以存法也. 自晉宋以來, 儒者論律圍徑, 始有同異. 至隋因定圍徑三分之説. 苟徑三分, 則九十黍之長止容黍八百有奇, 與千二百黍之廣兩不相通矣. 房庶不知徑三分之爲誤, 乃欲增益『漢志』之文以就其説. 范蜀公又從而信之, 其過益又甚矣.

생각건대, 기장 1알의 폭이 1분이 되므로 기장 알 90개를 겹쳐놓은 것이 황종의 길이가 되고, 기장 알 1,200개를 누적한 것이 황종의 폭이 되니, 옛사람들은 대개 3三·5五[156]로써 법도를 보존하였다.[157] 진晉나라·송宋(남조의 송)나라 이래로 학자들이 율관의 원지름을 논한 것이 비로소 차이가 있게 되었다. 수隋나라에 이르러 그대로 따라서 원지름 3분의 학설이 정해졌다. 만약 지름이 3분이면 기장 알 90개의 길이는 다만 기장 알 800여 개를 담을 수 있을 뿐이니, 기장 알 1,200개의 부피라는 것과는 둘이 서로 통하지 않는다. 방서房庶는 지름이 3분이라는 학설이 잘못된 것 인지를 모르고, 이에 『전한서』「율력지」의 문장을 더 보태어서 그 학설을 성취하려고 했다. 범촉공范蜀公范鎭은 또 그것을 좇아 믿었으니, 그 잘못이 더욱 심해졌다.

. . . .

156 三·五: 『抱樸子』「軍術」에서, "대장군은 마땅히 9궁을 분명하게 상고하여 해를 보고 궁에 있는데 항상 3에 나아가고 5에 자리 잡는다. 5는 죽음이고 3은 삶이니 3과 5를 알 수 있어야만 천하에 횡행할 수 있다.(大將軍當明案九宮, 視年在宮, 常就三居五. 五爲死, 三爲生, 能知三·五, 橫行天下.)"라고 하였다.

157 옛사람들은 대개 … 보존하였다.: 유희는 『律呂新書摘解』「律呂證辨」에서, "蔡氏(蔡元定)의 뜻은 본디 기장 알을 겹쳐놓는 것으로써 율관을 만드는 본래의 법도로 삼은 적이 없으므로, 앞뒤의 의미에서 이미 누차 검은 기장 알을 충분히 믿을 수 없다는 것을 언급했다. 이것은 다만 옛 尺이 이미 확실하게 알 수 있는 방도가 없다는 것을 말하니, 기장 알의 숫자를 서로 전해주는 것은 또한 검증하는 하나의 단서가 아닌 적이 없다는 것을 말할 뿐이다. 胡氏(胡瑗)는 곧 율을 기장 알에 맡기는 것을 비난했다. 그렇다면 호씨가 율을 만드는 것은 다만 재가 붉은 비단을 떨치는 것에 책임을 지을 뿐 전혀 尺寸을 사용하지 않았는가?(蔡氏之意, 固未嘗以累黍爲制律之本法, 故前後之意, 已屢及於秬黍之不足恃矣. 此只謂古尺旣無以的知, 則相傳黍數, 亦未嘗非考驗之一端云爾. 胡氏乃以律命于黍, 譏之. 然則胡氏之造律, 只責緹灰而全不使尺寸乎?)"라고 하였다.

[23-10-7]

『隋志』十五等尺.

『수서隋書』「율력지」의 15가지 척尺

[23-10-7-0]

一. 周尺, 『前漢志』王莽時劉歆銅斛尺. ○後漢建武銅尺. ○晉荀勖律尺爲晉前尺. ○祖冲之所傳銅尺. 晉武帝泰始九年, 中書監荀勖校太樂八音不和, 始知爲後漢至魏尺長於古尺四分有餘. 勖乃部著作郎劉恭依『周禮』制尺, 所謂古尺也.

1. 주척周尺은 『전한서』「율력지」에서는 왕망王莽 시대 유흠劉歆의 동곡척銅斛尺이라고 하였다. ○후한의 건무建武[158] 연간의 동척銅尺이다. ○진晉나라 순욱荀勖의 율척律尺으로 진晉나라 전척前尺이다. ○조충지祖冲之가 전한 동척銅尺이다. 진晉나라 무제武帝 태시泰始 9년(273년)에 중서감中書監 순욱荀勖이 태악太樂의 8음音이 조화롭지 못한 것을 교정하다가, 비로소 후한에서 위魏나라에 이르기까지의 척尺이 고척古尺보다 4분分 남짓 길다는 것을 알았다. 이에 순욱은 저작랑著作郎 유공劉恭을 통솔하여 『주례』에 의거해서 척尺을 제작하니, 이른바 고척古尺이다.

依古尺更鑄銅律呂以調聲韻, 以尺量古器, 與本銘尺寸無差. 又汲郡盜發魏襄王冢, 得古周時玉律及鐘磬, 與新律聲韻闇同. 于時郡國或得漢時故鐘, 吹新律命之皆應.

고척古尺에 의거하여 다시 동銅으로 된 율려관을 주조해서 성운聲韻을 조화롭게 하고 척尺으로 옛 악기를 재어보니, 본래의 명문銘文과 척尺·촌寸에 차이가 없다. 또 급군汲郡에서 도둑이 위魏나라 양공襄王의 왕릉을 도굴하여 옛 주周나라 시대의 옥율玉律과 종鐘·경磬을 얻었는데, 새로운 율관과 성운聲韻이 은연중에 같았다. 그때에 군국郡國에서 어쩌다가 한漢나라 때의 옛 종鐘을 얻어 새로운 율관과 함께 불도록 명하니 모두 상응했다.

梁武『鐘律緯』云: "祖冲之所傳銅尺, 其銘曰, '晉泰始十年, 中書考古器揆校今尺長四分半. 所校古法有七品, 一曰姑洗玉律, 二曰小呂玉律, 三曰西京銅望臬, 四曰金錯望臬, 五曰銅斛, 六曰古錢, 七曰建武銅尺. 姑洗微强, 西京望臬微弱, 其餘與此尺同." 銘八十二字. 此尺者, 勖新尺也. 今尺者, 杜夔尺也.

양梁나라 무제武帝의 『종율위鐘律緯』에서 말했다. "조충지가 전한 동척銅尺은 그 명문銘文에, '진晉나라 태시泰始 10년(274년)에 중서감中書監이 옛 악기를 고찰하여 지금의 척尺을 헤아려 교정하니 4분 반이 길었다. 옛 법도를 교정한 것이 7가지가 있었다. 하나는 고선옥율姑洗玉律이고, 둘은 소려옥율小呂玉律이며, 셋은 서경西京의 동망얼銅望臬이고, 넷은 금으로 제목을 상감한 망얼望臬이며, 다섯은 동곡銅斛이고, 여섯은 고전古錢이며, 일곱은 건무建武 연간의 동척銅尺이다. 고선옥율姑洗玉律은 조금 길고, 서

· · · · · · · · · · · · · · · · · · · ·

158 建武: 후한 光武帝 때의 연호. 25~55년

경西京의 동망얼銅望臬은 조금 짧으며, 그 나머지는 이 척尺과 같다.'라고 하였다." 명문銘文은 82개 글자이다. '그 나머지는 이 척尺과 같다.'에서 '이 척尺'은 순욱荀勖의 새로운 척尺이다. 지금의 척尺은 두기杜夔의 척尺이다."

按: 此尺出於汲冢之律, 與劉歆之斛, 最爲近古. 蓋漢去古未遠, 古之律度量權衡猶在也. 故班氏所志, 無諸家異同之論. 王莽之制作雖不足據, 然律度量衡當不敢變於古也.

생각건대 이 척尺은 급군汲郡의 왕릉에서 출토된 율관이니 유흠의 곡斛과 함께 고대의 것에 가장 가깝다. 대개 한漢나라는 고대와의 거리가 멀지 않으니, 고대의 율律·도度·량量·권權·형衡이 아직 존재했었다. 그러므로 반씨班氏[班固]가 『전한서』「율력지」에 쓴 것은 여러 학자들의 같고 다른 이론이 없다. 왕망王莽이 제작한 것은 비록 근거가 충분하지 않지만, 율律·도度·량量·형衡은 당연히 고대의 것을 변화시킬 수 없었다.

自董卓之亂而樂律散亡, 故杜夔之律, 圍徑差小而尺因以長. 荀勖雖定此尺, 然其樂聲高急, 不知當時律之圍徑又果何如也. 後周以玉斗生律. 玉斗之容受, 則近古矣. 然當時以斗制律, 圍徑不及三分, 其尺遂長於此尺一寸五分八釐. 意者後世尺度之差, 皆由律圍徑之誤也.

동탁董卓[159]의 난亂에서부터 악률이 흩어지고 없어졌기 때문에, 두기杜夔의 율관은 원지름이 조금 작아졌고 척尺은 이에 따라 길어졌다. 순욱은 비록 이 척尺을 정하였지만 그 악성樂聲이 높고 급하므로, 당시 율관의 원지름이 또 과연 어떠했는지를 알지 못하겠다. 후주後周는 옥두玉斗로 율관을 만들었다. 옥두의 용량은 고대의 것에 가깝다. 그러나 당시에 옥두로 율관을 제작한 것은 원지름이 3분에 미치지 못하고 그 척尺은 마침내 이 척尺보다 1촌 5분 8리가 길었다. 아마 후세 척도尺度의 착오는 모두 율관 원지름을 잘못 안 것에서 말미암았을 것이다.

今司馬公所傳此尺者, 出於王莽之法錢, 蓋丁度所奏高若訥所定者也. 雖其年代久遠, 輪郭不無消毀, 然其大約當尚近之. 後之君子有能驗聲氣之元以求之古之律呂者, 於此當有考而不可忽也.

이제 사마공司馬公[司馬光][160]이 전한 이 척尺은 왕망의 법전法錢에서 나왔으니, 대개 정도丁度[161]가 상

---

159 董卓: 東漢 말기 권력의 찬탈과 폭정으로 東漢을 분열시키고 멸망케 한 武將·정치가. 189년 외척 何進이 宦官을 토멸하고자 할 때 이에 호응하여 군사를 거느리고 洛陽으로 향하였으나 하진은 도리어 宦官에게 죽고 이어 환관들이 袁紹(154~202)의 군대에 몰살되자, 190년에 수도인 洛陽을 불사르고 長安에 입성하여 獻帝를 옹립하고 정권을 잡았다. 천도 후 그의 폭정에 대한 반대가 전국적으로 발생했으며 東漢의 영토도 점차 그에 대립하는 군웅들에 의해 분할통치되었다. 동탁은 司徒 王允(137~192)의 모략으로 부장 呂布 (150~199)에게 살해되었고 동탁의 사후 長安은 부장들의 다툼으로 혼란이 거듭되었으며 獻帝는 長安을 탈출하여 曹操에게 의탁하면서 曹操가 천하를 제패하는 계기가 되었다.

160 司馬光(1019~1086): 자는 君實이고, 호는 迂夫·迂叟이며, 시호는 文正이다. 세칭 司馬太師·溫國公·涑水

주하고 고약눌高若訥[162]이 정한 것일 것이다. 비록 그 연대가 멀고 오래되어 윤곽이 닳아 없어지고 훼손되지 않음이 없지만 그 대략은 당연히 또한 비슷하다. 후세의 군자로 성기聲氣의 근원을 검증하여 고대의 율려를 구할 수 있는 자는 여기에서 마땅히 고찰해야 할 것이니 소홀히 해서는 안될 것이다.

二. 晉田父玉尺, 梁法尺. 實比晉前尺一尺七釐. 『世說』稱, "有田父於野地中得周時玉尺, 便是天下正尺. 荀勗試以校己所造金石絲竹, 皆短校一米."[163] 梁武帝『鐘律緯』稱, "從上相傳有周時銅尺一枚, 古玉律八枚. 檢周尺東昏用爲章信, 尺不復存. 玉律一口, 簫餘定七枚, 夾鐘有昔題刻, 廼制爲尺以相叅驗. 取細毫中黍積次誨定, 最爲詳密. 以新尺制爲四器, 名曰'通.' 又依新尺爲笛以命'古鐘.'" 按: 此兩尺長短近同.

2. 진晉나라 농부의 옥척玉尺은 양梁나라의 법척法尺이다. 실은 진晉나라 전척前尺에 비교하면 1척 7리이다. 『세설신어世說新語』에서는, "어떤 농부가 들판에서 주周나라 때의 옥척玉尺을 얻었으니 곧 천하의 '올바른 척[正尺]'이다. 순욱이 시험 삼아 자신이 만든 금金·석석石·사絲·죽竹으로 비교해 보니 모두 쌀알 1개만큼 짧았다."라고 일컬었다. 양梁나라 무제武帝의 『종율위鐘律緯』에서는, "윗대로부터 전해 내려온 것에 주周나라 때의 동척銅尺 1개와 고대 옥율관玉律管 8개가 있었다. 주척周尺을 조사해 보니 동혼후東昏侯 [蕭寶卷][164]가 그것을 써서 부신符信으로 드러내었으나 척尺은 다시 남겨지지 않았다. 옥율관 1개와 소簫로 남은 것 꼭 7개에서, 협종율에 옛날의 표제가 새겨져 있어, 이에 척尺을 만들어 서로 참고하여 조사하였다. 세호細毫의 중간 크기 기장을 가지고 차례대로 쌓아서 계산을 정한 것이 가장 상세하고 주도면밀하다. 새로운 척尺으로 4개의 악기를 만들고는 '통通'이라고 이름 붙였다. 또 새로운 척尺에 의거하여 피리를 만들고는 '고종古鐘'이라고 명명했다."고 일컬었다. 생각건대 이 2개의

先生이라 한다. 송대 夏縣 涑水鄕(현 산서성 夏縣) 사람으로 翰林侍讀, 權御使中丞, 門下侍郞 등을 역임하였다. 왕안석의 신법에 반대하여 퇴출되었다가 재상으로 복직하여 신법을 폐지하였다. 저서는 『文集』과 『資治通鑑』·『稽古錄』·『易說』·『潛虛』 등이 있다.

161 丁度(990~1053): 자는 公雅이고 시호는 文簡이며, 북송 開封 사람이다. 어려서부터 성격이 질박하여 예절을 갖춘 태도를 중시하지 않았다고 한다. 북송 3대 眞宗 大中祥符 연간(1008~1016년)에 과거에 급제하여 벼슬은 太常禮院, 知審刑院, 樞密副使, 參知政事, 尙書省左丞 등을 역임하였다. 仁宗 景祐 4년(1037년)에 조칙을 받들어 李淑 등과 함께 『韻略』을 편수하였다. 그 외 저술로 『邇英聖覽』·『龜鑑精義』·『武經總要』 등이 있다.

162 高若訥(997~1055): 자는 敏之, 並州 楡次(현 산서성 소속) 사람인데 이주해서 衛州(현 하남성 汲縣)에서 살았다. 博聞强記하여 특히 천문학과 의학에 뛰어났다. 북송 仁宗 天聖 연간(1023~1031년)에 진사에 급제하여 벼슬은 龍圖閣直學士, 史館修撰, 知諫院, 參知政事, 樞密副使 등을 역임하였다. 저술로는 『文集』 20권과 『傷寒論』·『千金方』·『外台秘要』 등이 있다.

163 "有田父於野地中得周時玉尺, … 皆短校一米.": 劉義慶의 『世說新語』 「術解」 제20에는, "後有一田父耕於野得周時玉尺, 便是天下正尺. 荀試以校己所治鐘鼓·金石·絲竹, 皆覺短一黍."라고 되어 있다.

164 蕭寶卷: 자는 智藏이고 원래의 이름은 蕭明賢이다. 남조 齊나라 明帝 蕭鸞의 둘째 아들이다. 명제를 이어 약관 16세에 제나라 6대 황제로 제위를 계승하였으나 荒淫殘暴하여 雍州刺史 蕭衍에게 피살되어 재위기간이 4년(498~501)에 그쳤다. 뒤에 和帝 때에 東昏侯로 강봉되었다.

척尺은 길이가 거의 같다.

三. 梁表尺, 實比晉前尺一尺二分二釐一毫有奇. 蕭吉云：“出於『司馬法』, 梁朝刻其度於影表以測影.” 按：此卽祖暅所籌造銅圭影表者也.

3. 양梁나라 표척表尺은 실은 진晉나라 전척前尺에 비교하면 1척 2분 2리 1호 남짓이다. 소길蕭吉[165]이 말했다. “『사마법司馬法』[166]에서 나왔는데, 양梁나라 조정에서 영표影表에 그 도수를 새겨서 그림자를 측량하였다.” 생각건대 이것은 곧 조환祖暅이 계산한 것으로서 동銅으로 된 규영표圭影表[167]를 만드는 것이다.

四. 漢官尺, 晉時始平掘地, 得古銅尺. 實比晉前尺一尺三分七毫. 蕭吉云：“漢章帝時, 零陵文學史奚景於冷道縣舜廟下得玉律, 度爲此尺.” 傳暢『晉諸公讚』云：“荀勖新造鐘律, 時人並稱其精密, 惟陳留阮咸譏其聲高. 後始平掘地得古銅尺, 歲久欲腐, 以校荀勖今尺短校四分, 時人以咸爲神解.” 此兩尺長短近同.

4. 한漢나라 관척官尺은 진晉나라 때에 시평군始平郡(현 호북성) 양번시襄樊市에서 땅을 파다가 옛 동척銅尺을 얻었다. 실은 진晉나라 전척前尺에 비교하면 1척 3분 7호이다. 소길蕭吉이 말했다. “한漢나라 장제章帝(재위기간 75~88) 때에 영릉문학사零陵文學史 해경奚景이 냉도현冷道縣(현 호남성 영원현寧遠縣) 순묘舜廟 아래에서 옥율玉律을 얻어 길이를 재어서 이 척尺을 만들었다.” 부창傳暢[168]은 『진제공찬晉諸公讚』에서 말했다. “순욱이 새로 종율을 만드니 당시 사람들은 모두 그것이 정밀하다고 칭찬했는데, 오직 진류陳留(현 하남성 개봉시開封市 진류진陳留鎮)의 완함阮咸[169]만이 그 성성聲이 높다고 비난했다. 뒤에 시평군始平郡

165 蕭吉：자는 文休이고 南蘭陵(현 강소성 武進) 사람이다. 남조시대 梁나라의 종실로서 조부가 양 무제 蕭衍의 형인 長沙宣武王 蕭懿이다. 隋나라 때에 養生家로 음양학, 曆算法, 양생술에 뛰어났다. 벼슬은 太府少卿을 역임하였다. 저술로는 『五行大義』・『帝王養生要方』・『相經要錄』 등이 있었는데 모두 전해지지 않는다.

166 『司馬法』：전국시대의 중요한 兵書의 하나이다. 漢나라 때에 그 가치를 높게 사서 한 무제는 사마병법을 전문적으로 연구하는 박사를 두려고 하기도 했다. 동한 이후 馬融, 鄭玄, 曹操 등의 저작 중에 모두 이 책을 중요한 문헌자료로 삼아 인용하였고 서주와 춘추시대의 군사제도를 설명한 책이라고 고증하기도 했다. 또한 晉나라와 唐나라 때의 杜預, 賈公彦, 杜佑, 杜牧 등도 『司馬法』을 그들 이론정립의 전거로 삼고 있다. 송대 元豊 연간(1078~1085년)에 『司馬法』을 『武經七書』의 하나로 편입시켜서 군 장교들의 필독서로 삼았다.

167 圭影表：圭와 表 두 부분으로 이루어진 중국고대의 천문기구 중의 하나로서, 정오에 해 그림자의 길이를 재는 것이다. ‘규’는 남북 방향으로 평평하게 두고, ‘표’는 규의 남쪽 끝에 수직으로 세워둔다. 정오에 표의 그림자가 규에 투사되는 길이에 따라 동지와 하지 및 24절기를 판단한다.

168 傳暢(?~330)：자는 世道이고 西晉 사람이다. 어려서부터 배포가 커서 약관이 되기 전에 명성을 날렸다. 벼슬은 秘書丞을 거쳐 石勒 휘하에서 大將軍右司馬를 역임하였다. 저술로는 『晉諸公敍贊』22권과 『公卿故事』9권 등이 있다.

169 阮咸：자는 仲容이고 西晉의 陳留 尉氏(현 하남성 소속) 사람이다. 嵇康, 阮籍, 山濤, 向(상)秀, 劉伶, 王戎과 함께 竹林七賢으로 일컬어진다. 완함은 阮籍의 조카로서 완적과 함께 “大小阮”이라고 일컬어진다. 완함은 저명한 음악가로서 벼슬은 散騎侍郞, 始平太守를 역임했지만, 평생토록 어디에도 얽매이지 않고 방랑하면서

에서 땅을 파다가 옛 동척銅尺을 얻었는데, 세월이 오래되어 부식되려고 해서 순욱의 금척今尺으로 비교하니 4분이 짧았으므로, 당시 사람들은 완함을 신해神解(신통한 능력이 있는 사람)로 여겼다." 이 2개의 척尺은 길이가 거의 같다.

五. 魏尺, 杜夔所用調律, 實比晉前尺一尺四分七釐. 按: 劉徽『九章註』云, "此尺長於王莽斛尺四分五釐." 然卽其斛分以二千龠約之, 知其律止容七百二十分六釐六毫六絲有奇, 則其徑爲三分三釐弱爾. 然則其斛分數與王莽斛分雖不同, 而其容受多寡相去未懸遠也.

5. 위척魏尺은 두기杜夔가 조율하는 데에 사용한 것이니, 실은 진晉나라 전척前尺에 비교하면 1척 4분 7호이다. 생각건대 유휘劉徽[170]는 『구장산술주九章算術註』에서 "이 척尺은 왕망의 곡척斛尺보다 4분 5리가 길다."라고 하였다. 그러나 그 곡분斛分에 2,000약龠으로 약분하면 그 율관은 다만 720분 6리 6호 6사 남짓을 담을 수 있으니, 그 지름이 3분 3리 약弱이 된다는 것을 알 수 있다. 그렇다면 그 곡분斛分의 수는 왕망의 곡분과는 비록 같지 않지만, 그 용량의 많고 적음은 서로간의 차이가 현격하게 크지는 않다.

六. 晉後尺, 實比晉前尺一尺六分二釐. 蕭吉云: "晉氏江東所用."

6. 진晉나라 후척後尺은 실은 진晉나라 전척前尺에 비교하면 1척 6분 2리이다. 소길蕭吉이 말했다. "진晉나라가 강동江東에 있을 때에 사용한 것이다."

七. 後魏前尺, 實比晉前尺一尺二寸七釐.

7. 후위後魏의 전척前尺은 실은 진晉나라 전척前尺에 비교하면 1척 2촌 7리이다.

八. 中尺, 實比晉前尺一尺二寸一分一釐.

8. 중척中尺은 실은 진晉나라 전척前尺에 비교하면 1척 2촌 1분 1리이다.

九. 後尺, 實比晉前尺一尺二寸八分一釐. 後周市尺, 開皇官尺, 卽鐵尺一尺二寸. 此後魏初及東西分國後周未用玉尺之前, 雜用此等尺.

9. 후척後尺은 실은 진晉나라 전척前尺에 비교하면 1척 2촌 8분 1리이다. 후주後周의 시척市尺과 개황開

음률에 정통하여 일종의 고대 琵琶인 '阮咸'을 자기 이름으로 삼았다. 대표곡은 『三峽流泉』 1곡이 남아 있다.

170 劉徽(225~295): 위진 시대의 위대한 수학자로서 중국 전통 수학이론의 기초를 정립한 사람이다. 산동성 鄒平縣 사람이다. 그의 걸작인 『九章算術注』와 『海島算經』은 중국의 가장 보배로운 수학적 유산으로 평가되고 있다. 중국 역사상 최초로 논리적인 추리 방법을 써서 수학적 명제를 논증한 그의 주석은 단순한 주석이 아닌 수학 이론서라고 할 수 있다. 그는 원주율을 산출하는 데에 무한등비급수의 극한치를 구하는 방법과 유사한 추리 방법을 적용하여 근사치(157/50=3.14)를 구하는 데 성공하였다.

皇[171]의 관척官尺은 곧 철척鐵尺 1척 2촌이다. 이것은 후위後魏 초기와 동서로 나라가 나뉠 때부터 후주後周에서 아직 옥척玉尺을 사용하기 이전까지 이들 척尺을 뒤섞어 사용했다.

十. 東後魏尺, 實比晉前尺一尺五寸八毫. 『魏史』「律歷志」云: "公孫崇永平中更造新尺, 以一黍之長累爲寸法. 尋太常卿劉芳受詔脩樂, 以秬黍中者一黍之廣卽爲一分. 而中尉元匡, 以一黍之廣度黍二縫以取一分. 三家紛競, 久不能決. 太和十九年, 高祖詔以一黍之廣, 用成分體九十之黍黃鐘之長, 以定銅尺. 有司奏從前詔, 而芳尺同高祖所制, 故遂典脩金石, 迄武定未有論律者."

10. 동위東魏와 후위後魏의 척尺은 실은 진晉나라 전척前尺에 비교하면 1척 5촌 8호이다. 『위서魏書』 「율력지」에서 말했다. "공손숭公孫崇이 영평永平[172] 연간에 새로운 척尺을 다시 만들었으니, 기장 알 1개의 길이를 겹쳐서 촌법寸法으로 삼았다. 곧이어 태상경太常卿 유방劉芳이 조칙을 받들어 악樂을 정비할 때에 검은 기장 알 중간 크기 1개의 폭으로 곧 1분을 삼았다. 그런데 중위中尉 원광元匡은 기장 알 1개의 폭으로 기장 알 2개를 이은 것을 재어 1분으로 취하였다.[173] 세 학자의 설이 어지럽게 다투어 오랫동안 결단할 수 없었다. 태화太和[174] 19년(495년)에 고조高祖(북위北魏 효문제孝文帝의 묘호)가 조칙을 내려 기장 알 1개의 폭으로 분의 바탕을 이루고 기장 알 90개를 황종관의 길이로 하여 동척銅尺을 정하였다. 유사有司가 이전의 조칙을 따르기를 주청하였으나, 유방劉芳의 척尺이 고조가 제정한 것과 같았기 때문에 마침내 금석金石을 맡아서 정비하여 무정武定[175] 연간에 이르도록 율을 논하는 사람이 없었다."

十一. 蔡邕銅龠尺, 後周玉尺. 實比晉前尺一尺一寸五分八氂. 從上相承有銅龠一, 以銀錯題其銘. 見「制律篇」中. 祖孝孫云: "相承傳是蔡邕銅龠. 後周武帝保定中, 詔遣盧景宣長孫紹遠斛斯徵等累黍造尺, 從橫不定. 後因脩倉掘地得古玉斗, 以爲正器. 據斗造律度量衡. 因用此尺, 大赦, 改元天和. 百司行用, 終於大象之末. 其律與蔡邕古龠同."

11. 채옹蔡邕의 동약척銅龠尺은 후주後周의 옥척玉尺이다. 실은 진晉나라 전척前尺에 비교하면 1척 1촌 5분 8리이다. 윗대에서부터 서로 계승해온 동약척銅龠尺 1개가 있었으니 은銀으로 그 제목을 상감한 것이다. 「제율편制律篇」에 있다. 조효손祖孝孫[176]이 말했다. "서로 계승해 전해온 것은 채옹蔡邕의 동약

- - - - - - - - - - - - - - - -

171 開皇: 隋나라 文帝 때의 연호. 581~600년
172 永平: 北魏 宣武帝 때의 연호. 508~512년
173 그런데 中尉 … 취하였다.: 유희는 『律呂新書摘解』「律呂證辨」에서, "이것은 바로 1개의 기장 알로 1개의 기장 알을 이어서 머리 부분과 끝부분이 서로 맞댄 것이 마치 한 알의 기장 알 같아서 점점 정밀해진 것이다. 아래 글의 등보신의 尺은 비록 이것과 길이와 폭에 차이가 있지만 형태를 취한 것은 한가지이다.(此乃以黍繼黍, 首尾相銜, 比之單量一黍者, 稍爲精密矣. 下文鄧保信尺, 雖與此有長廣之異, 所以取形, 則一也.)"라고 하였다.
174 太和: 北魏 孝文帝 때의 연호. 477~499년
175 武定: 北魏 孝靜帝 때의 연호. 543~550년

척銅龠尺이다. 후주後周의 무제武帝 보정保定(561~565년) 연간에 노경선盧景宣・장손소원長孫紹遠・곡사징斛斯徵 등을 조칙으로 파견하여 기장 알을 겹쳐서 척尺을 만들도록 했는데, 가로로 겹칠지 세로로 겹칠지를 결정하지 못했다. 나중에 창고를 수리하려고 땅을 파다가 옛 옥두玉斗를 얻어서 정기正器로 삼고, 옥두玉斗에 의거해서 율律・도度・량量・형衡을 만들었다. 이 척尺을 사용하면서 대 사면을 내리고 천화天和[177]로 연호를 고쳤다. 백관이 널리 퍼뜨려 사용하다가 대상大象[178] 연간의 말년에 끝났다. 그 율관은 채옹의 고약古龠과 같다."

按: 銅龠玉斗, 二者當是古之嘉量. 當時據斗造尺, 但以容受乘除求之. 然自魏而下, 論律者多惑於三分之徑. 今以『隋志』所載玉斗容受, 析之爲一十一萬八百分有奇. 一斗, 計二百龠, 以二百約之, 得五百五十四分有奇爲一龠之分. 以筭法攷之, 其徑不及三分, 故其尺律遂長. 然權量與聲, 尙相依近也. 唐之度量權衡, 與玉斗相符, 卽此尺爾.

생각건대 동약銅龠과 옥두玉斗 둘은 당연히 고대의 가량嘉量이다. 당시에는 옥두玉斗에 의거해서 척尺을 만들었는데, 다만 용량으로 곱하거나 나누어서 그것을 구하였다. 그러나 위魏나라 이후로 율을 논하는 사람들은 대부분 지름 3분에 대하여 의혹을 가졌다. 이제 『수서隋書』「율력지」에 실려 있는 옥두玉斗의 용량으로 가늠해 보면 110,800분 남짓이 된다. 1두斗는 200약龠으로 계산되니, 200으로 약분하면 554분 남짓을 얻어서 1약龠의 분分이 된다. 산법算法으로 그것을 고찰하면 그 지름은 3분에 미치지 못하므로 그 척尺으로 만든 율관은 마침내 길게 된다. 그러나 권權・량量과 성聲은 서로 의지하는 것이 가깝다. 당唐나라의 도度・량量・권權・형衡은 옥두玉斗와 서로 부합하니, 곧 이 척尺일 뿐이다.

十二. 宋氏尺, 錢樂之渾天儀尺, 後周鐵尺. 實比晉前尺一尺六分四釐. 開皇初調鐘律尺, 及平陳後調鐘律水尺, 此宋代人間所用尺, 傳入齊梁陳以制樂, 制與晉後尺, 及梁時俗尺, 劉曜渾儀尺, 略相依近, 當由人間常用增損訛替之所致也.

12. 송씨척宋氏尺은 전악지錢樂之[179]의 혼천의척渾天儀尺과 후주後周의 철척鐵尺이다. 실은 진晉나라 전척前尺

. . . .

176 祖孝孫: 隋나라・唐나라 때의 악률학자이다. 하북성 范陽祖氏 문중의 율력산술학 계승자의 한 사람이다. 隋나라 초기 開皇 연간(581~600년)에 協律郎, 參定雅樂 등을 역임하였다. 일찍이 칙령을 받들어 陳山陽太守 毛爽에게 가서 京房의 律法을 배웠고, 360율을 사용할 것을 건의하였으니 채용되지 못했다. 唐나라 때에는 著作郎, 吏部郎, 太常少卿 등을 역임하였다. 당 高祖 武德 9년(626년)에 악률을 재정비하라는 조칙을 받들어 貞觀 2년(628년)에 악률을 완성하였다. 그는 가학인 율학이론과 張文收의 실제 聽音의 주장을 결합하여 조율과 12율이 돌아가며 궁성이 되는 문제를 실천적으로 해결하였다. 그의 이론은 역사서의 「音樂志」, 「禮樂志」에 실려 있는 것 외에는 모두 실전되었다.

177 天和: 北周 武帝 때의 연호. 566~571년

178 大象: 北周 宣帝 때의 연호. 579~580년

179 錢樂之: 남조 宋나라의 太史令을 역임한 율력학자이다. 元嘉 연간(424~453년)에 조칙을 받들어 張衡의 舊儀를 새로 제작하였고 그 뒤에 또 小渾天儀를 창제하였다. 445년에 何承天이 新律을 의논하기 전에 전악지는

에 비교하면 1척 6분 4리이다. 개황開皇 연간 초기에 종율척鐘律尺을 조절하고 진陳나라를 평정한 뒤에 종율수척鐘律水尺을 조절하였는데, 이것은 송대宋代(남조의 송)에 민간에서 사용한 척尺이 제齊나라·양梁나라·진陳나라에 전해 들어와 악樂을 제정하였고, 그 제정한 것이 晉나라 후척後尺과 양梁나라 때의 속척俗尺 및 유요劉曜[180]의 혼의척渾儀尺과 대략 서로 비슷해졌으니, 마땅히 민간에서 상용하면서 늘이고 줄여서 잘못 된 것에 말미암아 일어나게 된 것이다.

周建德六年, 平齊後卽以此同律度量頒于天下. 其後宣帝時達奚震, 及牛弘等議曰: "竊惟權衡度量, 經邦懋軌. 誠須詳求故實, 考校得衷. 謹尋今之鐵尺, 是太祖遣尚書故蘇綽所造. 當時檢勘用爲前周之尺, 驗其長短與宋尺符同, 卽以調鐘律并用均田度地.

주周[北周]나라 건덕建德[181] 6년(577년)에 제齊나라를 평정한 뒤 곧바로 이것을 가지고 율律·도度·량量을 같게 하여 천하에 반포하였다. 그 뒤 선제宣帝 때에 달해진達奚震과 우홍牛弘 등이 논의하여 말했다. "생각건대 권權·형衡·도度·량量은 나라를 경영하는 데에 중요한 법규입니다. 참으로 반드시 전거로 삼을 만한 옛날의 일을 상세히 찾아내어 그 내용을 비교 검토해야 합니다. 삼가 요즘의 철척鐵尺을 살펴보니 태조가 상서尚書 고故 소작蘇綽[182]에게 보내서 만든 것입니다. 당시에 검사하고 살펴서 전주前周의 척尺으로 삼고 그 길이를 검증하니 송척宋尺과 부합하므로, 곧바로 그것으로써 종율鐘律을 조절하고 아울러 균전제와 땅을 재는 데에 사용했습니다.

今以上黨羊頭山黍依『漢書』「歷志」度之, 若以大者稠黍依數滿尺實於黃鐘之律, 須撼乃容. 若以中者累尺雖復小稀實於黃鐘之律, 不動而滿. 計此二事之殊, 良由消息未善, 其於鐵尺, 終有一會. 且上黨之黍, 有異他鄉; 其色至烏, 其形圓重; 用之爲量, 定不徒然. 正以時有水旱之差, 地有肥瘠之異, 取黍大小, 未必得中. 按: 許愼解秬黍體大, 本異於常; 疑

京房의 60율을 연역하여 360율을 제출하고 삼분손익법을 극단으로까지 미루어 나갔다. 이러한 번다한 논의는 마침내 당나라 祖孝孫과 張文收의 12율, 八十四調旋宮法으로 재정립되었다. 그의 이론에 대한 자세한 설명은 『隋書』「律曆志」에 있다.

180 劉曜(?~328): 16국 시대 前趙의 군주로서 新興(산서성 忻州市) 출신 흉노족이었다. 자는 永明이고 문장과 서예에 뛰어났다. 西晉을 멸망시키는 전쟁에 참여하여 승리한 뒤에 長安에 주둔해 있다가 도읍을 장안으로 옮겼다. 그러나 오래지 않아 石勒이 자립하여 국가가 분열되었고 석륵에게 포로가 되어 피살되었다.

181 建德: 北周 武帝 때의 연호. 572~577년

182 蘇綽(498~546): 남북조 시대 西魏의 대신으로 자는 令綽이고, 京兆 武功(현 섬서성 武功) 사람이다. 어려서부터 학문을 좋아하여 群書를 두루 읽었고 특히 산술학에 뛰어났다. 宇文泰의 신임을 얻어 大行臺左丞이 되고, 機密에 참여하면서 제도개혁에 힘썼다. 計帳(징세 문서)과 호적법 등을 창제하여 부국강병에도 노력하였다. 그의 제도개혁 초안인 『六條詔書』는 당시의 관료들뿐 아니라 후세에까지 영향을 미쳤다. 『六條詔書』는 나중에 『大誥』로 완성되었고, 그 내용뿐 아니라 그 간결한 문체는 西魏 문장의 새로운 기풍을 일으키기도 했다. 만년에 칙명을 받들어 『周禮』에 의거하여 官制를 개혁하려 했으나 완성을 보지 못하고 세상을 떠났다. 저술로는 『佛性論』·『七經論』 등이 있다.

今之大者, 正是其中. 累百滿尺, 卽是會古; 實龠之外, 纔剩十餘; 此恐圍徑或差, 造律未妙; 就如撼動取滿, 論理亦通.

이제 상당上黨(현 산서성 동남부) 양두산羊頭山[183]의 기장을 가지고 『한서』「율력지」에 의거하여 재어보니, 만약 큰 기장 알을 빽빽하게 숫자만큼 척尺에 꽉 차게 황종의 율관에 채우면 반드시 흔들어 다져야 담을 수 있을 것입니다. 만약 기장 알 중간크기를 척尺에 겹치게 하면 비록 다시 조금 듬성듬성하게 황종의 율관에 채워질 것이니 흔들지 않아도 가득찰 것입니다. 이 두 경우의 차이를 헤아려보면 이는 참으로 줄이고 늘임을 잘못한 데에서 말미암으니, 그것은 철척鐵尺에서 끝내 한 번 만날 것입니다. 또 상당上黨의 기장 알은 다른 지방과는 달라서 그 색깔이 아주 검고 그 형태가 둥글고 무거우니, 그것을 가지고 량量으로 삼으면 반드시 쓸데없지는 않을 것입니다. 그렇지만 때에는 홍수와 가뭄의 차이가 있고 땅에는 비옥하고 척박한 정도가 다르니, 기장 알의 크기를 취할 때에 반드시 적절한 것을 얻지는 못할 것입니다. 생각건대 허신許愼은 검은 기장이 크기가 커서 본래 일반적인 것과는 다르다고 풀이하였으니, 아마 요즘의 큰 것이 바로 그 중간 크기일 것입니다. 기장 알 100개를 겹쳐서 척尺을 가득 채우는 것은 곧 옛것을 이해한 것이지만, 약龠을 채운 것 밖에 바로 10여 개가 남아 있는 것은 아마 원지름이 혹 틀려서 율관을 정교하게 만들지 못한 것이니, 예컨대 흔들어 다져서 가득 채운다고 하는 것도 논리가 통합니다.

今勘周漢古錢大小, 有合宋氏渾儀尺度; 又依『淮南』累粟十二成寸, 明先王制法. 索隱鉤深以律計分, 義無差異. 『漢書』「食貨志」云, '黃金方寸, 其重一斤.' 今鑄金校驗, 鐵尺爲近; 依文據理, 符會處多. 且平齊之始, 已用宣布; 今因而爲定, 彌合時宜. 至於玉尺累黍以廣爲長, 累旣有剩, 實復不滿; 尋訪古今, 恐不可用. 其晉梁尺量, 過爲短小; 以黍實管, 彌復不容; 據律調聲, 必致高急. 且八音克諧, 明王盛軌; 同律度量, 哲后通規.

이제 주周나라와 한漢나라 고전古錢의 크기를 살펴보니, 송씨宋氏의 혼의척도渾儀尺度에 합치됨이 있고, 또 『회남자淮南子』에 의거해서 알곡 12개를 겹쳐서 촌寸을 이룬다는 것은 선왕이 법도를 만들었다는 사실을 밝힌 것입니다. 숨어 있는 것을 찾아내고 깊은 것을 취하여 율로써 분分을 계산하면 내용에 차이가 없을 것입니다. 『한서』「식화지食貨志」에서 말하기를, '황금이 1입방촌이면 그 무게가 1근이다.'라고 하였습니다. 이제 금을 주조해서 비교 검사해 보니 철척鐵尺이 가깝지만 문맥에 의거하면 견강부회한 곳이 많습니다. 또 제齊나라를 평정한 초기에 이미 사용할 것을 선포하여 이제 그것에 따라 제정하여 시의時宜에 맞게 하였습니다. 옥척玉尺의 경우는 기장 알을 겹쳐서 그 폭을 길이로 삼았는데, 겹친 것이 이미 나머지가 있거나 채워도 다시 가득 차지 않으니, 고금에서 찾아보아도 아마 쓸모없을 것 같습니다. 그 진晉나라와 양梁나라의 척량尺量은 지나치게 짧고 작아서 기장 알로 율관을 채우면 더욱더 담지 못하게 되어, 율관에 의거하여 성聲을 조절하면 반드시 높고 급해집니다.

---

183 羊頭山: 산서성 長治縣·長子縣과 高平市 경계에 있는 해발 2,000여 미터의 산이다. 산봉우리에 양의 머리처럼 생긴 거대한 바위가 있어서 羊頭山이라고 이름 붙여졌다.

또 8음八音[184]이 조화로운 것은 명석한 왕의 융성한 궤적이고, 율律·도度·량量을 동일하게 하는 것은 명철한 왕의 두루 통하는 규범입니다.

臣等詳校前經, 斟量時事, 謂用鐵尺, 於理爲便, 未及詳定, 高祖受終. 牛弘辛彦之鄭譯何妥等久議不決. 旣平陳, 一以江東樂爲善, 曰此華夏舊聲. 雖隨俗改變, 大體猶是古法. 祖孝孫云, 平陳後廢周玉尺律, 便用此鐵尺律; 以一尺二寸, 卽爲市尺.

신臣 등이 이전의 경전을 자세히 비교하고 당시의 정황을 참작해서 철척鐵尺을 사용하는 것이 이치상 편리하다고 했습니다만, 미처 심의해서 결정하기 전에 고조께서 제위를 이어받았습니다. 우홍牛弘·신언지辛彦之·정역鄭譯·하타何妥 등이 오랫동안 논의했지만 결정을 내리지 못했습니다. 진陳나라를 평정한 다음에 한결같이 강동江東의 악樂을 훌륭하다고 여겨, 이것이 중화의 옛 성聲이라고 하였습니다. 비록 세속에 따라 고치기는 했지만 그 대체大體는 여전히 옛 법도였습니다. 조효손祖孝孫은 '진陳나라를 평정한 뒤에 주周나라의 옥척율玉尺律을 폐지하고 바로 이 철척율鐵尺律을 사용하여, 1척 2촌으로 곧 시척市尺을 삼았다.'고 하였습니다."

按: 此卽本朝和峴所用影表尺也. 平陳以後, 蓋用此尺, 范蜀公以爲卽今太府帛尺, 誤矣.

생각건대 이것은 곧 본조本朝(송나라)의 화현和峴이 사용한 영표척影表尺이다. 진陳나라를 평정한 뒤에 대개 이 척尺을 사용했기 때문에, 범촉공范蜀公(范鎭)이 곧 현재 태부太府의 백척帛尺으로 여긴 것은 잘못이다.

十三. 開皇十年萬寶常所造律呂水尺, 實比晉前尺一尺一寸八分六釐. 今大樂庫及内出銅律一部, 是萬寶常所造, 名水尺律. 說稱其黃鐘律, 當鐵尺南呂倍聲, 南呂黃鐘羽也, 故謂之水尺律. 按: 萬寶常之律與祖孝孫相近, 然亦皆徑三分之法也.

13. 개황開皇[185] 10년(590년)에 만보상萬寶常이 만든 율려수척律呂水尺은 실은 진晉나라 전척前尺에 비교하면 1척 1촌 8분 6리이다. 지금의 대악고大樂庫와 내출동률内出銅律 1부는 만보상이 만든 것이니, 수척율水尺律이라고 명명한다. 그 설명에 황종율은 철척鐵尺 남려의 2배의 성聲에 해당한다고 일컬었다. 남려는 황종우黃鐘羽이므로 그것을 수척율水尺律이라고 한다. 생각건대 만보상의 율은 조효손祖孝孫과 서로 가깝지만 또한 모두 지름 3분의 법도이다.

十四. 雜尺, 劉暉渾天儀土圭尺. 實比晉前尺一尺五分.

14. 잡척雜尺은 유휘劉暉의 혼천의토규척渾天儀土圭尺이다. 실은 진晉나라 전척前尺에 비교하면 1척 5분이다.

---

184 八音: 악기의 통칭으로서, 金·石·絲·竹·匏·土·革·木의 8가지 재료로 만든 악기를 가리킨다.
185 開皇: 隋나라 文帝의 연호. 581~600년

十五. 梁朝俗間尺, 實比晉前尺一尺七分一釐. 按: 十五等尺, 其間多無所取證. 所以存而不削者, 要見諸代之不同, 多由於累黍及圍徑之誤也.

15. 양조梁朝의 속간척俗間尺은 실은 진晉나라 전척前尺에 비교하면 1척 7분 1리이다. 생각건대 15가지 척尺은 그 사이에 증명할 수 없는 것이 많았다. 그것을 보존하여 없애버리지 않은 까닭은 여러 왕조가 같지 않음을 보려고 한 것인데, 그것은 대부분 기장 알을 겹쳐 놓는 방법과 원지름을 잘못 안 것에서 말미암는다.

[23-10-8]

五代王朴準尺, 比漢前尺一尺二分. 見丁度表.

오대五代 왕박王朴의 준척準尺은 한漢나라 전척前尺에 비교하면 1척 2분이다. 정도丁度의 표문表文에 보인다.

[23-10-9]

本朝和峴用景表石尺, 比漢前尺一尺六分. 見丁度表.

본조本朝(송나라)의 화현和峴은 영표석척景表石尺을 사용하는데, 한漢나라 전척前尺에 비교하면 1척 6분이다. 정도丁度의 표문表文에 보인다.

[23-10-9-0]

太府布帛尺, 李照尺. 比漢前尺一尺三寸五分. 見溫公尺圖.

태부太府의 포백척布帛尺은 이조李照의 척尺이다. 한漢나라 전척前尺에 비교하면 1척 3촌 5분이다. 사마온공溫公(司馬光)의 『척도尺圖』에 보인다.

○阮逸胡瑗尺, 橫累一百黍. 比太府布帛尺七寸八分六釐, 與景表尺同. 見胡瑗樂義.

완일阮逸[186]과 호원胡瑗의 척尺은 가로로 기장 알 100개를 겹쳐 놓았다. 태부太府의 포백척布帛尺에 비교하면 7촌 8분 6리이니, 영표척景表尺과 같다. 호원胡瑗의 『악의樂義』에 보인다.

○鄧保信尺, 縱累百黍. 短於太府尺九分, 長於胡瑗尺九分五釐. 見鄧保信奏議.

등보신鄧保信의 척尺은 세로로 기장 알 100개를 겹쳐 놓았다. 태부太府의 포백척布帛尺보다 9분이 짧고, 호원胡瑗의 척尺보다는 9분 5리가 길다. 등보신의 『주의奏議』에 보인다.

· ·

186 阮逸: 阮逸女라고도 한다. 자는 天隱이고, 建州 建陽(현 복건성) 사람이다. 天聖 5년(1027년)에 진사에 급제하여 벼슬은 典樂事, 戶部員外郎, 尚書屯田員外郎 등을 역임하였다. 북송대 음악가로서 景祐 3년(1036년)에 조정에서 雅樂을 바로잡으려고 할 때에 龍圖閣直學士 鄭向과 『樂論』 12편을 지어 조정에 바쳤다. 인종 때에는 胡瑗과 함께 鍾管十三律을 교정하고, 鍾과 磬 각 1대씩을 주조하였다. 뒤에 太常鍾磬을 주조하였는데 옛 음률보다 1調를 낮추었고 그 樂名을 大安이라고 하였다. 저술로는 胡瑗과 함께 『皇祐新樂圖記』를 지었고, 『易筌』・『文中子注』・『皇佑新樂圖記』・『鍾律制儀並圖』 등이 있다.

○大晟樂尺, 徽宗皇帝指三節爲三寸. 長於王朴尺二寸一分, 和峴尺一寸八分弱, 阮逸胡瑗尺一寸七分. 短於鄧保信尺三分, 太府帛尺四分. 見大晟樂書.

대성악大晟樂[187]의 척尺은 휘종황제徽宗皇帝[188]의 손가락 3마디로 3촌을 삼았다. 왕박王朴의 척尺보다 2촌 1분이 길고, 화현和峴의 척尺보다 1촌 8분 약弱이 길며, 완일阮逸과 호원胡瑗의 척尺보다 1촌 7분이 길다. 등보신鄧保信의 척尺보다 3분이 짧고, 태부太府의 백척帛尺보다 4분 짧다. 『대성악서大晟樂書』에 보인다.[189]

[23-10-10]

仁宗景祐三年, 丁度等詳定黍尺鐘律. 丁度等言: "鄧保信所製尺, 用上黨秬黍圓者一黍之長累百而成. 又律管一據尺裁九十黍之長, 空徑三分, 圍九分, 容秬黍千二百. 遂用黍長爲分, 再累成尺; 校保信尺律不同; 其龠合升斗深闊, 推以筭法, 類皆差舛, 不同周漢量法.

인종仁宗 경우景祐 3년(1036년)에, 정도丁度 등이 서척黍尺과 종율鐘律 등을 상정詳定하였다. 정도 등이 말했다. "등보신鄧保信이 제작한 척尺은 상당上黨의 검은 기장 둥근 것 1개의 길이를 가지고 100개를 겹쳐서 이루었습니다. 또 율관은 한결같이 척尺에 의거해서 기장 알 90개의 길이로 마름질하고 구멍의 지름은 3분이며, 원둘레는 9분이고 검은 기장 알 1,200개를 담습니다. 마침내 기장 알의 길이로 분分을 삼고 다시 겹쳐서 척尺을 이루는데, 등보신의 척율尺律과 비교하면 같지 않으니, 그 약龠·합合·승升·두斗의 깊이와 넓이를 계산법으로 미루어보면 종류마다 모두 착오가 있어서 주周나라와 한漢나라의 용량법과는 같지 않습니다.

阮逸胡瑗所製, 亦上黨秬黍中者累廣求尺, 制黃鐘之律. 今用再累成尺, 比逸所製又復不同. 至於律管龠合升斗斛豆區鬴, 亦率類是.

완일阮逸과 호원胡瑗이 제작한 것도 역시 상당上黨의 검은 기장 알 중간 크기를 폭을 겹쳐서 척尺을

---

187 大晟樂: 북송 徽宗 崇寧 4년(1105년)에 제정한 궁정 아악으로서 휘종이 大晟樂이라고 이름 붙였다. 그 뒤에 휘종은 大晟府를 설립하여 아악 및 鼓吹樂을 전문적으로 주관하게 했다.

188 徽宗皇帝: 北宋 제8대 황제로서 본명은 趙佶이다. 재위기간은 1100~1125년이다.

189 [23-10-9-0] 이하의 小註: 유희는 『律呂新書摘解』「律呂證辨」에서, "이제 3개 조목의 小註를 고찰해 보면, 완일과 호원의 척은 이미 太府의 척과 비교하면 7촌 8분 6리이다. 등보신의 척이 만약 태부의 척보다 9분이 짧으면 마땅히 완일과 호원의 척보다 1촌 6분 5리 强이 길어야 하는데, 도리어 9분 5리라고 하였다. 大晟樂의 척은 이미 태부의 척보다 4분 짧으니, 마땅히 등보신의 척보다 5분 强이 길어야 하는데, 도리어 3분이라고 하였고, 마땅히 완일과 호원의 척보다 1촌 8분 7리 强이 길어야 하는데, 도리어 1촌 7분이라고 하였다. 무릇 같은 시대의 3개 척을 서로 비교하여 재는데도 그 기록이 서로 모순됨이 이와 같으니, 하물며 백 년이나 천 년 뒤에 마모되어 희미한 금석을 끌어내어 分·寸을 추산한다면 저절로 잘못이 없다고 하겠는가?(今以三條小註攷之, 阮·胡尺旣比太府尺七寸八分六釐矣. 鄧保信尺若短於太府尺九分, 則當長於阮·胡尺一寸六分五釐强, 而乃云九分五釐. 大晟尺旣短於太府尺四分, 則當長於鄧保信尺五分强, 而乃云三分; 當長於阮·胡尺一寸八分七里强, 而乃云一寸七分. 夫一時三尺相與較量, 而其所記錄牴牾若是, 況可於千百之後, 援出刓缺之金石, 計分推寸, 自謂無失也乎?)"라고 하였다.

구하여 황종의 율관을 만들었습니다. 이제 그것을 가지고 다시 겹쳐서 척을 이루면 완일이 제작한 것에 비해 또 다시 같지 않습니다. 율관의 약龠·합合·승升·두斗·곡斛·두豆·구區·부鬴의 경우도 역시 대략 같습니다.

蓋黍有圓長大小, 而保信所用者圓黍, 又首尾相銜; 逸等止用大者, 故再攷之卽不同. 尺旣有差, 故難以定鐘磬.

대개 기장 알에는 둥글기와 길이에 크고 작음이 있는데, 등보신이 사용한 둥근 기장은 또 머리부터 꼬리까지가 서로 이어지고, 완일 등은 다만 큰 것만을 사용했기 때문에 다시 그것을 고찰하면 같지 않았습니다. 척尺이 이미 차이가 있으므로 그것으로는 종鐘·경磬을 정하기가 어렵습니다.

謹詳古今之制, 自晉至隋, 累黍之法但求尺管, 不以權量叅校, 故歷代黃鐘之管, 容黍之數不同. 惟後周掘地得古玉斗, 據斗造律, 兼制權量, 亦不同周漢制度.

삼가 고금의 제도를 자세히 살펴보니, 진晉나라에서부터 수隋나라에 이르기까지 기장 알을 겹쳐놓는 방법으로는 다만 척尺과 율관만을 구했지, 그것으로써 권權과 량量을 참고하여 비교하지 않았으므로 역대 황종의 율관은 기장 알을 담는 수가 같지 않았습니다. 오직 후주後周 시대에 땅을 파다가 옛 옥두玉斗를 얻고는 그 옥두에 의거해서 율관을 만들고 아울러 권權과 량量을 제정하였는데, 이것 역시 주周나라와 한漢나라의 제도와는 같지 않습니다.

故『漢志』有備數和聲審度嘉量權衡之説, 悉起於黃鐘. 今欲數器之制叅伍無失, 則班「志」積分之法爲近. 逸等以大黍累尺, 小黍實龠, 自戾本法; 保信黍尺以長爲分, 雖合後魏公孫崇説, 然當時已不施用. 况保信今尺以圓黍累之, 及首尾相銜, 又與實龠之黍再累成尺不同? 其量器分寸旣不合古, 卽權衡之法不可獨用." 詔悉罷之.

그러므로 『한서』「율력지」에 있는 비수備數·화성和聲·심도審度·가량嘉量·권형權衡 등의 설명은 모두 황종에서 시작하였습니다. 이제 형衡·량量의 기구의 제도를 서로 비교해서 잘못이 없게 하려면, 반고의 『한서』「율력지」의 분分을 쌓는 법도가 가깝습니다. 완일 등이 큰 기장 알로 척尺에 겹쳐놓고 작은 기장 알로 약龠을 채우는 것은 스스로 근본이 되는 법도를 어그러뜨렸으며, 등보신의 서척黍尺이 길이를 분分으로 삼은 것은 비록 후위後魏 공손숭公孫崇의 주장과 부합하지만 당시에 이미 시행되지 못했습니다. 하물며 등보신의 금척今尺은 둥근 기장 알을 겹쳐놓아 머리부터 꼬리까지가 서로 이어지고, 또 약龠을 채운 기장 알이 다시 겹쳐서 척尺을 이룬 것과 같지 않으니 어떻겠습니까? 그 양기量器의 분分·촌寸이 이미 옛것에 합치되지 않으니 곧 권형權衡의 법도를 단독으로 사용할 수 없습니다." 이에 조칙을 내려 그것들을 모두 파기시켰다.[190]

....

190 이에 조칙을 … 파기시켰다. : 유희는 『律呂新書摘解』「律呂證辨」에서, "무릇 기장 알의 크기는 자고로 본디 이미 일정하지 않으므로, 반드시 '기장 알 중간 크기'라고 하였다. 해에는 풍년과 흉년이 있고 땅에도 역시

又詔丁度等詳定太府寺并鄧保信阮逸胡瑗所制四尺. 度等言: "『漢志』審度之法云, '一黍之
廣爲分, 十分爲寸, 十寸爲尺.' 先儒訓解經籍, 多引以爲義; 歷世祖襲, 著之定令; 然而歲
有豊儉, 地有磽肥; 就令一歲之中, 一境之内, 取黍檢驗, 亦復不齊. 是蓋天之生物, 理難均
一. 古人立法, 存其大槩爾; 故前代制尺非特累黍, 必求古雅之器, 以黍校焉.

또 정도丁度 등에게 조칙을 내려 태부시太府寺와 등보신·완일·호원이 제작한 4개의 척尺을 상정詳定하
라고 하였다. 정도 등이 말했다. "『한서』「율력지」심도審度의 법도에서, '기장 알 1개의 폭을 분分으로
삼고, 10분을 1촌寸으로 삼으며, 10촌을 척尺으로 삼는다.'고 했습니다. 선대 학자들이 경적經籍을 해설
하면서 대부분 인용하여 옳다고 여겨서, 역대로 답습하고는 확정된 법령으로 드러내었지만, 한 해에는
풍년과 흉년이 있고 땅에는 비옥함과 척박함이 있으니, 설령 한 해에 한 지역에서 기장을 취하여 검사
해보더라도 또한 결코 같지 않습니다. 이것은 하늘이 만물을 낳음에 이치가 균일하기가 어렵기 때문입
니다. 옛사람들이 법도를 세운 것은 그 대략을 보존하는 것일 뿐이므로, 전대前代에 척尺을 제작하는
것이 다만 기장을 겹쳐놓는 것 뿐 만은 아닐 것이니, 반드시 고대의 훌륭한 기구를 찾아내어 기장
알로 비교해야 할 것입니다.

晉泰始十年, 荀公魯等校定尺度以調鐘律,[191] 是爲晉之前尺. 前史稱其意精密, 『隋志』所

. . . .

기름지고 척박한 차이가 있으니, 비록 3종류의 체로 걸러도 반드시 옛날의 중간 크기에 합치한다는 것을
보장할 수 있겠는가? 설령 반드시 그 중간 크기를 얻었다고 하더라도 또 그 형태가 길쭉하지 않은 적이
없어서, 길이로 하면 尺이 길어지고 폭으로 하면 척이 짧아지니, 이것이 분분하게 논쟁하지만 끝내 한가지로
귀결되지 못하는 까닭이다. 내 생각에, 기장 알 1개가 이미 1分이 되면 1입방분 안에는 기장 알 1개를 담을
수 있고, 810입방분 안에는 다만 기장 알 810개를 담을 수 있을 뿐이다. 비록 다시 흔들어 눌러서 그 간극을
빽빽하게 해도 마땅히 불과 80~90알 정도를 더 넣을 수 있을 뿐인데, 어찌 390알이나 더 넣을 수 있겠는가?
그렇다면 1,200알을 담을 수 있다는 것은 반드시 기장 알의 세로 길이를 재어서 1분을 취하는 데에서 말미암
았을 것이므로 그 폭을 줄여서 스스로 더 들어갈 곳을 만들었을 것이다. 『漢書』에서 말한 기장 알의 폭은
글이 범범해서 마치 기장 알의 넓고 좁음을 말했지 반드시 가로로 잰다는 의미가 없다. 그런데 阮逸과 胡瑗
의 척은 이에 가로로 백 번 맞추어 보는 형세로도 1,200의 수를 수용할 수 없었기 때문에, 별도로 작은
기장 알로 그 龠을 채웠다. 이는 진실로 사람의 눈을 가린 것일 뿐이니 어찌 잘못되지 않았겠는가? 鄧保信은
비록 이와 같은 이치를 알았지만 다만 둥근 기장 알을 사용하여 특별히 길이와 폭의 차이가 없었으니, 그
龠을 채우는 데에 미쳐서는 역시 다른 기장 알을 사용할 수밖에 없었을 것이니, 또한 완일·호원과 다를
것이 없다.(夫黍之大小, 自古固已不一, 故曰曰, '中者一黍也. 歲既有豊歉, 地亦殊肥磽, 雖以三等篩篩之, 能
保其必合古之中者乎? 假使必得其中者, 且其爲形未嘗不稽, 以長則尺脩, 以廣則尺短, 此所以紛紛爭辨而卒莫
歸一者也. 愚意一黍既爲一分, 則一方分之内, 適容一黍八百一十方分, 只可受八百一十黍. 雖復撼動使密其縫
隙, 當不過加入八九十粒而已, 寧能至三百九十粒之多乎? 然則所以能受一千二百者, 其必由於黍之縱長量取
一分, 故其廣之縮, 自生加入之地爾. 『漢書』所云一黍之廣者, 文字泛然, 如言一黍之濶狹也, 未必以橫量爲意.
而阮·胡之尺, 乃以橫百準之勢不能受一千二百之數, 故別以小黍實其龠. 苟掩人目而已, 豈不大駴乎? 鄧保信
雖能知如是之理, 但用圓黍別無長廣之差, 及其實龠亦未免用他黍, 則又無以異於阮·胡矣.)"라고 하였다.
191 荀公魯等校定尺度以調鐘律 : 여기에서 荀公魯는 荀公曾으로 고쳐야 한다. 荀勖의 자가 公曾이다.

載諸代尺度十有五等, 以晉之前尺爲本; 以其與姬周之尺劉歆銅斛尺建武銅尺相合. 竊惟周漢二代享年永久, 聖賢制作, 可取則焉; 而隋氏鑄毀金石, 典正之物, 罕復存者矣.

진晉나라 태시泰始[192] 10년(274년)에 순공증荀公曾[荀勗] 등이 척도尺度를 교정하여 종율鐘律을 조절하였으니, 이것이 진晉나라의 전척前尺입니다. 전대의 역사에서는 그 의미가 정밀하다고 일컬었으며, 『수서隋書』 「율력지」에 실려 있는 여러 왕조의 척도尺度 15가지는 진晉나라의 전척前尺을 근본으로 삼고 희씨姬氏 주周나라 척尺과 유흠의 동곡척銅斛尺과 건무建武[193] 연간의 동척銅尺과 함께 서로 합치하였습니다. 생각건대 오직 주周나라와 한漢나라 2개의 왕조가 오랫동안 존속되었기 때문에 성현聖賢이 제작한 것을 본보기로 취할 수 있었지만, 수隋나라 때에 주조한 것은 금석金石을 훼손하였으므로 전범典範이 될 만한 것은 다시 보존된 것이 적습니다.

夫古物之有分寸, 明著史籍; 可以酬驗者, 惟有法錢而已. 周之圜法, 歷代曠遠, 莫得而詳察之; 半兩實重八銖. 漢初四銖, 其文亦曰半兩; 孝武之世, 始行五銖; 下洎隋朝, 多以五銖爲號. 既歷代尺度屢改, 故小大輕重鮮有同者; 惟劉歆制銅斛之世所鑄錯刀, 并大泉五十, 王莽天鳳元年改鑄貨布貨錢之類, 不聞後世復有鑄者.

무릇 옛 기물에 분分·촌寸이 있는 것은 역사책에 분명히 드러나니, 검증할 수 있는 것은 오직 법전法錢이 있을 뿐입니다. 주周나라의 화폐제도[圜法]는 역사가 멀고 오래되어 상세하게 고찰할 수 없지만, 반냥半兩은 실로 무게가 8수銖였습니다. 한漢나라 초기에는 4수銖가 되었는데 그 명문銘文에도 역시 반냥半兩이라고 하였으며, 효무제孝武帝의 시대에 비로소 5수銖로 시행했고, 아래로 수隋나라 왕조에 이르기까지 대부분 5수銖라고 불렀습니다. 이미 역대로 척도를 여러 차례 고쳤으므로 크고 작음과 가볍고 무거움이 같은 경우가 드물지만, 오직 유흠이 동곡銅斛을 제작한 시대에 주조한 착도錯刀와 대천오십大泉五十[194]과 왕망 천봉天鳳 원년(14년)에 다시 주조된 화포貨布·화전貨錢 따위가 있을 뿐 후세에 다시 주조한 것이 있었다는 말은 듣지 못했습니다.

臣等檢詳『漢志』,『通典』,『唐六典』, 大泉五十重十二銖, 徑一寸二分; 錯刀環如大泉, 身形如刀, 長二寸; 貨布重二十五銖, 長二寸五分, 廣一寸, 首長八分有奇, 廣八分, 足枝長八分, 間廣二分, 圓好徑二分半; 貨泉重五銖, 徑一寸. 今以大泉錯刀貨布貨泉四物相參校, 分寸正同; 或有小大輕重與本『志』微差者, 蓋當時盜鑄既多, 不必皆中法度. 但當校其首足肉好長廣分寸, 皆合正史者用之, 則銅斛之尺, 從而可知矣.

. . . .

192 泰始: 晉나라 武帝 때의 연호. 265~274년
193 建武: 후한 光武帝 때의 연호. 25~55년
194 大泉五十: 王莽 시대의 화폐이다. 대천오십을 주조했던 기간은 불과 13년이지만, 왕망 시대에 통행했던 화폐 가운데 유통기간이 가장 길었고 주조량도 가장 많았던 화폐이다. 화폐의 기본 형태는 단순하지만 화폐 뒷면의 문식과 문장 및 도안은 매우 다양하기로 유명하다.

신臣 등이 『한서』「율력지」와 『통전通典』과 『당육전唐六典』을 상세하게 검토해 보니, 대천오십大泉五十은 무게가 12수銖이고 지름이 1촌 2분이며, 착도錯刀는 고리가 대천오십과 같고 형태는 칼과 같고 길이는 2촌이었으며, 화포貨布는 무게가 25수銖이고 길이는 2촌 5분이고 폭은 1촌이며 머리 부분의 길이는 8분 남짓이고 폭은 8분이며 발부분의 길이는 8분이고 발 사이의 폭은 2분이며 원의 구멍 안 부분의 지름은 2분 반이었으며, 화천貨泉은 무게가 5수銖이고 지름이 1촌이었습니다. 이제 대천大泉과 착도錯刀와 화포貨布와 화천貨布 4가지를 서로 참조하여 비교하면 분分·촌寸이 꼭 같은데, 혹시라도 크고 작음과 가볍고 무거움이 본 『한서』「율력지」와 조금 차이가 있는 것은 대개 당시에 위조화폐를 주조한 것이 이미 많았으므로, 모두 다 법도에 맞을 수는 없었을 것입니다. 그러나 마땅히 그 '머리 부분[首]'·'발 부분[足]'·'구멍 바깥 부분[肉]'·'구멍 안 부분[好]'·'길이[長]'·'폭[廣]'의 분分·촌寸을 비교하여 모두 정사正史에 부합하는 것을 사용하면, 동곡銅斛의 척尺은 이를 따라 알 수 있을 것입니다.

有唐享國三百年, 其制作法度雖未逮周漢, 然亦可謂治安之世矣. 今朝廷必求尺度之中, 當依漢錢分寸. 若以爲太祖膺圖受禪, 創制垂法, 嘗詔和峴等用景表尺典脩金石, 七十年間薦之郊廟, 稽合唐制以示詒謀, 則可且依景表舊尺, 俟有妙達鐘律之學者, 俾攷正以從周漢之制. 王朴律準尺, 比漢錢尺寸長二分有奇, 比景表尺短四分; 既前代未嘗施用, 復經太祖朝更易. 其逸瑗保信照所用太府寺尺, 其制彌長, 去古彌遠, 不可依用. 謹攷舊文, 再造景表尺一, 校漢錢尺二, 并大泉錯刀貨布貨泉總十七枚上進." 而高若訥卒用漢貨泉度一寸, 依『隋書』定尺十五種上之, 藏于太常寺.

당唐나라는 300년간 존속되었기 때문에 그 제작하는 법도가 비록 주周나라와 한漢나라에는 미치지 못하지만 역시 편안하게 다스려진 시대라고 할 수 있습니다. 이제 조정에서 반드시 적절한 척도를 구해야만 하니, 마땅히 한漢나라 동전의 분分·촌寸에 의거해야 할 것입니다. 만약 태조께서 하늘의 상서로운 응보를 얻어 제위帝位를 물려받아 제도를 창제하여 본보기를 물려주시려면, 일찍이 화현和峴 등에게 조칙을 내려 영표척景表尺을 사용하여 금석金石을 정리하고 70년간 교제郊祭와 묘제廟祭에 올려서 당唐나라의 제도와 부합하게 하여 후세에 계책을 보여야 했을 것입니다. 그러면 우선 영표구척景表舊尺에 의거하지만 종율에 정통精通한 학자를 기다려 고찰하고 바로잡도록 해서 주周나라와 한漢나라의 제도를 따라야 할 것입니다. 왕박王朴의 율준척律準尺은 한漢나라의 동전에 비교하면 2분 남짓이 길고 영표척에 비교하면 4분이 짧으니, 이미 전대前代에 시행한 적이 없었고 다시 태조 시대를 거치며 고쳐서 바꾸었습니다. 그 완일·호원·등보신·이조가 사용한 태부시척太府寺尺은 그 제도가 너무 오래되었고 옛것과의 거리가 더욱 멀리 떨어졌으니, 이에 의거하여 사용할 수 없습니다. 삼가 옛글을 상고하여 다시 영표척景表尺 1개를 만들고 한漢나라 전척錢尺 2개와 아울러 대천大泉·착도錯刀·화포貨布·화천貨泉 등 총 17매를 올립니다." 그런데 고약눌高若訥은 마침내 한漢나라 화천貨泉의 도度 1촌을 사용하고, 『수서隋書』에 의거하여 15가지 척尺을 정하여 올리니, 태상시太常寺에 보관하였다.

[23-10-11]

『周禮』, “臬氏爲量, 改煎金錫則不耗, 不耗然後權之, 權之然後準之, 準之然後量之, 量之以爲鬴, 深尺內方尺而圜其外, 其實一鬴. 鄭氏注曰: “以其容爲之名也. 四升曰豆, 四豆曰區, 四區曰鬴, 鬴, 六斗四升也. 鬴十則鍾. 方尺積千寸, 於今粟米法少二升八十一分升之二十二, 其數必容鬴, 此言方耳. 圜其外者爲之脣.” 其臋一寸, 其實一豆. 故書'臋作'脣'. 杜子春云: “當爲臋, 謂覆之其底深一寸也.” 其耳三寸, 其實一升. 耳在旁可擧也. 重一鈞, 三十斤. 聲中黃鐘之宮.”

『주례』에서, “율씨臬氏가 양기量器를 만드는 데에 쇠와 주석을 담금질하면 마모되지 않으니, 마모되지 않은 뒤에라야 저울로 쓰고 저울로 쓴 뒤에라야 수준기水準器로 쓰며 수준기로 쓴 뒤에라야 양기量器로 썼다. 양기量器로 쓰는 것을 부鬴로 삼았는데, 깊이는 1척尺이고 안의 네모난 것은 1척尺이고 그 밖은 둥글게 하였으니 그 부피가 1부鬴이다. 정씨鄭氏[鄭玄]가 주注에서 말했다. “그 용량으로 이름을 지었다. 4승升을 1두豆라고 하고, 4두를 1구區라고 하며, 4구를 1부鬴라고 하니, 부鬴는 6두斗 4승升이다. 10부鬴가 1종鐘이다. 네모난 것이 1척尺이면 부피는 1,000촌寸이니, 지금의 속미법粟米法보다 2와 22/81승升이 작고, 그 수가 반드시 1부鬴를 담는 데 이것은 네모난 것을 말할 뿐이다. 그 밖을 둥글게 한 것은 순脣이라고 한다.”[195] 그 밑[臋]은 1촌寸이고 그 부피는 1두豆이다. 고서古書에 '둔臋'을 '순脣'이라고 썼다. 두자춘杜子春[196]이 말하기를, “둔臋이 마땅하다. 그 밑바닥을 덮는데 깊이가 1촌寸이다.”라고 하였다. 그 귀 부분은 3촌寸이고 그 부피는 1승升이다. 귀 부분은 곁에 있어서 들 수 있다. 무게는 1균鈞이고, 30근斤이다. 성聲은 황종의 궁성에 맞다.”라고 하였다.

. . . .

195 鄭氏(鄭玄)가 注에서 … 한다. : 유희는 『律呂新書摘解』「律呂證辨」에서, “鄭氏(鄭玄)는 다만 方尺의 문장만 보았지 그것이 圜이 되는 내용을 알지 못했다. 사각형을 계산하는 방법도 비록 역시 1,000촌의 수가 6두 4승을 담을 수 없다는 것이 의심되지만, 끝내 그 밖을 둥글게 한 것을 입술부분[脣]에 귀결시켰으므로, 한나라의 斛을 보지 못했다고 했다. 무릇 원으로 된 斛 안에 어찌 정말로 사각형이 있겠는가? 다만 그 단면적의 용량을 보여주었을 뿐이다. 비록 1척의 사각형을 기준으로 하면 사각형의 4개의 각과 원주는 오히려 밀접하지 못하므로, 상호 간에 分·釐의 수만큼 거리가 있으니, 『漢書』「律曆志」에서 旁庣라고 하였다. 이제 만약 范氏(范鎭)가 말한 8촌척과 10촌척으로 구하면, 안의 사각형 8촌을 제곱하여 2배로 하면 8×8×2=128촌이 되고, 개방하면 대각선 길이 11촌 3분 1리 3모 强을 얻는다. 양 끝은 마땅히 旁庣가 각각 8리 7모가 있고 대각선의 길이와 아울러 11촌 4분 8리 7모 强이 된다. 원주율로 36촌 1분 2모 强의 원둘레를 구할 수 있고, 반지름과 반둘레를 곱하여 단면적 평방 103촌 68분 84리 90모 强을 얻을 수 있다. 또 깊이 10촌을 곱하여 부피 1,036과 8/10 强 입방촌을 얻을 수 있다. 이에 斗法 162로 약분하면 64라는 수를 얻으니 곧 6두 4승이다. 보주는 旁庣가 어떤 것인지 모르고 모호하게 4변의 활모양의 부피로 그것에 해당시켰으니 또한 비루하지 않은가?(鄭氏只見方尺之文, 而不知其爲圜內容. 方之術雖亦疑千寸之數不得容六斗四升, 然終不免以圜其外者歸之於脣, 故曰不及見漢斛也. 夫圓斛之內, 豈眞有方形哉? 特以見其空圜之所容爾. 雖然若準以一尺之方, 則方角與圓周猶未襯切, 故相距分釐之數, 『漢志』謂之旁庣也. 今若以范氏所云八寸尺·十寸尺求之, 內方八寸自乘加倍爲一百二十八寸, 開方得斜徑十一寸三分一里三毛强. 兩端當有旁庣各八里七毛, 並斜徑爲圓徑十一寸四分八里七毛强. 密率求得周三十六寸一分零二毛强, 半徑·半周相乘得冪一百零三寸六十八分八十四里九十毛强. 又以深十寸乘起得積一千零三十六寸十分寸之八强, 乃以斗法百六十二約之得數六四, 即六斗四升也. 補註不知旁庣之爲何物, 而糢糊以四邊弧矢之積當之, 不亦陋矣乎?)”라고 하였다.

196 杜子春(B.C.약30~약58) : 河南 緱氏(현 하남성 偃師) 사람이다. 서한 말년에 劉歆에게서 『周禮』를 전수받아 이를 후세에 전했다. 특히 동한 시대의 鄭衆과 賈逵가 그에게 수업을 받아서 『周禮』 연구를 발전시켰다.

[23-10-11-0]

按：周鬴容六斗四升, 實一千二百八十龠, 計一百三萬六千八百分爲一千三十六寸八分. 嘗攷漢斛容十斗, 實二千龠, 計一百六十二萬分爲一千六百二十寸. 蓋方尺圓其外. 庣旁九氂五毫, 故羃百六十二寸, 深尺積一千六百二十寸. 今攷周家八寸十寸皆爲尺. 范蜀公曰："周鬴方尺者八寸之尺, 深尺者十寸之尺. 方八寸, 圓其外庣其旁, 則羃一百三寸六分八氂, 深十寸, 則積一千三十六寸八分, 與漢斛同法無疑也." 鄭氏云, "方尺積千寸." 又云, "圓其外者爲之脣." 二説皆非是. 方鄭氏之世漢斛尚在, 豈偶不及見歟? 抑鄭氏以爲周鬴之制異於漢斛歟?

생각건대 주周나라의 부鬴는 용량이 6두斗 4승升이고 부피는 1,280약龠이며, 계산하면 1,036,800입방분[197]으로 입방 1,036촌과 8분이 된다. 일찍이 한漢나라 곡斛의 용량을 살펴보니 용량은 10두斗이고 부피는 2,000약龠이며, 계산하면 1,620,000입방분[198]으로 1,620입방촌이 된다. 대개 안의 네모난 것은 1척尺이고 그 밖은 둥글게 하였으며 옆을 '오목하게 한 것[庣]'이 9리 5분이니, 단면적은 162촌이고 깊이 1척의 부피는 1,620입방촌이다. 지금 살펴보면 주周나라는 8촌과 10촌을 모두 척尺으로 삼았다. 범촉공范蜀公范鎭이 말하기를, "주周나라의 부鬴는, 안의 네모난 것 1척尺은 8촌의 척尺이고 깊이 1척尺은 10촌의 척尺이다. 안의 네모난 것 8촌寸에 그 밖은 둥글게 하고 그 곁을 다 채우지 못하도록 하면, 단면적[羃]은 평방 103촌 6분 8리이고 깊이는 10촌이니, 부피는 입방 1,036촌 8분이고 한漢나라 곡斛과 법도가 같다는 것을 의심할 것이 없다."라고 하였다. 정씨鄭氏[鄭玄]가 말하기를, "안의 네모난 것 1척尺에 부피가 1,000입방촌寸이다."라고 하였고, 또 말하기를, "그 밖을 둥글게 한 것을 입술부분[脣]이라고 한다."라고 하였다. 위 2가지 주장은 모두 옳지 않다.[199] 마침 정현의 시대에는 한漢나라 곡斛이 아직 있었는데, 어찌 우연이라도 그것을 보지 못했겠는가? 그렇지 않으면 정현이 주周나라 부鬴의 제도가 한漢나라 곡斛의 제도와 다르다고 여겼겠는가?

[23-10-12]

『漢志』曰："量者, 龠合升斗斛也, 所以量多少也. 本起於黃鐘之龠, 用度數審其容, 以子穀秬黍中者千有二百實其龠, 以井水準其槩. 合龠爲合, 十合爲升, 十升爲斗, 十斗爲斛, 而

---

197 1,036,800입방분：1龠이 810입방분이므로 1,280龠은 1,280×810=1,036,800입방분이다.

198 1,620,000입방분：1龠이 810입방분이므로 2,000龠은 2,000×810=1,620,000입방분이다.

199 范蜀公范鎭이 말하기를 … 않다.：유희는 『律呂新書摘解』「律呂證辨」에서, "鄭康成[鄭玄]은 이미 周나라의 鬴가 사각형이라고 오인하여 그 밖을 둥글게 한다는 문장을 입술부분으로 던져버렸다. 胡安定[胡瑗] 역시 한나라 斛이 원형으로 만들어졌다는 것을 알지 못하고, 반드시 10斗의 용량을 받아들이게 하려 했기 때문에 그 깊이를 1척 6촌 2분으로 고치기에 이르렀다. 이 두 사람의 잘못은 斛을 사각형으로 여긴 데에 있으니, 또한 范氏[范鎭]의 잘못이 斛을 원형으로 여긴 것과 다름이 없다.(鄭康成旣誤認周鬴爲方形, 而以其圓外之文棄之於脣. 胡安定亦未知漢斛之爲圓制, 而必欲使受十斗之實, 故至改其深爲一尺六寸二分. 二家之失於方, 又無異於范氏之失於圓也.)"라고 하였다.

五量嘉矣." 其法用銅, 方尺而圓其外, 旁有庣焉. 其上爲斛, 其下爲斗, 左耳爲升, 右耳爲合. 龠, 其狀似爵, 上三下二, 參天兩地, 圓而函方, 左一右二, 陰陽之象也. 其圓象規, 其重二鈞, 備氣物之數, 合萬有一千五百二十. 聲中黃鐘之宮. 始於黃鐘而反覆焉.

『한서』「율력지」에서 말했다. "양量의 단위는 약龠·합合·승升·두斗·곡斛이니, 그것으로 크고 적은 부피를 재는 것이다. 본래 황종의 약龠에서 기원하였으니, 도수度數로써 그 용량을 자세히 살펴서 알곡 검은 기장 중간크기 1,200개로 그 약龠을 채워, 평평하게 평미레를 밀어 놓는다. 2약龠이 1합合이 되고, 10합이 1승升이 되며, 10승이 1두斗가 되고, 10두가 1곡斛이 되니, 5가지 부피 단위가 훌륭하다." 그 법도는 동銅을 사용하는데, 안의 네모난 것 1척尺에 그 밖은 둥글게 하고 옆을 오목하게 하였다. 그 윗부분은 곡斛이 되고, 그 아랫부분은 두斗가 되며, 왼쪽 귀 부분은 승升이 되고, 오른쪽 귀 부분은 합合이 된다. 약龠은 그 모습이 술잔[爵]과 유사한데, 위는 3가지이고 아래는 2가지이니,[200] 하늘을 3으로 하고 땅을 2로 하는 것이며,[201] 둥근 것이 네모난 것을 감싸고 있고, 왼쪽은 1개 오른쪽은 2개이니 음양의 상象이다. 그 둥근 것은 그림쇠를 닮았고, 그 무게는 2균鈞으로서 기물氣物의 수를 갖추어 합계가 11,520이다. 성聲은 황종의 궁성에 맞는데 황종에서 시작하여 반복한다.

[23-10-13]

『隋志』載斛銘曰: "律嘉量斛, 方尺而圓其外, 庣旁九釐五毫, 羃百六十二寸, 深尺積一千六百二十寸, 容十斗."

『수서隨書』「율력지」에 곡명斛銘이 실려 있다. 그 곡명은 다음과 같다. "율가량곡律嘉量斛은 안의 네모난 것이 1척尺이고 그 밖은 둥글게 하였으며 옆을 '오목하게 한 것[庣]'이 9리 5분이니, 단면적은 162촌이고 깊이 1척의 부피는 1,620입방촌이며, 용량은 10두斗이다."

[23-10-14]

魏陳留王景元四年, 劉徽注『九章』「商功」曰: "當今大司農斛, 圍徑一尺三寸五分五釐, 深一尺, 積一千四百四十一寸十分寸之三. 王莽銅斛於今寸爲深九寸五分五釐, 徑一尺三寸六分八釐七毫. 以徽計之, 於今斛爲容九斗七升四合有奇, 比魏斛大而尺長, 王莽斛小而尺短也."

위魏나라 진류왕陳留王 경원景元[202] 4년(263년)에 유휘劉徽가 『구장산술九章算術』「상공商功」의 주注에서 말했다. "지금 대사농大司農의 곡斛은 원지름이 1척 3촌 5분 5리이고 깊이는 1척이며 부피는 1,441과

200 위는 3가지이고 … 2가지이니: 위 3가지는 量을 하나로 모아 만든 것 중에서, 斗·升·合은 위쪽에 붙어 있고, 아래 2가지는 斗와 龠이 그 기구의 아래쪽에 있음을 말하는 것 같다. 『書』卷首「律度量衡圖」참조

201 하늘을 3으로 … 것이며: 『周易』「說卦」1장에서, "하늘을 3으로 하고 땅을 2로 하여 수를 의지한다.(參天兩地而倚數.)"라고 하였다.

202 景元: 魏나라 陳留王 때의 연호. 260~263년

3/10입방촌이다. 왕망王莽의 동곡銅斛은 지금의 촌寸으로는 깊이가 9촌 5분 5리이고, 지름은 1척 3촌 6분 8리 7호이다. 내가 계산해보니, 지금의 곡斛으로는 용량이 9두斗 7승升 4합合 남짓이 되고, 위魏나라 곡斛에 비해 크고 척尺이 길며, 왕망의 곡斛에 비해 작고 척尺이 짧다."203

[23-10-15]

祖沖之以圜率攷之, 此斛當徑一尺四寸三分六釐一毫九秒二忽, 庣旁一分九毫有奇. 劉歆庣旁少一釐四毫有奇, 歆數術不精之所致也.

조충지가 원주율로 고찰해 보니, 이 곡斛은 지름이 1척 4촌 3분 6리 1호 9초 2홀이고, 옆을 '오목하게 한 것'[庣]은 1분 9호 남짓이어야 했다. 유흠의 옆을 '오목하게 한 것[庣]'은 1리 4호 남짓이 적었으니, 유흠의 산술이 정밀하지 못했기 때문에 그렇게 되었다.204

. . . .

203 "지금 大司農의 … 짧다.": 유희는 『律呂新書摘解』「律呂證辨」에서, "왕망의 斛의 지름은 마땅히 魏尺 1척 4촌 5분 7호 9초인데, 1척 3촌 6분 8리 7호라고 말한 것은 잘못이다. 이제 미세한 비율로 미루어 보면, 大司農의 斛 둘레는 4척 2촌 5분 4리 7모를 얻고, 그 절반과 반지름을 곱하면 단면적 평방 144촌 13분을 얻으며, 또 깊이를 곱하면 부피를 얻는다. 왕망의 斛의 지름은 마땅히 14촌 5분 7모 9초인 다음에야 둘레 45촌 5분 5리 4모 8초를 얻고, 반지름과 반둘레를 곱하여 단면적 평방 165촌 22분 61리 남짓을 얻으며, 또 깊이 9촌 5분 5리를 곱하면 부피 입방 1,577촌 88분 남짓을 얻는다. 이에 斗法으로 약분하면 9두 7승 4합의 수를 얻을 수 있다. 대개 그 斛이 본래 20두를 용량으로 삼지만 이제 2승 5합 남짓이 부족한 것은 그 척이 魏尺에 비해 조금 적기 때문이다.(王莽斛徑當爲魏尺一尺四寸五分七毫九秒, 其云一尺三寸六分八釐七毫者, 誤也. 今以微率推之, 大司農斛周得四尺二寸五分四里七毛, 折半與半徑相乘得羃一百四十四寸十三分, 又以深乘起得積. 王莽斛徑當爲十四寸五分零七毛九秒, 然後周得四十五寸五分五里四毛八秒, 半徑半周相乘得羃一百六十五寸二十二分六十一里奇, 又以深九寸五分五里乘起得積一千五百七十七寸八十八分奇. 乃以斗法約之, 可得九斗七升四合之數. 蓋其斛本當二十斗爲容, 而今乃不足二升五合有餘者, 以其尺比魏尺差小也.)"라고 하였다.

204 조충지가 원주율로 … 되었다.: 유희는 『律呂新書摘解』「律呂證辨」에서, "이 斛은 한나라 斛을 가리킨다. 註의 글도 역시 그렇다. 이제 密率로 미루어 보면, 한나라 斛의 둘레는 4척 5촌 1분 3리 7모 4초 6홀을 얻고, 그 절반과 반지름을 곱하여 단면적 평방 162촌 6분 51리 47모 38초 8홀을 얻는다. 그 銘文에 162촌이라고 한 것은 우수리를 잘라냈기 때문이다. 그 밖에 안의 사각형 1척을 제곱하여 2배로 하고, 開方하여 대각선 1척 4촌 1분 4리 2모 남짓을 얻는데, 원지름에 비해 2분 1리 9모가 부족하니 양끝의 旁庣가 각각 1분 9모이다. 유흠이 9리 5모라고 했으니 도리어 1리 4모 남짓이 적은데, 이것은 셈하는 비율이 같지 않기 때문이다. 蔡氏[蔡元定]의 註의 뜻이 이미 유흠을 그르다고 여기지 않았으니, 다시 옆을 오목하게 한 것을 2촌으로 하여 실제 부피의 수에 합하여 계산하기에 이르렀다. 補註는 또 매 角이 5분이라는 주장을 좇아서 이루었으니, 이는 모두 옆을 오목하게 한 것이 잉여 지름에서 나온다는 것을 알지 못하고 오인하여 단면적이 나뉜 것으로 삼았기 때문이다. 어찌 매우 탄식할 일이 아니겠는가?(此斛指漢斛也. 註文亦然. 今以密率推之, 漢斛周得四尺五寸一分三釐七毛四秒六忽, 折半與半徑相乘得羃一百六十二寸零六分五十一里四十七毛三十八秒零八忽. 銘文云一百六十二寸者, 截去餘分故也. 另以內方一尺自乘加倍, 開方得斜徑一尺四寸一分四里二毛有奇, 比之圜徑不足二分一里九毛, 是其兩端旁庣各一分零九毛也. 劉歆謂之九里五毛, 則卻少一里四毛有奇, 此由於籌率之不同故也. 蔡氏註意旣不以劉歆爲非, 復至以庣旁爲二寸, 合計於實積之數. 補註又從爲每角五分之說而成之, 是皆不知庣旁之出於剩徑, 而誤認爲而羃之所分故也, 豈不大可嘅然也哉?)"라고 하였다.

按：斛銘文云, 方尺者, 所以起數也. 圓其外, 循四角而規圓之, 其徑當一尺四寸有奇也. 庣
旁九釐五毫者, 徑一尺四寸有奇之數猶未足也. 冪百六十二寸者, 方尺冪百寸, 圓其外每旁
約十五寸, 合六十寸, 庣其旁約二寸也. 深尺積一千六百二十者, 以十而登也. 容十斗者,
一寸冪百六十二寸爲容一斗, 積十寸容一千六百二十寸爲容十斗也.

생각건대 곡곡斛의 명문銘文에서 이른바 '안의 네모난 것이 1척尺이다.'라는 것은, 그것으로 수를 시작하
는 것이다. '그 밖을 둥글게 하였다.'는 것은, 4개의 각을 따라서 그림쇠 모양으로 둥글게 두른 것이니,
그 지름은 1척 4촌 남짓이어야 한다. '옆을 오목하게 한 것이 9리 5분이다.'라는 것은, 지름이 1척
4촌 남짓의 수가 아직 충족되지 못한 것이다. '단면적은 162촌이다.'라는 것은, 안의 네모난 것이
1척尺이면 단면적은 100촌이고, 그 밖을 둥글게 한 것의 4개의 곁이 각각 약 15촌으로 합하여 60이며,
옆을 오목하게 한 것이 대략 2촌이다. '깊이 1척의 부피는 1,620입방촌이다.'라는 것은 10배해서 올린
것이다. '용량은 10두斗이다.'라는 것은, 1촌이면 단면적이 162평방촌에 용량이 1두斗가 되니, 10촌을
쌓으면 1,620평방촌을 담고 용량이 10두斗이다.

『漢志』止言旁有庣焉, 不言九釐五毫者, 數猶有未足也. 祖冲之所筭云少一釐四毫有奇, 是
也. 胡安定之法積一千六百二十寸, 其律是也. 范蜀公之法積一千二百五十寸, 其律非也.
蜀公惑乎徑三分之説, 遂生圓分之法. 自古筭法, 無所謂圓分也. 圓其外以爲之脣, 與安定
之深一尺六寸二分, 蜀公之深一尺二寸五分, 其制皆非也. 律之圍徑, 古無明文. 向非因量
之積分, 則黃鐘之龠亦無由可得其實. 自漢以下律之所以不成者, 其失皆此之由也.

『한서』「율력지」에서 다만 옆을 오목하게 한 것이 있다고만 말하고 9리 5분을 말하지 않은 것은 그
수가 아직 충족되지 못함이 있었기 때문이다. 조충지가 계산한 것에 1리 4호 남짓이 적다고 말한
것이 이것이다. 호안정胡安定[胡瑗]의 방법에 부피가 1,620입방촌이라고 했는데 그 율律은 옳다. 범촉
공范蜀公[范鎭]의 방법에 부피가 1,250입방촌이라고 했는데 그 율律은 그르다. 범촉공은 지름 3분의
이론에 미혹되어 마침내 원분圓分의 방법을 낳았다. 예로부터 산술법에 이른바 원분의 방법은 없었
다. 그 밖을 둥글게 해서 입술 부분으로 삼은 것에 대해서 호안정이 깊이 1척 6촌 2분이라고 한
것과 범촉공이 깊이 1척 2촌 5분이라고 한 것은 그 제도가 모두 잘못되었다. 율律의 원지름에 대해서
고대에는 분명히 밝힌 글이 없었다. 만약 양量에 따라 누적하고 나누지 않으면, 황종의 약龠도 역시
그 실제를 얻을 길이 없을 것이다. 한漢나라 이래로 율律이 제대로 이루어지지 못한 까닭은 그 잘못이
모두 여기에 말미암는다.

『淮南子』曰：“十二粟而當一分, 十二分而當一銖, 十二銖而當半兩. 衡有左右, 因倍之, 故
二十四銖爲一兩. 天有四時以成一歲, 因而四之, 四四十六, 故十六兩爲一斤. 三月而爲一
時, 三十日爲一月, 故三十斤爲一鈞. 四時而爲歲, 故四鈞爲石."[205]

『회남자』에서 말했다. "12속粟이 1분分에 해당하고, 12분이 1수銖에 해당하며, 12수가 반냥兩에 해당한다. 형형衡에는 좌우가 있으니 그것에 따라 2배하면 24수銖가 1냥兩이 된다. 하늘에는 4계절이 있어서 1년을 이루니 그것에 따라 4배하여 4×4=16이니 16냥이 1근斤이 된다. 3개월이 1계절이 되고 30일이 1개월이 되므로 30근이 1균鈞이 된다. 4계절이 1년이 되므로 4균이 1석石이 된다."

[23-10-17]

『漢前志』曰: "衡權者; 衡, 平也; 權, 重也. 衡所以任權, 而均物平輕重也, 本起於黃鐘之重. 一龠容千二百黍, 重十二銖. 兩之爲兩, 二十四銖爲兩, 十六兩爲斤, 一十六斤爲鈞, 四鈞爲石. 忖爲十八, 易有十八變之象也. 五權之制, 以義立之, 以物鈞之. 其餘小大之差, 以輕重爲宜. 圜而環之, 令之肉倍好者, 周旋無端, 終而復始, 無窮已也."

『전한서』「율력지」에서 말했다. "형형衡(저울대)과 권權(저울추)에서, 형형衡은 평형이고 권權은 무게이다. 형형衡이 권權에 맡겨서 물건의 경중輕重을 균등하게 하니, 본래 황종의 무게에서 기원한다. 1약龠이 기장 알 1,200개를 담으니 무게는 12수銖이다. 그것을 2배하여 1냥兩이 되니 24수銖가 1냥이 되고, 16냥은 1근斤이 되며, 16근이 1균鈞이 되고, 4균이 1석石이 된다. 헤아려 보면 18가지가 되니[206] 역易에 18변의 상象이 있다.[207] 5가지 권權의 제도[208]는 의미로서 그것을 세웠고 사물로써 그것을 고르게 하였다. 그 나머지 크고 작은 차이는 무게의 경중輕重으로 마땅하게 했다. 둥글게 둘러서 구멍의 바깥 부분이 안부분의 2배가 되도록 한 것은 두루 돌아 끝이 없으니, 끝마쳐도 다시 시작하여 끝이 없다."

[23-10-18]

隋開皇中, 以古斗三升爲一升, 以古稱三斤爲一斤, 以一尺二寸爲一尺, 大業中依復古法.

수隋나라 개황開皇[209] 연간(581~600년)에, 옛 두斗 3승升을 1승으로 하고, 옛 칭稱 3근斤을 1근으로 삼았으며, 1척 2촌을 1척으로 하였다가 대업大業[210] 연간(605~617년)에 옛 법도대로 회복하였다.

[23-10-19]

大唐貞觀中, 張文收鑄銅斛稱尺升合, 咸得其數, 詔以其副藏於樂署. 至武延秀爲太常卿以

· · · · · · · · · · · · · ·
205 『淮南子』 권3 「天文訓」
206 헤아려 보면 … 되니: 『前漢書』 권21상 「律曆志」에서, "맹강이 말했다. '忖은 헤아린다는 것이다. 그 의미를 헤아리면 18가지가 있으니, 黃鐘·龠·銖·兩·鈞·斤·石의 7개와 아래의 11개 象이 18이 된다.'(孟康曰, '忖, 度也. 度其義有十八也; 黃鐘·龠·銖·兩·鈞·斤·石, 凡七與下十一象爲十八也.')"라고 주석하였다.
207 易에 18변의 … 있다.: 『前漢書』 권21상 「律曆志」에서, "張晏이 말했다. '상수역에서 3번 揲蓍하여 1개의 효를 이루니 18변하여 6개의 효를 갖추어 괘를 이룬다.'(張晏曰, '象易三揲蓍而成一爻, 十八變具六爻而成卦.')"라고 주석하였다.
208 5가지 權의 제도: 5가지 물건의 무게를 재는 단위 즉 銖·兩·斤·鈞·石의 제도를 말한다.
209 開皇: 隋나라 文帝 때의 연호. 581~600년
210 大業: 隋나라 煬帝 때의 연호. 605~617년

爲奇玩, 以律與古玉尺玉斗升合獻焉. 開元十七年, 將攷宗廟樂, 有司請出之, 勅唯以銅律付太常而亡其九管. 今正聲有銅律三百五十六, 銅斛二, 銅稱二, 銅甌十四, 斛左右耳與臀皆正方, 積十而登以至於斛. 銘云, "大唐貞觀十年歲次玄枵, 月旅應鐘, 依新令累黍尺定律校龠, 成茲嘉量, 與古玉斗相符, 同律度量衡. 協律郎張文收奉勅脩定. 稱磬銘云, 大唐貞觀稱. 同律度權衡. 匣上有朱漆題稱尺二字. 尺亡, 其跡猶存. 以今常用度量校之, 尺當六之五, 衡量皆三之一, 一斛一稱, 是文收總章年所造. 斛正圓而小, 與稱相符也.

당唐나라 정관貞觀[211] 연간(627~649년)에, 장문수張文收[212]가 동銅으로 곡斛·칭칭稱·척尺·승升·합合을 주조한 것이 모두 그 수에 합치되자, 조칙을 내려 그 복제본을 악서樂署에 보관하도록 하였다. 무연수武延秀[213]가 태상경太常卿이 되어 신기한 노리개로 여겨 율관과 고옥척古玉尺·옥두玉斗·승升·합合을 받들어 올렸다. 개원開元[214] 17년(729년)에 종묘악宗廟樂을 고찰하려고 하여 유사有司가 그것을 내주기를 청하니, 칙명을 내려 오직 동율관 만을 태상太常에게 건네주게 하였는데 그 9개의 율관을 망실하였다. 이제 성聲을 바로잡는 데에 동銅으로 된 율관 356개와 동銅으로 된 곡斛 2개, 동銅으로 된 칭稱 2개, 동銅으로 된 구甌 14개가 있는데, 곡斛 좌우의 귀 부분과 바닥이 모두 정사각형이니, 10배하면 올려서 곡斛에 이른다. 명문銘文에서 말하기를, "당唐나라 정관貞觀 10년(636년) 세차歲次 현효玄枵[215] 월유月旅 응종應鐘에 새로운 명령에 따라 기장 알을 겹쳐놓은 척尺으로 율律을 제정하고 약龠을 비교하여 이 가량嘉量을 이루니, 옛 옥두玉斗와 서로 부합하고 율律·도度·량量·형衡을 같게 했다. 협율랑協律郎 장문수가 칙령을 받들어 정리하여 제정한다."라고 하였다. 칭경稱磬의 명문銘文에서 말하기를, "당唐나라 정관貞觀의 칭稱이다. 율律·도度·량量·형衡을 같게 했다."라고 하였다. 상자 위에 붉은 옻칠로 '칭척稱尺'이라는 2개의 글자가 표제表題되어 있어서, 척尺은 망실되었지만 그 자취는 여전히 남아 있다. 요즘 상용

211 貞觀: 唐나라 太宗 때의 연호. 627~649년
212 張文收: 당나라 貝州 武城(현 산동성 武城縣) 사람이다. 수나라 內史舍人 張虔威의 아들로, 음률에 뛰어나서 일찍이 蕭吉의 『樂譜』를 열람하고 충분히 자세하지 못하다고 하여 많은 자료와 역대 연혁을 두루 살펴보았다. 마침내 몸소 대나무를 잘라 12율관을 만들어 불어보고 돌아가며 궁성이 되는 의미를 다 밝혔다고 한다. 태종이 마침 예악을 창제하려고 하여 장문수를 太常으로 부르고 少卿 祖孝孫과 함께 아악을 참조하여 제정하도록 했다. 저술로는 『新樂書』 12권이 있다.
213 武延秀(?~710): 당나라 並州 文水(현 산서성 文水) 사람으로, 武承嗣의 아들이며 武則天의 친정 從孫인 그는 돌궐에 오래 거주하면서 돌궐의 음악과 춤에 익숙했다. 武周 聖曆 원년(698년)에 돌궐의 默啜에게 당나라와의 화친을 요청하였는데, 무측천은 당시 淮陽王인 무연수에게 묵철의 딸을 妃로 맞이하게 했다. 하지만 묵철은 당나라 황족인 李氏와의 혼인이 아니라는 점을 들어 무연수를 감금하고 군대를 일으켜 당나라를 침범하였다. 그 뒤 長安 4년(704년)에야 당나라로 돌아와 桓國公, 左衛中郎將을 제수 받았다. 당 현종이 일으킨 궁중정변 때 참수되었다.
214 開元: 唐나라 玄宗 때의 연호. 713~741년
215 玄枵: 12성좌의 하나이다. 12신으로 짝지으면 子時가 되고, 28수(宿)로 짝지으면 女宿, 虛宿, 危宿 3개의 宿(수)가 된다. 점성술에서는 그 지역을 齊에 배당시켰다. 『爾雅』에서는 虛宿를 標志星으로 삼았다. 『漢書』 「律曆志」에서는, 태양이 현묘의 처음에 이르면 小寒이 되고 그 중간에 이르면 大寒이 된다고 하였다.

하는 도度·량量으로 비교하면, 척尺은 5/6에 해당하고 형衡·량量은 모두 1/3이니, 곡斛과 칭稱은 장문수가 총장總章(악관樂官의 이름)으로 재직했던 해에 만든 것이다. 곡斛은 완전히 둥근 원인데 작아서 칭稱과 서로 부합했다.

[23-10-19-0]

按: 萬寶常之樂, 當時以爲近前漢之樂. 則是隋代漢律管雖亡, 而樂聲猶在也. 魏延陵得玉律, 當時以漢律較之, 所謂黃鐘, 乃當太簇. 肅宗之時, 不應更有漢律, 蓋律之聲調耳; 張文收所定度量衡權與玉斗相符者, 卽此聲也. 夫後周玉斗, 意者必古之嘉量, 但無寸分之數, 當時造律, 特以容受乘除取之. 自魏而降, 律之圍徑不得其眞, 多惑於徑三分之説. 故當時據斗造律, 圍徑既小, 其律必長. 律長, 則尺亦長矣.

생각건대, 만보상萬寶常의 악樂은 당시에 전한前漢의 악樂에 가깝다고 여겼으니, 이는 수隋나라 때에 비록 한漢나라의 율관이 망실되었지만 악성樂聲은 여전히 있었다는 것이다. 위연릉魏延陵이 옥율玉律을 얻어 당시에 한漢나라의 율관과 비교하니, 이른바 황종은 곧 태주에 상당했다. 숙종肅宗(재위기간 756~762년) 때에는 응당 다시 한漢나라의 율관이 없었을 것인데도 율律의 성聲이 조화로웠고, 장문수가 제정한 도度·량量·형衡·권權이 옥두玉斗와 서로 부합하였다는 것은 바로 이 성聲일 것이다. 후주後周의 옥두는 아마 반드시 고대의 가량嘉量일 것이지만 단지 촌寸·분分의 수가 없으니, 당시에 율관을 만들 때에는 다만 용량을 계산하여 그것을 취했을 것이다. 위魏나라 이래로 율관의 원지름은 그 참된 것을 얻을 수 없어서 대부분 지름 3분이라는 주장에 미혹되었다. 그러므로 당시에 두斗에 의거하여 율관을 만든 것은 원지름이 이미 작고 그 율관은 반드시 길었을 것이다. 율관이 길면 척尺도 길었을 것이다.

今以『隋志』所載玉斗分數求之, 其黃鐘之管止徑二分七釐七毫有奇, 圍八分一釐有奇, 冪五分五釐四毫有奇, 積五百五十四分有奇. 夫容受同, 則量與權當與古無異, 而樂之聲亦必依近焉. 故『會要』云, "唐樂器雖無法, 而聲不失於古." 自王朴以黍定尺, 以尺生律, 又惑於三分之徑, 聲與器始皆失之矣. 好古博雅君子, 於此蓋不能無憾焉.

이제『수서隋書』「율력지」에 실려 있는 옥두玉斗의 분수分數로 그것을 구하면, 그 황종의 율관은 다만 지름이 2분 7리 7호 남짓이고, 원둘레는 8분 1리 남짓이며, 단면적은 평방 5분 5리 4호 남짓이고, 부피는 554입방분 남짓이다.[216] 무릇 용량이 같으면 량量과 권權은 당연히 옛것과 다름이 없어야

216 이제『隋書』… 남짓이다. : 유희는『律呂新書摘解』「律呂證辨」에서, "이제 玉斗의 부피로 〈제10장 銅龠尺의 註에 있다.〉 미루어보면, 여기에 실려 있는 율관의 지름과 둘레와 단면적의 수는 모두 부합하지 않는다. 옥두의 부피 110,800입방분 남짓을 두고, 龠法 200으로 나누면 황종의 부피 554입방분 남짓을 얻으며, 길이 9촌으로 나누면 단면적 평방 6분 2리 5모 5초 남짓을 얻는다. 만약 古率로 미루어 보면, 지름은 2분 8리 6모 4초 强을 얻고, 둘레는 8분 7리 9모 6초 强을 얻는다. 만약 密率로 구하면, 지름은 2분 7리 9모 9초를

할 것이고, 악樂의 성聲도 역시 반드시 여전히 가까웠을 것이다. 그러므로 『국조회요國朝會要』에서 말하기를, "당唐나라의 악기가 비록 법도는 없지만 성聲은 옛것을 잃지 않았다."라고 하였다. 왕박王朴이 기장 알로 척尺을 정하고 척으로 율관을 만들고부터, 또 지름 3분의 주장에 미혹되어 성聲과 기물器物이 비로소 모두 잘못되었다. 옛것을 좋아하며 학문이 넓고 고상한 군자는 여기에 유감이 없을 수 없을 것이다.

朱子曰 : "『禮記注疏』, 説'五聲六律十二管還相爲宮'處極分明. 『漢書』所載甚詳, 然不得其要 ; 『史記』所載甚略, 却是要緊處. 如説律數蓋自然之理, 與「先天圖」一般, 更無安排 ; 但數到窮處, 又須變而生之, 却生變律, 『國語』有七聲之説. 但韋昭解得無理會. 杜佑『通典』所筭分數極精. 蓋唐以前, 樂律尚有制度可攷. 唐以後, 都無可攷. 胡安定與阮逸李照議不合. 仁宗以胡安定阮逸樂書, 令天下名山藏之, 意思甚好. 司馬公與范蜀公議又不合. 司馬比范又低. 諸公於『通典』皆似未曾看. 只如沈存中『筆談』所攷器數甚精, 亦似未曾看. 筆談所論過於范馬遠甚. 今世人無曉音律, 只憑器論造器, 又紛紛如此. 是故季通之書, 諸儒莫能及也."[217]

주자가 말했다. "『예기주소禮記注疏』에서 '5성五聲·6율六律·12관十二管이 서로 돌아가면서 궁宮이 된다.'라는 구절을 설명한 곳은 매우 분명하다.[218] 『한서漢書』에 실려 있는 것은 아주 상세하지만 그 요점을 얻지 못했고, 『사기史記』에 실려 있는 것은 아주 간략하지만 요긴한 것이다. 예컨대 율수律數를 설명한 것은 대개 저절로 그러한 이치이니 「선천도先天圖」와 마찬가지로 다시 안배할 것이 없지만, 수數가 궁극에 도달하면 또 반드시 변하고 생겨나서 또한 변율을 낳으니, 『국어國語』에 7성七聲이라는 말이 있다. 그러나 위소韋昭는 풀이하려고 했지만 이해하지 못했다. 두우杜佑가 『통전通典』에서 계산한 분수分數는 매우 정밀했으니, 당唐나라 이전에는

얻고, 둘레는 8분 5리 9모 2초 强을 얻는다. 이것으로 하거나 저것으로 하여도 모두 부합하지 않는다. 주석의 문장은 또 그 단면적과 부피를 기록한 수로 살펴보면, 율관의 길이 10촌으로 기준을 삼은 같으니 그 오류를 알 수 있다. (今以玉斗之積〈見第十章銅龠尺註.〉推之, 此所載管徑圍羃之數, 並不合矣. 置玉斗之積十一萬八百分有奇, 以龠法二百除之, 得黃鐘之積五百五十四分有奇 ; 以長九寸除之, 得羃六分二里五毛五秒有奇. 若以古率推之, 則徑得二分八里六毛四秒强, 圍得八分五里九毛二秒强. 若以密率求之, 則徑得二分七里九毛九秒, 圍得八分七里九毛六秒强. 以此以彼, 皆不合. 註文且以所記羃積之數觀之, 則似以管長十寸爲率, 故知其誤也.)"라고 하였다.

217 『朱子語類』 권92, 12조목~62조목에서 발췌·정리하였다.
218 『禮記注疏』에서 … 분명하다. : 『禮記注疏』 권22 「禮運」에서, '五聲·六律·十二管이 서로 돌아가면서 宮이 된다. (五聲·六律·十二管還相爲宮也.)'라는 구절에 대해, 鄭玄은 "五聲은 궁·상·각·치·우이다. 그 율관은 陽을 律이라 하고 陰을 呂라고 한다. 12辰에 펼치면 黃鐘에서 시작하는데, 황종관의 길이는 9촌이며, 아래로 생겨나는 것은 三分去一하고 위로 생겨나는 것은 三分益一하여 南呂에서 끝나 다시 서로 宮이 되니, 모두 60이다. (五聲宮商角徵羽也. 其管陽曰律陰曰呂. 布十二辰, 始於黃鐘, 管長九寸, 下生者三分去一, 上生者三分益一, 終於南呂. 更相爲宮, 凡六十也.)"라고 注를 붙이고, 孔穎達은 "五聲·六律·十二管이 서로 돌아가면서 宮이 된다.'라는 것에서, 五聲은 궁·상·각·치·우를 말하고, 六律은 陽律을 말한다. 양율을 들면 陰呂가 그것을 따르는 것을 알기 때문에 十二管이다. 11월은 황종이 宮이 되고 12월은 大呂가 궁이 되니, 이것이 서로 번갈아 돌아가면서 궁이 된다는 것이다. (五聲·六律·十二管還相爲宮也者, 五聲謂宮商角徵羽, 六律謂陽律也. 舉陽律則陰呂從之可知, 故十二管也. 十一月黃鐘爲宮, 十二月大呂爲宮, 是還迴迭相爲宮也.)"라고 疏를 붙였다.

악률樂律이 여전히 참고할 만한 제도가 있었지만 당나라 이후에는 참고할 만한 제도가 없었기 때문이다. 호안정胡安定[胡瑗]과 완일阮逸과 이조李照의 논의는 합치되지 못했다. 인종仁宗이 호안정과 완일의 악서樂書를 천하의 명산名山에 보관해 두도록 한 것은 그 의미가 매우 심장하다. 사마공司馬公[司馬光]과 범촉공范蜀公[范鎭]의 논의도 합치되지 못했다. 사마공의 논의는 범촉공의 논의에 비해 수준이 낮다. 여러 공公은 모두 『통전通典』을 본 적이 없는 것 같다. 심존중沈存中[沈括]이 『몽계필담夢溪筆談』에서 고찰한 기수器數 같은 경우는 매우 정밀한데, 이 역시 『통전通典』을 본 적이 없는 것 같다. 『몽계필담』에서 논한 것은 범촉공이나 사마공보다 훨씬 뛰어나다. 요즘 사람들이 음률을 깨닫지 못하고 다만 기물器物에 빙자해서 기물을 만드는 것을 논하는 것이 또 이처럼 분분하다. 이 때문에 계통季通[蔡元定]의 책은 여러 학자들이 미칠 수 없는 것이다."

○ 廖子晦曰 : "河出圖, 洛出書, 而起八卦九疇之數 ; 聽鳳鳴而生六律六呂之序. 然則黃帝造律一事, 與伏羲畫卦, 大禹錫疇同功. 況度量權衡皆起於律, 而衡運生規, 規生圓, 圓生矩, 繩直準平, 至於定四時, 興六樂, 悉由是出? 故曰, '律者萬事之根本.' 學者詎可廢而不講哉?"[219]

○ 요자회廖子晦[廖德明][220]가 말했다. "「하도河圖」가 나오고 「낙서洛書」가 나와서 8괘와 9주九疇의 수가 생겨났고, 봉황의 울음소리를 듣고서 6율과 6려의 차례가 생겨났다. 그렇다면 황제黃帝가 율律을 만들었다는 일과 복희가 괘를 그은 일과 우임금이 홍범구주를 하사받은 일은 그 공로가 같다. 하물며 도度·량量·권權·형衡이 모두 율律에서 일어났고, 형衡(저울대)을 운용하여 규規가 생겨났고 규는 원圓을 낳고 원은 구矩를 낳아 먹줄은 곧고 수준기는 평평하며, 4계절을 정하고 6악六樂을 흥기시키는 것이 모두 여기에서 나온 것이야 어떠한가? 그러므로 '율은 만사의 근본이다.'라고 하였다. 학자들이 어찌 폐기하여 강론하지 않을 수 있겠는가?"

219 『朱文公文集』 권45 「答廖子晦」에 요자회의 질문으로 나와 있다.
220 廖德明 : 자는 子晦이고, 호는 槎溪이다. 송대 順昌(현 복건성 소속) 사람으로 주희의 문인이다. 1169년 진사에 급제하여 知莆田縣·吏部左選郞官을 역임하였다. 저서는 『文公語錄』·『春秋會要』·『槎溪集』이 있다.

洪範皇極內篇一　홍범황극내편 1

洪範皇極內篇一
홍범황극내편 1

[24-0-0]

九峯蔡氏自序曰: "體天地之撰[1]者『易』之象, 紀天地之撰者「範」之數. 數者始於一, 象者成於二. 一者奇, 二者偶也. 奇者數之所以行, 偶者象之所以立. 故二而四, 四而八, 八者八卦之象也, 一而三, 三而九, 九者九疇之數也. 由是重之, 八而六十四, 六十四而四千九十六而象備矣, 九而八十一, 八十一而六千五百六十一而數周矣.

구봉채씨九峯蔡氏[蔡沈][2]가 자서自序에서 말했다. "천지의 일을 체현體現한 것[3]이 『주역』의 상상이고, 천지의 일을 질서 지은 것이 「홍범洪範」의 수이다. 수數는 1에서 시작하고, 상상은 2에서 이루어진다. 1은 홀수이고, 2는 짝수이다. 홀수는 수가 유행하는 것이고, 짝수는 상이 정립되는 것이다. 그러므로 2에서 4가 되고 4에서 8이 되는데, 8은 팔괘八卦의 상이며, 1에서 3이 되고 3에서 9가 되는데, 9는 구주九疇의 수이다. 이로부터 중첩하면, 8에서 64가 되고 64에서 4,096이 되어 상이 완비되며, 9에서 81이 되고 81에서 6,561이 되어 수가 두루 갖추어진다.

『易』更四聖而象已著,「範」錫神禹而數不傳. 後之作者, 昧象數之原, 窒變通之妙, 或即象而爲數, 或反數而擬象. 『洞極』用「書」, 『潛虛』用「圖」, 非無作也, 而牽合附會, 自然之數

<hr />

1 撰: 【補解】 "撰은 일과 같다.(撰, 猶事也.)" 『洪範皇極內篇』은 중국이나 한국이나 이를 해설한 주석서가 거의 존재하지 않는다. 거의 유일한 주석서가 조선시대 유학자 朴世采의 『範學全編』이다. 이 책에는 조선 전기의 유학자 李純의 『洪範皇極內篇補解』와 자신의 주석인 『洪範皇極內篇補註』가 실려 있는데, 『洪範皇極內篇』을 이해하는 데에 관계없는 부분만을 제외한 거의 모든 전문을 각주로 달아 번역하였다.

2 蔡沈(1176~1230): 자는 仲默이고, 호는 九峰이다. 송대 建陽(현 복건성 건양) 사람으로 채원정의 둘째 아들이다. 어려서부터 가학을 이으면서 주희에게 배웠다. 慶元黨禁으로 부친과 스승이 화를 당하자 구봉에 은거하여, 스승과 부친의 유지를 받들어 『書經集傳』과 『洪範皇極』을 저술하였다.

3 천지의 일을 體現한 것: 『周易』 「繫辭下」 6장에 "子曰, '乾坤, 其易之門邪. 乾, 陽物也, 坤, 陰物也. 陰陽合德而剛柔有體. 以體天地之撰, 以通神明之德.'"이라고 하였는데, 주자는 『周易本義』의 주에서 "撰은 '일과 같다.(撰, 猶事也.)"라고 하였다.

益晦蝕焉. 嗟夫! 天地之所以肇者, 數也, 人物之所以生者, 數也, 萬事之所以失得者, 亦數也. 數之體著於形, 數之用妙乎理, 非窮神知化獨立物表者, 曷足以與此哉? 然數之與象, 若異用也, 而本則一, 若殊途也, 而歸則同. 不明乎數, 不足與語象, 不明乎象, 不足與語數. 二者可以相有, 不可以相無也.

『주역』은 네 성인[4]을 거치면서 상象이 이미 드러났지만, 「홍범」은 우禹임금에 내려주었으나 수數가 전해지지 못하였다. 후대의 작자作者들은 상과 수의 근원에 어둡고 변통의 묘에 막혀, 어떤 경우에는 상에 나아가 수를 만들기도 하고, 어떤 경우에는 수를 미루어 상에 비기기도 하였다. 『통극洞極』[5]이 「낙서洛書」를 사용한 것과 『잠허潛虛』[6]가 「하도河圖」를 사용한 것은 창작한 것이 없는 것은 아니지만 견강부회하여 자연의 수가 더욱 더 어둡고[7] 왜곡되었다.[8] 아! 천지가 비롯된 근거는 수이고, 인간과 만물이 생겨난 근거도 수이며, 온갖 일들이 잘되거나 잘못되는 근거 또한 수이다. 수의 본체는 형체에서 드러나고 수의 작용은 리理에서 오묘해지니, 신묘함을 궁구하고 조화를 알아[9] 속세 밖에 우뚝 선 자가 아니면, 어찌 여기에 참여할 수 있겠는가? 그러나 수는 상과 작용이 다른 듯하지만 근본은 하나이며 길이 다른 듯하지만 귀착처는 같다. 수에 밝지 않으면 상을 함께 말할 수 없고 상에 밝지 않으면 수를 함께 말할 수 없다. 둘은 함께 있어야 하지 어느 하나가 없어서는 안 된다.

先君子曰, '洛書者, 數之原也.' 余讀「洪範」而有感焉, 上稽天文, 下察地理, 中參人物古今之變, 窮義理之精微, 究興亡之微兆, 微顯闡幽, 彝倫所敍, 秩然有天地萬物各得其所之妙. 歲月侵尋, 粗述所見, 辭雖未備, 而義則著矣. 其果有益於世教否乎? 皆所不敢知也. 雖然, 余所樂而玩者, 理也, 余所言而傳者, 數也. 若其所以數之妙, 則在乎人之自得焉爾.[10]

---

4 네 성인: 伏羲, 文王, 周公, 孔子를 말한다.

5 『洞極』: 삼국시대 魏나라 關朗의 저작이다. 洞極元經 혹은 洞極眞經이라고도 하며, 易의 원리로 天·地·人의 이치와 현상을 설명했다.

6 『潛虛』: 사마광의 만년의 저서로 義理·圖式·術數 세 부분으로 구성되어 있다. 의리 부분은 五行을 기초로 陰陽·域卦·筮占의 기본사상을 흡수, 천지만물의 생성과 우주질서의 변화를 담고 있다. 사마광은 揚雄의 『太玄』에서 의리문제를 많이 설명했으나, 영향을 확대하기 어렵다고 생각하여 하나의 독특한 도식과 술수를 만들었다. 도식과 술수는 항상 결합되어 나타날 뿐 아니라 도와 수로 칭할 수 있다. 도는 氣·體·性·名·行·命의 6도로 나누며, 그중 「行圖」는 「變圖」「解圖」를 포함한다. 「氣圖」의 핵심은 만물이 모두 허를 조상으로 하고, 기에서 생긴다는 것을 그림으로 풀이하는 데 있다. 수의 연원에서 설명하면, 1·2·3·4·5를 서로 더하면 15가 되니 生數이다. 6·7·8·9·10을 서로 더하면 40이 되니 곧 成數이다. 생수와 성수를 더하면 55가 되는데, 이는 『易傳』에서 말하는 天地의 수이다. 사마광은 어떤 체계가 55의 서열에 부합하는지를 설명하는 것을 합리적이라 생각했다. 이 책은 사마광의 철학사상을 반영하고 있는 주요저서로서 간명한 문장과 虛玄의 형식으로 북송 통치 질서의 합리성과 영구성을 논증하고 있다.

7 어둡고: 【補解】 "그믐날과 같다.(如月之晦.)"

8 왜곡되었다. 【補解】 "일식과 같다.(如日之蝕.)"

9 신묘함을 궁구하고 조화를 알아: 『周易』「繫辭下」 5장

선친[蔡元定]은 '낙서가 수의 근원이다.'라고 하였다. 나는 「홍범」을 읽고 느끼는 바가 있었는데, 위로는

· · · · · · · · · · · · · · · ·

10 【補解】 "천지의 일을 체현한다는 것은 乾은 위에 자리하고 坤은 아래에 자리하며, 日은 동쪽에 자리하고 月은 서쪽에 자리하며, 山은 서북쪽에서 지키고 水는 동남쪽에서 흐르며, 雷는 동북쪽에서 움직이고 풍은 서남쪽에서 일어나니, 천지의 상을 체현할 수 있는 것이다. 천지의 일을 질서 짓는다는 것은 五行이 순환하고 사계절이 한 해를 이루어 1·2·3·4·5·6·7·8·9의 서로 곱한 수가 그 사이에서 유행하니 천지의 수를 질서 지을 수 있는 것이다. 그러나 어찌 수 없는 상이 있고 상 없는 수가 있겠는가? 하나일 뿐이다.'라고 풀이한다.(釋曰, '體天地之撰者, 乾上坤下, 日東月西, 山鎭西北, 澤注東南, 雷動東北, 風起西南, 則天地之象可體也. 紀天地之撰者, 五行循環, 四時成歲, 一二三四五六七八九相乘之數流行於其間, 則天地之數可紀也. 然安有無數之象, 無象之數哉? 一理而已.') ○黃瑞節은 '『周易』은 네 성인을 거치면서 象이 이미 드러났지만, 「洪範」은 禹임금에 주어졌으나 數가 전해지지 못하였다. 九峯蔡氏(蔡沈)가 「皇極內篇數」를 지어 한 권의 책을 만들었다. 여기에는 「範數圖」가 있는데, 81章에 6,561變을 두고 있다. 西山眞氏(眞德秀)가 「蔡氏(蔡沈)의 「範數」는 세 성인을 거친 주역과 공로가 같다.」라고 한 것이 이것이다.'라고 하였다.(黃氏瑞節曰, '『易』更四聖而象已著, 「範」錫神禹而數不傳. 九峯蔡氏撰『皇極內篇數』爲一書. 於是有「範數圖」, 有八十一章, 六千五百六十一變. 西山眞氏云, 「蔡氏「範數」, 與三聖之易同功者.」 是也.') ○李純이 말했다. '文王과 箕子는 道가 같으니, 商나라 말기에 태어난 것은 때가 같고, 구금되고 유폐되어 고난을 당한 것은 환난이 같으며 「河圖」와 「雒書」는 이치가 같다. 모두 성인의 자질로서 몸소 혼란의 세상을 만나 비록 같은 환난 가운에 있었으나 이치가 같은 학문에 침잠하였으니, 어찌 문왕에게 九疇가 부족하였으며 기자에게 팔괘가 부족했겠는가? 그러나 『周易』은 武王의 가학으로서 周公이 있었고 「洪範」은 기자가 아니면 전해지지 않았을 것이다. 그러므로 무왕이 마침내 나아가 방문했던 것이다. 九峯蔡先生(蔡沈)은 안으로 西山(蔡元定)의 가르침을 받들고 밖으로 晦庵(朱熹)의 전함을 이어받아 「洪範」을 풀이한 것은 물론, 나아가 그 수를 분명하게 하여 무궁한 『周易』의 도리와 짝을 이루게 하였다. 그 章이 81개인 것은 『周易』에 64괘가 있는 것과 같고, 그 내편이 셋인 것은 『周易』에 「繫辭傳」이 있는 것과 같으며, 器物을 질정한 것은 『周易』에 「說卦傳」이 있는 것과 같다. 내가 이 책을 받아 읽은 이래로 항상 그림과 수가 미묘하고 문장의 의미가 깊어 선생이 수의 미비점을 풀이한 것을 고민하였다. 책을 마주하고 단정히 앉아 정신을 맑게 하고 생각을 모은 지 몇 년이 쌓이자 어느 날 아침 황홀하게 마음에 깨달은 점이 있었다. 마침내 정리하여 좁은 소견이나마 만에 하나 빠진 부분을 보충하였다. 아! 수는 리에서부터 일어나고 리는 수로 인해 밝혀지니, 어찌 터득할 수 없는 리가 있겠는가? 동지들과 함께 바로잡기를 바란다.' (李氏純曰, '文王箕子同一道也, 生當商季同一時也, 拘幽困苦同一患也, 「河圖」「洛書」同一理也. 俱以聖人之資, 躬遭昏亂之世, 雖在同患之中, 沈潛同理之學, 則豈文王不足於九疇, 箕子不足於八卦歟? 然『易』則武王之家學有周公存焉, 「範」則非箕子不傳. 故武王乃就而訪焉. 九峯蔡先生內承西山之訓, 外受晦庵之傳, 既釋「洪範」, 又闡其數以配『易』道於无窮. 其章八十一者猶『易』之有六十四卦也, 其內篇三者猶『易』之有「繫辭」也, 其曰質物器者猶『易』之有「說卦」也. 余自受讀以來, 常患畫數微妙文義淵深, 而先生釋數之未備. 對卷端坐, 澄神凝思, 積有年紀, 一朝怳然若有所悟於心. 遂掇拾孤陋以補遺闕之萬一. 噫數由理起, 理因數明, 豈有不可得之理? 願與同志共正之.')"

李純은 조선 전기의 문신이나 생몰연대는 미상이다. 본관은 德山이고 자는 希文이다. 관찰사 益福의 증손으로, 할아버지는 楷이고, 아버지는 亨門이며, 어머니는 李仲石의 딸이다. 金安國·李滉 등과 교유하였다. 1507년(중종 2) 식년문과에 을과로 급제하였다. 司憲府持平·掌令·성균관사성·사간·봉상시정·여주목사 등을 역임하였다. 그는 한때 관상감의 渾儀渾象監修官을 지낸 적이 있었는데, 그때 중국에서 얻은 『革象新書』의 目輪을 모방하여 천체관측기계를 제작하였다. 1525년 승정원에서 그것을 왕에게 보고하자, 왕은 그의 재능을 칭찬하고 새것을 하나 더 제작하여 관상감에 두고 시험하도록 전교하였다. 학문으로 이름이 높았으며, 저술활동 저서로는 『洪範皇極內篇補解』·『西征錄』등이 있다.

천문天文을 헤아리고 아래로는 지리地理를 살피며 가운데로는 인간과 사물의 옛날과 지금의 변화를 참작하여, 의리의 정미함을 궁구하고 흥망의 징조를 연구하며 드러난 것을 은미하게 하고[11] 어두운 것을 밝혀내었으니,[12] 떳떳한 도리가 펼쳐지고 질서정연하게 천지와 만물이 각각 제자리를 얻는 신묘함이 있게 되었다. 세월이 자꾸 흘러 대략 나의 견해를 기술하였으니, 말은 비록 구비되지 못했을지라도 뜻만큼은 드러났을 것이다. 그러나 과연 세상의 교화에 보탬이 될 수 있겠는가? 전혀 감히 알지 못하겠다. 그렇지만 내가 즐겨 완미하는 것은 리理이고 내가 말하여 전하는 것은 수이다. 그 수가 신묘하게 되는 것은 사람들의 자득自得에 달려 있을 뿐이다."

[24-0-0-1]

黃氏瑞節曰：“易更四聖而象已著, 範錫神禹而數不傳. 九峯蔡氏撰皇極內篇數爲一書. 於是有範數圖, 有八十一章, 六千五百六十一變. 西山眞氏云, ‘蔡氏範數與三聖之易同功’者, 是也.”

황서절이 말했다. "『주역』은 네 성인을 거치면서 상象이 이미 드러났지만, 「홍범」은 우禹임금에 주어졌으나 수數가 전해지지 못하였다. 구봉채씨九峯蔡氏[蔡沈]가 「황극내편수皇極內篇數」를 지어 한 권의 책을 만들었다. 여기에 「범수도範數圖」가 있는데, 81장章에 6561변變을 두고 있다. 서산 진씨西山眞氏[眞德秀]가 ‘채씨蔡氏[蔡沈]의 「범수範數」는 세 성인[13]을 거친 주역과 공로가 같다.’라고 한 것이 이것이다."

---

11 드러난 것을 은미하게 하고：【補解】"人事의 드러난 것을 천도에 근본하게 하는 것이다.(以人事之顯而本之於天道.)"
12 드러난 것을 … 밝혀내었으니：『周易』「繫辭下」5장.【補解】"천도의 어두운 것을 人事에 적용시키는 것이다.(以天道之幽而用之於人事)"
13 세 성인：복희, 문왕·주공, 공자를 말한다.

洪範皇極圖 홍범황극도

[24-1-1]

洛書 낙서

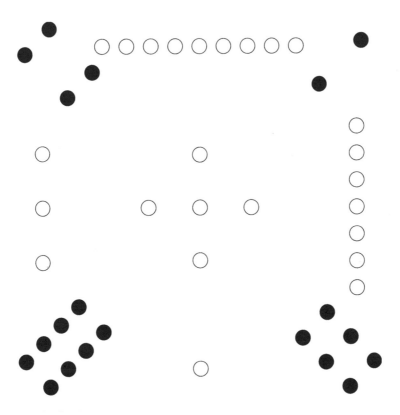

九九圓數圖　구구원수도

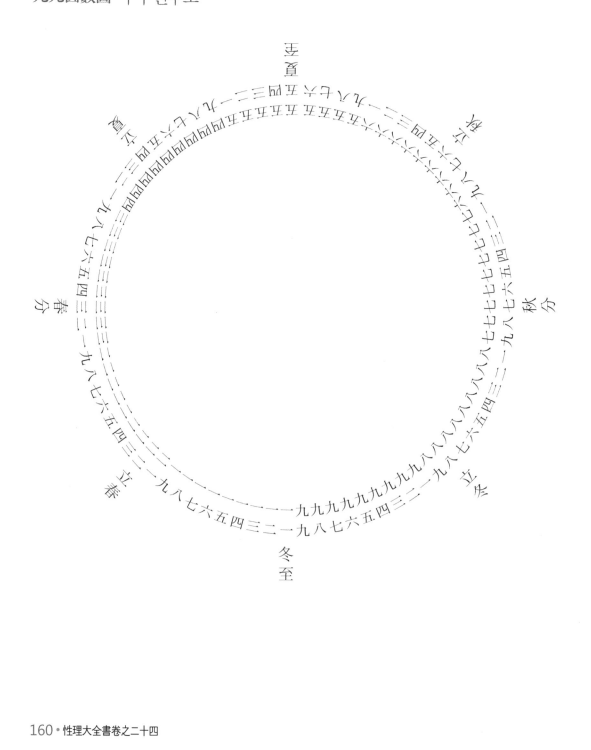

九九方數圖　구구방수도

九九	九八	九七	九六	九五	九四	九三	九二	九一
八九	八八	八七	八六	八五	八四	八三	八二	八一
七九	七八	七七	七六	七五	七四	七三	七二	七一
六九	六八	六七	六六	六五	六四	六三	六二	六一
五九	五八	五七	五六	五五	五四	五三	五二	五一
四九	四八	四七	四六	四五	四四	四三	四二	四一
三九	三八	三七	三六	三五	三四	三三	三二	三一
二九	二八	二七	二六	二五	二四	二三	二二	二一
一九	一八	一七	一六	一五	一四	一三	一二	一一

九九行數圖 구구행수도

三一	二九	二八	二七	二六	二五	二四	二三	二二	二一	一九	一八	一七	一六	一五	一四	一三	一二	一一	九九行數圖
								立春										冬至	

五三	五二	五一	四九	四八	四七	四六	四五	四四	四三	四二	四一	三九	三八	三七	三六	三五	三四	三三	三二
								立夏										春分	

七五	七四	七三	七二	七一	六九	六八	六七	六六	六五	六四	六三	六二	六一	五九	五八	五七	五六	五五	五四
								立秋										夏至	

九九	九八	九七	九六	九五	九四	九三	九二	九一	八九	八八	八七	八六	八五	八四	八三	八二	八一	七九	七八	七七	七六
冬至										立冬										秋分	

[24-1-5]

九九積數圖　구구적수도

九	八	七	六	五	四	三	二	一
八十一	七十二	六十三	五十四	四十五	三十六	二十七	十八	九
七百二十九	六百四十八	五百六十七	四百八十六	四百〇五	三百二十四	二百四十三	百六十二	八十二
六千五百六十一	五千八百三十二	五千一百〇三	四千三百七十四	三千六百四十五	二千九百一十六	一千四百五十八	一千四百五十八	七百二十九

洪範皇極內篇上 홍범황극내편상[14]

[24-2-1]

造化之爲造化者, 幽明屈信而已. 天者, 明而信者也, 地者, 幽而屈者也. 暑者, 明而信者也, 寒者, 幽而屈者也. 晝者, 明而信者也, 夜者, 幽而屈者也. 天地也, 寒暑也, 晝夜也, 幽明屈信以成變化者也. 是故陽者吐氣, 陰者含氣. 吐氣者施, 含氣者化. 陽施陰化而人道立矣, 萬物繁矣. 陽薄陰, 則繞而爲風, 陰囚陽, 則奮而爲雷. 陽和陰, 則爲雨爲露, 陰和陽, 則爲霜爲雪. 陰陽不和, 則爲戾氣.

조화의 조화됨은 어둠과 밝음, 움츠림과 폄일 뿐이다. 하늘은 밝고 편 것이고 땅은 어둡고 움츠린 것이다. 더위는 밝고 편 것이고 추위는 어둡고 움츠린 것이다. 낮은 밝고 편 것이고 밤은 어둡고 움츠린 것이다. 하늘과 땅, 추위와 더위, 낮과 밤은 어둠과 밝음, 움츠림과 폄으로써 변화를 이룬 것이다. 그러므로 양陽은 기를 토해 내고, 음陰은 기를 머금는다. 기를 토해 내는 것은 퍼뜨려주고, 기를 머금는 것은 화생化生한다.[15] 양이 퍼뜨려주고 음이 화생함에 인도人道가 정립되고 만물이 번성한다. 양이 음을 치면 휘감아 바람이 되고, 음이 양을 가두면 분격하여 우레가 된다. 양이 음을 조화시키면 비가 되고, 이슬이 되고 음이 양을 조화시키면 서리가 되고 눈이 된다. 음과 양이 조화하지 않으면 사나운 기가 된다.[16] [17]

[24-2-2]

沖漠無眹, 萬象具矣. 動靜無端, 後則先矣. 器根於道, 道著器矣. 一實萬分, 萬復一矣. 混兮闢兮, 其無窮矣. 是故數者, 計乎此者也, 疇者, 等乎此者也, 行者, 運乎此者也. 微而顯,

---

14 이 세 편은 『周易』의 「繫辭上·下」와 「說卦傳」의 뜻과 같다.(此三篇猶易繫辭上下傳及說卦之義也.) ○【補解】"이 편은 수의 이치를 논한 것이다.(此篇論數之理.)"

15 하늘은 밝고 … 化生한다.: 『淮南鴻烈解』권3 "天道曰圓, 地道曰方, 方者主幽, 圓者主明. 明者吐氣者也, 是故火曰外景. 幽者含氣者也, 是故水曰內景. 吐氣者施, 含氣者化, 是故陽施陰化."

16 양이 음을 … 된다.: 『淮南鴻烈解』권3 "天之偏氣怒者爲風, 地之含氣和者爲雨. 陰陽相薄, 感而爲雷, 激而爲霆, 亂而爲霧. 陽氣勝, 則散而爲雨露. 陰氣勝, 則凝而爲霜雪."

17 조화의 조화됨은 … 된다.:【補註】"태극은 造化의 근본이다. (태극이) 움직여 양을 낳으면 하늘이 되고 더위가 되며 낮이 되니 밝고 펴서 그 變을 이룬다. (태극이) 고요하여 음을 낳으면 땅이 되고 추위가 되며 밤이 되니, 어둡고 움츠려 그 化를 이룬다. 양이 변하고 음이 화하면 건은 남성을 이루고 곤은 여성을 이루어 人道가 정립된다. 건이 남성을 이루고 곤이 여성을 이루면 만물을 변화·생성하여 만물이 번성한다.(太極者, 造化之本. 動而生陽, 則爲天爲暑爲晝, 明而信以成其變也. 靜而生陰, 則爲地爲寒爲夜, 幽而屈以成其化者也. 陽變陰化, 則乾男坤女而人道立矣. 乾男坤女則化生萬物而萬物繁矣.)"【補解】"'繞'는 '휘감다.'이고, '囚'는 '가두다.'이며, '戾氣'는 우박 따위이니, 이것은 조화가 조화됨을 지극히 말한 것이다.(繞, 繾繞也. 囚, 囚閉也. 戾氣, 飛雹之類. 此極言造化之爲造化.)"

費而幽, 神應不測, 所以妙乎此者也.

텅 비고 고요하여 아무런 조짐이 없으나 온갖 형상이 갖추어져 있다.[18] 움직임과 고요함은 단서가 없으니[19] 뒤에 있는 것이 앞이 된다. 기器는 도道에 뿌리를 두고 도는 기에서 드러난다. 하나의 실상이 만물로 나뉘니, 만물은 다시 하나이다. 혼돈과 열림은 끝이 없다.[20] 그러므로 수數는 이것을 헤아린 것이고, 주疇(구주九疇)는 이것을 무리지은 것이며, 오행五行은 이것을 운행하는 것이다. 은미하지만 드러나 있고 널려있지만 그윽하여 신묘한 감응을 헤아릴 수 없으니, 그 때문에 이것을 신묘하게 하는 것이다.[21]

[24-2-3]

有理斯有氣, 有氣斯有形. 形生氣化, 而生生之理無窮焉. 天地絪縕, 萬物化醇, 男女構精, 萬物化生. 化生者塞, 化醇者賾. 覆土之陵, 積水之澤, 草木魚蟲, 孰形孰色? 無極之眞, 二五之精, 妙合而凝, 化化生生, 莫測其神, 莫知其能.

리가 있어야 기가 있고, 기가 있어야 형체가 있다. 형체가 생겨나고 기가 변화하여, 낳고 낳는 리는 끝이 없다. 천지의 두 기가 긴밀하게 어우러져서 만물이 변화·응취하고, 남성과 여성이 정기를 교접하여 만물이 변화·생성한다.[22] 변화·생성하는 것은 가득 차있고 변화·응취하는 것은 복잡하다. 흙을

---

18 텅 비고 … 있다. : 『河南程氏遺書』 권15 "冲漠無眹, 萬象森然已具, 未應不是先, 已應不是後. 如百尺之木, 自根本至枝葉, 皆是一貫, 不可道上面一段事, 無形無兆, 却待人旋安排引入來, 敎入塗轍. 旣是塗轍, 却只是一箇塗轍."

19 움직임과 고요함은 단서가 없으니 : 『河南程氏粹言』 권상 「論道篇」 "動靜無端, 陰陽無始, 非知道者, 孰能識之?"

20 혼돈과 열림은 끝이 없다. : 『通書』「動靜」

21 은미하지만 드러나 … 것이다. : 【補註】 "태극이 나뉘지 않았을 때에는 텅 비고 고요하여 아무런 조짐이 없으나 온갖 형상이 갖추어져 있고, 양의가 나뉘고 나면 움직임과 고요함에 단서가 없어 뒤가 다시 앞이 된다. 그러므로 道는 형이상자이고 器는 형이하자이다. 한 차례 열림에서 만물이 되고 만물의 뒤섞임에서 하나가 된다. 그 운행이 그러므로 순환하여 끝이 없는 것이다.(太極未分, 則冲漠無眹而萬象已具, 兩儀既判, 則動静無端而後復爲先. 故道形而上者也, 器形而下者也. 由一闢而爲萬, 由萬混而爲一. 其運故循環之無窮也.)【補解】 "冲漠은 한데 어우러져 '아득하다'는 뜻이다. '眹'은 '분별하다'이다. '萬象'은 만물의 형상이다. 움직임이 앞이고 양이며 고요함이 뒤이고 음이다. '器'는 형이하를 말하니, 바로 음양이다. '道'는 리이다. '하나'는 태극이다. '萬'은 만물이다. '混'은 합함이니, 만물이 다시 하나가 되는 것이다. '闢'은 열림이니, 하나가 만물로 나뉘는 것이다. '數'는 홍범의 수이고 疇는 九疇이다. '等'은 '무리 짓다.'이다. '行'은 오행이다.(冲漠, 冲融冥漠之意. 眹, 分也. 萬象, 萬物之象也. 動先陽也, 静後陰也. 器, 形而下之謂, 即陰陽也. 道, 理也. 一, 太極也. 萬, 萬物也. 混, 合也, 萬復一也. 闢, 開也, 一分萬也. 數, 範數也, 疇, 九疇也. 等, 類也. 行, 五行也.) '은미하지만 드러나는 것'은 은미함보다 드러나는 것이 없다는 것이며, '드러나지만 그윽한 것'은 드러나 있지만 은미하다는 것이다. '신묘함을 헤아릴 수 없다'는 것은 張子(張載)가 말한 '하나이기에 신묘하고 둘이 있기에 헤아릴 수 없다.'는 것이 이것이다. 이것은 리를 가리켜 말한 것이다.(微而顯, 莫顯乎微也. 費而幽, 費而隱也. 神應不測, 張子所謂'一故神, 兩在故不測', 是也. 此指理而言.)"

22 천지의 두 … 생성한다. : 『周易』「繫辭下」 5장. 여기서는 주희의 『周易本義』의 주석에 따라 번역하였다. 주희

덮고 있는 언덕과 물을 담고 있는 연못에 풀·나무·물고기·벌레는 누가 형체를 갖게 했으며, 누가 색깔을 갖게 했는가? 무극의 진실함과 음양·오행의 순수함이 오묘하게 결합하고 응취하여[23] 변화하고 변화하며 생성하고 생성하니, 그 신묘함을 헤아릴 수 없고 그 능력을 알 수 없다.[24]

[24-2-4]

理之所始, 數之所起. 微乎微乎, 其小無形, 昭乎昭乎, 其大無垠. 微者昭之原, 小者大之根. 有先有後, 孰離孰分? 成性存存, 道義之門. 老氏爲虛, 釋氏爲無. 刑名失實, 陰陽多拘. 異端曲學, 烏乎不渝哉?

리理가 시작되는 곳이 수數가 일어나는 곳이다. 은미하고 은미하여 그 작음은 형체가 없고, 밝고 밝아 그 큼은 가장자리가 없다. 은미함은 밝음의 근원이고, 작음은 큼의 뿌리이다. 선후가 있으니 무엇이 분리될 수 있겠는가? 이루어진 성性을 보존하는 것이 도의道義의 문이다.[25] 도가는 허虛를 주장하였고, 불가는 무無를 주장하였다. 형명가刑名家는 진실을 잃었고 음양가는 매인 것이 많다. 이단이 학문을 왜곡시켰으니, 어떻게 변하지 않을 수 있겠는가?[26]

는 '醇'을 '두텁게 엉김(厚而凝也)'으로 풀이하고 있으며, '天地絪縕, 萬物化醇'을 '氣化'로, '男女構精, 萬物化生'을 '形化'로 설명하고 있다.

23 무극의 진실함과 … 응취하여: 『太極圖』 "無極之眞, 二五之精, 妙合而凝. 乾道成男, 坤道成女. 二氣交感, 化生萬物. 萬物生生而變化無窮焉."

24 리가 있어야 … 없다.: 【補註】 "天地絪縕'이라는 네 글귀는 『周易』 「繫辭傳」에 나온다. 『周易本義』에서 '絪縕'은 긴밀하게 어우러지는 모양이고 '醇'은 두텁게 엉기는 것을 말한다. 氣化는 변화·생성하여 형체가 생겨나는 것을 말한다. '贖'은 '복잡하다.'이다. 변화·생성하는 것은 참으로 은밀하게 가득 차고, 변화·응취하는 것은 더욱 복잡하다. 예컨대 흙이 덮여 있는 언덕에서 홀연히 초목이 생겨나고 물이 모인 연못에서 물고기와 벌레가 생겨나는 것은 누가 그것을 주관하는가? 모두 무극, 음양과 오행이 오묘하게 결합하여 응결한 것이다. 나는 리와 기의 선후에 대해 선배 학자들이 여전히 그다지 분명하게 밝히지 못했다고 생각한다. 하나의 기가 아직 나뉘지 않았을 때에는 리가 이미 그 가운데 있으니, 도리어 기가 먼저가 되고 리가 나중이 된다. 음양이 나뉘고 나서 오로지 리가 그 主가 되어야 비로소 리가 먼저이고 기가 나중이 된다. 『正蒙』에 자세히 보인다.(天地絪縕四句出『易』「大傳」. 『本義』絪縕交密之狀, 醇謂厚而凝也. 言氣化者也化生形生者也. 贖, 雜亂也. 夫化生者固隱塞而化醇者尤雜亂. 若覆土之陵忽生草木, 積水之澤忽出魚蟲, 誰其尸之? 皆無極二五妙合而凝. 愚謂理氣之先後先儒尚未甚明白. 蓋當一氣未分之時而理已具其中, 還氣爲先而理爲後也. 至陰陽既分之後, 一以理爲之主, 方理爲先而氣爲後也. 詳見『正蒙』.)【補解】 "塞'은 가득 차다는 뜻이다. '二五'는 음양과 오행이다. 이것은 形化와 氣化로써 말한 것이다.(塞, 充滿也. 二五, 陰陽五行也. 此以形化氣化而言.)"

25 이루어진 성性을 … 문이다.: 『周易』 「繫辭上」 7장

26 리가 시작되는 … 있겠는가?: 【補註】 "수가 一一에서 일어나는 것이 리이다. 리로써 말하면 그 작음은 형체가 없고 수로써 말하면 그 큼은 가장자리가 없다. 그러므로 이루어진 性을 보존하고 보존함이 도의의 문인 것이다.(數起於一一者, 理也. 以理言之, 其小無形, 以數言之, 其大無垠. 故成性存存而爲道義之門也.)"【補解】 "은미하고 작음은 리의 은미함이고, 밝고 큼은 리의 드러남이다. 이루어진 성은 본래 이루어진 성이다. '存存'은 보존하고 또 보존하여 그치지 않는다는 뜻이다. 도의의 문은 예를 알고 성을 보존하여 도의가 나오는 것을 말한다. 도가는 淸虛를 종지로 삼고 불가는 寂滅을 교의로 삼았으며, 형명가는 申不害와 韓非子 등으로

[24-2-5]

有理斯有氣, 氣著而理隱. 有氣斯有形, 形著而氣隱. 人知形之數而不知氣之數, 人知氣之數而不知理之數, 知理之數, 則幾矣. 動靜可求其端, 陰陽可求其始, 天地可求其初, 萬物可求其紀, 鬼神知其所幽, 禮樂知其所著, 生知所來, 死知所去. 易曰, "窮神知化, 德之盛也."

리가 있어야 기가 있는데 기는 드러나 있고 리는 감추어져 있다. 기가 있어야 형체가 있는데 형체는 드러나 있고 기는 감추어져 있다. 사람들은 형체의 수는 알지만 기의 수를 모르며, 사람들은 기의 수는 알지만 리의 수는 모르니, 리의 수를 알면 도에 가까울 것이다. 동정動靜에서 그 단서를 찾을 수 있고, 음양에서 그 시작을 구할 수 있으며, 천지에서 그 처음을 구할 수 있고, 만물에서 그 질서를 구할 수 있으며, 귀신에서 그 그윽한 바를 알고, 예악에서 드러난 바를 아니, 삶이 어디에서 왔는지 알고 죽음이 어디로 가는지 알게 된다. 그래서 『주역』에 "신묘함을 궁구하여 조화를 아는 것이 덕의 성대함이다."[27]라고 하였다.[28]

[24-2-6]

智者, 君子所以成德之終始也. 是故欲知道, 不可以不知仁. 欲知仁, 不可以不知義. 欲知義, 不可以不知禮. 欲知禮, 不可以不知數. 數者, 禮之序也. 分於至微, 等於至著. 聖人之道, 知序則幾矣.

지혜는 군자가 덕을 이루는 처음과 끝이다. 그러므로 도를 알려고 하면 인을 알지 않으면 안 된다. 인을 알려고 하면 의를 알지 않으면 안 된다. 의를 알려고 하면 예를 알지 않으면 안 된다. 예를 알려고

- -

진실을 잃었고, 법가는 법으로 단정하고 명가는 이름으로 결정하였으니, 모두 그 진실을 잃은 것이다. 음양가는 京房과 郭璞 등이다. '拘'는 '매이다.'이다. '매인 것이 많다.'는 것은 음양가가 때에 구애받아 꺼리고 두려워하는 것이 많은 것이다. '烏'는 '어떻게'이고 '乎'는 어조사이다. '渝'는 '변하다.'이다.(微小, 理之隱, 昭大, 理之著. 成性, 本成之性也. 存存謂存而又存不已之意. 道義之門言知禮存性而道義出也. 老氏以淸虛爲宗者, 釋氏以寂滅爲敎者, 刑名申韓之類失實, 法家斷於法, 名家決於名, 皆失其實也. 陰陽, 京房郭璞之類. 拘, 泥也. 多拘, 陰陽家拘於日時而多所忌畏也. 烏, 何也, 乎, 語辭. 渝, 變也.)"

27 "신묘함을 궁구하여 … 성대함이다.": 『周易』「繫辭下」 5장

28 리가 있어야 … 하였다.: 【補註】 "리의 수를 알면 動靜, 음양, 천지만물, 귀신, 예악, 생사 등 무엇이건 알지 못함이 있어 신묘함을 궁구하여 조화를 아는 경지에 나아가게 된다.(知理之數, 則動靜陰陽天地萬物鬼神禮樂死生無所不知, 而造於窮神知化之地矣.)"【補解】 "형체의 수는 예컨대 사람과 만물이 하늘에서 받은 수명의 수이고, 기의 수는 예컨대 천지가 시작하고 마치는 수이며, 리의 수는 예컨대 『周易』과 「洪範」의 수이다. '幾'는 '도달하다.'이니, 『莊子』「齊物論」에서 '適得而幾矣'라고 할 때의 '幾'이니, 지극한 이치가 스스로 터득함에 도달하는 것을 말한다. '紀'는 질서이다. (張載의 『正蒙』에서) 하나로 합치하여 헤아릴 수 없는 것을 神이라 하고, 미루어 운행할 때 점차적인 과정이 있는 것이 化라고 하였다. '窮神知化'는 『周易』「繫辭傳」의 글이다.(形之數如人物壽夭之數, 氣之數如天地始終之數, 理之數如『易』「範」之數, 幾, 盡也, 莊子適得而幾矣之幾, 言至理盡於自得也. 紀, 統紀也. 合一不測之謂神, 推行有漸之謂化. 窮神知化『易』「係辭」文.)"

하면 수數를 알지 않으면 안 된다. 수는 예의 질서이다. 지극한 은미함을 나누고 지극한 드러남을 무리 짓는다. 성인의 도는 질서를 알면 가까워진다.[29]

[24-2-7]

人非無知也, 而眞知爲難. 人非無見也, 而眞見爲難. 義之質, 人所知也, 而犯義者多. 禮之文, 人所見也, 而越禮者衆. 以其知之非眞知, 見之非眞見爾. 眞者, 精之極. 精則明, 明則誠. 誠則爲其所爲, 不爲其所不爲. 如水之寒, 火之熱, 亦性之而已矣.

사람들이 아는 게 없는 것은 아니나 참되게 알기가 어렵다. 사람들이 본 것이 없는 것은 아니나 참되게 보기가 어렵다. 의義의 내용은 사람들이 아는 것이지만 의를 범하는 경우가 많다. 예禮의 절문은 사람들이 본 것이지만 예를 넘는 경우가 많다. 이는 자신이 아는 것이 참된 앎이 아니고 본 것이 참된 봄이 아니기 때문이다. 참됨은 지극한 순수함이다. 순수하면 밝고 밝으면 성誠하게 된다. 성誠하면 해야 할 것을 하고 하지 말아야 할 것을 하지 않게 된다. 예컨대 찬 물, 뜨거운 불처럼 또한 성性대로 할 뿐이다.[30]

[24-2-8]

物窒而理虛. 暗窒而明虛. 萬物生於虛明而死於窒暗也. 萬事善於虛明而惡於窒暗也. 虛明則神, 神則聖. 聖者, 數之通也. 窒暗則惑, 惑則愚. 愚者, 數之塞也.

사물은 막혀 있고 리는 트여있다. 어둠은 막혀있고 밝음은 트여있다. 만물은 트임과 밝음에서 생겨나서 막힘과 어둠 속에서 사멸한다. 만사萬事는 트임과 밝음 속에서 선하고 막힘과 어둠 속에서 악하다. 트이고 밝으면 신묘하고 신묘하면 성명聖明하다. 성명함은 수數의 통합이다. 막히고 어두우면 의혹되고

29　지혜는 군자가 … 가까워진다. :【補註】"질서를 아는 것이 덕의 시작이 되고 성인의 도에 가까운 것이 덕의 마침이 된다.(知序, 所以爲德之始, 幾於聖人之道, 所以爲德之終也.)"【補解】"分은 나누어 서술하는 것이다. 지극한 은미함은 리의 체이다. 等은 무리 지어 분류하는 것이다. 지극한 드러남은 예의 체이다. 이는 리의 은미함에서 수를 나누고 예의 드러남에 수를 무리 짓는 것이다. 이것은 道義가 지와 예에서 나오고 수의 생겨남도 예를 벗어나지 않는다는 것을 말한 것이다.(分, 分而叙之也. 至微, 理之體也. 等, 等而類之也. 至著, 禮之體也. 蓋分其數於理之微, 類其數於禮之著也. 此言道義出於智禮而數之生亦不外乎禮.)"

30　사람들이 아는 … 뿐이다. :【補註】"이것은 위의 장을 이어 智者의 일을 말한 것이다.(此承上章, 言智者之事)"【補解】"의는 형체가 없기 때문에 내용[質]을 빌려 말한 것이다. 순수함·밝음·성함의 세 가지는 격물치지의 효용이다. 誠하고 나면 진실해진다. 해야 할 것을 하는 것은 공자가 가신을 두지 않은 것이 이것이다. 하지 않아야 할 것을 하지 않는 것은 曾子가 '자리를 바꾼 것[易簀]'이 이것이다. 예컨대 三家에서 八佾舞를 추는 것과 참람되게 제사를 마치고 『詩經』의 雍章을 노래하면서 撤床을 한 것은 해야 할 것을 하지 않고 하지 말아야 할 것을 하는 것이지 어찌 참되게 보거나 아는 자이겠는가? 그렇다면 공자와 증자의 행함은 마치 물이 차갑고 불이 뜨거운 것처럼 性을 따른 것일 뿐이다.(義無形體, 故假質而言. 禮有儀物, 故以文而言. 精明誠三者, 格物致知之效. 既誠, 則眞實矣. 爲其所爲, 夫子之無家臣, 是也. 不爲其所不爲, 曾子之易簀, 是也. 若三家之舞八佾, 借雍徹, 不爲其所爲, 爲其所不爲, 豈眞見知者哉? 然則孔曾之爲如水寒火熱, 性而已.)"

의혹되면 어리석다. 어리석음은 수數의 막힘이다.[31]

[24-2-9]

陰陽五行, 其體而用用而體者耶! 渾渾淪淪而出入異門. 繩繩井井而形色俱泯. 合之而知其異, 析之而知其同, 微之而知其顯, 充之而知其不可窮者, 其庶矣哉!

음양 · 오행은 체體이면서 용用이고 용이면서 체이다! 하나로 뒤섞여 있으나 드나들 때에는 문이 다르다. 질서정연하지만 모양과 색깔이 모두 없다. 합해도 다름을 알고 쪼개도 같음을 알며, 은미하게 해도 현저함을 알고 채워도 끝이 없는 것을 아는 것이 이치에 가까울 것이다![32]

[24-2-10]

陰陽相爲首尾者耶! 是故陽順而陰逆, 陽長而陰消, 陽進而陰退. 順者吉而逆者凶耶, 長者盛而消者衰耶, 進者利而退者鈍耶! 周流不窮, 道之體也, 失得相形, 事之紀也.

음과 양은 서로 머리와 꼬리가 될 것이다! 그러므로 양은 순하고 음은 거스르며, 양은 자라나고 음은 줄어들며, 양은 나아가고 음은 물러난다. 순한 것은 길하고 거스르는 것은 흉하며, 자라나는 것은 융성하고 줄어드는 것은 쇠퇴하며, 나아가는 것은 날카롭고 물러나는 것은 무딜 것이다! 두루 유행하여 끝나지 않는 것은 도의 체이고, 잘잘못이 서로 드러나는 것은 일의 벼리이다.[33]

· · · · · · · · · · · · · · · · · · · ·

31　사물은 막혀 … 막힘이다. : 【補註】"하늘에서는 트임과 밝음이 양의 맑음이 되고 막힘과 어둠이 음의 흐림이 된다. 사람에서는 트임과 밝음은 性의 아름다움이 되고 막힘과 어둠은 습관의 나쁨이 된다.(在天, 則虛明爲陽之淸, 窒暗爲陰之濁. 在人, 則虛明爲性之美, 窒暗爲習之惡.)"【補解】"리를 얻어 이미 생겨난 것을 物이라고 하고 갖추고 있지만 아직 드러나지 않은 것을 리라고 한다. 막힘은 물의 형체이고 트임은 리의 체이다. 막혀있기 때문에 어둡기 쉽고, 트여있기 때문에 밝을 수 있다. 만물의 생과 사, 일의 선과 악, 사람의 聖明함과 어리석음, 수의 통함과 막힘이 모두 여기에서 비롯됨을 말한다.(得其理而已生謂之物, 有其具而未形謂之理. 窒, 物之形也, 虛, 理之體也. 由窒故易暗, 由虛故能明. 言物之死生事之善惡人之聖愚數之通塞皆由於此.)"

32　음양 · 오행은 … 것이다. : 【補註】"음양과 오행은 서로 體와 用이 되기 때문에 하나로 뒤섞여 있으나 드나들 때에는 문이 다르다. 체이면서 용인 것은 질서정연하지만 모양과 색깔이 모두 없다. 용이면서 체인 것은 도에 가깝다.(陰陽五行, 其相爲體用, 故渾渾淪淪而出入異門. 其體而用者也, 繩繩井井而形色具泯. 其用而體者也庶幾也.)"【補解】"'渾渾淪淪'은 모두 하나로 뒤섞여 있다는 뜻이다. '繩繩'은 끊어지지 않은 모양이다. '井井'은 『周易』 井卦의 '井井'에서의 '井'이니, 변함없는 곳을 잃지 않음을 말한다. '形色'은 네모와 원, 어둠과 밝음, 음과 양의 모양과 색깔이고, 潤澤하고 내려감, 불타고 올라감, 굽고 곧음, 그대로 따르고 변함, 청 · 황 · 적 · 백 · 흑 등 오행의 모양과 색깔이다. 드나들 때 문이 다른 것은 양이 나가는 문이 바로 음이 들어오는 문이고 음이 나가는 문이 양이 들어오는 문이라는 것이다. 이것은 음양과 오행이 서로 체용이 됨을 말한다.(渾渾淪淪, 皆渾淪之意. 繩繩, 不絶貌. 井井, 即易井卦井井之井, 言不失其常所也. 形色, 方圓幽明陰陽之形色也, 潤下炎上曲直從革, 靑黃赤白黑五行之形色也. 出入異門, 陽出之門, 即陰入之門, 陰出之門, 即陽入之門也. 此言陰陽五行之相爲用也.)"

33　음과 양은 … 벼리이다. : 【補註】"한 번 순하고 한 번 거스르며, 한 번 자라나고 한 번 줄어들며, 한 번 나아가고 한 번 물러나는 것은 두루 유행하여 끝나지 않으니 도의 체가 된다. 한 번 길하고 한 번 흉하며 한 번 융성하고 한 번 쇠퇴하며, 한 번 날카롭고 한 번 무딘 것은 잘잘못이 서로 드러나니 일의 벼리가 된다.

[24-2-11]

陰陽非可一言盡也. 以清濁言, 則清陽而濁陰. 以動靜言, 則動陽而靜陰. 以升降言, 則升陽而降陰. 以奇偶言, 則奇陽而偶陰. 小大高卑, 左右後先, 向背進退, 逆順醜妍, 靡物不爾, 無時不然. 愈析愈微, 愈窮愈巡.音沿 陰陽之精, 互藏其營. 陰陽之氣, 循環迭至. 陰陽之質, 縱橫曲直. 莫或使之, 莫或禦之.

음양은 한마디 말로 다 할 수 있는 것이 아니다. 맑음과 흐림으로 말하면 맑음은 양이고 흐림은 음이다. 움직임과 고요함으로 말하면 움직임은 양이고 고요함은 음이다. 상승과 하강으로 말하면 상승은 양이고 하강은 음이다. 홀수와 짝수로 말하면, 홀수는 양이고 짝수는 음이다. 큼과 작음, 높음과 낮음, 왼쪽과 오른쪽, 앞과 뒤, 향함과 등짐, 나아감과 물러남, 순함과 거슬림, 추함과 아름다움은 무엇이건 그러하지 않음이 없고, 어느 때건 그러하지 않음이 없다. 쪼갤수록 더욱 작아지고 추궁할수록 더욱 멀어진다. '巡'은 음이 '연沿'이다. 음과 양의 정기精氣는 서로 상대방 속에 자기의 집을 감춰두고 있다. 음과 양의 기氣는 순환하며 교대로 이른다. 음과 양의 질質은 가로로 되고 세로로 되며, 굽기도 하고 곧기도 하다. 누군가 그것을 시킬 수 없고, 누군가 그것을 막을 수 없다.[34]

[24-2-12]

變者化之漸, 化者變之成. 變化者, 陰陽之消長屈伸也, 非二則不能久, 非一則不能神.

변變은 화化의 점차적인 과정이고, 화化는 변變의 완성이다.[35] 변화는 음과 양의 사라짐과 자라남, 움츠림과 폄이니, 둘이 아니면 오랠 수 없고 하나가 아니면 신묘해질 수 없다.[36]

(其一順一逆, 一長一消, 一進一退, 所以周流不窮, 爲道之體也. 其一吉一凶, 一盛一衰, 一利一鈍, 所以失得相形, 爲事之紀也.)"【補解】"음과 양이 서로 머리와 꼬리가 된다는 것은 「範數圖」에서 왼쪽은 原이 머리가 되고 升이 꼬리가 되며, 오른쪽은 伏이 머리가 되고 終이 꼬리가 되는 것이다. 두루 유행하여 끝나지 않는 것은 음양의 운행이고, 잘잘못이 서로 드러나는 것은 길흉의 드러남이다.(陰陽相爲首尾者, 「範數圖」左則原爲首而升爲尾, 右則伏爲首而終爲尾也. 周流不窮, 陰陽之運也. 失得相形, 吉凶之著也.)"

34 음양은 한마디 … 없다. :【補註】"'巡'은 '멀어지다.'이다. 누군가 시키는 것도 아니고 누군가 막는 것도 아니니 하나의 태극이 절로 그러한 것이다.(巡, 遠也. 莫或使之, 莫或禦之, 一太極之自然也.)"【補解】"'巡'은 '흐르다.'이고, 또 '멀어지다.'이다. '營'은 집이다. '莫或使之'는 그렇게 하도록 시킬 수 없다는 것이고 '莫或禦之'는 그렇게 하지 않도록 시킬 수 없다는 것이다.(巡, 流也. 又遠也. 營, 宅也. 莫或使之, 不可使之然也, 莫或禦之, 不可使之不然也.)"

35 변은 化의 … 완성이다. :『周易』「乾卦·象傳」'乾道變化'에 대한 『周易本義』의 주

36 변은 化의 … 없다. :【補註】"음양의 사라짐과 자라남, 움츠림과 폄이 아니면 오랠 수 없고, 태극이 둘 가운데에 있지 않으면 신묘해질 수 없다.(非陰陽之消長屈信, 則不能久, 非太極之兩在, 則不能神.)"【補解】"둘은 음양이다. 하나는 태극이다. 이것은 변화가 신묘할 수 있다는 것을 말한다.(二, 陰陽也. 一, 太極也. 此言變化之能神矣.)"

[24-2-13]

昔者天錫禹洪範九疇也,[37] 初一曰五行, 次二曰敬用五事, 次三曰農用八政, 次四曰協用五紀, 次五曰建用皇極, 次六曰乂用三德, 次七曰明用稽疑, 次八曰念用庶徵, 次九曰嚮用五福, 威用六極.[38]

옛날 하늘이 우임금에게 홍범洪範 구주九疇를 내려주었는데, 첫 번째는 오행五行이고, 다음 두 번째는 공경함을 오사五事로써 함이고, 다음 세 번째는 농사를 팔정八政으로써 함이고, 다음 네 번째는 화합함을 오기五紀로써 함이고, 다음 다섯 번째는 세움을 황극皇極으로써 함이고, 다음 여섯 번째는 다스림을 삼덕三德으로써 함이고, 다음 일곱 번째는 밝힘을 계의稽疑로써 함이고, 다음 여덟 번째는 상고함을 서징庶徵으로써 함이고, 다음 아홉 번째는 권면함을 오복五福으로써 하고 위엄을 보임을 육극六極으로써 함이다.[39]

[24-2-14]

無形者, 理也, 有形者, 物也. 陰陽五行, 其物也歟! 所以陰陽五行, 其理也歟! 無形之中而具有形之實. 有形之實而體無形之妙. 故君子語上而不墮於虛無, 語下而不泥於形器. 中立而不倚, 旁行而不流, 樂天知命而不憂.

형체가 없는 것은 리이고, 형체가 있는 것은 사물이다. 음양과 오행은 사물일 것이다! 음양과 오행이 되도록 하는 근거는 리일 것이다! 형체가 없는 가운데 형체를 지닌 실물實物을 갖추고 있다. 형체가 있는 실물에 형체가 없는 신묘함을 골자로 삼고 있다. 그러므로 군자는 형이상을 말하면서도 허무에 떨어지지 않으며, 형이하를 말하면서도 형기形器에 얽매이지 않는다. 중도中道에 서서 기울지 않으며,[40] 사방으로 행하면서도 휩쓸리지 않으며, 천리를 즐거워하고 천명을 알아 근심하지 않는다.[41][42]

---

37 昔者天錫禹洪範九疇也 :『書經』「洪範」에는 "天乃錫禹洪範九疇, 彝倫攸敘."로 되어 있다.

38 『書經』「洪範」

39 옛날 하늘이 … 함이다. :【補註】"첫 번째, 다음 두 번째, 다음 세 번째, 다음 네 번째, 다음 다섯 번째, 다음 여섯 번째, 다음 일곱 번째, 다음 여덟 번째, 다음 아홉 번째는「雒書」에서 아홉 가지 수의 차례이다. 五行, 공경함을 五事로써 함, 농사를 八政으로써 함, 화합함을 五紀로써 함, 세움을 皇極으로써 함, 다스림을 三德으로써 함, 밝힘을 稽疑로써 함, 상고함을 庶徵으로써 함, 권면함을 五福으로써 하고 위엄을 보임을 六極으로써 함은「洪範」구주의 항목이다.「洪範」구주는 箕子에게서 시발되었다. 그러므로「雒書」의 아홉 가지 수로써 九峯先生(蔡沈)이 연역한 것이다.(初一・次二・次三・次四・次五・次六・次七・次八・次九,「洛書」九數之序也. 曰五行, 曰敬用五事, 曰農用八政, 曰恊用五紀, 曰建用皇極, 曰乂用三德, 曰明用稽疑, 曰念用庶徵, 曰嚮用五福威用六極, 此洪範九疇之目也. 洪範九疇, 自箕子發之. 故洛書九數而九峯先生演之也.)"

40 中道에 서서 기울지 않으며 :『中庸章句』10장

41 사방으로 행하면서도 … 않는다. :『周易』「繫辭上」4장 "旁行而不流, 樂天知命, 故不憂."

42 형체가 없는 … 않는다. :【補註】"군자는 리를 논할 때에는 반드시 기를 논하고, 기를 논할 때에는 반드시 리를 논하니, 형이상을 말하면서 형이하를 빠뜨리거나 형이하를 말할 때에 형이상을 알지 못한 적이 없다.(君子論理必論氣, 論氣必論理, 未嘗語上而遺下, 語下則不知上也.)"【補解】"虛無는 도가의 해석이다. 形器는 京房과 郭象 등의 사상이다. '중도에 서서 기울지 않는 것'은 올바름을 지키는 仁이며, '사방으로 행하면서도

[24-2-15]

形氣之元, 極實先焉. 極無不中也, 氣或偏矣, 形又偏矣. 中無不善, 偏不善矣. 氣之善者十
之五. 形之善者十之三. 三五之中, 又有至焉, 有不至焉. 純乎極者, 一而已矣. 漸偏則漸駁,
氣使然也, 形使然也. 氣有方, 形有體, 故中者少而偏者多也. 此天下善惡之所由出, 失得
之所由分, 吉凶禍福之所由著歟!

형체와 기氣의 시원에는 극極이 진실로 앞선다. 극極은 중中이 되지 않음이 없지만 기氣는 경우에 따라
치우치고 형체도 치우친다. 중中은 선善하지 않음이 없지만 치우침은 선하지 않다. 기 가운데 선한
것은 10 중의 5이다. 형체 가운에 선한 것은 10 중의 3이다. 그 3과 5 중에 또 지극한 것이 있고,
지극하지 않은 것이 있다. 순전한 극極은 하나일 뿐이다. 점점 치우치게 되면 점점 잡박해지는데, 기가
그렇게 되도록 하고 형체가 그렇게 되도록 하기 때문이다. 기는 방소가 있고 형체는 몸이 있기 때문에
중中이 되는 것은 적고 치우친 것은 많다. 이것이 세상에 선과 악이 나오는 유래이고, 잘잘못이 나뉘는
유래이며, 길흉화복이 드러나는 유래일 것이다!43

[24-2-16]

理其至妙矣乎! 氣之未形, 物之未生, 理無不具焉. 氣之旣形, 物之旣生, 理無不在焉. 渾然
一體而不見其有餘. 物各賦命而不見其不足. 無形影可度也, 無聲臭可聞也. 主萬化, 妙萬
物, 人知其神而不知其所以神.

리는 지극히 오묘한 것이다! 기氣가 아직 드러나지 않고, 사물이 아직 생겨나지 않아도 리는 갖춰져
있지 않음이 없다. 기가 드러나고 사물이 생겨나고 나면, 리가 있지 않음이 없다. 혼연히 한 몸을 이루

휩쓸리지 않는 것은 權道를 행하는 지혜이다. 이미 천리를 즐기고 나아가 천명을 아니, 이것이 리를 궁구하고
性을 다하여 천명에 이르는 일이다. 그러나 세분하면 사방으로 행하는 것은 知이고 휩쓸리지 않는 것은 仁이
다.(虛無, 老釋也. 形器, 京郭之類. 中立而不倚, 守正之仁也. 旁行而不流, 行權之智也. 既樂天理, 又知天命,
此窮理盡性至命之事. 釋曰細分, 則旁行知也, 不流仁也.)"

43 형체와 氣의 … 것이다. : 【補註】 "極은 천리가 지닌 본연의 오묘함이다. 사람에게는 본심의 온전함이 되니
체의 덕으로서 본래 선하지 않음이 없다. 선하지 않은 것은 형기가 그렇게 하도록 한 것이다.(極者, 天理本然
之妙. 在人則爲本心之全, 體之德, 本無不善. 其不善者, 形氣使之然也.)"【補解】 "형체는 成數 6·7·8·9이
고, 기는 생수 1·2·3·4·5이다. 극은 태극이니, 5를 말한다. 치우친 것은 중(中)이 되지 않는다. '10 중의
5'는 10등분 가운데 5이고, '10 중의 3'은 10등분 가운데 3이다. '순전한 극은 하나이다.'라는 것은 中의 5이다.
'方'은 차지하고 있는 자리이다. '體'는 이루고 있는 몸이다. 형체도 아니고 기도 아니며, 방소도 없고 몸도
없어 순수한 극은 오직 中일 뿐이다. 成數 6·7·8·9는 모두 넷이 되고 生數 1·2·3·4·5는 모두 다섯이
되며, 5는 또한 생수의 평안함이니, 기 중에는 선한 것이 많고 형체 중에는 선한 것이 적다고 풀이한 것이다.
(形, 成數六七八九也, 氣, 生數一二三四五也. 極, 太極, 謂五也. 偏, 不中也. 十之五, 十分中之五也. 十之三,
十分中之三也. 純乎極者一, 即中之五也. 方, 所居之位也. 體, 所成之體也. 非形非氣, 無方無體, 而純乎極者,
惟中而已. 釋曰成數六七八九, 總爲四, 生數一二三四五, 總爲五, 而五亦生數之平吉, 則氣之善者多而形之善者
少也.)"

고 있어서 여분을 보지 못한다. 사물들이 각각 천명을 품부 받아서 부족함을 보지 못한다. 헤아릴 수 있는 형체와 그림자가 없고, 들으며 냄새 맡을 수 있는 소리와 냄새가 없다. 온갖 조화를 주재하면서 온갖 사물들을 오묘하게 하는데, 사람들은 그 신묘함은 알아도 그 신묘하게 하는 근거는 알지 못한다.[44]

[24-2-17]

邵子曰, "性者道之形體也." 道妙而無形, 性則仁義禮智具而體著矣. 程子曰, "天運而不已, 日往則月來, 寒往則暑來, 水流而不息, 物生而不窮, 皆與道爲體者也." 非性無以見道, 非不息亦無以見道. 是以君子盡性, 而自強不息焉."

소자邵子[邵雍]는 "성性은 도道의 형체이다."[45]라고 하였으니, 도는 오묘하여 형체가 없지만, 성性은 인의예지가 갖추어져 형체가 드러난다."라고 하였다. 정자程子는 "천도는 운행하여 멈추지 않으니, 해가 지면 달이 뜨고 추위가 가면 더위가 오며, 물이 흘러 쉬지 않고 만물이 생겨나 끝나지 않은 것이 모두 도와 더불어 형체가 되는 것이다."[46]라고 하였으니, 성性이 아니면 도를 볼 수 없고, 쉬지 않음이 아니면 또한 도를 볼 수 없다. 이 때문에 군자는 성을 다하여 스스로 힘써서 쉬지 않는 것이다.[47]

[24-2-18]

朱子曰: "太極者, 本然之妙也. 動靜者, 所乘之機也. 太極, 形而上之道也. 陰陽, 形而下之器也. 自形而下者觀之, 則動靜不同時, 陰陽不同位, 而太極無不在焉. 自形而上者觀之, 則沖漠無眹, 而動靜陰陽之理已悉具於其中矣. 雖然, 推之於前而不見其始之合, 引之於後而不見其終之離也. 程子曰, '動靜無端, 陰陽無始, 非知道者, 孰能識之?'[48]

주자가 말했다. "태극은 본연의 오묘함이고, 움직임과 고요함은 (태극이) 타는 틀이다. 태극은 형이상의 도道이고 음양은 형이하의 기器이다.[49] 그러므로 형이하의 관점에서 보면, 움직임과 고요함이 때가 같지 않고 음과 양이 곳이 같지 않지만 태극이 있지 않음이 없다. '형이상'의 관점에서 보면 텅 비고 고요하여 아무런 조짐이 없는 가운데 움직임과 고요함, 음과 양의 리가 이미 모두 그 가운데 구비되어

----

44 리는 지극히 … 못한다. : 【補註】 "이것은 태극에 헤아릴 수 없는 오묘함이 있다는 것을 깊이 찬미한 것이니, 위 장의 '음양은 한마디 말로 다할 수 있는 것이 아니'라는 것과 서로 표리가 된다.(此深贊太極有不測之妙, 與上陰陽非可一言盡章, 相爲表裏.)"

45 "性은 道의 형체이다." : 『擊壤集』「自序」

46 "천도는 운행하여 … 것이다." : 『二程集』에서 출전을 찾을 수 없으나 주자의 『論孟精義』에 程頤의 말로 인용되어 있다.

47 邵子[邵雍]는 … 것이다. : 【補註】 "性이 아니면 도를 볼 수 없다.'는 것은 위의 邵子의 뜻을 끝맺음한 것이다. '쉬지 않음이 아니면 또한 도를 볼 수 없다.'는 것은 위의 程子의 뜻을 끝맺음한 것이다.(非性無以見道, 結上邵子之意. 非不息亦無以見道, 結上程子之意也.)" 【補解】 "仁義禮智와 日月寒暑로 도체를 형용하여 군자가 스스로 힘쓰도록 권면한 것이다.(以仁義禮智, 日月寒暑, 形容道體, 勉君子之自彊.)"

48 『太極圖說解』

49 『周易』「繫辭上」 12장의 "形而上者謂之道, 形而下者謂之器."를 참고한 말이다.

있다. 그렇지만 이전으로 미루어보아도 그 처음에 (태극과 음양이) 합쳐지는 것을 볼 수 없고, 이후로 당겨보아도 그 끝에서 분리되는 것을 볼 수 없다. 그러므로 정자[程頤]는 '움직임과 고요함은 끝이 없고, 음과 양에는 시초가 없으니, 도를 아는 사람이 아니면 누가 그것을 식별할 수 있겠는가?'[50]라고 하였다."[51]

[24-2-19]

張子曰, "鬼神者, 二氣之良能也." 神者, 氣之伸, 陽之動也, 鬼者, 氣之屈, 陰之靜也. 靜不能以不動, 動則萬物之所從生. 動不能以不靜, 靜則萬物之所由復. 一往一復, 其機蓋有不能自已者焉.

장자張子[張載]는 "귀신은 (음과 양) 두 기의 양능良能이다."라고 하였는데, 신神은 기의 폄이니 양의 움직임이고, 귀鬼는 기의 움츠림이니 음의 고요함이다. 고요함은 움직이지 않을 수 없으니, 움직임은 만물이 생겨나는 유래이다. 움직임은 고요하지 않을 수 없으니, 고요함은 만물이 돌아오는 유래이다. 한 번 가고 한 번 돌아오니, 그 기틀은 아마도 저절로 멈출 수 없을 것이다.[52]

[24-2-20]

非一, 則不能成兩. 非兩, 則不能致一. 兩者可知而一者難知也. 兩者可見而一者難見也. 可知可見者, 體乎! 難知難見者, 微乎!

하나가 아니면 둘을 이룰 수 없다. 둘이 아니면 하나에 이를 수 없다. 둘은 알 수 있지만 하나는 알기 어렵다. 둘은 볼 수 있지만 하나는 보기 어렵다. 알 수 있고 볼 수 있는 것은 형체를 지닌 것이다! 알기 어렵고 보기 어려운 것은 은미한 것이다![53]

[24-2-21]

仁義禮智信者, 義理之公也, 人之所固有. 視聽言貌思者, 形氣之私也, 我之所自生. 公者千萬人之所同, 私者一人之所獨, 是以君子貴同而賤獨.

---

50 『河南程氏粹言』 상
51 "태극은 본연의 … 하였다." : 【補註】 "『太極圖』 小註 가운데 자세히 보인다. 이것은 음양과 동정이 태극과 떨어져 있지 않음을 말한 것이다.(詳見太極圖小註中. 此言陰陽動靜之不離乎太極.)"
52 장자張子[張載]는 … 것이다. : 【補註】 "'신은 기의 폄이다.' 이하는 九峯(蔡沈)이 張子(張載)의 뜻을 풀이한 것이다.(神者氣之伸以下, 是九峯釋張子之意.)" 【補解】 "이것은 귀신으로써 음양과 동정이 끝없음을 밝힌 것이다.(此以鬼神明陰陽動靜之無窮.)"
53 하나가 아니면 … 것이다. : 【補註】 "태극의 하나의 리가 아니면 음양의 두 단서를 이룰 수 없고 음양의 두 단서가 아니면 또 태극이 본래 하나임을 보지 못한다.(非太極之一理, 則不能成其陰陽之兩端, 非陰陽之兩端, 又無以見其太極之本一也.)" 【補解】 "알 수 있고 볼 수 있는 것은 음양의 형체이고 알기 어렵고 보기 어려운 것은 리의 은미함이다.(可知可見, 陰陽之體也, 難知難見, 理之微也.)"

인·의·예·지·신은 의리義理의 공정함으로서 인간이 본래 지니고 있는 것이다. 봄·들음·말함·용모·생각은 형기形氣의 사사로움으로써 '내[我]'가 생겨나는 유래이다. 공정함은 수많은 사람들이 함께 지닌 것이고 사사로움은 한 사람만이 홀로 지닌 것이므로, 군자는 함께 지닌 것을 귀하게 여기고 홀로 지닌 것을 천하게 여긴다.[54]

[24-2-22]

極建則大本立. 極明則大用著. 以之齊家而家無不齊, 以之治國而國無不治, 以之平天下而天下無不平. 若是者, 天地其合, 鬼神其依, 龜筮其從. 立百世之下, 等百世之上, 而莫能違也, 立百世之上, 俟百世之下, 而亦莫能違也.

극極이 세워지면 대본大本이 정립된다. 극이 밝아지면 대용大用이 드러난다. 이것으로써 집안을 가지런히 하면 집안이 가지런해지지 않음이 없고, 이것으로써 나라를 다스리면 나라가 다스려지지 않음이 없으며, 이것으로써 세상을 평안하게 하면 세상이 평안해지지 않음이 없다. 이와 같은 것은 천지가 합하고 귀신이 의존하며 복서卜筮가 따른다. 백세百世 아래에 서서 백세 위를 차등 지어도 어길 수 있는 자가 없으며, 백세 위에 서서 백세 아래를 기다려도 또한 어길 수 있는 자가 없다.[55]

[24-2-23]

天地之位也, 四時之運也, 陰陽感而五行播矣. 五行, 陰陽也, 陰陽, 五行也.

천지가 자리 잡고 사계절이 운행할 때 음양이 감응하여 오행이 퍼진다. 오행은 음양이고 음양은 오행이다.[56]

· · · · · · · · · · · · · · · · · · · ·

54 인·의 … 여긴다. : 【補註】"인·의·예·지·신의 리는 봄·들음·말·용모·생각 가운데 드러나지 않음이 없다. 봄·들음·말·용모·생각의 덕은 인·의·예·지·신의 性에 근본하지 않은 적이 없다. 그러므로 (揚雄의)『法言』에 '봄·들음·말·용모·생각은 性이 지니고 있는 것이니, 배우면 바르고 배우지 못하면 사악해진다.'라고 하였다. (이것은) 또 공과 사로 구분하여 둘로 삼을 수 없다.(仁義禮智信之理, 未嘗不見於視聽言貌思之間. 視聽言貌思之德, 未嘗不本乎仁義禮智信之性. 故『法言』曰, '視聽言貌思, 性所有也, 學則正否則邪.' 又不可以公私分而爲二也.)"【補解】"이것은 의리와 형기가 갖는 공과 사를 말한 것이다(此言義理形氣之公私.)"

55 극이 세워지면 … 없다. : 【補註】"「洪範」의 뜻을 풀이한 것이다. 근본함을 오행으로써 하고, 공경함을 五事로써 하고, 두텁게 함을 八政으로써 하고, 화합함을 五紀로써 하면 황극이 세워지고 大本이 정립된다. 근본함을 三德으로써 하고, 밝힘을 稽疑로써 하고, 상고함을 庶徵으로써 하고, 권면하고 징계함을 福極으로써 하면 황극이 밝아지고 大用이 드러난다.(釋洪範之意. 蓋本之以五行, 敬之以五事, 厚之以八政, 恊之以五紀, 則皇極建而大本立矣. 本之以三德, 明之以稽疑, 驗之以庶徵, 勸懲之以福極, 則皇極明而大用著矣.)"【補解】"極은 황극이다. '그것으로써 한다(以之)'는 아직 일어나지 않은 일을 가리키는 말이고, '이와 같은 것(若是)'는 이미 일어난 일을 가리키는 말이다. 이것은 임금이 황극을 세워 밝히면 대학의 도를 다할 수 있다고 할 수 있으니, 天地에 세워도 어그러지지 않으며, 鬼神에게 質正하여도 의심이 없으며, 百世에 聖人을 기다려도 疑惑되지 않음을 말한 것이다.(極, 皇極也. 以之者未然之辭, 若是者已然之辭. 此言人主建明皇極, 則可謂能盡大學之道, 而建諸天地而不悖, 質諸鬼神而無疑, 百世以俟聖人而不惑者也.)"

56 천지가 자리 … 오행이다. : 【補註】"播는 '퍼지다.'이니,『禮記』「禮運」편에 '사계절에 오행을 퍼뜨린다.'라고

[24-2-24]

數始冥冥, 妙於無形. 非體非用, 非静非動. 動實其幾, 用因以隨. 動極而静, 清濁體正. 天施地生, 品彙咸亨. 各正性命, 小大以定. 斯數之令, 旣明而神, 是曰聖人.

수數는 아득함에서 시작하고 형체 없음에서 오묘해진다. 체體도 아니고 용用도 아니며 움직임도 아니고 고요함도 아니다. 움직임이 그 기틀을 참되게 하고, 작용이 이어서 따른다. 움직임이 극에 이르면 고요해지고, 맑건 탁하건 본체는 바르다. 하늘은 베풀고 땅은 낳아 만물이 모두 형통하게 된다. 각각 성명性命을 바르게 하여 작건 크건 정해진다. 이 수의 명령은 이미 밝아 신묘하니 이 사람을 성인이라고 한다.[57]

[24-2-25]

人心至靈也, 虛明之頃, 事物之來, 是是非非, 無不明也. 少則昏矣. 久則怠矣. 又久則棄之矣. 無他, 形氣之私溺之也. 人能超乎形氣, 拔乎物欲, 達其初心, 則天下之理得矣.

사람의 마음은 지극히 영명靈明하니, 트임과 밝음의 시기에 사물들이 다가올 때에는 시시비비에 밝지 않음이 없다. 조금 지나면 어둡게 된다. 오래면 태만하게 된다. 더 오래면 포기하게 된다. 이는 다름이 아니라 형기의 사사로움이 그러한 지경에 빠뜨렸기 때문이다. 사람이 형기를 초월하고 물욕을 제거하여 초심에 이를 수 있다면 천하의 리理를 얻게 될 것이다.[58]

· · · · · · · · · · · · · · · · · · · ·

하였다.(播, 布也. 禮運曰, 播五行於四時也.)" 【補解】"이것은 음양과 오행이 하나의 이치임을 말한 것이다. (此言陰陽五行之一理.)"

57 數는 아득함에서 … 한다. : 【補註】"'數始冥冥' 등의 네 글귀는 周子(周惇頤)가 말한 '무극이면서 태극이다.' 라는 것이다. '動實其幾' 등의 네 글귀는 周子가 말한 '움직여 양을 낳고 움직임이 극에 이르면 고요해지며 고요하여 음을 낳고 음이 극에 이르면 다시 움직인다.'라는 것이다. '天施地生' 등의 네 글귀는 周子가 말한 '하늘의 도는 남성을 이루고 땅의 도는 여성을 이룬다. 두 기가 교접하고 감응하여 만물을 변화·생성한다. 만물이 낳고 낳아 변화가 끝이 없다.'라는 것이다. '斯數之令' 등의 세 글귀는 周子가 말한 '성인은 중·정· 인·의로 안정시키되 고요함에 중심을 두어 인극을 정립하였다.'라는 것이다.(數始冥冥四句, 周子所謂無極而 太極'也. 動實其幾四句, 周子所謂動而生陽, 動極而静, 静而生陰, 静極復動'也. 天施地生四句, 周子所謂乾道 成男, 坤道成女, 二氣交感, 化生萬物, 萬物生生, 而變化無窮'也. 斯數之令三句, 周子所謂聖人定之以中正仁義, 而主静, 立人極'矣.)" 【補解】"'冥冥'은 '아득함'과 같다. '體도 아니고 用도 아니며 움직임도 아니고 고요함도 아니다.'는 것은 형체가 없음을 말한다. '움직임이 그 기틀을 참되게 하고, 작용이 이어서 따른다.'는 것은 움직임이고 用이며 '움직임이 극에 이르면 고요해지고, 맑건 탁하건 본체는 바르다.'는 것은 고요함이고 體이 다. '하늘은 베풀고 땅은 낳아 만물이 모두 형통하게 된다.'는 것은 움직임이고 用이며, '각각 性命을 바르게 하여 작건 크건 정해진다.'는 것은 고용함이고 體이다. '令'은 命令, 政令과 같다.(冥冥, 猶漠漠也. 非體非用, 非静非動, 言無形也. 動實其幾, 用因以隨, 動而用也. 動極而静, 清濁體正, 静而體也. 天施地生, 品彙咸亨, 動 而用也. 各正性命, 小大以定, 静而體也. 令, 猶命令, 政令也.)"

58 사람의 마음은 … 것이다. : 【補註】"'트임과 밝음의 시기'는 예컨대 『孟子』에서 말한 '平旦의 맑은 기운'과 같으니, 양심이 발현할 때이다. 조금 지나면 어둡게 된다는 것은 기가 혼탁해지는 것이다. 오래면 태만하게 되고 더 오래면 포기하게 된다는 것은 기질이 추악해지는 것이다.(虛明之頃, 若孟子所謂平旦之氣, 良心發見 之時也. 少則昏矣, 爲氣之濁也. 久則怠矣, 又久則棄之矣, 爲質之惡也. 此君子之學所以變化氣質不爲形氣之私

[24-2-26]

天下之理, 動者奇而靜者偶. 行者奇而止者偶. 得友者致一, 而生物者不二也.

천하의 리理는, 움직임은 홀수이고 고요함은 짝수이다. 행동은 홀수이고 멈춤은 짝수이다. 친구를 얻음은 하나에 이르고 만물을 낳음은 둘로 하지 않는다.[59]

[24-2-27]

數者, 彝倫之敍也. 無敍, 則彝倫斁矣, 其如禮樂何哉?

수數는 떳떳한 도리의 펼침이다. 펼침이 없다면 떳떳한 도리가 무너지는데 예악禮樂을 어떻게 하겠는가?[60]

[24-2-28]

人心動靜, 情性具焉. 性者理之形體, 情者性之發動. 善其本然, 惡其過不及也. 存心莫善於敬, 進學莫善於知, 二者不可廢一也.

사람 마음의 움직임과 고요함에는 성性과 정情이 갖추어져 있다. 성은 리의 형체이고 정은 성의 발동이다. 선은 그 본연의 모습이고, 악은 그 넘침과 모자람이다. 마음을 보존하는 것은 경敬보다 좋은 것이 없고 학문에 나아감은 지혜보다 좋은 것이 없으니, 두 가지 중 어느 하나도 그만두어서는 안 된다.[61]

- - - - - - - - - - - - - - - -

所溺也.")【補解】"'少'는 '조금 지나다.'이다. 어두우면 이미 밝지 않은 것이다. '오래다.'는 것은 밝지 않은지 오래된 것이다. '怠'는 '태만하다.'이다. '더 오래다'는 것은 태만함이 더 오래된 것이다. '棄'는 스스로를 포기하는 것이다. 이것은 사람이 형기와 물욕의 사사로움을 초월할 수 있으면, 초심에 도달하여 세상의 이치를 터득할 수 있게 되는 것을 말한 것이다.(少, 猶少頃也. 昏則已不明矣. 久者, 不明之久也. 怠, 怠忽也. 又久者, 怠而又久也. 棄, 自棄也. 此言人能超拔乎形氣物欲之私, 則達其初心而天下之理得矣.)"

59 천하의 리는 … 않는다. :【補註】"'친구를 얻음은 하나에 이른다.'는 것은 바로 『周易』 損卦의 육삼 효사의 뜻을 풀이할 때 '세 사람이 갈 때에는 한 사람을 덜고, 한 사람이 갈 때에는 그 벗을 얻는다.'라고 한 것이니 하나가 이름을 말한 것이다.(得友者致一, 乃『易大傳』釋損六五爻義, 謂三人行則損一人, 一人行則得其友', 言致一也.)"【補解】"'만물을 낳음은 둘로 하지 않는다.'는 것은 『中庸』에서 말한 '그 사물됨이 변하지 않으니, 만물을 낳은 것을 헤아릴 수 없다.'라는 것이다.(生物不二, 『中庸』所謂'其爲物不二, 則其生物不測也.')"

60 수는 떳떳한 … 하겠는가? : 『書經』「周書·洪範」에 "내가 들으니, 옛날에 鯀이 홍수를 막아 그 五行을 어지럽게 펼치자 상제가 진노하여 홍범구주를 내려주지 않았으니, 그 때문에 떳떳한 도리가 무너지게 되었다. 곤이 귀양 가서 죽고 우임금이 뒤이어 일어나자 하늘이 우임금에게 홍범구주를 내려주니, 그 때문에 떳떳한 도리가 펼쳐지게 되었다.(我聞, 在昔鯀陻洪水, 汩陳其五行, 帝乃震怒, 不畀洪範九疇, 彝倫攸斁. 鯀則殛死, 禹乃嗣興, 天乃錫禹洪範九疇, 彝倫攸敍.)"라고 하였다.【補註】또한 홍범의 뜻을 풀이한 것이다. 하늘이 우임금에게 홍범구주를 내려준 것이 바로 「洛書」의 수이다.(亦釋洪範之意. 蓋天錫禹洪範九疇, 即洛書之數也.)【補解】"이륜이란 떳떳한 도리이다. 예는 일이 그 차례를 얻은 것이고, 악은 만물이 그 조화로움을 얻은 것이다.(彝倫, 常理也. 禮者事得其敍, 樂者物得其和.)"

61 사람 마음의 … 된다. :【補註】"사람의 마음이 고요할 때 五性이 갖추어져 있으니, 성은 리의 형체이다. 선은 여기에서 본연의 모습이 아니다. 군자가 敬하여 마음을 보존하는 것은 성의 본연을 기르기 위한 것이다. 사람의 마음이 움직일 때 七情이 발출하니, 정은 성의 발동이다. 악은 여기에서 지나침과 모자람이 아니다.

人之一心, 實爲身主. 其體則有仁義禮智之性, 其用則有惻隱·羞惡·辭遜·是非之情. 方其寂也, 渾然在中, 無所偏倚, 與天地同體, 雖鬼神不能窺其幽. 及其感也, 隨觸隨應, 範圍造化, 曲成萬物, 雖天地不得與其能. 天地之大, 人猶有憾, 故君子語大, 天下莫能載焉, 語小, 天下莫能破焉. 至小無內, 至大無外. 無內, 不可分也, 孰分之歟? 無外, 不可窮也, 孰窮之歟? 斯之斯之, 式顯其微. 度之度之, 莫或其遺. 匪神之爲, 而妙於斯.

사람의 마음은 진실로 몸의 주인이 된다. 마음의 본체에는 인·의·예·지의 성이 있고, 작용에는 측은惻隱·수오羞惡·사손辭遜[62]·시비是非의 정이 있다. 마음이 적연寂然할 때에는 혼연히 중中인 상태에 있어 치우치거나 기우는 일이 없이 천지와 한 몸을 이루고 있으니, 비록 귀신이라고 해도 그 그윽함을 엿볼 수 없다. 마음이 감응할 때에는 감촉하는 대로 대응하여 (천지의) 조화를 본받고 만물을 일일이 이루어 주어[63] 비록 천지라고 해도 그 능함에 참여할 수 없다. 천지의 큼으로도 사람에게는 유감이 있기 때문에 군자가 큰 것을 말하는 경우에는 온 세상도 싣지 못하고 작은 것을 말할 경우에는 온 세상도 깨뜨리지 못한다.[64] 지극히 작은 것은 안이 없고, 지극히 큰 것은 밖이 없다. 안이 없으면 나눌 수 없는데 누가 그것을 나누겠는가? 밖이 없으면 끝을 추적할 수 없는데 누가 끝을 추적할 수 있겠는가? 쪼개고 쪼개어 그 미미한 것을 본받아 드러낸다. 헤아리고 헤아려 혹여 빠뜨린 것이 없다. 신의 행함이 아닌데도 이렇게 오묘하다.[65]

⋯⋯⋯⋯⋯⋯⋯⋯⋯

군자가 앎으로 배움에 나아갈 줄 아는 것은 정의 지나침과 모자람을 다스리기 위한 것이다. '知'는 앎을 지극히 함을 말한다.(人心之靜而五性具焉, 性者理之形體也. 善, 非其本然乎此. 君子敬以存心, 所以養其性之本然也. 人心之動而七情出焉, 情者性之發動也. 惡, 非其過不及乎此. 君子知以進學, 所以治其情之過不及也. 知, 謂致知.)【補解】 "마음이 性과 情을 통괄하기 때문에 마음의 움직임과 고요함에 성과 정이 갖추어져 있는 것이다. 선은 성의 본연이고 악은 행함의 지나침과 모자람이다. 학문에 나아가는 것은 마음을 보존하기 위한 것이고 마음을 보존하는 것은 성을 기르기 위한 것이니, 학문에 나아감과 마음을 보존함의 요체는 지혜와 敬보다 좋은 것이 없다.(心統性情, 故心之動静, 性情具矣. 善, 性之本然也, 惡, 行之過不及也. 進學, 所以存心, 存心, 所以養性, 而進學存心之要, 莫善於知敬.)"

62 辭遜: 辭讓이라 하지 않고 辭遜이라고 한 것은 송대 영종의 아버지 濮安懿王 趙允讓를 휘했기 때문이다

63 조화를 본받고 ⋯ 주어: 『周易』「繫辭上」4장 "範圍天地之化而不過, 曲成萬物而不遺, 通乎晝夜之道而知, 故神无方而易无體."라고 하였다.

64 천지의 큼으로도 ⋯ 못한다.: 『中庸』 12장

65 사람의 마음은 ⋯ 오묘하다. :【補解】"'斯'는 '息'과 '移'의 반절이다.(斯, 息移切)"【補註】"'斯之斯之'는 '이러한 리, 이러한 리'라고 말하는 것과 같으니, 그 작용은 현저하고 본체는 은미하다는 것을 내가 헤아리고 헤아려 한 가지도 빠뜨림이 없다. 이것이 신묘하여 헤아릴 수 없는 까닭이다.(斯之斯之, 猶言此理此理, 其用顯而體微, 吾度之度之, 無一物之或遺. 此其所神妙而莫測也.)"【補解】"성은 마음의 본체이고 정은 마음의 작용이다. 적연함은 성의 본체이니, 적연하고 혼연하여 귀신도 엿볼 수 없는 것이 中이다. 감응함은 정의 움직임이니, 감촉하는 대로 대응하여 천지도 참여할 수 없는 것은 和이다. '範'은 쇠를 주조할 때 거푸집이 있는 것과 같고 '圍'는 테두리이니 천지의 조화가 끝이 없자 성인이 그 거푸집을 만들어 중도를 넘지 않도록 함을 말한다. 만물을 일일이 이루어 준다는 것은 그 長短·方圓을 따라 이 사물의 리를 성취함을 말한다. 유감은 한스럽게

[24-2-30]

程子曰, "天地之常, 以其心普萬物而無心, 聖人之常, 以其情順萬事而無情." 常之時義大矣哉!

정자程子[程顥]는 "천지가 불변적인 것은 그 마음이 모든 사물에 두루 미쳐 마음이 없기 때문이며, 성인이 불변적인 것은 자신의 감정이 모든 일에 순응하여 사사로운 감정이 없기 때문이다."[66]라고 하였으니, 불변의 모습이 지닌 때에 맞는 의미가 크도다![67]

[24-2-31]

禮義交際, 其萬化所入之門耶! 東北, 萬物之所出也, 出則育神. 西南, 萬物之所入也, 入則復命. 其出也順而生, 其入也拂而遂. 不觀其出, 無以知物之育. 不觀其入, 無以知物之復. 火之克金, 水之生木, 出入循環, 生克嗣續. 老彭得之以養身, 君子得之以養民, 聖人得之而天下和平.

예와 의가 교제하는 때가 온갖 조화가 시작되는 문일 것이다! 동북쪽은 만물이 나오는 곳인데, 나온다는 것은 신묘함을 기르는 것이다. 서남쪽은 만물이 들어가는 곳인데, 들어간다는 것은 명命에 되돌아가는 것이다. 나옴은 순하고 낳으며 들어감은 거스르고 이루는 것이다. 나옴을 살피지 않으면 만물의 화육을 알지 못한다. 들어감을 살피지 않으면 만물의 되돌아감을 알지 못한다. 화火는 금金을 이기고,

---

여김과 같으니 사람들이 천지에 유감스럽게 여기는 것은 예컨대 덮어줌과 실어줌, 낳음과 이룸이 치우친 것과 추위와 더위, 재앙과 복이 그 올바름을 얻지 못한 것과 같은 것이니, 바로 천지가 그 능함에 참여하지 못함을 말한다. 큰 것을 말하는 경우에는 실을 수 없다고 한 것은 지극히 커서 밖이 없음을 말한 것이고, 작은 것을 말할 경우에는 깨뜨릴 수 없다고 한 것은 지극히 작아 안이 없음을 말한 것이다. '斯'는 '쪼개다'이다. '度'은 '헤아리다'이다. 쪼개도 은미함을 드러낸다는 것은 지극히 작아 안이 없는 것도 나눌 수 있음을 말한다. 헤아려 빠뜨림이 없다는 것은 지극히 커서 밖이 없는 것도 추궁할 수 있음을 말한다.(性, 心之體也, 情, 心之用也. 寂, 性之體也, 寂然渾然, 鬼神不能窺者, 中也. 感, 情之動也, 髓觸髓應, 天地不得與者, 和也. 範, 如鑄金之有模範也, 圍, 匡郭也, 言天地之化無窮而聖人爲之模範, 不使過於中道. 曲成萬物, 言髓其長短方圓而成就此物之理也. 憾, 猶恨也, 人所憾於天地, 如覆載生成之偏, 及寒暑災祥之不得其正者. 即天地不得與其能之謂. 語大, 莫能載, 言至大之無外也, 語小, 莫能破, 言至小之無內也. 斯, 析也. 度, 量也. 斯而顯微, 言至小無內之能分也. 度而無遺, 言至大無外之能窮也.)"

66 『河南程氏粹言』권하

67 정자程子[程顥]는 … 크도다. : 【補註】"주자가 말했다. '천지가 이 마음으로 만물에 골고루 미치면, 사람이 이것을 얻어 마침내 사람의 마음으로 삼고 사물이 이것을 얻어 마침내 사물의 마음으로 삼아 초목과 금수가 이어받아 마침내 초목과 금수의 마음으로 삼으니, 단지 하나의 천지의 마음일 뿐이다.'(朱子曰, '天地以此心普及萬物, 人得之遂爲人之心, 物得之遂爲物之心, 草木禽獸接著, 遂爲草木禽獸之心, 只是一箇天地之心爾.' 『朱子語類』권1, 18조목) 또 말했다. '이른바 「만물에 골고루 미치고, 만사에 순응한다」는 것은 「툭 뜨여 大公함」을 말하고, 「사심이 없고, 사사로운 정이 없다」는 것은 「사물이 다가올 때 그대로 순응함」을 말한다.'(又曰, '所謂「普萬物, 順萬事」者, 即「廓然而大公」之謂, 「無心, 無情」者, 即「物來而順應」之謂.' 『朱子語類』권95, 109조목)"【補解】"'常'은 장구함이고, '普'는 널리 미침이니, 「數」에 자세히 보인다.(常, 久也, 普, 博也, 詳見數.)"

수水는 목木을 낳으니, 나옴과 들어감이 순환하고 낳음과 이김이 이어진다. 노팽老彭은 이 점을 터득하여 몸을 길렀고 군자君子는 이 점을 터득하여 백성을 양육하였으며, 성인聖人이 이점을 터득하자 세상이 화평하게 되었다.[68]

• • • • • • • • • • • • • •

68 예와 의가 … 되었다. : 【補註】 "예와 의가 교접하는 때는 성인의 덕을 말한 것이고, 동북쪽 이하는 또 천지의 조화에 나아가 이것을 밝힌 것이다. 만물은 동북쪽에서 나오고 서남쪽으로 들어가니 나오는 것은 순하고 낳으며 들어가는 것은 거스르고 이룬다. 火가 金을 이기는 것은 들어가는 것이고, 水가 木을 낳는 것은 나오는 것이다. 한 번은 나오고 한 번은 들어가 순환하며 쉬지 않으니, 낳음과 이김이 이어져 경계가 없다. 그러므로 노팽은 이 점을 터득하여 몸을 길렀고, 군자는 이 점을 터득하여 백성을 길렀으며, 성인은 이 점을 터득하자 저절로 세상이 화평하게 되었다. 雲峯胡氏(胡炳文)는 '봄은 木에 속하고 여름은 火에 속하며, 여름에서 가을이 되는 것은 화가 금을 이기는 것이다. 화와 금이 교접할 때에 坤인 土가 있으면 화가 토를 낳고 토는 금을 낳으며 이기는 것이 또 순하여 서로 낳는다. 겨울은 水에 속하고 봄은 木에 속하며, 겨울에서 봄이 되는 것은 수가 목을 낳는 것이다. 수와 목이 교접할 때에 艮인 토가 있으면, 목은 토를 이기고 토는 수를 이기며 낳는 것이 또 거슬러서 서로 이긴다. 금과 토가 순하여 서로 낳는 것이 가을이 되는 이김이고 목과 토가 거슬러서 서로 이기는 것이 봄이 되는 낳음이다.'라고 하였다. 어떤 사람이 노팽의 몸을 기르는 방술에 대해 묻자 다음과 같이 말했다. '내가 일찍이 반복해 보건대, 魏伯陽의 『周易參同契』 상·중·하 3편은 모두 두 분절로 간주해야 하니 앞의 한 분절은 內丹을 논의하였고, 뒤의 한 분절은 外丹을 논의하였다. 내단은 건·곤으로 鼎器를 삼았으니 사람의 상·하체가 이것이다. 감·리로 약물을 삼았으니 사람의 심장과 신장이 이것이다. 천지에서 초승달과 보름달은 해와 달이 서로 마주하고 그믐과 초하루는 해와 달이 서로 만나는 것이니, 地氣가 상승하고 天氣가 하강하여 만물을 발육시킨다. 사람은 아침과 낮에는 심장이 신장과 마주하고 저녁과 밤에는 심장이 신장에 보존되니, 음기가 상승하고 양기가 하강하여 聖胎를 결성한다. 外丹의 경우에는 황금을 鼎器로 삼는 것은 예컨대 하늘이 땅 밖을 감싸는 것과 같고, 黑鉛을 약물로 삼는 것은 예컨대 땅이 하늘 가운데에 있는 것과 같다. 子時에서 巳時까지는 양에 나아가고 金이 크니, 鉛의 眞氣를 들이마시어 단을 낳고, 午時에서 亥時까지는 음으로 물러나고 鉛이 적어 연의 진기를 들이마시어 단을 이룬다. 이것은 유가에서 연구해야 할 것은 아니지만 또한 천지조화의 기틀이고 도리의 지극히 오묘한 것이다. 배우는 사람들은 이단의 설로 例擧하여 소홀하게 여겨서는 안 될 것이다.'(禮義交際, 言聖人之德, 東北以下, 又即天地之化以明之也. 蓋萬物出於東北, 入於西南, 出則順而生, 入則拂而成遂. 火之克金, 所以入也, 水之生木, 所以出也. 一出一入而循環不息, 以生以克而嗣續無疆. 故老彭得之有以養身, 君子得之有以養民, 聖人得之自然天下和平也. 雲峯胡氏曰, '春屬木, 夏屬火, 夏而秋, 火克金者也. 火金之交有坤土焉, 則火生土, 土生金, 克者又順以相生. 冬屬水, 春屬木, 冬而春, 水生木者也. 水木之交有艮土焉, 則木克土, 土克水, 生者又逆以相克. 土金順以相生, 所以爲秋之克, 木土逆以相克, 所以爲春之生.' 或問, '老彭養身之術', 曰, '愚甞反復魏伯陽周易參同契上中下三篇, 皆當分作二截看, 前一截論內丹, 後一截論外丹. 內丹以乾坤爲鼎器, 即人之上下體是也. 坎離爲藥物, 即人之心腎是也. 天地弦望則日月相對, 晦朔則日月相會, 所以地氣上升, 天氣下降, 發育萬物. 人能旦晝則心對乎腎, 暮夜則心存乎腎, 所以陰氣上升, 陽氣下降, 結成聖胎. 至於外丹, 以黃金爲鼎器, 如天包地外, 黑鉛爲藥物, 如地在天中. 自子至巳進陽太金, 吸鉛之眞氣以生丹, 自午至亥退陰少鉛, 吸金之眞氣以成丹. 此非吾儒之所當講, 而亦天地造化之機, 理之至妙者. 學者不可例以異端之說而忽之也.')"【補解】 "예와 의가 교제할 때는 用의 六六이다. '育神'은 화육의 신묘함이니, 冲의 二二이다. '復命'은 명으로 되돌아감이니, 노자가 고요함을 명으로 되돌아감이라고 한 뜻도 用이다. 火가 金을 이기는 것은 四四인 火가 六六인 金을 이기는 것이다. 水가 木을 낳는 것은 八八인 水가 二二인 木을 낳는 것이다. '嗣續'은 서로 이어짐이다. 노팽은 이 점을 터득하여 몸을 길렀고, 魏伯陽은 『參同契』를 지어 건·곤을 爐鼎으로 삼고, 감리를 金刀와 大藥으로 삼았으며 60괘를 火候으로 삼았으니, 그 수는 하도와 낙서에서 나왔으나 그 방술은 노팽에 뿌리를 두고 있다. (禮義交際, 用之六六

[24-2-32]

周子曰: "厥彰厥微, 匪靈弗瑩. 剛善剛惡, 柔亦如之, 中焉止矣. 二氣五行, 化生萬物. 五殊二實, 二本則一. 一實萬分, 萬一各正, 小大有定."

주자周子[周惇頤]는 "그 밝음과 그 은미함은 신령스럽지 않으면 밝혀지지 않는다.[69] 강선剛善과 강악剛惡이 있고, 유柔 또한 그와 같으니, 중中에서 머무른다.[70] 두 기[二氣(陰陽)]와 오행은 만물을 화육·생성한다. 오행의 다름은 두 기의 실상이고 두 기는 본래 하나(태극)이다. 하나의 실상이 만물로 나뉘고 만과 하나가 각기 바르게 되어 작음과 큼이 정해진다."[71]라고 하였다.[72]

[24-2-33]

明禮而後可與適道, 守禮而後可與治民, 達禮而後可與言數. 非禮之道, 老佛之道也, 非禮之治, 荒唐之說也, 非禮之數, 京房郭璞之技也, 君子所不由不爲不言也.

예禮를 밝힌 다음에야 함께 도에 나아갈 수 있고, 예를 지킨 다음에야 함께 백성을 다스릴 수 있으며, 예에 통달한 다음에야 함께 수數를 말할 수 있다. 예가 아닌 도는 도가와 불가의 도이고, 예가 아닌 다스림은 허황된 이론이며, 예가 아닌 수數는 경방京房[73]과 곽박郭璞[74]의 기예이니, 군자가 따르지 않고

也. 育神, 化育之神也, 即冲之二二也. 復命, 徃復其命, 猶老子静曰復命之意, 亦用也. 火之克金, 四四之火克六六之金也. 水之生木, 八八之水生二二之木也. 嗣續, 相繼也. 老彭得之以養身, 魏伯陽作『叄同契』, 以乾坤爲爐鼎, 以坎离爲金刀大藥, 以六十卦爲火候, 其數出於圖書, 而其術本於老彭也.)"

69 "그 밝음과 … 않는다. :【補解】이것은 리를 말하는데, 리는 사람 마음의 태극이다.(此言理也, 理則人心之太極.)

70 剛善과 剛惡이 … 머무른다. :【補解】이것은 성을 말하는데, 성은 기품이 가지런하지 않다.(此言性也, 性則氣稟之不齊.)

71 두 기[二氣(음양)]와 … 정해진다. :『通書』「理·性·命」.【補解】이것은 명을 말하는데, 명은 갖가지로 다른 것이 하나에 근본하는 것이다.(此言命也, 命則萬殊之一本.)

72 주자周子[周惇頤]는 … 하였다. :【補解】"이것은 命을 말한 것이니, 命은 갖가지로 다른 것들 가운데 하나의 근본이다.(此言命也, 命則萬殊之一本.)"

73 京房(B.C.77~B.C.37) : 전한 東郡 頓丘(현 하남성 淸豊) 사람으로 本姓은 李氏이고, 자는 君明이다. 孟喜의 문인 焦延壽에게『周易』을 배웠고, 今文京氏易學의 개창자이다. 元帝 初元 4년(기원전 45년) 孝廉으로 천거되어 郎이 되었다. 여러 차례 글을 올려 災異에 대해 말했는데, 자주 적중했다. 中書令 石顯 등이 권력을 좌우한다고 탄핵했다가 석현과 五鹿充宗의 미움을 받아 魏郡太守로 쫓겨났다. 한 달 뒤『周易』을 연구하던 오록충종과 학설이 다르다는 이유로 석현의 참소를 입어 棄市의 형을 당했다. 나중에 제자 殷嘉, 姚平, 乘弘이 모두 經學博士가 되었는데, 이로부터 경씨역학이 있게 되었다. 저서에『京氏易傳』·『周易章句』·『周易錯卦』·『周易妖占』·『周易占事』·『周易守林』·『周易飛候』·『周易飛候六日七分』·『周易四時候』·『周易混沌』·『周易委化』·『周易逆剌災異』·『易傳積算法雜占條例』등이 있다.

74 郭璞(276~324) : 東晉 河東(山西省) 聞喜 사람으로 자는 景純이다. 박학하여 천문과 古文奇字, 曆算, 卜筮術에 밝았고, 특히 詩賦에 뛰어났다. 西晉 말에 長江을 지나다가 宣城太守 殷祐의 參軍이 되어 王導의 존중을 받았다. 晉元帝 때 著作佐郎이 되어 王隱과 함께『晉史』를 편찬하고 尙書郎으로 옮겼다. 나중에 王敦의 記室 參軍이 되었다. 점을 쳐서 불길하다며 왕돈의 모반 계획을 만류했다가 왕돈에게 피살당했다. 弘農太守에

행하지 않으며 말하지 않는다.[75]

[24-2-34]
至一而精, 至虛而靈. 有動有靜, 動直靜凝. 靜已而動, 動已而靜. 一靜一動, 爲屈爲伸, 爲鬼爲神. 人心至妙, 萬物之窔, 動靜之徼.

한결같이 지키고 정밀하게 살핌에 이르고, 텅 비고 영명靈明함에 이른다. 움직임이 있고 고요함이 있으니, 움직일 때에는 커지고 고요할 때에는 엉긴다. 고요함이 끝나면 움직이고, 움직임이 끝나면 고요해진다. 한번 고요하고 한번 움직임이 움츠림[屈]이 되고 폄[伸]이 되며, 귀鬼가 되고 신神이 된다. 사람의 마음은 지극히 오묘하니, 만물을 저장하는 움이고 움직임과 고요함의 길이다.[76]

[24-2-35]
天地之化, 不翕聚則不能發散. 仁智交際, 萬化之機軸也.

천지의 변화는 모으지 않으면 발산하지 못한다. 인仁과 지智가 교차할 때가 온갖 변화의 기축機軸이다.[77]

· · · · · · · · · · · · · · ·

추존되었다. 저서에 『爾雅注』・『三蒼注』・『方言注』・『山海經注』・『圖贊』・『穆天子傳注』・『水經注』・『周易洞林』・『楚辭注』 등이 있다. 그밖에도 『周易體』・『周易林』・『易新林』・『毛詩拾遺』 등이 있었지만 전해지지 않는다. 문집에 『郭弘農集』이 있다.

75 禮를 밝힌 … 않는다. : 【補註】예는 리의 절문이니, 앞 장에서 말한 떳떳한 도리의 펼침이 이것이다.(禮者, 理之節文, 即前章所謂彛倫之叙是也.) 【補解】"荒唐은 공허하고 멀어 끝이 없는 것이다. 예가 아닌 도를 예를 밝힌다고 할 수 없고 예가 아닌 다스림을 예를 지킨다고 할 수 없으며, 예가 아닌 수를 예에 통달했다고 할 수 없다.(荒唐, 曠遠而無極也. 非禮之道, 不可謂之明禮也, 非禮之治, 不可謂之守禮也, 非禮之數, 不可謂之達禮也.)

76 한결같이 지키고 … 길이다. : 【補註】'至一而精'은 鬼가 되고 神이 되는 데에 이르는 것이니, 천지의 변화를 말한다. '窔'는 '움에 저장하다.'이다.(至一而精, 至爲鬼爲神, 言天地之化. 窔, 窨藏也.) 【補解】에는 "'至一而精'은 '정밀하게 살피고 한결같이 지킨다.'고 말하는 것과 같다. 다만 「洛書」는 가려서 지키는 요점을 말하므로 먼저 정밀하게 살피고 나중에 한결같이 지키는 것이며, 「洪範」은 가려서 지키는 효과를 말하는 것이므로 먼저 한결같이 지키고 나중에 정밀하게 살피는 것이다. '至虛而靈'은 텅 비고 영명함을 말하는 것과 같다. '直'은 '커지다.'이니 커져서 변화하는 것을 말한다. '凝'은 '모으다', '이루다'이니, 모든 리가 모두 모여서 이루어지는 것을 말한다. '徼'는 작은 길이고 또 '따르다'이니, 인심의 오묘함을 지극히 잘 밝힌 것이다.(至一而精, 猶言惟精惟一也, 但「書」則言擇守之要, 故先精而後一, 「範」則言擇守之效, 故先一而後精. 至虛而靈, 猶言虛靈也. 直, 大也, 言大而化之也. 凝, 聚也, 成也, 言萬理皆聚而成也. 徼, 小道也, 又循也, 極贊人心之妙.)"

77 천지의 변화는 … 機軸이다. : 【補註】위에서는 禮와 義를 말하고 여기에서는 仁과 智를 말하여 서로 번갈아 보인 것이다. '機'는 쇠뇌의 시위를 걸어 매는 곳[弩牙]과 같고, '軸'은 '수레의 車軸'과 같으니, 모두 움직임이 시작되는 곳이다. '智'는 모으고 '仁'은 발산하는데, 지와 인 사이는 바로 동북쪽이니 만물이 나오는 곳이다. 그러므로 '온갖 변화의 기축이다.'라고 한 것이다.(上言禮義, 此言仁智, 互見之也. 機, 猶弩牙也, 軸, 猶車軸也, 皆發動之所由者也. 蓋智則翕聚, 仁則發散, 而智仁之間, 正東北, 萬物所出之地. 故曰, '萬化之機軸.') 【補解】인과 지가 교차할 때가 바로 原의 一一이다.(仁智交際, 即原之一一也.)

氣之消息也以漸. 氣之息也, 形之生也, 氣之消也, 形之毁也. 潤萬物者莫澤乎水, 化萬物者莫疾於火. 水火者, 未離乎氣者也.

기의 사라짐과 불어남은 점차적으로 진행된다. 기의 불어남은 형체의 생겨남이고, 기의 사라짐은 형체의 스러짐이다. 만물을 적혀주는 것은 수水보다 윤택한 것이 없고, 만물을 변화시키는 것은 화火보다 빠른 것이 없다. 수와 화는 기에서 떨어지지 않는다.[78]

[24-2-37]

數運無形而著有形, 智者一之, 愚者二焉. 數之方生, 化育流行, 數之已定, 物正性命. 圓行方止, 爲物終始. 隨之而無其端也, 迎之而無其原也. 渾之惟一, 析之無極. 惟其無極, 是以惟一.

수數는 운행할 때에는 형체가 없지만 드러날 때에는 형체가 있으니, 지혜로운 사람은 그것을 하나로 여기고 어리석은 사람은 둘로 여긴다. 수가 막 생겨날 때에는 화육化育이 유행하고, 수가 정해지고 나면 만물들이 성명性命을 바르게 한다. 천원天圓(둥근 하늘)의 유행과 지방地方(네모난 땅)의 멈춤이 만물의 시작과 끝을 이룬다. 그것을 따라가도 그 끝이 없고, 그것을 맞이해도 그 처음이 없다. 뒤섞으면 하나가 되고, 쪼개면 끝이 없다. 끝이 없기 때문에 하나이다.[79]

---

78 기의 사라짐과 … 않는다. : 【補註】기의 불어남은 子中에서 寅과 卯를 거쳐 午에서 지극해진다. 子는 水에 속하고, 水는 木을 낳는다. 그러므로 만물을 적혀주는 것은 水보다 윤택한 것이 없으니, 이른바 '기의 불어남이 형체의 생겨남이다.'라는 것이다. 기의 사라짐은 午中에서 申과 酉를 거쳐 子에서 지극해진다. 午는 火에 속하고 화는 金을 이긴다. 그러므로 만물을 변화시키는 것은 火보다 빠른 것이 없으니, 이른바 '기의 사라짐은 형체의 스러짐이다.'라는 것이다.(氣之息也, 在子之中, 歷寅卯而極於午. 子屬水, 水之生木. 故潤萬物者莫澤乎水, 所謂'氣之息也, 形之生也.' 氣之消也, 在午之中, 歷申酉而極於子. 午屬火, 火之克金. 故化萬物者莫疾於火, 所謂氣之消也, 形之毁也.') 【補解】水와 火는 본래 형체가 없고 다만 氣일 뿐이다. 「範數圖」가 왼쪽은 火로 끝나고 오른쪽은 水로 끝나는 것은 또한 『易』이 上經에 坎과 離로 끝나고 下經은 旣濟와 未濟로 끝나는 것과 같으니, 생성과 변화가 무궁함을 알 수 있다.(水火本無形, 但氣而已. 蓋「範數圖」左則終之以火, 右則終之以水, 亦猶『易』上經則終之以坎離, 下經則終之以旣濟未濟, 可見生化之無窮也.)

79 數는 운행할 … 하나이다. : 【補註】지혜로운 사람이 하나로 여기는 것은 형체의 있음과 없음을 기준으로 둘이 있다는 것이 아니다. '따라간다'는 것은 陰을 말하고 '맞이한다'는 것은 陽을 말한다. '뒤섞으면 하나가 된다'는 것은 형체 없음으로써 말한 것이고, '쪼개면 끝이 없다'는 것은 형체 있음으로써 말한 것이다.(智者一之, 不以形之有無而有二也. 隨之謂陰, 迎之謂陽. 渾之爲一, 以其無形者言也. 析之無極, 以其有形者言也.) 【補解】형체가 없는 것은 理이고, 형체가 있는 것은 物이다. 天圓의 유행은 原에서 終까지 순환하며 끝나지 않으며, 地方의 멈춤은 金·木·火·水가 각각 서로 짝을 이루는 것이니, 한 번 합하여 하나가 된다. '無極'은 '끝이 없음'이다.(無形, 理也, 有形, 物也. 圓行, 自原至終循環不窮也, 方止, 金木火水各相成對也, 一合爲一也. 無極, 無窮極也.)

[24-2-38]

二氣之初, 理妙於無. _{無極而太極也.} 五運迭至, 理藏於智. 或爲之先, 大本其原, 或爲之後,
復往之間. 大本太始, 復往無已. 二者不同, 一而已矣. 二氣之神, 陰精陽明. 消息變化, 有
立有行, 立則形具, 行則氣著. 上下其儀, 先後其施. 一行一立, 爲闢爲翕. 何千萬年, 無終
窮焉.

두 기의 시초에는 리理가 무無 속에서 오묘하다. 무극無極이면서 태극太極이다. 오행이 운행하여 번갈아
이르러 리가 지智에 갈무리된다. 경우에 따라 앞이 되면 대본大本이 원原(1의 1)이 되고, 경우에 따라
뒤가 되면 되돌아감의 사이가 된다. 대본인 큰 시원과 되돌아감이 멈추지 않는다. 두 가지가 같지
않지만 하나일 뿐이다. 두 기의 신神은, 음은 순수하고 양은 밝다. 스러짐과 불어남의 변화에는 정립함
이 있고 유행함이 있는데 정립하면 형체가 갖추어지고 유행하면 기가 드러난다. 위와 아래는 음양의
몸짓이고, 앞과 뒤는 음양의 펼침이다. 한번 유행하고 한번 정립됨에 열림이 되고 닫음이 된다. 수많은
세월이 지난들 끝이 없을 것이다.[80]

洪範皇極內篇中 홍범황극내편중

[24-3-1]

河圖體圓而用方, 聖人以之而畵卦. 洛書體方而用圓, 聖人以之而敍疇. 卦者, 陰陽之象也,
疇者, 五行之數也. 象非耦不立, 數非奇不行. 奇耦之分, 象數之始也. 是故以數爲象, 則奇
零而無用. 『太玄』是也. 以象爲數, 則多耦而難通. 『經世書』是也. 陰陽五行, 固非二體. 八卦九

---

80 두 기의 … 것이다. : 【補註】智는 四德의 끝에 위치하니, 만물의 끝이자 시작이다. 위와 아래, 앞과 뒤, 유행
과 정립, 열림과 닫음은 모두 음양을 가리켜 말한 것이다. 潛室陳氏(陳埴)는 '惻隱·羞惡·恭敬은 모두 일면적
인 도리이지만 是非는 兩面을 지니고 있어 올바른 것을 분별하고 나서 다시 또 잘못된 것을 분별하니, 만물의
끝이자 시작인 象이다. 그러므로 仁은 四端의 첫머리이지만 智는 끝을 이루고 시작을 이루는 것이다.'라고
하였다.(智居四德之末而終始萬物. 上下·先後·行立·闢翕皆指陰陽而言. 潛室陳氏曰, '惻隱·羞惡·恭敬皆
是一面底道理, 而是非則有兩面, 既別其所是, 又別其所非, 終始萬物之象也. 故仁爲四端之首, 而智則成終而成
始.'【補解】두 氣는 음과 양의 氣이다. 理가 無 속에서 오묘하다는 것이 '무극이면서 태극이다.'라는 것이다.
'五運'은 오행의 운행이니, 理가 智에 갈무리되었다가 仁이 되고 禮가 되며, 義가 되고 智가 된다. '大本'은
原의 一一이다. '復往'은 되돌아오고 나서 다시 또 가니, 九와 一의 사이를 말하는데, 坤과 復 사이를 말하는
것과 같다. '大始'는 움직임의 시작이다. '無已'는 '멈추지 않는다.'이다. '두 가지'는 큰 근본과 되돌아감이 이것
이다. 위와 아래, 앞과 뒤, 유행과 정립, 열림과 닫음은 「範數圖」의 좌우를 가리켜 말한 것이다.(二氣, 陰陽之
氣也. 理妙於無, 無極而太極也. 五運, 五行之運也, 理藏於智, 仁而禮, 義而智也. 大本, 原之一一也. 復往, 言既
復而又往, 即九一之間, 猶言坤復之間也. 大始, 動之始也. 無已, 不已也. 二者, 大本復往, 是也. 上下·先後·
行立·翕闢, 指「範數圖」左右而言.)

疇, 亦非二致. 理一用殊, 非深於造化者, 孰能識之?

「하도河圖」는 체體는 둥글지만 용用은 네모나니, 성인이 이것을 기준으로 괘卦를 그었다. 「낙서洛書」는 체는 네모나지만 용은 둥그니, 성인이 이것을 기준으로 구주九疇를 펼쳤다. 괘는 음양의 상象이고 구주는 오행의 수數이다. 상은 짝수가 아니면 성립되지 않고 수는 홀수가 아니면 유행하지 않는다. 홀수와 짝수의 구분이 상과 수의 시작이다. 그러므로 수를 상으로 여기면 홀수가 남아 쓸 곳이 없다. 『태현경』이 이러하다. 상을 수로 여기면 짝수가 많아 통하기 어렵다. 『황극경세서』가 이러하다. 음양과 오행은 참으로 두 개의 것이 아니다. 팔괘와 구주 또한 두 가지가 아니다. 리는 하나인데 쓰임이 다르니, 조화를 깊이 이해한 자가 아니면 누가 이것을 알 수 있겠는가?[81]

[24-3-2]

「河圖」非無奇也, 而用則存乎耦. 「洛書」非無耦也, 而用則存乎奇. 耦者, 陰陽之對待乎, 奇者, 五行之迭運乎. 對待者不能孤, 迭運者不可窮. 天地之形, 四時之成, 人物之生, 萬化之凝, 其妙矣乎.

「하도」에 홀수가 없는 것은 아니지만 쓰임은 짝수에 보존되어 있다. 「낙서」에 짝수가 없는 것은 아니지만 쓰임은 홀수에 보존되어 있다. 짝수는 음양의 대대對待이고, 홀수는 오행의 번갈아 운행함이다. 대대함은 홀로일 수 없고 번갈아 운행함은 끝날 수 없다. 천지의 형체, 사계절의 형성, 사람과 만물의 생성, 온갖 변화의 맺힘은 오묘한 것이다.[82]

• • • • • • • • • • • • • • • • • •

81 「河圖」는 체는 … 있겠는가? : 【補註】 이것은 『周易』「大傳(繫辭傳)」의 河水에서 圖가 나왔고 洛水에서 書가 나온 것을 성인이 본뜬 뜻을 풀이한 것이다. 「河圖」는 네 귀퉁이가 없으니 그 체는 둥글다. 그러나 가운데를 비워두고 단지 그 바깥만을 쓴 것은 네모다. 그러므로 성인은 그것을 기준으로 괘를 그었다. 「洛書」는 네 귀퉁이가 있고 그 체는 네모다. 그러나 그 실제의 수를 총괄하고 아울러 그 가운데를 쓴 것은 둥글다. 그러므로 성인은 그것을 기준으로 九疇를 펼쳤다. 그러나 건과 곤, 태와 간, 리와 감, 진과 손은 음양의 상이고, 一과 六이 水가 되고, 二와 七이 火가 되고, 三과 八이 木이 되고, 四와 九가 金이 되고, 五가 土가 되는 것은 五行의 수이다.(此釋『易』「大傳」河出圖洛出書聖人則之意. 「河圖」無四隅, 其體圓. 然虛其中, 但用其外則方. 故聖人以之而畫卦. 「洛書」有四隅, 其體方. 然總其實, 兼用其中則圓. 故聖人以之而叙疇. 然乾與坤, 兌與艮, 离與坎, 震與巽, 陰陽之象也, 一六爲水, 二七爲火, 三八爲木, 四九爲金, 五爲土, 五行之數也.)【補解】「河圖」는 체는 둥글지만 쓴 것이 네모난 것은 홀수와 짝수가 함께 네 방위에 위치하되 기수와 짝수가 짝을 이룬 것이 둘씩이다. 그러므로 복희가 괘를 그을 때 2(음양)를 기준으로 4(2획괘)에서 8(3획괘)이 되었다. 「雒書」는 형체는 네모나지만 사용한 것이 둥근 것은 홀수와 짝수가 각각 네 귀퉁이에 위치하여 홀수와 짝수가 따로 하나씩이다. 그러므로 禹王이 구주를 펼칠 때 一을 기준으로 3에서 9가 되었다. 짝수가 아니면 성립되지 않고 홀수가 아니면 유행하지 않는다는 것은 象과 數의 움직임과 고요함으로써 말한 것이다. '「河圖」는 그 가운데를 비워두었다.'라고 풀이하였다. 그러므로 태극을 빼고 계산한 것이다. 「雒書」는 실제의 수를 총괄하였다. 그러므로 태극을 함께 계산한 것이다.(「河圖」體圓用方者, 奇偶共處四方也, 合奇偶, 則爲二矣. 故庖犧畫卦以二, 四而八也. 「洛書」體方用圓者, 奇偶各居四隅也, 單奇偶, 則爲一矣. 故大禹叙疇以一, 三而九也. 非偶不立, 非奇不行, 以象數動靜言. 釋曰「河圖」虛其中, 故去太極而計之, 「洛書」總其實, 故並太極而計焉.)

82 「河圖」에 홀수가 … 것이다. : 【補註】 이것은 위의 장을 이어 말한 것이다. 「河圖」는 형체가 둥그니, 기수가

象以耦爲用者也. 有應則吉. 數以奇爲用者也. 有對則凶. 上下, 相應之位也. 陰陽, 相求之
理也. 中五特立, 而當時者獨盛也. 是故天地定位, 山澤通氣. 木盛而金衰, 水寒而火囚. 理
有相須, 而物不兩大也. 數者, 動而之乎靜者也. 象者, 靜而之乎動者也. 動者用之所以行,
靜者體之所以立. 淸濁未判, 用實先焉. 天地已位, 體斯立焉. 用旣爲體, 體復爲用. 體用相
仍, 此天地萬物所以生化而無窮也.

상象은 짝수를 쓰고 있으니 상응함이 있으면 길하다. 수는 홀수를 쓰고 있으니 짝함이 있으면 흉하다.
위와 아래는 상응하는 자리이다. 음과 양은 서로 구하는 이치이다. 가운데의 5는 홀로 정립되니 때에
맞는 자는 홀로 번성한다. 그러므로 하늘과 땅은 자리를 정하고 산과 못은 기를 통한다. 목木은 번성하
고 금金은 쇠퇴하며, 수水는 차갑고 화火는 갇힌다. 리는 서로 의존하고, 사물은 큰 것을 둘로 두지
않는다. 수는 움직임에서 고요함으로 가는 것이며, 상은 고요함에서 움직임으로 가는 것이다. 움직임은
작용이 유행하는 것이고 고요함은 본체가 정립되는 것이다. 맑음과 탁함이 나뉘지 않았을 때에는 작용
이 참으로 앞선다. 천지가 자리 잡고 나면 본체가 정립된다. 작용이 본체가 되고 나면 본체가 다시
작용이 된다. 본체와 작용이 서로 이어지는 것이 천지 만물이 생성·변화하여 끝이 없는 까닭이다.[83]

아님이 없다. 그러나 속을 비워두고 8을 쓴 것은 짝수에 보존되어 있는 것이다. 「雒書」는 형체가 네모나니,
짝수가 아님이 없다. 그러나 실제의 수를 총괄하고 9를 쓴 것은 홀수에 보존되어 있는 것이다. 음양은 오행의
체이니, 이것이 천지가 드러나는 까닭이고 사계절이 성립되는 까닭이다. 오행은 음양의 쓰임이니, 이것이
사람과 만물이 생겨나는 까닭이고 온갖 변화가 맺히는 까닭이다. 어찌 오묘하지 않을 수 있겠는가?(此承上章
而言. 蓋「河圖」體圓, 非無奇也. 而虛中用八, 則存乎偶. 「洛書」體方, 非無偶也. 而總實用九, 則存乎奇. 陰陽
者, 五行之體, 此天地之所以形, 四時之所以成也. 五行者, 陰陽之用, 此人物之所以生, 萬化之所以凝也. 豈不其
妙矣乎?)【補解】이것은 「河圖」와 「雒書」가 모두 짝수와 홀수를 지니고 있지만 쓰임은 각각 짝수와 홀수의
분별이 있음을 말한 것이다.(此言「圖」「書」皆有耦奇, 而用則各有耦奇之別.)

83 象은 짝수를 … 까닭이다. :【補註】'상은 호응하면 길하다.'는 것은 양이 음과 호응하고 음이 양과 호응하면
길하다는 말이다. '수는 짝하면 흉하다.'는 것은 一이 九와 짝하고, 二가 八과 짝하면 흉하다는 말이다. 下文에
서 '위와 아래가 서로 상응하고 음과 양이 서로 구하는 것'과 '하늘과 땅이 자리를 정하고 산과 못이 기를
통하며' '리는 서로 의존한다.'고 말한 것은 '호응하면 길하다.'라는 뜻을 풀이한 것이다. '가운데의 5는 홀로
정립되니 때에 맞는 자는 홀로 번성한다.'는 것과 '木은 번성하고 金은 쇠퇴하며, 水는 차갑고 火는 갇히며',
'사물은 큰 것을 둘로 두지 않는다.'는 것은 '짝하면 흉하다.'는 뜻을 풀이한 것이다.(象有應則吉, 謂陽與陰應,
陰與陽應, 則吉也. 數有對則凶, 謂一與九對, 二與八對, 則凶也. 下言上下相應, 陰陽相求, 與天地定位, 山澤通
氣, 理有相須, 釋有應則吉意. 中五特立而當時獨盛, 與木盛金衰, 水寒火囚, 物不兩大, 釋有對則凶意.)【補
解】象은 짝수를 위주로 하기 때문에 효에 호응하면 길한 것이다. 수는 홀수를 위주로 하기 때문에 수에
짝하면 흉한 것이다. 천지가 자리를 정하고 산과 못이 기를 통하는 것은 易의 象이다. 木이 번성하고 金이
쇠퇴하며 水는 차갑고 火는 가두는 것은 서로 의존하는 이치가 있는 것이다. '사물은 둘을 크게 여기지 않는
다.'는 것은 오행은 본래 사물이니, 木은 번성하고 金은 쇠퇴하며, 水는 차갑고 火는 갇히는 것이 큰 것을
둘로 두지 않는 것이다. 맑음과 탁함이 나뉘지 않았을 때에는 작용이 참으로 앞선다는 것은 태극이 형체가
없지만 리의 작용이 이미 갖추어져 있다는 것이다. '천지가 자리 잡고 나면 본체가 정립된다.'는 것은 천지는
형체를 지니고 있으므로 리의 본체가 정립된다는 것이다. 작용이 본체가 되고 나면 본체가 다시 작용이 된다.

[24-3-4]

流行者, 其陽乎, 成性者, 其陰乎. 陽者, 數之生也, 陰者, 象之成也. 陽以三至, 陰以倍乘.
生生不窮, 各以序升. 自然而然, 有不容已. 非智與仁, 曷究終始?

유행流行하는 것은 양陽이고, 성性을 이루는 것은 음陰일 것이다. 양은 수의 낳음이고, 음은 상의 이룸이
다. 양은 세 배씩 이르고, 음은 두 배씩 곱한다. 낳고 낳아 끝나지 않으며 각각 차례대로 상승한다.
저절로 그렇고 그러하여 멈출 수 없다. 지智와 인仁이 아니면 어찌 시작과 끝을 탐구할 수 있겠는가?[84]

[24-3-5]

言天下之静者存乎正, 言天下之動者存乎時. 正者, 道之常也, 時者, 因之綱也. 是故君子
立正以俟時.

세상의 고요함을 말하는 자는 올바름을 보존하고, 세상의 움직임을 말하는 자는 때를 보존한다. 올바름
은 도의 불변적 모습이며, 때는 따름의 벼리다. 그러므로 군자는 올바름을 정립하고서 때를 기다린
다.[85]

[24-3-6]

數者, 所以順性命之理也. 一爲水而腎, 其德智也. 二爲火而心, 其德禮也. 三爲木而肝, 其
德仁也. 四爲金而肺, 其德義也. 五爲土而脾, 其德信也.

수數는 성명性命을 따르는 리이다. 일一은 수水가 되어 신장腎臟이 되고 그 덕은 지智이다. 이二는 화火가
되어 심장心臟이 되고 그 덕은 예禮이다. 삼三은 목木이 되어 간장肝臟이 되고 그 덕은 인仁이다. 사四는
금金이 되어 폐장肺臟이 되고 그 덕은 의義이다. 오五는 토土가 되어 비장脾臟이 되고 그 덕은 신信이다.[86]

(象主耦, 故爻有應, 則吉. 數主奇, 故數有對, 則凶. 天地定位, 山澤通氣, 易象也. 木盛金衰, 水寒火囚, 範數也.
理有相須, 象本理也. 天地定位, 山澤通氣, 有相須之理也. 物不兩大, 五行本物也, 木盛金衰, 水寒火囚, 無兩大
之物也. 清濁未判, 用實先焉, 太極無形而理之用已具. 天地已位, 體斯立焉, 天地有形, 故理之體斯立矣.)

84 流行하는 것은 … 있겠는가?: 【補註】1에서 3, 3에서 9는 양이 3배씩 이르는 것이다. 2에서 4, 4에서 8은
음이 2배씩 곱한 것이다. 智는 마치고 仁은 시작하니, 이것이 온갖 변화의 機軸(중심축)이 되는 까닭이다.(一
而三, 三而九, 陽以三至也. 二而四, 四而八, 陰以倍乘. 智以終之, 仁以始之, 此所以爲萬化之機軸也.) 【補
解】'양은 3배씩 이른다.'는 것은 수가 3으로써 9에 이름을 말한다. '음은 2배씩 곱한다.'는 것은 상이 2로써
8에 이름을 말한다. 智는 性을 이루는 끝마침이고 仁은 유행의 시작이므로 오직 智와 仁이라야 그 끝과 시작
을 궁구할 수 있다.(陽以三至, 謂數以三而至九也. 陰以倍乘, 謂象以二而至八也. 智, 成性之終, 仁, 流行之始,
故唯智仁能究其終始.)

85 세상의 고요함을 … 기다린다. : 【補註】올바름은 萬世가 지나도 변치 않는 것이고 때는 때의 추세를 따라
마땅함을 재단하는 것이다. 그러므로 군자는 고요할 때에는 올바름을 정립하고 움직일 때에는 때를 기다린다.
(正者, 歷萬世而不變, 時者, 因時勢而制宜. 故君子静, 則立乎正, 而動, 則俟乎時也.) 【補解】올바름은 萬世가
지나도 변치 않는 것이고, 때는 한 시기에 마땅함을 저울질하는 것이다.(正者, 萬世之經常, 時者一時之權宜.)

86 數는 性命을 … 信이다.: 【補註】이것은 「河圖」의 자리와 수로써 말한 것이다. 天 一은 水를 낳고 地 六은
그것을 이루니, 그 臟府는 腎臟이 되고 그 덕은 智가 된다. 地 二는 火를 낳고 天 七은 그것을 이루니, 그

[24-3-7]

一者, 九之祖也, 九者, 八十一之宗也. 圓之而天, 方之而地, 行之而四時. 天所以覆物也, 地所以載物也, 四時所以成物也. 散之無外, 卷之無內, 體諸造化而不可遺者乎.

1은 9의 조상이고 9는 81의 종주이다. 둥글어 하늘이 되고 네모나서 땅이 되며, 운행하여 사계절이 된다. 하늘은 만물을 덮는 것이고, 땅은 만물을 싣는 것이며, 사계절은 만물을 이루는 것이다. 흩어져서 는 밖이 없고 거두어들여서는 안이 없으며 모든 조화의 본체가 되어 떼어 낼 수가 없다.[87]

[24-3-8]

一數之周, 一歲之運也. 九數之重, 八節之分也. 一一, 陽之始也, 五五, 陰之萌也. 三三, 陽之中也, 七七, 陰之中也. 二二者, 陽之長, 四四者, 陽之壯, 五則陽極矣. 六六者, 陰之長, 八八者, 陰之壯, 九則陰極矣. 一九首尾爲一者, 一歲首尾於冬至也, 蓋冬至二而餘則一也.

한 차례 수의 주기周期가 한 해의 운행이다. 아홉 개의 수의 중첩이 여덟 절기의 나뉨이다. 일일一一은 양의 시작이고, 오오五五는 음의 싹틈이다. 삼삼三三은 양의 중간이고 칠칠七七은 음의 중간이다. 이이二二는 양의 자라남이고, 사사四四는 양의 장성함이며, 오五는 양의 극한이다. 육육六六은 음의 자라남이고, 팔팔八八은 음의 장성함이며, 구九는 음의 극한이다. 일一과 구九가 머리와 꼬리로 하나가 되는 것은 한 해가 동지冬至에서 머리와 꼬리가 되는 것이니, 동지는 둘이지만 나머지는 하나이다.[88]

· ·

장부는 心臟이 되고 그 덕은 禮가 된다. 天 三은 木을 낳고 地 八은 그것을 이루니, 그 장부는 肝臟이 되고 그 덕은 仁이 된다. 地 四는 金을 낳고 天 九는 그것을 이루니, 그 장부는 肺臟이 되고 그 덕은 義가 된다. 天 五는 土를 낳고 地 十은 그것을 이루니, 그 장부는 脾臟이 되고 그 덕은 信이 된다.(此以「河圖」位數言之. 天一生水而地六成之, 其藏爲腎, 其德爲智也. 地二生火而天七成之, 其藏爲心, 其德爲禮也. 天三生木而地八成之, 其藏爲肝, 其德爲仁也. 地四生金而天九成之, 其藏爲肺, 其德爲義也. 天五生土而地十成之, 其藏爲脾, 其德爲信也.)【補解】수는 一·二·三·四·五이고, 仁·義·禮·智·信은 하늘에게서는 命이 되고 사람에게서 는 性이 되지만 모두 五行을 관장한다. 심장·간장·폐장·신장은 단지 수와 性命이 붙어있는 형체일 뿐이다. 성명을 성명이라고 말하면 性命이라고 할 수 없기 때문에 德이라고 한 것이다. 덕은 자기에게 획득된 것을 말한다.(數, 一二三四五也, 仁義禮智信, 在天爲命, 在人爲性者, 而皆管攝於五行也. 心肝脾肺腎, 特數與性命所 寓之形耳. 以性命而言性命, 則不可謂之性命, 故謂之德. 德者, 得於己之謂.)

87 1은 9의 … 없다. 【補解】멀고 높은 것을 祖上이라고 하고, 가깝고 친한 것을 宗主라고 한다. 이것은 圓· 方·行의 세 그림을 가리켜 말한 것이다.(遠而尊謂之祖, 近而親謂之宗. 此指圓方行三圖而言.)

88 한 차례 … 하나이다. :【補註】이것은 바로 그림의 뜻을 밝힌 것이다. 一一은 冬至이므로 '양의 시작'이라고 하고, 五五는 夏至이므로 '음의 싹틈'이라고 한다. 三三은 春分이므로 '양의 중간'이라고 하고 七七은 秋分이므 로 '음의 중간'이라고 한다. 二二는 立春이므로 '양의 자라남'이라고 하고 四四는 立夏이므로 '양의 장성함'이라 고 한다. 六六은 立秋이므로 '음의 자라남'이라고 하고, 八八은 立冬이므로 '음의 장성함'이라고 한다. 冬至는 一一에서 시작하고 九九에서 끝나므로 冬至만 괘가 둘이고 나머지는 하나이다.(此正發明圖意. 蓋一一, 冬至 也, 故曰'陽之始', 五五, 夏至也, 故曰'陰之萌.' 三三, 春分也, 故曰'陽之中', 七七, 秋分也, 故曰'陰之中.' 二二, 立春也, 故曰'陽之長', 四四, 立夏也, 故曰'陽之壯', 六六, 立秋也, 故曰'陰之長', 八八, 立冬也, 故曰'陰之壯.' 冬至始於一一, 而終於九九, 故惟冬至二卦, 而餘則一也.)【補解】8절기는 동지·하지, 춘분·추분, 입춘·입

[24-3-9]

一者, 數之始也, 九者, 數之終也. 一者不變而九者盡變也. 三五七者, 變而少者也, 二四六八者, 變而偶者也. 變之偶者不能以及乎奇, 變之少者不能以該乎物. 奇偶相參, 多寡相函, 其惟九數乎.

1은 수의 시작이고 9는 수의 끝남이다. 1은 변하지 않고 9는 변화를 다한다. 3·5·7은 변화하여 홀수가 된 것이고, 2·4·6·8은 변화하여 짝수가 된 것이다. 변화하여 짝수가 된 것은 홀수에 미칠 수 없고, 변화하여 홀수가 된 것은 짝수를 포함할 수 없다. 홀수와 짝수가 서로 섞이고, 많음과 적음이 서로 감싸는 것은 오직 9의 수일 것이다.[89]

. . . .

하·입추·입동이다. 동지는 둘이고 나머지는 하나인 것은 九와 一 사이가 동지가 되지만 나머지 절기는 저절로 하나의 수에 해당하기 때문이다. 이것은 원도를 가리켜 말한 것이다.(八節, 二至, 二分, 四立也. 冬至二而餘則一者, 九一之間爲冬至, 而餘節自當一數也. 此指圓圖而言.)

89 1은 수의 … 것이다. :【補註】3개의 '少'자는 '奇'가 되어야 하고 '物'자는 '偶'가 되어야 한다. 鮑氏(鮑雲龍)은 『天原發微』에서 다음과 같이 말했다. '이제 「雒書」의 變數로써 추론하면, 그림에는 왼쪽으로 도는 수와 오른쪽으로 도는 수가 모두 갖춰져 있다. 양은 3으로써 左行한다. 天圓은 지름이 1이고 둘레가 3이니, 3은 天(하늘)의 수이다. 1은 북쪽에 있고, 1에 3을 곱한 3은 동쪽에 있으며, 3을 3배하면 9가 되어 남쪽에 자리하고, 9에 3을 곱한 3×9인 27이 되어 서쪽에 자리하며, 27에 3을 곱하면 81이 되어 다시 북쪽에 자리한다. 북에서 동, 동에서 남, 남에서 서, 서에서 다시 북이 되어 끊임없이 순환하니 天道는 左旋한다는 뜻에 부합한다. 地方은 지름이 1이고 둘레는 4이니 2를 두 배한 것이다. 地上의 수는 2에서 일어나니 음을 바탕으로 시작된다. 서남쪽에 자리잡고 右行하여 2에서 2를 곱해 4가 되어 동남쪽에 자리하고 2에서 4를 곱해 8이 되어 동북쪽에 자리하며, 8을 두 배해서 16이 되어 서북쪽에 자리하고 16을 두 배해서 32가 되어 다시 서남쪽에 자리한다. 본래 서남쪽에 자리하다 동남쪽에 자리하고 동남쪽에서 동북쪽으로 자리하며, 동북쪽에서 서북쪽으로 자리하고 서북쪽에서 다시 서남쪽으로 자리하여 또한 끊임없이 순환하니 地道는 右行한다는 설과 어울린다. 1·3·7·9는 양으로서 네 곳의 正位에 자리하고 2·4·6·8은 음으로서 네 곳의 모퉁이에 자리하는데 왼쪽으로 도는 것과 오른쪽으로 도는 것이 서로 씨줄과 날줄이 되니 조화의 오묘함이 이와 같다.'(三少字當作奇, 物字當作偶. 鮑氏『天原發微』曰, '今以洛書變數推之, 一圖之上左旋右施之數皆備. 陽以三左行天. 圓徑一圍三, 三天數也. 一在北, 一而三之三在東, 三其三爲九而居南, 九而三之三九二十七而居西, 三其二十七爲八十一而復居于北. 北而東, 東而南, 南而西, 西而復北, 循環不窮, 有以符天道左旋之義也. 方徑一圍四, 兩其二也. 蓋以地上之數起於二而陰資以爲始. 位在西南而右行, 二而二之爲四而居東南, 二而四之爲八而居東北, 二其八爲十六而居西北, 二其十六爲三十二而復居西南. 本位西南而東南, 東南而東北, 東北而西北, 西北而復西南, 亦循環不窮, 有以恊地道右行之說. 一三七九陽居四正, 二四六八陰居四隅, 左右旋轉, 相爲經緯, 造化之妙如此.')【補解】'1은 변하지 않는다.'는 것은 1은 변하여 9가 될 수 없다는 것이다. '9는 변화를 다한다.'는 것은 9는 변화를 다하여 9가 될 수 있다는 것이다. '3·5·7은 변화했으나 어린 것이다.'라는 것은 변화했지만 아직 홀수에 이르지 않았다는 것이다. 홀수라고 말하지 않고 어리다고 한 것은 9를 홀수로 여긴다면 3·5·7을 홀수라고 할 수 없기 때문이다. '2·4·6·8은 변화하여 짝수가 된 것이다.'라고 한 것은 변화했으나 아직 홀수에 이르지 못하고 다만 짝수가 될 수 있을 뿐이라는 것이다. 이것은 9개의 수에 홀수와 짝수가 섞여 있고, 많음과 적음을 감싸고 있음을 말한 것이다.(一不變者, 一則不能變爲九也. 九盡變者, 九則能盡變爲九也. 三五七變而少者, 變而未至乎奇也. 不言奇而謂之少者, 以九爲奇, 則三五七不可謂之奇也. 二四六八變而偶者, 變而未至乎奇, 只得爲偶也. 此言九數之衆奇偶函多寡.)

[24-3-10]

順數則知物之所始, 逆數則知物之所終. 數與物, 非二體也, 始與終, 非二致也. 大而天地, 小而毫末, 明而禮樂, 幽而鬼神, 知數即知物也, 知始即知終也. 數與物無窮, 其誰始而誰終?

순하게 세면 사물이 시작되는 것을 알고, 거슬러서 세면 사물이 끝나는 것을 안다. 수와 사물은 두 개의 것이 아니고 시작과 끝남은 두 가지가 아니다. 크게는 천지에서 작게는 털 끝에 이르기까지, 밝게는 예와 악에서 어둡게는 귀신에 이르기까지 수를 아는 것이 사물을 아는 것이고 시작을 아는 것이 끝을 아는 것이다. 수와 사물이 끝이 없는데 무엇이 시작이 되고 무엇이 끝이 되겠는가?[90]

[24-3-11]

數始于一, 參於三, 究於九, 成於八十一, 備於六千五百六十一. 八十一者, 數之小成也, 六千五百六十一者, 數之大成也. 天地之變化, 人事之始終, 古今之因革, 莫不於是著焉. 是故一九而九, 九九而八十一, 八十一而七百二十九. 二九十八, 十八而百六十二, 百六十二而一千四百五十八. 三九二十七, 二十七而二百四十三, 二百四十三而二千一百八十七. 四九三十六, 三十六而三百二十四, 三百二十四而二千九百一十六. 五九四十五, 四十五而四百有五, 四百有五而三千六百四十五. 六九五十四, 五十四而四百八十六, 四百八十六而四千三百七十四. 七九六十三, 六十三而五百六十七, 五百六十七而五千一百有三. 八九七十二, 七十二而六百四十八, 六百四十八而五千八百三十二. 九九八十一, 八十一而七百二十九, 七百二十九而六千五百六十一. 列而次之, 自一而九, 自九而一, 一逆一順. 一九二八, 三七四六, 互相變通. 五則常中, 有吉無凶, 禍亡而福隆, 君子之所爲宮. 是故一變始之始, 二變始之中, 三變始之終, 四變中之始, 五變中之中, 六變中之終, 七變終之始, 八變終之中, 九變終之終. 數以事立, 亦以事終. 酬酢無常, 與時偕通.

수는 1에서 시작하고 3에서 가지런하고 9에서 끝나고 81에서 이루어지고 6561에서 완비된다. 81은 수의 작은 이룸이고 6561은 수의 큰 이룸이다. 천지의 변화, 인사의 시작과 끝남, 고금古今의 계승과 변혁이 여기에서 드러나지 않음이 없다. 그러므로 1×9에서 9가 되고 9×9에서 81이 되며 81에서 (9를 곱하여) 729가 된다. 2×9에서 18이 되고 18에서 (9를 곱하여) 162가 되고 162에서 (9를 곱하여) 1458이 된다. 3×9에서 27이 되고 27에서 (9를 곱하여) 243이 되고 243에서 (9를 곱하여) 2187이 된다. 4×9에서 36이 되고 36에서 (9를 곱하여) 324가 되고 324에서 (9를 곱하여) 2916이 된다. 5×9에서 45가 되고

---

90 순하게 세면 … 되겠는가?: 【補註】五五에서부터 순하게 세어 一一에 이르면 사물이 시작되는 것을 알고 五五에서부터 거슬러 세어 九九에 이르면 사물이 끝나는 것을 알게 된다. 끝나면 다시 시작되고 시작하면 다시 끝나므로 수와 사물은 끝이 없는 것이다. 시작도 없고 끝도 없다는 것이 진실하구나!(由五五而順數至一一, 則知物之所始, 由五五而逆數至九九, 則知物之所終. 終而復始, 始而復終, 故數與物無窮. 其無始而無終者也信哉!)【補解】이것은 수와 사물의 끝남과 시작을 말한 것이다.(此言數與物之終始.)

45에서 (9를 곱하여) 405가 되고 405에서 (9를 곱하여) 3645가 된다. 6×9에서 54가 되고 54에서 (9를 곱하여) 486이 되고 486에서 (9를 곱하여) 4374가 된다. 7×9에서 63이 되고 63에서 (9를 곱하여) 567이 되고 567에서 (9를 곱하여) 5103이 된다. 8×9에서 72가 되고 72에서 (9를 곱하여) 648이 되고 648에서 (9를 곱하여) 5832가 된다. 9×9에서 81이 되고 81에서 (9를 곱하여) 729가 되고 729에서 (9를 곱하여) 6561이 된다. 나열하여 순서를 지으면 1에서부터 9에 이르고 9에서부터 1에 이르니 한 번은 거스르고 한 번은 순하다. 일구一九 이팔二八, 삼칠三七 사구四九는 서로 변통한다. 5는 항상 중中이니 길함만 있고 흉함은 없으며 화禍는 없고 복福이 융성하니 군자가 집으로 삼는 곳이다. 그러므로 1변一變은 시작의 시작이고 2변二變은 시작의 중中이고 3변三變은 시작의 끝이며, 4변四變은 중中의 시작이고 5변五變은 중中의 중中이고 6변六變은 중中의 끝이며, 7변은 끝의 시작이고 8변은 끝의 중中이고 9변은 끝의 끝이다. 수는 일로써 정립되고 또한 일로써 끝난다. 주고받음에 일정함이 없이 때와 함께 통한다.[91]

[24-3-12]

中者天下之大本乎. 自一而九, 自九而一, 雖歷萬變, 而五常中焉.

중中은 천하의 큰 근본이다. 1에서 9에 이르기까지 9에서 1에 이르기까지 비록 온갖 변화를 거친다 해도 5는 항상 중中이다.[92]

[24-3-13]

「洛書」數九而用十, 何也? 十者數之成也. 數成而五行備也. 數非九不生, 非十不成. 九以通之, 十以節之. 九以行之, 十以止之. 九者變通之機, 十者五行之斂也. 方隅對待, 中五含五, 而十數已具於九數之中矣. 以見其體用之不相離, 而圖書所以相爲經緯也.

「낙서洛書」에서 수가 9인데 10을 쓴 것은 무엇 때문인가? 10은 수의 완성이다. 수가 완성되면 오행이 갖추어진다. 수는 9가 아니면 생겨나지 않고 10이 아니면 완성되지 않는다. 9로써 통하고 10으로써

---

91 수는 1에서 … 통한다. : 【補註】 一九 이하는 9로써 배를 더하여 6561에 이른 것이다. 나열하여 순서를 지으면 81圖가 된다. 81도는 천지에 일정한 수가 있는 것이다. 그러나 시초를 써서 수를 구할 때에는 주고받음에 일정한 수가 없다.(一九以下, 以九加之, 至於六千五百六十一. 列而次之, 爲八十一圖. 八十一圖, 天地有定之數也. 用蓍求數, 酬酢無常之數也.)【補解】 한 번은 순하고 한 번은 거스른다는 것은 그림을 살펴보면 一九 二八 三七 四九가 中의 5와 함께 「낙서」의 총수가 됨을 알 수 있다. 1변은 첫 번째 9를 변화시킨 것이고, 2변은 두 번째 9를 변화시킨 것이고, 3변은 세 번째 9를 변화시킨 것이고, 4변은 네 번째 9를 변화시킨 것이고, 5변은 다섯 번째 9를 변화시킨 것이고, 6변은 여섯 번째 9를 변화시킨 것이고, 7변은 일곱 번째 9를 변화시킨 것이고, 8변은 여덟 번째 9를 변화시킨 것이고, 9변은 아홉 번째 9를 변화시킨 것이다. 이것은 「積數圖」를 가리켜 말한 것이다.(一順一逆, 按圖可見一九二八三七四六並中五爲洛書之揔數也. 一變, 一變九也, 二變, 二變九也, 三變, 三變九也, 四變, 四變九也, 五變, 五變九也, 六變, 六變九也, 七變, 七變九也, 八變, 八變九也, 九變, 九變九也. 此指積數圖而言.)

92 中은 천하의 … 中이다. : 【補註】 위 장에서 서로 변통하지만 5는 항상 中의 뜻이다.(即上章, 互相變通, 五則常中之意.)【補解】 이것은 5의 수가 항상 中임을 말한다.(此言五數之常中.)

마디를 이룬다. 9로써 유행하고 10으로써 그친다. 9는 변통의 기틀이고 10은 오행의 펼침이다. 모퉁이가 대대對待할 때 중中의 5는 5를 포함하니 10의 수가 이미 아홉 개의 수 가운데에 갖추어져 있다. 그로써 체와 용이 서로 떨어져 있지 않음을 알게 되니 「하도」와 「낙서」가 그 때문에 서로 정통과 변화가 된다.[93]

[24-3-14]

九者生數也, 十者成數也. 生者方發而未形. 成者已具而有體. 未形而有形者, 變化見也. 有體而無體者, 其用藏也. 是故雨以潤之, 暘以熯之, 寒以歛之, 燠以散之, 風以動之. 其生物也不測. 其成物也不忒. 生居物先, 成居物後, 故能爲奇, 故能爲耦.

9는 생수生數이고 10은 성수成數이다. '생生'은 막 발동하였으나 아직 드러나지 않은 것이고, '성成'은 이미 갖추어져 체體가 있는 것이다. 아직 드러나지 않았으나 형체가 있는 것은 변화가 나타난다. 체가 있으나 체가 없는 것은 용用이 감추어져 있다. 그러므로 비로써 적시고 햇볕으로써 말리고 추위로써 거두고 따뜻함으로 흩뜨리고 바람으로써 움직이게 한다. 사물을 낳는 것은 헤아리지 못하고 사물을 이루는 것은 어긋나지 않는다. 낳는 것은 사물의 앞에 있고 이루는 것은 사물의 뒤에 있으니, 그러므로 홀수가 될 수 있고 짝수가 될 수 있다.[94]

. . . .

93 「洛書」에서 수가 … 된다. : 【補註】'살펴보니, 劉歆은 「河圖」와 「雒書」는 서로 씨줄과 날줄이 되고 팔괘와 9장은 서로 겉과 속이 된다.'라고 하였다. 주자는 '「河圖」는 生水와 成數로써 짝을 이루고 있으니, 음과 양이 짝을 이루고 있는 점이 분별되지 않은 적이 없기 때문에 안팎의 文에 賓主의 분별이 있으며, 「雒書」는 홀수와 짝수로 나뉘어 있으니, 음과 양으로 나뉘고 있다는 점이 부합하지 않은 적이 없으므로 對待하는 가운데 유행의 오묘함이 있는 것이다.'라고 하였다. '씨줄과 날줄이라고 한 것'은 위아래로써 씨줄을 삼고 좌우로써 날줄을 삼은 것이 아니다. '經'은 그 정통을 말하고 '緯'는 그 변화를 말한다. 「河圖」는 겉으로는 괘를 그을 수 있고 속으로는 疇를 펼 수 있다. 「雒書」는 겉으로는 疇를 펼 수 있고 속으로는 괘를 그을 수 있다. '겉과 속이 된다고 한 것'은 이것이 속이 되고 저것이 겉이 됨을 가리키는 것이 아니다. 이는 「河圖」 가운데 「雒書」가 있고, 「雒書」 가운데 「河圖」가 있음을 말한 것이다.(按劉歆云, '「河圖」「洛書」相爲經緯, 八卦九章相爲表裏.' 朱子曰, '「河圖」以生成合, 陰陽合者未嘗不分, 故內外之文有賓主之辨, 「洛書」以奇偶分, 陰陽分者未嘗不合, 故對待之中, 有流行之妙.' 其曰經緯者, 非是以上下爲經左右爲緯也. 蓋經言其正, 緯言其變也. 「河圖」, 表可以畫卦, 裏可以敍疇. 「洛書」, 表可以敍疇, 裏可以畫卦. 其曰表裏者, 非是指此爲裏, 彼爲表也. 蓋言其「圖」中有「書」, 「書」中有「圖」也.)【補解】이것은 「雒書」가 10을 쓰고 있음을 말한 것이다.(此言「洛書」之用十.)

94 9는 生數이고 … 있다. : 【補註】"9는 양의 생수이고 10은 음의 성수이다. 양은 음을 體로 삼고 있기 때문에, 아직 드러나지 않았으나 형체가 있는 것이니, 양 속에 음이 있는 것이다. 음은 양을 用으로 삼고 있기 때문에, 체가 있으나 체가 없는 것이니, 음 속에 양이 있는 것이다.(九者, 陽之生數也, 十者, 陰之成數也. 陽, 以陰爲體, 故未形而有形, 陽中有陰也. 陰, 以陽爲用, 故有體而無體, 陰中有陽也.)"【補解】"'변화가 나타난다.'는 것은 數 중에 9를 쓰는 것이다. '用이 감추어져 있다.'는 것은 數 중에 10을 감추고 있는 것이다. 적심·말림·거둠·흩뜨림·움직임은 변화의 일이다. '낳는 것은 사물의 앞에 있다.'는 것은 生數를 말하니, 사물을 이루는 것보다 앞서 있다. '이루는 것은 사물의 뒤에 있다.'는 것은 成數를 말하니, 사물을 낳는 것보다 뒤에 있다. 이것은 9와 10이 홀수와 짝수가 될 수 있음을 말한 것이다.(變化見者, 數之用九也, 其用藏者, 數之藏十也. 潤熯歛散動, 變化之事也. 生居物先, 言生數, 居成物之先也. 成居物後, 言成數, 居生物之後也. 此言九與十之能

[24-3-15]

天下之數, 九而究矣. 十者, 一之變也, 百者, 十之變也, 千者, 百之變也, 萬者, 千之變也,
十百千萬皆一也.

세상의 수는 9에서 끝난다. 10은 1의 변함이고 100은 10의 변함이며, 1,000은 100의 변함이고 10,000은
1,000의 변함이니, 10·100·1,000·10,000이 모두 1인 셈이다.[95]

[24-3-16]

先子曰: "天數中於五, 地數中於六. 天有陰陽, 故二其五爲一十. 合三與七, 一與九, 亦十
也. 地有柔剛, 故二其六爲十二. 合四與八, 二與十, 亦十二也. 十爲干, 十二爲支. 十干者,
五行有陰陽也, 十二支者, 六氣有柔剛也. 十干實五行也, 十二支實六氣也. 五行六氣, 實
一氣也. 淸濁未判, 乃天地之所以立. 上下定位, 又萬物之所以生. 故自體言之, 則對待而
不可缺, 自用言之, 則往來而不可窮. 蓋造化之幾微, 聖人之能事也."

선자先子(선친, 즉 채원정)가 말했다. "천天(하늘)의 수는 5가 중앙이고 지地(땅)의 수는 6이 중앙이다. 천天
에는 음양陰陽이 있기 때문에 5를 두 배하면 10이 된다. 3과 7, 1과 9를 합해도 또한 10이다. 지地에는
강유剛柔가 있기 때문에 6을 두 배하면 12가 된다. 4와 8, 2와 10을 합해도 또한 12이다. 10은 천간天干이
고 12는 지지地支이다. 10간干은 오행五行에 음양이 있는 것이고, 12지支는 육기六氣에 강유剛柔가 있는
것이다. 10간干은 사실 오행五行이고 12지支는 사실 육기六氣이다. 오행五行과 육기六氣는 사실 하나의
기氣이다. 맑음[淸]과 탁함[濁]이 나뉘지 않았을 때 바로 천天과 지地가 성립되었다. 위와 아래가 자리를
정하고 나서 또 만물이 생겨났다. 그러므로 체體로부터 말하면 대대對待하여 빠질 수 없고, 용用으로부
터 말하면 왕래往來하여 끝날 수 없다. 이것이 조화造化의 기미이고 성인聖人이 할 수 있는 일이다."[96]

爲奇耦.)"

95 세상의 수는 … 셈이다. : 【補註】"세상의 수는 1에서 시작하여 9에서 끝나고 9 다음에는 1로 복귀한다. 그러
므로 10, 100, 1000, 10000이 모두 1이다.(天下之數起於一而極於九. 九后歸之於一. 故十百千萬皆一也.)"【補
解】"이것은 수가 1에서 시작하여 9에서 끝나고 10, 100, 1000, 10000의 변화가 있음을 말한 것이다.(此言數之
始於一而究於九, 有十百千萬之變.)"

96 先子(선친, 즉 채원정)가 … 일이다. : 【補註】天의 10干 중에 다섯 개의 간은 陽이고 다섯 개의 간은 陰이다.
地의 12支 중에 6개의 지는 剛이고 6개의 지는 柔이다. 음양의 대대로써 말하면 체라고 하고 음양의 왕래로써
말하면 용이라고 한다.(天之十干, 五干陽, 五干陰也. 地之十二支, 六支剛, 六支柔也. 以陰陽對待言之, 則謂之
體, 以陰陽往來言之, 則謂之用也.)【補解】先子는 蔡氏[蔡沈]가 스스로 先君[先親]을 말한 것이다. 六氣는 1양,
2양, 3양, 1음, 2음, 3음이다. 對待는 天干과 地支에 對待가 있는 것이고, 왕래는 천간과 지지가 스스로 운행하
는 것이다. 이것은 「雒書」의 수로써 천간과 지지가 서로 뒤섞여 있지만 陰陽·剛柔·五行·六氣가 사실 그
사이에 깃들어 있음을 말한 것이다.(先子蔡氏自謂先君也. 六氣, 一陽二陽三陽一陰二陰三陰也. 對待, 支干有對
待也, 往來, 干支自運行也. 此以洛書之數, 言干支之相錯, 而陰陽剛柔五行六氣, 實寓於其間.)

[24-3-17]

物有其則, 數者, 盡天下之物則也. 事有其理, 數者, 盡天下之事理也. 得乎數, 則物之則事之理無不在焉. 不明乎數, 不明乎善也. 不誠乎數, 不誠乎身也. 故靜則察乎數之常, 而天下之故無不通, 動則達乎數之變, 而天下之幾無不獲.

물物에는 법칙이 있는데 수數는 세상의 물이 갖는 법칙을 다한다. 일에는 리가 있는데 수는 세상의 일이 갖는 리를 다한다. 수를 얻으면 물의 법칙과 일의 리가 있지 않음이 없다. 수에 밝지 않으면 선善에 밝지 못하게 된다. 수에 정성을 다하지 않으면 몸에 정성을 다하지 못하게 된다. 그러므로 고요할 때에는 수의 불변적 원칙을 살펴 세상의 일에 통하지 않음이 없고, 움직일 때에는 수의 가변적 원칙에 통달하여 세상의 기미를 얻지 않음이 없다.[97]

[24-3-18]

正數者, 天地之正氣也, 其吉凶也確. 間數者, 天地之間氣也, 其吉凶也雜. 其進退消長之道歟!

정수正數는 천지의 정기正氣이니 길 · 흉이 확실하다. 간수間數는 천지의 간기間氣이니 길 · 흉이 뒤섞인다. 나아감과 물러남, 사라짐과 자라남의 도일 것이다.[98]

[24-3-19]

數由人興, 數由人成. 萬物皆備於我, 咸自取之也. 中人以上, 達於數者也, 中人以下, 囿於數者也. 聖人因理以著數, 天下因數以明理. 然則數者, 聖人所以教天下後世者也. 國家將興, 必有禎祥, 國家將亡, 必有妖孽. 善必先知之, 不善必先知之. 因天下之疑, 定天下之志.

---

97 物에는 법칙이 … 없다. : 【補註】"고요할 때 수의 불변적 원칙을 살피는 것은 수에 밝은 것이고, 움직일 때 수의 가변적 원칙에 통달하는 것은 수에 정성을 다하는 것이다.(靜則察乎數之常, 所以明乎數也, 動則達乎數之變, 所以誠乎數也.)"【補解】"物은 君臣 · 父子 · 夫婦 · 長幼 · 朋友의 數이고 법칙은 有義 · 有親 · 有別 · 有序 · 有信이다. 일은 예컨대 임금을 섬길 경우에는 공 · 경 · 대부의 일이 직분이 있고 부모를 섬길 경우에는 겨울에는 따뜻하게 하고 여름에는 시원하게 하며, 밤에는 잠자리를 정하고 아침에는 안부를 살피는 것과 같은 따위이며, 리는 그러한 까닭이다. 선을 밝히고 몸을 성실하게 하는 것은 중용의 도이므로 모든 사람들의 일상적인 일이다. 幾는 기미이다.(物, 君臣父子夫婦長幼朋友之數이고 則, 有義有親有別有序有信也. 事, 如事君則有公卿大夫之職, 事親則有溫凊定省之類, 理者, 其所以然也. 明善誠身即中庸之道也, 故凡民生日用之故. 幾, 幾微也.)"

98 正數는 천지의 … 것이다. : 【補註】천지의 正數를 얻으면 길함이 있고 흉함이 없든지, 흉함이 있고 길함이 없든지 하여 일정하여 바뀌지 않는다. 천지의 間數를 얻으면 길함 가운데 흉함이 있든지, 흉함 가운데 길함이 있든지 하여 여전히 뒤섞여 전일하지 않다.(得天地之正數, 則有吉無凶, 有凶無吉, 一定而不移也. 得天地之間數, 則吉中有凶, 凶中有吉, 猶雜而不一也.)【補解】正數는 一一 · 二二 · 三三 · 四四 · 五五 · 六六 · 七七 · 八八 · 九九이고, 間數는 나머지가 다 間數이다.(正數, 一一二二三三四四五五六六七七八八九九也, 間數, 餘皆間數也.)

去惡而就善, 舍凶而趨吉. 謁焉而無不告也, 求焉而無不獲也. 利民而不費, 濟世而不窮. 神化而不測, 數之用, 其大矣哉!

수數는 사람으로부터 일어나고, 수는 사람으로부터 이루어진다. 만물은 모두 나에게 갖추어져 있으니 모두 스스로 취한 것이다. 중등 인물中人 이상은 수에 통달한 자이고 중등 인물 이하는 수에 갇힌 자이다. 성인은 리를 따라 수를 드러내고 세상 사람들은 수를 따라 리를 밝힌다. 그렇다면 수는 성인이 세상과 후대 사람들을 가르치기 위한 것이다.[99] 국가가 장차 흥하려고 할 때엔 경사스러운 조짐이 있고, 국가가 장차 망하려고 할 때엔 불길한 조짐이 있다. 선善을 반드시 미리 알고 불선不善을 반드시 미리 안다. 세상의 의심을 따라 세상의 뜻을 안정시킨다. 악을 제거하여 선에 나아가고 흉함을 버려서 길함에 나아간다. 여쭈면 알려주지 않는 것이 없고 구하면 얻지 못할 것이 없다. 백성들을 이롭게 하여 허비하지 않고 세상을 구제하여 끝나지 않게 한다. 신묘하게 변화하여 헤아릴 수 없으니 수의 용用은 위대하구나![100]

[24-3-20]

禮儀三百, 威儀三千, 皆天道之流行也.

예의禮儀(근간이 되는 예) 3백 가지와 위의威儀(작은 조항의 예) 3천 가지가 모두 천도天道의 유행이다.[101]

....

99　數는 사람으로부터 … 것이다. :【補註】 "수는 바로 위 장의 나아감과 물러남, 사라짐과 자라남의 도이다. (數, 即上章進退消長之道也.)"【補解】 "수의 일어남이 수의 시작이니 세상에서 '리를 따라 수를 드러낸다.' 는 것이 이것이다. 수의 이루어짐이 수의 끝마침이니, '세상 사람들이 수를 따라 리를 밝힌다.'는 것이 이것이다. '만물은 모두 나에게 갖추어져 있으니, 모두 스스로 취한 것이다.'라는 것은 만물의 리가 모두 나에게 갖춰져 있음을 말하니, 선과 악, 길함과 흉함을 어떻게 피할 수 있겠는가? '수에 통달한 자라는 것은 성인이 수의 리에 통달한 것을 말하고, '수에 갇힌 자'라는 것은, '圉'는 울타리로서 새와 짐승을 기르는 곳이니, 많은 사람들이 수의 한가운데 처해 있으면서도 스스로 알지 못함을 말한다. '리를 따라 수를 드러낸다.'는 것은 복희와 문왕의 부류로서 중인 이상을 가리켜 말한 것이고, '수를 따라 리를 밝힌다.'는 것은 占으로써 중인 이하를 가리켜 말한 것이다.(數之興, 數之始也, 即天下之因理著數是也. 數之成, 數之終也, 即天下之因數明理是也. 萬物皆備於我, 咸自取之, 言萬物之理, 皆備於我, 則善惡吉凶, 豈能逃哉? 達於數者, 言聖人達其數之理也, 圉於數者, 圉, 蓄育鳥獸之所, 言眾人處數之中而自不知也. 因理而著數者, 伏羲文王之類, 指中人以上而言, 因数而明理者, 占者也, 指中人以下而言.)"

100　국가가 장차 … 위대하구나! :【補註】 시초와 수의 用은 그 위대함이 이와 같음을 말한 것이다.(言著數之用, 其大如此.)【補解】 "禎祥은 복의 짐이고, 妖孽은 재앙의 싹이다. 이것은 『中庸』의 글을 이용하여 작용하는 수의 오묘함을 지극히 말한 것이다.(禎祥者福之兆, 妖孽者禍之萌, 此引『中庸』文, 極言用數之妙.)"

101　禮儀(근간이 되는 예) … 유행이다. :【補註】 이것이 이른바 예의 수이다.(此所謂禮之數也)【補解】 禮儀는 經禮이고 威儀는 曲禮이니 300과 3000은 두 가지의 條目이다. 張子(張載)는 '예의 삼백과 위의 삼천 중에 한 가지 일도 仁이 아님이 없다.'라고 하였다. 예는 천리의 節文이고 人事의 의칙이니, 인사의 발현이 모두 천리의 유행이고 인 또한 그 가운데에 있다.(禮儀, 經禮也, 威儀, 曲禮也, 三百三千, 二者之條目也. 張子曰, '禮儀三百, 威儀三千, 無一事之非仁也.' 蓋禮者天理之節文, 人事之儀則也, 則人事之發見皆天理之流行, 而仁亦在其中矣.)

[24-3-21]

箕子曰: "皇建其有極, 斂時五福, 用敷錫厥庶民, 惟時厥庶民, 于汝極, 錫汝保極. 凡厥庶民, 無有淫朋, 人無有比德, 惟皇作極. 無偏無陂, 遵王之義, 無有作好, 遵王之道, 無有作惡, 遵王之路. 無偏無黨, 王道蕩蕩, 無黨無偏, 王道平平, 無反無側, 王道正直, 會其有極, 歸其有極."102

기자箕子가 말했다. "황극皇極은 임금이 극極(표준)을 세우는 것이니, 이 오복五福을 거두어 여러 백성들에게 복福을 펴 주면 이 여러 백성들이 너의 극에 대해 너의 극極을 보존할 수 있게 해 줄 것이다. 무릇 서민들이 사악한 붕당을 갖지 않으며 아첨하는 덕을 갖지 않는 것은 임금이 극이 되기 때문이다. 편벽偏僻됨이 없고 기울어짐이 없어 왕王의 의義를 따르며, 뜻에 사사로이 좋아함을 일으키지 아니하여 왕의 도道를 따르며, 뜻에 사사로이 미워함을 일으키지 아니하여 왕의 길을 따르라. 편벽됨이 없고 편당함이 없으면 왕의 도가 넓으며, 편당함이 없고 편벽됨이 없으면 왕의 도가 평이하며, 도리에 위배됨이 없고 기울어짐이 없으면 왕의 도가 정직正直할 것이니, 그 극에 모여 그 극에 돌아올 것이다."

[24-3-22]

上焉者, 安於數者也. 其次守焉. 其下悖焉. 安焉者謂之聖, 守焉者謂之賢, 悖之者愚而已矣. 是故歷數在躬, 不思而得, 不勉而中, 聖人也. 體數之常, 不易其方, 順時而行, 賢人也. 逆數越理, 亂天之紀, 小人之無忌憚也.

수준이 높은 사람은 수數를 편안하게 여기는 사람이다. 그 다음은 수數를 고수하는 사람이다. 수준이 낮은 사람은 수를 거스르는 사람이다. 편안히 행하는 사람을 성聖이라고 하고, 고수하는 사람을 현賢이라고 하는데, 거스르는 사람은 어리석을 뿐이다. 그러므로 역수歷數[曆數]가 몸에 있어 생각하지 않아도 터득하고 힘쓰지 않아도 중도에 맞는 자는 성인聖人이다. 수의 불변적 원칙을 체득하고 그 처소를 바꾸지 않으며 때에 따라 행하는 자는 현인賢人이다. 수를 거역하고 리를 벗어나 하늘의 기강을 어지럽히는 것은 거리낌 없는 소인이다.103

. . . .

102 『書經』「洪範」

103 수준이 높은 … 소인이다. :【補註】"이것은 위의 장을 이어 말한 것이다. '황극은 임금이 극을 세우는 것이다.'라는 것은 수를 편안하게 여기는 사람이다. '이 여러 백성들이 너의 극에 대해 너의 極을 보존할 수 있게 해줄 것이다.'라는 것은 數를 고수하는 사람이다. 사악한 붕당과 아첨하는 덕은 수를 거스르는 사람이다.(此承上章而言. 皇建其有極, 安於數者也. 惟時厥庶民于汝極錫汝保極, 守焉者也. 淫朋比德, 悖焉者也.)"
【補解】"天命을 깨달아 즐기면서 이에 順應하는 일을 편안함이라고 하고, 올바름을 따르고 지키는 것을 고수함이라고 하며, 도리를 거역하고 常道를 어지럽히는 것을 거스름이라고 한다. 曆數는 제왕들이 서로 계승하는 차례이니, 歲時와 절기의 선후와 같다. '曆數가 몸에 있어 생각하지 않아도 터득하고 힘쓰지 않아도 중도에 맞는 것'은 존귀하여 천자가 되면 화려한 옷을 입고 거문고를 타는 것을 본래 있는 것처럼 여기고, 늙어서 일에 싫증이 나면 萬乘의 나라를 버리는 것을 헌신을 버리듯이 여기는 것을 말하니, 舜임금이 이런 사람이다. '方'은 처소이다. '처소를 바꾸지 않고 때에 따라 행하는 것'은 보잘 것 없는 음식이지만 그 즐거움을 고치지 않고, 등용되건 버려지건 세상에 나서건 집으로 물러나건 각각 제때에 따르는 것이니, 顔淵이

[24-3-23]

義之所當爲而不爲者, 非數之所能知也. 義之所不當爲而爲者, 亦非數之所能知也. 非義不占, 非疑不占. 非疑而占謂之侮, 非義而占謂之欺. 虛其心, 和其志, 平其氣, 一其聽, 有不占也, 而事無不應, 有不謀也, 而用無不成. 誠之至焉, 神亦至焉, 是謂動之以天.

의리상 마땅히 해야 하는데 하지 않는 것은 수를 제대로 아는 것이 아니다. 의리상 마땅히 하지 않아야 하는데 하는 것 또한 수를 제대로 아는 것이 아니다. 의리가 아니면 점치지 않으며, 의심스럽지 않으면 점치지 않는다. 의심스럽지 않은데도 점치는 것을 '조롱[侮]'이라고 하며, 의리가 아닌데도 점치는 것을 '기만[欺]'이라고 한다. 마음을 비우고 뜻을 화순하게 하고 기氣를 평안하게 하고 들음을 순일하게 하면 점을 치지 않더라도 일에 대응하지 못함이 없으며, 도모하지 않더라도 쓰임을 이루지 않음이 없을 것이다. 성誠이 지극하면 신묘함이 또한 지극하니 이를 하늘로써 움직인다고 말한다.[104]

[24-3-24]

敬者, 聖學始終之要. 未知, 則敬以知之, 已知, 則敬以行之. 不敬, 則心無管攝, 顛倒眩瞀, 安能有所知有所行乎?

경敬은 성학聖學의 시작과 끝을 이루는 요체이다. 아직 알지 못하면 경으로써 알고, 알고 나서는 경으로써 행한다. 경하지 않으면 마음에 제어함이 없어 넘어지고 어둡게 될 텐데, 어찌 아는 것이 있고 행하는 것이 있겠는가?[105]

[24-3-25]

義利不可不明也. 不明, 則以利爲義. 心雖公, 亦私耳. 天下正理若大路然, 一而已. 旁蹊曲徑, 皆私意也. 故曰, "遵王之道, 無有黨偏偏陂反側云."

의義와 이익[利]에 밝지 않으면 안 된다. 밝지 않으면 이익을 의로 간주하게 된다. 마음이 비록 공정할지라도 사사로울 뿐이다. 세상의 바른 도리는 대로大路와 같아 하나일 뿐이다. 곁길이나 굽은 길은 모두 사사로운 뜻이다. 그러므로 "왕도王道를 따르면 편당偏黨도 치우침도, 배반도 없다."고 하는 것이다.[106]

이런 사람이다. '수를 거역하고 리를 뛰어넘어 하늘의 기강을 어지럽히는 것'은 王莽과 董卓과 같은 부류가 이런 사람이다.(樂天知命謂之安, 順守其正謂之守, 逆理亂常謂之悖. 曆數, 帝王相繼之次第, 猶歲時氣節之先後也. 曆數在躬, 不思而得不勉而中, 言貴爲天子, 則被袗衣鼓琴若固有之 老而倦勤, 則視棄萬乘如脫弊屣, 舜, 是也. 方, 處所也, 不易其方, 順時而行, 言簞食瓢飮不改其樂, 用舍行藏各隨其時, 顏淵, 是也. 逆數越理亂天之紀, 如莽卓之類, 是也.)"

104 의리상 마땅히 … 말한다. : 【補解】조롱하고 기만하는 것은 誠이 아니다. 마음을 비우고 뜻을 화순하게 하며 氣를 평안하게 하고 들음을 순일하게 하는 것은 모두 誠이다. 이것은 지극한 誠이 마치 신묘함과 같음을 말한 것이다.(侮欺, 非誠也. 虛心和志平氣一聽, 皆誠也. 此言至誠如神之妙.)

105 敬은 聖學의 … 있겠는가? : 【補註】"성학은 곧 수학이다.(聖學, 即數學也.)"【補解】"瞀는 눈이 밝지 않음이다.(瞀, 目不明也.)"

106 義와 이익[利]에 … 것이다. : 【補註】"의와 이익의 큰 구별은 참 밝음을 기다리지 않는다. 다만 의와 이익

[24-3-26]

命之流行而不已者, 道也. 道於天, 其陽乎, 道於地, 其陰乎, 道於人, 其仁義乎. 人者, 兼天地而參之者也. 是故天覆地承, 非聖人不形, 天施地生, 非聖人不成, 天神地靈, 非聖人而誰爲貞?

천명이 유행하여 멈추지 않는 것이 도道이다. 하늘에서 도는 양이고, 땅에서 도는 음이며, 사람에서 도는 인의仁義일 것이다. 사람은 천지와 아울러 도에 참여한 자이다. 그러므로 하늘의 덮어줌과 땅의 이어받음은 성인聖人이 아니면 드러나지 않고, 하늘의 베풂과 땅의 생성은 성인이 아니면 이루지 못하니, 하늘의 신묘함과 땅이 영묘함은 성인이 아니면 누가 근간이 되겠는가?[107]

[24-3-27]

父子有親, 君臣有義, 夫婦有別, 長幼有序, 朋友有信, 五品遜而大和合, 皇極之世也. 堯舜, 父子之衰也, 湯武, 君臣之缺也. 伏羲神農, 日之中乎, 堯舜三代, 時之中乎.

부모와 자식은 친함이 있고 군주와 신하는 의리가 있으며, 남편과 아내는 구별이 있고 어른과 아이는 차례가 있으며, 친구 간에는 믿음이 있는 것은 다섯 가지가 양보하여 크게 화합한 것이니 황극의 세상이다. 요堯와 순舜은 부모와 자식 관계의 쇠퇴함이고, 탕湯과 무武는 군주와 신하 관계의 결함이다. 복희伏羲와 신농神農은 일日의 중中이고, 요堯과 순舜은 시時의 중中이다.[108]

[24-3-28]

五行, 在天則爲五氣, 雨暘燠寒風也. 在地則爲五質, 水火木金土也. 天之五氣, 雨暘質也.

사이에서 비슷하여 분간하기 어려울 때에는 밝지 않으면 안 된다.(夫義利之大分, 固不待乎明也. 惟其義利之間, 疑似之際, 不可以不明耳.)"【補解】 "의는 천리의 마땅함이고, 이익은 사람 마음의 욕망이다.(義者, 天理之所宜, 利者, 人情之所欲.)"

107 천명이 유행하여 … 되겠는가?【補註】 "도는 바로 수의 이치이니, 천지에서 나와 성인에게서 극진해진다.(道, 即數之理, 出於天地而盡於聖人者也.)"【補解】 "사람은 성인이다. '승(承)'은 받아주고 실어주는 것이다. '神'은 神의 신묘함이고 '靈'은 鬼의 영묘함이다. '貞'은 일의 근간이다. 하늘이 덮어주고 땅이 받아주는 것은 천지의 형체이지만 성인이 그 모습을 드러낼 수 있다. 하늘이 베풀고 땅이 낳는 것은 천지의 功用이지만 성인이 그 공용을 완성할 수 있다. 하늘이 신묘하고 땅이 영묘한 것은 천지의 체와 용이 묘한 것이나 성인이 그 일을 맡을 수 있다.(人, 聖人也. 承, 猶承載也. 神, 神之神也, 靈, 鬼之靈也. 貞, 事之幹也. 蓋天覆地載, 天地之形體, 而聖人能形其體. 天施地生, 天地之功用, 而聖人能成其用. 天神地靈, 天地體用之所以妙, 而聖人能幹其事也.)"

108 부모와 자식은 … 中이다. :【補註】 "伏羲와 神農은 時와 日 모두 中이고 堯舜과 三代는 日은 中을 지나쳤으나 時는 아직 中이다.(伏羲神農, 時日俱中, 堯舜三代, 日過中而時猶中也.)"【補解】 "堯과 舜은 자식을 교화시키지 못하였고 湯과 武는 군주를 내쫓고 시해하였으므로 모두 쇠퇴함이라고 말한 것이다. 日의 中은 융성한 때를 밝힌 것이고, 時의 중은 장차 변화할 때이다.(堯舜不能化其子, 湯武放弑其君, 故皆言衰也. 日之中, 明盛之時也, 時之中, 將變之時也.)"

地之五質, 水火氣也, 天交於地而雨暘爲質, 地交於天而水火爲氣. 二變而三不變者, 二得陰陽之正而三得陰陽之雜也, 故二能變而三不能變也.

오행은 하늘에서는 오기五氣가 되니 비[雨]·맑음[暘]·따스함[燠]·추움[寒]·바람[風]이고, 땅에서는 오질五質이 되니 수水·화火·목木·금金·토土이다. 하늘의 오기 중에 비와 맑음은 질質이고 땅의 오질 중에 수와 화는 기氣인데, 하늘이 땅과 교접하여 비와 맑음이 질이 되고, 땅이 하늘과 교접하여 수와 화가 기가 되는 것이다. 두 가지는 변하고 세 가지는 변하지 않는 것은 두 가지는 음양의 바른 것을 얻고 세 가지는 음양의 잡박함을 얻은 것이기 때문에 두 가지는 변할 수 있고 세 가지는 변할 수 없는 것이다.[109]

[24-3-29]

五行, 二氣之分也. 二氣交感, 絪縕雜揉, 開闔動盪. 相生則水木火土金, 相克則水火金木土. 出明入幽, 千變萬化. 四時之運, 生克著焉. 自陰而陽也順. 自陽而陰也逆. 木之盛也, 水實生之. 金之成也, 火實制之. 水之潤下, 火之炎上, 木之曲直, 其德以順而成, 金之從革, 其德因制而成, 自然之理也. 順而生者易知, 逆而克者難見, 曰伏焉. 歷書曰庚伏. 曰伐焉. 律書曰罰伐. 土居其中, 因時致旺, 四序成功而無名稱焉, 其至德矣夫! 月令增置土行, 雖曰中央土, 然繫於夏月之後, 是以土生於火矣. 三季皆一行, 而夏之三月獨二行也. 近代以一朞之日而五分之, 行各七十有二日, 以辰戌丑未爲土寄旺之月之方, 似矣. 然猶未免刻舟之固, 是豈足語造化之微也哉?

오행은 두 기의 나뉨이다. 두 기가 교감하는데 엉기고 뒤섞이며 열리고 닫히면서 요동친다. 상생相生은 수水·목木·화火·토土·금金이고, 상극相克은 수水·화火·금金·목木·토土이다. 나올 때는 밝고 들어갈 때는 어두워지니, 온갖 변화가 이루어진다. 사계절의 운행에서 상생과 상극이 드러난다. 음으로부터 양이 되는 것은 순조롭고 양으로부터 음이 되는 것은 거슬린다. 목木의 성대함은 실제로는 수水가 낳는 것이며, 금金의 이루어짐은 실제로는 화火가 그것을 제재制裁한 것이다. 수水가 적시며 내려가고, 화火가 불타고 오르며, 목木이 굽고 곧은 것은 그 덕이 순조롭게 이루어진 것이고, 금金이 따르고 바뀌는 것은 그 덕이

---

109 오행은 하늘에서는 … 것이다. : 【補註】 "하늘에서 비와 맑음은 기이니, 변하여 질이 되지만, 다만 따스함·추움·바람은 순수한 기로서 변하지 않는다. 땅에서 수와 화는 질이니, 변하여 기가 되지만, 다만 목·금·토는 순수한 질로서 변하지 않는다.(在天, 雨暘, 氣也, 則變而爲質, 惟燠寒風則純乎氣不變也. 在地, 水火, 質也, 則變而爲氣, 惟木金土, 則純乎質, 不變而已.)"【補解】 "기는 양에 속하고 질은 음에 속하니, 따스함·추움·바람 붉으로써 말하면 비옴과 갬이 다소 형체가 있기 때문에 질이라고 한다. 목·금·토로써 말하면 수와 화가 가장 형체가 없기 때문에 기라고 한다. '두 가지'는 수와 화이고 '세 가지'는 목·금·토이다. '음양의 바름을 얻었다.'는 것은 처음에 陽變陰合의 기를 받아 생겨나는 것을 말한다. '음양의 잡박함을 얻었다.'는 것은 음양이 뒤섞인 기를 얻어 생겨나는 것을 말한다. 변할 수 있는 것은 양이 되고 음이 될 수 있고 변할 수 없는 것은 양이 되고 음이 될 수 없다.(氣屬陽, 質屬陰, 以燠寒風言, 則雨暘稍有形, 故曰質. 以金木土言, 則水火最無形, 故曰氣. 二, 水火也, 三, 金木土也. 得陰陽之正者, 言始受陽變陰合之氣而生也. 得陰陽之雜者, 言得陰陽錯雜之氣而生也. 能變者, 能爲陰爲陽也, 不能變者, 不能爲陰爲陽也.)"

제재함으로 인해 이루어진 것이니, 자연의 이치이다. 순조롭게 낳는 것은 알기 쉽고 거슬러서 이기는 것은 알기가 어려우니, '복伏'이라고 하고, 역서曆書에서는 '경복庚伏'이라고 한다. '벌伐'이라고 한다. 율서律書에서는 '벌벌罰伐'이라고 한다. 토土는 그 가운데에서 때에 따라 왕성하게 하여 사계절이 차례로 공을 이루게 함에도 이름이 불리지 않으니, 지극한 덕일 것이다.[110] 『예기』「월령月令」에 토행土行을 늘려 두어, 비록 '중앙이 토이다.'라고 하였으나 여름에 해당하는 달의 후미에 매어놓은 것은 화火에서 토土를 낳게 한 것이다. 세 계절이 모두 하나의 행行이나, 여름의 3개월만 유독 두 개의 행行이다. 근대에 오행이 한차례 도는 360일을 5등분하여 오행이 각각 72일이 되도록 하고, 진辰·술戌·축丑·미未를 토가에 붙여 왕성하게 하는 달의 방위로 삼은 것은 그럴 듯하다. 그러나 오히려 각주구검刻舟求劍의 고루함을 면하기 어려운데, 어찌 조화造化의 은미함을 충분히 말할 수 있겠는가?

[24-3-30]

善養生者, 以氣而理形, 以理而理氣, 理順則氣和, 氣和則形和, 形和則天地萬物無不和矣. 不善養生者反是, 理昏於氣, 氣梏於形, 耳目口鼻徇而私慾勝, 好惡哀樂淫而天理亡, 其能苟生者, 禽獸而已矣.

양생養生을 잘하는 자는 기氣로써 형체를 다스리고, 리理로써 기를 다스리니, 리가 순조로우면 기가 조화롭고, 기가 순조로우면 형체가 조화로우며, 형체가 조화로우면 천지와 만물이 조화롭지 않음이 없다. 양생을 잘하지 않는 자는 이와 반대이니, 리가 기에 의해 어두워지고, 기는 형체에 의해 옥죄어 당하여 귀·눈·입·코가 호령하고 사욕이 이기며, 호오好惡와 희노애락喜怒哀樂에 빠져 천리를 잃게 될 것이니, 구차하게 살 수는 있겠지만 금수禽獸 같은 삶일 뿐이다.[111]

----

110 오행은 두 기의 … 것이다. : 【補註】"水가 木을 낳는 것은 음으로부터 양이 순조로운 것이다. 火가 金을 이기는 것은 양으로부터 음이 거스르는 것이다. '伏이라고 한다.'는 것은 『前郊祀志』에 '가을에는 金으로써 火를 대신하고 金은 火를 두려워하기 때문에, 庚日에 이르면 반드시 엎드린다.'는 것이다. '伐'이라고 한 것은 『史記』「律書」에 '未로부터 申이 되면 북쪽이 罰에 이르게 되는데 罰은 만물의 기를 빼앗아서 벌할 수 있다.'는 것을 말한다.(水之生木, 此自陰而陽之所以順也. 火之克金, 此自陽而陰之所以逆也. 曰伏者, 前郊祀志秋以金代火, 金畏火, 故至庚日必伏. 曰伐者, 『史記』「律書」謂由未而申, 北至於罰, 罰者言萬物氣奪可伐也.')"【補解】"수·목·화·토·금은 유행으로써 말하고 수·화·목·금·토는 對待로써 말하니 또한 「圓圖」를 가리켜 말한 것이다.(水木火土金, 以流行言, 水火木金土, 以對待言, 亦指圓圖而言.)"

111 養生을 잘하는 … 뿐이다. : 【補解】"'기로써 형체를 다스린다.'는 것은 귀·눈·입·코의 욕망을 조절하면, 기로써 형체를 다스릴 수 있다. '리로써 기를 다스린다.'는 것은 好惡와 喜怒哀樂의 中을 얻으면, 리로써 기를 다스릴 수 있다. '리가 기에 의해 어두워진다.'는 것은 리로써 기를 다스리지 못하는 것이다. '기가 형체에 의해 옥죈다.'는 것은 기로써 형체를 다스리지 못하는 것이다. '귀·눈·입·코가 호령하고 사욕이 이긴다.'는 것은 기로써 형체의 폐단을 다스리지 못하는 것이다. 好惡와 喜怒哀樂에 빠져 천리를 잃게 된다는 것은 리로써 기의 폐단을 다스리지 못하는 것이다.(以氣理形, 節耳目口鼻之欲, 則能以氣理形也. 以理理氣, 得好惡哀樂之中, 則能以理理氣也. 理昏於氣, 不能以理理氣也. 氣梏於形, 不能以氣理形也. 耳目口鼻徇而私慾勝, 不能以氣理形之弊, 好惡哀樂淫而天理亡, 不能以理理氣之弊.)"

[24-3-31]

耳目口鼻手足之用皆五也.

或曰: "支指五矣, 耳目口鼻何有焉?"

曰: "耳聽五聲, 目辨五色, 口嘗五味, 鼻別五臭, 不具於此, 何有於彼? 手足以形用, 耳目口鼻以神用, 形用者易知, 而神用者難識也."

귀·눈·입·코와 손발의 쓰임은 모두 다섯 가지이다.

어떤 사람이 물었다. "다섯 가지인데, 귀·눈·입·코는 무엇 때문에 있습니까?"

대답했다. "귀는 다섯 가지 소리[五聲(宮·商·角·徵·羽)]을 듣고, 눈은 다섯 가지 색깔[五色(靑·黃·赤·白·黑)]을 구분하고, 입은 다섯 가지 맛[五味(鹹·苦·酸·辛·甘)]을 맛보고, 코는 다섯 가지 냄새[五臭(노린내, 비린내, 향내, 타는 내, 썩은 내)]를 맡는데, 이러한 감각기관을 갖추고 있지 않다면, 어떻게 저 감각대상들이 있겠는가? 손발은 형체가 쓰고 귀·눈·입·코는 정신이 쓰는데, 형체가 쓰는 것은 알기 쉽고 정신이 쓰는 것은 알기 어렵다."[112]

[24-3-32]

原者, 氣之始也, 沖者, 形之始也, 中者, 治之極也, 用者, 物之窒也, 終者, 事之畢也. 原者, 仁之先也, 用者, 義之端也, 公者, 禮之閑也, 戎者, 智之刑也, 中者, 信之完也. 原者, 近乎中也, 伏者, 遠乎中也. 近者進而遠者退也. 近者息而遠者消也. "原始反終, 故知死生之說也."

원原은 기氣의 시작이고, 충沖은 형체의 시작이며, 중中은 다스림의 지극함이고, 용用은 사물의 막힘이며, 종終은 일의 마침이다. 원原은 인仁의 앞섬이고, 용用은 의義의 단서이며, 공公은 예禮의 가로막음이고, 융戎은 지智의 깎음이며 중中은 신신의 완전함이다. 원原은 중中에 가깝고 복伏은 중中에서 멀다. 가까운 것은 나아가고 먼 것은 물러난다. 가까운 것은 불어나고 먼 것은 사라진다. "시초를 추구하고 끝을 되돌아봄으로 죽음과 태어남의 이치를 안다."[113][114]

· ·

112 귀·눈 … 어렵다. : 【補註】"귀·눈·입·코에 따라 각각 오행의 리를 갖추고 있기 때문에 각각 오행의 쓰임이 있는 것이다. 그러므로 '이것들을 갖추고 있지 않으면 어떻게 저것들이 있는가?'라고 한 것이다.(具五行之理, 所以各有五行之用也. 故曰, '不具於此, 何有於彼?')"【補解】"'支指五'는 양손과 양발이 모두 네 개이고 손가락과 발가락이 모두 5개인 것이 '支指五'이다. 다섯 가지 소리는 궁·상·각·치·우이다. 다섯 가지 색깔은 청·황·적·백·흑이다. 다섯 가지 맛은 신맛, 쓴맛, 단맛, 매운 맛, 짠 맛이다. 다섯 가지 냄새는 누린 내, 탄 내, 향 내, 비린 내, 썩은 내이다. '이것은' 귀·눈·입·코를 가리켜 말하고 '저것은' 소리·색깔·냄새·맛을 가리켜 말한다. '手足以形用'은 수족의 움직임은 형체가 하는 것이라는 것이고, '耳目口鼻以神用'은 보고 듣고 맛보고 냄새 맡는 것은 정신이 하는 것이라는 것이다.(支指五者, 兩手兩足俱爲四支, 而手足之指皆五, 則支指之五也. 五聲, 宮·商·角·徵·羽也. 五色, 靑·黃·赤·白·黑也. 五味, 酸·苦·甘·辛·鹹也. 五臭, 羶·焦·香·腥·朽也. 此, 指耳目口鼻而言, 彼, 指聲色臭味而言. 手足以形用, 手足之運, 形之爲也. 耳目口鼻以神用, 視聽嘗嗅, 神之爲也.)"

113 시초를 추구하고 … 안다. : 『周易』「繫辭上」4장. '原始反終'에 대해 주희는 『周易本義』에서 '原'을 '앞으로

[24-3-33]

原, 元吉, 幾, 君子有終. 數曰, "原, 誠之源也, 幾, 繼而善也, 君子見幾, 有終吉也." 潛, 勿
用有攸往, 正静吉. 數曰, "潛, 藏也. 勿用有攸往, 陽微也. 正静吉, 正而静, 所以吉也. 君子
藏器於身, 待時而動, 故無不利也."

원原은 크게 길하니, 기미를 살피면 군자는 마침이 있다. 수數는 "원原은 성誠의 근원이고, 기미는 이어서 선한 것이니, 군자가 기미를 살피면, 끝마침이 있어 길하다." 라고 했다. 잠潛은 갈 일을 두지 않으면 바르고 고요하므로 길하다. 수數는 "잠潛은 감추는 것이다. 갈 일을 두지 않는 것은 양이 미약하기 때문이다. '正静吉'는 바르고 고요하기 때문에 길하다는 것이다. 군자는 몸에 기물을 감추고 때를 기다려 움직이기 때문에 이롭지 않음이 없다."라고 했다.[115]

[24-3-34]

原之一一, 曰, "君子見幾, 不俟終日." 數曰, "知至至之, 可與幾也." 中之五五, 曰, "會其有
極, 歸其有極." 數曰, "各正性命, 合大和也." 終之九九, 曰, "君子令終, 萬福攸降." 數曰,
"知終終之, 可與存義也."

원原의 일일一一은 "군자는 기미를 살펴 하루가 가기를 기다리지 않는다."이다. 수數는 "이를 곳을 알아 이르므로 더불어 기미를 알 수 있다."라고 했다. 중中의 오오五五는 "그 극에 모여 그 극에 귀의할 것이다."이다. 수는 "성명性命을 바르게 하여 큰 조화로움에 부합한다."라고 했다. 종終의 구구九九는 "군자는 끝마치도록 하니 온갖 복이 내려온다."이다. 수는 "끝마칠 곳을 알아 끝마치므로 더불어 의를 보존할 수 있다."라고 했다.[116]

미루어봄(推之於前)', '反'을 '뒤로 탐구함(要之於後)'이라고 하였다.

114 原은 氣의 … 안다. : 【補註】"이 이하는 모두 數 이름의 뜻을 풀이한 것이다.(此下皆釋數名之義也.)"【補解】"'窒'은 막힘이다. '畢'은 마침이다. '端'은 시작이다. '閑'은 가로막음이다. '刓'은 둥글게 깎음이다. '完'은 온전함이다. 原은 中에 가까우니, 原은 장차 中에 이를 것이다. 伏은 中에서 머니, 伏은 이미 中과 떨어져 있는 것이다. 原은 앞으로 미루어나가는 것이니, 시초의 數인 原이다. '反'은 뒤로 캐는 것이니, 마지막 수인 終이다. '原始反終'은 「繫辭傳」의 글이다. 氣와 形은 양에 속하므로 왼쪽에 자리하고, 사물은 음에 속하므로 오른쪽에 자리하며, 다스림은 가운데에 자리한다. 仁禮는 양에 속하므로 왼쪽에 자리하고 義智는 음에 속하므로 오른쪽에 자리하며 信은 가운데에 자리한다. 나아가고 물러나며 사라지고 불어나 그 시작과 끝이 될 수 있으니 아, 성대하다!(窒, 塞也. 畢, 終也. 端, 始也. 閑, 闌也. 刓, 圓削也. 完, 全也. 原近乎中, 原則將至乎中. 伏遠乎中, 伏則已離乎中也. 原者推之於前, 始數之原也. 反者, 要之於後, 終數之終也. 原始反終, 易繫辭文. 蓋氣形屬陽, 故居左, 物事屬陰, 故居右, 治則居中. 仁禮屬陽, 故居左, 義智屬陰, 故居右, 信則居中. 能進退消息而爲之終始, 噫, 盛哉!)"

115 原은 크게 … 했다. : 【補註】"이것은 原과 潛 두 수의 뜻을 풀이한 것이다. 그러나 81개의 수를 모두 유추할 수 있다.(此釋原潛二數之義也. 而八十一數之義皆可以類推耳.)"【補解】"'有終'의 終은 數에서는 '慶'으로 되어 있다. 原은 『周易』의 복괘이고 潛은 건괘 初九효이다. 이것은 다만 原과 潛을 논하여 예를 제시했을 뿐이다.(有終之終, 數作慶. 原, 即易之復卦也, 潛, 即乾之初九爻. 此特論原潛以示例耳.)"

116 原의 一一은 … 했다. : 【補註】"이것은 原・中・終의 세 가지 수 이하 81개의 수의 뜻을 풀이한 것이지만

原之一一者, 繼之善也, 原之九九者, 逆而凶也. 當時者盛, 失時者窮也, 厥相休囚, 以類從也. 君子時之爲貴, 時止時行, 時晦時明, 萬夫之望.

원原의 일일一一은 이어가서 선善하고, 원原의 구구九九는 거슬러서 흉하다. 때에 맞는 것은 성盛하고, 때를 잃는 것은 궁窮하니, 서로 휴수休囚가 되는 것은 부류로써 따른다. 군자는 때가 귀하니, 제때에 멈추고 제때에 행하며, 제때에 어둡고 제때에 밝은 것이 만인萬人의 바람이다.[117]

[24-3-36]

數終而復乎一, 其生生而不窮者也. 陰之終, 陽之始也. 夜之終, 晝之始也. 歲之終, 春之始也, 萬物之終, 萬物之始也. 是故入乎幽者所以出乎明, 極乎靜者所以根乎動. 前天地之終, 其後天地之始乎.

수數가 끝나면 1로 돌아가니, 낳고 낳아 끝이 없다. 음의 끝마침은 양의 시작이고 밤의 끝마침은 낮의 시작이며, 한 해의 끝마침은 봄의 시작이고 만물의 끝마침은 만물의 시작이다. 그러므로 어둠 속으로 들어가는 것은 밝음으로 나오는 것이고, 고요함이 극단에 이르는 것은 움직임에 뿌리를 두고 있는 것이다. 전천지前天地의 끝마침은 후천지後天地의 시작일 것이다.[118]

. . . .

6561개의 수의 뜻을 유추할 수 있다.(此釋原中終三數下八十一數之義, 而六千五百六十一數之義皆可以類推之也.) 【補解】 "幾는 움직임의 기미이니, 길함이 미리 나타나는 것이다. '이를 곳을 알아 이르므로 더불어 기미를 알 수 있다.'는 것은 이를 곳을 알기를 구하여 이르는 것이므로, 앎이 먼저 있다. 그러므로 '더불어 기미를 알 수 있다.'고 한 것이다. '會其有極, 歸其有極'은 설이 21장에 보인다. '각기 바르게 한다.'는 것은 태어날 때의 처음을 얻는 것을 말한다. '性命'은 사물이 받은 것은 性이 되고 하늘이 부여한 것은 命이 된다. '合'은 '保合'이니, 태어난 뒤에 온전하게 함을 말한다. 大和는 음양의 조화로운 기를 모아서 합하는 것을 말한다. '끝마칠 곳을 알아 끝마치므로, 더불어 의를 보존할 수 있다.'는 것은 이미 끝마칠 곳을 알고서 힘써 나아가 끝마치므로, 끝마침이 나중에 있다. 그러므로 더불어 '의를 보존할 수 있다.'고 한 것이다. 이것은 原·中·終을 논하여 군자가 善을 이어가고 性을 이루는 시작과 끝을 말한 것이니, 대개 또한 原과 潛을 논한 것과 같다.(幾, 動之微, 吉之先見也. 知至至之, 可與幾, 求知所至而至之, 知之在先. 故云, '可與幾也.' 會極歸極, 說見第二十一章. 各正, 謂得於有生之初. 性命, 物所受爲性, 天所賦爲命. 合, 保合也, 謂全於已生之後. 大和, 陰陽會合冲和之氣. 知終終之, 可與存義, 既知所終, 力進而終之, 終之在後. 故云, '可與存義也.' 此論原中終, 言君子繼善成性之終始, 大槩亦猶論原潛也.)"

117 原의 一一은 … 바람이다. : 【補註】 "서법의 四位인 년·월·일·시에서 일과 년, 시와 월은 모임이 있으면 길하고 짝함이 있으면 흉하다. 原의 一一은 그 모임이고 九九는 그 짝함이다.(筮法四位, 年月日時, 日與年, 時與月, 有會則吉, 有對則凶, 原之一一, 其會也, 九九, 其對者也.)" 【補解】 "무릇 오행이 때에 맞으면 旺이 되고 내가 이기는 것은 窮이 되며, 낳은 것은 相이 되고 나를 낳은 것은 休가 되며 나를 이기는 것은 囚가 되니, 圓圖로 미루어보면 알 수 있다. '이어감이 善이다.'라는 것은 기미일 뿐이니 군자는 기미를 안다. 행하고 멈추며 어둡고 밝음이 각각 그 때를 따르면 만인의 바람이라고 할 수 있다.(凡五行之當時者旺, 我克者窮, 所生者相, 生我者休, 克我者囚也. 以圓圖類推之可見矣. 蓋繼之善者, 幾而已, 君子知幾. 行止晦明各隨其時, 則可謂萬夫之望.)"

118 數가 끝나면 … 것이다. : 【補註】 "수는 9에서 끝나 1로 되돌아오니, 1과 9가 머리와 꼬리가 되어 갖가지가

[24-3-36-1]

一者, 以乘數終而言, 九九八十一也. 八十一其八十一而六千五百六十一也. 六千五百六十一其六千五百六十一而四千三百○○四萬六千七百二十一也. 餘倣此.

1은 수의 곱이 끝나는 것으로써 말한 것이니 9×9는 81이다. 81×81은 6,561이다. 6,561×6,561은 43,046,721이다. 나머지도 이와 같다.

[24-3-37]

一者, 數之原也, 九者, 數之究也. 十者, 行之陰陽也, 十二者, 氣之柔剛也. 原其所始, 究其所終, 陰陽柔剛, 分合錯綜, 粲然於天地之間矣.

1은 수의 시원이고, 9는 수의 끝이다. 10은 오행五行의 음양이고, 12는 기氣의 강유剛柔이다. 그 시초를 추구하고 그 끝을 궁구하면, 음양과 강유가 나뉘고 합쳐지며 뒤섞여 있으나 천지 가운데 또렷해질 것이다.[119]

洪範皇極內篇下 홍범황극내편하[120]

[24-4-1]

溟漠之間, 兆眹之先, 數之原也. 有儀有象, 判一而兩, 數之分也. 日月星辰垂於上, 山嶽川澤奠於下, 數之著也. 四時迭運而不窮, 五氣以序而流通, 風雷不測, 雨露之澤, 萬物形色, 數之化也. 聖人繼世, 經天緯地, 立茲人極, 稱物平施. 父子以親, 君臣以義, 夫婦以別, 長幼以序, 朋友以信, 數之敎也.

....

된다. 이것은 한 해가 동지에서 머리와 꼬리가 되는 것이고 하루가 子時에서 머리와 꼬리가 되는 것이다.(數終於九而復乎一, 一九首尾爲一百. 此一歲所以首尾於冬至, 而一日首尾於子時也.)" 【補解】 "이것은 시작이 있으면 끝이 있고 끝이 있으면 시작이 있음을 말하는 것이니 세상에 어찌 끝이 없는 시작이 있으며 시작이 없는 끝이 있겠는가? 사람이 善을 행하는 것 또한 그러하니 誠일 뿐이고 쉬지 않을 뿐이다.(此言有始則有終, 有終則有始, 天下豈有無終之始, 無始之終哉? 人之爲善亦然, 誠而已, 不息而已.)"

119 1은 수의 … 것이다. : 【補解】 "'10'은 10干이다. '12'는 12支이다. '行'은 오행이다. '氣'는 6기이다. '錯'은 서로 번갈아 교차하는 것이니, 한 번은 왼쪽, 한 번은 오른쪽으로 짜는 것을 말하고 '綜'은 모두 모아서 거느리는 것이니, 한 번은 낮게 하였다가 한 번은 높게 하는 것을 말한다. 이는 오행과 6기의 음양과 강유가 연·월·일·시에서 가로세로로 떨어졌다 만났다 하면서 천지 사이에 또렷하게 흩어져 분포되어 있음을 말한 것이다.(十者, 十干也. 十二者, 十二支也. 行, 五行也. 氣, 六氣也. 錯, 交而互之, 一左一右之謂, 綜, 總而挈之, 一低一昂之謂. 言五行六氣之陰陽剛柔, 縱橫離合於年月日時, 而粲然散布天地之間也.)"

120 洪範皇極內篇下 : 【補解】 "이 편은 數가 9를 벗어나지 않음을 논의하고, 9數가 中庸이 되어 揲蓍法에 미치고 있음을 미루어 밝혔다.(此篇論數之不出乎九而推明九數之爲中庸以及揲蓍之法.)"

아득한 가운데 아무런 조짐도 생기기 이전은 수數의 근본[121]이다. 의儀가 있고 상象이 있어 하나를 갈라 둘이 된 것은 수의 나뉨이다.[122] 일日·월月·성星·신辰이 위에서 드리우고 산山·악嶽(큰 산)·천川(강)·택澤(연못) 아래에서 자리를 정한 것은 수의 드러남[123]이다. 사계절이 번갈아 운행하여 끝이 없고, 오기五氣가 차례로 흐르고 통하여 바람과 우레를 헤아릴 수 없고, 비와 이슬이 적셔주어 만물이 제 빛깔을 드러내는 것은 수의 변화이다.[124] 성인이 세상을 계승하여 하늘을 씨줄로 삼고 땅을 날줄로 삼아 인극人極[人道]을 정립하되 사물을 저울질하여 베풂을 공평하게 하였으니, 부모와 자식의 관계 맺음은 친함으로써 하고, 군주와 신하의 관계 맺음은 의로써 하며, 남편과 아내의 관계 맺음은 구별함으로써 하고, 어른과 아이의 관계 맺음은 차례로써 하며, 친구간의 관계 맺음은 믿음으로써 하게 한 것은 수의 교화이다.[125]

[24-4-2]

分天爲九野. 中央曰鈞天, 其星曰北極. 上規七十二度. 東方曰蒼天, 其星亢氐房心尾. 東北曰旻天, 其星箕斗. 北方曰玄天, 其星牛女虛危室. 西北曰幽天, 其星壁奎婁. 西方曰昊天, 其星胃昴畢. 西南曰朱天, 其星觜參井. 南方曰炎天, 其星鬼柳星張翼. 東南曰陽天, 其星翼軫角. 皆四十有五度半彊.

하늘을 구분지어 구야九野로 삼았다. 중앙은 균천鈞天이라고 하니, 그 별은 북극성北極星이라고 한다. 상규上規[126] 72도이다. 동방은 창천蒼天이라고 하니, 그 별은 항亢·저氐·방房·심心·미尾이다. 동북은 민천旻天이라고 하니, 그 별은 기箕·두斗이다. 북방을 현천玄天이라고 하니, 그 별은 우牛·여女·허虛·위危·실室이다. 서북은 유천幽天이라고 하니, 그 별은 벽壁·규奎·루婁이다. 서방은 민천昊天이라고 하니, 그 별은 위胃·앙昴·필畢이다. 서남은

---

121 數의 근본 : 【補解】 "'原'은 근본이다.(原, 根本也.)"
122 儀가 있고 … 나뉨이다. : 【補解】 "'儀'는 양의이다. '象'은 四象이다. '하나를 갈라 둘이 되었다.'는 것은 태극이 양의를 낳는 것을 말한다. '分'은 開闢이다.(儀, 兩儀也. 象, 四象也. 判一而兩, 言太極是生兩儀也. 分, 開闢也.)"
123 수의 드러남 : 【補解】 "'著'는 드러남이다.(著, 著顯也.)"
124 사계절이 번갈아 … 변화이다. : 【補解】 "'五氣'는 五行의 기이다. '化'는 변화이다.(五氣, 五行之氣也. 化, 變化也.)
125 성인이 세상을 … 교화이다. : 【補解】 '經緯'는 한 번은 세로로 짜고 한 번은 가로로 짜는 것을 말한다. 하늘을 씨줄로 삼는다는 것은 예컨대 舜임금이 璿璣와 玉衡으로 살펴 七政(日·月과 五星)을 고르게 한 것과 같고, 땅을 날줄로 삼았다는 것은 예컨대 舜임금이 산을 封表(한 州의 鎭山으로 삼는 것)하고 내를 파내어 초목과 금수에게 미치는 것과 같다. '人極'은 人道이다. '사물을 저울질하여 베풂을 공평하게 한다.(稱物平施)'는 것은 『周易』「謙卦」에 나온다. '사물'은 부모와 자식의 관계 맺음, 군주와 신하의 관계 맺음, 남편과 아내의 관계 맺음, 어른과 아이의 관계 맺음, 친구간의 관계 맺음이니, 사물을 저울질한다는 것은 친함이 있고, 의가 있고, 구별함이 있고, 차례가 있고, 믿음이 있는 것이 각각 그 본분에 합당함을 말한다. 베풂을 공평히 한다는 것은 베푸는 마음이 한결같은 것이다. '敎'는 가르침이다.(經緯, 一直一橫之謂. 經天, 如舜在璣衡以齊七政也, 緯地, 如舜封山濬川, 若草木鳥獸也. 人極, 人道也. 稱物平施, 出易謙卦. 物者, 父子君臣夫婦長幼朋友也, 謂稱物者, 有親有義有別有序有信各當其分也. 平施者, 所以施之其心一也. 敎, 敎學也.)
126 上規 : 천구북극을 중심으로 일주운동을 하는 별들로서 지평선 아래로 내려가지 않아 항상 관측할 수 있는 천구의 영역을 일컫는다.

주천朱天이라고 하니, 그 별은 자觜·참參·정井이다. 남방은 염천炎天이라고 하니, 그 별은 귀鬼·류柳·옥屋·장張·익翼이다. 동남은 양천陽天이라고 하니, 그 별은 익翼·진軫·각角이다. 모두 45도 반강半彊이다.

[24-4-3]

別地爲九州. 東南曰揚州, 其山鎭曰會稽, 其澤藪曰具區, 其川三江, 其浸五湖, 其利金錫竹箭, 其民二男五女, 其畜宜鳥獸, 其穀宜稻.

正南曰荊州, 其山鎭曰衡山, 其澤藪曰雲夢, 其川江漢, 其浸潁湛, 其利丹銀齒革, 其民一男二女, 其畜宜鳥獸, 其穀宜稻.

河南曰豫州, 其山鎭曰華山, 其澤藪曰圃田, 其川滎雒, 其浸波溠, 其利林漆絲枲, 其民二男三女, 其畜宜六擾, 其穀宜五種.

正東曰靑州, 其山鎭曰沂山, 其澤藪曰望諸, 其川淮泗, 其浸沂沐, 其利蒲魚, 其民二男二女, 其畜宜雞狗, 其穀宜稻麥.

河東曰兗州, 其山鎭曰岱山, 其澤藪曰大野, 其川河沛, 其浸盧維, 其利蒲魚, 其民二男三女, 其畜宜六擾, 其穀宜四種.

正西曰雍州, 其山鎭曰嶽山, 其澤藪曰弦蒲, 其川涇汭, 其利玉石, 其民三男二女, 其畜宜牛馬, 其穀宜黍稷.

東北方曰幽州, 其山鎭曰醫無閭, 其澤藪曰貕養, 其川河沛, 其浸菑時, 其利魚鹽, 其民一男三女, 其畜宜四擾, 其穀宜三種.

河內曰冀州, 其山鎭曰霍山, 其澤藪曰楊紆, 其川漳, 其浸汾潞, 其利松栢, 其民五男三女, 其畜宜牛羊, 其穀宜黍稷.

正北曰幷州, 其山鎭曰恒山, 其澤藪曰昭餘祁, 其川滹沱嘔夷, 其浸淶易, 其利布帛, 其民三男二女, 其畜宜五擾, 其穀宜五種.

땅을 구별 지어 구주九州로 삼았다. 동방東方은 양주揚州라고 하니, 진산鎭山은 회계會稽라고 하고, 우거진 늪은 구구其區라고 하며, 내川는 삼강三江, 못은 오호五湖, 이로운 것은 금·주석·대나무·화살, 백성은 남자 둘에 여자 다섯이며, 가축은 조수鳥獸가 알맞고 곡식은 벼가 알맞다.

정남正南은 형주荊州라고 하니, 그 진산은 형산衡山이라고 하고, 우거진 늪은 운몽雲夢이라고 하며, 내는 강한江漢, 못은 영담潁湛, 이로운 것은 단사丹沙·은·상아·가죽, 백성은 남자 하나에 여자 둘이며, 가축은 조수鳥獸가 알맞고 곡식은 벼가 알맞다.

하남河南은 예주豫州라고 하니, 진산은 화산華山이라고 하고, 우거진 늪은 포전圃田이라고 하며, 내는 형락滎雒, 못은 파자波溠, 이로운 것은 숲·옻·실絲·모시, 백성은 남자 둘에 여자 셋이며, 가축은 육요六擾(여섯 가지 가축, 말·소·양·돼지·개·닭)가 알맞고 곡식은 오곡五種(찰기장·메기장·콩·보리·쌀)이 알맞다.

정동正東은 청주淸州라고 하니, 진산은 기산沂山이라고 하고, 우거진 늪은 망제望諸라고 하며, 내는 회사淮泗, 못은 기목沂沐, 이로운 것은 부들·물고기, 백성은 남자 둘에 여자 둘이며, 가축은 닭·개가 알맞고 곡식은 쌀·보리가 알맞다.

하동河東은 연주兗州라고 하니, 진산은 대산岱山이라고 하고, 우거진 늪은 대야大野라고 하며, 내는 하제河沛, 못은 노유盧維, 이로운 것은 부들·물고기, 백성은 남자 둘에 여자 셋이며, 가축은 육요六擾가 알맞고 곡식은 네 종四種(찰기장·메기장·보리·벼)이 알맞다.

정서正西는 옹주雍州라고 하니, 진산은 악산嶽山이라고 하고, 우거진 늪은 현포弦蒲라고 하며, 내는 경예涇汭, 이로운 것은 옥돌, 백성은 남자 셋에 여자 둘이며, 가축은 소·말이 알맞고 곡식은 찰기장·메기장이 알맞다.

동북방東北方은 유주幽州라고 하니, 진산은 의무려醫無閭라고 하고, 우거진 늪은 해양㺝養이라고 하며, 내는 하제河泲, 못은 치시菑時, 이로운 것은 물고기·소금, 백성은 남자 하나에 여자 셋이며, 가축은 사요四擾(네 가지 가축, 말·소·양·돼지)가 알맞고 곡식은 세 종三種(찰기장·메기장·벼)이 알맞다.

하내河內는 기주冀州라고 하니, 진산은 곽산霍山이라고 하고, 우거진 늪은 양우楊紆라고 하며, 내는 장漳, 못은 분로汾潞, 이로운 것은 소나무·잣나무, 백성은 남자 다섯에 여자 셋이며, 가축은 소·양이 알맞고 곡식은 찰기장·메기장이 알맞다.

정북正北은 병주幷州라고 하니, 진산은 항산恒山이라고 하고, 우거진 늪은 소여기昭餘祁라고 하며, 내는 호타구이滹沱嘔夷, 못은 내역淶易, 이로운 것은 베·비단, 백성은 남자 셋에 여자 둘이며, 가축은 오요五擾(다섯 가지 가축, 말·소·양·돼지·개)가 알맞고 곡식은 오곡이 알맞다.

[24-4-4]

制人爲九行. 「皐陶謨」曰: "亦行有九德, 亦言其人有德. 寬而栗, 柔而立, 愿而恭, 亂而敬, 擾而毅, 直而溫, 簡而廉, 剛而塞, 彊而義, 彰厥有常, 吉哉. 日宣三德, 夙夜浚明有家, 日嚴祗敬六德, 亮采有邦, 翕受敷施, 九德咸事."

사람은 아홉 가지 행실로 구별한다.[127] 『서경書經』「고요모皐陶謨」에 말했다. "총괄하면 행실은 구덕九德(아홉 가지 덕)이 있으니, 그 사람이 가진 덕을 총괄하여 말하는 것입니다. 너그러우면서도 장엄하며, 부드러우면서도 확고하며, 삼가면서도 공손하며, 다스리면서도 외경하며, 숙달하면서도 두려워하며, 곧으면서도 온화하며, 간략하면서도 모나며, 군세면서도 독실하며, 강하면서도 의로운 것이니, 덕을 펼치는 데 일정함이 있으면 길한 것입니다. 날마다 세 덕을 펼 경우 밤낮으로 대부大夫의 직책을 다스려 밝힐 것이며, 날마다 엄히 여섯 덕을 공경할 경우 제후국을 맡아 밖에서 밝힐 것이니, (한 가지 덕이라도 있다면) 모두 받아들여서 펼쳐 시행하게 하면 아홉 덕이 모두 이루어질 것입니다."

[24-4-5]

九品任官. 正一品從, 正二品從, 正三品從, 正四品從, 正五品從, 正六品從, 正七品從, 正八品從, 正九品從. 從並同外官各降一等. 內外文武官自一品以下並給職田, 京官諸司及郡縣又給公廨田, 並有差.

구품九品으로 관직을 임명한다. 정일품·종일품, 정이품·종이품, 정삼품·종삼품, 정사품·종사품, 정오품·종오품, 정육품·종육품, 정칠품·종칠품, 정팔품·종팔품, 정구품·종구품이다. 종품從品은 외관外官과 마찬가지로 각각 한 등급을 낮춘다. 내외內外의 문무관文武官은 일품 이하로부터 모두 직전職田[128]을 주고, 경관京官의 여러 관청 및 군현郡縣에는 또 공해전公廨田[129]을 주는데 모두 차이를 둔다.

[24-4-6]

九井均田. 經土地而井牧其田野. 九夫爲井, 四井爲邑, 四邑爲丘, 四丘爲甸, 四甸爲縣, 四縣爲都, 以任地事而

---

127 사람은 아홉 … 구별한다. : 담약수의 『格物通』에 "制, 別也."라고 하였다.

128 職田: 職分田 품계에 따라 관리에게 주는 祿俸의 公田을 말한다.

129 公廨田: 각 관청에 주는 공전. 토지세를 받아 관청의 경비에 보충하게 하였다.

令貢賦凡稅歛之事.[130]

구정九井으로 균전均田[131]한다. 토지를 구분하여 경작지나 목초지로 한다. 아홉 부夫를 정井으로 하고, 네 정을 읍邑으로 하고, 네 읍을 구丘로 하고, 네 구를 전甸으로 하고 네 전을 현縣으로 하고, 네 현을 도都로 하여, 그 땅에 대한 일을 맡겨서 공부貢賦와 모든 세의 일을 다스리게 한다.

[24-4-7]

九族睦俗. 九族, 高祖至玄孫之親. 舉近以該遠, 五服之外異姓之親, 亦在其中也.

구족九族으로 풍속을 화목하게 한다. 구족은 고조高祖에서 현손玄孫까지의 친속親屬이다. 가까운 것을 들어 먼 것을 포괄하니, 오복五服 밖의 이성異姓 친속도 그 속에 포함된다.

[24-4-8]

九禮辨分. 冠昏喪祭朝宗軍賓學.

구례九禮로 분수를 구별한다. 관례冠禮 · 혼례昏禮 · 상례喪禮 · 제례祭禮 · 조례朝禮 · 종례宗禮 · 군례軍禮 · 빈례賓禮 · 학례學禮이다.

[24-4-9]

九變成樂. 凡樂, 圜鐘爲宮, 黃鐘爲角, 大簇爲徵, 姑洗爲羽, 靁鼓靁鼗, 孤竹之管, 雲和之琴瑟, 雲門之舞, 冬日至於地上之圜丘奏之. 若樂六變, 天神皆降, 可得而禮矣. 凡樂, 函鐘爲宮, 大簇爲角, 姑洗爲徵, 南宮[132] 爲羽, 靈鼓靈鼗, 孫竹之管, 空桑之琴瑟, 咸池之舞, 夏日至於澤中之方丘奏之, 若樂八變, 則地示皆出, 可得而禮矣. 凡樂, 黃鐘爲宮, 大呂爲角, 大簇爲徵, 應鐘爲羽, 路鼓路鼗, 陰竹之管, 龍門之琴瑟, 九德之歌, 九磬之舞, 於宗廟之中奏之, 若樂九變, 則人鬼可得而禮矣.[133]

구변九變으로 음악을 이룬다. 무릇 악樂은 원종圜鐘[夾鐘][134]을 궁성으로 삼고, 황종을 각성으로 삼으며, 태주를 치성으로 삼고, 고선을 우성으로 삼아서, 뇌고雷鼓 · 뇌도雷鼗[135]와 고죽孤竹(홀로 자란 대나무)의 관管과 운화雲和(지명 혹은 산 이름)의 금슬琴瑟과 운문雲門(고대 황제시대의 춤 이름)의 춤으로 동짓날에 지상地上의 원구圜丘(둥근 언덕)에서 그것을 연주한다. 만약 악樂이 육변六變하면 천신이 모두 강림하여 예禮를 이룰 수 있을 것이다. 무릇 악樂은 함종函鐘[林鐘][136]을 궁성으로 삼고, 태주를 각성으로 삼으며, 고선을 치성으로 삼고, 남려南呂를 우성으로 삼아서, 영고靈

130 經土地而并牧其田野 … 凡稅歛之事. : 『周禮』「地官 · 小司徒」

131 均田 : 토지를 모두 국가에서 거두어들여 백성에게 고루 나누어 주는 制度를 말한다.

132 南宮 : 南呂의 誤字이다.

133 凡樂, 圜鍾爲宮 … 則人鬼可得而禮矣. : 『周禮』「春官 · 大司樂」

134 圜鐘夾鐘 : 『周禮注疏』 권22 「春官宗伯下」에서, "圜鐘은 협종이다. 협종은 28宿 가운데 房宿와 心宿의 氣에서 생겨나는데, 房宿와 心宿는 큰 별로서 천제의 明堂이다.(圜鍾, 夾鍾也. 夾鍾生於房 · 心之氣, 房 · 心爲大辰, 天帝之明堂.)"라고 주석하였다.

135 雷鼓 · 雷鼗 : 『周禮註疏』 권22 「春官宗伯下」에서, "鄭司農이 말했다. '뇌고와 뇌도는 모두 6면에 가죽을 붙여서 칠 수 있도록 한 것이다.'(鄭司農云, '雷鼓 · 雷鼗, 皆謂六面有革可擊者也.')"라고 주석하였다.

鼓・영도靈鼗[137]와 손죽孫竹(끝뿌리에서 자란 대나무)의 관管과 공상空桑(지명 혹은 산 이름)의 금슬琴瑟과 함지咸池(요임금 때의 악곡이름)의 춤으로 하짓날에 택중澤中의 방구方丘(네모진 언덕)에서 그것을 연주한다. 만약 악樂이 팔변八變하면 지기地示가 모두 출현하여 예禮를 이룰 수 있을 것이다. 무릇 악樂은 황종을 궁성으로 삼고, 대려를 각성으로 삼으며, 태주를 치성으로 삼고, 응종을 우성으로 삼아서, 노고路鼓・노도路鼗[138]와 음죽陰竹(산의 북쪽에서 자란 대나무)의 관管과 용문龍門(지명 혹은 산 이름)의 금슬琴瑟과 구덕九德의 노래[139]와 구경九磬[140]의 춤으로 종묘宗廟 가운데에서 그것을 연주한다. 만약 악樂이 구변九變하면 인귀人鬼에 대하여 예禮를 이룰 수 있을 것이다."

[24-4-10]

八陣制兵. 八陣, 四爲正, 四爲奇, 餘奇爲握奇, 或總稱之. 先出遊軍定兩端. 天有衡, 地有軸, 前後有衝. 風附於天, 雲附於地. 衡有重列各四隊, 前後之衝各二隊. 風居四維, 故有圓. 軸有單列各三隊, 前後之衝各三隊. 雲居四角, 故有方. 天居兩端. 地居中間, 總爲八陣. 陣訖, 遊軍從後躡敵, 或驚其左, 或驚其右, 聽音望麾以出四奇. 天地之前衝爲虎翼, 風爲蛇蟠, 圍繞之義也. 虎居於中, 張翼以進, 蛇居兩端, 向敵以蟠以應之. 天地之後衝爲飛龍, 雲爲鳥翔, 突擊之義也. 龍居於中, 張翼以進, 鳥掖兩端, 向敵而翔以應之. 虛實二壘皆逐天文氣候山川向背利害, 隨時而行, 以正合, 以奇勝. 黃帝立井田之法, 因以制兵, 以八爲法. 八八六十四而軍制備矣. 用八而不用九, 所以藏其用也.

팔진八陣으로 군대를 제어한다. 팔진八陣은 네 진을 정군正軍으로 하고, 네 진을 기군奇軍으로 하며, 남은 기군은 악기군握奇軍[141]을 편성하는데, 혹은 이를 총칭하기도 한다. 먼저 유군遊軍을 내어 양쪽 선두를 정한다. 천天에는 형군衡軍이 있고 지地에는 축군軸軍이 있으며 앞뒤로는 충군衝軍(돌격 군대)이 있다. 바람風은 하늘에 붙고 구름은 땅에 붙는 것이니, 형군은 두 줄列이 있어 각각 네 대隊이며, 전후의 충군은 각각 두 대이다. 풍군風軍은 사방

---

136 函鐘[林鐘]: 『周禮註疏』 권22 「春官宗伯下」에서, "函鍾은 임종이다. 임종은 未의 氣에서 생겨나는데, 未는 坤의 자리로서 어떤 사람은 '天社는 東井(28수 가운데 井宿)과 輿鬼(28수 가운데 鬼宿)의 밖에 있으니, 天社는 地神이다.'라고 하였다.(函鍾, 林鍾也. 林鍾生於未之氣, 未坤之位, 或曰, '天社在東井・輿鬼之外, 天社, 地神也.')"라고 주석하였다.

137 靈鼓・靈鼗: 『周禮註疏』 권22 「春官宗伯下」에서 "정사농이 말했다. '영고와 영도는 모두 네 면에 가죽을 붙여서 칠 수 있도록 한 것이다.'(鄭司農云, '靈鼓・靈鼗, 四面.')"라고 주석하였다.

138 路鼓・路鼗: 『周禮註疏』 권22 「春官宗伯下」에서 "정사농이 말했다. '노고와 노도는 모두 두 면에 가죽을 붙여서 칠 수 있도록 한 것이다.'(鄭司農云, '路鼓・路鼗, 兩面.')"라고 주석하였다.

139 九德의 노래: 『周禮註疏』 권22 「春官宗伯下」에서 "정사농이 말했다. '구덕의 노래에 대해서, 『春秋傳』에서 이른바 水・火・金・木・土・穀을 일러 六府라 하고, 正德・利用・厚生을 일러 三事라고 한다. 육부와 삼사를 일러 九功이라고 하니 구공의 덕은 모두 노래 부를 만하므로 그것을 일러 九歌라고 한다.'(九德之歌, 『春秋傳』所謂水火金木土穀謂之六府, 正德利用厚生謂之三事 六府三事謂之九功, 九功之德, 皆可歌也, 謂之九歌也.)"라고 주석하였다.

140 九磬: 『周禮註疏』 권22 「春官宗伯下」에서, "정현이 말했다. '九磬은 마땅히 大韶로 읽어야 한다. 글자가 잘못되었다.'(玄謂, … '九磬讀當爲大韶, 字之誤也.')"라고 주석하였다.

141 握奇軍: 黃帝 때의 재상이었던 風后의 병법에 나오는 軍陣의 이름. 아홉 개의 陣이 있는데 正軍과 奇軍이 네 개씩으로 四正과 四奇가 八陣이 되고 나머지 한 개의 기군은 대장이 관할하면서 팔진에 위급한 상황이 발생하면 구원하였다. 『握奇經』

구석에 있으므로 둥글다. 축군은 한 줄로 각각 세 대이며, 전후의 충군은 각각 세 대이다. 운은 사방 모서리에 있으므로 모난다. 천은 양쪽 선두에 있고 지는 중간에 있어 모두 팔진이 된다. 진이 결성되고 나면 유군이 뒤로부터 적군을 짓밟는데, 적의 왼쪽에서 놀라게 하기도 하고 적의 오른쪽에서 놀라게 하기도 하면서, 함성을 듣고 기를 바라보고 네 진의 기군을 출격시킨다. 천지天地의 전충前衝은 호익虎翼(진 이름)이 되고 풍은 사반蛇蟠(진 이름)이 되니 감싸서 호위하는 뜻이다. 호虎는 중앙에 있으면서 날개를 펼쳐 전진하고, 사蛇는 양쪽 끝에 있어 적을 향해 감아서 응한다. 천天ㆍ지地의 후충後衝은 비룡飛龍이 되고 운은 조상鳥翔이 되니 돌격하는 뜻이다. 비룡은 중앙에 있어서 날개를 펼쳐 전진하고, 조상은 양쪽 끝을 끼고 적을 향해 날아오르듯 대응한다. 허실虛實의 두 겹 보루는 모두 천문天文의 기후氣候와 산천山川의 향배向背를 좇고 때를 따라 움직여 정군에 합하며 기군으로 승리한다. 황제黃帝가 정전법井田法을 창설하고 그것을 이용하여 군대를 편제하면서 8을 법으로 삼았다. 8×8=64로 군대 제도가 갖추어졌는데, 8을 쓰고 9를 쓰지 않는 것은 그 용用을 감춘 것이다.

[24-4-11]

九刑禁姦. 九刑, 曰大辟, 曰宮, 曰剕, 曰劓, 曰墨, 曰流, 曰鞭, 曰扑, 曰贖.

구형九刑으로 간악을 금지한다. 구형九刑은 대벽大辟(사형), 궁宮(생식기에 가하는 형벌), 비剕(다리 자르기), 의劓(코 베기), 묵墨(자자형刺字刑), 유流(귀양), 편鞭(채찍 치기), 복扑(매질하기), 속贖(벌금)이다.

[24-4-12]

九寸爲律. 黃鐘長九寸, 空圍九分, 積八百一十分. 子一, 丑三, 寅九, 卯二十七, 辰八十一, 巳二百四十三, 午七百二十九, 未二千一百八十七, 申六千五百六十一, 酉一萬九千六百八十三, 戌五萬九千〇〇四十九, 亥一十七萬七千一百四十七. 蓋黃鐘九寸, 以三分爲損益. 故以三歷十二辰, 得一十七萬七千一百四十七爲鐘之實. 其十二辰所得之數, 在子ㆍ寅ㆍ辰ㆍ申ㆍ戌六陽辰, 爲黃鐘寸分釐毫絲之數, 在亥ㆍ酉ㆍ未ㆍ巳ㆍ卯ㆍ丑六陰辰, 爲黃鐘寸分釐毫絲之法. 其寸分釐毫絲之法, 皆用九數.

9촌을 율律로 삼는다. 황종관黃鐘管의 길이는 9촌寸이고 공위空圍(율관 구멍의 단면적)[142]는 9분分(평방분)이며, 용적積은 810분分(입방분)이다. 자子는 1, 축丑은 3, 인寅은 9, 묘卯는 27, 진辰은 81, 사巳는 243, 오午는 729, 미未는 2,187, 신申은 6,561, 유酉는 19,683, 술戌은 59,049, 해亥는 177,147이다. 황종 9촌은 3등분한 것으로 덜어내거나 더하는 기준으로 삼는다. 그렇기 때문에 3으로 12신辰을 거쳐서 177,147(3^{11})을 얻어 황종의 실이 된다. 그 12신이 얻은 수가 자子ㆍ인寅ㆍ진辰ㆍ오午ㆍ신申ㆍ술戌 여섯 개의 양신陽辰에 있는 것은 황종의 촌寸ㆍ분分ㆍ리釐ㆍ호毫ㆍ사絲의

....

142 空圍(율관 구멍의 단면적) : 空圍를 '율관 구멍의 단면적'이라고 풀이한 것은 다음의 전거에 근거한다. 倪復은 『鐘律通考』 권1에서, "9분은 9평방분이다.(九分者, 九方分也.)"라고 했다. 또 秦蕙田은 『五禮通考』 권72에서 '空圍九分'에 대하여, "원의 면적 9평방분을 말한다.(言圓面積九方分也.)"고 주석하였다. 그리고 柳僑는 『律呂新書摘解』 「律呂本原」에서, "'空圍'라는 두 글자는 蔡邕의 「銅龠銘」에서 나왔는데, 그 둘레 가운데의 구멍을 말한다. 단지 하나의 단면을 계산하지 그 두께와 부피를 논하지 않으니, 面冪과 마찬가지이다. 그러나 斛의 형태는 밑바닥이 있어서 그 분ㆍ촌을 볼 수 있기 때문에 面冪으로 그것을 말했고, 율관의 형태는 비어있고 통해서 다만 그 용량에 의거하기 때문에 空圍로 그것을 말했다.('空圍'二字, 出蔡邕「銅龠銘」, 言其圍中之空也. 只計其一面, 而不論其厚積者, 與面冪一也. 而斛形有底可睹其分寸, 故以面冪言之 ; 律形虛通, 但憑其容受, 故以空圍言之.)"라고 하였다.

수數가 되고, 해亥·유酉·미未·사巳·유卯·축丑 여섯 개의 음신陰辰에 있는 것은 황종의 촌寸·분分·리釐·호毫·사絲의 법法이 된다. 그 촌寸·분分·리釐·호毫·사絲의 법法은 모두 9진법을 적용한다.

[24-4-13]

九分造歷. 以律起歷, 故統元日法八十一. 蓋元始黃初九自乘一龠之數得日法.

구분법九分法으로 역曆을 만든다. 율관으로 역법의 기원을 잡은 까닭에 통원력統元曆[143]의 일법日法은 81이다. 원래 원시元始(한나라 평제의 연호), 황초黃初(위나라 문제의 연호)연간에 9를 제곱하여 1약龠의 수[144]인 일법을 얻었다.

[24-4-14]

九筮稽疑. 一曰巫更, 二曰巫咸, 三曰巫式, 四曰巫目, 五曰巫易,[145] 六曰巫比, 七曰巫祠, 八曰巫參, 九曰巫環, 以辨吉凶.

구서九筮로 의심을 푼다. 첫째 무경巫更, 둘째 무함巫咸, 셋째 무식巫式, 넷째 무목巫目, 다섯째 무역巫易, 여섯째 무비巫比, 일곱째 무사巫祠, 여덟째 무참巫參, 아홉째 무환巫環이니[146] 이것들로 길흉을 분변한다.

[24-4-15]

九章命算, 一曰方田, 以御田疇界域 ; 二曰粟米, 以御交質變易 ; 三曰衰分, 以御貴賤稟稅 ; 四曰少廣, 以御積冪方圓 ; 五曰商功, 以御功程積實 ; 六曰均輸, 以御遠近勞費 ; 七曰盈朒, 以御隱雜互見 ; 八曰方程, 以御錯糅正負 ; 九曰句股, 以御高深廣遠.

구장九章으로 계산하게 한다. 첫째는 방전方田이니 이것으로 밭두둑과 구역을 다루고, 둘째는 속미粟米[147]이니 이것으로 품질의 차이에 따른 교역을 다루고, 셋째는 최분衰分(차츰 줄여가는 셈법)이니 이것으로 귀천에 따른 봉록과 세금을 다루고, 넷째는 소광少廣이니 이것으로 방方과 원圓의 면적과 부피를 다루고, 다섯째는 상공商功이니 이것으로 공정에 따른 작업량을 다루고, 여섯째는 균수均輸이니 이것으로 운반거리에 따른 운송비를 다루고, 일곱째는 영비盈朒(남고 모자람을 계산하는 법)이 이것으로 숨거나 섞인 것의 찾는 법을 다루고, 여덟째는 방정方程이니 이것으로

---

143 統元曆 : 역법의 이름. 송 高宗 紹興 6년(1136년)에 반포하였다. 『宋史』「律曆志」 14

144 1龠의 수 : 810 입방분이다. 『律呂新書』 제12장 「嘉量」에 "1약은 부피가 810입방분이다.(一龠積八百一十分)"라고 하였다.

145 五曰巫易 : 『洪範皇極內篇』에 "五曰巫易"으로 되어 있으므로 이에 따른다.

146 첫째 巫更 … 巫環이니 : 『周禮』「春官·簭人」의 鄭玄의 주에 따르면 다음과 같다. "更은 遷都를 점침을 이르고, 咸은 여러 사람이란 말이니, 백성들 마음이 환호하는지의 여부를 점침을 이르고, 式은 법도 만듦을 점침을 이르고, 目은 일이 여러 가지일 때 핵심에 해당되는 것을 점침을 이르고, 易은 백성이 기뻐하지 않을 때 바꿀 것을 점침을 이르고, 比는 백성과 화합할 길을 점침을 이르고, 祠는 희생과 날짜를 점침을 이르고, 參은 수레의 말을 몰 자와 車右를 점침을 이르고, 環은 전쟁에서 도전할지 말지를 점침을 이른다.(更, 謂簭遷都邑也. 咸, 猶僉也, 謂簭衆心歡不也. 式, 謂簭制作法式也. 目, 謂事簭其要所當也. 易, 謂民衆不說, 簭所改易也. 比, 謂簭與民和比也. 祠, 謂簭牲與日也. 參, 謂簭御與右也. 環, 謂簭可致師不也.)"

147 粟米 : 곡식을 정미할 때 정미의 횟수에 따라 줄어드는 것을 기준하여 서로의 값을 정해 교환하는 방법을 말한다.

뒤섞인 것의 양수(+)와 음수(-)를 다루고, 아홉째는 구고句股(직각삼각형)이 이것으로 변의 길이와 면적을 다룬다.

[24-4-16]

九職任萬民. 一曰三農, 生九穀 ; 二曰園圃, 毓草木 ; 三曰虞衡, 作山澤之材 ; 四曰藪牧, 養蕃鳥獸 ; 五曰百工, 飭化八材 ; 六曰商賈, 阜通貨賄 ; 七曰嬪婦, 化治絲枲 ; 八曰臣妾, 聚斂疏材 九曰閒民, 無常職, 轉移執事.

구직九職으로 만백성을 담당하게 한다. 첫째는 삼농三農이니 구곡九穀을 생산[148]하고, 둘째는 원포園圃니 채소와 과일나무를 기르고, 셋째는 우형虞衡(산이나 늪지대에 사는 백성)이니 산과 늪에서 재목을 기르고, 넷째는 수목藪牧(목초지에서 목축하는 백성)이니 가축을 번식시키고, 다섯째는 백공百工이니 팔재八材[149]를 가공하고, 여섯째는 상고商賈이니 재물을 모아 유통시키고, 일곱째는 빈부嬪婦(귀부인)이니 비단과 모시를 짜고, 여덟째는 신첩臣妾(여종, 비婢)이니 초목의 열매나 뿌리를 채취하고, 아홉째는 한민閒民이니 일정한 직책 없이 떠돌며 닥치는 대로 일한다.

[24-4-17]

九賦斂財賄. 一曰邦中之賦, 二曰四郊之賦, 三曰邦甸之賦, 四曰家削之賦, 五曰邦縣之賦, 六曰邦都之賦, 七曰關市之賦, 八曰山澤之賦, 九曰幣餘之賦.

구부九賦(아홉 가지 세금)로 재화를 거둔다. 첫째 도성都城 안에서 걷는 세금, 둘째 사교四郊(도성에서 1백 리 안)에서 걷는 세금, 셋째 방전邦甸(도성에서 2백 리)에서 걷는 세금, 넷째 가삭家削(도성에서 3백 리)에서 걷는 세금, 다섯째 방현邦縣(도성에서 4백 리)에서 걷는 세금, 여섯째 방도邦都(도성에서 5백 리)에서 걷는 세금, 일곱째 관시關市(관문과 시장)에서 걷는 세금, 여덟째 산과 늪에서 걷는 세금, 아홉째 쓰고 남은 물건을 팔아서 얻는 세금이다.

[24-4-18]

九式節財用. 一曰祭祀之式, 二曰賓客之式, 三曰喪荒之式, 四曰羞服之式, 五曰工事之式, 六曰幣帛之式, 七曰芻秣之式, 八曰匪頒之式, 九曰好用之式.

구식九式(아홉 가지 법식)으로 재용을 절제한다. 첫째 제사의 법식, 둘째 빈객을 접대하는 법식, 셋째 초상이나 흉년의 법식, 넷째 음식과 의복의 법식, 다섯째 기물 제작의 법식, 여섯째 폐백의 법식, 일곱째 말먹이 주는 법식, 여덟째 나누어주는 법식, 아홉째 연회에 좋은 음식을 하사하는 법식이다.

[24-4-19]

九府立圜法. 太府, 玉府, 內府, 外府, 京府, 天府, 職內, 職金, 職幣. 圜者, 謂均而通也.

구부九府(아홉가지 관서)가 유통의 법도를 확립한다. 태부太府,[150] 옥부玉府,[151] 내부內府,[152] 외부外府,[153] 경부京

---

148 三農이니 九穀을 생산 : 삼농과 구곡은 『周禮』「天官・大宰」 鄭玄의 주에 의하면, "삼농은 평지와 산 못에서 짓는 농사이다.(三農, 平地・山・澤也.)"라고 하였고, "구곡은 기장, 피, 수수, 벼, 삼, 대두와 소두, 대맥과 소맥이다.(九穀, 黍, 稷, 秫, 稻, 麻, 大・小豆, 大・小麥.)"라고 하였다.

149 八材 : 『周禮』「天官・大宰」 鄭玄의 주에 의하면 다음과 같다. "다음은 八材이다. 진주는 자르는 일, 상아는 가는 일, 옥은 쪼는 일, 돌은 윤을 내는 일, 나무는 조각하는 일, 쇠는 새기는 일, 가죽은 외피를 제거하는 일, 깃은 쪼개는 일들이다.(八材, 珠曰切, 象曰瑳, 玉曰琢, 石曰磨, 木曰刻, 金曰鏤, 革曰剝, 羽曰析.)"

府(수도를 관장하는 관서), 천부天府,[154] 직내職內,[155] 직금職金,[156] 직폐職幣[157]이다. 환圜은 평등하게 하여 유통시키는 일을 이른다.

[24-4-20]

九服辨邦國, 王畿之外方五百里曰侯服, 又其外方五百里曰甸服, 又其外方五百里曰男服, 又其外方五百里曰采服, 又其外方五百里曰衛服, 又其外方五百里曰蠻服, 又其外方五百里曰夷服, 又其外方五百里曰鎭服, 又其外方五百里曰藩服.

구복九服(아홉 가지 복식 제도)으로 제후 나라를 분별한다. 왕기王畿에서 밖으로 5백 리는 후복侯服, 또 그 밖으로 5백 리는 남복男服, 또 그 밖으로 5백 리는 채복采服, 또 그 밖으로 5백 리는 위복衛服, 또 그 밖으로 5백 리는 만복蠻服, 또 그 밖으로 5백 리는 이복夷服, 또 그 밖으로 5백 리는 진복鎭服, 또 그 밖으로 5백 리는 번복藩服이다.

[24-4-21]

九命位邦國, 一命受職, 再命受服, 三命受位, 四命受器, 五命賜則, 六命賜官, 七命賜國, 八命作牧, 九命作伯.

구명九命으로 나라의 지위를 정한다. 일명一命에 관직을 받고, 재명再命에 관복을 받고, 삼명三命에 하대부下大夫의 지위를 받고,[158] 사명四命에 제기祭器를 받고, 오명五命에 자남子男에 봉해짐을 받고, 육명六命에 한 관아의 우두머리 벼슬을 받고, 칠명七命에 나라를 받고, 팔명八命에 목牧[159]이 되고, 구명九命에 백백伯[160]이 된다.

[24-4-22]

九儀命邦國, 上公之禮, 執桓圭九寸, 繅藉九寸, 冕服九章, 建常九斿, 樊纓九就, 貳車九乘, 介九人, 禮九牢. 其朝位賓主之間九十步, 立當車軹, 擯者五人, 廟中將幣三享, 王禮再裸而酢. 享禮九獻, 食禮九擧, 出入五積, 三問三勞. 諸侯之禮, 執信圭七寸, 繅藉七寸, 冕服七章, 建常七斿, 樊纓七就, 貳車七乘, 介七人, 禮七牢. 朝位, 賓主之間七十步, 立當前疾, 擯者四人, 廟中將幣三享, 王禮一裸而酢. 享禮七獻, 食禮七擧, 出入四積, 再問再勞. 諸伯執躬圭, 其他皆如諸侯之禮. 諸子執穀璧五寸, 繅藉五寸, 冕服五章, 建常五斿, 樊纓五就, 貳車五乘, 介五人, 禮五牢. 朝位, 賓主之間五十步, 立當車衡, 擯者三人, 廟中將幣三享, 王禮一裸不酢. 享禮五獻, 食禮五擧, 出入三積, 一問一勞. 諸男執蒲璧, 其他皆如諸子之禮.

---

150 太府 : 국가 창고에 저장된 재화의 회계를 관장하는 관서를 말한다. 『周禮』「天官・大府」
151 玉府 : 천자의 금이나 옥에 관한 완상품과 병기 등을 관장하는 관서를 말한다. 『周禮』「天官・玉府」
152 內府 : 왕실의 창고를 관장하는 관서를 말한다. 『周禮』「天官・內府」
153 外府 : 나라의 화폐의 유통을 관장하는 관서를 말한다. 『周禮』「天官・外府」
154 天府 : 조상 사당의 갈무리된 물건이나 금령을 관장하는 관서를 말한다. 『周禮』「天官・天府」
155 職內 : 국가의 세금 거두는 일을 관장하는 관서를 말한다. 『周禮』「天官・職內」
156 職金 : 금과 옥, 주석, 돌, 단청 등을 관장하는 관서를 말한다. 『周禮』「天官・職金」
157 職幣 : 관아의 잉여 재산을 관장하는 관서를 말한다. 『周禮』「天官・職幣」
158 三命에 … 받고 : 『周禮註疏』 권18 鄭衆의 주 "受下大夫之位."
159 牧 : 1州, 즉 210개 제후국의 우두머리를 말한다.
160 伯 : 여러 주의 우두머리를 말한다.

구의九儀로 방국邦國을 명령한다. 상공上公의 예禮는 환규桓圭(상공이 잡는 옥) 9촌을 잡는데, 조자繅藉(규벽을 받치는 깔개)도 9촌, 면복冕服은 9장章, 상상常(용을 그려놓은 기旗)을 세운 것 9유斿(술), 번영樊纓(말 장식) 9취就, 이거貳車(호위수레) 9승乘, 빈주賓主 사이의 말을 전하는 사람이 9명, 예는 9뢰牢(희생으로 쓰는 동물)이다.[161] 조회할 때 자리는 빈주 사이의 거리가 90보이고, 서 있을 때는 수레 굴대 끝에 서며, 인도하는 사람은 다섯 명이고, 사당에서 빈객을 맞는 폐백은 세 차례 하며, 왕례王禮로 두 번 관祼(강신제)하고 술을 따라 올린다. 술을 주고받는 예는 아홉 차례이고, 식사하는 예는 아홉 가지 희생을 올려야 끝나며, 길에서 손님을 접대할 때는 다섯 차례 왕복하고, 세 차례 묻고 세 차례 위로한다. 제후의 예는, 신규信圭(제후가 잡는 옥) 5촌을 잡는데, 조자繅藉 7촌, 면복冕服 7장章, 상상常을 세운 것 7유斿, 번영樊纓 7취就, 이거貳車 7승乘, 빈주 사이의 말을 전하는 사람이 7명, 예는 7뢰牢를 쓴다. 조회를 할 때 자리는 빈주 사이의 거리가 70보이고, 서 있을 때는 수레 끌채의 목 부분에 서며, 인도하는 사람은 4명이고, 사당에서 빈객을 맞는 폐백은 세 차례 하며, 왕례王禮로 한 번 관祼(강신제)하고 술을 따라 올린다. 술을 주고받는 예는 일곱 차례이고, 식사하는 예는 일곱 가지 희생을 올려야 끝나며, 길에서 손님을 접대할 때는 네 차례 왕복하고, 두 차례 묻고 두 차례 위로한다. 모든 백伯은 궁규躬圭를 잡고 그 나머지는 모두 제후의 예와 같다. 제자諸子는 곡규穀璧 5촌을 잡는데, 조자繅藉 5촌, 면복冕服 5장章, 상상常을 세운 것 5유斿, 번영 5취就, 이거 5승乘, 빈주 사이의 말을 전하는 사람이 5명, 예는 5뢰牢를 쓴다. 조회를 할 때 자리는 빈주 사이의 거리가 50보이고, 서 있을 때는 수레 끌채 끝의 횡목에 서며, 인도하는 사람은 3명이고, 사당에서 빈객을 맞는 폐백은 세 차례 하며, 왕례王禮로 한 번 관祼(강신제)하고 술을 따라 올리지는 않는다. 술을 주고받는 예는 다섯 차례이고, 식사하는 예는 다섯 가지 희생을 올려야 끝나며, 길에서 손님을 접대할 때는 세 차례 왕복하고, 한 차례 묻고 한 차례 위로한다. 모든 남男은 포벽蒲璧을 잡고 그 나머지는 모든 자子의 예와 같다.[162]

[24-4-23]

九法平邦國. 制畿封國以正邦國. 設儀辨位以等邦國. 進賢興功以作邦國. 建牧立監以維邦國. 制軍詰禁以糾邦國. 施貢分職以任邦國. 簡稽鄕民以用邦國. 均守平則以安邦國. 比小事大以和邦國.

구법九法으로 방국邦國을 평안하게 한다. 경기[畿]를 제정하고 나라의 경계를 봉封하여 방국邦國을 바로잡는다. 의례를 설립하고 지위를 변별하여 방국을 등급 짓는다. 현명한 사람을 천거해서 쓰고 공효를 일으켜서 방국을 진작시킨다. 일을 담당하는 관원을 두고 감찰하는 사람을 세워서 방국에 기강이 서게 한다. 군대를 제정하고 금지하는 일을 다스려서 방국을 규찰한다. 공물을 부과하고 세금을 거두어서 방국에 임무를 맡긴다. 향민鄕民의 수효를 조사하고 계산해서 방국에 징발해 쓰도록 한다. 등급에 따라 각각 그 토지를 지키게 하고 규칙을 공평하게 해서 방국을 편안하게 한다. 큰 나라는 작은 나라를 친밀하게 대하고 작은 나라는 큰 나라를 섬기도록 해서 방국을 화합하도록 한다.[163]

[24-4-24]

九伐正邦國. 馮弱犯寡則眚之. 賊賢害民則伐之. 暴內陵外則壇之. 野荒民散則削之. 負固不服則侵之. 賊殺

．．．．．．．．．．．．．．．．．．．．

161 예는 9牢이다. : 大禮를 행할 때, 소·양·돼지 각각 9마리를 희생으로 쓴다는 것이다.

162 上公의 禮는 … 같다. : 『周禮』「秋官·大行人」

163 경기[畿]를 제정하고 … 한다. : 『周禮』「夏官·司馬」

其親則正之. 放弑其君則殘之. 犯令陵政則杜之. 外內亂禽獸行則滅之.

구벌九伐로 방국邦國을 바로잡는다. 약자를 능멸하고 소수를 침범하면 그 나라를 줄인다. 현명한 사람을 해치고 백성들을 못살게 굴면 그 나라를 토벌한다. 안으로는 포악하고 밖으로는 능멸하면 성토하고 그 군주를 바꾼다. 임야가 황폐하고 백성들이 흩어지면 그 나라 땅을 삭감한다. 지형의 견고함을 믿고 큰 나라를 섬겨 복종하지 않으면 그 나라를 침략한다. 그 친족을 해치고 죽이면 그 죄를 다스린다. 그 군주를 내치고 시해하면 그를 죽인다. 명령을 어기고 정사를 소홀히 하면 그 나라를 고립시킨다. 국내·외를 어지럽히고 금수가 횡행하게 하면 그 나라를 멸망시킨다.[164]

[24-4-25]

九貢致邦國之用. 一曰祀貢, 二曰嬪貢, 三曰器貢, 四曰幣貢, 五曰材貢, 六曰貨貢, 七曰服貢, 八曰斿貢, 九曰物貢.

구공九貢으로 방국邦國의 쓰임을 다하게 한다. 첫째, 제사용품을 바치는 사공祀貢, 둘째, 내명부 용품을 바치는 빈공嬪貢, 셋째, 여러 가지 그릇을 바치는 기공器貢, 넷째, 비단이나 옥 등 폐백을 바치는 폐공幣貢, 다섯째, 목재를 바치는 재공材貢, 여섯째, 교역수단을 바치는 화공貨貢, 일곱째, 의식에 필요한 예복을 바치는 복공服貢, 여덟째, 깃털이나 깃발 등 기旗에 필요한 것을 바치는 유공斿貢, 아홉째, 앞의 여덟 가지를 제외한 물품을 바치는 물공物貢이다.[165]

[24-4-26]

九兩繫邦國之民. 一曰牧, 以地得民. 二曰長, 以貴得民. 三曰師, 以賢得民. 四曰儒, 以道得民. 五曰宗, 以族得民. 六曰主, 以利得民. 七曰吏, 以治得民. 八曰友, 以任得民. 九曰藪, 以富得民

구량九兩으로 방국邦國의 백성들을 연계시킨다. 첫째는 목牧이니, 영토를 가지고 백성을 얻는 것이다. 둘째는 장長이니, 귀한 신분을 가지고 백성을 얻는 것이다. 셋째는 사師이니, 현명함을 가지고 백성을 얻는 것이다. 넷째는 유儒이니, 도道를 가지고 백성을 얻는 것이다. 다섯째는 종宗이니, 종족을 가지고 백성을 얻는 것이다. 여섯째는 주主(군주)이니, 이로움을 가지고 백성을 얻는 것이다. 일곱째는 이吏이니, 다스림을 가지고 백성을 얻는 것이다. 여덟째는 우友이니, 서로 맡기는 것을 가지고 백성을 얻는 것이다. 아홉째는 수藪이니, 수藪의 재물로 부유하게 하여 백성을 얻는 것이다.[166]

[24-4-27]

營國九里. 制城九雉. 九階九室. 九經九緯. 匠人營國方九里, 旁三門. 國中九經九緯, 經塗九軌. 左祖右社, 面朝後市, 市朝一夫. 夏后氏世室, 堂脩二七, 廣四脩一. 五室, 三四步, 四三尺. 九階. 四旁兩夾窓, 白盛. 門堂三之二, 室三之一. 殷人重屋, 堂脩七尋, 堂崇三尺, 四阿重屋. 周人明堂, 度九尺之筵, 東西九筵, 南北七筵.

·····················
164 약자를 능멸하고 … 멸망시킨다.: 『周禮』「夏官·司馬」
165 첫째, 제사용품을 … 物貢이다.: 『周禮』「天官·大宰」
166 첫째는 牧이니 … 것이다.: 『周禮』「天官·大宰」

堂崇一筵. 五室凡室二筵. 室中度以几. 堂中度以筵. 宮中度以尋. 野度以步. 涂度以軌. 廟門容大扃七个, 闈門容小扃三个, 路門不容乘車之五个, 應門二徹三个. 內有九室, 九嬪居之 ; 外有九室, 九卿朝焉. 九分其國以爲九分, 九卿治之. 正宮門阿之制五雉, 宮隅之制七雉, 城隅之制九雉. 經涂九軌, 環涂七軌, 野涂五軌. 門阿之制以爲都城之制, 宮隅之制以爲諸侯之城制. 環涂以爲諸侯經涂, 野涂以爲都經涂 **數之度也**.

나라를 경영하는 것은 구리九里이다. 성城을 쌓는 제도는 구치九雉[167]이다. 구계九階와 구실九室이 있고, 구경九經과 구위九緯가 있다. 장인匠人이 나라를 경영하는 것은 사방 9리인데, 사방에 세 개의 문이 있다. 수도 가운데에는 가로세로 각각 아홉 개씩의 도로가 있는데, 폭은 9궤軌이다. 왼쪽에는 종묘宗廟가 있고 오른쪽에는 사직社稷이 있으며, 앞에는 조정朝廷이 있고 뒤에는 시장市場이 있는데, 시장과 조정은 각각 1부夫의 땅인 백무百畝의 넓이이다. 하후씨의 세실世室은 당堂의 남북 길이가 14보步이고 폭은 17보 반이다. 당堂 위에 다섯 개의 실室이 있는데, 깊이는 3보나 4보이고 폭은 4척이나 3척이 더 넓다. 아홉 개의 계단이 있다.[168] 사방으로 두 개씩 협창夾窓이 있다. 흰 조개껍질 가루로 벽을 칠했다. 문 옆의 당堂은 정당正堂의 3분의 2이고 실室은 정실正室의 3분의 1이다. 은殷나라의 중옥重屋(겹지붕으로 된 집)은 당堂 길이가 7심尋이고 당堂 높이가 3척尺이며, 지붕날개의 물받이가 사방으로 향하게 한 겹지붕이다. 주周나라의 명당明堂은 9척尺의 연筵으로 헤아려서 동서는 9연이고 남북은 7연이다. 당堂은 높이가 1연이다. 5개의 실室은 모두 2연이다. 실室 속은 궤几로 재고, 당堂 속은 연筵으로 재며, 궁宮 속은 심尋으로 잰다. 들은 보步로 재고, 길은 궤軌로 잰다. 종묘의 문은 대경大扃 일곱 개를 수용하는 크기이고, 대궐 쪽은 소경小扃 세 개를 수용하는 크기이며, 궁실 속의 정문은 가마 다섯 채를 수용하지 못하고, 대궐 정문은 큰 수레 세 대를 수용하는 크기이다. 궁실 속의 정문 안에 9실室이 있어서 9빈嬪이 거기에서 거주하고, 그 밖에 9실室이 있어서 9경卿이 거기에서 조회를 한다. 그 나라를 아홉 개로 나누어 9분分으로 삼고 9경卿이 그것을 다스린다. 대궐 정문 기둥의 제도는 높이가 5치雉이고, 궁궐 누각 기둥의 제도는 높이가 7치이며, 성곽 누각 기둥의 제도는 높이가 9치이다. 남북 간의 도로는 9궤軌이고 성곽 둘레 도로는 7궤이며 성 밖 200리 안의 도로는 5궤이다. 대궐 정문 기둥의 제도로써 도성의 제도를 삼고, 궁궐 누각 기둥의 제도로써 제후의 성곽 제도로 삼는다. 성곽 둘레 도로로써 제후의 남북 간의 도로로 삼고, 성 밖 200리 안의 도로로써 도성 남북 간의 도로로 삼는다.[169] 이것이 수數의 제도이다.

[24-4-28]

孔子曰 : "爲天下國家有九經, 曰脩身也, 尊賢也, 親親也, 敬大臣也, 體群臣也, 子庶民也, 來百工也, 柔遠人也, 懷諸侯也. 脩身則道立. 尊賢則不惑. 親親則諸父昆弟不怨. 敬大臣則不眩. 體群臣則士之報禮重. 子庶民則百姓勸. 來百工則財用足. 柔遠人則四方歸之. 懷諸侯則天下畏之.

공자가 말했다. "천하와 국가를 다스리는 데에 구경九經(아홉 가지 원칙)이 있으니, 자신을 수양하는 것, 현자를 존숭하는 것, 친족을 친애하는 것, 대신大臣을 공경하는 것, 여러 신하들의 마음을 체찰體察하는 것, 여러 백성을 자식처럼 사랑하는 것, 백공百工들을 오게 하는 것, 먼 곳의 사람들을 회유懷柔하는 것, 제후들을 품는 것이다. 자신을 수양하면 도가 세워진다. 현자를 존숭하면 미혹되지 않는다. 친족을

---

167 九雉 : 1雉는 길이가 세 길, 높이가 한 길이다.
168 아홉 개의 … 있다. : 정현의 주석에 의하면, 남면으로 3개가 있고 나머지 3방면으로 2개씩 있다.
169 匠人이 나라를 … 삼는다. : 『周禮』「冬官・考工記」

친애하면 여러 백伯·숙부叔父와 형제들이 서로 원망하지 않는다. 대신을 공경하면 혼란하지 않는다. 여러 신하들의 마음을 체찰하면 사士들이 보답하는 예를 중시한다. 여러 백성을 자식처럼 사랑하면 백성이 권면한다. 백공을 오게 하면 재물이 풍족해진다. 먼 곳의 사람들을 회유하면 사방 사람들이 모여든다. 제후를 품으면 천하가 두렵게 여긴다.

齊明盛服, 非禮不動, 所以脩身也. 去讒遠色, 賤貨而貴德, 所以勸賢也. 尊其位, 重其祿, 同其好惡, 所以勸親親也. 官盛任使, 所以勸大臣也. 忠信重祿, 所以勸士也. 時使薄斂, 所以勸百姓也. 日省月試旣廩稱事, 所以勸百工也. 送往迎來, 嘉善而矜不能, 所以柔遠人也. 繼絶世, 擧廢國, 治亂持危, 朝聘以時, 厚往而薄來, 所以懷諸侯也. 凡爲天下國家有九經, 所以行之者一也."[170]

모습을 바르게 하고 엄숙하게 드러내며 의관을 바르게 하여, 예가 아니면 움직이지 않는 것이 자신을 수양하는 것이다. 참소하는 이를 제거하고 여색을 멀리하며, 재물을 천시하고 덕 있는 사람을 귀하게 여기는 것은 현자를 권면하는 것이다. 그 지위를 존중하고 그 녹봉을 중하게 하며, 그 좋아하고 미워함을 같이 하는 것은 친족을 친애하는 것을 권면하는 것이다. 관직을 성대히 하고 직무를 맡겨서 부리는 것은 대신을 권면하는 것이다. 충심과 믿음으로 대하고 녹봉을 후하게 주는 것은 사士를 권면하는 것이다. 때에 맞게 부리고 세금을 적게 거두어들이는 것은 백성을 권면하는 것이다. 매일 업무를 살피고 매달 성과를 평가하여, 성과에 따라서 녹봉을 주는 것은 백공을 권면하는 것이다. 가는 이를 전송하고 오는 이를 맞이하며, 잘하는 사람을 좋다고 여기고 능숙하지 못한 사람들을 긍휼히 여기는 것은 먼 곳의 사람들을 회유하는 것이다. 끊어진 대代를 이어주고 망한 나라를 일으켜 주며, 혼란한 나라를 다스리고 위태로운 나라를 붙들어주며, 조회朝會와 빙례聘禮를 때에 맞게 하고, 주는 것을 후하게 하고 받는 것을 적게 하는 것은 제후를 품는 것이다. 천하와 국가를 다스리는 데에 구경九經이 있으니, 이것을 행하는 것은 하나이다."

[24-4-29]

昔黃帝使伶倫自大夏之西, 昆侖之陰, 取竹之解谷生其竅厚均者, 斷兩節吹之, 以爲黃鐘之宮. 制十二篇以聽鳳之鳴, 其雄鳴爲六, 雌鳴亦六, 比黃鐘之宮而皆可以生之, 是爲律本.

황제黃帝가 영륜伶倫에게 대하大夏[171]의 서쪽, 곤륜昆侖의 북쪽으로 가서, 해곡解谷[172]에서 나는 그 구멍과

170 『中庸章句』 제20장

171 大夏: 朱熹는 『儀禮經傳通解』 권13에서, "응소가 말했다. '대하는 서융에 있는 나라이다.'(應劭曰, '大夏, 西戎之國也.')"라고 하였다.

172 解谷: 주희는 『儀禮經傳通解』 권13에서, "해계의 골짜기이다.(嶰溪之谷.)"라고 하였다. 또 孟康의 말에 의거하여, "嶰溪는 곤륜산 북쪽에 있는 계곡의 이름이다.(嶰溪, 昆侖之北谷名也.)" 유희는 『律呂新書摘解』「律呂證辨」에서, "설명하는 사람 중에 어떤 사람은 해곡을 지명인 嶰谷으로 여기기도 하고, 어떤 사람은 곁의 움푹 들어간 곳을 벗어나는 것으로 삼고 '生'이라는 글자를 아래 구절에 소속시키기도 한다. 내 생각에, 위 구절에

두께가 고른 대나무를 취하여 두 마디 사이를 잘라서 불어보게 하여 그것을 황종의 궁성宮聲으로 삼고,[173] 열두 개의 대통을 만들어 봉황의 울음소리에 맞추었다. 수컷 봉황의 울음소리에 맞게 한 것이 여섯 개이고, 암컷의 울음소리에 맞게 한 것이 여섯 개인데, 황종의 궁성과 조화하여 모두 생겨나올 수 있었으니, 이것(황종의 궁성)이 율의 근본이 된다.[174]

度其長, 以子穀秬黍中者九十枚度之, 一爲一分, 十分爲寸, 十寸爲尺, 十尺爲丈, 十丈爲引. 審其容, 以千二百黍實之, 合龠爲合, 十合爲升, 十升爲斗, 十斗爲斛. 權其重, 百黍爲一銖, 千二百黍爲十二銖, 二十四銖爲兩, 十六兩爲斤, 三十斤爲鈞, 四鈞爲石."『書』曰, 同律度量衡.『傳』曰, 黃鐘爲萬事根本也.

그 길이를 측정하는데 알곡 '검은 기장[秬黍]'[175] 중간크기 90알로 길이를 재는데, 1알의 길이가 1분分이다. 그 용량의 크기를 측정하는데, 검은 기장 1,200알로 채워서 약龠 2개를 합한 것이 1합合이고, 10합이 1승升이며, 10승이 1두斗이고, 10두가 1곡斛이다. 그 무게를 측량하는데, 100알의 무게가 1수銖이고, 1,200알이 12수銖이며, 24수銖가 1냥兩이고, 16냥이 근斤이며, 30근이 균鈞이고, 4균이 석石이다.[176]『서경』에서 "율律·도度·양量·형衡을 통일시키다."[177]라고 했고,『서경집전書經集傳』에서 "황종은 모든 것

서 이미 '대하의 서쪽, 곤륜의 북쪽'이라고 말했으니 다시 그 아래에서 지명을 거론할 필요가 없을 것이다. 또 대나무 관 곁에 만약 움푹 패인 곳이 있다면 그 가운데의 空圍(단면적)가 어찌 度數에 부합하겠는가? 그러므로 반드시 그 둘레가 고루 둥글게 생긴 것을 취할 뿐이다.(說者, 或以解谷爲地名嶰谷, 或以爲解脫旁谷, 而以'生'字屬下句. 愚謂上句旣言'大夏之西, 崑崙之陰', 則不必更擧地名於其下. 且竹管之旁, 若有凹谷, 則其中空圍, 豈合度數乎? 故必取其勻圓而生者耳.)"라고 하였다.

173 解谷에서 나는 … 삼고 : 유희는『律呂新書摘解』「律呂證辨」에서, "『漢書』의 글은『呂覽(呂氏春秋)』에서 왔는데, '해곡의 골짜기에서 대나무를 취해 두 마디 사이를 잘라서, 그 길이를 3촌 9분으로 하여 그것을 불어보아 황종의 율관으로 삼았다.'고 하였다.(『漢書』文出自『呂覽』, 曰, '取竹於解谿之谷, 斷兩節間, 其長三寸九分, 而吹之以爲黃鐘之管.')"라고 하였다.

174 모두 생겨나올 … 된다. : 倪復은『鐘律通考』권3에서, "顔師古가 말했다. '모두 생겨나올 수 있다는 것은 상하로 相生하는 것을 말한다. 11개 율관이 모두 황종관의 궁성에서 생겨나기 때문에 황종이 율려의 근본이라고 말했다.'(師古曰, '可以生之, 謂上下相生也. 十一管皆生於黃鍾之宮, 故曰黃鍾律呂之本.')"라고 하였다.

175 '검은 기장[秬黍]' : 倪復은『鐘律通考』권4에서, "顔師古가 말하기를, 秬黍는 검은 기장이다.(顔師古曰, 秬黍卽黑黍.)"라고 하였다. 또, 유희는『律呂新書摘解』「律呂本元」에서, "秬黍는 검은 기장으로 형태가 크기 때문에 글자에 巨자가 있다. 옛사람은 곡식 가운데 기장을 중시하였고 이 품종은 또한 좋은 품종이기 때문에 그것을 숫자의 기준으로 삼은 것이지, 검은 기장에 뜻을 지극히 둔 것은 아니다.(秬黍黑黍, 形巨故字從巨. 古人穀品重黍, 而此種又晥好, 故以之準數 非有所致意於秬黍也.)"라고 하였다.

176 이상의 내용은『漢書』「律曆志」에 나온다.

177 "律·度·量·衡을 통일시키다." :『書經』「虞書·舜典」8장, "巡守하는 해의 2월에 동쪽 지방을 巡守하여 岱宗(泰山)에 이르러 柴 제사를 지내시며 산천을 바라보고 차례를 정하여 제사하고 마침내 동쪽 제후들을 만나보시니, 다섯 가지 瑞玉과 세 가지 폐백과 두 가지 生物과 한 가지 죽은 예물이었다. 四時와 달을 맞추어 날짜를 바로잡으며 律·度·量·衡을 통일시키며 다섯 가지 禮를 닦으며 다섯 가지 瑞玉을 똑같게 하시고 마치면 다시 巡守하셨다. 5월에 남쪽 지방을 순수하여 南岳(衡山)에 이르러 岱宗의 禮와 똑같이 하시며,

의 근본이다."[178]라고 했다.

[24-4-30]

昔者聖人之原數也, 以決天下之疑, 以成天下之務, 以順性命之理, 析事辨物, 彰往察來. 是故天數五, 地數六, 五六者, 天地之中合也. 五爲五行, 六爲六氣. 陽性陰質. 五行之性, 曰木, 曰火, 曰土, 曰金, 曰水. 六氣之質, 曰胎, 曰生, 曰壯, 曰老, 曰死, 曰化.

옛날에 성인이 수數를 근원으로 해서 천하의 의심을 해결하고 천하의 일들을 이루고 성명性命의 이치를 따랐으며, 일을 분석하고 사물을 변별하여 과거를 밝히고 미래를 살폈다. 그래서 하늘의 수는 5이고 땅의 수는 6이니, 5와 6은 천지의 중수中數에 해당한다. 5는 오행五行이고 6은 육기六氣이다. 양陽은 성性이고 음陰은 질質이다. 오행의 성性은 목木·화火·토土·금金·수水이고 육기의 질質은 태胎(수태)·생生·장壯·노老·사死·화化(흙이 됨)이다.

木之質也, 曰楊柳, 曰梅李, 曰松栢, 曰竹葦, 曰禾麥, 曰草. 火之質也, 曰木火, 曰石火, 曰雷火, 曰水火, 曰蟲火, 曰粦. 土之質也, 曰砂, 曰石, 曰玉, 曰土, 曰壤, 曰泥. 金之質也,

....

8월에 서쪽 지방을 순수하여 西岳(華山)에 이르러 처음과 똑같이 하시며, 11월에 북쪽 지방을 순수하여 北岳(恒山)에 이르러 서쪽의 예와 똑같이 하시고, 돌아와 藝祖의 사당에 이르러 한 마리의 소를 써서 제사하셨다.(歲二月, 東巡守, 至于岱宗, 柴, 望秩于山川, 肆覲東后, 五玉三帛二生一死贄. 協時月, 正日, 同律度量衡, 修五禮, 如五器, 卒乃復. 五月, 南巡守, 至于南岳, 如岱禮, 八月, 西巡守, 至于西岳, 如初, 十有一月, 朔巡守, 至于北岳, 如西禮, 歸格于藝祖, 用特.)"

178 "황종은 모든 … 근본이다.": 『書經集傳』「虞書·舜典」8장, "律은 12율이니 黃鍾, 太簇, 姑洗, 蕤賓(유빈), 夷則, 無射, 大呂, 夾鍾, 仲呂, 林鍾, 南呂, 應鍾이다. 이 중에 여섯은 律이고 여섯은 呂여서 모두 12개의 管이니, 모두 지름이 3푼 하고 남음이 있으며 구멍의 둘레는 9푼이니, 黃鍾의 길이는 9촌이고 大呂 이하는 律呂가 서로 사이하여 차례로 짧아져서 應鍾에 이르러 가장 짧다. 이것을 가지고 악기를 만들어 음성을 조절하면 긴 것은 소리가 낮고 짧은 것은 소리가 높아지니, 낮은 것은 무겁고 탁하여 느리고 높은 것은 가볍고 맑아 빠르다. 그리고 이것을 가지고 度를 살펴 長短을 헤아리면 황종의 길이를 90분하여 1분이 1푼이 되니, 10푼이 1寸이고 10촌이 1尺이고 10척이 1丈이고 10장이 1引이다. 이것을 가지고 量을 살펴 多少를 헤아리면 황종의 관에 곡식 중에 중간 크기인 검은 기장 1천2백 개가 들어가는 바, 이것을 侖(약)이라 하니, 10약이 1合이고 10홉이 1升이고 10승이 1斗이고 10두가 1斛이다. 이것을 가지고 衡을 고르게 하여 輕重을 저울질하면 황종의 侖(약)에 들어가는 1천 2백 개의 기장은 그 무게가 12銖인바, 2약이면 24銖이니 이것이 1兩이고 16냥이 1斤이고 30근이 1鈞이고 4균이 1石이니, 이는 황종이 만사의 근본이 되는 것인 바, 제후국에 통일되지 않은 것이 있으면 살펴서 통일하는 것이다.(律, 謂十二律, 黃鍾, 大簇, 姑洗, 賓, 夷則, 無射, 大呂, 夾鍾, 仲呂, 林鍾, 南呂, 應鍾也. 六爲律, 六爲呂, 凡十二管, 皆徑三分有奇, 空圍九分, 而黃鍾之長, 九寸, 大呂以下, 律呂相間, 以次而短, 至應鍾而極焉, 以之制樂而節聲音, 則長者聲下, 短者聲高, 下者則重濁而舒遲, 上者則輕清而剽疾, 以之審度而度長短, 則九十分黃鍾之長, 一爲一分, 而十分爲寸, 十寸爲尺, 十尺爲丈, 十丈爲引, 以之審量而量多少, 則黃鍾之管, 其容子穀秬中者一千二百, 以爲侖, 而十侖爲合, 十合爲升, 十升爲斗, 十斗爲斛, 以之平衡而權輕重, 則黃鍾之侖, 所容千二百黍, 其重十二銖, 兩侖則二十四銖爲兩, 十六兩爲斤, 三十斤爲鈞, 四鈞爲石, 此黃鍾所以爲萬事根本, 諸侯之國, 其有不一者, 則審而同之也.)"

日汞, 日銀, 日金, 日銅, 日鐵, 日鉛. 水之質也, 日澗水, 日井水, 日雨水, 日溝渠, 日陂澤, 日湖海.

목木의 질은 양류楊柳(버드나무), 매리梅李(매화와 오얏), 송백松栢(소나무와 잣나무), 죽위竹葦(대와 갈대), 화맥禾麥(벼와 보리), 심蕈(버섯)이다. 화火의 질은 목화木火(나무불), 석화石火(부싯돌), 뇌화雷火(번갯불), 수화水火(유화, 기름불), 충화蟲火(반딧불), 인璘(수석에서 번쩍이는 빛)이다. 토土의 질은 사砂(모래), 석石(돌), 옥玉, 토土(흙), 양壤(부드러운 흙), 니泥(진흙)이다. 금金의 질은 홍汞(수은), 은銀, 금金, 동銅, 철鐵, 연鉛(납)이다. 수水의 질은 간수澗水(계곡물), 정수井水(우물물), 우수雨水, 구거溝渠(도랑물), 피택陂澤(연못물), 호해湖海(호수와 바다)이다.

木之物也, 日鯪鯉, 日蛇, 日龍, 日鯉魴, 日小魚, 日鰍. 火之物也, 日雞, 日雉, 日鳳, 日鷹隼, 日燕雀, 日蟻蠓. 土之物也, 日蟾蜍, 日蠶, 日人, 日蜘蛛, 日蚓, 日鰻. 金之物也, 日鹿, 日馬, 日麟, 日虎, 日獺, 日毛蟲. 水之物也, 日蟹, 日鱟, 日龜, 日蝦, 日蚌, 日蠣.

목木의 사물은 능리鯪鯉(천산갑), 사蛇(뱀), 용龍, 이방鯉魴(방어), 소어小魚(송사리), 추鰍(미꾸라지)이다. 화火의 사물은 계雞(닭), 치雉(꿩), 봉鳳(봉황), 응준鷹隼(매), 연작燕雀(제비와 참새), 멸몽蟻蠓(눈에놀이)이다. 토土의 사물은 섬서蟾蜍(두꺼비), 잠蠶(누에), 인人(사람), 지주蜘蛛(거미), 인蚓(지렁이), 만鰻(뱀장어)이다. 금金의 사물은 녹鹿(사슴), 마馬(말), 인麟(기린), 호虎(호랑이), 달獺(수달), 모충毛蟲(나비)이다. 수水의 사물은 해蟹(게), 후鱟(참게), 귀龜(거북), 하蝦(새우), 방蚌(조개), 여蠣(굴)이다.

木之器也, 日疏器門窗, 日琴瑟, 日規, 日箕篩, 日耒耜, 日網罟. 火之器也, 日登器梯棚, 日文書, 日繩, 日冠冕, 日檯棹, 日履躡. 土之器也, 日腹器筐筥, 日圭璧, 日量, 日舟車, 日盤盂, 日棺槨. 金之器也, 日方器斧鉞, 日印節, 日矩, 日弓矢, 日簡冊, 日械校. 水之器也, 日平器權衡, 日輪磨, 日準, 日鏡匳, 日研椎, 日廁圂.

목木의 기물器物은 드나드는 기물인 문창門窗(문과 창문), 금슬琴瑟, 규規(그림쇠), 산사箕篩(산가지 대나무), 뇌사耒耜(쟁기), 망고網罟(그물)이다. 화火의 기물은 오르는 기물인 제붕梯棚(사다리), 문서文書, 승繩(새끼줄), 관면冠冕(면류관), 대탁檯棹(높은 책상), 이답履躡(발판)이다. 토土의 기물은 속에 담는 기물인 광거筐筥(광주리), 규벽圭璧, 양量(되), 주거舟車(배와 수레), 반우盤盂(소반과 주발), 관곽棺槨이다. 금金의 모난 기물인 부월斧鉞(도끼), 인절印節(도장과 부절), 구矩(곱자), 궁시弓矢(활과 화살), 간책簡冊(책), 계교械校(목에 씌우는 칼)이다. 수水의 기물은 수평을 유지하는 기물인 권형權衡(저울), 윤마輪磨(맷돌), 준準(수준기), 경렴鏡匳(경대), 연추研椎(방망이), 측혼廁圂(뒷간)이다.

逆順者, 事之幾也; 吉凶者, 事之著也. 順而吉者. 木爲徵召, 爲科名, 爲赦恩, 爲婚姻, 爲産孕, 爲財帛. 火爲燕集, 爲朝覲, 爲文書, 爲言語, 爲歌舞, 爲燈燭. 土爲工役, 爲循常, 爲盟約, 爲田宅, 爲福壽, 爲墳墓. 金爲賜予, 爲按察, 爲更革, 爲軍旅, 爲錢貨, 爲刑法. 水爲交易, 爲遷移, 爲征行, 爲酒食, 爲田獵, 爲祭祀.

거스름과 따름은 일의 기미이고, 길과 흉은 일이 드러난 것이다. 도리를 따라 길한 것은 다음과 같다.

목木은 징소徵召(초빙 받음), 과명科名(과거 입격), 사은赦恩(사면), 혼인婚姻, 산잉産孕(임신과 출산), 재백財帛(재물)이다. 화火는 연회宴會, 조근朝覲(조회), 문서文書, 언어言語, 가무歌舞, 등촉燈燭이다. 토土는 공역工役, 순상循常(준법), 맹약盟約, 전택田宅(토지와 가옥), 수복壽福, 분묘墳墓이다. 금金은 사여賜予(하사받음), 안찰按察(순찰), 갱혁更革(개혁), 군려軍旅(군사), 전화錢貨(화폐), 형법刑法이다. 수水는 교역交易, 천이遷移(이전), 정행征行(출정), 주식酒食(술과 음식), 전렵田獵(사냥), 제사祭祀이다.

逆而凶者. 木爲桿杌, 爲驚憂, 爲醜惡, 爲壓墜, 爲夭折, 爲産死. 火爲公訟, 爲顚狂, 爲口舌, 爲炙灸, 爲災焚, 爲震燬. 土爲反覆, 爲欺詐, 爲離散, 爲貧窮, 爲疾病, 爲死亡. 金爲征役, 爲罷免, 爲責降, 爲爭鬪, 爲傷損, 爲殺戮. 水爲盜賊, 爲囚獄, 爲徒流, 爲淫亂, 爲呪咀, 爲浸溺.

도리를 거슬러 흉한 것은 다음과 같다. 목木은 얼올桿杌(阢扤, 위태), 경우驚憂(놀라고 근심함) 추악醜惡, 압추壓墜(압사나 추락사), 요절夭折, 산사産死(출산 중 사망)이다. 화火는 공송公訟(공적 소송), 전광顚狂(미쳐 날뜀), 구설口舌, 자구炙灸(화상), 재분災焚(화재), 진훼震燬(지진으로 인한 파손)이다. 토土는 반복反覆(전복), 기사欺詐(사기), 이산離散, 빈궁貧窮, 질병疾病, 사망死亡이다. 금金은 정역征役(조세와 부역), 파면罷免, 책강責降(강등), 쟁투爭鬪(투쟁), 상손傷損(손상), 살육殺戮이다. 수水는 도적盜賊, 수옥囚獄(수감), 도류徒流(유배), 음란淫亂, 주저呪咀(저주), 침닉沈溺(익사)이다.

[24-4-31]
筮者, 神之所爲乎. 其著五十, 虛一. 分二, 掛一. 以三揲之視左右手, 歸餘於扐. 兩奇爲一, 初揲三一再揲三三. 兩偶爲二, 初揲二二再揲四二. 奇偶爲三. 初揲四三再揲二一. 初揲, 綱也, 再揲, 目也. 綱一函三, 以虛待目. 目一爲一, 以實從綱. 兩揲而九數具, 八操而六千五百六十一之數備矣. 分合變化, 如環無端. 天命人事, 由是較焉, 吉凶禍福, 由是彰焉. 大人得之而申福, 小人得之而避禍. 君子曰, 筮者, 神之所爲乎. 大事用年. 其次用月. 其次用日. 其次用時. 十二木, 徑九分, 厚一分. 陽刻一陰刻二者四, 陽刻二陰刻三者四, 陽刻三陰刻一者四. 雜取其八, 自上而下, 自左而右, 縱二橫四. 縱者, 九也, 橫者, 一十百千也. 餘四不用者, 不用之用也. 前後相乘而數備矣.

시초著草점은 신神이 하는 일이다.[179] 시초 오십 개 중 하나는 남겨둔다. 둘로 나누고 하나를 걸어둔다. 셋으로 세어 갖고 양손에 남은 것을 살펴서 나머지를 손가락 사이에 끼운다.[180] 두 개의 홀수[奇]는

---

179 시초점은 神이 하는 일이다. : 『通書』「蒙艮」 "筮는 시초를 세어서 길함과 흉함을 결정하는 것이다. 말하자면 몽매한 어린 사람이 와서 나를 찾음으로써 그 몽매함을 드러내고 나는 그가 행할 것을 바른 도리로 과감하게 결정하니, 마치 시초점을 치는 사람이 신에게 의심을 결정해 달라고 묻고 신은 그에게 길함과 흉함으로 그가 행할 것을 과감하게 결정해 주는 것과 같다.(筮, 揲著以決吉凶也. 言童蒙之人來求於我以發其蒙, 而我以正道果決彼之所行, 如筮者叩神以決疑, 而神告之吉凶以果決其所行也.)"
180 시초 오십 … 끼운다. : 『周易』「繫辭上」 9장에서는 "나누어 둘로 하는 것은 兩儀를 상징하고, '오른손의

1이 되고, 처음 세어 남은 것이 3과 1, 두 번째 세어 남은 것이 3과 3이 된다. 두 개의 짝수[偶]는 2가 되며, 처음 세어서 남은 것이 2와 2, 두 번째 세어서 남은 것이 4와 2가 된다. 하나는 홀수이고 하나는 짝수이면 3이 된다. 처음 세어서 남은 것이 4와 3, 두 번째 세어서 남은 것이 2와 1이 된다. 처음 세어 갖는 것은 강綱이고 두 번째 세어 갖는 것은 목目이다. 강1이 3을 포함하니 비움으로써 목을 기다린다. 목1이면 1이 되니, 그 실수實數로써 강을 따른다. 두 번 세어서 9수가 갖추어지고, 여덟 번 잡아서 6,561수가 갖추어진다. 나누고 합하는 변화는 고리처럼 끝이 없다. 천명天命과 인사人事는 이로부터 밝아지고, 길흉화복은 이로부터 드러난다. 대인大人은 이것을 얻어 복을 펼치고, 소인小人은 이것을 얻어 화를 피한다. 군자가 말하기를 '시초점은 신이 하는 것이다. 큰 일은 해[年]를 쓰고, 그 다음은 월月을 쓰고, 그 다음은 일日을 쓰며, 그 다음은 시時를 쓴다.'라고 했다. 12개의 목木은 지름을 9분分, 두께를 1분으로 한다. 양각陽刻에 1, 음각陰刻에 2인 경우가 넷, 양각에 2, 음각에 3인 경우가 넷, 양각에 3, 음각에 1인 경우가 넷이다. 그중 여덟 개를 섞어 취하여 위에서 아래로 좌측에서 우측으로 세로는 두 줄, 가로는 네 줄이 되게 한다. 세로는 9이며, 가로는 일·십·백·천이다. 나머지 넷은 쓰지 않는 것이니, 쓰지 않는 것의 쓰임이 된다. 앞뒤로 서로 곱하면 수가 갖추어진다.

[24-4-32]

數者, 理之時也, 辭者, 數之義也. 吉凶者, 辭之斷也. 惠迪從逆者, 吉凶之決也. 氣有醇漓, 故數有失得. 一成于數, 天地不能易之, 能易之者人也.

수數는 리理의 때이고, 점사占辭는 수數의 의미이며, 길흉은 점사의 판단判斷이다. 선善을 따르는 것과 역逆을 따르는 것은 길흉을 결정한다.[181] 기氣에 후함과 박함이 있으므로 수數에는 얻고 잃음이 있다. 한 번 수가 이루어지면 천지도 그것을 바꾸지 못하는데, 바꿀 수 있는 것은 사람이다.

[24-4-33]

一吉而九凶, 三祥而七災, 八休而二咎, 四吝而六悔, 八數周流, 推類而求. 五中則平, 四害不親. 厥或是攖, 雜而不純. 承平之世, 視主廢置, 凶咎災吝, 有命不摯.

1은 길하고 9는 흉하며, 3은 상서롭고 7은 재앙이며, 8은 아름답고 2는 허물되며, 4는 부끄럽고 6은 뉘우친다. 8수八數가 두루 흘러서 비슷한 것을 미루어 구한다. 5는 가운데로서 평탄하니 네 가지 해로움과 친하지 않다. 혹 여기에 걸리면 잡되어 순수하지 않다. 태평 시대에도 주인이 폐하여질 것처럼 보고, 흉함과 허물과 재앙과 부끄러움은 명命이 있어도 잡지 말라.

. . . .

1개의 시초를 뽑아 왼손 새끼손가락과 넷째 손가락 사이에 걸어두는[掛] 것은 三才를 상징하며, 4개씩 세는 것은 사계절을 상징하고, 나머지를 되돌려서 '왼손의 셋째 손가락과 넷째 손가락 사이에 끼우는 것[扐]'은 윤년을 상징한다. 5년에 두 번 윤년이 드니, 그러므로 '다시 한 번 오른손에 쥔 것을 4개씩 세고 남은 시초를 왼손의 둘째 손가락과 셋째 손가락 사이에 끼우고[再扐]', 그 뒤에 걸어둔다.(分而爲二以象兩, 掛一以象三, 揲之以四以象四時, 歸奇於扐以象閏, 五歲再閏, 故再扐而後掛.)"라고 하였다.

181 善을 따르는 … 결정한다. : 『書經』「大禹謨」 "道를 순전히 따르면 길하고 악을 따르면 흉하니, 마치 메아리와 같다.(惠迪吉, 從逆凶, 猶影響.)"

洪範皇極內篇二　홍범황극내편 2

洪範皇極內篇二
홍범황극내편 2

[25-0-0-1]

天台謝氏無槑曰：「「圖」出河，「書」出洛，「圖」爲『易』，「書」爲範. 『易』以象，「範」以數，象以偶，數以奇. 知有數奇而不知有象偶，是有書而無「圖」也；知有象偶而不知有數奇，是有圖而無「書」也. 『易』更四聖，其象已著，「範」錫神禹，其數不傳. 於是有以數爲象而奇零無用矣，於是有以象爲數而多偶難通矣. 夫推其極，則卦與疇，象與數，相因爲用，固也. 原其初，則卦自卦，疇自疇，象自象，數自數，其可混而一之乎? 九峯先生廣西山之家學，暢考亭之師傳，著『皇極內篇』，與『大易』並行. 嘗卽之而求其數矣，始於一，參於三，究於九，成於八十一，備於六千五百六十一. 散之無外，卷之無內，體諸造化而不可遺，其變化無窮，未易以綱舉而條列也. 然其吉凶其悔吝，其災祥休咎，莫不粲然具見於八十有一章.

천태 사씨天台謝氏 무무無槑가 말했다. "「하도河圖」가 황하黃河에서 나오고 「낙서洛書」가 낙수洛水에서 나와서, 「하도」는 『역易』이 되고 「낙서」는 「홍범洪範」이 되었다. 『역』은 상象을 가지고 하고 「홍범」은 수數를 가지고 했으며, 상은 짝偶으로 하고 수는 홀奇로 했다. 수에 홀이 있는 것을 알면서 상에 짝이 있는 것을 알지 못하면 이는 「낙서」만 있고 「하도」는 없는 것이고, 상에 짝이 있는 것은 알면서 수에 홀이 있는 것을 알지 못하면 이는 「하도」만 있고 「낙서」는 없는 것이다. 『역』은 네 성인聖人을 거쳐 그 상이 이미 드러났는데, 「홍범」은 우禹임금에게 주었지만 그 수가 전하지 않는다. 이에 수를 상으로 삼으니 기령奇零(소수점 이하의 숫자)이 쓸모가 없고, 이에 상을 수로 삼으니 짝수가 많아 통하기 어려웠다.

그 극을 미루어 들어가면 괘卦와 주疇(구주九疇), 상象과 수數가 서로 인하여 작용하는 것이 분명하다. 그 시원을 캐면 괘는 괘이고 주는 주이며, 상은 상이고 수는 수이니 섞어서 하나로 할 수 있겠는가? 구봉선생九峯先生[蔡沈]이 서산西山[蔡元定][1]의 가학家學을 넓히고, 고정考停[朱熹]의 전수傳受를 펼쳐서

---

1 蔡元定(1135~1198)：자는 季通이고, 세칭 西山先生이라 하였다. 송대 建陽(현 복건성 건양) 사람으로 주희를 경모하여 스승으로 받들었으나, 주희가 도리어 제자가 아닌 친구로 대우하였다. 그의 학문은 신유학뿐 아니라 천문·지리·樂律·歷數·兵陣 등에 뛰어났다. 특히 象數學에 조예가 깊어 주희의 『易學啓蒙』 저술에 참여

『홍범황극내편』을 지어 『주역』과 병행하게 했다. 일찍이 여기에서 그 수를 구하니 1에서 시작하여 3에 참여하고, 9를 추구하여 81이 완성하고 6,561가지가 갖추어진다. 흩어 놓으면 밖이 없고 거두어 들이면 안이 없어서, 모든 조화의 본체가 되어 떼어 낼 수가 없으니, 그 변화가 무궁하여 강령을 들고 조목을 나열하기 쉽지 않다. 그러나 그 길吉·흉凶과 후회悔·뉘우침悔, 재앙災·상서로움祥·좋음休·허물咎이 그 81장에 모두 찬연히 갖추어 보이지 않음이 없다.

大抵以性命爲端, 以禮義爲準, 因占設教, 卽事示戒. 欲正而不欲邪, 欲中而不欲偏, 爲君子 謀而不爲小人謀. 凡所以揭天理叙民彝, 祛世迷障人欲者, 雖不與『易』同象, 而未嘗不與易 同歸也. 其言曰, '天地所以肇, 人物所以生, 萬事所以得失, 皆數也. 數之體著於形, 數之用 妙乎理, 非窮神知化, 獨立物表者, 曷足以與此? 嗚呼. 窮神知化, 獨立物表, 未易言也, 九 峯先生其幾是歟! 不然, 將不知而作爲『元包』, 爲『洞極』, 爲『潛虛』. 程子謂有之無所補, 無 之靡所闕矣. 其何以闡範數, 配易象, 補前古之闕文, 垂將來之大法乎? 享數弗遲, 釋數未 備, 尙不能無俟於後之君子, 是則猶有遺恨焉耳.'

대저 성性·명命을 단서로 삼고 예禮·의義를 준칙으로 삼아서, 점占에 따라 가르침을 베풀고 일에서 경계警戒를 보여주었다. 바르게 하고자 하지 사특하게 하고자 하지 않고, 중절中節하고자 하지 치우 치게 하고자 하지 않으며, 군자君子를 위해 도모하지 소인小人을 위해 도모하지 않는다. 무릇 천리天 理를 드러내고 백성의 떳떳함을 서술하며 세상의 미혹을 제거하고 인욕을 막는 것이 비록 『역』과 상象은 다르지만 『역』과 함께 같은 곳으로 귀결하지 않은 적이 없다. 그 말에 '하늘과 땅이 열리고 사람과 사물이 생겨나고 만사에 득실이 있는 까닭이 모두 수數이다. 수의 체體가 형상으로 드러나고 수의 용用이 이치로 묘하게 운용되는 것은 신묘함을 궁구하고 조화造化를 알아서[2] 만물 위에 홀로 우뚝 선 자가 아니면 어찌 여기에 참여할 수 있겠는가?'라고 했다. 아! 신묘함을 궁구하고 조화를 알아서 만물 위에 홀로 우뚝 서는 것은 쉽게 말할 수가 없는데, 구봉선생은 거의 여기에 이르렀을 것이다! 그렇지 않으면 장차 알지 못하고 지은 『원포元包』[3]나 『통극洞極』,[4] 『잠허潛虛』[5]가 되어, 정자 程子가 말한 바 '있어도 도움 될 것이 없고 없어도 아쉬울 것이 없는 것'[6]이 되었을 것이다. 그 어찌

....

한 것으로 알려진다. 말년에 주희와 함께 慶元黨禁의 표적이 되어 귀양을 가서 생을 마쳤다. 저서는 『律呂新 書』·『八陣圖說』·『洪範解』 등이 있다.

2 신묘함을 궁구하고 造化를 알아서: 『周易』「繫辭下」 5장

3 『元包』: 北周의 衛元嵩이 짓고 唐의 蘇源明이 傳을 李江이 註를 단 책이다. 5권으로 되어 있으며 문장이 까다롭고 僻字가 많다고 한다.

4 『洞極』: 삼국시대 魏나라 關朗의 저작이다. 洞極元經 혹은 洞極眞經이라고도 하며, 易의 원리로 天·地·人의 이치와 현상을 설명했다.

5 『潛虛』: 司馬光의 저서로서 양웅의 『太玄』을 모방하여 만든 책이다. 義理·圖式·術數 3부분으로 구성되어 있다. 의리 부분은 五行(水·火·木·金·土)을 기초로 陰陽·域卦·筮占의 기본 사상을 흡수, 천지만물의 생성과 우주질서의 변화를 담고 있다. 『太玄』에서 의리 문제를 많이 설명했으나, 영향을 확대하기 어렵다고 생각하여 하나의 독특한 도식과 술수를 만들었다고 한다.

「홍범」의 수를 넓히고 『역』의 상과 짝하여, 옛날의 빠진 문장을 보충하고 장래의 큰 법을 드리웠다고 할 수 있겠는가? 수의 연역을 다하지 못하고 수를 해석한 것이 완비되지 못했기에, 여전히 후세의 군자를 기다리지 않을 수 없으니, 이것이 여전히 한으로 남을 뿐이다.

---

6 '있어도 도움 … 것': 『二程文集』권10 「答朱長文書」에 "聖賢의 말은 부득이해서 한 것이다. 이 말이 있으면 이 이치가 밝아지고 이 말이 없으면 천하의 이치가 결함되는 것이다. … 후세의 사람들이 처음으로 책을 읽을 때에는 문장을 앞세우니, 평생 한 것이 자주 성인보다 많다. 그러나 그것이 있어도 도움 될 것이 없고, 그것이 없어도 아쉬울 것이 없으니 쓸데없는 군더더기 말일 뿐이다. 군더더기 말일 뿐만 아니라 이미 그 긴요한 점을 얻지 못하였으니 진실에서 떠나 바른 것을 잃게 되어 오히려 도에 반드시 해롭다.(聖賢之言, 不得已也. 盖有是言, 則是理明. 無是言, 則天下之理有闕焉. … 後之人始執卷, 則以文章爲先, 平生所爲, 動多於聖人. 然有之無所補, 無之靡所闕, 乃無用之贅言也. 不止贅而已, 既不得其要, 則離眞失正, 反害於道必矣.)"라고 하였다.

皇極內篇 數總名　황극내편 수총명

									皇極內篇 數總名
親	柔	祈	冲	厲	閑	直	守	原	
華	易	常	振	成	須	蒙	信	潛	

庶	錫	章	公	開	舒	興	育	從	見
決	靡	盈	益	晉	比	欣	壯	交	獲

除	迅	翕	用	昧	戾	寡	過	中	豫
弱	懼	遠	郤	損	虛	飾	疑	伏	升

壬	勝	養	戎	報	堅	賓	收	分	疾
固	囚	遇	結	止	革	危	實	訟	競

								終	移
									墮

今列八十一圖于后.

이제 81도를 뒤에 나열한다.

川原 一之一 1의 1

原, 元吉. 幾君子有慶. 數曰. 原誠之源也. 幾, 繼之善也. 君子見幾, 有終慶矣.

원은 크게 길하다. 기미幾微를 알아서 군자君子는 경사慶事가 있다. 수數에서 말했다. 원은 성성의 근원이다.
기미는 선을 계승한 것이다. 군자는 기미를 보니 끝내 경사가 있다.

冬至蚯蚓結.7

동지에 지렁이가 웅크린다.

凶 吉	休 吉	灾 吉	悔 吉	平 吉	吝 吉	祥 吉	咎 吉	元 吉
凶 咎	休 咎	灾 咎	悔 咎	平 咎	吝 咎	祥 咎	咎 咎	吉 咎
凶 祥	休 祥	灾 祥	悔 祥	平 祥	吝 祥	祥 祥	咎 祥	吉 祥
凶 吝	休 吝	灾 吝	悔 吝	平 吝	吝 吝	祥 吝	咎 吝	吉 吝
凶 平	休 平	灾 平	悔 平	平 平	吝 平	祥 平	咎 平	吉 平
凶 悔	休 悔	灾 悔	悔 悔	平 悔	吝 悔	祥 悔	咎 悔	吉 悔
凶 灾	休 灾	灾 灾	悔 灾	平 灾	吝 灾	祥 灾	咎 灾	吉 灾
凶 休	休 休	灾 休	悔 休	平 休	吝 休	祥 休	咎 休	吉 休
大 凶	休 凶	灾 凶	悔 凶	平 凶	吝 凶	祥 凶	咎 凶	吉 凶

7 이 月令 時候는 81圖 안의 *표시 한 곳에 들어갈 내용임. 月令 時候는 『禮記』 권6 「月令」 참조

‖潛 一之二 ‖잠 1의 2

潛, 勿用有攸往. 正靜吉. 數曰. 以下並缺.

잠은 가지 마라. 가만히 바르게 있는 것이 길하다. 수에서 말했다. 이하는 모두 누락되었다.

鹿角解.

사슴뿔이 떨어진다.

凶 吝	休 吝	災 吝	悔 吝	平 吝	吝 吝	祥 吝	咎 吝	吉 吝
凶 吉	休 吉	災 吉	悔 吉	平 吉	吝 吉	祥 吉	咎 吉	元 吉
凶 咎	休 咎	災 咎	悔 咎	平 咎	吝 咎	祥 咎	咎 咎	吉 咎
凶 災	休 災	災 災	悔 災	平 災	吝 災	祥 災	咎 災	吉 災
凶 平	休 平	災 平	悔 平	平 平	吝 平	祥 平	咎 平	吉 平
凶 祥	休 祥	災 祥	悔 祥	平 祥	吝 祥	祥 祥	咎 祥	吉 祥
凶 休	休 休	災 休	悔 休	平 休	吝 休	祥 休	咎 休	吉 休
大 凶	休 凶	災 凶	悔 凶	平 凶	吝 凶	祥 凶	咎 凶	吉 凶
凶 悔	休 悔	災 悔	悔 悔	平 悔	吝 悔	祥 悔	咎 悔	吉 悔

[25-2-3]

ⅢⅡ守 一之三 ⅢⅡ수 1의 3

守, 居正吉, 不利有攸往.

수는 정도를 지키고 있는 것이 길하고 가는 것은 이롭지 않다.

水泉動

샘물이 움직인다.

凶	休	灾	悔	平	吝	祥	咎	吉
凶 灾	休 灾	灾 灾	悔 灾	平 灾	吝 灾	祥 灾	咎 灾	吉 灾
凶 吝	休 吝	灾 吝	悔 吝	平 吝	吝 吝	祥 吝	咎 吝	吉 吝
凶 吉	休 吉	灾 吉	悔 吉	平 吉	吝 吉	祥* 吉	咎 吉	元 吉
凶 休	休 休	灾 休	悔 休	平 休	吝 休	祥 休	咎 休	吉 休
凶 平	休 平	灾 平	悔 平	平 平	吝 平	祥 平	咎 平	吉 平
凶 咎	休 咎	灾 咎	悔 咎	平 咎	吝 咎	祥 咎	咎 咎	吉 咎
大 凶	休 凶	灾 凶	悔 凶	平 凶	吝 凶	祥 凶	咎 凶	吉 凶
凶 悔	休 悔	灾 悔	悔 悔	平 悔	吝 悔	祥 悔	咎 悔	吉 悔
凶 祥	休 祥	灾 祥	悔 祥	平 祥	吝 祥	祥 祥	咎 祥	吉 祥

ⅠⅢⅢ信 一之四　ⅠⅢⅢ신 1의 4

信, 中實有孚, 利祭祀.

신은 마음이 실하여 믿음이 있으니, 제사를 지내는 것이 이롭다.

小寒雁北向.

소한에 기러기가 북쪽을 향해 날아간다.

凶 咎	休 咎	灾 咎	悔 咎	平 咎	吝 咎	祥 咎	咎 咎	吉 咎
凶 祥	休 祥	灾 祥	悔 祥	平 祥	吝 祥	祥 祥	咎 祥	吉 祥
凶 悔	休 悔	灾 悔	悔 悔	平 悔	吝 悔	祥 悔	咎 悔	吉 悔
凶 吉	休 吉	灾 吉	悔 吉	平 吉	吝 吉	祥 吉	咎 吉	元 吉
凶 平	休 平	灾 平	悔 平	平 平	吝 平	祥 平	咎 平	吉 平
大 凶	休 凶	灾 凶	悔 凶	平 凶	吝 凶	祥 凶	咎 凶	吉 凶
凶 吝	休 吝	灾 吝	悔 吝	平 吝	吝 吝	祥 吝	咎 吝	吉 吝
凶 灾	休 灾	灾 灾	悔 灾	平 灾	吝 灾	祥 灾	咎 灾	吉 灾
凶 休	休 休	灾 休	悔 休	平 休	吝 休	祥 休	咎 休	吉 休

||||直 一之五　||||직 1의 5

直, 有事勿事. 敬之吉. 正凶. 利見大人.

직은 일이 있더라도 일삼지 말라. 경敬하면 길하다. 정도를 가더라도 흉하다. 대인을 만나는 것이 이롭다.

鵲始巢.

까치가 집을 짓기 시작한다.

凶平	休平	災平	悔平	平平	吝平	祥平	咎平	吉平
凶平	休平	災平	悔平	平平	吝平	祥平	咎平	吉平
凶平	休平	災平	悔平	平平	吝平	祥平	咎平	吉平
凶平	休平	災平	悔平	平平	吝平	祥平	咎平	吉平
凶吉	休吉	災吉	悔吉	平吉	吝吉	祥吉	咎吉	元吉
凶平	休平	災平	悔平	平平	吝平	祥平	咎平	吉平
凶平	休平	災平	悔平	平平	吝平	祥平	咎平	吉平
凶平	休平	災平	悔平	平平	吝平	祥平	咎平	吉平
凶平	休平	災平	悔平	平平	吝平	祥平	咎平	吉平

䷃蒙 一之六 ䷃몽 1의 6

蒙, 小事吉. 内明外蒙, 迫則凶. 利敎學.

몽은 작은 일은 길하다. 안은 밝고 밖은 어두우니, 몰아세우면 흉하다. 가르치고 배우는 것이 이롭다.

雉始鳴.

꿩이 울기 시작한다.

凶休	休休	災休	悔休	平休	吝休	祥休	咎休	吉休
凶災	休災	災災	悔災	平災	吝災	祥災	咎災	吉災
凶吝	休吝	災吝	悔吝	平吝	吝吝	祥吝	咎吝	吉吝
大凶	休凶	災凶	悔凶	平凶	吝凶	祥凶	咎凶	吉凶
凶平	休平	災平	悔平	平平	吝平	祥平	咎平	吉平
凶吉	休吉	災吉	悔吉*	平吉	吝吉	祥吉	咎吉	元吉
凶悔	休悔	災悔	悔悔	平悔	吝悔	祥悔	咎悔	吉悔
凶祥	休祥	災祥	悔祥	平祥	吝祥	祥祥	咎祥	吉祥
凶咎	休咎	災咎	悔咎	平咎	吝咎	祥咎	咎咎	吉咎

|Ⅲ閑 一之七　|Ⅲ한 1의 7

閑, 厲, 利禦寇. 勿越勿逐.

한은 위태로우니 도적을 막는 것이 이롭다. 뛰어넘지 말고 쫓아가지 마라.

大寒鷄始乳.

대한大寒에 닭이 알을 품기 시작한다.

凶 祥	休 祥	災 祥	悔 祥	平 祥	吝 祥	祥 祥	咎 祥	吉 祥
凶 悔	休 悔	災 悔	悔 悔	平 悔	吝 悔	祥 悔	咎 悔	吉 悔
大 凶	休 凶	災 凶	悔 凶	平 凶	吝 凶	祥 凶	咎 凶	吉 凶
凶 咎	休 咎	災 咎	悔 咎	平 咎	吝 咎	祥 咎	咎 咎	吉 咎
凶 平	休 平	災 平	悔 平	平 平	吝 平	祥 平	咎 平	吉 平
凶 休	休 休	災 休	悔 休	平 休	吝 休	祥 休	咎 休	吉 休
凶 吉	休 吉	災 吉	悔 吉	平 吉	吝 吉	祥 吉	咎 吉	元 吉
凶 吝	休 吝	災 吝	悔 吝	平 吝	吝 吝	祥 吝	咎 吝	吉 吝
凶 災	休 災	災 災	悔 災	平 災	吝 災	祥 災	咎 災	吉 災

須 一之八   須 1의 8

須, 有孚未明, 不利攸行, 中正有慶.

수는 미더움이 있으나 아직 밝지 못하니, 가는 것은 이롭지 않고 중정中正하면 경사가 있다.

征鳥厲疾.

멀리 나는 새가 사납고 빠르다.

凶 悔	休 悔	灾 悔	悔 悔	平 悔	吝 悔	祥 悔	咎 悔	吉 悔
大 凶	休 凶	灾 凶	悔 凶	平 凶	吝 凶	祥 凶	咎 凶	吉 凶
凶 休	休 休	灾 休	悔 休	平 休	吝 休	祥 休	咎 休	吉 休
凶 祥	休 祥	灾 祥	悔 祥	平 祥	吝 祥	祥 祥	咎 祥	吉 祥
凶 平	休 平	灾 平	悔 平	平 平	吝 平	祥 平	咎 平	吉 平
凶 灾	休 灾	灾 灾	悔 灾	平 灾	吝 灾	祥 灾	咎 灾	吉 灾
凶 咎	休 咎	灾 咎	悔 咎	平 咎	吝 咎	祥 咎	咎 咎	吉 咎
凶 吉	休 吉	灾 吉	悔 吉	平 吉	吝 吉	祥 吉	咎 吉	元 吉
凶 吝	休 吝	灾 吝	悔 吝	平 吝	吝 吝	祥 吝	咎 吝	吉 吝

||||厲 一之九 |||||려 1의 9

厲, 征鳥厲疾. 無初有終, 吉.

려는 멀리 나는 새가 사납고 빠르다. 시작은 없으나 끝이 있으니 길하다.

大凶	休凶	災凶	悔凶	平凶	吝凶	祥凶	咎凶	吉凶
凶休	休休	災休	悔休	平休	吝休	祥休	咎休	吉休
凶災	休災	災災	悔災	平災	吝災	祥災	咎災	吉災
凶悔	休悔	災悔	悔悔	平悔	吝悔	祥悔	咎悔	吉悔
凶平	休平	災平	悔平	平平	吝平	祥平	咎平	吉平
凶吝	休吝	災吝	悔吝	平吝	吝吝	祥吝	咎吝	吉吝
凶祥	休祥	災祥	悔祥	平祥	吝祥	祥祥	咎祥	吉祥
凶咎	休咎	災咎	悔咎	平咎	吝咎	祥咎	咎咎	吉咎
凶吉	休吉	災吉	悔吉	平吉	吝吉	祥吉	咎吉	元吉

☲成 二之一 ☲성 2의 1

成, 正惠, 有終吉. 不利有攸往, 勿首事. 毀成凶.

성은 바른 은혜이면 끝이 있어 길하다. 가는 것은 이롭지 않으니 앞장서서 일하지 말라. 이룬 것을 무너뜨리니 흉하다.

水澤復堅.

연못물이 다시 언다.

悔 吉	凶 吉	休 吉	祥 吉	平 吉	灾 吉	咎 吉	元 吉	吝 吉
悔 咎	凶 咎	休 咎	祥 咎	平 咎	灾 咎	咎 咎	吉 咎	吝 咎
悔 祥	凶 祥	休 祥	祥 祥	平 祥	灾 祥	咎 祥	吉 祥	吝 祥
悔 吝	凶 吝	休 吝	祥 吝	平 吝	灾 吝	咎 吝	吉 吝	吝 吝
悔 平	凶 平	休 平	祥 平	平 平	灾 平	咎 平	吉 平	吝 平
悔 悔	凶 悔	休 悔	祥 悔	平 悔	灾 悔	咎 悔	吉 悔	吝 悔
悔 灾	凶 灾	休 灾	祥 灾	平 灾	灾 灾	咎 灾	吉 灾	吝 灾
悔 休	凶 休	休 休	祥 休	平 休	灾 休	咎 休	吉 休	吝 休
悔 凶	大 凶	休 凶	祥 凶	平 凶	灾 凶	咎 凶	吉 凶	吝 凶

‖‖冲 二之二 ‖‖충 2의 2

冲, 元亨. 大君體仁, 首出庶物. 萬國以寧, 無不利.

충은 크게 형통하니, 대군大君이 인仁을 체득하여 만물 중 으뜸으로 빼어나다. 만국이 그래서 평안하니 이롭지 않음이 없다.

立春東風解凍.

입춘에 봄바람이 얼음을 녹인다.

悔吝	凶吝	休吝	祥吝	平吝	災吝	咎吝	吉吝	吝吝
悔吉	凶吉	休吉	祥吉	平吉	災吉	咎吉	元吉	吝吉
悔咎	凶咎	休咎	祥咎	平咎	災咎	咎咎	吉咎	吝咎
悔災	凶災	休災	祥災	平災	災災	咎災	吉災	吝災
悔平	凶平	休平	祥平	平平	災平	咎平	吉平	吝平
悔祥	凶祥	休祥	祥祥	平祥	災祥	咎祥	吉祥	吝祥
悔休	凶休	休休	祥休	平休	災休	咎休	吉休	吝休
悔凶	大凶	休凶	祥凶	平凶	災凶	咎凶	吉凶	吝凶
悔悔	凶悔	休悔	祥悔	平悔	災悔	咎悔	吉悔	吝悔

[25-3-3]

𝍇𝍊振 二之三 𝍊𝍇진 2의 3

振, 宣布文德, 率作怠慢, 不恭凶.

진은 문덕文德을 선포하고 태만한 백성을 거느려 진작시키니 공손치 못하면 흉하다.

> 蟄蟲始振.
>
> 겨울잠 자던 벌레가 깨기 시작한다.

悔 災	凶 災	休 災	祥 災	平 災	災 災	咎 災	吉 災	吝 災
悔 吝	凶 吝	休 吝	祥 吝	平 吝	災 吝	咎 吝	吉 吝	吝 吝
悔 吉	凶 吉	休 吉	祥 吉	平 吉	災 吉	咎 吉	元 吉	吝 吉
悔 休	凶 休	休 休	祥 休	平 休	災 休	咎 休	吉 休	吝 休
悔 平	凶 平	休 平	祥 平	平 平	災 平	咎 平	吉 平	吝 平
悔 咎	凶 咎	休 咎	祥 咎	平 咎	災 咎	咎 咎	吉 咎	吝 咎
悔 凶	大 凶	休 凶	祥 凶	平 凶	災 凶	咎 凶	吉 凶	吝 凶
悔 悔	凶 悔	休 悔	祥 悔	平 悔	災 悔	咎 悔	吉 悔	吝 悔
悔 祥	凶 祥	休 祥	祥 祥	平 祥	災 祥	咎 祥	吉 祥	吝 祥

[25-3-4]

‖‖‖祈 二之四　‖‖‖기 2의 4

祈. 求而往, 無不利. 祭祀吉.

기는 찾아서 나아가면 이룹지 아니함이 없다. 제사를 지내는 것이 이룹다.

魚上氷.

물고기가 얼음 위로 뛰어오른다.

悔 咎	凶 咎	休 咎	祥 咎	平 咎	灾 咎	咎 咎	吉 咎	吝 咎
悔 祥	凶 祥	休 祥	祥 祥	平 祥	灾 祥	咎 祥	吉 祥	吝 祥
悔 悔	凶 悔	休 悔	祥 悔	平 悔	灾 悔	咎 悔	吉 悔	吝 悔
悔 吉	凶 吉	休 吉	祥 吉	平 吉	灾 吉	咎 吉	元 吉*	吝 吉
悔 平	凶 平	休 平	祥 平	平 平	灾 平	咎 平	吉 平	吝 平
悔 凶	大 凶	休 凶	祥 凶	平 凶	灾 凶	咎 凶	吉 凶	吝 凶
悔 吝	凶 吝	休 吝	祥 吝	平 吝	灾 吝	咎 吝	吉 吝	吝 吝
悔 灾	凶 灾	休 灾	祥 灾	平 灾	灾 灾	咎 灾	吉 灾	吝 灾
悔 休	凶 休	休 休	祥 休	平 休	灾 休	咎 休	吉 休	吝 休

‖‖‖‖常 二之五 ‖‖‖‖상 2의 5

常, 元亨, 利不息之貞.

상은 크게 형통하니, 쉼 없이 정도를 지킴이 이롭다.

雨水獺祭魚.

우수에 수달이 물고기를 잡아 제사지낸다.

悔 平	凶 平	休 平	祥 平	平 平	災 平	咎 平	吉 平	吝 平
悔 平	凶 平	休 平	祥 平	平 平	災 平	咎 平	吉 平	吝 平
悔 平	凶 平	休 平	祥 平	平 平	災 平	咎 平	吉 平	吝 平
悔 平	凶 平	休 平	祥 平	平 平	災 平	咎 平	吉 平	吝 平
悔 吉	凶 吉	休 吉	祥 吉	平 吉	災 吉	咎 吉	元 吉	吝 吉
悔 平	凶 平	休 平	祥 平	平 平	災 平	咎 平	吉 平	吝 平
悔 平	凶 平	休 平	祥 平	平 平	災 平	咎 平	吉 平	吝 平
悔 平	凶 平	休 平	祥 平	平 平	災 平	咎 平	吉 平	吝 平
悔 平	凶 平	休 平	祥 平	平 平	災 平	咎 平	吉 平	吝 平

∥T柔 二之六　∥T유 2의 6

柔, 惠, 利用正, 婦人吉, 夫子凶.

유는 은혜를 베푸는데 정도로써 하는 것이 이로우니, 부인은 길하고 남편은 흉하다.

鴻雁來.

기러기가 날아온다.

悔 休	凶 休	休 休	祥 休	平 休	灾 休	咎 休	吉 休	吝 休
悔 灾	凶 灾	休 灾	祥 灾	平 灾	灾 灾	咎 灾	吉 灾	吝 灾
悔 吝	凶 吝	休 吝	祥 吝	平 吝	灾 吝	咎 吝	吉 吝	吝 吝
悔 凶	大 凶	休 凶	祥 凶	平 凶	灾 凶	咎 凶	吉 凶	吝 凶
悔 平	凶 平	休 平	祥 平	平 平	灾 平	咎 平	吉 平	吝 平
悔 吉	凶 吉	休 吉	祥 吉*	平 吉	灾 吉	咎 吉	元 吉	吝 吉
悔 悔	凶 悔	休 悔	祥 悔	平 悔	灾 悔	咎 悔	吉 悔	吝 悔
悔 祥	凶 祥	休 祥	祥 祥	平 祥	灾 祥	咎 祥	吉 祥	吝 祥
悔 咎	凶 咎	休 咎	祥 咎	平 咎	灾 咎	咎 咎	吉 咎	吝 咎

ⅡⅢ易 二之七 ⅡⅢ이 2의 7

易, 百物順生, 庶事順成, 平易近民, 難險凶. 不利涉大川.

이는 만물이 순조롭게 나고 만사가 순조롭게 이루어지니, 평이하면 백성이 친근히 여기고, 어렵고 험하면 흉하다. 대천大川을 건너가면 이롭지 않다.

　　草木萌動.

　　초목이 싹튼다.

悔祥	凶祥	休祥	祥祥	平祥	災祥	咎祥	吉祥	吝祥
悔悔	凶悔	休悔	祥悔	平悔	災悔	咎悔	吉悔	吝悔
悔凶	大凶	休凶	祥凶	平凶	災凶	咎凶	吉凶	吝凶
悔咎	凶咎	休咎	祥咎	平咎	災咎	咎咎	吉咎	吝咎
悔平	凶平	休平	祥平	平平	災平	咎平	吉平	吝平
悔休	凶休	休休	祥休	平休	災休	咎休	吉休	吝休
悔吉	凶吉	休吉	祥吉*	平吉	災吉	元吉	吉吉	吝吉
悔吝	凶吝	休吝	祥吝	平吝	災吝	咎吝	吉吝	吝吝
悔災	凶災	休災	祥災	平災	災災	咎災	吉災	吝災

∥Ⅲ親 二之八 ∥Ⅲ친 2의 8

親, 內和順而外文明. 父父子子兄兄弟弟夫夫婦婦, 上下睦而家道亨.

친은 안으로 화순和順하고 밖으로 문명文明한다. 아버지는 아버지답고 아들은 아들다우며 형은 형답고 아우는 아우답고 남편은 남편다우며 아내는 아내다워 상하가 화목하니 가도家道가 형통하다.

桃始華.

복숭아꽃이 피기 시작한다.

悔悔	凶悔	休悔	祥悔	平悔	災悔	咎悔	吉悔	吝悔
悔凶	大凶	休凶	祥凶	平凶	災凶	咎凶	吉凶	吝凶
悔休	凶休	休休	祥休	平休	災休	咎休	吉休	吝休
悔祥	凶祥	休祥	祥祥	平祥	災祥	咎祥	吉祥	吝祥
悔平	凶平	休平	祥平	平平	災平	咎平	吉平	吝平
悔災	凶災	休災	祥災	平災	災災	咎災	吉災	吝災
悔咎	凶咎	休咎	祥咎	平咎	災咎	咎咎	吉咎	吝咎
悔吉	凶吉	休吉	祥吉	平吉	災吉	咎吉	元吉	吝吉
悔吝	凶吝	休吝	祥吝	平吝	災吝	咎吝	吉吝	吝吝

‖Ⅲ華 二之九 ‖Ⅲ화 2의 9

華, 文明以正, 利有攸行, 不利折獄. 木道乃行.

화는 문명文明으로 바로잡으니 가는 것이 이롭고, 옥사를 판결하는 것은 이롭지 않다. 목도木道라야 행할 수 있다.

悔凶	大凶	休凶	祥凶	平凶	灾凶	咎凶	吉凶	吝凶
悔休	凶休	休休	祥休	平休	灾休	咎休	吉休	吝休
悔灾	凶灾	休灾	祥灾	平灾	灾灾	咎灾	吉灾	吝灾
悔悔	凶悔	休悔	祥悔	平悔	灾悔	咎悔	吉悔	吝悔
悔平	凶平	休平	祥平	平平	灾平	咎平	吉平	吝平
悔吝	凶吝	休吝	祥吝	平吝	灾吝	咎吝	吉吝	吝吝
悔祥	凶祥	休祥	祥祥	平祥	灾祥	咎祥	吉祥	吝祥
悔咎	凶咎	休咎	祥咎	平咎	灾咎	咎咎	吉咎	吝咎
悔吉	凶吉	休吉	祥吉	平吉	灾吉	咎吉	元吉	吝吉

⫼丨見 三之一 ⫼丨현 3의 1

見, 一氣旣信, 百有著形, 睟面盎背. 德潤厥身, 隱匿凶.

현은 일기가 펼쳐지고 나서 온갖 모습이 드러나니 얼굴이 환하고 등에까지 넘쳐난다. 덕德이 윤택하게 하니 숨으면 흉하다.

　　倉庚鳴.

　　꾀꼬리가 운다.

祥吉	悔吉	凶吉	咎吉	平吉	休吉	元吉	吝吉	災吉[*]
祥咎	悔咎	凶咎	咎咎	平咎	休咎	吉咎	吝咎	災咎
祥祥	悔祥	凶祥	咎祥	平祥	休祥	吉祥	吝祥	災祥
祥吝	悔吝	凶吝	咎吝	平吝	休吝	吉吝	吝吝	災吝
祥平	悔平	凶平	咎平	平平	休平	吉平	吝平	災平
祥悔	悔悔	凶悔	咎悔	平悔	休悔	吉悔	吝悔	災悔
祥災	悔災	凶災	咎災	平災	休災	吉災	吝災	災災
祥休	悔休	凶休	咎休	平休	休休	吉休	吝休	災休
祥凶	悔凶	大凶	咎凶	平凶	休凶	吉凶	吝凶	災凶

⫼⫼獲 三之二 ⫼⫼획 3의 2

獲, 氣質形色, 自天有得. 君子遷善, 小人革面. 縱逸凶.

획은 기질과 형색은 하늘로부터 얻은 것이다. 군자는 선을 실천하고 소인은 착한 척한다. 방종하고 안일하면 흉하다.

鷹化爲鴿.

매가 비둘기로 변한다.

祥吝	悔吝	凶吝	咎吝	平吝	休吝	吉吝	吝吝	灾吝
祥吉	悔吉	凶吉	咎吉	平吉	休吉	元吉	吝吉	灾吉
祥咎	悔咎	凶咎	咎咎	平咎	休咎	吉咎	吝咎	灾咎
祥灾	悔灾	凶灾	咎灾	平灾	休灾	吉灾	吝灾	灾灾
祥平	悔平	凶平	咎平	平平	休平	吉平	吝平	灾平
祥祥	悔祥	凶祥	咎祥	平祥	休祥	吉祥	吝祥	灾祥
祥休	悔休	凶休	咎休	平休	休休	吉休	吝休	灾休
祥凶	悔凶	大凶	咎凶	平凶	休凶	吉凶	吝凶	灾凶
祥悔	悔悔	凶悔	咎悔	平悔	休悔	吉悔	吝悔	灾悔

[25-4-3]

‖‖‖從 三之三 ‖‖‖종 3의 3

從, 惟從非同. 不獲其身, 不見其人, 利有攸行.

종은 따르기만 하고 동화하지 않는다. 자신의 몸을 챙기지 않고 남도 보지 아니하니[8] 가는 것이 이롭다.

　　春分乙鳥至.

　　춘분에 제비가 온다.

祥灾	悔灾	凶灾	咎灾	平灾	休灾	吉灾	吝灾	灾灾
祥吝	悔吝	凶吝	咎吝	平吝	休吝	吉吝	吝吝	灾吝
祥吉	悔吉	凶吉	咎吉	平吉	休吉	元吉*	吝吉	灾吉
祥休	悔休	凶休	咎休	平休	休休	吉休	吝休	灾休
祥平	悔平	凶平	咎平	平平	休平	吉平	吝平	灾平
祥咎	悔咎	凶咎	咎咎	平咎	休咎	吉咎	吝咎	灾咎
祥凶	悔凶	大凶	咎凶	平凶	休凶	吉凶	吝凶	灾凶
祥悔	悔悔	凶悔	咎悔	平悔	休悔	吉悔	吝悔	灾悔
祥祥	悔祥	凶祥	咎祥	平祥	休祥	吉祥	吝祥	灾祥

- - - - - - - - - - - - - - - - - - - -

8 자신의 몸을 … 아니하니 : 『周易』 艮卦의 괘사가 "그 등에 그치면 자신의 몸을 챙기지 않고 뜰에 다녀도
　남을 보지 아니하니 허물이 없다.(艮其背, 不獲其身, 行其庭, 不見其人, 无咎.)"이다.

‖‖‖‖交 三之四 ‖‖‖‖교 3의 4

交, 唱而和, 感而應, 渙汗大號. 東南得朋, 征伐小利.

교는 부름에 화답하고 느낌에 응하여 큰 호령을 땀나도록 내려야 한다.[9] 동남쪽에서 벗을 얻고 정벌하면 조금 이롭다.

　　　雷乃發聲.

　　　우레가 소리를 낸다.

祥 咎	悔 咎	凶 咎	咎 咎	平 咎	休 咎	吉 咎	吝 咎	災 咎
祥 祥	悔 祥	凶 祥	咎 祥	平 祥	休 祥	吉 祥	吝 祥	災 祥
祥 悔	悔 悔	凶 悔	咎 悔	平 悔	休 悔	吉 悔	吝 悔	災 悔
祥 吉	悔 吉	凶 吉	咎 吉	平 吉	休 吉	元 吉*	吝 吉	災 吉
祥 平	悔 平	凶 平	咎 平	平 平	休 平	吉 平	吝 平	災 平
祥 凶	悔 凶	大 凶	咎 凶	平 凶	休 凶	吉 凶	吝 凶	災 凶
祥 吝	悔 吝	凶 吝	咎 吝	平 吝	休 吝	吉 吝	吝 吝	災 吝
祥 災	悔 災	凶 災	咎 災	平 災	休 災	吉 災	吝 災	災 災
祥 休	悔 休	凶 休	咎 休	平 休	休 休	吉 休	吝 休	災 休

- -

9　큰 호령을 … 한다. : 『周易』 渙卦 九五爻의 효사가 "풀어낼 때 큰 호령을 땀나도록 내려야 한다. 풀어낼 때 왕이 자리하면 허물이 없다.(渙汗其大號, 渙王居, 无咎.)"이다.

‖‖‖‖‖‖育 三之五　‖‖‖‖‖육 3의 5

育, 天地絪縕, 萬物化醇, 聖人順成, 生産吉.

육은 천지가 교합하여 만물이 생겨나니, 성인이 순하게 이루고 생산하니 길하다.

始電.

번개치기 시작한다.

祥 平	悔 平	凶 平	咎 平	平 平	休 平	吉 平	吝 平	災 平
祥 平	悔 平	凶 平	咎 平	平 平	休 平	吉 平	吝 平	災 平
祥 平	悔 平	凶 平	咎 平	平 平	休 平	吉 平	吝 平	災 平
祥 平	悔 平	凶 平	咎 平	平 平	休 平	吉 平	吝 平	災 平
祥 吉	悔 吉	凶 吉	咎 吉	平 吉	休 吉	元 吉	吝 吉	災 吉
祥 平	悔 平	凶 平	咎 平	平 平	休 平	吉 平	吝 平	災 平
祥 平	悔 平	凶 平	咎 平	平 平	休 平	吉 平	吝 平	災 平
祥 平	悔 平	凶 平	咎 平	平 平	休 平	吉 平	吝 平	災 平
祥 平	悔 平	凶 平	咎 平	平 平	休 平	吉 平	吝 平	災 平

䷡丁壯 三之六 ䷡丁장 3의 6

壯, 于正有攸往, 無不利.

장은 정도正道로 가면 이롭지 않음이 없다.

清明桐始華.

청명에 오동이 꽃피기 시작한다.

祥 休	悔 休	凶 休	咎 休	平 休	休 休	吉 休	吝 休	災 休
祥 災	悔 災	凶 災	咎 災	平 災	休 災	吉 災	吝 災	災 災
祥 吝	悔 吝	凶 吝	咎 吝	平 吝	休 吝	吉 吝	吝 吝	災 吝
祥 凶	悔 凶	大 凶	咎 凶	平 凶	休 凶	吉 凶	吝 凶	災 凶
祥 平	悔 平	凶 平	咎 平	平 平	休 平	吉 平	吝 平	災 平
祥 吉	悔 吉	凶 吉	咎 吉*	平 吉	休 吉	元 吉	吝 吉	災 吉
祥 悔	悔 悔	凶 悔	咎 悔	平 悔	休 悔	吉 悔	吝 悔	災 悔
祥 祥	悔 祥	凶 祥	咎 祥	平 祥	休 祥	吉 祥	吝 祥	災 祥
祥 咎	悔 咎	凶 咎	咎 咎	平 咎	休 咎	吉 咎	吝 咎	災 咎

‖‖丅丅興 三之七 ‖‖丅丅흥 3의 7

興, 吉, 利見大人. 天下文明, 萬邦黎獻, 方來不寧, 土役無度凶.

흥은 길하니 대인을 보는 것이 이롭다. 천하가 문명하니 만방의 현인들이 사방에서 와도 편안하지 않고 토목공사도 법도가 없으니 흉하다.

鼠化爲鴽.

쥐가 변하여 메추라기가 된다.

祥祥	悔祥	凶祥	咎祥	平祥	休祥	吉祥	吝祥	灾祥
祥悔	悔悔	凶悔	咎悔	平悔	休悔	吉悔	吝悔	灾悔
祥凶	悔凶	大凶	咎凶	平凶	休凶	吉凶	吝凶	灾凶
祥咎	悔咎	凶咎	咎咎	平咎	休咎	吉咎	吝咎	灾咎
祥平	悔平	凶平	咎平	平平	休平	吉平	吝平	灾平
祥休	悔休	凶休	咎休	平休	休休	吉休	吝休	灾休
祥吉	悔吉	凶吉*	咎吉	平吉	休吉	元吉	吝吉	灾吉
祥吝	悔吝	凶吝	咎吝	平吝	休吝	吉吝	吝吝	灾吝
祥灾	悔灾	凶灾	咎灾	平灾	休灾	吉灾	吝灾	灾灾

‖‖ Ⅲ 欣 三之八 ‖ Ⅲ 欣 3의 8

欣, 氣和時平, 萬物向榮, 君子樂道, 小人樂生. 淫於酒喪其明凶.

흔은 기후가 온화하고 시절이 평온하여 만물이 잘 자라나니, 군자는 도를 즐기고 소인은 삶을 즐긴다. 술에 빠져서 총명함을 잃으니 흉하다.

虹始見.

무지개가 보이기 시작한다.

祥悔	悔悔	凶悔	咎悔	平悔	休悔	吉悔	吝悔	灾悔
祥凶	悔凶	大凶	咎凶	平凶	休凶	吉凶	吝凶	灾凶
祥休	悔休	凶休	咎休	平休	休休	吉休	吝休	灾休
祥祥	悔祥	凶祥	咎祥	平祥	休祥	吉祥	吝祥	灾祥
祥平	悔平	凶平	咎平	平平	休平	吉平	吝平	灾平
祥灾	悔灾	凶灾	咎灾	平灾	休灾	吉灾	吝灾	灾灾
祥咎	悔咎	凶咎	咎咎	平咎	休咎	吉咎	吝咎	灾咎
祥吉	悔吉	凶吉	咎吉	平吉	休吉	元吉	吝吉	灾吉
祥吝	悔吝	凶吝	咎吝	平吝	休吝	吉吝	吝吝	灾吝

‖‖ ‖‖舒 三之九 ‖‖ ‖‖서 3의 9

舒, 雨露霑濡, 草木榮敷, 百體以舒, 惟仁之腴, 無不利. 迫近凶.

서는 비와 이슬에 젖어 초목이 피어나고, 온몸이 가뿐하니 운기가 왕성하여 이롭지 않음이 없다. 핍박하면 흉하다.

祥凶	悔凶	大凶	咎凶	平凶	休凶	吉凶	吝凶	災凶
祥休	悔休	凶休	咎休	平休	休休	吉休	吝休	災休
祥災	悔災	凶災	咎災	平災	休災	吉災	吝災	災災
祥悔	悔悔	凶悔	咎悔	平悔	休悔	吉悔	吝悔	災悔
祥平	悔平	凶平	咎平	平平	休平	吉平	吝平	災平
祥吝	悔吝	凶吝	咎吝	平吝	休吝	吉吝	吝吝	災吝
祥祥	悔祥	凶祥	咎祥	平祥	休祥	吉祥	吝祥	災祥
祥咎	悔咎	凶咎	咎咎	平咎	休咎	吉咎	吝咎	災咎
祥吉	悔吉	凶吉	咎吉	平吉	休吉	元吉	吝吉	災吉

䷇比 四之一 ䷇비 4의 1

比, 上下相親. 左右承鄰. 龍見雲升. 君子以衆, 小人勿用.

비는 위아래가 서로 친하고 좌우가 이웃한다. 용이 나타나고 구름이 올라간다. 군자는 무리를 짓고 소인은 쓰지 말라.

谷雨萍始生.

곡우穀雨에 개구리밥이 생기기 시작한다.

休 吉	灾 吉	吝 吉	凶 吉	平 吉	元 吉	悔 吉	祥 吉	咎 吉*
休 咎	灾 咎	吝 咎	凶 咎	平 咎	吉 咎	悔 咎	祥 咎	咎 咎
休 祥	灾 祥	吝 祥	凶 祥	平 祥	吉 祥	悔 祥	祥 祥	咎 祥
休 吝	灾 吝	吝 吝	凶 吝	平 吝	吉 吝	悔 吝	祥 吝	咎 吝
休 平	灾 平	吝 平	凶 平	平 平	吉 平	悔 平	祥 平	咎 平
休 悔	灾 悔	吝 悔	凶 悔	平 悔	吉 悔	悔 悔	祥 悔	咎 悔
休 灾	灾 灾	吝 灾	凶 灾	平 灾	吉 灾	悔 灾	祥 灾	咎 灾
休 休	灾 休	吝 休	凶 休	平 休	吉 休	悔 休	祥 休	咎 休
休 凶	灾 凶	吝 凶	大 凶	平 凶	吉 凶	悔 凶	祥 凶	咎 凶

[25-5-2]

‖‖‖開 四之二　‖‖‖개 4의 2

開, 析民墾田, 闢塞通障, 利有攸往. 閉糶藏薶凶.

개는 백성을 나누어 보내고 전답을 개간하며, 막힌 것을 열고 장애물을 뚫으니, 가는 것이 이롭다. 쌀을 수출하는 것을 금하고 장사지내니 흉하다.

鳴鳩拂其羽.

우는 비둘기가 깃을 떨친다.

休吝	灾吝	吝吝	凶吝	平吝	吉吝	悔吝	祥吝	咎吝
休吉	灾吉	吝吉	凶吉	平吉	元吉	悔吉	祥吉	咎吉
休咎	灾咎	吝咎	凶咎	平咎	吉咎	悔咎	祥咎	咎咎
休灾	灾灾	吝灾	凶灾	平灾	吉灾	悔灾	祥灾	咎灾
休平	灾平	吝平	凶平	平平	吉平	悔平	祥平	咎平
休祥	灾祥	吝祥	凶祥	平祥	吉祥	悔祥	祥祥	咎祥
休休	灾休	吝休	凶休	平休	吉休	悔休	祥休	咎休
休凶	灾凶	吝凶	大凶	平凶	吉凶	悔凶	祥凶	咎凶
休悔	灾悔	吝悔	凶悔	平悔	吉悔	悔悔	祥悔	咎悔

||||||晉 四之三 |||||진 4의 3

晉, 進賢去邪, 百工咸理. 監工日號悖于時凶. 蠶桑吉.

진은 현인을 등용하고 사특한 사람을 버리니, 모든 일이 다 다스려진다. 감독관이 매일 호령을 하는데 시절에 어그러지면 흉하다. 누에를 치는 것은 길하다.

戴勝集于桑.

오디새가 뽕나무에 모였다.

休灾	灾灾	吝灾	凶灾	平灾	吉灾	悔灾	祥灾	咎灾
休吝	灾吝	吝吝	凶吝	平吝	吉吝	悔吝	祥吝	咎吝
休吉	灾吉	吝吉	凶吉	平吉	元吉	悔吉	祥吉	咎吉
休休	灾休	吝休	凶休	平休	吉休	悔休	祥休	咎休
休平	灾平	吝平	凶平	平平	吉平	悔平	祥平	咎平
休咎	灾咎	吝咎	凶咎	平咎	吉咎	悔咎	祥咎	咎咎
休凶	灾凶	吝凶	大凶	平凶	吉凶	悔凶	祥凶	咎凶
休悔	灾悔	吝悔	凶悔	平悔	吉悔	悔悔	祥悔	咎悔
休祥	灾祥	吝祥	凶祥	平祥	吉祥	悔祥	祥祥	咎祥

||||||公 四之四 ||||||공 4의 4

公, 亨. 天高地下, 萬物散殊. 君子克己, 禮復其初, 利折獄.

공은 형통하다. 하늘은 높고 땅은 낮으며 만물은 흩어져 산다. 군자가 극기하여 예禮로써 그 처음을 회복하니, 송사를 판결함이 이롭다.

立夏螻蟈鳴

입하에 개구리가 운다.

休 咎	灾 咎	吝 咎	凶 咎	平 咎	吉 咎	悔 咎	祥 咎	咎 咎
休 祥	灾 祥	吝 祥	凶 祥	平 祥	吉 吉	悔 祥	祥 祥	元 吉
休 悔	灾 悔	吝 悔	凶 悔	平 悔	吉 悔	悔 悔	祥 悔	咎 悔
休 吉	灾 吉	吝 吉	凶 吉	平 吉	元 吉*	悔 吉	祥 吉	咎 吉
休 平	灾 平	吝 平	凶 平	平 平	吉 平	悔 平	祥 平	咎 平
休 凶	灾 凶	吝 凶	大 凶	平 凶	吉 凶	悔 凶	祥 凶	咎 凶
休 吝	灾 吝	吝 吝	凶 吝	平 吝	吉 吝	悔 吝	祥 吝	咎 吝
休 灾	灾 灾	吝 灾	凶 灾	平 灾	吉 灾	悔 灾	祥 灾	咎 灾
休 休	灾 休	吝 休	凶 休	平 休	吉 休	悔 休	祥 休	咎 休

卦 益 四之五　익 4의 5

益, 友朋方來, 敬之終吉. 繼長增高, 與時偕極. 廢惰凶.

익은 친구가 사방에서 찾아오니 공경하여야 끝내 길하다. 이어서 훌륭해지게 하고 더해서 높아지게 하며 다함께 끝까지 하라. 폐하거나 게을리 하면 흉하다.

蚯蚓出.

지렁이가 나온다.

休 平	災 平	吝 平	凶 平	平 平	吉 平	悔 平	祥 平	咎 平
休 平	災 平	吝 平	凶 平	平 平	吉 平	悔 平	祥 平	咎 平
休 平	災 平	吝 平	凶 平	平 平	吉 平	悔 平	祥 平	咎 平
休 平	災 平	吝 平	凶 平	平 平	吉 平	悔 平	祥 平	咎 平
休 吉	災 吉	吝 吉	凶 吉	平 吉	元 吉	悔 吉	祥 吉	咎 吉
休 平	災 平	吝 平	凶 平	平 平	吉 平	悔 平	祥 平	咎 平
休 平	災 平	吝 平	凶 平	平 平	吉 平	悔 平	祥 平	咎 平
休 平	災 平	吝 平	凶 平	平 平	吉 平	悔 平	祥 平	咎 平
休 平	災 平	吝 平	凶 平	平 平	吉 平	悔 平	祥 平	咎 平

⫼T章 四之六　⫼T장 4의 6

章, 天下文明, 赫赫彬彬. 大震厥聲, 匪正有悔.

장은 천하가 문명하여 빛나고 빛난다. 그 명성을 크게 떨치지만 바르지 않으면 후회가 있다.

王瓜生.

참외가 나온다.

休 休	灾 休	吝 休	凶 休	平 休	吉 休	悔 休	祥 休	咎 休
休 灾	灾 灾	吝 灾	凶 灾	平 灾	吉 灾	悔 灾	祥 灾	咎 灾
休 吝	灾 吝	吝 吝	凶 吝	平 吝	吉 吝	悔 吝	祥 吝	咎 吝
休 凶	灾 凶	吝 凶	大 凶	平 凶	吉 凶	悔 凶	祥 凶	咎 凶
休 平	灾 平	吝 平	凶 平	平 平	吉 平	悔 平	祥 平	咎 平
休 吉	灾 吉	吝 吉	凶 吉*	平 吉	元 吉	悔 吉	祥 吉	咎 吉
休 悔	灾 悔	吝 悔	凶 悔	平 悔	吉 悔	悔 悔	祥 悔	咎 悔
休 祥	灾 祥	吝 祥	凶 祥	平 祥	吉 祥	悔 祥	祥 祥	咎 祥
休 咎	灾 咎	吝 咎	凶 咎	平 咎	吉 咎	悔 咎	祥 咎	咎 咎

||||∏盈 四之七　||||∏영 4의 7

盈, 生氣流形, 品物咸亨. 雷雨滿盈, 不疑其行.

영은 생기生氣가 형체에 흘러들어 만물이 다 형통하다. 우레와 비가 가득하더라도 의심하지 않고 나아가라.

小滿苦菜秀.

소만에 씀바귀가 크게 자란다.

休祥	災祥	吝祥	凶祥	平祥	吉祥	悔祥	祥祥	咎祥
休悔	災悔	吝悔	凶悔	平悔	吉悔	悔悔	祥悔	咎悔
休凶	災凶	吝凶	大凶	平凶	吉凶	悔凶	祥凶	咎凶
休咎	災咎	吝咎	凶咎	平咎	吉咎	悔咎	祥咎	咎咎
休平	災平	吝平	凶平	平平	吉平	悔平	祥平	咎平
休休	災休	吝休	凶休	平休	吉休	悔休	祥休	咎休
休吉	災吉	吝吉*	凶吉	平吉	元吉	悔吉	祥吉	咎吉
休吝	災吝	吝吝	凶吝	平吝	吉吝	悔吝	祥吝	咎吝
休災	災災	吝災	凶災	平災	吉災	悔災	祥災	咎災

‖‖‖Ⅲ錫 四之八 ‖‖‖Ⅲ 석 4의 8

錫, 亨, 厲. 發爵賜服, 慶賞以行, 小人勿承. 以殃厥身

석은 형통하지만 위태롭다. 작위를 주고 복장이 하사되어 경사스러운 상이 시행되나, 소인은 받지 말라. 재앙을 입을 것이다.

靡草死.

쓰러진 풀이 죽는다.

休悔	灾悔	吝悔	凶悔	平悔	吉悔	悔悔	祥悔	咎悔
休凶	灾凶	吝凶	大凶	平凶	吉凶	悔凶	祥凶	咎凶
休休	灾休	吝休	凶休	平休	吉休	悔休	祥休	咎休
休祥	灾祥	吝祥	凶祥	平祥	吉祥	悔祥	祥祥	咎祥
休平	灾平	吝平	凶平	平平	吉平	悔平	祥平	咎平
休灾	灾灾	吝灾	凶灾	平灾	吉灾	悔灾	祥灾	咎灾
休咎	灾咎	吝咎	凶咎	平咎	吉咎	悔咎	祥咎	咎咎
休吉	灾吉*	吝吉	凶吉	平吉	元吉	悔吉	祥吉	咎吉
休吝	灾吝	吝吝	凶吝	平吝	吉吝	悔吝	祥吝	咎吝

‖‖‖⫿⫿⫿靡 四之九 ‖‖‖⫿⫿⫿미 4의 9

靡, 亨. 上下謐寧, 來庭來賓. 勿徇其名. 大人吉, 小人吝. 疾病凶.

미는 형통하다. 상하가 고요하고 편안하여 조회하고 손님으로 찾아온다. 명예를 추구하지 말라. 대인은 길하고 소인은 걱정할 일이 생긴다. 병이 드니 흉하다.

休 凶	灾 凶	吝 凶	大 凶	平 凶	吉 凶	悔 凶	祥 凶	咎 凶
休 休	灾 休	吝 休	凶 休	平 休	吉 休	悔 休	祥 休	咎 休
休 灾	灾 灾	吝 灾	凶 灾	平 灾	吉 灾	悔 灾	祥 灾	咎 灾
休 悔	灾 悔	吝 悔	凶 悔	平 悔	吉 悔	悔 悔	祥 悔	咎 悔
休 平	灾 平	吝 平	凶 平	平 平	吉 平	悔 平	祥 平	咎 平
休 吝	灾 吝	吝 吝	凶 吝	平 吝	吉 吝	悔 吝	祥 吝	咎 吝
休 祥	灾 祥	吝 祥	凶 祥	平 祥	吉 祥	悔 祥	祥 祥	咎 祥
休 咎	灾 咎	吝 咎	凶 咎	平 咎	吉 咎	悔 咎	祥 咎	咎 咎
休 吉	灾 吉	吝 吉	凶 吉	平 吉	元 吉	悔 吉	祥 吉	咎 吉

‖‖‖‖庶 五之一 ‖‖‖‖서 5의 1

庶, 天開地闢, 萬物蕃殖, 君子所體. 利衆不利寡, 利公不利私.

서는 천지개벽하여 만물이 번식하니 군자가 체득해야 할 바이다. 대중에게 이롭고 소수에게는 이롭지 않으며 공公에 이롭고 사私에 이롭지 않다.

麥秋至.

보리가을이 되다.

平 吉	平 吉	平 吉	平 吉	元 吉	平 吉	平 吉	平 吉	平 吉*
平 咎	平 咎	平 咎	平 咎	吉 咎	平 咎	平 咎	平 咎	平 咎
平 祥	平 祥	平 祥	平 祥	吉 祥	平 祥	平 祥	平 祥	平 祥
平 吝	平 吝	平 吝	平 吝	吉 吝	平 吝	平 吝	平 吝	平 吝
平 平	平 平	平 平	平 平	吉 平	平 平	平 平	平 平	平 平
平 悔	平 悔	平 悔	平 悔	吉 悔	平 悔	平 悔	平 悔	平 悔
平 灾	平 灾	平 灾	平 灾	吉 灾	平 灾	平 灾	平 灾	平 灾
平 休	平 休	平 休	平 休	吉 休	平 休	平 休	平 休	平 休
平 凶	平 凶	平 凶	平 凶	吉 凶	平 凶	平 凶	平 凶	平 凶

‖‖‖‖決 五之二 ‖‖‖결 5의 2

決, 八元擧用, 四凶竄殛, 群疑盡釋, 無枉不直. 利艱正.

결은 팔원八元[10]이 등용되고 사흉四凶[11]이 귀양을 가니 의심이 풀리고 잘못된 것이 바로잡힌다. 어려워도 정도로 가는 것이 이롭다.

亡種螳螂生.

망종에 사마귀가 나온다.

平 吝	平 吝	平 吝	平 吝	吉 吝	平 吝	平 吝	平 吝
平 吉	平 吉	平 吉	平 吉	元 吉	平 吉	平 吉	平 吉
平 咎	平 咎	平 咎	平 咎	吉 咎	平 咎	平 咎	平 咎
平 災	平 災	平 災	平 災	吉 災	平 災	平 災	平 災
平 平	平 平	平 平	平 平	吉 平	平 平	平 平	平 平
平 祥	平 祥	平 祥	平 祥	吉 祥	平 祥	平 祥	平 祥
平 休	平 休	平 休	平 休	吉 休	平 休	平 休	平 休
平 凶	平 凶	平 凶	平 凶	吉 凶	平 凶	平 凶	平 凶
平 悔	平 悔	平 悔	平 悔	吉 悔	平 悔	平 悔	平 悔

10 八元: 高辛氏의 여덟 아들인 伯奮, 仲堪, 叔獻, 季仲, 伯虎, 仲熊, 叔豹, 季貍를 가리키는 말로, 이들은 순임금의 신하였다. 전의되어 재덕이 있는 사람을 가리킨다.

11 四凶: 堯 임금 때의 惡人으로, 共工, 驩兜, 三苗, 鯀을 가리킨다. 순임금이 이들을 처벌하였다. 전의되어 흉악한 사람을 가리킨다.

‖‖‖‖豫 五之三 ‖‖‖‖예 5의 3

豫, 飮食和樂, 君子豫吉, 小人豫凶.

예는 먹고 마시며 화락하니, 군자는 즐거워서 길하고 소인은 즐거워서 흉하다.

鵙始鳴.

때까치가 울기 시작한다.

平	災	平	災	平	災	平	災	吉	災	平	災	平	災	平	災	平	災
平	咨	平	咨	平	咨	平	咨	吉	咨	平	咨	平	咨	平	咨	平	咨
平	吉	平	吉	平	吉	平	吉	元	吉	平	吉	平	吉	平	吉	平	吉
平	休	平	休	平	休	平	休	吉	休	平	休	平	休	平	休	平	休
平	平	平	平	平	平	平	平	吉	平	平	平	平	平	平	平	平	平
平	咎	平	咎	平	咎	平	咎	吉	咎	平	咎	平	咎	平	咎	平	咎
平	凶	平	凶	平	凶	平	凶	吉	凶	平	凶	平	凶	平	凶	平	凶
平	悔	平	悔	平	悔	平	悔	吉	悔	平	悔	平	悔	平	悔	平	悔
平	祥	平	祥	平	祥	平	祥	吉	祥	平	祥	平	祥	平	祥	平	祥

∭∭∭升 五之四 ∭∭∭승 5의 4

升, 禮明樂行, 萬化以成, 利見大人. 不言有喩, 允升大吉.

승은 예가 밝고 음악이 쓰여 모든 교화가 이루어지니, 대인을 보는 것이 이롭다. 말하지 않아도 깨달으니 참으로 대길한 경지에 오를 것이다.

反舌無聲.

혀를 말고 말을 하지 않는다.

平咎	平咎	平咎	平咎	吉咎	平咎	平咎	平咎	平咎
平祥	平祥	平祥	平祥	吉祥	平祥	平祥	平祥	平祥
平悔	平悔	平悔	平悔	吉悔	平悔	平悔	平悔	平悔
平吉	平吉	平吉	平吉	元吉	平吉	平吉	平吉	平吉
平平	平平	平平	平平	吉平	平平	平平	平平	平平
平凶	平凶	平凶	平凶	平凶	平凶	平凶	平凶	平凶
平吝	平吝	平吝	平吝	吉吝	平吝	平吝	平吝	平吝
平災	平災	平災	平災	吉災	平災	平災	平災	平災
平休	平休	平休	平休	吉休	平休	平休	平休	平休

||||||||中 五之五 ||||||||중 5의 5

中, 赫赫大明, 耀彼四隣. 君子持盈, 小人毁成.

중은 혁혁하고 크게 밝아 저 사방에 빛난다. 군자는 가득함을 지닌 듯이 하고 소인은 이룬 것을 무너뜨린다.

夏至鹿角解.

하지에 사슴뿔이 떨어진다.

平 平	平 悔	平 祥	平 休	吉 平	平 平	平 平	平 平	平 吉
平 休	平 平	平 悔	平 平	吉 平	平 祥	平 平	平 吉	平 平
平 平	平 休	平 平	平 平	吉 平	平 悔	平 吉	平 平	平 祥
平 悔	平 祥	平 平	平 平	吉 平	平 吉	平 休	平 平	平 平
平 吉	平 吉	平 吉	平 吉	元 吉	平 吉	平 吉	平 吉	平 吉
平 平	平 平	平 休	平 平	吉 平	平 平	平 平	平 祥	平 悔
平 祥	平 平	平 吉	平 悔	吉 平	平 平	平 平	平 休	平 平
平 平	平 吉	平 平	平 祥	吉 平	平 平	平 悔	平 平	平 休
平 吉	平 平	平 平	平 平	吉 平	平 休	平 祥	平 悔	平 平

⚏丁伏 五之六 ⚏丁복 5의 6

伏, 不聞不覩, 君子戒懼. 勿用娶女. 利潛師, 不利有攸往.

복은 듣지 않고 보지 않는 곳에서도 군자는 경계하여 두려워하라. 장가들지 말라. 군사를 숨겨둠이
이롭고 가는 곳이 있으면 이롭지 않다.

蟬始鳴.

매미가 울기 시작한다.

平休	平休	平休	平休	吉休	平休	平休	平休	平休
平災	平災	平災	平災	吉災	平災	平災	平災	平災
平吝	平吝	平吝	平吝	吉吝	平吝	平吝	平吝	平吝
平凶	平凶	平凶	平凶	吉凶	平凶	平凶	平凶	平凶
平平	平平	平平	平平	吉平	平平	平平	平平	平平
平吉	平吉	平吉	平吉	元吉*	平吉	平吉	平吉	平吉
平悔	平悔	平悔	平悔	吉悔	平悔	平悔	平悔	平悔
平祥	平祥	平祥	平祥	吉祥	平祥	平祥	平祥	平祥
平咎	平咎	平咎	平咎	吉咎	平咎	平咎	平咎	平咎

[25-6-7]

||||| ∏ 過 五之七　||||| ∏과 5의 7

過, 罔滛于樂, 君子戒懼. 君子過厚, 小人過薄. 利涉大川.

과는 즐거움을 지나치게 하지 말고 군자는 경계하여 두려워하라. 군자는 너무 후한 데서 잘못이 생기고 소인은 각박한 데서 잘못이 생긴다. 대천大川을 건너는 것이 이롭다.

半夏生

반하半夏(약초 이름)가 난다.

平 祥	平 祥	平 祥	平 祥	吉 祥	平 祥	平 祥	平 祥
平 悔	平 悔	平 悔	平 悔	吉 悔	平 悔	平 悔	平 悔
平 凶	平 凶	平 凶	平 凶	吉 凶	平 凶	平 凶	平 凶
平 咎	平 咎	平 咎	平 咎	吉 咎	平 咎	平 咎	平 咎
平 平	平 平	平 平	平 平	吉 平	平 平	平 平	平 平
平 休	平 休	平 休	平 休	吉 休	平 休	平 休	平 休
平 吉	平 吉	平 吉*	平 吉	元 吉	平 吉	平 吉	平 吉
平 吝	平 吝	平 吝	平 吝	吉 吝	平 吝	平 吝	平 吝
平 災	平 災	平 災	平 災	吉 災	平 災	平 災	平 災

[25-6-8]

⚎⚏疑 五之八 ⚎⚏의 5의 8

疑, 有間有貳, 君子用明, 小人用罔. 勿用決獄. 凶.

의는 틈이 있고 두 갈래로 갈라지는 일이 있을 때 군자는 명철함을 쓰고 소인은 속임수를 쓴다. 옥사를 판결하지 말라. 흉하다.

小暑溫風至.

소서에 따뜻한 바람이 불어온다.

平悔	平悔	平悔	平悔	吉悔	平悔	平悔	平悔	平悔
平凶	平凶	平凶	平凶	吉凶	平凶	平凶	平凶	平凶
平休	平休	平休	平休	吉休	平休	平休	平休	平休
平祥	平祥	平祥	平祥	吉祥	平祥	平祥	平祥	平祥
平平	平平	平平	平平	吉平	平平	平平	平平	平平
平災	平災	平災	平災	吉災	平災	平災	平災	平災
平咎	平咎	平咎	平咎	吉咎	平咎	平咎	平咎	平咎
平吉	平吉*	平吉	平吉	元吉	平吉	平吉	平吉	平吉
平吝	平吝	平吝	平吝	吉吝	平吝	平吝	平吝	平吝

[25-6-9]

||||||⊤⊤寡 五之九　||||||⊤⊤과 5의 9

寡, 宜上不宜下, 宜少不宜衆. 君子寡過, 不利婚媾.

과는 윗사람에게는 마땅하고 아랫사람에게는 마땅치 않으며, 소수에게는 마땅하고 대중에게는 마땅치 않다. 군자는 과실을 줄이려고 하니 혼인이 이롭지 않다.

平 凶	平 凶	平 凶	平 凶	吉 凶	平 凶	平 凶	平 凶	平 凶
平 休	平 休	平 休	平 休	吉 休	平 休	平 休	平 休	平 休
平 災	平 災	平 災	平 災	吉 災	平 災	平 災	平 災	平 災
平 悔	平 悔	平 悔	平 悔	吉 悔	平 悔	平 悔	平 悔	平 悔
平 平	平 平	平 平	平 平	吉 平	平 平	平 平	平 平	平 平
平 吝	平 吝	平 吝	平 吝	吉 吝	平 吝	平 吝	平 吝	平 吝
平 祥	平 祥	平 祥	平 祥	吉 祥	平 祥	平 祥	平 祥	平 祥
平 咎	平 咎	平 咎	平 咎	吉 咎	平 咎	平 咎	平 咎	平 咎
平 吉	平 吉	平 吉	平 吉	元 吉	平 吉	平 吉	平 吉	平 吉

䷩飾 六之一 ䷩식 6의 1

飾, 華文郁郁. 貌恭作肅, 君子謹獨.

식은 화려한 꾸밈이 빛나고 빛난다. 모양은 공손히 하고 행동은 엄숙히 하니 군자는 홀로 삼간다.

蟋蟀居壁.

귀뚜라미가 벽에서 산다.

咎 吉	祥 吉	悔 吉	元 吉	平 吉	凶 吉	吝 吉	灾 吉	休 吉
咎 咎	祥 咎	悔 咎	吉 咎	平 咎	凶 咎	吝 咎	灾 咎	休 咎
咎 祥	祥 祥	悔 祥	吉 祥	平 祥	凶 祥	吝 祥	灾 祥	休 祥
咎 吝	祥 吝	悔 吝	吉 吝	平 吝	凶 吝	吝 吝	灾 吝	休 吝
咎 平	祥 平	悔 平	吉 平	平 平	凶 平	吝 平	灾 平	休 平
咎 悔	祥 悔	悔 悔	吉 悔	平 悔	凶 悔	吝 悔	灾 悔	休 悔
咎 灾	祥 灾	悔 灾	吉 灾	平 灾	凶 灾	吝 灾	灾 灾	休 灾
咎 休	祥 休	悔 休	吉 休	平 休	凶 休	吝 休	灾 休	休 休
咎 凶	祥 凶	悔 凶	吉 凶	平 凶	大 凶	吝 凶	灾 凶	休 凶

⊤‖戾 六之二　⊤‖려 6의 2

戾, 屬吉. 曲能有誠, 君子克明.

려는 사나우나 길하다. 한 가지 일로도 성誠할 수가 있으니 군자가 능히 밝힌다.

鷹乃學習.

매가 사냥을 배운다.

咎 吝	祥 吝	悔 吝	吉 吝	平 吝	凶 吝	吝 吝	灾 吝	休 吝
咎 吉	祥 吉	悔 吉	元 吉	平 吉	凶 吉	吝 吉	灾 吉	休 吉
咎 咎	祥 咎	悔 咎	吉 咎	平 咎	凶 咎	吝 咎	灾 咎	休 咎
咎 灾	祥 灾	悔 灾	吉 灾	平 灾	凶 灾	吝 灾	灾 灾	休 灾
咎 平	祥 平	悔 平	吉 平	平 平	凶 平	吝 平	灾 平	休 平
咎 祥	祥 祥	悔 祥	吉 祥	平 祥	凶 祥	吝 祥	灾 祥	休 祥
咎 休	祥 休	悔 休	吉 休	平 休	凶 休	吝 休	灾 休	休 休
咎 凶	祥 凶	悔 凶	吉 凶	平 凶	大 凶	吝 凶	灾 凶	休 凶
咎 悔	祥 悔	悔 悔	吉 悔	平 悔	凶 悔	吝 悔	灾 悔	休 悔

T|||虛 六之三　T|||허 6의 3

虛, 理明而通, 應物不窮, 徇慾惟凶, 不利爭訟.

허는 이치에 밝고 통하니 사물에 응하는데 막힘이 없다. 욕심을 좇으면 흉할 뿐이니 소송하면 이롭지 않다.

大暑腐草爲螢.

대서에 썩은 풀이 반딧불이 된다.

咎	灾	祥	灾	悔	灾	吉	灾	平	灾	凶	灾	吝	灾	灾	灾	休	灾
咎	吝	祥	吝	悔	吝	吉	吝	平	吝	凶	吝	吝	吝	灾	吝	休	吝
咎	吉	祥	吉	悔	吉	元	吉	平	吉	凶	吉	吝	吉*	灾	吉	休	吉
咎	休	祥	休	悔	休	吉	休	平	休	凶	休	吝	休	灾	休	休	休
咎	平	祥	平	悔	平	吉	平	平	平	凶	平	吝	平	灾	平	休	平
咎	咎	祥	咎	悔	咎	吉	咎	平	咎	凶	咎	吝	咎	灾	咎	休	咎
咎	凶	祥	凶	悔	凶	吉	凶	平	凶	大	凶	吝	凶	灾	凶	休	凶
咎	悔	祥	悔	悔	悔	吉	悔	平	悔	凶	悔	吝	悔	灾	悔	休	悔
咎	祥	祥	祥	悔	祥	吉	祥	平	祥	凶	祥	吝	祥	灾	祥	休	祥

丁卌昧 六之四　丁卌매 6의 4

昧, 幽人正吉. 闇而章, 晦而明. 不利折獄.

매는 은둔한 사람이라야 바르고 길하다.[12] 은은해도 드러나며 어둑해도 빛나니 옥사를 판결함이 이롭지 않다.

　　　土潤溽暑.

　　　땅이 습하면서 무덥다.

卌 丨 咎 咎	卌 丨 祥 咎	卅 丨 悔 咎	丁 丨 吉 咎	卌 丨 平 咎	卌 丨 凶 咎	卅 丨 吝 咎	丨丨 丨 灾 咎	丨 丨 休 咎
卌 丨丨 咎 祥	卌 丨丨 祥 祥	卅 丨丨 悔 祥	丁 丨丨 吉 祥	卌 丨丨 平 祥	卌 丨丨 凶 祥	卅 丨丨 吝 祥	丨丨 丨丨 灾 祥	丨 丨丨 休 祥
卌 卅 咎 悔	卌 卅 祥 悔	卅 卅 悔 悔	丁 卅 吉 悔	卌 卅 平 悔	卌 卅 凶 悔	卅 卅 吝 悔	丨丨 卅 灾 悔	丨 卅 休 悔
卌 卌 咎 吉	卌 卌 祥 吉	卅 卌 悔 吉	丁 卌 元 吉	卌 卌 平 吉	卌* 卌 凶 吉	卅 卌 吝 吉	丨丨 卌 灾 吉	丨 卌 休 吉
卌 卌 咎 平	卌 卌 祥 平	卅 卌 悔 平	丁 卌 吉 平	卌 卌 平 平	卌 卌 凶 平	卅 卌 吝 平	丨丨 卌 灾 平	丨 卌 休 平
卌 丁 咎 凶	卌 丁 祥 凶	卅 丁 悔 凶	丁 丁 吉 凶	卌 丁 平 凶	卌 丁 大 凶	卅 丁 吝 凶	丨丨 丁 灾 凶	丨 丁 休 凶
卌 丁 咎 吝	卌 丁 祥 吝	卅 丁 悔 吝	丁 丁 吉 吝	卌 丁 平 吝	卌 丁 凶 吝	卅 丁 吝 吝	丨丨 丁 灾 吝	丨 丁 休 吝
卌 卅 咎 灾	卌 卅 祥 灾	卅 卅 悔 灾	丁 卅 吉 灾	卌 卅 平 灾	卌 卅 凶 灾	卅 卅 吝 灾	丨丨 卅 灾 灾	丨 卅 休 灾
卌 卌 咎 休	卌 卌 祥 休	卅 卌 悔 休	丁 卌 吉 休	卌 卌 平 休	卌 卌 凶 休	卅 卌 吝 休	丨丨 卌 灾 休	丨 卌 休 休

· · · · · · · · · · · · · · · · · · · ·

12　은둔한 사람이라야 바르고 길하다. : 『周易』 履卦 구이효의 효사가 "가는 길이 탄탄하다. 은둔한 사람이 바르면 길하다.(履道坦坦. 幽人貞吉.)"이다.

丅⫿⫿損 六之五　丅⫿⫿손 6의 5

損, 君子之過日以削, 小人之性日以斷. 遇雨吉. 藥餌有喜.

손은 군자의 과오는 날마다 줄어들고, 소인의 性성은 날마다 깎여나간다. 비를 만남이 길하다. 약을
쓰면 기쁨이 있다.

　　　大雨時行.

　　　큰 비가 때때로 내린다.

咎 平	祥 平	悔 平	吉 平	平 平	凶 平	吝 平	災 平	休 平
咎 平	祥 平	悔 平	吉 平	平 平	凶 平	吝 平	災 平	休 平
咎 平	祥 平	悔 平	吉 平	平 平	凶 平	吝 平	災 平	休 平
咎 平	祥 平	悔 平	吉 平	平 平	凶 平	吝 平	災 平	休 平
咎 吉	祥 吉	悔 吉	元 吉	平 吉	凶 吉	吝 吉	災 吉	休 吉
咎 平	祥 平	悔 平	吉 平	平 平	凶 平	吝 平	災 平	休 平
咎 平	祥 平	悔 平	吉 平	平 平	凶 平	吝 平	災 平	休 平
咎 平	祥 平	悔 平	吉 平	平 平	凶 平	吝 平	災 平	休 平
咎 平	祥 平	悔 平	吉 平	平 平	凶 平	吝 平	災 平	休 平

⊤⊤用 六之六　⊤⊤용 6의 6

用, 利正, 有攸往吉. 君子喻義, 小人喻利. 征伐有功. 利決獄.

용은 바름이 이롭고, 나아감이 있으면 길하다. 군자는 의로움에 밝고 소인은 이익에 밝다. 정벌하면 공이 있고 옥사를 판결함이 이롭다.

立秋涼風至.

입추에 서늘한 바람이 불어온다.

咎 休	祥 休	悔 休	吉 休	平 休	凶 休	吝 休	灾 休	休 休
咎 灾	祥 灾	悔 灾	吉 灾	平 灾	凶 灾	吝 灾	灾 灾	休 灾
咎 吝	祥 吝	悔 吝	吉 吝	平 吝	凶 吝	吝 吝	灾 吝	休 吝
咎 凶	祥 凶	悔 凶	吉 凶	平 凶	大 凶	吝 凶	灾 凶	休 凶
咎 平	祥 平	悔 平	吉 平	平 平	凶 平	吝 平	灾 平	休 平
咎 吉	祥 吉	悔 吉	元 吉*	平 吉	凶 吉	吝 吉	灾 吉	休 吉
咎 悔	祥 悔	悔 悔	吉 悔	平 悔	凶 悔	吝 悔	灾 悔	休 悔
咎 祥	祥 祥	悔 祥	吉 祥	平 祥	凶 祥	吝 祥	灾 祥	休 祥
咎 咎	祥 咎	悔 咎	吉 咎	平 咎	凶 咎	吝 咎	灾 咎	休 咎

丁兀郤 六之七　丁兀각 6의 7

郤, 利行遯. 反身以誠, 不利有攸往. 降責勿恤.

각은 떠나 도망함이 이롭다. 내 몸에 되돌려 성실하게 하되 나아가는 것은 이롭지 않다. 꾸짖음을 내리고 가여워하지 마라.

白露降.

맑은 이슬이 내린다.

咎祥	祥祥	悔祥	吉祥	平祥	凶祥	吝祥	灾祥	休祥
咎悔	祥悔	悔悔	吉悔	平悔	凶悔	吝悔	灾悔	休悔
咎凶	祥凶	悔凶	吉凶	平凶	大凶	吝凶	灾凶	休凶
咎咎	祥咎	悔咎	吉咎	平咎	凶咎	吝咎	灾咎	休咎
咎平	祥平	悔平	吉平	平平	凶平	吝平	灾平	休平
咎休	祥休	悔休	吉休	平休	凶休	吝休	灾休	休休
咎吉	祥吉	悔吉	元吉	平吉	凶吉	吝吉	灾吉	休吉
咎吝	祥吝	悔吝	吉吝	平吝	凶吝	吝吝	灾吝	休吝
咎灾	祥灾	悔灾	吉灾	平灾	凶灾	吝灾	灾灾	休灾

丁Ⅲ翕 六之八 丁Ⅲ흡 6의 8

翕, 利徵師會同吉. 財聚民散, 財散民聚.

흡은 군사를 징발하는 것이 이롭고 회동이 길하다. 재물을 모으면 백성이 흩어지고 재물을 흩으면 백성이 모인다.

寒蟬鳴.

매미가 운다.

咎悔	祥悔	悔悔	吉悔	平悔	凶悔	吝悔	災悔	休悔
咎凶	祥凶	悔凶	吉凶	平凶	大凶	吝凶	災凶	休凶
咎休	祥休	悔休	吉休	平休	凶休	吝休	災休	休休
咎祥	祥祥	悔祥	吉祥	平祥	凶祥	吝祥	災祥	休祥
咎平	祥平	悔平	吉平	平平	凶平	吝平	災平	休平
咎災	祥災	悔災	吉災	平災	凶災	吝災	災災	休災
咎咎	祥咎	悔咎	吉咎	平咎	凶咎	吝咎	災咎	休咎
咎吉	祥吉	悔吉	元吉	平吉	凶吉	吝吉	災吉	休吉
咎吝	祥吝	悔吝	吉吝	平吝	凶吝	吝吝	災吝	休吝

丁Ⅲ 遠 六之九　丁Ⅲ원 6의 9

遠, 利有攸往. 不于其身, 于其子孫, 不于其家, 于其國人.

원은 나아가는 것이 이롭다. 자신을 위한 것이 아닌 자손을 위한 나아감이어야 하고, 자기 집을 위한 것이 아닌 국민을 위한 나아감이어야 한다.

咎凶	祥凶	悔凶	吉凶	平凶	大凶	吝凶	灾凶	休凶
咎休	祥休	悔休	吉休	平休	凶休	吝休	灾休	休休
咎灾	祥灾	悔灾	吉灾	平灾	凶灾	吝灾	灾灾	休灾
咎悔	祥悔	悔悔	吉悔	平悔	凶悔	吝悔	灾悔	休悔
咎平	祥平	悔平	吉平	平平	凶平	吝平	灾平	休平
咎吝	祥吝	悔吝	吉吝	平吝	凶吝	吝吝	灾吝	休吝
咎祥	祥祥	悔祥	吉祥	平祥	凶祥	吝祥	灾祥	休祥
咎咎	祥咎	悔咎	吉咎	平咎	凶咎	吝咎	灾咎	休咎
咎吉	祥吉	悔吉	元吉	平吉	凶吉	吝吉	灾吉	休吉

☰迅 七之一 ☰신 7의 1

迅, 吉. 雷風之歘, 震撓萬物, 君子威德, 神化不測.

신은 길하다. 우레와 바람이 일어나 만물을 진동시키니, 군자의 위엄과 덕은 신명처럼 변화하여 헤아릴 수가 없다.

處暑鷹乃祭鳥.

처서에 매가 새를 잡아 제사지낸다.

灾 吉	吝 吉	元 吉	休 吉	平 吉	咎 吉	凶 吉	悔 吉	祥 吉*
灾 咎	吝 咎	吉 咎	休 咎	平 咎	咎 咎	凶 咎	悔 咎	祥 咎
灾 祥	吝 祥	吉 祥	休 祥	平 祥	咎 祥	凶 祥	悔 祥	祥 祥
灾 吝	吝 吝	吉 吝	休 吝	平 吝	咎 吝	凶 吝	悔 吝	祥 吝
灾 平	吝 平	吉 平	休 平	平 平	咎 平	凶 平	悔 平	祥 平
灾 悔	吝 悔	吉 悔	休 悔	平 悔	咎 悔	凶 悔	悔 悔	祥 悔
灾 灾	吝 灾	吉 灾	休 灾	平 灾	咎 灾	凶 灾	悔 灾	祥 灾
灾 休	吝 休	吉 休	休 休	平 休	咎 休	凶 休	悔 休	祥 休
灾 凶	吝 凶	吉 凶	休 凶	平 凶	咎 凶	大 凶	悔 凶	祥 凶

⚏懼 七之二 ⚏구 7의 2

懼有孚惕厲終吉. 君子畏命, 小人畏令. 酒食讌樂, 凶.

구는 진실하여 두려워하고 위태로워하면 끝내 길하리라. 군자는 천명을 두려워하고 소인은 명령을 두려워한다. 술과 음식으로 잔치하여 즐기면 흉하다.

天地始肅.

천지에 비로소 찬 기운이 돌기 시작한다.

災吝	吝吝	吉吝	休吝	平吝	咎吝	凶吝	悔吝	祥吝
災吉	吝吉	元吉	休吉	平吉	咎吉	凶吉	悔吉 (Ⅱ*)	祥吉
災咎	吝咎	吉咎	休咎	平咎	咎咎	凶咎	悔咎	祥咎
災災	吝災	吉災	休災	平災	咎災	凶災	悔災	祥災
災平	吝平	吉平	休平	平平	咎平	凶平	悔平	祥平
災祥	吝祥	吉祥	休祥	平祥	咎祥	凶祥	悔祥	祥祥
災休	吝休	吉休	休休	平休	咎休	凶休	悔休	祥休
災凶	吝凶	吉凶	休凶	平凶	咎凶	大凶	悔凶	祥凶
災悔	吝悔	吉悔	休悔	平悔	咎悔	凶悔	悔悔	祥悔

𝍫𝍦除 七之三 𝍫𝍦제 7의 3

除, 稊稗旣去, 嘉穀斯登. 不利作興, 君子攸行.

제는 피가 이미 제거되었고 아름다운 곡식이 익는다. 일을 시작하는 것은 이롭지 않으니 군자라야 행할 수 있다.

禾乃登.

벼가 익는다.

災災	吝災	吉災	休災	平災	咎災	凶災	悔災	祥災
災吝	吝吝	吉吝	休吝	平吝	咎吝	凶吝	悔吝	祥吝
災吉	吝吉	元吉	休吉	平吉	咎吉	凶吉	悔吉	祥吉
災休	吝休	吉休	休休	平休	咎休	凶休	悔休	祥休
災平	吝平	吉平	休平	平平	咎平	凶平	悔平	祥平
災咎	吝咎	吉咎	休咎	平咎	咎咎	凶咎	悔咎	祥咎
災凶	吝凶	吉凶	休凶	平凶	咎凶	大凶	悔凶	祥凶
災悔	吝悔	吉悔	休悔	平悔	咎悔	凶悔	悔悔	祥悔
災祥	吝祥	吉祥	休祥	平祥	咎祥	凶祥	悔祥	祥祥

㠪Ⅲ弱 七之四 㠪Ⅲ약 7의 4

弱, 丈人屬, 小子吉. 不附不植. 附則附失. 艱正無咎.

약은 어른은 위태롭고 어린이는 길하다. 남에게 따라붙지도 남을 심지도 말라. 따라붙으면 따라붙은 사람마저 잃어버린다. 어려워도 정도를 가야 허물이 없다.

白露鴻雁來.

백로에 기러기가 온다.

災咎	吝咎	吉咎	休咎	平咎	咎咎	凶咎	悔咎	祥咎
災祥	吝祥	吉祥	休祥	平祥	咎祥	凶祥	悔祥	祥祥
災悔	吝悔	吉悔	休悔	平悔	咎悔	凶悔	悔悔	祥悔
災吉	吝吉	元吉	休吉	平吉	咎吉	凶吉	悔吉	祥吉
災平	吝平	吉平	休平	平平	咎平	凶平	悔平	祥平
災凶	吝凶	吉凶	休凶	平凶	咎凶	大凶	悔凶	祥凶
災吝	吝吝	吉吝	休吝	平吝	咎吝	凶吝	悔吝	祥吝
災災	吝災	吉災	休災	平災	咎災	凶災	悔災	祥災
災休	吝休	吉休	休休	平休	咎休	凶休	悔休	祥休

ㅠ‖‖疾 七之五　ㅠ‖‖질 7의 5

疾, 節飲食, 謹起居, 無攸害.

질은 음식을 절제하고 기거를 신중히 하면 해로움이 없다.

　　　乙鳥歸.

　　　제비가 돌아간다.

災 平	吝 平	吉 平	休 平	平 平	咎 平	凶 平	悔 平	祥 平
災 平	吝 平	吉 平	休 平	平 平	咎 平	凶 平	悔 平	祥 平
災 平	吝 平	吉 平	休 平	平 平	咎 平	凶 平	悔 平	祥 平
災 平	吝 平	吉 平	休 平	平 平	咎 平	凶 平	悔 平	祥 平
災 吉	吝 吉	元 吉	休 吉	平 吉	咎 吉	凶 吉	悔 吉	祥 吉
災 平	吝 平	吉 平	休 平	平 平	咎 平	凶 平	悔 平	祥 平
災 平	吝 平	吉 平	休 平	平 平	咎 平	大 平	悔 平	祥 平
災 平	吝 平	吉 平	休 平	平 平	咎 平	凶 平	悔 平	祥 平
災 平	吝 平	吉 平	休 平	平 平	咎 平	凶 平	悔 平	祥 平

⚏⚊競 七之六 ⚏⚊경 7의 6

競, 烏走兔從. 麥生茸茸. 老夫丰容. 爭訟逆凶.

경은 까마귀는 달려가고 토끼는 따라온다. 보리가 뾰족뾰족 돋아난다. 노인은 얼굴이 곱다. 송사를 다투면 어긋나서 흉하다.

　　群鳥養羞.

　　여러 새들이 먹이를 저장한다.

災休	咨休	吉休	休休	平休	咎休	凶休	悔休	祥休
災災	咨災	吉災	休災	平災	咎災	凶災	悔災	祥災
災咨	咨咨	吉咨	休咨	平咨	咎咨	凶咨	悔咨	祥咨
災凶	咨凶	吉凶	休凶	平凶	咎凶	大凶	悔凶	祥凶
災平	咨平	吉平	休平	平平	咎平	凶平	悔平	祥平
災吉	咨吉	元吉	休吉	平吉	咎吉	凶吉	悔吉	祥吉
災悔	咨悔	吉悔	休悔	平悔	咎悔	凶悔	悔悔	祥悔
災祥	咨祥	吉祥	休祥	平祥	咎祥	凶祥	悔祥	祥祥
災咎	咨咎	吉咎	休咎	平咎	咎咎	凶咎	悔咎	祥咎

ⅢⅢ分 七之七　ⅢⅢ분 7의 7

分, 長短均平. 潮馳月盈. 君子利正. 小人勿乘.

분은 장단이 고르다. 조수潮水가 밀려들어오고 달이 가득 찬다. 군자는 정도를 가면 이롭다. 소인은 수레를 타지 말라.

秋分雷乃收聲.

추분에 우레가 소리를 감춘다.

災祥	吝祥	吉祥	休祥	平祥	咎祥	凶祥	悔祥	祥祥
災悔	吝悔	吉悔	休悔	平悔	咎悔	凶悔	悔悔	祥悔
災凶	吝凶	吉凶	休凶	平凶	咎凶	大凶	悔凶	祥凶
災咎	吝咎	吉咎	休咎	平咎	咎咎	凶咎	悔咎	祥咎
災平	吝平	吉平	休平	平平	咎平	凶平	悔平	祥平
災休	吝休	吉休	休休	平休	咎休	凶休	悔休	祥休
災吉	吝吉	元吉*	休吉	平吉	咎吉	凶吉	悔吉	祥吉
災吝	吝吝	吉吝	休吝	平吝	咎吝	凶吝	悔吝	祥吝
災災	吝災	吉災	休災	平災	咎災	凶災	悔災	祥災

䷅訟 七之八　䷅송 7의 8

訟, 内訟吉. 勿有言. 不利有攸往.

송은 내심으로 송사하듯이 하면 길하다. 말하지 말라. 가는 곳이 있으면 이롭지 않다.

蟄蟲坯戶.

벌레가 겨울잠을 자고 문풍지를 붙인다.

灾悔	吝悔	吉悔	休悔	平悔	咎悔	凶悔	悔悔	祥悔
灾凶	吝凶	吉凶	休凶	平凶	咎凶	大凶	悔凶	祥凶
灾休	吝休	吉休	休休	平休	咎休	凶休	悔休	祥休
灾祥	吝祥	吉祥	休祥	平祥	咎祥	凶祥	悔祥	祥祥
灾平	吝平	吉平	休平	平平	咎平	凶平	悔平	祥平
灾灾	吝灾	吉灾	休灾	平灾	咎灾	凶灾	悔灾	祥灾
灾咎	吝咎	吉咎	休咎	平咎	咎咎	凶咎	悔咎	祥咎
灾吉	吝吉*	元吉	休吉	平吉	咎吉	凶吉	悔吉	祥吉
灾吝	吝吝	吉吝	休吝	平吝	咎吝	凶吝	悔吝	祥吝

〿〿收 七之九 〿〿수 7의 9

收, 一氣脅擊, 百物欲收. 君子反身, 放心是求. 斂藏吉.

수는 기운이 움츠러들어 백물이 거두어진다. 군자는 몸을 반성하고 방심放心을 구한다. 갈무리하는 것이 길하다.

災凶	吝凶	吉凶	休凶	平凶	咎凶	大凶	悔凶	祥凶
災休	吝休	吉休	休休	平休	咎休	凶休	悔休	祥休
災災	吝災	吉災	休災	平災	咎災	凶災	悔災	祥災
災悔	吝悔	吉悔	休悔	平悔	咎悔	凶悔	悔悔	祥悔
災平	吝平	吉平	休平	平平	咎平	凶平	悔平	祥平
災吝	吝吝	吉吝	休吝	平吝	咎吝	凶吝	悔吝	祥吝
災祥	吝祥	吉祥	休祥	平祥	咎祥	凶祥	悔祥	祥祥
災咎	吝咎	吉咎	休咎	平咎	咎咎	凶咎	悔咎	祥咎
災吉	吝吉	元吉	休吉	平吉	咎吉	凶吉	悔吉	祥吉

〓〓實 八之一 〓〓실 8의 1

實, 碩果于叢, 仁復于宮, 應感不窮. 永正吉.

실은 떨기에 큰 과일이 열려서 씨앗이 제 집으로 되돌아가니 감응이 끝이 없다. 영원히 바르면 길하다.

> 水始涸.
>
> 물이 마르기 시작한다.

吝吉	元吉	咎吉	災吉	平吉	祥吉	休吉	凶吉	悔吉
吝咎	吉咎	咎咎	災咎	平咎	祥咎	休咎	凶咎	悔咎
吝祥	吉祥	咎祥	災祥	平祥	祥祥	休祥	凶祥	悔祥
吝吝	吉吝	咎吝	災吝	平吝	祥吝	休吝	凶吝	悔吝
吝平	吉平	咎平	災平	平平	祥平	休平	凶平	悔平
吝悔	吉悔	咎悔	災悔	平悔	祥悔	休悔	凶悔	悔悔
吝災	吉災	咎災	災災	平災	祥災	休災	凶災	悔災
吝休	吉休	咎休	災休	平休	祥休	休休	凶休	悔休
吝凶	吉凶	咎凶	災凶	平凶	祥凶	休凶	大凶	悔凶

𝍇 賓 八之二 𝍇 빈 8의 2

賓, 俊民用章, 觀國之光. 利賓于王, 大有吉慶.

빈은 준수한 백성이 빛나니 국가의 광채를 본다. 왕의 손님이 되는 것이 이로우니, 크게 길한 경사가 있다.

　　寒露鴻雁來賓.

　　한로에 기러기가 손님처럼 온다.

吝 賓	吉 賓	咎 賓	灾 賓	平 賓	祥 賓	休 賓	凶 賓	悔 賓
吝 吉	元 吉	咎 吉	灾 吉	平 吉	祥 吉	休 吉	凶 吉*	悔 吉
吝 咎	吉 咎	咎 咎	灾 咎	平 咎	祥 咎	休 咎	凶 咎	悔 咎
吝 灾	吉 灾	咎 灾	灾 灾	平 灾	祥 灾	休 灾	凶 灾	悔 灾
吝 平	吉 平	咎 平	灾 平	平 平	祥 平	休 平	凶 平	悔 平
吝 祥	吉 祥	咎 祥	灾 祥	平 祥	祥 祥	休 祥	凶 祥	悔 祥
吝 休	吉 休	咎 休	灾 休	平 休	祥 休	休 休	凶 休	悔 休
吝 凶	吉 凶	咎 凶	灾 凶	平 凶	祥 凶	休 凶	大 凶	悔 凶
吝 悔	吉 悔	咎 悔	灾 悔	平 悔	祥 悔	休 悔	凶 悔	悔 悔

☲☳危 八之三 ☲☳위 8의 3

危, 屬無咎. 知險而懼, 懼不失正. 自天有命. 不利涉大川.

위는 위태로우나 허물이 없다. 험함을 알아서 두려워할지니, 두려워하면 바름을 잃지 않는다. 하늘로부터 명이 있을 것이다. 대천大川을 건너는 것은 이롭지 않다.

雀入水化爲蛤.

참새가 물에 들어가 조개가 된다.

吝 灾	吉 灾	咎 灾	灾 灾	平 灾	祥 灾	休 灾	凶 灾	悔 灾
吝 吝	吉 吝	咎 吝	灾 吝	平 吝	祥 吝	休 吝	凶 吝	悔 吝
吝 吉	元 吉	咎 吉	灾 吉	平 吉	祥 吉	休 吉	凶 吉	悔 吉
吝 休	吉 休	咎 休	灾 休	平 休	祥 休	休 休	凶 休	悔 休
吝 平	吉 平	咎 平	灾 平	平 平	祥 平	休 平	凶 平	悔 平
吝 咎	吉 咎	咎 咎	灾 咎	平 咎	祥 咎	休 咎	凶 咎	悔 咎
吝 凶	吉 凶	咎 凶	灾 凶	平 凶	祥 凶	休 凶	大 凶	悔 凶
吝 悔	吉 悔	咎 悔	灾 悔	平 悔	祥 悔	休 悔	凶 悔	悔 悔
吝 祥	吉 祥	咎 祥	灾 祥	平 祥	祥 祥	休 祥	凶 祥	悔 祥

ⅢⅢ堅 八之四 Ⅲ견 8의 4

堅, 利有攸往. 剛健篤實, 義之所出, 物莫能屈. 攻城陷陣凶.

견은 나아감이 이롭다. 강건하고 독실히 하여 의로움이 나오는 곳은 남이 굴복시키지 못한다. 성을 공격하고 진을 함락하면 흉하다.

鞠有黃華.

국화에 노란 꽃이 있다.

吝咎	吉咎	咎咎	灾咎	平咎	祥咎	休咎	凶咎	悔咎
吝祥	吉祥	咎祥	灾祥	平祥	祥祥	休祥	凶祥	悔祥
吝悔	吉悔	咎悔	灾悔	平悔	祥悔	休悔	凶悔	悔悔
吝吉	元吉	咎吉	灾吉	平吉	祥吉	休吉	凶吉	悔吉
吝平	吉平	咎平	灾平	平平	祥平	休平	凶平	悔平
吝凶	吉凶	咎凶	灾凶	平凶	祥凶	休凶	大凶	悔凶
吝吝	吉吝	咎吝	灾吝	平吝	祥吝	休吝	凶吝	悔吝
吝灾	吉灾	咎灾	灾灾	平灾	祥灾	休灾	凶灾	悔灾
吝休	吉休	咎休	灾休	平休	祥休	休休	凶休	悔休

▥▦革 八之五 ▥▦혁 8의 5

革, 利正. 從而革, 通不塞, 應時而亨. 金道乃行. 疾病凶.

혁은 정직함이 이롭다. 따라 가서 변혁하여 통하여 막히지 않게 하니 때에 응하여 형통하리라. 금金의 도라야 행할 수 있다. 병이 드니 흉하다.

霜降豺祭獸.

상강에 승냥이가 짐승을 잡아서 제사한다.

吝	吉	咎	災	平	祥	休	凶	悔
平	平	平	平	平	平	平	平	平
平	平	平	平	平	平	平	平	平
平	平	平	平	平	平	平	平	平
吉	元 吉	吉	吉	平 吉*	吉	吉	吉	吉
平	平	平	平	平	平	平	平	平
平	平	平	平	平	平	平	平	平
平	平	平	平	平	平	平	大 平	平
平	平	平	平	平	平	平	平	平

∭丅報 八之六　∭丅보 8의 6

報, 祭祀吉. 事不宜先宜後. 君子有慶.

보는 제사지내면 길하다. 일은 먼저 하는 것이 마땅하지 않으니 나중에 함이 마땅하다. 군자는 경사가 있다.

　　草木黃落.

　　초목이 단풍들어 떨어진다.

吝 休	吉 休	咎 休	災 休	平 休	祥 休	休 休	凶 休	悔 休
吝 災	吉 災	咎 災	災 災	平 災	祥 災	休 災	凶 災	悔 災
吝 吝	吉 吝	咎 吝	災 吝	平 吝	祥 吝	休 吝	凶 吝	悔 吝
吝 凶	吉 凶	咎 凶	災 凶	平 凶	祥 凶	休 凶	大 凶	悔 吝
吝 平	吉 平	咎 平	災 平	平 平	祥 平	休 平	凶 平	悔 平
吝 吉	元 吉	咎 吉	災 吉	平 吉	祥 吉	休 吉	凶 吉	悔 吉
吝 悔	吉 悔	咎 悔	災 悔	平 悔	祥 悔	休 悔	凶 悔	悔 悔
吝 祥	吉 祥	咎 祥	災 祥	平 祥	祥 祥	休 祥	凶 祥	悔 祥
吝 咎	吉 咎	咎 咎	災 咎	平 咎	祥 咎	休 咎	凶 咎	悔 咎

川川 止 八之七 川川 지 8의 7

止, 父慈子孝. 兄友弟恭. 思出位越常凶. 征吝.

지는 어버이는 사랑하고 자식은 효도한다. 형은 우애 있고 아우는 공손하다. 지위를 벗어나는 생각을 하면 흉하다. 나아가면 근심할 일이 생긴다.

蟄蟲咸附.

겨울잠 자는 벌레가 양지바른 곳으로 들어간다.

吝祥	吉祥	咎祥	災祥	平祥	祥祥	休祥	凶祥	悔祥
吝悔	吉悔	咎悔	災悔	平悔	祥悔	休悔	凶悔	悔悔
吝凶	吉凶	咎凶	災凶	平凶	祥凶	休凶	大凶	悔凶
吝咎	吉咎	咎咎	災咎	平咎	祥咎	休咎	凶咎	悔咎
吝平	吉平	咎平	災平	平平	祥平	休平	凶平	悔平
吝休	吉休	咎休	災休	平休	祥休	休休	凶休	悔休
吝吉	元吉	咎吉	災吉	平吉	祥吉	休吉	凶吉	悔吉
吝吝	吉吝	咎吝	災吝	平吝	祥吝	休吝	凶吝	悔吝
吝災	吉災	咎災	災災	平災	祥災	休災	凶災	悔災

〿〿戎 八之八　〿〿융 8의 8

戎, 正吉. 戰血玄黄. 陽亢有傷. 君子克臧惟, 知之藏. 利征伐.

융은 정직하면 길하다. 싸워서 피가 검고 노랗다. 양이 지나치게 올라가서 손상이 있다. 군자가 선할 수 있는 방법은 지혜를 감춤이다. 정벌하면 이롭다.

立冬水始氷.

입동에 얼음이 처음 언다.

吝祥	吉祥	咎祥	災祥	平祥	祥祥	休祥	凶祥	悔祥
吝悔	吉悔	咎悔	災悔	平悔	祥悔	休悔	凶悔	悔悔
吝凶	吉凶	咎凶	災凶	平凶	祥凶	休凶	大凶	悔凶
吝咎	吉咎	咎咎	災咎	平咎	祥咎	休咎	凶咎	悔咎
吝平	吉平	咎平	災平	平平	祥平	休平	凶平	悔平
吝休	吉休	咎休	災休	平休	祥休	休休	凶休	悔休
吝吉	元吉	咎吉	災吉	平吉	祥吉	休吉	凶吉	悔吉
吝吝	吉吝*	咎吝	災吝	平吝	祥吝	休吝	凶吝	悔吝
吝災	吉災	咎災	災災	平災	祥災	休災	凶災	悔災

ꀀꀀ結 八之九 ꀀꀀ결 8의 9

結, 百穀其成, 庶績其凝. 履霜堅冰. 婚媾吉, 爭訟凶.

결은 온갖 곡식이 이루어지고 여러 공덕이 이룩된다. 서리를 밟으면 결빙된다. 혼인은 길하고 쟁송은 흉하다.

吝 凶	吉 凶	咎 凶	災 凶	平 凶	祥 凶	休 凶	大 凶	悔 凶
吝 休	吉 休	咎 休	災 休	平 休	祥 休	休 休	凶 休	悔 休
吝 災	吉 災	咎 災	災 災	平 災	祥 災	休 災	凶 災	悔 災
吝 悔	吉 悔	咎 悔	災 悔	平 悔	祥 悔	休 悔	凶 悔	悔 悔
吝 平	吉 平	咎 平	災 平	平 平	祥 平	休 平	凶 平	悔 平
吝 吝	吉 吝	咎 吝	災 吝	平 吝	祥 吝	休 吝	凶 吝	悔 吝
吝 祥	吉 祥	咎 祥	災 祥	平 祥	祥 祥	休 祥	凶 祥	悔 祥
吝 咎	吉 咎	咎 咎	災 咎	平 咎	祥 咎	休 咎	凶 咎	悔 咎
吝 吉	元 吉	咎 吉	災 吉	平 吉	祥 吉	休 吉	凶 吉	悔 吉

〓|養 九之一 〓|양 9의 1

養, 惟心亨, 求口實. 大人大體, 小人小體.

양은 마음을 길러야 형통한데 음식을 구한다. 대인은 대체를 기르고 소인은 소체를 기른다.

地始凍.

땅이 얼기 시작한다.

元吉	咎吉	祥吉	吝吉	平吉	悔吉	灾吉	休吉	凶吉*
吉咎	咎咎	祥咎	吝咎	平咎	悔咎	灾咎	休咎	凶咎
吉祥	咎祥	祥祥	吝祥	平祥	悔祥	灾祥	休祥	凶祥
吉吝	咎吝	祥吝	吝吝	平吝	悔吝	灾吝	休吝	凶吝
吉平	咎平	祥平	吝平	平平	悔平	灾平	休平	凶平
吉悔	咎悔	祥悔	吝悔	平悔	悔悔	灾悔	休悔	凶悔
吉灾	咎灾	祥灾	吝灾	平灾	悔灾	灾灾	休灾	凶灾
吉休	咎休	祥休	吝休	平休	悔休	灾休	休休	凶休
吉凶	咎凶	祥凶	吝凶	平凶	悔凶	灾凶	休凶	大凶

𝌆 遇 九之二　𝌆 우 9의 2

遇, 吉. 非龍非彲, 非虎非羆. 爲周之師, 自天祐之. 勿娶女. 凶.

우는 길하다. 용도 아니고 이무기도 아니며, 호랑이도 아니고 큰 곰도 아니다. 주나라의 스승을 만나니, 하늘이 그를 돕는다. 아내를 취하지 말라. 흉하다.

雉始入大水化爲蜃.

꿩이 처음으로 큰물에 들어가 이무기가 된다.

吉吝	咎吝	祥吝	吝吝	平吝	悔吝	災吝	休吝	凶吝
元吉	咎吉	祥吉	吝吉	平吉	悔吉	災吉	休吉	凶吉
吉咎	咎咎	祥咎	吝咎	平咎	悔咎	災咎	休咎	凶咎
吉災	咎災	祥災	吝災	平災	悔災	災災	休災	凶災
吉平	咎平	祥平	吝平	平平	悔平	災平	休平	凶平
吉祥	咎祥	祥祥	吝祥	平祥	悔祥	災祥	休祥	凶祥
吉休	咎休	祥休	吝休	平休	悔休	災休	休休	凶休
吉凶	咎凶	祥凶	吝凶	平凶	悔凶	災凶	休凶	大凶
吉悔	咎悔	祥悔	吝悔	平悔	悔悔	災悔	休悔	凶悔

▥▥勝 九之三 ▥▥승 9의 3

勝, 厲, 正吉, 利涉大川. 君子以智, 小人以力.

승은 위태로우나 정직하면 길하니 대천大川을 건너는 것이 이롭다. 군자는 지혜를 쓰고 소인은 힘을 쓴다.

小雪虹藏不見.

소설小雪에 무지개가 자취를 감춰 보이지 않는다.

吉灾	咎灾	祥灾	吝灾	平灾	悔灾	灾灾	休灾	凶灾
吉吝	咎吝	祥吝	吝吝	平吝	悔吝	灾吝	休吝	凶吝
元吉	咎吉	祥吉	吝吉	平吉	悔吉	灾吉	休吉	凶吉
吉休	咎休	祥休	吝休	平休	悔休	灾休	休休	凶休
吉平	咎平	祥平	吝平	平平	悔平	灾平	休平	凶平
吉咎	咎咎	祥咎	吝咎	平咎	悔咎	灾咎	休咎	凶咎
吉凶	咎凶	祥凶	吝凶	平凶	悔凶	灾凶	休凶	大凶
吉悔	咎悔	祥悔	吝悔	平悔	悔悔	灾悔	休悔	凶悔
吉祥	咎祥	祥祥	吝祥	平祥	悔祥	灾祥	休祥	凶祥

▓▓▓ 囚 九之四 ▓▓▓ 수 9의 4

囚, 厲, 利用獄. 不利有攸往.

수는 위태로우나 옥사를 쓰는 것이 이롭다. 나아가는 것은 이롭지 않다.

天氣上騰, 地氣下降.

천기는 위로 올라가고 지기는 아래로 내려간다.

吉咎	咎咎	祥咎	吝咎	平咎	悔咎	灾咎	休咎	凶咎
吉祥	咎祥	祥祥	吝祥	平祥	悔祥	灾祥	休祥	凶祥
吉悔	咎悔	祥悔	吝悔	平悔	悔悔	灾悔	休悔	凶悔
元吉	咎吉	祥吉	吝吉	平吉	悔吉*	灾吉	休吉	凶吉
吉平	咎平	祥平	吝平	平平	悔平	灾平	休平	凶平
吉凶	咎凶	祥凶	吝凶	平凶	悔凶	灾凶	休凶	大凶
吉吝	咎吝	祥吝	吝吝	平吝	悔吝	灾吝	休吝	凶吝
吉灾	咎灾	祥灾	吝灾	平灾	悔灾	灾灾	休灾	凶灾
吉休	咎休	祥休	吝休	平休	悔休	灾休	休休	凶休

[25-10-5]

▥▥|||壬 九之五　▥▥||||임 9의 5

壬, 惟水之神, 外暗內明. 君子休休, 小人包羞. 妊娠吉.

임은 물의 신명함이니 밖은 어둡고 안은 밝다. 군자는 아름답고 소인은 부끄러움을 품는다. 아이를 가지면 길하다.

閉塞而成冬.

천지 기운이 막혀서 겨울이 된다.

吉 平	咎 平	祥 平	吝 平	平 平	悔 平	災 平	休 平	凶 平
吉 平	咎 平	祥 平	吝 平	平 平	悔 平	災 平	休 平	凶 平
吉 平	咎 平	祥 平	吝 平	平 平	悔 平	災 平	休 平	凶 平
吉 平	咎 平	祥 平	吝 平	平 平	悔 平	災 平	休 平	凶 平
元 吉	咎 吉	祥 吉	吝 吉	平 吉	悔 吉*	災 吉	休 吉	凶 吉
吉 平	咎 平	祥 平	吝 平	平 平	悔 平	災 平	休 平	凶 平
吉 平	咎 平	祥 平	吝 平	平 平	悔 平	災 平	休 平	凶 平
吉 平	咎 平	祥 平	吝 平	平 平	悔 平	災 平	休 平	凶 平
吉 平	咎 平	祥 平	吝 平	平 平	悔 平	災 平	休 平	凶 平

𝍇丁固 九之六　𝍇丁고 9의 6

固, 正靜而一, 爲物之極. 龍蛇之蟄, 不知不識, 吉.

고는 정직하고 고요하여 한결같음이 사물의 표준이다. 용과 뱀의 칩거함이니 알지 못하고 알려고 하지도 말아야 길하다.

　　　大雪鵙鳥不鳴.

　　　대설大雪에 파랑새가 울지 않는다.

吉 休	咎 休	祥 休	吝 休	平 休	悔 休	灾 休	休 休	凶 休
吉 灾	咎 灾	祥 灾	吝 灾	平 灾	悔 灾	灾 灾	休 灾	凶 灾
吉 吝	咎 吝	祥 吝	吝 吝	平 吝	悔 吝	灾 吝	休 吝	凶 吝
吉 凶	咎 凶	祥 凶	吝 凶	平 凶	悔 凶	灾 凶	休 凶	大 凶
吉 平	咎 平	祥 平	吝 平	平 平	悔 平	灾 平	休 平	凶 平
元 吉	咎 吉	祥 吉	吝 吉	平 吉*	悔 吉	灾 吉	休 吉	凶 吉
吉 悔	咎 悔	祥 悔	吝 悔	平 悔	悔 悔	灾 悔	休 悔	凶 悔
吉 祥	咎 祥	祥 祥	吝 祥	平 祥	悔 祥	灾 祥	休 祥	凶 祥
吉 咎	咎 咎	祥 咎	吝 咎	平 咎	悔 咎	灾 咎	休 咎	凶 咎

[25-10-7]

〓〓移 九之七 〓〓이 9의 7

移, 功成而退, 居亢則悔. 利有攸往, 守常凶.

이는 공을 이루었으면 물러가야 하니 올라간 곳에 머물면 후회가 생긴다. 나아가는 것이 이롭고 상도를 지키면 흉하다.

　　　虎始交.

　　　호랑이가 교미하기 시작한다.

吉祥	咎祥	祥祥	咨祥	平祥	悔祥	灾祥	休祥	凶祥
吉悔	咎悔	祥悔	咨悔	平悔	悔悔	灾悔	休悔	凶悔
吉凶	咎凶	祥凶	咨凶	平凶	悔凶	灾凶	休凶	大凶
吉咎	咎咎	祥咎	咨咎	平咎	悔咎	灾咎	休咎	凶咎
吉平	咎平	祥平	咨平	平平	悔平	灾平	休平	凶平
吉休	咎休	祥休	咨休	平休	悔休	灾休	休休	凶休
元吉	咎吉	祥吉*	咨吉	平吉	悔吉	灾吉	休吉	凶吉
吉咨	咎咨	祥咨	咨咨	平咨	悔咨	灾咨	休咨	凶咨
吉灾	咎灾	祥灾	咨灾	平灾	悔灾	灾灾	休灾	凶灾

[25-10-8]

ⅢⅢ墮 九之八 ⅢⅢ타 9의 8

墮, 物極於上, 必復於下. 君子下, 下, 吉.

타는 사물이 위에서 극에 달하면 반드시 아래에서 회복한다. 군자가 낮추어야 하니 낮추면 길하다.

荔挺出.

여정荔挺(꽃창포)이 길게 자란다.

吉悔	咎悔	祥悔	吝悔	平悔	悔悔	灾悔	休悔	凶悔
吉凶	咎凶	祥凶	吝凶	平凶	悔凶	灾凶	休凶	大凶
吉休	咎休	祥休	吝休	平休	悔休	灾休	休休	凶休
吉祥	咎祥	祥祥	吝祥	平祥	悔祥	灾祥	休祥	凶祥
吉平	咎平	祥平	吝平	平平	悔平	灾平	休平	凶平
吉灾	咎灾	祥灾	吝灾	平灾	悔灾	灾灾	休灾	凶灾
吉咎	咎咎	祥咎	吝咎	平咎	悔咎	灾咎	休咎	凶咎
元吉	咎吉	祥吉	吝吉	平吉	悔吉	灾吉	休吉	凶吉
吉吝	咎吝	祥吝	吝吝	平吝	悔吝	灾吝	休吝	凶吝

▥▥終 九之九 ▥▥종 9의 9

終, 吉. 兹闔之窮, 斯闢之通. 君子令終.

종은 길하다. 닫은 것이 다하면 열어서 통한다. 군자는 끝이 좋을 것이다.

吉 凶	咎 凶	祥 凶	吝 凶	平 凶	悔 凶	灾 凶	休 凶	大 凶
吉 休	咎 休	祥 休	吝 休	平 休	悔 休	灾 休	休 休	凶 休
吉 灾	咎 灾	祥 灾	吝 灾	平 灾	悔 灾	灾 灾	休 灾	凶 灾
吉 悔	咎 悔	祥 悔	吝 悔	平 悔	悔 悔	灾 悔	休 悔	凶 悔
吉 平	咎 平	祥 平	吝 平	平 平	悔 平	灾 平	休 平	凶 平
吉 吝	咎 吝	祥 吝	吝 吝	平 吝	悔 吝	灾 吝	休 吝	凶 吝
吉 祥	咎 祥	祥 祥	吝 祥	平 祥	悔 祥	灾 祥	休 祥	凶 祥
吉 咎	咎 咎	祥 咎	吝 咎	平 咎	悔 咎	灾 咎	休 咎	凶 咎
元 吉	咎 吉	祥 吉	吝 吉	平 吉	悔 吉	灾 吉	休 吉	凶 吉

[25-11]

五行植物屬圖

水	金	土	火	木	
潤水	汞	砂	木火	楊柳	一陽
井水	銀	石	石火	梅李	二陽
雨水	金	玉	雷火	松柏	三陽
溝渠	銅	土	油火	竹葦	一陰
陂澤	鐵	壤	虫火	禾麥	二陰
湖海	鉛	泥	燐	蕈	三陰

오행식물속도

	목	화	토	금	수
1양	버드나무	나무불	모래	수은	계곡물
2양	매화와 오얏	부싯돌	돌	은	우물물
3양	소나무와 잣나무	번갯불	옥	금	빗물
1음	대와 갈대	기름불	흙	동	도랑물
2음	벼와 보리	반딧불	부드러운 흙	철	연못물
3음	버섯	수석에서 번쩍이는 불	진흙	납	호수와 바다

[25-12]

五行動物屬圖

水	金	土	火	木	
蠏	鹿	蟾蜍	鴈	鮻鯉	一陽
鱉	馬	蚕	鷄	蛇	二陽
龜	麟猴	人	鳳鶴	龍	三陽
蝦	虎	蜘蛛	鷹隼	鯉魴	一陰
蚌	牛豕	蚓	燕雀	小魚	二陰
蠣	毛虫	鰻	梟蟻蠓	鰍	三陰

오행동물속도

	목	화	토	금	수
1양	천산갑	기러기	두꺼비	사슴	게
2양	뱀	닭	누에	말	참게
3양	용	봉황 학	사람	기린 원숭이	거북
1음	방어	매	거미	호랑이	새우
2음	송사리	제비와 참새	지렁이	소와 돼지	조개
3음	미꾸라지	올빼미 눈에놀이	뱀장어	나비	굴

五行用物屬圖

水	金	土	火	木	
平器 權衡	方器 斧鉞	腹器 筐筥	登器 梯棚	疏器 門窻	一陽
輪磨	印節	圭璧	文書	琴瑟	二陽
準	矩	量	繩	規	三陽
鏡匳	弓矢	舟車	筆硯	筭籭	一陰
研椎	簡	盤盂	檯棹	耒耜	二陰
廁圂	械校	棺槨	履蹻	網罟	三陰

오행용물속도

	목	화	토	금	수
1양	드나드는 기물 문과 창문	오르는 기물 사다리	담는 기물 광주리	모난 기물 도끼	수평 유지하는 기물 저울
2양	금슬	문서	규벽	도장과 부절	맷돌
3양	그림쇠	새끼줄	되	곱자	수준기
1음	산가지 대나무	붓과 벼루	배와 수레	활과 화살	경대
2음	쟁기	높은 책상	소반과 주발	간책	방망이
3음	그물	발판	관곽	목에 씌우는 칼	뒷간

[25-14]

五行事類吉圖

水	金	土	火	木	
交易	賜予	工役	燕集	徵召	一陽
遷移	按察	循常	文書	科名	二陽
征行	更革	盟約	朝會	恩赦	三陽
酒食	軍旅	田宅	言語	婚姻	一陰
田獵	錢貨	福壽	歌舞	産孕	二陰
祭祀	刑法	墳墓	燈燭	財帛	三陰

오행사류길도

	목	화	토	금	수
1양	초빙 받음	연회	공역	하사 받음	교역
2양	과거 입격	문서	준법	순찰	이전
3양	사면	조회	맹약	개혁	출정
1음	혼인	언어	토지와 가옥	군사	술과 음식
2음	임신과 출산	가무	수복	화폐	사냥
3음	재물	등촉	분묘	형법	제사

五行事類凶圖

水	金	土	火	木	
盜賊	征役	反覆	公訟	桯杌	一陽
囚獄	罷免	欺詐	顚狂	驚憂	二陽
徒流	責降	離散	口舌	醜惡	三陽
淫亂	爭鬪	貧窮	炙灸	壓墜	一陰
呪咀	傷損	疾病	災焚	夭折	二陰
浸溺	殺戮	死亡	震燬	産死	三陰

오행사류흉도

	목	화	토	금	수
1양	위태	공적 소송	전복	조세와 부역	도적
2양	놀라고 근심함	미쳐 날뜀	사기	파면	수감
3양	추악	구설	이산	강등	유배
1음	압사나 추락사	화상	빈궁	투쟁	음란
2음	요절	화재	질병	손상	저주
3음	출산 중 사망	지진으로 인한 파손	사망	살육	익사

五行支干圖

水	金	土	火	木	
壬癸 子丑	庚辛 子丑	戊己 子丑	丙丁 子丑	甲乙 子丑	一陽
壬癸 寅卯	庚辛 寅卯	戊己 寅卯	丙丁 寅卯	甲乙 寅卯	二陽
壬癸 辰巳	庚辛 辰巳	戊己 辰巳	丙丁 辰巳	甲乙 辰巳	三陽
壬癸 午未	庚辛 午未	戊己 午未	丙丁 午未	甲乙 午未	一陰
壬癸 申酉	庚辛 申酉	戊己 申酉	丙丁 申酉	甲乙 申酉	二陰
壬癸 戌亥	庚辛 戌亥	戊己 戌亥	丙丁 戌亥	甲乙 戌亥	三陰

오행간지도

	목	화	토	금	수
1양	갑을 자축	병정 자축	무기 자축	경신 자축	임계 자축
2양	갑을 인묘	병정 인묘	무기 인묘	경신 인묘	임계 인묘
3양	갑을 진사	병정 진사	무기 진사	경신 진사	임계 진사
1음	갑을 오미	병정 오미	무기 오미	경신 오미	임계 오미
2음	갑을 신유	병정 신유	무기 신유	경신 신유	임계 신유
3음	갑을 술해	병정 술해	무기 술해	경신 술해	임계 술해

五行人體性情圖

水	金	土	火	木	
哀	怒	慾	樂	喜	一陽
精	魄(䰙)	意	神	魂(䰇)	二陽
智	義	信	禮	仁	三陽
聲	味	形	色	臭	一陰
腎	肺	脾	心	肝	二陰
皮	骨	肉	毛	筋	三陰

오행인체성정도

	목	화	토	금	수
1양	기쁨	즐거움	욕구	성남	슬픔
2양	혼	신	의지	백	정
3양	인	예	신	의	지
1음	냄새	색	형체	맛	소리
2음	간	심장	비장	폐	신장
3음	근육	털	살	뼈	피부

易象之圖 역상지도

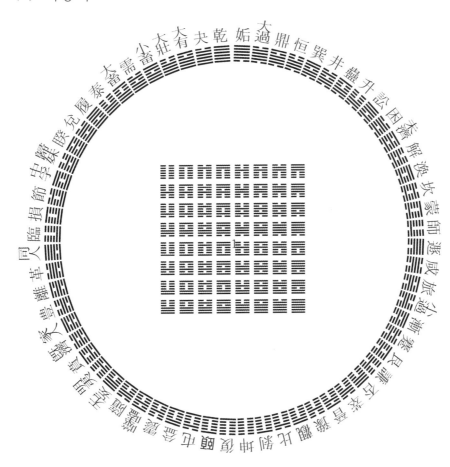

[25-18-1]

古者包犧氏之王天下也, 仰則觀象於天, 俯則觀法於地, 觀鳥獸之文與地之宜, 近取諸身, 遠取諸物, 於是始作八卦, 以通神明之德, 以類萬物之情.[13]

옛날 복희씨가 세상을 다스릴 때 우러러보아 하늘에서 형상을 살피고, 굽어보아 땅에서 법칙을 살폈으며, 날짐승과 길짐승의 문양과 지세에 맞는 것들을 살폈으며, 가까이는 (자신의) 몸에서 찾아서 얻고 멀리는 만물에서 찾아서 얻었다. 이에 비로소 팔괘를 지어 신명한 덕을 통달하고, 만물의 실정을 분류

---

13 『周易』「繫辭下」2장

하였다.

[25-18-2]

易有太極, 是生兩儀, 兩儀生四象, 四象生八卦. 八卦定吉凶, 吉凶生大業.[14]

역易에 태극太極이 있으니, 이것이 양의兩儀를 낳고, 양의는 사상四象을 낳으며, 사상은 팔괘八卦를 낳는다. 팔괘가 길흉吉凶을 정하고, 길흉이 대업大業을 낳는다.

[25-18-3]

天地定位, 山澤通氣, 雷風相薄, 水火不相射, 八卦相錯, 數往者順, 知來者逆, 是故易逆數也.[15]

하늘과 땅이 제자리를 잡고, 산과 못이 기氣를 통하며, 우레와 바람이 서로 치고, 물과 불이 서로 해치지 않아, 팔괘가 서로 섞인다. 지나간 것을 헤아리는 것은 '순응하는 것[順]'이고 올 것을 아는 것은 '예측하는 것[逆]'이다. 그러므로 역易은 예측해서 헤아리는 것이다.

[25-18-4]

天一, 地二, 天三, 地四, 天五, 地六, 天七, 地八, 天九, 地十.[16] 天數五, 地數五, 五位相得而各有合. 天數二十有五, 地數三十, 凡天地之數五十有五. 此所以成變化而行鬼神也.[17]

하늘은 1, 땅은 2, 하늘은 3, 땅은 4, 하늘은 5, 땅은 6, 하늘은 7, 땅은 8, 하늘은 9, 땅은 10이다. 하늘의 수 다섯 개와 땅의 수 다섯 개가 다섯 자리에서 서로를 얻어서 각기 결합함이 있다. 하늘의 수는 25이고 땅의 수는 30이며, 하늘과 땅의 수는 55이니, 이것으로써 변화를 이루고 귀신을 행한다.

. . . .

14 『周易』「繫辭上」 11장
15 『周易』「說卦傳」 3장
16 『周易』「繫辭上」 11장
17 『周易』「繫辭上」 12장

範數之圖 범수지도

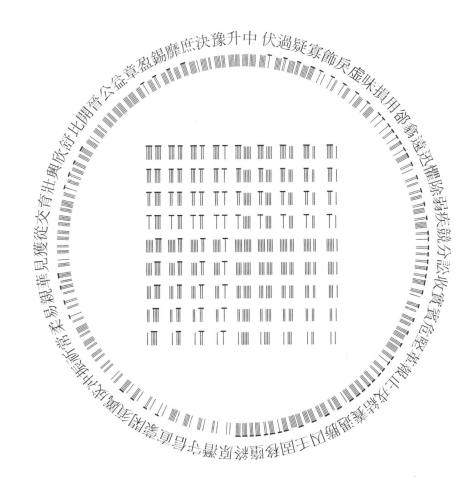

昔者天錫禹洪範九疇也.[18] 初一日五行, 次二日敬用五事, 次三日農用八政, 次四日協用五紀, 次五日建用皇極, 次六日乂用三德, 次七日明用稽疑, 次八日念用庶徵, 次九日嚮用五福, 威用六極.[19]

옛날에 하늘이 홍범구주를 우禹임금에게 하사했다. 첫째는 오행五行이고, 둘째는 공경하기를 다섯 가지

18 昔者天錫禹洪範九疇也. : 『書經』 「洪範」에는 "天乃錫禹洪範九疇, 彝倫攸敍."로 되어 있다.
19 『書經』 「洪範」

일로 하는 것이고, 셋째는 농사짓기를 여덟 가지 정사政事로 하는 것이고, 넷째는 (천시天時에) 조화롭게 하기를 다섯 가지 기강으로 하는 것이고, 다섯째는 확립하기를 임금의 표준으로 하는 것이고, 여섯째는 다스리기를 세 가지 덕으로 하는 것이고, 일곱째는 명백히 하기를 의심을 살핌으로 하는 것이고, 여덟째는 생각하기를 여러 조짐으로 하는 것이며, 아홉째는 향하게 하기를 오복五福으로 하고 위압하기를 육극六極(여섯 가지 극악)으로 하는 것이다.

[25-19-2]

沖漠無朕, 萬象具矣. 動靜無端, 後則先矣. 器根於道, 道著器矣. 一實萬分, 萬復一矣. 混分闢分, 其無窮矣. 是故數者, 計乎此者也, 疇者, 等乎此者也, 行者, 運乎此者也. 微而顯, 費而幽, 神應不測, 所以妙乎此者也.

텅 비고 고요하여 아무런 조짐이 없으나 온갖 형상이 갖추어져 있다.[20] 움직임과 고요함은 단서가 없으니[21] 뒤에 있는 것이 앞이 된다. 기器는 도道에 뿌리를 두고 도는 기에서 드러난다. 하나의 실상이 만물로 나뉘니, 만물은 다시 하나이다. 혼돈과 열림은 끝이 없다.[22] 그러므로 수數는 이것을 헤아린 것이고, 주疇(구주九疇)는 이것을 무리지은 것이며, 오행五行은 이것을 운행하는 것이다. 은미하지만 드러나 있고 널려있지만 그윽하여 신묘한 감응을 헤아릴 수 없으니, 그 때문에 이것을 신묘하게 하는 것이다.[23]

....

20 텅 비고 … 있다. : 『河南程氏遺書』 권15 "沖漠無朕, 萬象森然已具, 未應不是先, 已應不是後. 如百尺之木, 自根本至枝葉, 皆是一貫, 不可道上面一段事, 無形無兆, 却待人旋安排引入來, 教入塗轍. 旣是塗轍, 却只是一箇塗轍."

21 움직임과 고요함은 단서가 없으니 : 程頤의 『易傳』 권1 "動靜無端, 陰陽無始, 非知道者, 熟能識知?"

22 혼돈과 열림은 끝이 없다. : 『通書』 「動靜」

23 은미하지만 드러나 … 것이다. : 【補註】 "태극이 나뉘지 않았을 때에는 텅 비고 고요하여 아무런 조짐이 없으나 온갖 형상이 갖추어져 있고, 양의가 나뉘고 나면 움직임과 고요함에 단서가 없어 뒤가 다시 앞이 된다. 그러므로 道는 형이상자이고 器는 형이하자이다. 한 차례 열림으로부터 만물이 되고 만물의 뒤섞임으로부터 하나가 된다. 그 운행이 그러므로 순환하여 끝이 없는 것이다(太極未分, 則沖漠無朕而萬象已具, 兩儀旣判, 則動靜無端而後復爲先. 故道形而上者也, 器形而下者也. 由一闢而爲萬, 由萬混而爲一. 其運故循環之無窮也.)" 【補解】 "沖漠은 한 데 어우러져 '아득하다'는 뜻이다. '朕'은 '분별하다'이다. '萬象'은 만물의 형상이다. 움직임이 앞이고 양이며 고요함이 뒤이고 음이다. '器'는 형이하를 말하니, 바로 음양이다. '道'는 리이다. '하나'는 태극이다. '萬'은 만물이다. '混'은 합함이니, 만물이 다시 하나가 되는 것이다. '闢'은 열림이니, 하나가 만물로 나뉘는 것이다. '數'는 홍범의 수이고 疇는 九疇이다. '等'은 '무리짓다.'이다. '行'은 오행이다. (沖漠, 沖融冥漠之意. 朕, 分也. 萬象, 萬物之象也. 動先陽也, 靜後陰也. 器, 形而下之謂, 卽陰陽也. 道, 理也. 一, 太極也. 萬, 萬物也. 混, 合也, 萬復一也. 闢, 開也, 一分萬也. 數, 範數也, 疇, 九疇也. 等, 類也. 行, 五行也.) '은미하지만 드러나는 것'은 은미함보다 드러나는 것이 없다는 것이며, '드러나지만 그윽한 것'은 드러나 있지만 은미하다는 것이다. '신묘함을 헤아릴 수 없다'는 것은 張子(張載)가 말한 '하나이기에 신묘하고 둘이 있기에 헤아릴 수 없다.'는 것이 이것이다. 이것은 리를 가리켜 말한 것이다(微而顯, 莫顯乎微也. 費而幽, 費而隱也. 神應不測, 張子所謂 '一故神, 兩在故不測,' 是也. 此指理而言.)"

[25-19-3]

一者九之祖也, 九者八十一之宗也. 圓之而天, 方之而地, 行之而四時. 天所以覆物也, 地所以載物也, 四時所以成物也. 散之無外, 卷之無內, 體諸造化而不可遺者乎!

1은 9의 조상이고 9는 81의 종주이다. 둥글어 하늘이 되고 네모나서 땅이 되며, 운행하여 사시四時가 된다. 하늘은 만물을 덮고 땅은 만물을 싣는 것이며 사시는 만물을 이루는 것이다. 흩어져서는 밖이 없고 거두어들여서는 안이 없으며, 모든 조화의 본체가 되어 떼어 낼 수가 없다.

理氣一 리기 1

理氣一
리기 1

[26-1]

總論 총론

[26-1-1]
程子曰 : "有形總是氣, 無形只是道."[1]
정자程子가 말했다. "형체가 있는 것은 모두 기氣이고, 형체가 없는 것은 도道이다."

[26-1-2]
"離陰陽則無道. 陰陽, 氣也, 形而下也, 道, 太虛也, 形而上也."[2]
(정자가 말했다.) "음양을 떠나면 도道가 없다. 음양은 기氣로서 형이하形而下이고, 도는 태허太虛로서 형이상形而上이다."

[26-1-3]
朱子曰 : "天地之間, 有理有氣. 理也者, 形而上之道也, 生物之本也. 氣也者, 形而下之器也, 生物之具也. 是以人物之生, 必稟此理, 然後有性, 必稟此氣, 然後有形."[3]
주자朱子가 말했다. "천지 사이에는 리理가 있고 기氣가 있다. 리는 형이상의 도道이니 만물을 생성하는 근본이고, 기는 형이하의 기器이니 만물을 생성하는 재구材具이다. 그러므로 사람과 만물이 생겨날 때 반드시 이 리를 품수한 후에 성性이 있고, 이 기를 품수한 후에 형체가 있다."

....

1 『河南程氏遺書』권6
2 『二程粹言』권상 「論道篇」
3 『朱文公文集』권58 「答黃道夫」

[26-1-4]

"有是理後生是氣, 自'一陰一陽之謂道'推來. 此性自有仁義."[4]

(주자가 말했다.) "리가 있고 나서 기가 생겨난다는 것은 '한 번 음이 되고 한 번 양이 되는 것을 도道라고 한다.'[5]는 것에서 추론한 것이다. 성性에는 본래 인의仁義가 있다."

[26-1-5]

"天下未有無理之氣, 亦未有無氣之理."[6]

(주자가 말했다.) "세상에 리 없는 기는 없고, 또한 기 없는 리도 없다."

[26-1-6]

"先有箇天理了, 却有氣. 氣積爲質而性具焉."[7]

(주자가 말했다.) "먼저 천리天理가 있고서 기氣가 있다. 기가 쌓여 질質이 되면 성性이 여기에 갖추어진다."

[26-1-7]

"人之所以爲人, 其理則天地之理, 其氣則天地之氣. 理無迹不可見, 故於氣觀之."[8]

(주자가 말했다.) "사람이 사람이 되는 데, 그 리는 천지의 리이고 그 기는 천지의 기이다. 리는 자취가 없어서 볼 수 없기 때문에 기에서 보아야 한다."

[26-1-8]

問: "先有理, 抑先有氣?"

曰: "理未嘗離乎氣. 然理形而上者, 氣形而下者. 自形而上下言, 豈無先後? 理無形, 氣便粗有查滓."[9]

물었다. "먼저 리가 있습니까? 아니면 먼저 기가 있습니까?"

(주자가) 대답했다. "리는 기와 떨어진 적이 없다. 그러나 리는 형이상자이고 기는 형이하자이다. 형이상·형이하로 말한다면 어찌 선후가 없겠는가? 리는 형체가 없지만 기는 조잡하여 찌꺼기가 있다."

---

4 『朱子語類』 권1, 5조목
5 '한 번 … 한다.': 『周易』「繫辭上」 5장
6 『朱子語類』 권1, 6조목
7 『朱子語類』 권1, 7조목
8 『朱子語類』 권6, 78조목
9 『朱子語類』 권1, 10조목

[26-1-9]

"理氣本無先後之可言. 然必欲推其所從來, 則須說先有是理. 然理又非別爲一物, 卽存乎是氣之中. 無是氣, 則是理亦無掛搭處. 氣則爲金木水火, 理則爲仁義禮智."[10]

(주자가 말했다.) "리와 기는 본래 선후를 말할 수 없다. 그러나 반드시 그 유래를 추구하고자 한다면 먼저 리가 있다고 말해야 한다. 그러나 리는 별도로 존재하는 사물이 아니라 기 가운데에 존재한다. 기가 없으면 리 또한 실릴 곳이 없다. 기는 금金·목木·수水·화火이고, 리는 인仁·의義·예禮·지智이다."

[26-1-10]

問理與氣.

曰 : "伊川說得好, 曰, '理一分殊.' 合天地萬物而言, 只是一箇理, 及在人則又各自有一箇理."[11]

리와 기에 대해 물었다.

(주자가) 대답했다. "이천伊川[程頤]이 말한 것이 좋으니, '리일분수理一分殊'라고 했다. 천지와 만물을 합해서 말한다면 다만 하나의 리일 뿐이지만, 사람의 경우에 이르면 또 각자 하나의 리를 지니고 있다."

又曰 : "有是理便有是氣. 但理是本, 而今且從理上說氣. 如云, '太極動而生陽, 動極而靜, 靜而生陰,' 不成動已前便無靜. 程子曰, '動靜無端', 蓋此亦是且自那動處說起. 若論著動以前又有靜, 靜以前又有動, 如云, '一陰一陽之謂道, 繼之者善也,' 這繼字便是動之端. 若只一開一闔而無繼, 便是闔殺了."

또 말했다. "리가 있으면 기가 있다. 다만 리가 근본이므로 여기서는 우선 리로부터 기를 말한 것이다. 예컨대 '태극이 움직여 양을 낳고, 양이 극한에 이르면 고요해지며, 고요하여 음을 낳는다.'[12]라고 했지만 움직임 전에 고요함이 없다고 해서는 안 된다. 정자程子가 '움직임과 고요함은 끝이 없다.'[13]고 했으니 먼저 움직임으로부터 말을 시작한 것이다. 만일 움직이기 이전에는 고요함이 있고 고요하기 이전에는 또 움직임이 있다는 점을 논의한다면, '한 번 음이 되고 한 번 양이 되는 것을 도라고 하니, 이것을 이어가는 것이 선善이다.'[14]라고 한 것과 같으니, 이 '이어감繼'이 움직임의 단서이다. 만일 그저 한 번 열리고 한 번 닫힐 뿐 이어감이 없다면, 닫혀서 없어지고 말 것이다."

---

10 『朱子語類』 권1, 11조목

11 『朱子語類』 권1, 8조목

12 '태극이 움직여 … 낳는다.': 『周敦頤集』 권1 「太極圖說」

13 '움직임과 고요함은 … 없다.': 『二程粹言』 권상 「論道篇」에 "움직임과 고요함에는 끝이 없고, 음과 양에는 시초가 없으니, 도를 아는 사람이 아니면 누가 그것을 식별할 수 있겠는가?(動靜無端, 陰陽無始, 非知道者, 孰能識之)"라고 했다.

14 '한 번 … 善이다.': 『周易』 「繫辭上」 5장

又問: "繼是動靜之間否?"

曰: "是靜之終, 動之始也. 且如四時, 到得冬月, 萬物都歸窠了, 若不生, 來年便都息了. 蓋是貞復生元, 無窮如此."[15]

또 물었다. "이어가는 것은 움직임과 고요함의 사이에서입니까?"

대답했다. "이것은 고요함의 끝이자 움직임의 시작이다. 가령 사계절에서 겨울이 되면 만물이 모두 보금자리로 돌아가는데, 만일 생겨나지 않는다면 다음 해에는 모두 사라질 것이다. 이것이 정貞이 다시 원元을 생기게 하는 것이니, 끝이 없음이 이와 같다."

[26-1-11]

問: "有是理而後有是氣, 未有人時, 此理何在?"

曰: "也只在這裏. 如一海水, 或取得一杓, 或取得一擔, 或取得一椀, 都是這海水. 但是他爲主, 我爲客, 他較長久, 我得之不久耳."[16]

물었다. "리가 있은 후에 기가 있다면, 사람이 아직 있지 않았을 때 이 리는 어디에 있었습니까?"

말했다. "또한 다만 여기에 있었을 뿐이다. 예를들면 같은 바닷물을 한 국자에 퍼 담건, 한 짐에 퍼 담건, 한 사발에 퍼 담건 모두 이 바닷물인 것과 같다. 다만 그것이 주인이고 나는 손님이며, 그것이 보다 오래가고 내가 얻은 것은 오래가지 않을 뿐이다."

[26-1-12]

問: "理在氣中發見中如何?"

曰: "如陰陽五行錯綜不失條緒, 便是理. 若氣不結聚時, 理亦無所附著."[17]

물었다. "리가 기 가운데에서 발현된다는 것은 어떤 것입니까?"

말했다. "음양과 오행이 뒤섞이면서 조리를 잃지 않는 것은 리 때문이다. 기가 응취凝聚되지 않았을 때라면 리 또한 붙어있을 곳이 없다."

[26-1-13]

問先有理後有氣之說.

曰: "不消如此說. 而今知得他合下是先有理後有氣邪, 後有理先有氣邪? 皆不可得而推究. 然以意度之, 則疑此氣是依傍這理行. 及此氣之聚, 則理亦在焉. 蓋氣則能凝結造作, 理却無情意, 無計度, 無造作. 只此氣凝聚處, 理便在其中. 且如天地間人物草木禽獸, 其生也莫不有

. . . .

15 『朱子語類』권1, 9조목

16 『朱子語類』권1, 9조목

17 『朱子語類』권1, 12조목

種, 定不會無種了白地生出一箇物事, 這箇都是氣. 若理則只是箇淨潔空闊底世界, 無形迹, 他却不會造作. 氣則能醞釀凝聚生物也."[18]

리가 먼저 있고 기가 나중에 있다는 설에 대해 물었다.

말했다. "이렇게 말할 필요가 없다. 지금 원래 리가 먼저 있고 기가 나중에 있는지, 리가 나중에 있고 기가 먼저 있는지 알 수 있겠는가? 모두 추구推究할 수 없다. 그러나 뜻으로 헤아려 보면 아마도 기가 리에 의지하여 유행하는 것 같다. 기가 응취하게 되면 리 또한 여기에 있게 된다. 기는 응결하고 조작할 수 있으나, 리는 정의情意도 없고 생각도 없으며 조작도 없다. 다만 어떠한 기가 응취하는 곳은 리가 그 가운데 있을 뿐이다. 예컨대 천지 사이에 사람과 사물, 풀과 나무, 날짐승과 들짐승 등은 생겨날 때 종자가 있지 않은 경우가 없어, 종자 없이 맨땅에서는 하나의 사물도 결코 생겨날 수 없으니, 이것이 바로 기이다. 리는 단지 깨끗하고 텅 빈 세계일 뿐 아무런 형체나 자취가 없으며, 조작할 수도 없다. 기는 엉기고 응취하여 만물을 생겨나게 할 수 있다."

[26-1-14]

問 : "有是理便有是氣, 似不可分先後."

曰 : "要之, 也先有理. 只不可說是今日有是理, 明日却有是氣. 也須有先後."[19]

물었다. "리가 있으면 기가 있으니 선후를 나눌 수 없을 것 같습니다."

말했다. "요컨대 먼저 리가 있다. 다만 오늘 리가 있고 내일 기가 있다고 말해서는 안 된다. 그러나 또한 반드시 선후가 있다."

[26-1-15]

問 : "未有天地之先, 畢竟是先有理, 如何?"

曰 : "未有天地之先, 畢竟也只是理. 有此理, 便有此天地. 若無此理, 便亦無天地, 無人無物, 都無該載了. 有理便有氣流行發育萬物."

曰 : "發育是理發育之否?"

曰 : "有此理, 便有此氣流行發育. 理無形體."

물었다. "천지가 있기 전에 틀림없이 먼저 리가 있었다는 것은 왜 그렇습니까?"

말했다. "천지가 있기 전에는 틀림없이 단지 리만 있었다. 리가 있으면 천지가 있게 된다. 만일 리가 없다면 또한 천지도 없고 사람도 없고 사물도 없을 것이니, 전혀 실을 것이 없었을 것이다. 리가 있으면 기가 유행하여 만물을 발육시킨다."

물었다. "발육시키는 것은 리가 발육시키는 것입니까?"

말했다. "리가 있으면 기가 유행하여 발육한다. 리는 형체가 없다."

....

18 『朱子語類』 권1, 13조목
19 『朱子語類』 권1, 14조목

曰: "所謂體者是強名否?"

曰: "是."

曰: "理無極, 氣有極否?"

曰: "論其極, 將那處做極?"[20]

물었다. "이른바 체體는 억지로 이름 붙인 것입니까?"

말했다. "그렇다."

물었다. "리는 극極이 없고 기는 극이 있습니까?"

말했다. "극을 논하면 어떤 것을 극으로 삼을 것인가?"[21]

[26-1-16]

"所謂理與氣決是二物. 但在物上看, 則二物渾淪, 不可分開各在一處. 然不害二物之各爲一物也. 若在理上看, 則雖未有物而已有物之理. 然亦但有其理而已, 未嘗實有是物也."[22]

(주자가 말했다.) "이른바 리와 기는 결단코 두 개의 것이다. 그러나 사물에서 본다면 둘이 뒤섞여 있지, 갈라져 각각 하나의 곳에 있을 수 없다. 그러나 둘이 각각 하나가 됨을 해치지 않는다. 만일 리에서 본다면, 사물이 있기 전에도 이미 사물의 리가 있다. 그러나 또한 그저 그 리만 있을 뿐, 실제로 그 사물은 있지 않다."

[26-1-17]

問: "天地之間, 有理有氣, 理常不移而氣不常足.[23] 大德必得名位壽, 理固如此. 然孔子無位, 顏子夭死, 豈非氣使之然耶? 竊疑氣雖不同, 然聖人在上, 以和召和, 則氣亦醇正而隨於理. 春秋戰國, 形殺慘酷, 則氣亦隨之而變, 而理反不能勝. 此處亦當關於人事否?"

曰: "雖是所感不同, 亦是元氣薄了."[24]

물었다. "천지 사이에는 리가 있고 기가 있는데, 리는 항상 변화하지 않고 기는 언제나 고정되어 있지 않습니다.[25] '대덕大德이 반드시 그에 걸맞는 이름·지위·수명을 얻는다.[26]'는 것은 이치상 참으로 그렇

....

20 『朱子語類』 권1, 2조목

21 "극을 논하면 … 것인가?": 『朱子語類考文解義』에서 李宜哲은 "'那處'는 '어느 것'과 같다. 리는 다할 때가 없음을 말한다. 이것은 형기는 다함이 있지만 리는 틈이나 결함이 없기 때문이다.(那處猶何處. 謂理無窮盡之時, 蓋形氣有窮盡而理則無間斷虧欠故也.)"라고 풀이하고 있다. 그러나 설령 이러한 의미로 질문자가 물었을 지라도 정작 주자는 질문자에게 어떤 의미로 극을 생각하고 있는지 되묻고 있다.

22 『朱文公文集』 권46 「答劉文叔」

23 理常不移而氣不常足.: 『朱文公文集』 권56에는 '理常不移而氣不常定.'으로 되어 있다.

24 『朱文公文集』 권56 「答鄭子上」

25 리는 항상 … 않습니다.: 『朱文公文集』에 따라 이와 같이 해석했다.

26 '大德이 반드시 … 얻는다.': 『中庸』 17장에 "大德은 반드시 그에 맞는 지위를 얻고, 그에 맞는 祿을 얻으며,

습니다. 그러나 공자孔子는 지위가 없고, 안자顏子는 요절한 것은 기가 그렇게 한 것이 아니겠습니까? 아마도 기가 비록 같지 않지만 성인이 윗자리에 있어 조화調和로써 조화를 부르면, 기 또한 순일純一하고 바르게 되어 리를 따르게 될 것입니다. 춘추전국시대에 형벌과 살육을 참혹하게 하자, 기 또한 그에 따라 변했기에 리가 오히려 이길 수 없었습니다. 이러한 것은 또한 마땅히 사람의 일과 관련이 있는 게 아닙니까?"

(주자가) 대답했다. "비록 인사人事에 감응한 것은 다르지만,[27] 또한 원기元氣가 쇠미해진 것이다."

[26-1-18]

問理氣先後.

曰: "有此理, 後方有此氣, 旣有此氣, 然後此理有安頓處. 大而天地, 細而螻蟻, 其生皆是如此. 又何慮天地之生無所付受耶? 要之, 理之一字, 不可以有無論. 未有天地之時, 便已如此了也."[28]

리와 기의 선후先後에 대해 물었다.

(주자가) 말했다. "리가 있고 나서야 비로소 기가 있고, 기가 있고 난 다음에 리가 머무를 곳이 있게 된다. 크게는 천지에서부터 작게는 땅강아지와 개미에 이르기까지 그 생겨남은 모두 이와 같다. 또 어찌 천지가 생겨날 때 품부하여 받은 것이 없다고 생각하는가? 요컨대 '리'라는 하나의 글자는 유무로써 논해서는 안 된다. 천지가 아직 있기 전에 이미 이와 같았다."

[26-1-19]

勉齋黃氏曰: "天道是理, 陰陽五行是氣. 合而言之, 氣卽是理, 一陰一陽之謂道也. 分而言之, 理自爲理, 氣自爲氣, 形而上下是也."[29]

면재 황씨勉齋黃氏[黃榦][30]가 말했다. "천도는 리이고 음양과 오행은 기이다. 합해서 말하면, 기가 곧 리이니, '한 번 음이 되고 한 번 양이 되는 것을 도라고 한다.'는 것이다. 나누어 말하면, 리는 리이고 기는 기이니, 형이상形而上과 형이하形而下가 이것이다."

그에 맞는 이름을 얻고, 그에 맞는 수명을 얻는다.(大德必得其位, 必得其祿, 必得其名, 必得其壽.)"라고 했다.

27 "비록 人事에 … 다르지만: 宋時烈의 『朱子大全箚疑』에 "감응한 것은 인사에 감응한 것을 말한다.(所感, 謂人事之感.)"라고 했다.

28 『朱文公文集』 권58 「答楊志仁」

29 『四書或問』「大學或問」: "天道流行, 發育萬物, 其所以爲造化者, 陰陽五行而已."(註)

30 黃榦(1152~1221): 자는 直卿이고, 호는 勉齋이다. 宋代 福州 閩縣(현 福建省 福州) 사람으로 주희의 고족제자인 동시에 사위이다. 주희의 蔭補로 知漢陽軍 · 知安慶府 등을 역임했다. 저서는 『書說』 · 『六經講義』 · 『勉齋集』 등이 있고, 『朱子行狀』을 집필했다.

[26-1-20]

"理無迹而氣有形, 理無際而氣有限, 理一本而氣萬殊. 故言理之當先乎氣, 深思之則無不通也."

(면재 황씨가 말했다.) "리는 자취가 없고 기는 형체가 있으며, 리는 경계가 없고 기는 한계가 있으며, 리는 하나의 근본이고 기는 만 가지로 다르다. 그러므로 리가 마땅히 기보다 앞서야 한다고 말하는 것이니, 깊이 생각하면 통하지 않음이 없을 것이다."

[26-1-21]

"天地生出人物, 如大芋頭生出小芋頭. 大底有理與氣, 一下生出無限小底, 却都傳與他去."

(면재 황씨가 말했다.) "천지가 사람과 만물을 낳는 것은 예컨대 큰 토란大芋頭이 작은 토란小芋頭을 낳는 것과 같다. 큰 토란은 리와 기를 지니고 있어 한 번에 수많은 작은 토란들을 낳아 그것들을 전해준다."

[26-1-22]

北溪陳氏曰: "二氣流行, 萬古生生不息. 不成只是箇空氣. 必有主宰之者, 曰理是也. 理在其中爲之樞紐, 故大化流行, 生生未嘗止息. 所謂以理言者, 非有離乎氣, 只是就氣上指出箇理, 不離乎氣而爲言耳."[31]

북계 진씨北溪陳氏[陳淳][32]가 말했다. "(음양) 두 기가 유행하여 영원토록 낳고 낳아 멈추지 않는다. 그저 텅 빈 기일 뿐이라고 해서는 안 된다. 반드시 그것을 주재하는 것이 있는데, '리'가 이것이다. 리가 그 가운데 중심축이 되므로 거대한 조화造化가 유행하여 낳고 낳음이 멈춘 적이 없다. 이른바 리로 말한다는 것은 기와 떨어져 있다는 것이 아니라, 그저 기에서 리만을 가리키는 것이니, 기에서 떨어져 있지 않음을 말한 것이다."

[26-1-23]

"理不外乎氣, 若說截然在陰陽五行之先, 及在陰陽五行之中, 便成理與氣爲二物矣."

(북계 진씨가 말했다.) "리는 기를 벗어나지 않으니, 만약 딱 자른 듯이 음양오행에 앞서 있다거나 음양오행 가운데에 있다고 말하면, 리와 기는 두 개가 된다."

---

31 『北溪字義』권상 「命」

32 陳淳(1159~1223) : 자는 安卿이고, 호는 北溪이다. 宋代 龍溪(현 福建省 漳州) 사람으로 주희가 장주지사일 때 제자가 되었다. 주희에게 '남쪽에 와서 나의 道가 진순 한 사람을 얻었다.'라는 칭찬을 받았다. 시호는 文安이다. 저서는 『字義詳講』・『論孟學庸口義』・『北溪大全集』 등이 있다.

[26-2]

太極 태극

[26-2-1]

朱子曰: "太極只是一箇理字."[33]

주자가 말했다. "태극은 다만 하나의 '리'일 뿐이다."

[26-2-2]

問: "太極不是未有天地之先有箇渾成之物, 是天地萬物之理總名否?"

曰: "太極只是天地萬物之理. 在天地言, 則天地中有太極; 在萬物言, 則萬物中各有太極. 未有天地之先, 畢竟是先有此理. 動而生陽, 亦只是理, 靜而生陰, 亦只是理."[34]

물었다. "태극은 천지가 생기기 이전의 카오스와 같은 어떤 것이 아니라, 천지와 만물의 리를 총괄한 이름 아닙니까?"

(주자가 말했다.) "태극은 천지와 만물의 리일 뿐이다. 천지에서 말하면 천지 가운데 태극이 있고, 만물에서 말하면 만물 가운데 각각 태극이 있다. 천지가 생기기 이전에 틀림없이 이 리가 먼저 있었다. 움직여서 양을 낳는 것도 오직 이 리이고, 고요하여 음을 낳는 것도 오직 이 리이다."

[26-2-3]

"萬物·四時·五行, 只是從那太極中來. 太極只是一箇氣, 迤邐分做兩箇氣. 裏面動底是陽, 靜底是陰. 又分做五氣, 又散爲萬物."[35]

(주자가 말했다.) "만물萬物·사시四時·오행五行은 태극으로부터 나올 뿐이다. 태극(으로부터 나온 것)은 하나의 기일 뿐이지만, 서서히 나뉘어져 두 개의 기가 된다. 그 속에서 움직이는 것은 양이고 고요한 것은 음이다. 또 나뉘어 다섯 가지의 기가 되고, 또 흩어져서 만물이 된다."

[26-2-4]

問: "『太極解』何以先動後靜, 先用而後體, 先感而後寂?"

曰: "在陰陽言, 則用在陽而體在陰. 然動靜無端, 陰陽無始, 不可分先後. 今只就起處言之, 畢竟動前又是靜, 用前又是體, 感前又是寂, 陽前又是陰, 而寂前又是感, 靜前又是動, 將何者爲先後? 不可只道今日動便爲始而昨日靜更不說也. 如鼻息言呼吸則辭順, 不可道吸呼, 畢竟

33 『朱子語類』 권1, 4조목
34 『朱子語類』 권1, 1조목
35 『朱子語類』 권3, 24조목

呼前又是吸, 吸前又是呼."[36]

물었다. "『태극해의』에서는 왜 움직임을 먼저 말하고 고요함을 나중에 말하며, 용用을 먼저 말하고 체體를 나중에 말하며, 감응함을 먼저 말하고 적연함을 나중에 말했습니까?'

(주자가) 대답했다. "음양으로 말하면 용은 양에 있고 체는 음에 있다. 그러나 움직임과 고요함에는 끝이 없고 음양에는 시초가 없으니[37] 선후를 나눌 수 없다. 지금 이것은 일어나는 곳에서 말하고 있을 뿐이니, 틀림없이 움직임 이전에는 또 고요함이었고, 용 이전에는 또 체였으며, 감응함 이전에는 또 적연함이었고, 양 이전에는 또 음이었으며, 적연함 이전에는 또 감응함이었고, 고요함 이전에는 또 움직임이었을 텐데, 무엇을 가지고 선후를 삼겠는가? 오늘 움직임을 시작이라고 하고 어제의 고요함을 다시 말하지 않아서는 안 된다. 예컨대 숨 쉬는 것에 대해, '호흡呼吸(날숨과 들숨)'이라고 하는 것이 말이 순조롭기에 '흡호吸呼'라고 하지 않는 것과 같다. 그러나 틀림없이 날숨 이전에는 또 들숨이었고 들숨 이전에는 또 날숨이었다."

[26-2-5]

"太極非是別爲一物. 卽陰陽而在陰陽, 卽五行而在五行, 卽萬物而在萬物, 只是一箇理而已. 因其極至, 故名曰太極. 若無太極, 便不翻了天地."[38]

(주자가 말했다.) "태극은 별도로 존재하는 사물이 아니다. 음양에서 보면 음양에 있고 오행에서 보면 오행에 있으며 만물에서 보면 만물에 있지만, 오직 하나의 리일 뿐이다. 그 지극함 때문에 '태극'이라고 이름 붙인 것이다. 만일 태극이 없다면 천지가 열리지 않았을 것이다."[39]

[26-2-6]

"太極, 理也 ; 動靜, 氣也. 氣行則理亦行, 二者常相依而未嘗相離也. 當初元無一物, 只有此理. 有此理便會動而生陽, 靜而生陰. 靜極復動, 動極復靜, 循環流轉. 其實理無窮, 氣亦與之無窮. 自有天地, 便是這物事在這裏流轉. 一日有一日之運, 一月有一月之運, 一歲有一歲之運, 只是這箇物事衮將去."[40]

(주자가 말했다.) "태극은 리이고, 움직임과 고요함은 기이다. 기가 유행하면 리도 유행하니, 이 둘은

....

36 『朱子語類』 권1, 1조목

37 『二程粹言』 권상

38 "太極非是別爲一物. … 故名曰太極."은 『朱子語類』 권94, 22조목의 문장이고, "若無太極, 便不翻了天地."는 『朱子語類』 권1, 1조목의 문장이다.

39 만일 태극이 … 것이다. : 『朱子語類考文解義』 상 「天地」에 "翻은 '변하다'의 뜻이다. 만일 이 리가 없었다면, 천지가 열리지 않았을 것임을 말한다.(翻, 轉變之意. 謂, 若無此理, 天地便不開闢也)"라고 했다.

40 『御纂朱子全書』 권49 「太極」에 수록되어 있다. 또한, "太極, 理也 ; 動靜, 氣也. 氣行則理亦行, 二者常相依而未嘗相離也."는 『朱子語類』 권94, 50조목에 수록되어 있고, "自有天地, … 只是這箇物事衮將去."는 『朱子語類』 권116, 30조목에 수록되어 있다.

늘 서로 의존하여 떨어진 적이 없다. 애초에는 원래 아무것도 없었고, 오직 리만 있었다. 리가 있으면 움직여 양을 낳을 수 있고, 고요하여 음을 낳을 수 있다. 고요함이 극단에 이르면 다시 움직이고, 움직임이 극단에 이르면 다시 고요해지니, 이것이 순환하며 유전한다. 실제로는 리가 무궁하기 때문에 기 또한 리와 더불어 무궁하다. 천지가 있고 나서부터 이것(태극)이 여기에서 유전한다. 하루에는 하루의 운행이 있고, 한 달에는 한 달의 운행이 있으며, 일 년에는 일 년의 운행이 있는 것은 이것(태극)이 흐르는 것일 뿐이다."

[26-2-7]
"太極未動之前便是陰, 陰靜之中自有陽之根, 陽動之中又有陰之根. 動之所以必靜者, 根乎陰故也, 靜之所以必動者, 根乎陽故也."[41]

(주자가 말했다.) "태극이 아직 움직이기 이전은 바로 음이지만, 음의 고요함 가운데에 본래 양의 뿌리가 있으며, 양의 움직임 가운데에도 또한 음의 뿌리가 있다. 움직임이 반드시 고요하게 되는 까닭은 음에 뿌리를 두기 때문이며, 고요함이 반드시 움직이게 되는 까닭은 양에 뿌리를 두기 때문이다."

[26-2-8]
"太極者, 象數未形而其理已具之稱, 形器已具而其理無眹之目."[42]

(주자가 말했다.) "태극은 상象과 수數가 아직 형성되지 않았으나 그 리가 이미 구비되어 있음을 말하고, 형形과 기器가 이미 구비되었으나 그 리가 조짐이 없음을 가리킨다."

[26-2-9]
"太極自是函動靜之理, 却不可以動靜分體用. 蓋靜卽太極之體也, 動卽太極之用也."[43]

(주자가 말했다.) "태극은 본래 움직임과 고요함의 리를 함축하고 있으나, 움직임과 고요함으로써 체와 용을 나눌 수 없다. 고요함은 태극의 체이며 움직임은 태극의 용이다."[44]

．．．．．．．．．．．．．．．．．．．．

41 『朱子語類』 권94, 46조목

42 『易學啓蒙』 권2「原卦畫」. 『易學啓蒙』의 원문은 다음과 같다. "易有太極者, 象數未形而其理已具之稱, 形器旣具而其理無眹之目."

43 『朱子語類』 권94, 29조목

44 "태극은 본래 … 용이다.": 움직임과 고요함은 氣이므로, 기의 움직임과 고요함만으로 體와 用을 나누어서는 안 된다는 것이다. 움직임과 고요함의 기에는 움직임과 고요함을 가능케 하는 태극, 또는 理가 있으므로 움직임과 고요함의 근거인 리에서 체와 용을 보아야 한다는 것이다. 여기에는 계속해서 다음의 글이 이어지고 있다. "비유하자면 부채와 같으니, 그저 하나의 부채일 뿐이지만, 흔들면 용이 되는 것이요, 내려놓으면 체가 되는 것이다. 내려놓았을 때에도 그저 이 하나의 도리일 뿐이고, 흔들었을 때에도 이 하나의 도리일 뿐이다. (譬如扇子, 只是一箇扇子, 動搖便是用, 放下便是體. 才放下時, 便只是這一箇道理, 及搖動時, 亦只是這一箇道理.)"

[26-2-10]

“太極之有動靜, 是天命之流行也.” 或疑靜處如何流行.

曰: “惟是一動一靜, 所以流行. 如秋冬之時, 謂之不流行可乎? 若謂不能流行, 何以謂之靜而生陰也? 觀生之一字可見.”[45]

“태극이 움직임과 고요함을 가지고 있는 것이 천명天命이 유행하는 것이다.”[46]는 말에 대하여, 어떤 사람이 고요함이 어떻게 유행하는 것인지 의심스러워했다.

(주자가) 말했다. “오직 한 번 움직이고 한 번 고요하기 때문에 유행하는 것이다. 예컨대 가을과 겨울의 시기에 유행하지 않는다고 해도 되는가? 만일 유행할 수 없다고 한다면, 어떻게 고요하여 음을 낳는다고 할 수 있겠는가? ‘낳는다生’는 말을 살펴보면 알 수 있다.”

[26-2-11]

“自太極至萬物化生, 只是一箇道理包括, 非是先有此而後有彼. 但統是一箇大原, 由體而達用, 從微而至著.”[47]

(주자가 말한다.) “태극에서부터 만물의 변화·생성에 이르기까지 단지 하나의 도리가 포괄하고 있을 뿐이지, 먼저 이것이 있고 나중에 저것이 있는 것이 아니다. 다만 하나의 근원을 통괄하면, 체로부터 용에 도달하고, 은미함으로부터 드러남에 이를 뿐이다.”

[26-2-12]

“動靜無端, 陰陽無始, 本不可以先後言. 然就中間截斷言之, 則亦不害其有先後也. 觀周子所言‘太極動而生陽,’ 則其未動之前固已嘗靜矣, 又言‘靜極復動,’ 則已靜之後固必有動矣. 如春秋冬夏, 元亨利貞, 固不能無先後, 然不冬則何以爲春, 而不貞又何以爲元? 就此看之, 又自有先後也.”[48]

(주자가 말했다.) “움직임과 고요함에는 끝이 없고, 음과 양에는 시초가 없으니, 본래 선후로써 말할 수 없다. 그러나 중간에서 끊어 말하면 또한 선후가 있다고 해도 상관없다. 주자周子[周敦頤]가 ‘태극이 움직여 양을 낳는다.’라고 말한 것을 살펴보면, 움직이기 이전에 참으로 이미 고요한 적이 있으며, 또 ‘고요함이 극한에 이르면 다시 움직인다.’라고 말한 것을 살펴보면, 이미 고요해지고 난 후에 참으로 반드시 움직임이 있음을 알겠다. 예컨대 봄·여름·가을·겨울과 원·형·이·정은 참으로 선후가 없을 수 있지만, 겨울을 나지 않으면 어떻게 봄이 되며, 정貞이 되지 않으면 또 어떻게 원元이 되겠는가? 이 점에서 보면 또 본래 선후가 있다.”

45 『御纂朱子全書』 권49 「太極」
46 “태극이 움직임과 … 것이다.” : 『周敦頤集』 권1 「太極圖說」
47 『朱子語類』 권94, 27조목
48 『朱文公文集』 권49 「答王子合」

[26-2-13]

節齋蔡氏曰: "主太極而言, 則太極在陰陽之先, 主陰陽而言, 則太極在陰陽之內. 時旣不同, 所主皆異, 不可執一而廢一也. 蓋自陰陽未生之時而言, 則所謂太極者, 卽在乎陰陽之中也."

절재 채씨節齋蔡氏[蔡淵]49가 말했다. "태극을 위주로 말하면 태극은 음양에 앞서 있고, 음양을 위주로 말하면 태극은 음양 안에 있다. 때가 이미 같지 않고 위주로 하는 것이 모두 다르므로 하나를 잡고 하나를 버릴 수 없다. 음양이 아직 생겨나지 않은 때로부터 말하면 이른바 태극은 음양의 가운데에 있다."

[26-2-14]

西山眞氏曰: "'萬物各具一理, 萬理同出一原', 所謂萬物一原者, 太極也. 太極者, 乃萬理統會之名. 有理卽有氣, 分而爲二, 則爲陰陽, 分而爲五, 則爲五行. 萬物萬事, 皆原於此. 人與物得之則爲性, 性者卽太極也. 仁義卽陰陽也, 仁義禮智信卽五行也. '萬物各具一理', 是物物一太極也; '萬理同出一原', 是萬物統體一太極也. 太極非有形有器之物, 只是理之至者. 故曰, '無極而太極.'"50

서산 진씨西山眞氏[진덕수眞德秀]51가 말했다. "'만물이 각각 하나의 리理를 갖추고 있으나, 만물의 리는 똑같이 하나의 근원에서 나온다.'52는 말의 '만물의 하나의 근원'이 태극이다. 태극은 바로 만물의 리가 모두 모인 것의 명칭이다. 리가 있으면 기가 있으니, 나뉘어 둘이 되면 음양이 되고, 나뉘어 다섯이 되면 오행이 된다. 만물과 만사가 모두 이것에 근원한다. 사람과 사물이 이것을 얻으면 성性이 되니, 성은 곧 태극이다. 인의가 곧 음양이고, 인·의·예·지·신이 곧 오행이다. '만물이 각각 하나의 리를 구비하고 있다.'는 것은 사물마다 하나의 태극을 갖는다는 것이다. '모든 리가 똑같이 하나의 근원에서 나온다.'라는 것은 '만물의 통체가 하나의 태극이다.'라는 것이다. 태극은 형기形器가 있는 것이 아니라, 다만 리의 지극한 것일 뿐이다. 그래서 '무극이면서 태극이다.'라고 했다."

[26-2-15]

北溪陳氏曰: "太極之所以爲極至者, 言此理至中至正, 至精至粹, 至神至妙, 至矣盡矣. 不可以復加矣, 故强名曰極."53

---

49 蔡淵(1156~1236): 자는 伯靜이고, 호는 節齋이다. 채원정의 아들로서 부친의 뜻을 이어 주경야독했다. 특히 역에 조예가 깊어 그에 관한 저술이 많다. 저서는 『周易訓解』·『易象意言』·『卦爻辭旨』 등이 있다.

50 『西山文集』 권30 「問致知格物」

51 眞德秀(1178~1235): 자는 希元·景元·景希이고, 호는 西山이다. 宋代 浦城(福建省 蒲城) 사람으로 1199년에 진사에 급제하여 太學正·參知政事에 이르렀다. 어려서는 주희의 문인인 詹體仁에게 배우고, 스스로 '주희를 사숙하여 얻은 것이 있다.'라고 했다. 특히 『大學』을 중시하여 窮理·持敬을 강조했다. 저서는 『大學衍義』·『四書集編』·『西山文集』 등이 있다.

52 '만물이 각각 … 나온다.': 『大學或問』

북계 진씨北溪陳氏가 말했다. "태극이 지극하다는 것은, 이 리가 지극히 알맞고 지극히 올바르며, 지극히 정밀하고 지극히 순수하며, 지극히 신령스럽고 지극히 오묘하여, 지극하고 극진하다는 것을 말한다. 더 이상 보탤 것이 없으므로 억지로 이름 붙여 '극'이라고 한 것이다."

[26-2-16]

"太極只是以理言也. 理緣何又謂之極? 極, 至也, 以其在中有樞極之義. 如皇極北極等皆有在中之義. 不可便訓極爲中. 蓋極之爲物, 常在物之中. 四面到此都極至, 都去不得. 如屋脊梁謂之屋極者, 亦只是屋之衆材, 四面湊合到此處皆極其中. 就此處分出去布爲衆材, 四面又皆停匀, 無偏剩偏欠之處. 如塔之尖處便是極. 如北極四面星宿皆運轉, 惟此不動, 所以爲天之樞.

(북계 진씨가 말했다.) "태극은 단지 리로써 말한 것이다. 리를 무엇 때문에 극極이라고 하는가? 극은 지극함인데, 그 가운데에 있어 추극樞極이라는 뜻을 지니기 때문이다. 예컨대 황극皇極·북극北極 등이 모두 '가운데에 있다'는 뜻을 지니는 것과 같다. 그러나 극을 바로 중中이라고 풀이할 수는 없다. 극은 항상 사물의 가운데에 있어, 사면으로부터 여기에 이르면 모두 극한에 이르러 모두 더 이상 나아갈 수 없다. 예컨대 지붕의 등마루를 옥극屋極(마룻대)이라고 하는 것도, 지붕의 온갖 재목들이 사면에서 모여 이곳에 이르러 모두 그 가운데를 극한으로 삼고 있기 때문이다. 이곳으로부터 나뉘어 나가 온갖 재목들에 분포되고 사방이 모두 균형 잡혀 남거나 모자라는 곳이 없게 된다. 탑의 꼭대기 같은 것이 바로 극이다. 이를테면 북극성의 경우, 사방의 별들이 모두 돌지만 이곳만은 움직이지 않기 때문에 하늘의 축이 되는 것이다.

若太極云者, 乃是就理論. 天之所以萬古常運, 地之所以萬古常存, 人物之所以萬古生生不息, 不是各各自恁地, 都是理在其中爲之主宰, 便自然如此. 就其爲天地萬物主宰處論, 恁地渾淪極至, 故以太極名之. 蓋總天地萬物之理, 到此湊合更無去處, 及散而爲天地, 爲人爲物, 又皆一一停匀無少虧欠, 所以謂之太極."[54]

태극의 경우는 리로써 논의한 것이다. 하늘이 영원토록 변함없이 돌고, 땅이 영원토록 변함없이 존재하며, 사람과 만물이 영원토록 낳고 또 낳아 멈추지 않되, 각각 자기 제멋대로이지 않은 것은 모두 이 리가 그 가운데에서 주재자主宰者가 되기 때문이니, 저절로 이와 같은 것이다. 천지와 만물의 주재자가 된다는 점에서 논의하면, 이렇게 혼륜渾淪하여 극에 있으므로 태극이라 이름 붙인 것이다. 천지와 만물의 리를 총괄하면 모두 이곳에 이르러 합쳐져서 더 이상 갈 곳이 없게 되고, 퍼져나가 천지가 되고 사람과 만물이 되며, 또 모두 하나하나가 균형 잡혀 조금도 결함된 곳이 없으므로 태극이라고 한 것이다."

. . . .

53 『北溪字義』권하「太極」
54 『北溪字義』권하「太極」

[26-2-17]

"太極只是總天地萬物之理而言, 不可離天地萬物之外而別爲之論. 纔說離天地萬物而有箇理, 便成兩截去了."[55]

(북계 진씨가 말했다.) "태극은 천지와 만물의 리를 총괄하여 말한 것일 뿐이니, 천지와 만물을 떠나서 따로 논의할 수 없다. 천지와 만물과 떨어져 리가 있다고 말하면, 두 가지가 별개의 것이 되고 만다."

[26-2-18]

"未有天地萬物, 先有是理. 然此理不是懸空在那裏. 纔有天地萬物之理, 便有天地萬物之氣, 纔有天地萬物之氣, 則此理便全在天地萬物之中. 周子所謂太極動而生陽, 靜而生陰, 是有這動之理, 便能動而生陽, 纔動而生陽, 則是理便已具於陽動之中, 有這靜之理, 便能靜而生陰, 纔靜而生陰, 則是理便已於陰靜之中. 然則纔有理便有氣, 纔有氣理便全在這氣裏面. 那相接處全無些子縫罅, 如何分得孰爲先孰爲後? 所謂動靜無端, 陰陽無始, 若分別得先後, 便偏在一邊, 非渾淪極至之物."[56]

(북계 진씨가 말했다.) "천지와 만물이 있기 전에 먼저 리가 있다. 그러나 리는 어디엔가 허공에 매달려 있는 것이 아니다. 천지와 만물의 리가 있자마자 바로 천지와 만물의 기가 있고, 천지와 만물의 기가 있자마자 리는 전적으로 천지와 만물 가운데 있다. 주자周子[周敦頤]가 말한 '태극이 움직여 양을 낳고 고요하여 음을 낳는다.'라는 것은 움직임의 리가 있으면 바로 움직여 양을 낳을 수 있고, 움직여 양을 낳자마자 리가 이미 양의 움직임 가운데 구비되며, 고요함의 리가 있으면 바로 고요하여 음을 낳을 수 있고, 고요하여 음을 낳자마자 리가 이미 음의 고요함 가운데 구비된다는 것이다. 그렇다면 리가 있자마자 기가 있고 기가 있자마자 리가 전적으로 기 속에 있는 것이다. (리와 기가) 맞붙어 있는 곳에는 전혀 조그만 틈도 없으니, 어떻게 어느 것이 먼저이고 어느 것이 나중이라고 구분할 수 있겠는가? '움직임과 고요함에는 끝이 없고, 음과 양에는 시초가 없다'라고 했으니, 선후로 분별한다면 한쪽으로 치우쳐서 혼륜하고 지극한 것이 아닌 것이 되고 만다."

[26-2-19]

臨川吳氏曰: "太極本無體用之分. 其流行變化者, 皆氣機之闔闢, 有靜時, 有動時. 當其靜也, 太極在其中, 以其靜也, 因以爲太極之體. 及其動也, 太極亦在其中, 以其動也, 因以爲太極之用. 太極之冲漠無朕, 聲臭泯然者, 無時而不然, 不以動靜而有間, 而亦何體用之分哉?"[57]

임천 오씨臨川吳氏[오징吳澄][58]가 말했다. "태극은 본래 체體와 용用의 구별이 없다. 그 유행하여 변화하는

---

55 『北溪字義』 권하 「太極」
56 『北溪字義』 권하 「太極」
57 『吳文正集』 권2 「答王參政儀伯問」
58 吳澄(1249~1333) : 자는 幼淸이고, 이른바 草廬先生으로 불린다. 宋元 교체기 崇仁(현재 江西省) 사람으로

것은 모두 기氣의 기틀이 열리고 닫히는 것으로서 고요할 때가 있고 움직일 때가 있다. 그것이 고요할 때에는 태극이 그 가운데에 있지만, 그것이 고요하기 때문에 (사람들은 그것을) 태극의 체라고 여긴다. 그것이 움직일 때에도 태극 또한 그 가운데에 있지만, 그것이 움직이기 때문에 태극의 용이라고 여긴다. 태극이 텅 비고 고요하여 아무런 조짐도 없고 소리나 냄새가 없는 것은, 어느 때건 그러하지 않음이 없고 움직임과 고요함이 끊어짐이 없는데, 어떻게 체와 용을 구분하겠는가?"

[26-2-20]

"開物之前, 渾沌太始混元之如此者, 太極爲之也. 開物之後, 有天地有人物如此者, 太極爲之也. 閉物之後, 人銷物盡, 天地又合爲渾沌者, 亦太極爲之也. 太極常常如此, 始終一般, 無增無減, 無分無合. 故以未判已判言太極者, 不知道之言也. 此類詳見周子『太極圖』下."[59]

(임천 오씨가 말했다.) "만물이 열리기 전 혼돈渾沌·태시太始·혼원混元[60]이 이와 같은 것은 태극이 그렇게 한 것이다. 만물이 열리고 나서 이와 같이 천지가 있고 사람과 사물이 있게 된 것은 태극이 그렇게 한 것이다. 만물이 닫히고 나서 사람과 사물이 없어지고 천지가 다시 합쳐져 혼돈이 되는 것도 태극이 그렇게 하는 것이다. 태극은 항상 이와 같아서 시종일관 똑같이 늘어남도 없고 줄어듦도 없으며 나뉨도 없고 합함도 없다. 그러므로 갈라지기 이전과 갈라지고 난 뒤를 기준으로 태극을 말하는 것은 도를 알지 못하는 말이다. 이런 종류의 논의는 주자周子의 『태극도』 아래에 자세히 보인다."

· ·

國子監司業·翰林學士를 역임했다. 시호는 文正이다. 그의 학문은 주로 주희와 육구연의 사상을 절충하는 경향이 있으며, 특히 주희 이래의 道統을 은연중에 자임하고 있다. 저서는 『學基』·『學統』·『書·易·春秋·禮記纂言』·『吳文正公集』·『孝經章句』 등이 있다.

59 『吳文正集』 권3 「答田副使第三書」

60 渾沌·太始·混元: 『吳文正集』 권3 「答田副使第三書」에서 吳澄은 "일원은 129,600년이고 나누어 12회이며 1회는 10,800년이다. 천지의 운행은 '戌會' 중간에 이르러 만물이 닫히게 되고 천지 사이에 사람과 만물은 모두 없어진다. 이와 같이 해서 또 5,400년이 지나 '술회'가 끝난다. '亥會'에서 시작하여 5,400년이 되어 '해회' 중간이 되면 땅에서 무겁고 탁하고 엉겨 붙은 것은 모두 분해되어 흩어져서 가볍고 맑은 하늘과 혼합하여 하나가 되니 혼돈이라고 한다. 맑은 것과 탁한 것의 섞임이 점점 더 심해지고 또 5,400년이 지나 '해회'가 끝나면 어둠이 극한에 이르니 이것이 천지가 한번 끝마치는 것이다. 貞 다음에 元이 일어나 또 하나의 시초가 시작되면, '子會'가 시작하지만 여전히 혼돈이다. 이를 太始라고 하니 1원의 시작을 말하며, 太一이라고 하니 맑은 기와 탁한 기가 섞이고 합하여 하나가 되어 나누어지지 않음을 말한다.(一元凡十二萬九千六百歲, 分爲十二會, 一會計一萬八百歲. 天地之運至戌會之中爲閉物, 兩間人物俱無矣. 如是又五千四百年而戌會終. 自亥會始五千四百年當亥會之中, 而地之重濁凝結者悉皆融散, 與輕淸之天混合爲一, 故曰渾混. 淸濁之混逐漸轉甚, 又五千四百年而亥會終, 昏暗極矣, 是天地之一終也. 貞下起元, 又肇一初, 爲子會之始, 仍是混沌. 是謂太始, 言一元之始也；是謂太一, 言淸濁之氣混合爲一而未分也.)"라고 했다.

[26-3]

天地 천지

[26-3-1]

程子曰 : "凡有氣莫非天, 凡有形莫非地."[61]

정자程子가 말했다. "기氣가 있는 모든 것은 하늘이 아님이 없고, 형체가 있는 모든 것은 땅이 아님이 없다."

[26-3-2]

"天地之中, 理必相直, 則四邊常有空闕處. 空闕處如何, 地之下豈無天? 今所謂地者, 特於一作爲天中一物爾. 如雲氣之聚, 以其久而不散也, 故爲對. 凡地動者只是氣動. 凡所指地者一作損闕處只是土. 土亦一物爾, 不可言地. 更須要知坤元承天, 是地之道也."[62]

(정자가 말했다.) "천중天中과 지중地中은 이치상 반드시 일치하니 사방의 가장자리에는 항상 비어있는 곳이 있을 것이다. 비어있는 곳은 어떠하며, 땅 아래에는 어찌 하늘이 없겠는가? 그런데 이른바 땅은 다만 하늘 가운데의 '어於'는 어떤 본에는 '위爲'로 되어 있다. 하나의 사물일 뿐이다. 예컨대 구름과 기의 모임은 오래도록 흩어지지 않았기 때문에 대대對待가 된 것이다. 무릇 땅의 움직임은 단지 기의 움직임일 뿐이다. 무릇 땅이라고 가리키는 것은 어떤 본에는 '잃고 없어진 곳損闕處'으로 되어있다. 단지 흙일 뿐이다. 흙 또한 하나의 사물일 뿐이니 땅이라고 말해서는 안 된다. 나아가 곤원坤元이 하늘을 계승한 것이 땅의 도道임을 알도록 해야 한다."

[26-3-3]

"天地動靜之理, 天圜則須轉, 地方則須安靜. 南北之位, 豈可不定下? 所以定南北者, 在坎離也. 坎離又不是人安排得來, 莫非自然也."

(정자가 말했다.) "하늘과 땅, 움직임과 고요함의 이치는, 하늘은 둥글어서 반드시 돌고, 땅은 네모나서 반드시 안정되어 있는 것이다. 남북南北의 방위를 어떻게 정하지 않을 수 있겠는가? 남북을 정하는 것은 감坎과 리離이다.[63] 감과 리는 또 사람이 안배하여 얻은 것이 아니라, 저절로 그러하지 않음이 없는 것이다."

---

61 『河南程氏遺書』 권6
62 『河南程氏遺書』 권2하
63 남북을 정하는 … 離이다. : 文王八卦方位之圖에 따르면 坎이 북방, 離가 남방이다.

[26-3-4]

"天地之化, 一息不留, 疑其速也. 然寒暑之變甚漸."[64]

(정자가 말했다.) "천지의 변화는 조금도 머물러있지 않으니 빠른 듯하다. 그러나 추위과 더위의 변화는 매우 점진적이다."

[26-3-5]

"冬至之前, 天地閉塞, 可謂静矣. 日月運行, 未嘗息也, 則謂之不動可乎? 故曰, '動静不相離.'"[65]

(정자가 말했다.) "동지冬至 전에는 천지가 닫히고 막히므로 고요하다고 할 수 있다. 그러나 해와 달의 운행은 멈춘 적이 없으니 움직이지 않는다고 해서야 되겠는가? 그러므로 '움직임과 고요함은 서로 떨어지지 않는다.'고 한다."

[26-3-6]

"天只主施, 成之者地也."[66]

(정자가 말했다.) "하늘은 다만 베풂을 위주로 할 뿐이니 그것을 완성하는 것은 땅이다."

[26-3-7]

"天地生物之氣象, 可見而不可言. 善觀於此者, 必知道也."[67]

(정자가 말했다.) "천지가 만물을 낳는 기상氣象은 볼 수는 있어도 말로 할 수는 없다. 이것을 잘 살피는 자는 필시 도를 안다."

[26-3-8]

"道則自然生萬物. 今夫春生夏長了一番, 皆是道之生後來生長, 不可道却將旣生之氣後來却要生長. 道則自然生生不息."[68]

(정자가 말했다.) "도道는 저절로 그렇게 만물을 낳는다. 지금 봄에 낳고 여름에 자라나는 것은 모두 도가 낳은 후에 생장시키는 것이지, 이미 생겨난 기를 가지고 나중에 생장시키는 것이라고 말해서는 안 된다. 도는 저절로 그렇게 낳고 낳아 멈추지 않는다."

64 『河南程氏外書』 권11
65 『二程粹言』 권하 「天地篇」
66 『河南程氏遺書』 권6
67 『二程粹言』 권하 「天地篇」
68 『河南程氏遺書』 권15

[26-3-9]

"天理生生相續不息, 無爲故也. 使竭智巧而爲之, 未有能不息也."[69]

(정자가 말했다.) "천리天理가 낳고 낳음이 지속되어 멈추지 않는 것은 작위함이 없기 때문이다. (작위함이 있다면) 설령 지혜와 기교를 다해 그렇게 한다 하더라도 멈추지 않을 수 없을 것이다."

[26-3-10]

"地氣不上騰, 則天氣不下降. 天氣降而至於地, 地中生物者, 皆天氣也. 惟無成而代有終者, 地之道也."[70]

(정자가 말했다.) "땅의 기가 상승하지 않으면 하늘의 기가 하강하지 않는다. 하늘의 기가 하강하여 땅에 이르고 땅속에서 만물을 낳는 것은 모두 하늘의 기이다. 다만 이루어 줌이 없이 대신하여 끝맺음이 있는 것이 땅의 도이다."

[26-3-11]

"萬物始生也, 鬱結未通, 則實塞於天地之間. 至於暢茂, 則塞意亡矣."[71]

(정자가 말했다.) "만물이 처음 생겨날 때 막혀서 통하지 않으면 천지 사이를 꽉 채운다. 무성하게 자라게 되면 꽉 채우는 뜻이 없어진다."

[26-3-12]

"天之所以爲天, 本何爲哉? 蒼蒼焉耳矣. 其所以名之曰天, 蓋自然之理也."[72]

(정자가 말했다.) "하늘이 하늘이 되는 까닭은 본래 무엇 때문인가? 푸르고 푸른 것일 뿐이다. 그것을 하늘이라고 이름 붙인 것은 자연의 이치이다."

[26-3-13]

"『詩』『書』中凡有箇主宰意思者皆言帝. 有一箇包函徧覆底意思, 則皆言天."[73]

(정자가 말했다.) "『시경』과 『서경』 중에서 무릇 주재主宰의 뜻을 지니고 있는 것은 모두 제帝(상제)라고 한다. 포용하고 두루 덮어준다는 뜻을 지니면 모두 천天(하늘)이라고 한다."

---

69 『二程粹言』 권하 「天地篇」
70 『河南程氏遺書』 권11
71 『二程粹言』 권하 「人物篇」
72 『二程粹言』 권하 「天地篇」
73 『河南程氏遺書』 권2상

[26-3-14]

"天地之化, 雖蕩然無窮, 然陰陽之度, 寒暑晝夜之變, 莫不有常久之道, 所以爲中庸也."[74]

(정자가 말했다.) "천지의 조화가 비록 아득하여 끝이 없지만 음양의 도수度數, 그리고 더위와 추위, 낮과 밤의 변화는 변함없는 장구한 도를 지니지 않음이 없으니, 그 때문에 중용中庸이 되는 것이다."

[26-3-15]

"天地所以不已, 有常久之道也. 人能常於可久之道, 則與天地合."[75]

(정자가 말했다.) "천지가 멈추지 않는 까닭은 변함없는 장구한 도를 지니고 있기 때문이다. 사람이 변함없이 장구한 도를 지닐 수 있다면, 천지와 짝을 이루게 된다."

[26-3-16]

"天地以虛爲德. 至善者, 虛也, 虛者, 天地之祖. 天地從虛中來."[76]

(정자가 말했다.) "천지는 비어있음虛을 덕으로 삼는다. 지극한 선은 비어있음이니, 비어있음은 천지의 조상이다. 천지는 비어있음으로부터 유래했다."

[26-3-17]

或問: "天帝之異."

曰: "以形體謂之天, 以主宰謂之帝, 以至妙謂之神, 以功用謂之鬼神, 以性情謂之乾, 其實一而已, 所自而名之者異也. 夫天, 專言之則道也."[77]

어떤 사람이 천天과 제帝의 다름에 대해 물었다.

(정자가 대답했다.) "형체로는 천天(하늘)이라고 하고 주재主宰로는 제帝라고 하며, 지극히 오묘함으로는 신神이라고 하고 공용功用으로는 귀신鬼神이라고 하며 성정性情으로는 건乾이라고 하나, 실제로는 하나일 뿐, 유래하는 바를 따라 이름 붙인 것이 다른 것이다. 천天을 전일하게 말하면 도道이다."

[26-3-18]

"以氣明道, 氣亦形而下者耳."[78]

(정자가 말했다.) "기로써 도를 밝히니 기는 또한 형이하자形而下者일 뿐이다."

---

74 『二程粹言』 권하 「天地篇」
75 『二程粹言』 권하 「天地篇」
76 『張子全書』 권12 「語錄」. 이 글은 張載의 말이다.
77 『二程粹言』 권하 「天地篇」
78 『二程粹言』 권상 「論道篇」

[26-3-19]

"萬物之始, 氣化而已. 旣形氣相禪, 則形化長而氣化消."[79]

(정자가 말했다.) "만물의 시초는 기화氣化일 뿐이다. 형화形化와 기화氣化가 자리를 물려주면, 형화는 늘어나고 기화는 소멸한다."

[26-3-20]

"天地之化, 旣是二物, 必動已不齊. 譬之兩扇磨行, 便其齒齊, 不得齒齊. 旣動, 則物之出者, 何可得齊? 轉則齒更不復得齊. 從此參差萬變, 巧歷不能窮也."[80]

(정자가 말했다.) "천지의 조화造化에 이미 두 물건이니, 필시 움직이게 되면 이미 가지런할 수 없다. 두 개의 납작한 물건이 맷돌처럼 돌아가는데, 그 이가 가지런하더라도 (돌아가기 시작하면) 가지런할 수 없다. 그러니 움직이고 나면 나오는 것들이 어떻게 가지런할 수 있겠는가? 돌아가면 이가 다시는 가지런할 수 없다. 이로부터 들쭉날쭉 갖가지로 변하니 역산曆算에 정통한 사람도 궁구하지 못한다."

[26-3-21]

"氣之所鍾, 有偏正, 故有人物之殊, 有淸濁, 故有智愚之等."[81]

(정자가 말했다.) "기가 모이는 것에는 치우침과 바름이 있다. 그러므로 사람과 사물의 다름이 있고, 맑음과 탁함이 있기 때문에 지혜로운 사람과 어리석은 사람의 등급이 있다."

[26-3-22]

"造化不窮, 蓋生氣也. 近取諸身, 於出入息氣, 見闔闢往來之理. 呼氣旣往, 往則不反. 非吸旣往之氣而後爲呼也."[82]

(정자가 말했다.) "조화造化가 무궁한 것은 기를 생겨나게 하기 때문이다. 가까이 몸에서 취하면 호흡의 기운이 드나드는 사이에 열림과 닫힘, 감과 옴의 이치를 알 수 있다. 내쉰 기는 이미 지나간 것인데 가면 돌아오지 않는다. 이미 지나간 기를 들이쉰 후에 내쉬는 것이 아니다."

[26-3-23]

"凡物之散, 其氣遂盡, 無復歸本原之理. 天地間如洪鑪, 雖生物銷鑠亦盡, 況旣散之氣, 豈有復在? 天地造化, 又焉用此旣散之氣? 其造化者自是生氣. 此氣之終始開闢, 便是『易』'一闔一闢謂之變.'"[83]

· ·

79 『河南程氏遺書』 권5
80 『河南程氏遺書』 권2상
81 『二程粹言』 권하 「人物篇」
82 『二程粹言』 권하 「心性篇」

(정자가 말했다.) "만물의 흩어짐은 그 기가 마침내 소진된 것이니, 본원으로 다시 돌아가는 이치는 없다. 천지 사이는 마치 큰 화로와 같아서 생성한 사물조차도 녹여 없애는데, 하물며 이미 흩어진 기가 어떻게 다시 있게 되겠는가? 천지의 조화造化가 또 어찌 이렇게 이미 흩어진 기를 쓰겠는가? 그 조화는 본래 기를 생겨나게 하는 것이다. 이 기의 시작과 끝, 열림과 닫힘이 바로『주역』에서 '한 번 열리고 한 번 닫히는 것을 변화라고 한다.'[84]는 것이다."

[26-3-24]

"時所以有古今風氣人物之異者, 何也? 氣有淳漓, 自然之理. 有盛則必有衰, 有終則必有始, 有晝則必有夜. 譬之一片地, 始開荒田, 則其收穀倍, 及其久也, 一歲薄於一歲, 氣有盛衰故也. 至如東西漢以來,[85] 人才文章皆別, 所尚異也. 尚所以異, 亦由心所以爲. 心所以然者, 只爲生得來如此. 至如春夏秋冬, 所生之物各異, 其栽培澆灌之宜, 亦須各以其時, 不可一也.[86] 只如均是春生之物, 春初生得又別, 春中又別, 春盡時所生又別."[87]

(정자가 말했다.) "시대에 따라 고금古今의 풍속·인재·사물에 다름이 있는 것은 무슨 까닭인가? 기에 두터움과 엷음이 있는 것은 저절로 그러한 이치이다. 왕성함이 있으면 반드시 쇠락함이 있고, 끝마침이 있으면 반드시 시작함이 있으며, 낮이 있으면 반드시 밤이 있다. 한 조각의 땅에 비유하자면, 처음 거친 밭을 개간하면 거둔 곡식이 배倍가 되지만 오래 지나게 되면 한 해가 다른 해에 비해 줄어들게 되는데, 이는 기에 왕성함과 쇠락함이 있기 때문이다. 예컨대 동한東漢과 서한西漢 이래 인재人才와 문장文章이 모두 다른 이유는 숭상하는 것이 달라졌기 때문이다. 다른 것을 숭상하는 것은 또한 마음이 그렇게 여기는 것에서 비롯된다. 마음이 그렇게 여기는 까닭은 단지 이와 같이 타고났기 때문이다. 예컨대 봄·여름·가을·겨울에 생겨나는 사물들이 각각 다른 경우, 북돋우고 물주는 마땅한 방법 또한 반드시 각각 그 계절에 따라야지 획일적이어서는 안 된다. 같은 봄에 생겨나는 사물들의 경우에도 초봄에 생겨나는 것이 또 다르고, 봄의 중기에 (생겨나는 것이) 또 다르며, 늦봄에 생겨나는 것이 또 다르다."

[26-3-25]

"西北與東南人才不同, 氣之厚薄異也."[88]

(정자가 말했다.) "서·북방과 동·남방의 인재가 같지 않은 것은 기의 두터움과 엷음이 다르기 때문이다."

- - - - - - - - - - - - - - - -

83 『河南程氏遺書』 권15
84 '한 번 … 한다.':『周易』「繫辭上」 제11장
85 至如東西漢以來:『河南程氏遺書』 권15에는 '以來'가 없다.
86 不可一也.:『河南程氏遺書』 권15에는 이 뒤에 '須隨時'가 있다.
87 『河南程氏遺書』 권15
88 『二程粹言』 권하「心性篇」

[26-3-26]

問 : “太古之時, 人物同生乎?”

曰 : “然.”

“純氣爲人, 繁氣爲物乎?”

曰 : “然.”

“其所生也, 無所從受, 則氣之所化乎?”

曰 : “然.”[89]

물었다. “태곳적에 사람과 사물이 똑같이 생겨났습니까?”

(정자가) 대답했다. “그렇다.”

(물었다.) “순수한 기는 사람이 되고 번잡한 기는 사물이 됩니까?”

(정자가) 대답했다. “그렇다.”

(물었다.) “생겨날 때 몸을 물려받은 어버이가 없는 경우 기氣가 화化한 것입니까?”

(정자가) 대답했다. “그렇다.”

[26-3-27]

致堂胡氏曰 : “夫天非若地之有形也. 自地而上無非天者. 昔人以積氣名其象, 以倚蓋名其形, 皆非知天者. 莊周氏曰, ‘天之蒼蒼, 其正色邪?’ 言天無色也. 無色則無聲無臭皆擧之矣. 日月星辰之繫乎天, 非若山川草木之麗乎地也. 著明森列, 躔度行止, 皆氣機自運, 莫使之然而然者, 無所託也. 若其有託, 則是以形相屬, 一麗乎形, 能無壞乎?”[90]

치당 호씨致堂胡氏[胡寅][91]가 말했다. “하늘은 땅이 형체를 지니고 있는 것과는 다르다. 땅 위의 공간은 하늘이 아닌 것이 없다. 옛날 사람들 중, 기氣의 쌓임으로써 그 상象의 이름을 붙이고 의개倚蓋[92]로써 그 형체의 이름을 붙인 이들은 모두 하늘을 아는 자가 아니다. 장주莊周가 ‘하늘의 푸르고 푸른 것이 제 빛깔인가?’[93]라고 한 것은 하늘이 빛깔이 없음을 말한 것이다. 색깔이 없다면 소리도 없고 냄새도 없음[94]을 모두 제시할 수 있다. 일월성신日月星辰이 하늘에 매달려 있는 것은 산천초목山川草木이 땅에 의지하는 것과는 다르다. 별빛이 빼곡히 늘어서 있고 천체의 도수가 운행하고 멈추는 것은 모두 기의

• • • • • • • • • • • • • • • • • • •

89 『二程粹言』 권하 「人物篇」

90 『西山讀書記』 권37

91 胡寅(1098~1156) : 宋代 建寧 崇安 사람으로 자는 明仲이며, 사람들이 致堂先生이라 불렀고, 시호는 文忠이다. 胡安國의 조카다. 徽宗 宣和 3년(1121) 進士가 되었다. 楊時에게 수학했고, 高宗 建炎 연간에 起居郎에 발탁되었다. 관직은 禮部侍郎兼直學士院까지 이르렀다. 저서에 『論語詳說』・『讀史管見』・『斐然集』 등이 있다.

92 倚蓋 : 한쪽으로 기울어진 日傘을 뜻하는 것으로 天의 형상을 비유한다.

93 ‘하늘의 푸르고 … 빛깔인가?’ : 『莊子』「逍遙遊」

94 소리도 없고 … 없음 : 『詩經』「大雅・文王之什・文王」에 “하늘의 일은 소리도 없고 냄새도 없다.(上天之載, 無聲無臭.)라고 했다.

기틀이 절로 운행하는 것이지, 그렇게 하도록 시켜서 그런 것도 아니고 의탁하는 일도 없다. 만약 의탁함이 있다면, 형체 있는 것으로 서로 이어져 있다는 것인데, 일단 형체에 의존하면 무너짐이 없을 수 있겠는가?'

[26-3-28]
朱子曰: "天地初間只是陰陽之氣. 這一箇氣運行, 磨來磨去, 磨得急了, 便拶許多查滓, 裏面無處出, 便結成箇地在中央. 氣之淸者便爲天, 爲日月, 爲星辰, 只在外常周環運轉. 地便只在中央不動, 不是在下."[95]

주자가 말했다. "하늘과 땅은 초창기에는 다만 음과 양의 기뿐이었다. 이 하나의 기가 운행하여 이리저리 갈리다가 갈리는 것이 빨라지면 수많은 찌꺼기들이 모여드는데, 안에서 나갈 곳이 없으면 중앙에 땅을 이루게 된다. 맑은 기는 바로 하늘이 되고 해와 달이 되며 별과 별자리가 되는데, 단지 밖에서 항상 빙빙 돌면서 운행할 뿐이다. 땅은 다만 중앙에서 움직이지 않고 있을 뿐, 하늘 아래에 있는 것이 아니다."[96]

[26-3-29]
"天運不息, 晝夜輾轉, 故地榷在中間. 使天有一息之停, 則地須陷下. 惟天運轉之急, 故凝結得許多查滓在中間. 地者, 氣之查滓也. 所以道輕淸者爲天, 重濁者爲地."[97]

(주자가 말했다.) "하늘이 쉬지 않고 밤낮으로 돌며 운행하기 때문에 땅이 중간에 걸쳐 있다. 가령 하늘이 한순간이라도 멈춘다면 땅은 분명 아래로 빠지고 말 것이다. 오직 하늘이 빠르게 돌기 때문에 중간에 수많은 찌꺼기가 응결된다. 땅은 기의 찌꺼기이다. 그 때문에 가볍고 맑은 것은 하늘이 되고 무겁고 탁한 것은 땅이 된다고 하는 것이다."

[26-3-30]
問: "天有形質否?"
曰: "只是箇旋風, 下輭上堅, 道家謂之剛風. 人常說天有九重, 分九處爲號, 非也. 只是旋有九耳. 但下面氣較濁而暗, 上面至高處, 則至淸至明耳."[98]

. . . .

95 『朱子語類』권1, 23조목
96 땅은 다만 … 아니다. : 『朱子語類考文解義』「理氣」에 "땅의 아래는 하늘의 아랫부분이 둘러싸고 있는 것이다. 이것은 땅이 하늘의 중간에 있는 것이지, 아래에 있는 것이 아니다.(地之下卽是天之下面所繞者. 是地在天之中間, 非在下也.)"라고 했다.
97 『朱子語類』권1, 25조목
98 『朱子語類』권45, 30조목 원문은 다음과 같다. "淳問, '天有質否? 抑只是氣?' 曰, '只似箇旋風, 下面軟, 上面硬, 道家謂之剛風. 世說天九重, 分九處爲號, 非也. 只是旋有九重, 上轉較急, 下面氣濁, 較暗. 上面至高處, 至淸且明, 與天相接.' 淳問, '晉志論渾天, 以爲天外是水, 所以浮天而載地, 是否?' 曰, '天外無水, 地下是水載. 某五六歲時, 心便煩惱箇天體是如何? 外面是何物?'"

물었다. "하늘은 형질이 있습니까?"

(주자가) 말했다. "단지 선풍旋風(회오리바람)으로서 아래는 부드럽고 위는 강할 뿐이니, 도가道家에서는 강풍剛風이라고 한다. 사람들이 항상 하늘이 아홉 겹이 있다고 하면서 아홉 군데로 나누어 이름 붙인 것은 잘못된 것이다. 단지 회오리바람이 아홉 겹이 있을 뿐이다. 다만 아래쪽은 기가 비교적 탁하고 어두우며, 위쪽의 지극히 높은 곳은 지극히 맑고 밝을 뿐이다."[99]

[26-3-31]

"天地始初混沌未分時, 想只有水火二者. 水之滓脚便成地. 今登高而望, 群山皆爲波浪之狀, 便是水泛如此. 只不知因甚麽時凝了. 初間極輭, 後來方凝得硬."

問 : "想得如潮水湧起沙相似."

曰 : "然. 水之極濁便成地. 火之極淸便成風霆雷電日星之屬."[100]

(주자가 말했다.) "천지가 시초의 혼돈 상태에서 나누어지지 않았을 때에는 아마도 물과 불 두 가지만 있었을 것이다. 물의 찌꺼기가 바로 땅이 되었다. 지금 높은 곳에 올라가 바라보면 많은 산들이 물결 형상을 하고 있는데 바로 물이 넘쳐서 이와 같이 된 것이다. 다만 어느 시점에 굳어졌는지 모를 뿐이다. 처음에는 아주 부드러웠다가 나중에 비로소 딱딱하게 굳어졌다."

물었다. "마치 조수가 모래를 솟아오르게 하는 것과 같은 것 같습니다."

(주자가) 대답했다. "그렇다. 물의 매우 탁한 것은 땅이 되고, 불의 매우 맑은 것은 바람·우레·번개·해·별 따위가 되었다."

[26-3-32]

問 : "自開闢以來至今未萬年, 不知已前如何?"

曰 : "已前亦須如此一番明白來."

又問 : "天地會壞否?"

曰 : "不會壞. 只是相將人無道極了, 便一齊打合混沌一番, 人物都盡, 又重新起."

물었다. "천지가 생긴 이래로 지금까지 아직 1만 년이 되지 않았는데 그 이전에는 어떠했는지 모르겠습니다."

(주자가) 대답했다. "그 이전에도 또한 반드시 지금처럼 한차례 밝은 세상이 있었을 것이다."

또 물었다. "천지가 무너질 수 있습니까?"

---

99 주자의 설명은 『楚辭』의 九天說을 나름대로 풀이한 것이다. 주자에 따르면 "九天이란 九方의 하늘이 아니라 동심원의 형태로 한층한층 쌓인 하늘의 아홉 개의 경계구역이다. 그러나 그것은 결코 고정된 물체로서의 하늘의 중층이 아니라 기의 회전의 속도에 근거한 우주공간의 구별에 지나지 않는다." 야마다 케이지 저, 김석근 역, 『주자의 자연학』(통나무, 1991) pp.146~147 참조

100 『朱子語類』 권45, 33조목

대답했다. "무너질 수 없다. 다만 사람들의 무도함이 극한에 이르게 되면 일제히 모아 한바탕 뒤섞어 사람과 사물이 다 없어졌다가 다시 거듭 새롭게 생겨날 것이다."

又問 : "生第一箇人時如何?"

曰 : "以氣化. 二五之精, 合而成形. 釋家謂之化生. 如今物之化生者甚多, 如虱然."101

물었다. "최초의 사람은 어떻게 생겨났습니까?"

말했다. "기화氣化로 생겨났다. 음양과 오행의 순수함이 합쳐져 형체가 만들어진다. 불가佛家에서는 이것을 화생化生102이라고 한다. 지금의 사물들 중에도 화생하는 것이 매우 많은데, 예컨대 이[虱]가 그런 것이다."

[26-3-33]

"方渾淪未判, 陰陽之氣混合幽暗, 及其旣分, 中間放得寬闊光朗而兩儀始立. 邵康節以十二萬九千六百年爲一元, 則是十二萬九千六百年之前, 又是一箇大闔闢, 更以上亦復如此. 直是 '動靜無端, 陰陽無始.'

(주자가 말했다.) "혼륜한 상태로 아직 갈라지지 않았을 때에는 음양의 기가 혼합되어 어둠 속에 있다가, 나누어지고 나서는 그 사이가 넓고 환하게 펼쳐져 양의兩儀가 비로소 정립된다. 소강절邵康節[호굉邵雍]은 12만 9,600년을 1원元으로 삼고 있는데, 그렇다면 이 12만 9,600년 전에는 또 한차례의 커다란 닫힘과 열림이 있었고, 그 이전 또한 이와 같다. 바로 이것이 '움직임과 고요함에는 끝이 없고 음양에는 시초가 없다.'는 것이다.

小者大之影, 只晝夜便可見. 五峯所謂'一氣大息, 震蕩無垠. 海宇變動, 山勃川湮. 人物消盡, 舊迹大滅, 是謂鴻荒之世.' 嘗見高山有螺蚌殼或生石中, 此石卽舊日之土, 螺蚌卽水中之物. 下者却變而爲高. 柔者却變而爲剛. 此事思之至, 深有可驗者."103

작은 것은 큰 것의 그림자이니, 낮과 밤만으로도 알 수 있다. 오봉五峯[호굉]104은 '하나의 기가 크게 숨쉬자 요동침이 끝이 없었네. 지각이 변동하여 산이 솟구치고 하천이 내려앉았네. 사람과 사물이 모두 사라져 옛 자취가 완전히 소멸되었으니, 이를 홍황鴻荒의 세상105이라고 부르지.'106라고 했다. 높은 산에

• • • • • • • • • • • • • • • •

101 『朱子語類』 권45, 39조목

102 化生 : 불교의 四生, 즉 卵生, 胎生, 濕生, 化生 중 하나이다. 중생의 업에 따라 응보가 다르기 때문에 생명의 여러 유행이 생기는데, 여기서 화생은 아무것도 없는 것에서 홀연히 생기는 것을 말한다.

103 『朱子語類』 권94, 16조목

104 胡宏(1105~1155) : 자는 仁仲이고, 호는 五峰이다. 宋代 建寧崇安(현 福建省) 사람으로 胡安國의 아들이다. 어려서 楊時·侯仲良에게 배우고 마침내 부친의 학문을 닦아 張栻에게 전수하여 湖湘學派의 창시자가 되었다. 楊時 이후 남송에 낙학을 전파한 중요한 인물이다. 저서는 『知言』·『五峰集』 등이 있다.

105 鴻荒의 세상 : 混沌·蒙昧한 상태로 아득히 먼 옛날을 가리킨다.

서 소라와 조개껍질이 간혹 돌 속에서 나온 것을 본 적이 있는데, 이 돌은 옛날에는 흙이었으며, 소라와 조개는 수중생물이다. 낮은 것이 변하여 높은 것이 되었고, 부드러운 것이 변하여 굳센 것이 되었다. 이 일을 깊이 생각하면 증험할 만한 것이 있을 것이다."

[26-3-34]

問 : "天地未判時, 下面許多都已有否?"

曰 : "只是都有此理, 天地生物千萬年, 古今只不離許多物."[107]

물었다. "하늘과 땅이 나뉘지 않았을 때에도 하늘 아래의 수많은 것들이 모두 있었습니까?"

(주자가) 대답했다. "단지 모두 리理가 있었을 뿐이니, 천지가 오랜 세월 만물을 낳는 동안 고금古今에 걸쳐 수많은 것들에게서 떠나지 않았을 뿐이다."

[26-3-35]

"地却是有空缺處, 天却四方上下都周帀無空缺, 逼塞滿皆是天. 地之四向底下却靠著那天. 天包地, 其氣無不通. 恁地看來, 渾只是天了. 氣却從地中迸出, 又見地廣處."[108]

(주자가 말했다.) "땅은 오히려 빈 곳이 있으나 하늘은 사방과 상하가 골고루 차서 빈 곳이 없으니, 가득 차 있는 것은 모두 하늘이다. 땅의 네 모퉁이 바닥은 하늘에 의지하고 있다. 하늘은 땅을 감싸고 있으니 그 기氣가 통하지 않는 곳이 없다. 이렇게 보면 전체가 하늘일 뿐이다. 기가 땅속에서 솟아 나오는 것을 또 땅이 넓은 곳에서 볼 수 있다."

[26-3-36]

"天包乎地, 天之氣又行乎地之中. 故橫渠云, '地對天不過.'"[109]

(주자가 말했다.) "하늘은 땅을 감싸고, 하늘의 기는 또 땅속을 운행한다. 그 때문에 횡거橫渠(張載)는 '땅은 하늘보다 크지 않다.'고 했다."

[26-3-37]

問 : "『晉志』論渾天, 以爲天外是水, 所以浮天而載地, 是如何?"

曰 : "天外無水. 地下是水載."[110]

물었다. "『진지晉志』에서 혼천설渾天說을 논의하면서, '하늘 밖은 물[水]이니, 그 때문에 하늘을 떠 있게

---

106 '하나의 기가 … 부르지.' : 『知言』권4
107 『朱子語類』권1, 15조목
108 『朱子語類』권1, 28조목
109 『朱子語類』권1, 27조목
110 『朱子語類』권45, 30조목

하고 땅을 싣고 있다.'고 한 것은 어떻습니까?"

말했다. "하늘 밖에는 물이 없다. 땅 아래에서 물이 (땅을) 싣고 있다."

[26-3-38]

問: "天地之所以高深."

曰: "天只是氣, 非獨是高. 只今人在地上, 便只見如此高. 要之, 連地下亦是天."

又云: "世間無一箇物事大, 故地恁地大. 地只是氣之查滓, 故厚而深也."[111]

하늘과 땅이 높고 깊은 까닭에 대해 물었다.

(주자가) 대답했다. "하늘은 기氣일 뿐이니 그저 높이 있는 것만이 아니다. 단지 지금 사람들이 땅 위에 있으니 이처럼 높게 보일 뿐이다. 요컨대 땅의 아래도 하늘이다."

또 말했다. "세상에는 이만큼 큰 것이 없기 때문에 땅이 이토록 큰 것이다. 땅은 기의 찌꺼기이므로 두텁고 깊다."

[26-3-39]

"天地但陰陽之一物. 依舊是陰陽之氣所生也."[112]

(주자가 말했다.) "하늘과 땅은 다만 음과 양으로 이루어진 하나의 물체이다. 다른 것과 마찬가지로 음과 양의 기가 낳은 것이다."

[26-3-40]

"康節言'天依形, 地附氣,' 所以重復而言不出此意者, 惟恐人於天地之外別尋去處故也. 天理無外, 所以'其形有涯而其氣無涯'也. 爲其氣極緊, 故能扛得地住. 不然則墜矣. 氣外更須有軀殼甚厚, 所以固此氣也. 若夫地動, 只是一處動, 動亦不至遠也."[113]

(주자가 말했다.) "강절康節邵雍은 '하늘은 형체에 의지하고 땅은 기氣에 붙어있다.'[114]라고 했는데, 이러한 의미의 말을 거듭 반복해서 한 까닭은 사람들이 천지 밖의 다른 곳을 찾을까 염려했기 때문이다. 하늘은 이치상 밖이 없으니, 그 때문에 '그 형체는 끝이 있고 그 기는 끝이 없다.'[115] 그 기는 매우 단단하기 때문에 땅이 머물러 있도록 지탱할 수 있다. 그렇지 않다면 떨어질 것이다. 기의 외부는 틀림없이 껍질이 매우 두껍기 때문에 이 기를 단단하게 한다. 만일 땅이 움직인다면 다만 한곳만 움직일 뿐이며,

....

111 『朱子語類』 권18, 17조목 원문은 다음과 같다. "又問, '天地之所以高深, 鬼神之所以幽顯.' 曰, '公且說, 天是如何獨高? 蓋天只是氣, 非獨是高. 只今人在地上, 便只見如此高. 要之, 他連那地下亦是天. 天只管轉來旋去, 天大了, 故旋得許多渣滓在中間. 世間無一箇物事恁地大. 故地恁地大, 地只是氣之渣滓, 故厚而深.'"

112 『御纂朱子全書』 권49 「天地」

113 『朱子語類』 권100, 27조목

114 '하늘은 형체에 … 붙어있다.': 『漁樵對問』

115 '그 형체는 … 없다.': 『漁樵對問』

움직이더라도 또한 멀리까지 미치지 못한다."

[26-3-41]

"古今曆家, 只是推得箇陰陽消長界分爾. 如何得似康節說得那'天依地, 地附天. 天地自相依附. 天依形, 地附氣'底幾句?"[116]

(주자가 말했다.) "옛날부터 지금까지 역법가(曆家)들은 단지 음양 소장消長(줄어들고 자라남)의 영역만을 추론했을 뿐이다. 어떻게 강절康節처럼 '하늘은 땅에 의지하고 땅은 하늘에 붙어있다. 하늘과 땅은 저절로 서로 의지하고 붙어있다. 하늘은 형체에 의지하고 땅은 기에 붙어있다.'라는 몇 구절을 말할 수 있었겠는가?"

[26-3-42]

問 : "天依地, 地附氣."

曰 : "恐人道下面有物. 天行急, 地閣在中."[117]

"하늘은 땅에 의지하고 땅은 기에 붙어있다."는 것에 대해 물었다.

(주자가) 대답했다. "사람들이 땅 아래에 어떤 사물이 있다고 말할까 염려한 것이다. 하늘이 빨리 돌고 땅이 그 가운데에 걸쳐있다."

[26-3-43]

問 : "康節天地自相依附之說, 某以爲此說與周子『太極圖』, 程子'動靜無端, 陰陽無始'之義一致. 非曆家所能窺測."

曰 : "康節之言, 大體固如是矣. 然曆家之說, 亦須考之, 方見其細密處. 如『禮記』「月令」疏, 及晉『天文志』, 皆不可不讀也."[118]

물었다. "강절康節의 하늘과 땅이 저절로 서로 의지하고 붙어있다는 설에 대하여, 저는 이것이 주자周子의 『태극도』, 정자程子의 '움직임과 고요함은 끝이 없고 음과 양은 시작이 없다.'라는 뜻과 일치한다고 생각합니다. 이는 역법가들이 엿볼 수 있는 것이 아닙니다."

(주자가) 대답했다. "강절의 말은 큰 골격이 참으로 이와 같다. 그러나 역법가들의 설 또한 반드시 고찰해야 비로소 세밀한 곳을 알게 된다. 『예기』「월령」의 소疏와 진晉나라 『천문지天文志』 같은 것도 모두 읽지 않으면 안 된다."

. . . .

116 『朱子語類』 권100, 29조목
117 『朱子語類』 권100, 28조목
118 『朱文公文集』 권62 「答李敬子余國秀」

[26-3-44]

"天明, 則日月不明. 天無明, 夜半黑淬淬地, 天之正色."[119]

(주자가 말했다.) "하늘이 밝다면 해와 달이 밝지 않을 것이다. 하늘은 밝지 않으니, 한밤중 깜깜한 것이 하늘의 제 색깔이다."

[26-3-45]

"天只是一箇大底物, 須是大著心腸看他始得. 以天運言之, 一日固是轉一匝. 然又有大轉底時候, 不可如此偏滯求也."[120]

(주자가 말했다.) "하늘은 단지 하나의 거대한 것이니, 반드시 마음을 크게 해서 보아야 비로소 알 수 있다. 하늘의 운행으로써 말하면 참으로 하루에 한 바퀴를 돈다. 그러나 또 큰 주기[121]도 있으니 이렇게 한쪽에만 치우쳐서 구해서는 안 된다."

[26-3-46]

"天轉, 也非自東而西, 也非旋環. 磨轉, 却是側轉."[122]

(주자가 말했다.) "하늘의 회전은 동쪽에서 서쪽으로 도는 것도 아니고, 둥글게 도는 것도 아니다. 갈리면서 회전하니, 오히려 옆으로 회전하는 것이다."

[26-3-47]

"伊川云, '測景以三萬里爲準,[123] 若有窮然. 有至一邊已及一萬五千里者, 而天地之運蓋如初也.' 此言蓋誤. 所謂'升降一萬五千里中'者, 謂冬夏日行南陸北陸之間, 相去一萬五千里耳, 非謂周天只三萬里."[124]

(주자가 말했다.) "이천伊川이 '측경測景[125]에 근거하여 3만 리를 표준[중심]으로 삼는 것은 한계가 있는 듯하다. 한쪽 끝까지 1만 5,000리에 이른 것이 있지만 천지의 운행은 저음과 같았을 것이다.'[126]라고 했는데, 이 말은 틀린 것 같다. 이른바 '위아래로 1만 5,000리가 중심'이라는 것은 여름과 겨울에 해가 남쪽 대륙에서 북쪽 대륙을 지나는 동안, 서로의 거리가 1만 5,000리임을 말하는 것일 뿐, 하늘을 도는

---

119 『朱子語類』권1, 31조목
120 『朱子語類』권1, 30조목
121 큰 주기: 『朱子語類考文解義』「理氣」에 "한 번 元이 되고 한 번 會가 되며, 한 번 열리고 한 번 닫히는 것과 같은 따위이다.(如一元一會, 一開一闔之屬.)"라고 했다.
122 『朱子語類』권23, 9조목
123 測景以三萬里爲準: 『朱子語類』권97, 17조목에는 "據測景以三萬里爲中"으로 되어 있다.
124 『朱子語類』권97, 17조목
125 測景: 歲時나 節候를 추산하기 위하여 해 그림자를 재는 것을 말한다. 測影이라고도 한다.
126 『河南程氏遺書』권2상

것이 단지 3만 리일 뿐임을 말하는 것이 아니다."

[26-3-48]

"天之外無窮, 而其中央空處有限. 天左旋而星拱極, 仰觀可見. 四遊之說則未可知, 然曆家之說, 乃以算數得之, 非鑿空而言也. 若果有之, 亦與左旋拱北之說不相妨. 如虛空中一圓毬, 自內而觀之, 其坐向不動而常左旋, 自外而觀之, 則又一面四遊以薄四表而止也."[127]

(주자가 말했다.) "하늘의 밖은 무한하고 그 중앙의 비어있는 곳은 유한하다. 하늘이 좌선左旋하고 별들이 북극성의 주위를 도는 것은 하늘을 올려다보면 알 수 있다. 사유설四遊說[128]은 알지 못하겠으나 역법가들의 설은 바로 계산으로 얻어진 것이지, 공허하게 천착하여 말한 것이 아니다. 과연 그런 것이 있다고 하더라도 하늘이 좌선하고 별이 북극성의 주위를 돈다는 설과 모순되는 것은 아니다. 마치 허공 속에 있는 하나의 둥근 구毬(공)를 안쪽에서 보면 그 범위는 움직이지 않으면서 항상 좌선하고 있지만, 밖에서 보면 한 면이 네 방향으로 노닐며 사표四表[129]에 이르러 멈추는 것과 같다."

[26-3-49]

問: "康節論六合之外, 恐無外否?"

曰: "理無內外, 六合之形須有內外. 日從東畔升, 西畔沉, 明日又從東畔升. 這上面許多, 下面亦許多, 豈不是六合之內? 曆家算氣, 只算得到日月星辰運行處, 上去更算不得, 安得是無內外?"[130]

물었다. "강절康節은 육합六合[四方과 上下]의 밖을 논했지만, 밖이란 없는 것이 아닙니까?"

(주자가) 대답했다. "리는 안팎이 없지만 형체가 있는 육합엔 반드시 안팎이 있다. 해는 동쪽 끝에서 떠올라 서쪽 끝으로 가라앉고 다음 날 다시 동쪽 끝에서 떠오른다. 이 위쪽에 많은 것들이 있고 아래에도 역시 많은 것이 있지만, 어찌 육합의 안이 아니겠는가? 역법가들이 기를 계산할 때 일·월·성·신이 운행하는 곳까지 계산했을 뿐, 그 이상은 더 계산하지 못했는데, 어찌 안팎이 없다는 점을 알 수 있겠는가?"

[26-3-50]

問: "天地之心亦靈否? 還只是漠然無爲?"

曰: "天地之心不可道是不靈. 但不如人恁地思慮. 伊川曰, '天地無心而成化, 聖人有心而無爲.'"[131]

---

127 『朱文公文集』 권62 「答李敬子余國秀」
128 四遊說: 지구와 별이 일 년 사계절 동안 동·서·남·북의 네 極을 향하여 따로 이동한다는 설이다.
129 四表: 지구와 星辰이 오르내리며 운행하는 사방의 끝을 말한다.
130 『朱子語類』 권1, 38조목

물었다. "천지의 마음은 영명靈明합니까? 아니면 다만 아득할 뿐 하는 일이 없습니까?"

(주자가) 대답했다. "천지의 마음이 영명하지 않다고 말할 수 없다. 다만 사람이 생각하는 방식과는 같지 않다. 이천伊川은 '천지는 마음이 없으면서 조화造化를 이루고, 성인은 마음이 있지만 작위함이 없다.'[132]고 했다."

[26-3-51]

問: "'天地之心', '天地之理,' 理是道理, 心是主宰底意否?"

曰: "心固是主宰底意. 然所謂主宰者, 卽是理也. 不是心外別有箇理, 理外別有箇心."

又問: "此心字與帝字相似否?"

曰: "人字似天字. 心字似帝字."[133]

물었다. "'천지의 마음', '천지의 리理'와 같은 것에서 리는 도리道理이고 마음은 주재主宰의 뜻입니까?"

(주자가) 대답했다. "마음은 참으로 주재의 뜻이다. 그러나 이른바 주재란 바로 리이다. 마음 밖에 따로 리가 있는 것도, 리 밖에 따로 마음이 있는 것도 아니다."

또 물었다. "'심心'은 '제帝'와 비슷합니까?"

(주자가) 말했다. "'인人'은 '천天'과 비슷하고, 심은 '제'와 비슷하다."

[26-3-52]

問: "天地無心, 仁便是天地之心. 若使其有心, 必有思慮, 有營爲. 天地曷嘗有思慮來? 然其所以四時行, 百物生者, 蓋以其合當如此便如此, 不待思惟. 此所以爲天地之道."

曰: "如此則『易』所謂'復其見天地之心', '正大而天地之情可見', 又如何? 如公所說, 祇說得他無心處耳.[134] 若果無心, 則須牛生出馬, 桃樹上發李花, 他又却自定. 程子曰, '以主宰謂之帝, 以性情謂之乾', 他這名義自定. 心便是他箇主宰處, 所以謂'天地以生物爲心.'"[135]

물었다. "천지는 마음이 없으니 인仁이 바로 천지의 마음입니다. 만일 마음이 있다면 반드시 생각함이 있고 도모함이 있을 것입니다. 천지가 어찌 생각함이 있겠습니까? 그러나 사계절이 운행되고 만물이 생겨나는 까닭[136]은 마땅히 이렇게 되어야 하기에 이렇게 된 것이지, 생각을 필요로 하는 것이 아닙니다. 이것이 천지의 도가 되는 까닭입니다."

....

131 『朱子語類』 권1, 16조목

132 '천지는 마음이 … 없다.': 『二程粹言』 권하 「天地篇」

133 『朱子語類』 권1, 17조목

134 祇說得他無心處耳.: 『朱子語類』 권1, 18조목에는 '祇說得他無心處耳.'로 되어 있다.

135 『朱子語類』 권1, 18조목

136 사계절이 운행되고 … 까닭: 『論語』 「陽貨」에 "하늘이 무슨 말을 하는가? 四時가 운행되고 온갖 만물이 생장하는데, 하늘이 무슨 말을 하는가?(子曰, "天何言哉? 四時行焉, 百物生焉, 天何言哉?)"라는 공자의 말이 있다.

(주자가) 대답했다. "그렇다면 『주역』에서 '복復괘에서 천지의 마음을 본다.'[137] '바르고 커서 천지의 실정을 볼 수 있다.'[138]고 한 것은 또 어떠한가? 그대가 말한 것은 단지 천지가 마음이 없는 곳만을 말할 뿐이다. 과연 마음이 없다면, 소가 말을 낳고 복숭아나무에 오얏꽃이 피고 말텐데, 이것들은 또 본래 일정하다. 정자程子는 '주재主宰로는 제帝라고 하고 성정性情으로는 건乾이라고 한다.'[139]고 했는데 이 개념들은 본래 일정하다. 마음은 바로 천지가 주재하는 곳이기 때문에 '천지는 만물을 낳는 것을 마음으로 삼는다.'[140]고 한 것이다."

[26-3-53]
"天地之間, 品物萬形, 各有所事. 惟天確然於上, 地隤然於下, 一無所爲, 只以生物爲事. 故『易』曰'天地之大德曰生', 而程子亦曰'天只是以生爲道.' 其論'復見天地之心,' 又以動之端言之, 其理亦已明矣. 然所謂'以生爲道'者, 亦非謂將生來做道也."[141]

(주자가 말했다.) "천지 사이의 갖가지 사물들과 모든 형체 있는 것들은 각각 일삼는 것이 있다. '하늘은 위에서 강건하게 있고 땅은 아래에서 순응하면서'[142] 언제나 작위함 없이 단지 만물을 생生하는 것을 일삼고 있을 뿐이다. 그러므로 『주역』에 '천지의 위대한 덕을 생生이라 한다.'[143]고 했고, 정자程子도 '하늘은 오직 생을 도道로 삼는다.'[144]고 했다. 또 '복復괘에서 천지의 마음을 본다.'는 구절을 논할 때에는 움직임의 단서로써 말했으니, 그 이치 또한 분명하다. 그러나 이른바 '생을 도로 삼는다'는 것은 또한 만들어 내는 것을 도로 삼음을 말하는 것이 아니다."

[26-3-54]
"天地別無勾當, 只是以生物爲心. 一元之氣運轉流通, 略無停間, 只是生出許多萬物而已."
問: "程子謂'天地無心而成化, 聖人有心而無爲.'"
曰: "這是說天地無心處. 且如四時行, 百物生, 天地何所容心? 至於聖人則順理而已, 復何爲哉? 所以明道云, '天地之常, 以其心普萬物而無心, 聖人之常, 以其情順萬事而無情.' 說得最好."

(주자가 말했다.) "천지는 다른 일을 하지 않고, 단지 만물을 생生하는 것을 마음으로 삼고 있을 뿐이다. 하나의 근원적인 기가 움직이고 흐르고 통하여 조금도 멈춤이 없이, 오직 수많은 만물들을 만들어 낼

137 '復괘에서 천지의 … 본다.': 『周易』「復卦·象傳」
138 '바르고 커서 … 있다.': 『周易』「大壯卦·象傳」
139 '主宰로는 帝라고 … 한다.': 『伊川易傳』「乾卦」
140 '천지는 만물을 … 삼는다.': 『朱文公文集』 권67 「仁說」
141 『朱文公文集』 권32 「答張欽夫論仁說」
142 '하늘은 위에서 … 순응하면서': 『周易』「繫辭下」 제1장
143 '천지의 위대한 … 한다.': 『周易』「繫辭下」 제1장
144 '하늘은 오직 … 삼는다.': 『河南程氏遺書』 권2상

뿐이다."

물었다. "정자程子는 '천지는 마음이 없으면서 조화造化를 이루고, 성인聖人은 마음이 있지만 인위人爲가 없다.'라고 했습니다."

(주자가) 대답했다. "이것은 천지의 마음이 없는 측면을 말한 것이다. 예컨대 사계절이 유행하고 만물이 생겨날 때, 천지가 어디에 마음을 두겠는가? 성인의 경우 도리를 따를 뿐 또 무엇을 하겠는가? 그래서 명도明道[程顥]는 '천지가 불변적인 것은 그 마음이 모든 사물에 두루 미쳐 마음이 없기 때문이며, 성인이 불변적인 것은 자신의 감정이 모든 일에 순응하여 사사로운 감정이 없기 때문이다.'[145]라고 했는데 정말 좋은 말이다."

問 : "普萬物, 莫是以心周徧而無私否?"
曰 : "天地以此心普及萬物, 人得之遂爲人之心, 物得之遂爲物之心, 草木禽獸接著遂爲草木禽獸之心, 只是一箇天地之心爾. 今須要知得他有心處, 又要見得他無心處, 只恁定說不得."[146]

물었다. "만물에 두루 미친다는 것은 마음이 두루 미치면서도 사사로운 마음이 없다는 것입니까?"

(주자가) 대답했다. "천지는 그 마음이 만물에 두루 미치기 때문에, 사람이 그것을 얻으면 마침내 사람의 마음이 되고, 사물이 그것을 얻으면 마침내 사물의 마음이 되며, 초목과 짐승이 그것을 얻으면 초목과 짐승의 마음이 되니, 오직 하나의 천지의 마음일 뿐이다. 이제 천지의 마음이 있는 측면도 알아야 하고, 또 마음이 없는 측면도 알아야 하니, 이렇게 확정해서 말해서는 안 된다."

[26-3-55]
"萬物生長, 是天地無心時. 枯槁欲生, 是天地有心時."[147]

(주자가 말했다.) "만물이 생장하는 것은 천지가 마음 씀이 없을 때이다. 마른나무가 살아나려고 하는 것은 천지가 마음 씀이 있을 때이다."

[26-3-56]
"造化之運, 如磨上面常轉而不止. 萬物之生, 似磨中撒出有粗有細, 自是不齊."
又曰 : "天地之形, 如人以兩盌相合貯水於內, 以手常常掉開, 則水在內不出, 稍住手, 則水漏矣."[148]

(주자가 말했다.) "조화造化의 운행은 마치 맷돌을 돌릴 때 윗면이 항상 돌면서 그치지 않는 것과 같다. 만물이 생겨나는 것은 마치 맷돌 속에서 흩어져 나올 때 거친 것이 있고 미세한 것이 있는 것과 같아

---

145 '천지가 불변적인 … 때문이다.' : 『二程粹言』 권하 「心性篇」
146 『朱子語類』 권1, 18조목
147 『朱子語類』 권1, 19조목
148 『朱子語類』 권1, 42조목

본래 가지런하지 않다."

(주자가) 또 말했다. "천지의 형상은 마치 두 개의 주발을 서로 맞붙여 안에 물을 담아놓은 것과 같으니, 손으로 끊임없이 계속 흔들면 물이 안에서 새어 나오지 않지만, 잠시라도 손을 멈추면 물이 새어 나오게 된다."

[26-3-57]

或問: "大鈞播物, 還是一去便休也? 還有去而復來之理?"

曰: "一去便休耳. 豈有散而復聚之氣?"[149]

어떤 사람이 물었다. "하늘의 조화造化가 만물을 퍼뜨리는 것[150]은 한 번 가버리면 그만입니까? 아니면 갔다가 다시 돌아오는 이치가 있습니까?"

(주자가 말했다.) "한 번 가버리면 그만일 뿐이다. 어찌 흩어졌다가 다시 모이는 기氣가 있겠는가?"

[26-3-58]

西山眞氏曰: "按楊倞註『荀子』有曰, '天無實形, 地之上空虛者皆天也.'"

서산 진씨西山眞氏[眞德秀]가 말했다. "양경楊倞의 『순자荀子』 주註를 살펴보니, '하늘은 실제적인 형체가 없으니, 땅 위의 빈 곳이 모두 하늘이다.'[151]라고 했다."

[26-3-59]

庸齋許氏曰: "天地之大, 乃陰陽自虛自實, 前無始後無終者也. 大槩有時而混沌, 有時而開闢耳. 伏羲之前, 吾不知其幾混沌幾開闢矣. 所謂混沌而開闢者, 以陰陽之運有泰否, 陰陽之氣有通塞. 方其泰而通也, 天以淸而浮於上, 地以凝而塡於下, 人物生息繁滋於其中. 復有英君誼辟相繼爲主, 而人極以立. 以兩間之開闢者如此, 宜不至於再爲混沌矣.

용재 허씨庸齋許氏[許仲翔][152]가 말했다. "천지는 거대하니, 음양이 스스로 비기도 하고 스스로 차기도 하여 앞에도 시작이 없고 뒤로도 끝이 없다. 대개 어느 때엔 혼돈混沌이 있고 어느 때엔 개벽開闢이 될 뿐이다. 복희伏羲 이전에 몇 번 혼돈이 있었고 몇 번 개벽이 되었는지 나는 알지 못한다. 이른바 혼돈이 있기도 하고 개벽이 되기도 하다는 것은 음양의 운행에 트임과 막힘이 있고, 음양의 기에 통함과 가림이 있기 때문이다. 트이고 통할 때에는 하늘은 맑아 위로 떠오르고, 땅은 응결하여 아래로 메워지며, 사람과 사물은 그 속에서 생장하고 번식한다. 다시 영명한 임금과 의로운 임금이 군주가 있어 사람의 표준이 정립된다. 둘 사이에서 이렇게 개벽이 될 경우에는 마땅히 재차 혼돈이 되는 지경에 이르지 않는다.

149 『朱子語類』 권1, 41조목

150 하늘의 造化가 … 것: 『前漢書』 권48 「賈誼」

151 '하늘은 실제적인 … 하늘이다.': 『荀子』 권2 「不苟篇」 楊倞 주

152 許仲翔: 허중상은 문헌으로 찾을 길이 없다. 다만 이 말은 元나라 許衡의 저서 『魯齋遺書』에 보인다.

然陰陽之運不能以常泰, 陰陽之氣不能以常通. 上下或歷千萬百年, 或歷數萬年, 泰者有時而否, 通者有時而塞. 至于否塞之極也, 則天之清以浮者濁而低, 地之凝以塡者裂而洩, 人物之生息繁滋者亦歇滅而萎敗. 當此之時, 五行之用皆廢, 而水火之性獨悖逆焉. 火不爲離虛之明而偏於沈伏, 水不爲坎陷之滿而偏於沸騰. 二者雖皆反常, 而成天地之混沌者水也.

그러나 음양의 운행이 항상 트일 수만은 없고 음양의 기가 항상 통할 수만은 없다. 대개 천 년이나 만 년, 백 년, 또는 수만 년에 걸쳐 트였던 것이 때로 막히기도 하고 통했던 것이 때로 가려지기도 한다. 막힘이 극한에 이르면 맑아 떠올랐던 하늘은 탁해져서 주저앉고, 응결하여 메워졌던 땅은 터져서 새며, 생장하고 번식하던 사람과 사물은 쇠잔해져서 사라진다. 이때에는 오행五行의 작용이 모두 무너지는데, 특히 수水와 화火의 성질이 순리에서 벗어난다. 화火는 열려서 밝음이 되지 못하고 가라앉는 쪽으로 기울며, 수水는 구덩이를 채우지 못하고 한쪽으로 치솟아 오르기만 한다. 이 둘은 모두 상도常道에 반하지만 천지의 혼돈을 이루는 것은 수水이다.

前日之開闢者, 至此又成一混沌矣. 天地每成一混沌, 所不死者, 有元氣焉. 惟其元氣不死, 故陰陽之否者終於泰, 陰陽之塞者終於通. 或歷數百年, 或歷數千年, 天之低以濁者又復清而浮, 地之裂以洩者又復凝而塡, 人物之歇滅萎敗者又復生息而繁滋. 此陰陽之運氣已泰而通, 則前日之混沌者復爲之開闢矣. 然天地由開闢而混沌者, 固以其漸, 由混沌而開闢者, 亦以其漸. 方開闢之初, 又必有聰明神聖者繼天爲主, 而人極以復立. 伏羲蓋當一開闢之初也."

이전 날의 개벽이 여기에 이르러 다시 한 차례 혼돈이 된다. 천지가 매번 한 차례 혼돈이 될 때 죽지 않는 것으로는 원기元氣가 있다. 원기만은 죽지 않기 때문에 음양의 막힌 것이 마침내 트이고, 음양의 가린 것이 마침내 통한다. 어떤 경우에는 수백 년, 어떤 경우에는 수천 년에 걸쳐 하늘의 주저앉아 탁했던 것이 또 다시 맑아져서 떠오르고, 땅의 터져서 샌 것이 또 다시 응결하여 메워지며, 사람과 사물이 쇠잔하여 사라진 것이 또다시 생장하고 번식한다. 이 음양의 운행과 기가 트이고 통하면 이전의 혼돈이 다시 개벽이 된다. 그러나 천지가 개벽에서 혼돈으로 가는 과정은 참으로 점진적이고, 혼돈에서 개벽으로 가는 과정도 점진적이다. 개벽의 초기에 또 반드시 총명한 성군聖君이 하늘을 계승하여 군주가 되고 사람의 표준이 다시 정립된다. 복희는 한 차례 개벽의 초기에 해당한다."

[26-3-60]
魯齋許氏曰 : "天道常於不足處行將去, 亦屈伸消長乘除對待之理. 天之道損有餘補不足. 人則不能合天道也."

노재 허씨魯齋許氏[許衡][153]가 말했다. "천도天道가 항상 부족한 곳에서 운행되는 것 또한 움츠림과 폄,

· · · · · · · · · · · · · · · · · · · ·
153 許衡(1209~1281) : 元 河內 출신. 이름은 衡. 자는 仲平. 호는 魯齋. 程朱學者로 魯齋先生이라고 불린다. 시호는 文正. 經學·子史·禮樂·名物·星曆·兵刑·食貨·水利에 널리 통달했다. 특히 程朱의 학을 받들었다. 劉因과 함께 원의 두 大家라고 불렸다. 世祖 때 벼슬에 나아가 國子祭酒, 中書左丞을 지냈다. 阿哈馬特

사라짐과 자라남, 성대함과 쇠락함이 대대對待하는 이치이다. 하늘의 도는 넘치는 것을 줄이고 부족한 것을 보충해 줌이 있다. 그러나 사람은 천도에 부합하지 못한다."

[26-3-61]

"天有寒暑晝夜, 物有生榮枯瘁, 人有富貴貧賤, 風雨露雷, 無非教也, 富貴福澤, 貧賤憂戚, 亦無非教也. 此天地所以造化萬物, 日新無敝者也."[154]

(노재 허씨가 말했다.) "하늘은 더위와 추위, 낮과 밤이 있고, 사물은 생장하고 무성함과 시들고 병듦이 있으며, 사람은 부귀富貴와 빈천貧賤이 있으니, 바람과 비, 이슬과 우레가 가르침이 아님이 없고, 부귀와 복택, 빈천과 우척憂戚(걱정 근심) 또한 가르침이 아님이 없다. 이것이 천지가 만물을 낳고 화육함에 나날이 새로워져서 버려짐이 없는 까닭이다."

"天道二氣, 此一氣消縮, 彼一氣便發達, 此一氣來, 彼一氣必往, 無俱往並發之理. 陰氣方長陽便伏. 又嚴霜以肅之, 使陽氣必伏."[155]

(노재 허씨가 말했다.) "천도天道의 두 기氣는, 이 하나의 기가 사라지고 줄어들면, 저 하나의 기는 발달하며, 이 하나의 기가 오면, 저 하나의 기는 반드시 가니, 모두 가거나 모두 발달하는 이치는 없다. 음의 기가 막 자라나면 양은 숨는다. 또 된서리로 숙살肅殺하여 양의 기가 반드시 숨도록 한다."

[26-4]

天度 曆法附   천도 역법을 덧붙임

[26-4-1]

朱子曰 : "天有三百六十度. 只是天行得過處爲度. 天之過處, 便是日之退處. 日月會爲辰."[156]

주자가 말했다. "하늘은 360도가 있다. 단지 하늘의 운행이 더 간 곳이 도度가 된다. 하늘이 더 간 간격이 바로 해가 물러난 간격이다. 해와 달이 만나는 곳이 신辰이다."

의 擅權을 논하고 관직을 떠났다. 가르치기를 잘하여 따라서 배우는 사람이 많았다. 저서에 『讀易私言』·『魯齋心法』·『魯齋遺書』가 있다.

154 『魯齋遺書』 권1 「語錄上」
155 『魯齋遺書』 권2 「語錄下」
156 『朱子語類』 권2, 2조목

[26-4-2]

"天道與日月五星皆是左旋. 天道日一周天而常過一度. 日亦日一周天, 起度端, 終度端, 故比天道常不及一度. 月行不及十三度十九分度之七.[157] 今人却云, '月行速, 日行遲', 此錯說也. 但曆家以右旋爲說, 取其易見日月之度耳."[158]

(주자가 말했다.) "천도天道는 해와 달, 오성五星[159]과 함께 모두 좌선左旋한다. 천도는 하루에 하늘을 한 바퀴 돌고 항상 1도度를 더 간다. 해도 역시 하루에 하늘을 한 바퀴 돌지만, 도度의 시작점에서 출발해서 도의 시작점에서 끝나기 때문에 천도에 비해 항상 1도 미치지 못한다. 달의 운행은 13도 7/19이 미치지 못한다. 지금 사람들은 '달의 운행은 빠르고 해의 운행은 느리다.'고 하는데 이는 잘못된 설이다. 다만 역법가가 오른쪽으로 돈다고 한 설은 보기 쉬운 해와 달의 도수를 취했을 뿐이다."

[26-4-3]

"天行健, 一日一夜一周, 天過一度. 日稍遲一度, 月又遲十三度有奇耳."[160]

因擧陳元滂云, "'只似在圓地上走, 一人過急一步, 一人差不及一步, 又一人甚緩, 差數步也.' 天行只管差過, 故曆法亦只管差. 堯時昏旦星中於午, 「月令」差於未, 漢晉以來又差, 今比堯時似差及四分之一. 古時冬至日在牽牛, 今却在斗."[161]

(주자가 말했다.) "하늘의 운행은 강건하니, 하루 밤낮으로 한 바퀴를 돌고 1도를 더 간다. 해는 1도만큼 늦고 달은 또 13도 남짓 느리다.

이어서 진원방陳元滂이 말한 것을 거론했다. "'땅에서 둥글게 달릴 때, 한 사람이 한 걸음만큼 빨리 지나가면 한 사람은 한 걸음 미치지 못하고, 또 매우 느린 한 사람은 몇 걸음의 차이가 나는 것과 같다.' 하늘의 운행이 단지 지나치는 것에 차이가 있기 때문에, 역법도 또한 차이가 날 뿐이다. 요임금 때에 혼단성昏旦星[162]은 오방午方(6시 방향)에 있었는데, 『예기』「월령」은 미방未方(7시 방향)으로 차이 났고, 한漢·진晉 이래로 또 차이가 나서, 지금은 요임금의 시대에 비하면 차이가 거의 1/4에 이르렀다. 옛날에는 동지에 해가 견우자리에 있었는데, 지금은 북두에 있다."

[26-4-4]

"辰, 天壤也. 每一辰各有幾度.[163] 謂如日月宿於角幾度, 卽所宿處爲辰."[164]

----

157 月行不及十三度十九分度之七. : 『朱子語類』 권2, 12조목에는 "月行不及十三度四分度之一."로 되어 있다.
158 『朱子語類』 권2, 12조목
159 五星 : 태양계에서 지구에 가까이 있는 다섯 개의 행성, 즉 金太白, 木歲星, 水辰星, 火熒惑, 土壤星을 가리킨다.
160 天行健, … 月又遲十三度有奇耳. : 『朱子語類』 권2, 8조목에는 "天行至健, 一日一夜一周, 天必差過一度. 日一日一夜一周恰好, 月却不及十三度有奇."로 되어 있다.
161 『朱子語類』 권2, 8조목
162 昏旦星 : 새벽과 황혼시에 정남방에 보이는 별을 말한다.
163 每一辰各有幾度. : 『朱子語類』 권23, 9조목에는 "此說是每一辰各有幾度."로 되어 있다.

(주자가 말했다.) "신辰은 하늘의 구역이다. 1신마다 각각 몇 도度가 있다. 예컨대 해와 달이 각수角宿[165]에서 몇 도에 머문다고 했을 때, 그 머무는 곳이 신이다."

[26-4-5]

"'日月所會是謂辰', 注云, '一歲日月十二會, 所會爲辰.' 十一月辰在星紀, 十二月辰在元枵之類, 是也. 然此特在天之位耳. 若以地而言之, 則南面而立, 其前後左右, 亦有四方十二辰之位焉. 但在地之位一定不易, 而在天之象運轉不停. 惟天之鶉火加于地之午位, 乃與地合而得天運之正耳."[166]

(주자가 말했다.) "'해와 달이 만나는 곳을 신辰이라고 한다.'[167]는 말의 주注에 '일 년에 해와 달이 열두 번 만나는데, 그 만나는 곳이 신辰이다.'[168]라고 했는데, 11월에는 신이 성기星紀에 있고 12월에는 신이 원효元枵에 있는 것[169] 따위가 이것이다. 그러나 이것은 다만 하늘에서의 방위일 뿐이다. 땅으로 치자면 남쪽을 향해서 섰을 때, 그 전후좌우에 또한 사방 12신의 방위가 있을 것이다. 그러나 땅에서는 방위가 고정되어 바꾸지 못하고, 하늘의 상은 멈추지 않고 움직인다. 오직 하늘의 순화鶉火[170]가 땅의 오방午方에 더해져야 땅과 합치되어 하늘의 운행의 정위치를 알 수 있을 뿐이다."

[26-4-6]

或問: "天道左旋, 自西而東.[171] 日月右行, 則如何?"

---

164 『朱子語類』 권23, 9조목
165 角宿: 천체 28宿 가운데 하나로 동쪽의 蒼龍七宿의 第一宿이다.
166 『御纂朱子全書』 권50 「天度」
167 '해와 달이 … 한다.': 『春秋左傳』「魯昭公 7년」에 "(진평)공이 물었다. '무엇을 육물이라 하는가?' (백하가) 대답했다. '세성·사시·일·월·성·신을 이릅니다.' 공이 말했다. '과인에게 신을 말한 사람이 많은데 모두 같지 않으니, 무엇을 신이라고 하는가?' 대답했다. '해와 달이 만나는 곳을 신이라고 합니다. 그래서 해에 배합합니다.'(公曰, '何謂六物?' 對曰, '歲時日月星辰, 是謂也.' 公曰, '多語寡人辰而莫同, 何謂辰?' 對曰, '日月之會是謂辰, 故以配日.')"라는 내용이 있다.
168 '일 년에 … 신辰이다.': 『春秋左傳注疏』「魯昭公 7년」 孔穎達 疏
169 11월에는 신이 … 것: 『國語』·『書經』·『禮記』 등에 의하면 옛사람들은 해와 달의 운행과 절기의 변화를 설명하기 위해 黃道(태양의 視軌道. 지구에서 보아 태양이 지구를 중심으로 운행하는 것처럼 보이는 천구상의 큰 원) 부근에서 하늘을 한 바퀴 도는 것에 대해 서쪽에서 동쪽으로 향하는 방향을 12등분 했는데, 그것을 12次라고 한다. 12차는 星紀·玄枵·諏訾·降婁·大梁·實沈·鶉首·鶉火·鶉尾·壽星·大火·析木 등인데, 이것은 紀年을 활용했기 때문에 '歲星紀年法'이라고 한다. 한편 옛사람들은 이 동쪽에서 서쪽으로 향하는 방향을 12등분하여 丑·子·亥·戌·酉·申·未·午·巳·辰·卯·寅 등의 十二地支를 배열했는데, 그것을 12辰이라고 했다. 이를 '太歲紀年法'이라고 한다.
170 鶉火: 남방의 井·鬼·柳·星·張·翼·軫의 朱鳥七宿 중, 정과 귀를 鶉首, 익과 진을 鶉尾라고 하고, 유·성·장을 鶉火 또는 鶉心이라고 한다.
171 自西而東.: 『朱子語類』 권2, 10조목에는 "自東而西."로 되어 있다.

曰: "橫渠說日月皆是左旋, 說得好. 蓋天行甚健, 一日一夜周三百六十五度四分度之一, 又進過一度. 日行速健次於天, 一日一夜周三百六十五度四分度之一, 正恰好. 比天進一度, 則日爲退一度. 二日天進二度, 則日爲退二度. 積至三百六十五日四分日之一, 則天所進過之度, 又恰周得本數, 而日所退之度, 亦恰退盡本數, 遂與天會而成一年. 月行遲, 一日一夜三百六十五度四分度之一行不盡, 比天爲退了十三度有奇. 進數爲順天而左, 退數爲逆天而右, 曆家以進數難算, 只以退數算之, 故謂之右行. 且曰, '日行遲, 月行速', 然則日行却得其正."[172]

어떤 사람이 물었다. "하늘의 길은 좌선左旋하여 동쪽에서 서쪽으로 움직입니다.[173] 해와 달이 오른쪽으로 가는 것은 어떻습니까?"

(주자가) 대답했다. "횡거橫渠는 '해와 달은 모두 좌선한다'고 했으니 잘 말한 것이다. 하늘의 운행은 매우 강건하여, 하루 밤낮 동안 365와 1/4도를 돌고 1도를 더 간다. 해의 운행은 빨라서 하늘 다음으로 강건하니, 하루 밤낮 동안 365과 1/4도를 정확하게 돈다. 하늘이 1도 더 나아간 데 비하면 해는 1도 물러난 것이다. 2일째는 하늘이 2도를 나아갔으니 해는 2도 물러난 것이 된다. 365와 1/4일이 누적되면, 하늘이 나아가 지나친 도수가 정확히 본래 수만큼 돈 것이고, 해가 물러났던 도수도 정확히 본래 수만큼 다하니, 마침내 하늘과 만나서 1년이 된다. 달의 운행은 느려서 하루 밤낮 동안 365와 1/4도를 다 운행하지 못하고, 하늘에 비해 13도 가량 물러난다. 나아간 수는 하늘을 따라서 왼쪽으로 돈 것이지만, 물러난 수는 하늘 반대로 오른쪽으로 돈 것이다. 역법가는 나아간 수를 계산하기 어려워서 단지 물러난 수로 계산했기 때문에 오른쪽으로 움직인다고 한다. 또 '해는 느리게 가고 달은 빠르게 간다'고 하는데, 그렇다면 해의 운행을 말한 것이 바르다."

[26-4-7]

問天道左旋, 日月星辰右轉.

曰: "自疏家有此說, 人皆守定. 某看天上日月星不曾右轉, 只是隨天轉. 天行健, 這箇物事極是轉得速. 且如今日日與月星都在這度上, 明日旋一轉, 天却過了一度. 日遲些, 便欠了一度; 月又遲些, 又欠了十三度. 如歲星須一轉争了三十度. 要看曆數子細, 只是璇璣玉衡疏中載王蕃渾天說一段極精密,[174] 便是說一箇現成天地了.[175]

천도天道가 좌선하고 해·달·별·신辰이 우선右旋하는 것에 대해 물었다.

(주자가) 대답했다. "주석가들로부터 이러한 설이 있었는데 사람들이 모두 확고하게 지키고 있다. 내가 보기에 하늘의 해·달·별은 오른쪽으로 돈 적이 없고 하늘을 따라서 돌 뿐이다. 하늘의 운행은 강건하니, 이것은 극히 빠르게 돈다. 예컨대 오늘 해와 달과 별이 모두 이 도度에 있다면, 내일은 한 바퀴를

---

172 『朱子語類』 권2, 10조목
173 하늘의 길은 … 움직입니다. : 『朱子語類』에 따라 이와 같이 해석하였다.
174 『朱子語類』 권2, 13조목에는 이 뒤에 '可檢看' 세 글자가 더 있다.
175 『朱子語類』 권2, 13조목

돌아 하늘은 1도를 더 간다. 해는 조금 느려서 1도가 모자라고, 달은 조금 더 느려서 13도가 모자란다. 세성歲星(목성) 같은 것은 한 바퀴를 돌면 반드시 30도의 차이가 난다. 역수曆數를 자세히 보려거든, 선기옥형璇璣玉衡의 소疏 중에 실려 있는 왕번王蕃[176]의 혼천설渾天說 부분만이 지극히 정밀하니, 이는 현재 이루어져 있는 하늘과 땅을 설명한 것이다.

其說曰 : '天之形狀似鳥卵, 地居其中, 天包地外, 猶殼之裏黃. 圓如彈丸, 故曰渾天, 言其形體渾渾然也. 其術以爲天半覆地上, 半在地下. 其天居地上見者一百八十二度半強, 地下亦然. 北極出地上三十六度, 南極入地下亦三十六度. 而嵩高正當天之中極, 南五十五度當嵩高之上. 又其南十二度爲夏至之日道, 又其南二十四度爲春秋分之日道, 又其南二十四度爲冬至之日道. 南下去地三十一度而已, 是夏至日, 北去極六十七度. 春秋分去極九十一度, 冬至去極一百一十五度, 此其大率也. 南北極持其兩端, 其天與日月星宿斜而廻轉也.'"[177]

그 설은 다음과 같다. '하늘의 형상은 마치 새알과 같아서 땅이 그 속에 있고 하늘이 땅의 바깥을 감싸고 있는데 마치 껍질이 노른자를 싸고 있는 것과 같다. 둥근 것이 탄환과 같으므로 혼천渾天이라고 하는데, 그 형체가 둥글둥글한 것을 말한다. 그 설명은 다음과 같다. 하늘의 반은 땅 위를 덮고 있고 반은 땅 아래에 있다. 그 하늘은 땅 위로 보이는 것이 182도 반이 조금 넘고 땅 아래도 또한 그러하다. (하늘의) 북극北極은 땅 위로 나온 것이 36도이고 남극南極은 땅 아래로 들어간 것이 36도이다. 숭고산崇高山은 정확히 하늘의 가운데 극(중극)에 해당하는데 (북극에서) 남쪽 55도 지점이 숭고산의 위에 해당한다. 또 그 남쪽 12도는 하지夏至 때의 해의 궤도이고, 또 그 남쪽 24도는 춘분春分과 추분秋分 때의 해의 궤도이며, 또 그 남쪽 24도는 동지冬至 때의 해의 궤도가 된다. 남쪽 아래로 땅과 31도 거리에 있으면 이는 하짓날로서 북쪽으로 북극과의 거리가 67도이다. 춘분과 추분은 극과의 거리가 91도이며, 동지는 극과의 거리가 115도이니, 이것이 그 대강이다. 남극과 북극이 두 끝을 잡고 있고, 하늘과 해와 달과 별이 비스듬히 회전한다.'"[178]

[26-4-8]

問 : "或以爲天是一日一周, 日則不及一度, 非天過一度也."

曰 : "此說不是. 若以爲天是一日一周, 則四時中星如何解不同? 更是如此, 則日日一般, 却如何紀歲? 把甚麼時節做定限? 若以爲天不過而日不及一度, 則趲來趲去, 將次午時便打三更矣."

---

176 王蕃(228~266) : 삼국시대 吳나라 廬江 사람으로 자는 永元이다. 매우 견문이 넓었으며 예술에도 정통했다. 孫休가 즉위하자 散騎中常寺가 되었고 蜀에 사신으로 다녀와 夏口監軍을 지냈다. 孫皓 때 다시 常侍가 되었다. 嬖臣의 모함을 받기도 하고 황제의 명령을 편안하게 받들지 못해 여러 차례 질책을 받다가, 손호가 연 잔치에서 크게 취해 참수형을 내려, 39세의 나이에 죽었다.

177 『御纂朱子全書』 권50 「天道」

178 '하늘의 형상은 … 회전한다.' : 『書經集傳』「虞書·舜典」 제5장 "在璿璣玉衡, 以齊七政."의 註이다.

물었다. "어떤 사람은 하늘이 하루에 한 바퀴를 도는데, 해가 1도 미치지 못하는 것이지 하늘이 1도를 더 가는 것이 아니라고 합니다."

(주자가) 대답했다. "이 설은 옳지 않다. 만약 하늘이 하루에 한 바퀴를 돈다면, 사계절마다 중성中星[179]이 다른 것을 어떻게 알겠는가?[180] 더욱이 이와 같다면 매일매일 같을 것이니 어떻게 해歲의 기준을 잡겠는가? 어느 때를 (그 절기의) 정해진 기한으로 삼겠는가? 만약 하늘이 더 가지 않고 해가 1도 미치지 못한다면, 제멋대로 왔다 갔다 하여 장차 오시午時(11~13시)가 바로 삼경三更(23~1시)이 될 것이다."

因取『禮記』「月令」疏, 指其中說'早晚不同', 及'更行一度'兩處, 曰: "此說得甚分明. 其他曆書都不如此說. 蓋非不曉, 但習而不察,[181] 更不去子細檢點. 而今若就天裏看時, 只是行得三百六十五度四分度之一; 若把天外來說, 則是一日過了一度. 蔡季通嘗有言,[182] '論日月則在天裏, 論天則在太虛空裏. 若去太虛空裏觀那天, 自是日月袞得不在舊時處了."

(주자가) 이어 『예기禮記』「월령月令」의 소疏를 꺼내서 그중 '아침과 저녁이 같지 않다'[183]고 한 부분과 '1도를 더 간다.'[184]고 한 부분을 가리켜 말했다. "이 설은 매우 분명하다. 다른 역서曆書들은 모두 이만 못하다. 알지 못한 것은 아니지만, 익히기만 하고 살피지는 않았고 더 자세하게 점검하지 않았다. 지금 만약 하늘 안쪽에서 봤을 때는 단지 365와 1/4도를 운행할 뿐이겠지만, 만약 하늘을 바깥쪽에서 말한다면 하루에 1도 더 지나갈 것이다. 채계통蔡季通(蔡元定)[185]이 항상 하는 말이 있었으니, '해와 달을 논할 때는 (해와 달이) 하늘 안쪽에 있고, 하늘을 논할 때는 (하늘이) 태허공太虛空에 있다. 만약 태허공에서 저 하늘을 본다면, 해와 달이 움직여서 옛날 자리에 있지 않을 것이다.'라고 했다.

· · · · · · · · · · · · · · · · · · · ·

179 中星 : 28수 중 매월 초저녁 하늘의 正南에 위치하는 별로서 사계절을 구분하는 기준이 된다.

180 사계절마다 中星이 … 알겠는가? : 『朱子語類考文解義』권1에 "'解'는 어사이니 '할 수 있다能', '알다知'라는 말과 같다.(解, 語辭, 猶能也, 知也.)고 했다.

181 但習而不察 : 『朱子語類』권2, 14조목에는 "但是說滑了口後, 信口說, 習而不察(단지 말이 입 밖으로 미끄러져 나온 후에는 그 말만 믿어 배우기만 하고 살피지 않았고)"로 되어 있다.

182 蔡季通嘗有言 : 『朱子語類』권2, 14조목에는 "季通嘗有言"으로 되어 있다.

183 '아침과 저녁이 … 않다.' : 『禮記注疏』「月令」孔穎達 소에 "28수는 하늘을 따라서 운행되는데, 매일 비록 하늘을 한 바퀴 돌지만 아침과 저녁이 같지 않다. 이달에는 원래 위치로 돌아오니, 작년 겨울의 아침·저녁의 위치와 비슷하다. 그러므로 '별이 하늘을 돈다.'고 말한다.(二十八宿隨天而行, 每日雖周天一匝, 早晚不同. 至於此月復其故處, 與去年季冬早晚相似, 故云'星回于天'.)"라는 내용이 있다.

184 '1도를 더 간다' : 『禮記集說』「月令」孔穎達 소에 "28수와 모든 별은 모두 하늘을 따라 왼쪽으로 움직인다. 하루 낮 하루 밤 동안 하늘을 한 바퀴 도는데, 한 바퀴를 돈 것 외에도 1도를 더 간다.(凡二十八宿及諸星, 皆循天左行. 一日一夜一周天, 一周天之外更行一度.)"라는 내용이 있다.

185 蔡元定(1135~1198) : 자는 季通이고, 세칭 西山先生이라 했다. 송대 建陽(현 福建省 건양) 사람으로 주희를 경모하여 스승으로 받들었으나, 주희는 도리어 제자가 아닌 친구로 대우했다. 그의 학문은 신유학뿐 아니라 天文·地理·樂律·歷數·兵陣 등에 뛰어났다. 특히 象數學에 조예가 깊어 주희의 『易學啓蒙』저술에 참여한 것으로 알려진다. 말년에 주희와 함께 慶元黨禁의 표적이 되어 귀양을 가서 생을 마쳤다. 저서는 『律呂新書』·『八陣圖說』·『洪範解』등이 있다.

"天無體, 只二十八宿便是天體. 日月皆從角起, 天亦從角起. 日則一日運一周, 依舊只到那角上 ; 天則一周了, 又過角些子. 日日累上去, 則一年便與日會."

(주자가 말했다.) "하늘은 몸체가 없고, 다만 28수가 하늘의 몸체이다. 해와 달이 모두 각수角宿로부터 출발하니 하늘 역시 각수에서 시작한다. 해는 하루에 한 바퀴를 돌아서 여전히 그 각수 위에 도달하고, 하늘은 한 바퀴를 돌아서 각수를 조금 지나간다. 날마다 쌓여서 1년 후에 해와 만난다."

"蔡仲黙「天說」亦云,[186] '天體至圓, 周圍三百六十五度四分度之一, 繞地左旋, 常一日一周而過一度. 日麗天而少遲, 故日行一日亦繞地一周, 而在天爲不及一度. 積三百六十五日九百四十分日之二百三十五而與天會, 是一歲日行之數也. 月麗天而尤遲, 一日常不及天十三度十九分度之七, 積二十九日九百四十分日之四百九十九而與日會. 十二會, 得全日三百四十八, 餘分之積, 又五千九百八十八. 如日法九百四十而一, 得六, 不盡三百四十八. 通計得日三百五十四九百四十分日之三百四十八, 是一歲月行之數也.

(주자가 말했다.) "채중묵蔡仲黙蔡沈[187]의 「천설天說」에도 다음과 같이 말했다. '하늘의 형체는 지극히 둥그니 둘레가 365와 1/4도이다. 땅을 감싸고 좌선左旋하는데, 항상 하루에 한 바퀴를 돌고 1도를 더 지나간다. 해는 하늘에 매달려 있는데, 조금 느리기 때문에 해의 운행은 하루에 땅을 한 바퀴 돌지만, 하늘에 비하면 1도를 미치지 못한다. 365와 235/940일이 쌓여야 하늘과 만나는데, 이는 1년 동안 해가 운행하는 수이다. 달은 하늘에 매달려 있는데, 더욱 느려서 하루에 항상 하늘에 13과 7/19도 미치지 못하고, 29와 499/940일이 쌓여서 해와 만난다. 열두 번 만나면 온전한 날이 348일이고 나머지가 쌓인 것이 5,988(499×12)이다. 날짜법으로 보면 940을 1일로 하여 6일(940×6=5,640)을 얻고 나머지가 348 (5,988-5,640)이니, 얻은 날을 통틀어 계산하면 354(348+6)와 348/940일이 되니, 이는 1년 동안 달이 운행하는 수이다.

歲有十二月, 月有三十日, 三百六十日者, 一歲之常數也. 故日與天會, 而多五日九百四十分日之二百三十五者, 爲氣盈 ; 月與日會, 而少五日九百四十分日之五百九十二者, 爲朔虛. 合氣盈朔虛而閏生焉. 故一歲閏率, 則十日九百四十分日之八百二十七 ; 三歲一閏, 則三十二日九百四十分日之六百單一 ; 五歲再閏, 則五十四日九百四十分日之三百七十五. 十有九歲七閏, 則氣朔分齊, 是爲一章也.' 此說也分明.[188]"[189]

• • • • • • • • • • • • • • • • •
186 蔡仲黙天說亦云 : 『朱子語類』 권2, 14조목에는 "次日, 仲黙附至天說曰"로 되어 있다.
187 蔡沈(1176~1230) : 자는 仲黙이고, 호는 九峰이다. 송대 建陽 사람으로 채원정의 셋째 아들이다. 어려서부터 가학을 이으면서 주희에게 배웠다. 慶元黨禁으로 부친과 스승이 화를 당하자 구봉에 은거하여, 스승과 부친의 유지를 받들어 『書經集傳』과 『洪範皇極』을 저술했다.
188 此說也分明 : 『朱子語類』 권2, 14조목에는 "先生以此示義剛, 曰, '此說也分明.'"으로 되어 있다.
189 『朱子語類』 권2, 14조목

1년에는 열두 달이 있고 한 달에는 30일이 있으니, 360일은 한 해의 상수常數이다. 그러므로 해가 하늘과 만나는데 상수보다 5와 235/940일 많은 것은 기영氣盈이고, 달이 해와 만나는데 달의 운행이 상수보다 5와 592/940일 적은 것은 삭허朔虛이니, 기영氣盈과 삭허朔虛를 합하여 윤율閏率이 생긴다. 1년 동안의 윤율은 10과 827/940일이니, 3년 동안 한 번 윤달을 두면 32와 601/940일이며, 5년 동안 두 번 윤달을 두면 54와 375/940일이다. 19년 동안 일곱 번 윤달을 두면 기영과 삭허의 나머지가 없어지니, 이것이 1장章이다.'[190] 이 설이 매우 분명하다."

[26-4-9]

問 : "周天之度, 是自然之數, 是强分?"

曰 : "天左旋, 一晝一夜行一周, 而又過了一度. 以其行過處, 一日作一度, 三百六十五度四分度之一, 方是一周. 只將南北表看, 今日恁時看, 時有甚星在表邊, 明日恁時看, 這星又差遠, 或別是一星了."[191]

물었다. "주천周天의 도수는 저절로 그러한 수입니까, 억지로 나눈 것입니까?"

(주자가 대답했다.) "하늘은 좌선하여 하루 밤낮 동안 한 바퀴를 돌고 또 1도를 더 간다. 그 더 가는 것 때문에 하루에 1도가 만들어지니, 365와 1/4도가 비로소 한 바퀴인 것이다. 남북표南北表로 보면, 오늘 이 시간에 보았을 때 어느 별이 표에 있는데, 내일 이 시간에 보면 이 별이 또 멀어졌거나 혹은 다른 별이기도 한다."

[26-4-10]

問同度同道.

曰 : "天有黃道, 有赤道. 天正如一圓匣相似. 赤道是那匣子相合縫處, 在天之中. 黃道一半在赤道之內, 一半在赤道之外, 東西兩處與赤道相交. 度, 却是將天橫分爲許多度數. 會時是日月在那黃道赤道十字路頭相交處厮撞著. 望時是月與日正相向, 如一箇在子, 一箇在午, 皆同一度. 謂如月在畢十一度, 日亦在畢十一度, 雖同此一度, 却南北相向.

같은 도수와 같은 길에 대해 물었다.

(주자가) 대답했다. "하늘에는 황도黃道가 있고 적도赤道가 있다. 하늘은 꼭 둥근 상자와 비슷하다. 적도는 그 상자가 서로 봉합된 곳이니, 하늘의 중앙에 있다. 황도는 그 절반은 적도 안에 있고, 그 절반은 적도 바깥에 있으며, 동서東西 두 곳에서 적도와 서로 만난다. 도度는 하늘을 가로로 나눈 많은 도수이다. 만날 때에는 해와 달이 황도와 적도가 십자로 교차하는 곳에서 만난다. 보름에는 달과 해가 정면으로 마주 보는데, 예컨대 하나가 자子에 있고 하나는 오午에 있어서 모두 한 도수에 있다. 이를테면 달이 필수畢宿 11도에 있을 때, 해도 또한 필수 11도에 있으니, 비록 이 도는 같지만 남북에서 서로 마주

---

190 '하늘의 형체는 … 1장章이다.' : 『書經集傳』「虞書·堯典」 제8장 註
191 『朱子語類』 권2, 6조목

보고 있다.

日所以蝕於朔者, 月常在下, 日常在上, 旣是相會, 被月在下面遮了日, 故日蝕. 望時月蝕, 固
是陰敢與陽敵. 然曆家又謂之暗虛. 蓋火日外影, 其中實暗. 到望時恰當著其中暗虛, 故月
蝕."[192]

해가 초하루에 일식이 되는 것은 달이 항상 아래에 있고 해가 항상 위에 있기 때문이니, 서로 만났을
때에 아래에 있는 달에 의해 해가 가려졌기 때문에 일식이 되는 것이다. 보름에 월식이 생기는 것은
음이 감히 양과 대적하기 때문이다. 그것을 역법가들은 또 암허暗虛라고 부른다. 불[火]과 해[日]는 밝은
빛나지만[193] 그 한가운데는 사실 어둡다. 보름이 되면 그 속 어두운 곳에 딱 들어맞기 때문에 월식이
되는 것이다."

[26-4-11]

或言: "嵩山本不當天之中, 爲是天形欹側, 遂當其中耳."

曰: "嵩山不是天之中, 乃是地之中. 黃道赤道皆在嵩山之北. 南極北極, 天之樞紐. 只有此處
不動, 如磨臍然. 此是天之中至極處, 如人之臍帶也."[194]

어떤 사람이 말했다. "숭산嵩山은 본래 하늘의 중앙이 아니지만, 하늘의 형체가 기울어져있기 때문에
마침내 그 중앙에 해당하게 된 것일 뿐입니다."

(주자가) 말했다. "숭산은 본래 하늘의 중앙이 아니라 땅의 중앙이다. 황도와 적도는 모두 숭산의 북쪽에
있다. 남극과 북극은 하늘의 지도리이다. 단지 이곳만이 움직이지 않으니 맷돌중쇠와 같다. 이것이 하늘
중앙의 지극한 곳이니 사람의 배꼽과 같다."

[26-4-12]

問: "天有黃赤二道, 沈存中云, 非天實有之, 特曆家設色以記日月之行耳. 夫日之所由謂之黃
道. 史家又謂月有九行, 黑道二出黃道北, 赤道二出黃道南, 白道二出黃道西, 靑道二出黃道
東, 并黃道而九. 如此卽日月之行, 其道各異. 況陽用事則日進而北, 晝進而長 ; 陰用事則日
退而南, 晝退而短. 月行則春東從靑道, 夏南從赤道, 秋西從白道, 冬北從黑道. 日月之行, 其
不同道又如此. 然每月合朔, 不知何以同度而會於所會之辰, 又有或蝕或不蝕. 及其行或高而
出黃道之上, 或低而出黃道之下, 或相近而偏, 或差遠而不相値, 則皆不蝕, 如何?"

물었다. "하늘에는 황도黃道와 적도赤道의 두 길이 있는데, 심존중沈存中沈括[195]은 '하늘에 실제로 있는

192 『朱子語類』 권2, 5조목
193 불[火]과 해[日]는 … 빛나지만 : 『晉書』 「紀瞻傳」 에 "이 때문에 金과 水의 밝음은 안으로 비치고, 火와 日의
　　빛은 밖으로 빛난다.(是以金水之明內鑒, 火日之光外輝.)"라고 했다.
194 『朱子語類』 권2, 22조목

것이 아니고, 단지 책력가가 색色을 설정해서 해와 달의 운행을 기록한 것일 뿐'[196]이라고 했습니다. 해가 지나가는 길을 황도라고 합니다. 역사가들은 또 '달에 아홉 궤도九行가 있다.'[197]고 하는데, 흑도黑道 둘은 황도의 북쪽으로 나 있고, 적도 둘은 황도의 남쪽으로 나 있으며, 백도白道 둘은 황도의 서쪽으로 나 있고, 청도靑道 둘은 황도의 동쪽으로 나 있으니, 황도까지 합해서 아홉입니다. 이와 같다면 해와 달의 운행은 그 길이 각각 다릅니다. 이에 양陽이 작용을 하면, 해는 북쪽으로 나아가고 낮은 길어집니다. 음이 작용을 하면 해는 남쪽으로 물러나고 낮은 짧아집니다. 달의 운행은 봄에는 동쪽으로 청도를 따르고, 여름에는 남쪽으로 적도를 따르며, 가을에는 서쪽으로 백도를 따르고, 겨울에는 북쪽으로 흑도를 따릅니다. 해와 달의 운행이 그 길이 같지 않은 것이 이와 같은 것입니다. 그러나 매월 합삭合朔(해와 달이 만남)에 왜 도수를 같이하여 만나는 자리[辰]에서 만나는지, 또 어떤 때는 일식이 되고 어떤 때는 되지 않는지 알 수가 없습니다. 그 운행이 어떤 때는 높아서 황도 위로 지나가고 어떤 때는 낮아서 황도 아래로 지나가며, 어떤 때는 서로 가까워서 닿을 듯하며, 어떤 때 거리가 멀어져서 만나지 못하면 모두 일식이 되지 않는 것은 어떠합니까?'

曰 : "日月道之說, 所引皆是. 日之南北雖不同, 然皆隨黃道而行耳. 月道雖不同, 然亦常隨黃道而出其旁耳. 其合朔時, 日月同在一度 ; 其望日, 則日月極遠而相對. 其上下弦, 則日月近一而遠三. 如日在午, 則月或在卯, 或在酉之類, 是也. 故合朔之時, 日月之東西, 雖同在一度, 而月道之南北, 或差遠於日則不蝕, 或南北雖亦相近, 而日在內月在外則不蝕. 此正如一人秉燭, 一人執扇, 相交而過. 一人自內觀之, 其兩人相去差遠, 則雖扇在內燭在外, 而扇不能掩燭. 或秉燭者內, 而執扇者在外, 則雖近而扇亦不能掩燭. 以此推之, 大略可見."[198]

(주자가) 대답했다. "해와 달의 길에 대한 설은 인용한 것이 모두 옳다. 해는 남북이 비록 같지 않지만 모두 황도를 따라서 운행할 뿐이다. 달의 궤도는 비록 같지 않지만 또한 항상 황도를 따르다가 그 옆으로 나갈 뿐이다. 합삭에는 해와 달이 모두 같은 도度에 있고, 보름날에는 해와 달이 매우 멀어져서 서로 반대가 된다. 상현과 하현에는 해와 달이 가까운 것이 하나이고 먼 것이 셋이다. 예컨대 해가 오午에 있다면 달은 혹 묘卯에 있기도 하고 혹 유酉에 있기도 한 것 등이 이것이다. 그러므로 합삭에는 해와 달이 동서로

195 沈括(1031~1095) : 자는 存中이고 호는 夢溪丈人이다. 浙江省 抗州 사람이다. 宋 仁宗 嘉祐 8년(1063년)에 진사에 급제하여, 神宗 때에 왕안석의 變法運動에 참여했다. 변법운동이 실패한 뒤 보수파로부터 탄압을 받던 그는 58세에 완전히 정계에서 물러나, 鎭江에 있는 夢溪園에서 은거하여 그 동안의 경험에 의거하여 다방면으로 연구에 몰두했다. 이에 정치·경제·문화·군사뿐 아니라 수학·천문·역법·음악·의학·기상·지질·지리·물리·과학·생물·농업·수리·건축 등을 망라하는 백과전서적인 저술인『夢溪筆談』을 완성했다. 특히 이 책은 북송대 과학 발전의 지표를 가늠할 수 있는 대표적인 저술로 평가된다.

196 '하늘에 실제로 … 뿐' :『夢溪筆談』권8「論日有九道說」에 "역법에서 하늘에 황도와 적도 두 길이 있고, 달은 아홉 궤도가 있다고 한 것은 모두 억지로 이름 붙인 것이지, 실제로 있는 것이 아니다.(曆法天有黃赤二道, 月有九道, 此皆强名而已, 非實有也.)"라고 했다.

197 '달에 아홉 … 있다.' :『書經集傳』「周書·洪範」제38장 註

198『朱文公集』권45「答廖子晦」

는 비록 같은 도度에 있지만, 남북의 달의 길이 해에서 거리가 멀어지면 일식이 되지 않고, 남북으로 비록 서로 가깝더라도 해가 안쪽에 있고 달이 바깥쪽에 있으면 일식이 되지 않는다. 이는 마치 한 사람은 촛불을 잡고 있고 한 사람이 부채를 잡아서 서로 교차하면서 지나치는 것과 같다. 한 사람이 안에서 그것을 볼 때, 그 두 사람이 서로 멀리 있으면, 부채가 안에 있고 초가 밖에 있더라도 부채가 촛불을 가리지 못한다. 혹은 촛불을 쥔 사람이 안에 있고 부채를 든 사람이 밖에 있으면 비록 가깝더라도 부채가 촛불을 가리지 못한다. 이로써 추론한다면 대략 알 수 있다."

[26-4-13]

問 : "北辰之爲天樞, 何也?"

曰 : "天圓而動, 包乎地外 ; 地方而靜, 處乎天中. 故天之形半覆地上, 半繞地下, 而左旋不息. 其樞紐不動之處, 則爲南北極. 謂之極者, 猶屋脊謂之屋極也. 然南極低入地三十六度, 故周回七十二度常隱不見. 北極高出地三十六度, 故周回七十二度常見不隱. 北極之星, 正在常見不隱七十二度之中, 常居其所而不動. 其傍則諸星隨天左旋, 更迭隱見, 皆若環繞而歸向之. 知此則知天樞之說矣.[199]

물었다. "북극성이 하늘의 지도리가 된다는 것은 무엇입니까?"

(주자가) 대답했다. "하늘은 둥근 모양으로 땅의 바깥을 감싸며 움직이고, 땅은 네모진 것으로 하늘의 중간에 처하여 멈추어 있다. 그러므로 하늘의 형태는 반은 땅의 위를 덮고 반은 땅의 아래를 감싸서 멈추지 않고 좌선左旋한다. 그 지도리의 움직이지 않는 곳이 남과 북의 극이다. 극이라는 것은 등마루를 집의 극이라고 하는 것과 같다. 그러나 남극은 낮아서 땅으로 36도 내려가 있기 때문에 회전하는 72도는 항상 숨어있어서 보이지 않는다. 북극은 높아서 땅 위로 36도가 나와 있기 때문에 회전하는 72도는 항상 드러나서 감추어지지 않는다. 북극성은 정확히 항상 드러나서 감추어지지 않는 72도의 중앙에 위치하므로 항상 그 자리에 있고 움직이지 않는다. 그 옆은 뭇별이 하늘을 따라 왼쪽으로 돌고 있어 더욱 숨어서 보이지 않지만, 모두 감싸듯 그쪽을 향해 돌아간다. 이것을 알면 하늘의 지도리의 설을 알 것이다."

[26-4-14]

問 : "經星左旋, 緯星與日月右旋, 是否?"

曰 : "今諸家是如此說. 橫渠說, '天左旋, 日月亦左旋.' 看來橫渠之說極是. 只恐人不曉, 所以『詩傳』只載舊說."

물었다. "경성經星(28수)은 좌선左旋하고 위성緯星(수성·화성·목성·금성·토성)은 해·달과 함께 우선右旋하는 것이 맞습니까?"

(주자가) 대답했다. "지금 모든 학파가 이와 같이 말하고 있다. 횡거橫渠는 '하늘은 좌선하고 해와 달

••••••••••••••••••••
199 『四書或問』 권7 「論語或問·爲政」

또한 좌선한다[200]고 했는데, 내가 보건대 횡거의 설이 매우 옳은 것 같다. 다만 사람들이 알지 못할까 염려하여 『시전詩傳』에서는 단지 구설舊說만 실었다."[201]

或曰: "此亦易見. 如以一大輪在外, 一小輪載日月在内. 大輪轉急, 小輪轉慢, 雖都是左轉, 只有急有慢, 便覺日月似右轉了."

曰: "然. 但如此, 則曆家逆字皆著改做順字, 退字皆著改做進字."[202]

어떤 사람이 말했다. "이 또한 쉽게 알 수 있습니다. 예를 들어 큰 바퀴 하나가 밖에 있고 작은 바퀴 하나가 해와 달을 싣고 안에 있다고 칩시다. 큰 바퀴가 빨리 돌고 작은 바퀴는 천천히 돈다면, 비록 모두 왼쪽으로 돌더라도 빠른 것이 있고 느린 것이 있어 해와 달이 마치 오른쪽으로 도는 것처럼 느껴질 것입니다."

(주자가) 말했다. "그렇다. 이와 같다면 역법가의 '역逆'자는 모두 '순順'자로 고치고, '퇴退'자는 모두 '진進'자로 고쳐야 할 것이다."

[26-4-15]

象山陸氏曰: "『書疏』云, '周天三百六十有五度四分度之一. 天體圓如彈丸, 北高南下. 北極出地上三十六度, 南極入地下三十六度. 南極去北極直徑一百八十二度強. 天體隆曲, 正當天之中央, 南北二極中等之處謂之赤道, 去南北極各九十一度. 春分日行赤道, 從此漸北. 夏至行赤道之北二十四度, 去北極六十七度, 去南極一百一十五度. 從夏至以後日漸南, 至秋分還行赤道與春分同. 冬至行赤道之南, 去南極六十七度, 去北極一百一十五度. 其日之行處謂之黃道. 又有月行之道, 與日相近, 交路而過, 半在日道之裏, 半在日道之表. 其當交則兩道相合, 去極遠處, 兩道相去六度. 此其日月行道之大略也.'"[203]

. . . .

200 '하늘은 좌선하고 … 좌선한다.': 『正蒙』「參兩」에 "땅은 순수한 陰으로서 안에서 엉겨 모인 것이고, 하늘은 떠 있는 陽으로서 바깥에서 도는 것이다. 이것이 하늘과 땅의 정상적인 모습이다. 恒星은 움직이지 않고 순전히 하늘에 매어 있으면서 떠 있는 양과 함께 끝없이 도는 것이며, 해와 달과 五星은 하늘을 거슬러 돌며 땅을 감싸고 있는 것이다. 땅은 氣 속에 있어서 비록 하늘을 따라 좌선하지만, 그 매인 辰象(해와 달과 오성)이 그것을 따라가는데 조금 더디니 도리어 오른쪽으로 옮겨가는 듯할 뿐이다.(地純陰凝聚於中; 天浮陽運旋於外. 此天地之常體也. 恒星不動, 純繫乎天, 與浮陽運旋而不窮者也; 日月五星逆天而行, 并包乎地者也. 地在氣中, 雖順天左旋, 其所繫辰象隨之稍遲, 則反移徙而右爾.)"라고 했다.

201 『詩傳』에서는 단지 … 실었다.: 『詩經集傳』「小雅·祈父之什·十月之交」의 주자 주에 "曆法에 하늘의 둘레는 365와 1/4도이니, 땅을 좌선하여 하루 밤낮이면 한 바퀴를 돌고, 또 1도를 더 간다. 해와 달은 모두 하늘을 오른쪽으로 돌아 하루 밤낮이면 해는 1도를 가고 달은 13과 7/19도를 간다.(曆法, 周天三百六十五度四分度之一, 左旋於地, 一晝一夜, 則其行一周而又過一度. 日月皆右行於天, 一晝一夜, 則日行一度, 月行十三度十九分度之七.)"라고 한 부분을 가리킨다.

202 『朱子語類』 권2, 16조목

203 『象山集』 권22 「雜說」

상산 육씨象山陸氏가 말했다. "『서경』의 소疏에 다음과 같이 말했다. '주천周天은 365와 1/4이다. 하늘의 형체는 둥글기가 마치 탄환과 같아서 북쪽은 높고 남쪽은 낮다. 북극은 땅 위로 36도 나와 있고, 남극은 땅 아래로 36도가 내려가 있다. 남극은 북극에서 직경이 182도가 넘는다. 천체는 크게 둥근데, 정확히 하늘의 중앙에 해당하여 남북 양극의 중간이 되는 곳을 적도赤道라고 하니, 남·북극에서 각각 91도 떨어져 있다. 춘분春分에는 해가 적도를 지나가는데 이로부터 (해의 궤도가) 점차 북쪽으로 간다. 하지夏至에는 적도의 북쪽 24도를 지나가니, 북극에서 67도, 남극에서는 115도 떨어진 곳이다. 하지 이후에는 해가 점점 남쪽으로 가서, 추분秋分이 되면 적도를 도는 것이 춘분과 같아진다. 동지冬至에는 적도의 남쪽으로 가는데, 남극에서 67도, 북극에서는 115도 떨어진 곳이다. 그렇게 해가 다니는 길을 황도黃道라고 한다. 또 달이 운행하는 길은 해와 서로 가까워서 길을 교차해서 지나가는데, 반은 해의 궤도 안쪽에 있고, 반은 해의 궤도 바깥쪽에 있다. 그것이 교차하면 두 길이 서로 합하는데, 극에서 먼 곳은 두 길이 서로 6도 떨어진다. 이것이 해와 달이 가는 길의 대략이다.'"[204]

[26-4-16]

"黃道者, 日所行也. 冬至在斗, 出赤道南二十四度 ; 夏至在井, 出赤道北二十四度. 秋分交於角, 春分交於奎. 月有九道, 其出入黃道不過六度. 當交則合, 故曰交蝕. 交蝕者, 月道與黃道交也."[205]

(상산 육씨가 말했다.) "황도는 해가 가는 길이다. 동지에는 두성斗星에 있으니 적도 남쪽 24도 나간 곳이고, 하지에는 정성井星에 있으니 적도 북쪽 24도 나온 곳이다. 추분에는 각성角星에서 교차하고 춘분에는 규성奎星에서 교차한다. 달은 아홉 길이 있는데, 그 황도를 드나드는 것은 6도에 지나지 않는다. 교차하면 합하기 때문에 교식交蝕이라고 한다. 교식은 달의 길이 황도와 교차하는 것이다."

[26-4-17]

或問 : "晦翁嘗疑日月右轉不是, 以爲天行至健, 一日一夜一周却剩一度, 日一日一夜恰好, 月則不及十三度有奇. 與曆家所推大段相反, 不知何所見而云爾."

潛室陳氏曰 : "天行日剩一度, 出鄭康成. 日月俱左旋, 聞橫渠有此語. 但曆家用簡捷超徑法巧算, 須用作右旋, 却取他背後欠天零數起算. 故日只作行一度, 月作行十三度有奇, 庶乎簡捷超徑易布算也."[206]

어떤 사람이 물었다. "회옹晦翁이 일찍이 해와 달이 오른쪽으로 도는 것이 옳지 않다고 의심하면서, 하늘의 운행은 지극히 강건하여 하루 밤낮에 한 바퀴를 돌고 1도 더 가고, 해는 하루 밤낮에 딱 맞으며, 달은 13도 반을 미치지 못한다고 했습니다. 역법가가 추산한 것과 크게 상반되니, 무엇을 보고 말한 것인지 모르겠습니다."

204 '周天은 365와 … 대략이다.' : 『尚書要義』 권11 「洪範」 註
205 『象山語錄』 권2
206 『木鐘集』 권10 「近似錄問附」

잠실 진씨潛室陳氏[陳埴][207]가 대답했다. "하늘의 운행이 하루에 1도 남는다는 것은 정강성鄭康成[鄭玄][208]에게서 나온 것이다. 해와 달이 모두 좌선한다는 것은 횡거에게 이러한 말이 있다고 들었다. 다만 역법가는 간편하고 빠른 방법을 사용하여 교묘하게 계산했으니, 반드시 우선右旋한다고 여겨서, 도리어 뒤로 하늘의 운행에 못 미친 나머지 수零數를 계산한 것을 취했다. 그러므로 해는 단지 1도만 간다고 하고 달은 13도 남짓을 간다고 했으니, 거의 간단하고 빠른 방법으로 쉽게 계산한 것이다."

[26-4-18]

臨川吳氏曰："天與七政, 八者皆動. 今人只將天做硬盤, 却以七政之動在天盤上行. 古來曆家蓋非不知七政亦左行. 但順行不可算, 只得將其逆退與天度相直處算之. 因此後遂謂日月五星逆行也. 譬如兩船使風皆趨北, 其一船行緩者見前船之快, 但覺自己之船如倒退南行. 然其實只是行緩, 赶前船不著故也.

임천 오씨臨川吳氏[吳澄]가 말했다. "하늘과 칠정七政[209]은 모두 움직인다. 지금 사람들은 단지 하늘을 둥근 판으로 여겨서 칠정의 움직임이 하늘판 위에서 운행되는 것이라 생각한다. 예로부터 역법가들이 칠정이 왼쪽으로 운행한다는 사실을 모른 것은 아니다. 그러나 순행은 계산할 수 없어서 뒤로 간 것을 하늘의 도수와 서로 대비시켜서 계산했을 뿐이다. 이 때문에 나중에는 마침내 해와 달과 오성五星이 역행한다고 말한 것이다. 비유하자면 두 대의 배가 바람을 타고 북쪽으로 가는데, 천천히 가는 한 배가 빨리 가는 앞의 배를 보고는 자기의 배가 마치 후진하여 남쪽으로 가는 것처럼 느끼는 것과 같다. 그러나 실제로는 단지 가는 것이 느려서 앞의 배를 따라잡지 못하기 때문일 뿐이다.

今當以太虛中作一空盤, 却以八者之行, 較其遲速. 天行最速, 一日過了太虛空盤一度. 鎮星

---

207 陳埴(1176~1232)：자는 器之이고, 호는 木鍾이다. 宋代 永嘉(현 浙江省 溫州) 사람이다. 어려서는 葉適에게 배우고 나중에는 주희에게서 배웠다. 송 寧宗 嘉定7년(1214)에 진사에 급제하여 通直郎을 역임하였다. 嘉定 연간(1208~1224)에 明道書院의 講席을 주재했으며, 그를 따르는 많은 학자들이 潛室先生이라고 불렀다. 저술은 『木鍾集』·『禹貢辨』·『洪範解』 등이 있다.

208 鄭玄(127~200)：자는 康成이며, 北海(현 山東省 高密) 사람이다. 중국 後漢 말기의 대표적 유학자로서, 시종 在野의 학자로 지냈으며, 제자들에게는 물론 일반인들에게도 訓詁學·經學의 시조로 깊은 존경을 받았다. 젊었을 때부터 학문에 뜻을 두었고, 경학의 今文과 古文 외에 天文·曆數에 이르기까지 광범한 지식을 갖추었다. 처음에 鄕嗇夫라는 지방의 말단관리가 되었으나 그만두고, 洛陽에 올라가 太學에 입학하여, 馬融 등에게 배웠다. 그가 낙양을 떠날 때, 마융이 "나의 학문이 정현과 함께 동쪽으로 떠나는구나!" 하고 탄식했을 만큼 학문에 힘을 쏟았다. 그는 고문·금문에 다 정통했으며, 가장 옳다고 믿는 설을 취하여 『周易』·『尚書』·『毛詩』·『周禮』·『儀禮』·『禮記』·『論語』·『孝經』 등 경서의 주석을 했고, 『儀禮』·『論語』 교과서의 定本을 만들었다. 그의 저서 가운데 완전하게 현존하는 것은 『毛詩』의 箋과 『周禮』·『儀禮』·『禮記』의 주해뿐이고, 그 밖의 것은 단편적으로 남아 있다.

209 七政：『書經』「虞書·舜典」에 "선기와 옥형으로 살펴, 칠정을 고르게 했다.(在璿璣玉衡, 以齊七政.)"라고 했는데, 이에 대해 蔡沈은 『書經集傳』에서 해·달·금성·목성·수성·화성·토성이라고 주석했다.

之行, 比天稍遲, 於太虛盤中, 雖略過了些子, 而不及於天, 積二十八箇月, 則不及天三十度.
歲星之行, 比鎭星尤遲, 其不及於天積十二箇月, 與天爭差三十度. 熒惑之行, 比歲星更遲, 其
不及於天積六十日, 爭差三十度. 太陽之行, 比熒惑又遲, 但在太虛之盤中, 一日行一周帀無
餘無欠. 比天之行一日不及天一度, 積一月則不及天三十度. 太白之行稍遲於太陽, 但有疾
時. 遲疾相準, 則與太陽同. 辰星之行, 又稍遲於太白, 但有疾時. 遲速相準, 則與太白同. 太
陰之行最遲, 一日所行比天爲差十二三四度. 其行遲, 故退度最多. 今人不曉以爲逆行, 則謂
太陰之行最疾也. 今次其行之疾遲. 天一、土二、木三、火四、日五、金六、水七、月八. 天土木
火, 其行之速過於日. 金水月, 其行之遲又不及日. 此其大率也."210

지금 태허太虛 속을 하나의 빈 원판으로 상정해서 여덟 가지(하늘과 칠정)의 운행을 가지고 그 느리고
빠름을 비교해 보자. 하늘의 운행이 가장 빨라서 하루에 큰 허공의 빈 판을 1도 더 간다. 진성鎭星(토성)의
운행은 하늘보다 조금 느려서 빈 판의 중간에서 약간 지나가지만 하늘의 속도에는 미치지 못하니, 28개
월이 누적되면 하늘에 미치지 못하는 것이 30도이다. 세성歲星(목성)의 운행은 진성에 비해서 더욱 느려
서 그것이 하늘에 미치지 못하는 것이 12개월이 누적되면 하늘과의 차이가 30도이다. 형혹熒惑(화성)의
운행은 세성에 비해 더욱 느려서 하늘에 미치지 못하는 것이 60일이 누적되면 차이가 30도이다. 태양의
운행은 형혹보다 더욱 느리지만 단지 빈 판의 중간에 있으므로 하루에 한 바퀴를 돌아서 남거나 모자람
이 없다. 하늘의 운행에 비해 하루에 1도 미치지 못하여 1개월이 누적되면 하늘에 미치지 못한 것이
30도이다. 태백太白(금성)의 운행은 태양보다 조금 느리지만, 빠를 때도 있다. 느리고 빠른 것을 평균내면
태양과 (속도가) 같다. 신성辰星(수성)의 운행은 또 태백보다 조금 느리지만, 빠를 때도 있다. 느리고
빠른 것을 평균 내면 태백과 (속도가) 같다. 태음太陰(달)의 운행은 가장 느려서 하루의 운행이 하늘에
비해 12~14도의 차이가 있다. 그 운행이 느리기 때문에 뒤로 처지는 도수도 가장 크다. 지금 사람들은
알지 못하고 반대로 간다고 여겨서 태음의 운행이 가장 빠르다고 한다. 이제 그 운행의 속도에 따라
순서를 매겨 보자. 하늘이 첫째, 토성이 둘째, 목성이 셋째, 화성이 넷째, 태양이 다섯째, 금성이 여섯째,
수성이 일곱째, 달이 여덟째이다. 하늘·토성·목성·화성은 그 운행 속도가 해보다 빠르다. 금성·수
성·달은 그 운행이 느려서 해에 미치지 못한다. 이것이 그 대강이다."

[26-5-1]

程子曰: "曆象之法, 大抵主於日. 日一事正, 則其他皆可推. 落下閎作曆, 言數百年後當差一
日, 其差理必然. 何承天以其差遂立歲差法, 其法以所差分數, 攤在所曆之年, 看一歲差著幾
分, 其差後亦不定. 獨邵堯夫立差法冠絶古今. 却於日月交感之際, 以陰陽虧盈求之遂不差.
大抵陰常虧, 陽常盈, 故只於這一作漲裏差了. 曆上若是通理, 所通爲多.

정자가 말했다. "역상曆象의 법은 대체로 해日를 주로 한다. 해에 관한 것 하나만 바르게 되면 다른

· · · · · · · · · · · · · · · · · · · ·
210 『吳文正集』 권2 「答人問性理」

것은 추산할 수 있다. 낙하굉落下閎[211]이 역력曆을 만들면서 수백 년 후에는 당연히 하루의 차이가 날 것이라 했는데, 그 차이는 이치가 반드시 그러하기 때문이다. 하승천何承天[212]은 그 차이 나는 것을 가지고 마침내 세차법歲差法을 세웠다. 그 법은 차이 나는 분수를 가지고 지나간 해에 펼쳐서 한 해에 몇 분이나 차이가 나는지 보니 그 차이도 나중에 일정하지 않다. 유독 소요부邵堯夫가 세운 차법이 고금에 가장 뛰어나다. 해와 달이 교감할 때에 음양 휴영법虧盈法으로 구하자 마침내 틀림이 없었다. 대저 음은 항상 부족하고 양은 항상 남기 때문에 단지 여기에서 어떤 곳은 '넘친다[贏]'로 되어 있다. 차이가 났다. 역력曆에서 이와 같이 이치에 통달한다면, 통달한 것이 많은 것이다.

堯夫之學, 大抵似揚雄, 然亦不盡如之. 嘗窮昧有二萬八千六百, 此非人所合和, 是自然也. 色有二萬八千六百, 又非人所染畫得, 亦是自然也. 獨聲之數, 只得一半數不行, 蓋聲, 陽也. 只是於日出地上數得, 到日入地下遂數不行, 此皆有理. 譬之有形斯有影, 不可謂今日之影却收以爲來日之影. 此以下論曆法."[213]

요부의 학문은 대체로 양웅揚雄과 비슷하지만, 다 그렇지는 않다. 일찍이 연구해 보니, 맛은 2만 8,600가지가 있으니 이는 사람이 배합하여 만든 것이 아니라 저절로 그러한 것이다. 색도 2만 8,600가지가 있으니 또한 사람이 물들여서 얻은 것이 아니라 또한 저절로 그러한 것이다. 다만 소리의 수는 절반은 계산할 수 없으니, 소리는 양陽이기 때문이다. 단지 해가 땅 위에 떠 있을 때는 계산할 수 있지만, 해가 땅 아래로 지면 계산할 수 없으니, 이는 모두 이치가 있다. 비유하자면 형체가 있으면 그림자가 있으니, 오늘의 그림자를 거두어들여 내일의 그림자로 삼는다고 할 수 없는 것이다. 이하는 역법을 논한다."

[26-5-2]

元城劉氏與馬永卿論曆法曰: "古今曆法各不同, 其閏法亦從而異. 秦用顓帝之曆, 水德王天下, 以十月爲歲首. 故遇閏年, 卽閏九月而謂之後九月. 蓋取左氏歸餘於終之意, 至於漢初因而不改."

원성 유씨元城劉氏[유안세劉安世][214]가 마영경馬永卿[215]과 역법을 논하면서 말했다. "고금의 역법은 각각 같

---

211 落下閎(B.C.156~B.C.87): '洛下閎'이라고도 쓴다. 漢의 巴郡(현 泗川省) 사람으로 자는 長公이다. 천문과 역법에 밝았다. 한무제의 명으로 鄧平 등과 함께 顓頊曆을 수정하여 太初曆을 만들었다.

212 何承天(370~447): 南朝 시대 宋나라의 대신으로 저명한 천문학자·수학자이다. 東海郯(현 山東省 郯城) 사람이다. 衡陽內史·國子博士·禦史中丞 등의 벼슬을 역임했기 때문에 세칭 何衡陽이라고도 불렸다. 曆法에 밝아 기존 역법의 문제점을 개선한 『元嘉曆』을 제정하여 후세 역법에 큰 영향을 끼쳤다. 또한 음악에 정통하여 12평균율에 근사한 새로운 율을 발명하기도 했다. 저서로는 『禮論』·『分明士制』·『曆術』·『驗日食法』·『漏刻經』 등이 있다.

213 『河南程氏遺書』권15

214 劉安世: 송나라 사람. 자는 器之, 시호는 忠定. 司馬光의 제자. 熙寧 연간의 진사. 벼슬은 諫議大夫를 지냈다. 강직하여 殿上虎라고 불렸다. 章惇의 무리에게 몰려 오랜 귀양살이를 했다. 학자들이 元城先生이라

지 않으니 그 윤법도 이에 따라서 다르다. 진나라는 전욱력顓頊曆[216]을 사용하여 수덕水德으로 천하를 다스리며 10월을 해의 시작으로 삼았다. 그래서 윤년을 만나면 9월을 윤달로 하여 후後 9월이라고 했다. 이는 좌씨左氏의 '남은 날을 끝으로 돌리는 뜻'[217]을 취한 것으로, 한나라 초기까지도 그대로 쓰고 바꾸지 않았다."

永卿曰: "『書』云, '以閏月定四時成歲.' 謂之定四時, 則是四時之間有閏也."
曰: "非也. 蓋謂無閏月, 則以春爲夏, 以夏爲秋矣. 故曰定四時, 非謂四時之間有閏月也."[218]
영경이 말했다. "『서경』에 '윤달을 사용하여 사시四時를 정하고 한 해를 이룬다.'[219]고 했으니, 사시를 정한다고 한 것은 사시의 사이에 윤달을 두는 것입니다."
(원성 유씨가) 대답했다. "그렇지 않다. 윤달이 없으면 봄이 여름이 되고 여름이 가을이 된다. 그래서 사시를 정한다고 한 것이니, 사시의 사이에 윤달을 두는 것이 아니다."

[26-5-3]
朱子曰: "古今曆家只推算得箇陰陽消長界分耳."[220]
주자가 말했다. "고금의 역법가들은 단지 음양의 자라나고 줄어드는 경계境界를 추산할 뿐이다."

[26-5-4]
"太史公「曆書」是說太初, 然却是顓頊分四曆.[221] 劉歆作三統曆. 唐一行大衍曆最詳備. 五代 王朴司天考亦簡嚴. 然一行王朴之曆, 皆止用之二三年卽差. 王朴曆是七百二十加去, 蔡季通 所用, 却依康節三百六十數."[222]

· ·
　　불렀다. 저서로 『盡言集』이 있다. 『宋史』 권345; 『宋元學案』 권20
215　馬永卿: 송나라 揚州 사람으로 자는 大年이다. 大觀 연간의 進士. 벼슬은 永城主簿·夏縣令을 지냈다. 亳州
　　에 귀양 온 유안세에게 26년간 가르침을 받았다. 저서로 『元城語錄』·『懶眞子』가 있다. 『宋元學案』 권20
216　顓頊曆: 사분법을 사용하여 1회귀년을 365와 1/4일로, 1삭망월을 29와 499/940일로 하여, 10월을 歲首로
　　한다. 주 말기에 만들어졌고, 진나라 통일 후부터 한 무제 원년까지 시행되었다.
217　'남은 날을 … 뜻': 『春秋左傳』「文公元年」에 "이 해의 3월에 윤달을 둔 것은 禮가 아니다. 선왕이 때를
　　바로잡는데 시작을 동지에서 행하고, 中氣로 달을 바로잡고, 남은 날을 마지막으로 돌렸다. 시작을 동지에서
　　추구하니 순서가 어긋나지 않고, 중기로 달을 바로잡으니 백성들이 의혹하지 않고, 남은 날을 마지막으로
　　돌리니 일이 어그러지지 않았다.(於是閏三月, 非禮也. 先王之正時也, 履端於始, 擧正於中, 歸餘於終. 履端於
　　始, 序則不愆; 擧正於中, 民則不惑; 歸餘於終, 事則不悖.)"라고 했다.
218　『元城語錄解』 권하
219　'윤달을 사용해야 … 이룬다.': 『書經』「虞書·堯典」 제8장
220　『朱子語類』 권2, 57조목
221　然却是顓頊分四曆.: 『朱子語類』 권2, 58조목에는 "然却是顓頊四分曆."으로 되어 있다.
222　『朱子語類』 권2, 58조목

(주자가 말했다.) "태사공太史公[司馬遷]의 『사기史記』「역서曆書」는 태초력太初曆[223]을 말했지만, 그러나 이 것은 전욱顓頊의 사분력四分曆[224]이다. 유흠劉歆[225]은 삼통력三統曆[226]을 지었다. 당대唐代 일행一行[227] 대 연력大衍曆[228]은 가장 상세히 갖추어져 있다. 오대 왕박王朴[229]의 사천고司天考[230] 또한 간결하면서 엄밀하 다. 그러나 일행과 왕박의 역은 모두 2~3년만 쓰면 곧 차이가 난다. 왕박의 역은 720을 더한 것이고, 채계통蔡季通이 사용한 것은 강절의 360수에 의거한 것이다."

[26-5-5]

"今之造曆者無定法, 只是赶趂天之行度以求合, 或過則損, 不及則益, 所以多差."

因言: "古之鐘律, 細算寸分毫釐絲忽, 皆有定法, 如合符契. 皆自然而然, 莫知所起. 古之聖 人, 其思之如是之巧, 然皆非私意撰爲之也. 意古之曆書, 亦必有一定之法, 而今亡矣. 三代而 下, 造曆者紛紛莫有定議, 愈精愈密而愈多差, 由不得古人一定之法也.

· ·

223 太初曆 : 기원전 104년 漢 武帝 때 제정되어 사용된 曆法으로, 동지의 두 달 뒤인 寅月을 정월로 삼는다. 현재 사용되는 책력은 이에 근거한 것이다.

224 四分曆 : 한대 초기까지 사용되던 黃帝曆·顓頊曆·夏曆·殷曆·周曆·魯曆의 古六曆은 모두 사분력에 속 한다. 후일 後漢의 章元帝로부터 魏의 明宗 때까지 150년 동안 三統曆에 이어 사용된 태음·태양력법으로 編訢이 만들었다고 한다. 사분력은 흔히 1회귀년을 365와 1/4일로 하고 1삭망월을 29와 499/940일로, 그리고 19년에 일곱 번의 윤달을 둔다.

225 劉歆(B.C.53~B.C.25) : 자는 子駿이며, 나중에 이름을 秀, 자를 穎叔으로 고쳤다. 중국 서한 말기의 학자로서 劉向이 그의 부친이다. 아버지 劉向과 궁정의 藏書를 정리하고 六藝의 群書를 7종으로 분류하여 『七略』이라 했다. 이것은 중국 최초의 체계적인 書籍目錄으로 현존하지는 않지만, 『漢書』「藝文志」는 대체로 그에 의해 서 엮이었다. 『左氏春秋』·『毛詩』·『逸禮』·『古文尙書』를 특히 존숭하여 學官에 이에 대한 專門博士를 설치하기 위하여 당시의 학관 박사들과 일대 논쟁을 벌였으나 성사되지 못하고 河內太守로 전출되었다. 그 뒤 王莽이 漢王朝를 찬탈하고 나서 國師로 초빙되어 그의 국정에 협력했다. 만년에는 왕망의 暴逆에 반대하여 모반을 기도했으나 실패하여 자살했다.

226 三統曆 : 전한 말기에 유흠이 태초력을 증보하여 만든 역법이다. 이 삼통력으로부터 폭넓은 내용이 갖추어졌 고, 이후의 역법은 모두 이것을 모범으로 삼았다.

227 一行(683~727) : 본명은 張遂이다. 唐代 천문학자 승려로서 邢州巨鹿(현 河北省 邢台) 사람이다. 그는 청년 시절에 이미 천문과 역법 및 수학에 정통하여 開元 5년(717)에는 唐玄宗의 고문이 되었다. 그 뒤 10년 동안 천문에 대한 연구와 曆法의 개혁에 매진했고, 역사상 최초로 子午線을 측량했다. 이러한 과정에서 그는 대형의 천문관측 기구를 제작하여 천문학 연구의 기반을 마련했고, 그 성과로 『開元大衍曆』을 편찬했다. 그 외의 저술로는 『七政長曆』·『易論』·『心機算術』 등이 있다.

228 大衍曆 : 중국 당나라의 역법으로서, 一行이 현종의 명으로 만들어 729년부터 33년 동안 사용했다. 『周易』의 '大衍數'에 근거를 두었으며, 천체관측에 충실하다.

229 王朴(906~959) : 자는 文伯이고 山東省 東平 사람이다. 오대시대 後周의 大臣으로 知開封府事·戶部侍郎· 樞密使를 역임하면서 정치적 치적을 남겼다. 특히 陰陽·律曆에 정통하여 왕명으로 曆法을 校定하여 『欽天 曆』15권을 편찬했으며, 역시 왕명으로 雅樂을 고증하여 81調를 얻고 『律准』을 저술했다.

230 司天考 : 오대시대 後周의 왕박이 만든 欽天曆을 가리킨다.

(주자가 말했다.) "지금의 역曆을 만드는 것에는 일정한 법이 없고, 단지 하늘이 운행하는 도수에 따라서 합치하는 것을 구할 뿐이니, 혹 지나치면 덜어내고, 모자라면 보태기 때문에 차이가 많다."

이어서 말했다. "옛날의 종률鐘律은 촌寸·분分·호毫·리釐·사絲·홀忽[231]까지도 세세하게 계산하는데 모두 일정한 법이 있어서 마치 부절을 합한 듯했다. 모두 저절로 그러한 것이니, 어디에서 비롯된 것인지는 알 수 없다. 옛날의 성인聖人은 그 생각하는 것이 이와 같이 정교했으니, 모두 사사로운 뜻으로 만들어 낸 것이 아니다. 생각건대 옛날의 역서曆書는 또한 일정한 법이 있었을 텐데, 지금은 없다. 삼대 이래로 역을 만드는 사람들이 분분하여 정론이 없어서, 정교하고 엄밀하게 하면 할수록 더욱 차이가 많아졌는데, 이는 옛사람들의 일정한 법을 얻지 못했기 때문이다.

蔡季通嘗言, '天之運無常. 日月星辰積氣, 皆動物也. 其行度遲速, 或過不及, 自是不齊. 使我之法能運乎天, 而不爲天之所運, 則其疎密遲速, 或過不及之間, 不出乎我. 此虛寬之大數, 縱有差忒, 皆可推而不失矣. 何者? 以我法之有定, 而律彼之無定, 自無差也.' 季通言非是天運無定, 乃其行度如此, 其行之差處, 亦是常度. 但後之造曆者, 其爲數窄狹, 而不足以包之爾."[232]

채계통이 일찍이 말했다. '하늘의 움직임은 상도常道가 없다. 일월성신은 기氣가 모인 것으로 모두 움직이는 것이다. 그 운행 속도는 혹 지나치기도 하고 모자라기도 하여 본래 고르지 않다. 가령 나의 계산법으로 하늘을 운행할 수 있고 하늘의 운행 법칙에 영향을 받지 않는다면, 그 정밀도와 속도에 혹 과불급의 차이가 있어도 내 법을 벗어나지 않는다. 이 융통성이 있는 큰 수가 비록 틀린 것이 있더라도 모두 미루어 계산하여 어긋나지 않을 수 있다. 어째서 그런가? 내 법의 일정한 것을 가지고 저 정해지지 않은 것을 조율하는 것이니 저절로 차이가 없다.' 계통의 말은 하늘의 운행이 일정하지 않다는 것이 아니라, 그 운행의 도수가 이와 같으니 차이가 나는 것도 또한 항상된 도수라고 말하는 것이다. 다만 나중의 역을 만든 사람이 그 수를 계산하는 것이 정밀해서 포함할 수 없었을 뿐이다."

[26-5-6]

"'閏餘生於朔不盡周天之氣.' 周天之氣, 謂二十四氣也. 月有大小, 朔不得盡此氣, 而一歲日子足矣, 故置閏.[233]

(주자가 말했다.) "'윤여閏餘는 12개월에 주천周天의 기氣를 다하지 못하는 데서 생겨난다.'[234] 주천의 기란 24절기를 말한다. 달은 크고 작음이 있으니 12개월에 이 기를 다하지 못하고 한 해의 날짜가 다

---

231 寸·分·毫·釐·絲·忽: 『孫子算經』 권상에 "度가 시작되는 것은 홀에서부터 비롯된다. 홀을 알고자 한다면, 누에가 실을 뽑아내는 것이 홀이다. 10홀이 1사가 되고, 10사가 1호가 되고, 10호가 1리가 되고, 10리가 1분이 되고, 10분이 1촌이 되고 … 300보가 1里가 된다.(度之所起, 起于忽, 欲知其忽. 蠶吐絲爲忽, 十忽爲一絲, 十絲爲一毫, 十毫爲一釐, 十釐爲一分, 十分爲一寸 … 三百步爲一里.)"라고 했다.

232 『朱子語類』 권2, 59조목

233 『朱子語類』 권2, 61조목

234 '閏餘는 초하루에 … 생겨난다.': 『正蒙』 「參兩」

차버렸기 때문에 윤달을 두는 것이다."

[26-5-7]

"中氣只在本月. 若趲得中氣在月盡, 後月便當置閏."[235]

(주자가 말했다.) "중기中氣[236]는 본 달에 있다. 만약 중기가 밀려나서 달의 끝까지 가면 다음 달에 윤달을 두어야 한다."

[26-5-8]

"曆法蔡季通說, '當先論天行, 次及七政.' 此亦未善. 要當先論太虛, 以見三百六十五度四分度之一, 一一定位, 然後論天行, 以見天度加損虛度之歲分. 歲分旣定, 然後七政乃可齊耳."[237]

(주자가 말했다.) "역법에 대하여 채계통은 '마땅히 먼저 하늘의 운행을 말하고 다음에 칠정七政(일월)과 오성을 언급해야 한다.'고 했는데, 이 또한 좋지 못하다. 마땅히 태허를 먼저 논해서 365와 1/4도에 일일이 위치가 정해져 있음을 알고, 그러한 후에 하늘의 운행을 논해서, 하늘의 도수가 허도虛度(천도에서 한 해의 몫에 포함되지 않은 도수)의 한 해의 몫에서 가감한 것임을 알아야 한다. 한 해의 몫이 정해진 후에 칠정이 가지런해질 수 있다."

[26-5-9]

或說曆四廢日.

曰: "只是言相勝者, 春是庚辛日, 秋是甲乙日. 温公『潛虛』, 亦是此意."[238]

어떤 사람이 역법에서의 사폐일四廢日에 대해서 말했다.

(주자가) 대답했다. "단지 (오행의) 서로 이기는 것을 말한 것이니, 봄은 경일庚日·신일辛日이고 가을은 갑일甲日·을일乙日이다. 온공温公[司馬光]의 『잠허潛虛』[239]도 또한 이 뜻이다."

[26-5-10]

問: "曆所以數差, 古今豈無人考得精者?"

曰: "便是無人考得精細而不易, 所以數差. 若考得精密有箇定數, 永不會差. 伊川說康節曆不

235 『朱子語類』 권2, 62조목
236 中氣: 24절기 중 매달 중순 이후에 있는 12節侯, 즉 동지·대한·우수·춘분·곡우·소만·하지·대서·처서·추분·설강·소설을 가리킨다.
237 『朱子語類』 권2, 69조목
238 『朱子語類』 권2, 64조목
239 『潛虛』: 사마광의 저서로서 양웅의 『太玄』을 모방하여 만든 책이다. 義理·圖式·術數 세 부분으로 구성되어 있다. 의리 부분은 五行을 기초로 陰陽·域卦·筮占의 기본사상을 흡수, 천지만물의 생성과 우주질서의 변화를 담고 있다.

會差."

물었다. "역曆에 자주 차이가 나는 것이 어찌 고금에 정밀하게 고찰한 사람이 없어서이겠습니까?"
(주자가) 대답했다. "정밀하고 세세하게 고찰한 사람이 없고, 쉽지 않기 때문에 자주 차이가 난 것이다. 만약 정밀하게 고찰하여 확정된 수가 있었다면 영원히 차이가 나지 않을 것이다. 이천伊川은 강절康節의 역에는 차이 나는 것이 없다고 했다."[240]

或問: "康節何以不造曆?"
曰: "他安肯爲此? 古人曆法疎濶而差少, 今曆愈密而愈差."

어떤 사람이 물었다. "강절은 어째서 역을 만들지 않았습니까?"
(주자가) 대답했다. "그가 어떻게 이것을 기꺼이 만들었겠는가? 옛사람의 역법은 소활하지만 차이가 적고 지금의 역은 정밀할수록 더욱 차이가 난다."

因以兩手量卓邊云: "且如這許多濶, 分作四段, 被他界限濶, 便有差, 不過只在一段界限之內. 縱使極差出第二三段, 亦只在此四界之內, 所以容易推測, 便有差容易見. 今之曆法於這四界內分作八界, 內又分作十六界,[241] 界限愈密, 則差數愈遠. 何故? 以界限愈密, 而踰越多也. 其差則一, 而古今曆法疎密不同故爾.

이어 양손으로 탁자의 가장자리를 재면서 말했다. "우선 이와 같이 매우 넓은 것을 사 등분 하면, 그 경계가 넓어서 차이가 나지만 그 한 부분 안에 지나지 않는다. 비록 극히 차이가 나서 제2단·제3단을 넘어서더라도 또한 이 사 등분 안에 있을 뿐이니 쉽게 추측할 수 있고, 차이가 있으면 쉽게 발견할 수 있다. 지금의 역법은 이 사 등분 안에서 팔 등분 하고, 그 안에서 십육 등분 하니, 경계가 정밀하면 할수록 어긋나는 수도 멀어진다. 왜 그런가? 경계가 정밀할수록 경계를 넘어버리는 것도 많기 때문이다. 그 차이는 같지만 고금의 역법에 소밀疎密이 같지 않은 이유이다.

看來都只是不曾推得定, 只是移來湊合天之運行. 所以當年合得不差, 明後年便差. 元不曾推得天運定, 只是旋將曆去合那天之行, 不及則添些, 過則減些以合之, 所以一二年又差. 如唐一行大衍曆, 當時最謂精密, 只一二年後便差.

살펴보니 도무지 추산해서 정한 적이 없고, 단지 이리저리 옮겨가며 하늘의 운행에 임시로 맞추었을 뿐이다. 그래서 그해에는 잘 맞아서 차이가 나지 않지만 내년, 후년에는 차이가 나게 된다. 원래 하늘의 운행을 정확하게 추산하지 못하고, 단지 역을 가지고 저 하늘의 운행에 끼워 맞추어 보고, 미치지 못하면

<hr />

240 伊川은 康節의 … 했다. : 『河南程氏外書』 권12에 "요부의 易數는 매우 정밀하다. 긴 역수를 연구하여 오래 되면 저절로 차이가 있는데, 오직 요부만은 그렇지 않다.(堯夫易數甚精. 自來推長歷者, 至久必差, 惟堯夫不然)"라고 했다.
241 內又分作十六界 : 『朱子語類』 권86, 28조목에는 "於這八界內又分作十六界"로 되어 있다.

조금 추가하고 지나치면 조금 덜어내어서 맞추었기 때문에, 1~2년 만에 또 달라진다. 예컨대 당나라 일행一行의 대연력大衍曆은 당시에는 가장 정밀했다고 할 수 있지만, 불과 1~2년 후에 차이가 났다.

只有季通說得好. '當初造曆, 便合并天運所蹉之度都算在裏. 幾年後蹉幾分, 幾年後蹉幾度, 將這蹉數都算做正數, 直推到盡頭. 如此, 庶幾曆可以正而不差. 今人都不曾得箇大統正, 只管說, 「天之運行有差, 造曆以求合乎天而曆愈差.」 元不知天如何會有差, 自是天之運行合當如此.' 此說極是, 不知當初因甚不曾算在裏. 但堯舜以來曆至漢, 都喪失了不可考. 緣如今是這大總紀不正, 所以都無是處. 蔡季通算得康節曆, 康節曆十二萬九千六百分, 大故密. 今曆家所用只是萬分曆, 萬分曆已自是多了, 他如何肯用十二萬? 只是今之曆家又說季通底用不得, 不知如何."

다만 채계통의 설이 좋다. '당초 역을 만들 때, 하늘의 운행의 어긋난 도수를 병합하여 그 속에서 계산했다. 몇 년 후에 몇 분分이 어긋났고 몇 년 후에 몇 도度가 어긋났는지, 이 지나간 수를 모두 계산하여 정수正數를 만들어 바로 끝까지 추산했다. 이렇게 하면서 올바르게 되어 차이가 없기를 바랐다. 지금 사람들은 모두 대통력大統曆의 바른 것을 이해하지 못하고, 「단지 하늘의 운행에 본래 차이가 있기 때문에, 역을 만들어 하늘에 합치하기를 구해도 역에 더욱 어긋난다.」고 한다. 원래 하늘의 운행이 어떻게 차이가 있는지를 알지 못하고, 본래 하늘의 운행이 마땅히 이와 같다고 여기기 때문이다.'라고 했는데, 이 설이 매우 좋지만, 당초에 무엇 때문에 그 안에 있는 것을 계산하지 않았는지 모르겠다. 다만 요순堯舜 이래로 한漢에 이르기까지의 역은 모두 잃어버려서 상고할 수가 없다. 지금 이 큰 기준이 바르지 못한 까닭에 도무지 옳은 것이 없다. 채계통이 강절의 역을 계산하니, 강절의 역은 12만 9,600으로 매우 정밀했다. 지금 역법가들이 사용하고 있는 것은 단지 만분력萬分曆인데, 만분력을 이미 충분한 것으로 여기니, 그들이 어떻게 기꺼이 12만분을 사용하려 하겠는가? 또 지금의 역법가들은 계통의 역을 쓸 수 없다고 말하는데, 왜 그런지 모르겠다."

又曰 : "一行大衍曆比以前曆, 他只是做得簡頭勢大, 敷衍得闊, 其實差數只一般. 正如百貫錢修一料藥, 與十文修一料藥, 其不能治病一也."[242]

(주자가) 또 말했다. "일행一行의 대연력大衍曆은 이전의 역에 비교하면 그것은 단지 형세가 크고 펼쳐 놓은 것이 넓지만, 그 실제 수에 차이가 난다는 점에서는 같다. 이는 마치 백 꿰미의 돈을 치르고 하나의 약을 지으나 십 문의 돈을 치르고 하나의 약을 지으나, 병을 고치지 못한다면 똑같다는 것과 같다."

[26-5-11]
問 : "曆法何以推月之大小?"

. . . .

242 『朱子語類』 권86, 28조목

曰: "只是以每月二十九日半, 九百四十分日之二十九計之, 觀其合朔爲如何. 如前月大, 則後月初二日月生明, 前月小, 則後月初三日月生明."[243]

물었다. "역법에서 어떻게 달의 크고 작음을 추산합니까?"

(주자가) 대답했다. "매달이 29.5일과 29/940일인 것을 가지고 계산해서 그 합삭이 어떤지 본다. 예컨대 전달이 크면 다음 달은 초이틀에 재생명哉生明[244]이 되고 전달이 작으면 다음 달은 초삼일에 재생명이 된다."

[26-5-12]

象山陸氏曰: "曆家所謂朔虛氣盈者, 蓋以三十日爲準. 朔虛者, 自前合朔至後合朔不滿三十日, 其不滿之分曰朔虛. 氣盈者, 一節一氣共三十日有餘分而爲中分, 中卽氣也."

상산 육씨象山陸氏가 말했다. "역법가가 말하는 삭허朔虛와 기영氣盈은 30일을 기준으로 삼는다. 삭허는, 이전 합삭부터 다음 합삭까지 30일이 차지 않는데 그 차지 못한 분을 일러 삭허라고 한다. 기영은, 하나의 절節과 하나의 기氣를 합쳐서 30일과 여분이 있는 것이 중분中分이 되는데, 달 중간에 있는 것이 기氣[中氣]이다."

[26-5-13]

潛室陳氏曰: "『左傳正義』曰, '周天三百六十五度四分度之一. 日一日行一度, 月一日行十三度十九分度之七.' 計二十七日有餘, 月已行天一周. 至二十九日過半, 卽月法二十九日四百九十九分也. 又逐及日而與之會, 是爲一月. 十二月而成歲, 一歲氣周有三百六十五日四分日之一. 今十二月惟三百五十四日, 是少十一日四分之一, 未得氣周. 細而言之, 一歲正少十一日少弱. 所以然者, 一月有餘分二十九, 日法九百四十分, 四百七十分爲半日, 今有四百九十九分, 是餘二十九分. 合十二月餘分三百四十八, 是一歲旣得三百五十四日, 又餘三百四十八分. 一日九百四十分, 其二百三十五分爲四分日之一. 今於餘分三百四十八內取二百三十五以當四分日之一, 仍有一百一十三. 其餘整日, 惟有十一日, 又以餘分一百一十三減之, 是一年正餘十日八百二十七分, 不成十一日. 故謂十一日少弱. 一年少十日八百二十七分, 積十九年少二百六日六百七十三分少弱, 足以當之.

잠실 진씨潛室陳氏가 말했다. "『좌전정의左傳正義』에 '주천周天의 도수度數는 365와 1/4도이다. 해는 하루에 1도를 운행하고 달은 13과 7/19도를 운행한다.'고 했으니, 계산하면 27일 남짓에 달은 이미 하늘을 일주一周한다. 29.5일을 넘어가면, 월법月法은 29일 499분이다. 또 해를 좇아가서 만나니 이것이 한 달이다.

················

243 『朱子語類』권2, 60조목

244 哉生明: 달에 처음 밝은 부분이 생기는 것을 말한다. 『書經集傳』「周書·武成」에 "그 4월 哉生明에 왕이 商에서 와서 豊에 이르러 ….(厥四月哉生明, 王來自商至于豊, …)"라고 했는데, 蔡沈의 주에 "哉는 처음이니, 처음 밝음이 생겨나는 것은 달의 3일째다.(哉, 始也, 始生明, 月三日也)."라고 했다.

열두 달이 한 해가 되는데, 한 해의 기주氣周(절기의 일주)는 365와 1/4일이다. 지금 열두 달은 354일뿐이니 11과 1/4일이 적어서 기주에 미치지 못한다. 상세하게 말하면, 1년에 딱 11일에서 약간이 모자란다. 그 이유는 다음과 같다. 한 달에 여분 29가 있는데, 일법日法은 940분이니, 470분이 반일半日인데, 지금 499분이 있으니, 이 나머지가 29이다. 12달의 여분을 합하면 348이 되니, 1년에 이미 354일이 있고 또 나머지가 348분이 된다. 1일은 940분이니 235분이 (1일의) 1/4이다. 지금 여분 348 중에서 235를 취하여 1/4일에 해당시키고 나면 나머지는 113이다. 그 나머지의 정일整日(온전한 날)은 11일이 있는데, 또 여분 113을 가지고 빼면, 1년에 정확히는 10일과 827분이 남으니 11일이 되지 않는다. 그래서 11일에서 약간 모자란다고 한다. 1년에 10일 827분이 모자라므로, 19년이 누적되면 206일 673분 정도가 모자라는 것에 해당한다.

古曆十九年爲一章, 章有七閏. 入章三年閏九月, 六年閏六月, 九年閏三月, 十一年閏十一月, 十四年閏八月, 十七年閏四月, 十九年閏十二月. 此據元首初章, 若於後漸積餘分, 大率三十二月則置閏, 不必同初章. 日月運轉於天, 如人之行步, 故推曆謂之步曆. 步曆之始謂之上元, 必以日月全數爲始, 於前更無餘分. 以此日爲端首, 卽十一月甲子夜半朔旦冬至也. 故言履端用始也. 分一周之日爲十二月, 則每月當三十日餘. 以日月會爲一月, 則每月惟二十九日餘, 每月參差, 氣漸不正. 但觀中氣所在以爲此月之正, 取中氣以爲正月. 閏前之月, 中氣在晦; 閏後之月, 中氣在朔. 無中氣則謂之閏月, 故言擧正於中也. 月朔之與月節, 每月剩一日有餘. 以所有餘日歸之於終, 積成一月則置閏, 故言歸餘於終也."[245]

고력古曆은 19년을 한 장章으로 삼았는데 한 장에는 일곱 번의 윤달이 있다. 장에 들어가서 3년째는 9월에, 6년째는 6월에, 9년째는 3월에, 11년째는 11월에, 14년째는 8월에, 17년째는 4월에, 19년째는 12월에 윤달을 둔다. 이것은 원元의 첫 장에 근거한 것이니, 만약 후에 점점 그 여분이 쌓이면 대략 32개월마다 윤달을 두면 되고, 첫 장과 같을 필요는 없다. 해와 달이 하늘에서 운행하는 것은 사람이 걸어가는 것과 같기 때문에 역을 추산하는 것을 보력步曆이라고 했다. 보력의 시작을 상원上元이라고 하는데, 반드시 해와 달의 전수全數(0)를 시작으로 삼아서 앞에는 전혀 여분이 없다. 이날을 첫머리로 삼았으므로, 11월 갑자일, 야반夜半(0시), 삭단朔旦(초하루), 동지冬至가 되는 날이다. '단수를 추산하여 시작으로 삼는다.[履端用始.]'고 했다. 일주하는 날 수를 등분해서 열두 달이 되면, 매달은 30일 남짓이 된다. 해와 달이 만나는 것을 한 달로 삼으면 매달은 29일 남짓인데, 달마다 들쭉날쭉하여 중기中氣가 점차 정확하지 않게 된다. 다만 중기가 있는 곳을 보아 그 달의 정正으로 삼고, 중기를 취하여 정월正月(윤달이 아닌 정상인 달)로 삼는다. 윤달의 전달은 중기가 그믐에 있고, 윤달의 다음 달은 중기가 초하루에 있다. 중기가 없는 것을 윤달이라고 하므로 '중기로 달을 정한다'고 했다. 월삭月朔(초하루)과 월절月節(12절, 삭기)은 매월 1일 정도가 남는다. 남은 날을 마지막으로 돌려서 한 달이 쌓이면 윤달을 두므로 '남은 것을 마지막으로 돌린다'고 했다."[246]

· ·
245 『木鍾集』 권3 「閏法」
246 보력의 시작을 … 했다. : 『春秋左傳』「文公元年」에 "이 해에 윤3월이 있었으니, 예가 아니다. 선왕이 때를

[26-5-14]

問：“漢武帝命唐都洛下閎推算星曆, 以爲合於夏正, 改用太初曆. 按自黃帝以前調曆, 有上元太初等曆. 今以合夏正而用太初曆, 然則夏亦用太初曆乎否也?

曰：“曆家推上元太初, 謂四千六百十七歲已盡, 都無絲髮餘, 重新起曆. 是時定十一月甲子朔旦夜半冬至, 日月如合璧, 五星如連珠, 乃新曆之第一日, 故謂之曆元. 漢元封七年, 適當其時. 故改秦曆用漢曆, 改秦正用夏正, 非謂夏亦然也.”[247]

물었다. “한무제漢武帝가 당도唐都의 낙하굉에게 성력星曆을 추산하도록 명했는데, 하정夏正에 부합한다고 여겨 태초력으로 바꾸어 사용했습니다. 생각건대 황제 이전에도 역曆을 조정했으니, 상원上元·태초太初 등의 역이 있었습니다. 지금 하정에 부합한다 하여 태초력을 사용하는데, 그렇다면 하나라에서도 태초력을 사용했습니까?”

(잠실 진씨가) 대답했다. “역법가가 상원·태초를 추산하여, ‘4,617년이 이미 다하여 머리카락도 남지 않을 정도이니 다시 새롭게 역을 시작한다.’고 했다. 이때 11월 갑자일·삭단朔旦·야반夜半·동지冬至가 맞추어졌는데, 해와 달이 벽옥을 맞춘 것 같고 오성五星은 구슬을 꿰어놓은 것과 같아, 이에 신력新曆의 제1일로 했으니, 그래서 역원曆元이라고 했다. 한나라 원봉 7년에 마침 그러한 때를 만났다. 그러므로 진력秦曆을 고쳐서 한력漢曆으로 사용했고 진정秦正을 고쳐서 하정夏正으로 사용한 것이지, 하夏도 또한 그렇다고 말한 것은 아니다.”

바르게 할 때 시작을 동지로부터 추산하고, 中氣로 달을 정하고, 남은 달을 마지막으로 돌렸다. 시작을 동지에서 추산하니 순서가 어긋나지 않고, 중기로 달을 정하니 백성들이 의혹하지 않고, 남은 달을 마지막으로 돌리니 일이 어그러지지 않았다.(於是閏三月, 非禮也. 先王之正時也, 履端於始, 擧正於中, 歸餘於終. 履端於始, 序則不愆；擧正於中, 民則不惑；歸餘於終, 事則不悖.)”라고 했다.

247 『木鍾集』 권11 「考儒林傳公孫弘新學法」

理氣二 리기 2

理氣二
리기 2

天文 천문

[27-1]

日月 일월

[27-1-1]

程子曰 : "日月之爲物, 陰陽發見之尤盛者也."[1]

정자程子가 말했다. "해와 달은 음과 양이 드러난 것 중 가장 성대한 것이다."

[27-1-2]

"日月之在天, 猶人之有目. 目無背見, 日月無背照也."[2]

(정자가 말했다.) "해와 달이 하늘에 있는 것은 사람에게 눈이 있는 것과 같다. 눈은 뒤를 볼 수 없고, 해와 달은 뒤를 비출 수 없다."

[27-1-3]

"天地日月一也.[3] 月受日光而日不爲之虧. 然月之光, 乃日之光也."[4]

. . . .

1 『二程粹言』 권2
2 『二程粹言』 권2
3 天地日月一也. : 『河南程氏遺書』 권11에는 '天地日月一般'으로 되어 있다.
4 『河南程氏遺書』 권11

(정자가 말했다.) "천지天地·일월日月은 같은 이치이다. 달이 햇빛을 받아도 해가 그 때문에 이지러지지는 않는다. 그러나 달의 빛이 곧 해의 빛이다."

[27-1-4]

"日月薄蝕而旋復者, 不能奪其常也."[5]

(정자가 말했다.) "해와 달에 잠깐 일식과 월식이 일어났다가 바로 회복되는 것은 그 정상 모습을 빼앗을 수 없기 때문이다."

[27-1-5]

或問 : "日月有定形, 還自氣散別自聚否?"

曰 : "此理甚難曉. 究其極, 則此二說歸于一也."

問 : "月有定魄而日遠於月, 月受日光, 以人所見爲有盈虧. 然否?"

曰 : "日月一也. 豈有日高於月之理? 月若無盈虧, 何以成歲? 蓋月一分光, 則是魄虧一分也."[6]

어떤 사람이 물었다. "해와 달은 일정한 모양이 있는 것입니까, 아니면 스스로 기가 흩어졌다가 또 저절로 모이는 것입니까?"

(정자가) 대답했다. "이 이치는 매우 알기 어렵다. 그 극치를 궁구해보면 이 두 설이 하나로 귀결된다."

물었다. "달은 일정한 백魄(달의 어두운 부분)이 있고 해는 달보다 멀기 때문에, 달이 햇빛을 받아서 사람이 보는 것에 차고 이지러짐이 있는 것입니다. 그렇습니까?"

대답했다. "해와 달은 같은 이치이다. 어찌 해가 달보다 높을 리가 있겠는가? 달에 차고 이지러짐이 없으면 어떻게 일년一年을 이루겠는가? 달이 1분만큼 빛이 나면 이 백魄이 1분만큼 이지러진다."

[27-1-6]

問 : "日蝕有常數者也. 然治世少而亂世多, 豈人事乎?"

曰 : "天人之理甚微, 非燭理明, 其孰能識之?"

曰 : "無乃天數人事交相勝負, 有多寡之應耶?"

曰 : "似之, 未易言也."[7]

물었다. "일식日蝕은 일정한 수數가 있습니다. 그러나 다스려진 세상에는 적고 어지러운 세상에는 많으니, 그것이 사람의 일과 관여된 것이겠습니까?"

(정자가) 대답했다. "하늘과 사람의 이치는 매우 은미하니, 그 이치에 밝은 사람이 아니라면 누가 그것을 알겠는가?"

....

5 『河南程氏遺書』 권11

6 『河南程氏遺書』 권18

7 『二程粹言』 권하

물었다. "하늘의 수와 사람의 일이 서로 승부를 겨루기 때문에 많고 적음의 차이가 생기는 것이 아니겠습니까?"

대답했다. "그럴듯하지만 쉽게 말할 것은 아니다."

[27-1-7]

朱子曰 : "月體常圓無闕, 但常受日光爲明. 初三四是日在下照, 月西邊明,[8] 人在這邊望, 只見在弦光. 十五六則日在地下, 其光由地四邊而射出, 月被其光而明. 月中是地影. 月, 古今人皆言有闕, 惟沈存中云無闕."[9]

주자가 말했다. "달의 형체는 항상 둥글어 이지러짐이 없지만, 늘 햇빛을 받는 곳이 밝다. 초삼사일에는 해가 아래에서 비추고 달은 서쪽편이 밝은데, 사람은 이쪽에서 바라보면 보이는 것은 활시위 모양의 빛이다. 15~16일에는 해가 땅 아래쪽에 있어서 그 빛은 땅의 네 변을 경유하여 비치니, 달은 그 빛을 받아서 밝다. 달의 가운데 부분은 땅의 그림자이다. 달은 고금의 사람들이 모두 이지러짐이 있다고 했는데, 심존중沈存中[沈括][10]만이 이지러짐이 없다고 했다."

[27-1-8]

"月無盈闕, 人看得有盈闕. 蓋晦日則月與日相疊了, 至初三方漸漸離開去, 人在下面側看見, 則其光闕. 至望日則月與日正相對, 人在中間正看見, 則其光方圓."[11]

(주자가 말했다.) "달은 차고 이지러짐이 없지만, 사람들이 보기에 차고 이지러짐이 있는 것이다. 그믐날에는 달이 해와 서로 겹쳤다가 초삼일이 되어서야 비로소 점점 떨어지기 시작하는데, 사람들이 아래에서 측면으로 보니 그 빛이 이지러진다. 보름날이 되면 달은 해와 정반대 방향이 되는데, 사람이 중간에서 정면으로 보니 그 빛이 비로소 둥근 것이다."

[27-1-9]

"程子謂, '日月只是氣, 到寅上則寅上自光, 氣到卯上則卯上自光'者, 亦未必然. 旣曰日月, 則自是各有一物, 方始各有一名. 星光亦受於日, 但其體微爾. 五星之色各異, 觀其色則金木水火之名可辨. 衆星光芒閃爍, 五星獨不如此. 衆星亦皆左旋, 唯北辰不動, 在北極五星之傍一小星是也. 蓋此星獨居天軸, 四面如輪盤環繞旋轉, 此獨爲天之樞紐是也. 日月薄蝕, 只是二

8 月西邊明 : 『朱子語類』 권2, 26조목에는 "月在西邊明"으로 되어 있다.

9 『朱子語類』 권2, 26조목

10 沈括(1031~1095) : 字는 存中이고, 號는 夢溪丈人이며, 杭州 錢塘(현재 浙江省 杭州) 사람으로, 북송 시대 과학자이다. 특히 천문학, 수학, 물리학, 화학, 지질학, 기상학, 지리학, 농학, 의학 등에서 탁월한 성과를 거두었다. 저서로 『夢溪筆談』이 있다.

11 『朱子語類』 권2, 27조목

者交會處, 二者緊合, 所以其光掩没. 在朔則爲日蝕, 在望則爲月蝕."[12]

(주자가 말했다.) "정자程子가 '해와 달은 단지 기氣일 뿐이니, 그 기가 인방寅方에 도달하면 인방에서 스스로 빛나고, 기가 묘방卯方에 도달하면 묘방에서 스스로 빛난다.'[13]고 한 것은 반드시 그렇지는 않다. 이미 해와 달이라고 했으니, 이는 각각 하나의 사물이라 각각 하나씩의 이름이 있는 것이다. 별빛 또한 해로부터 빛을 받은 것인데 다만 그 몸체가 작을 뿐이다. 오성五星의 색은 각각 달라서 그 색을 보고 금·목·수·화의 이름을 변별할 수 있다. 모든 별은 반짝반짝 빛을 내지만, 오성만큼은 이와 같지 않다. 모든 별은 또한 모두 좌선하지만, 오직 북극성만은 움직이지 않으니, 북극의 오성 옆에 있는 하나의 작은 별이 이것이다. 대개 이 별은 홀로 천축天軸에 있어서, 사면이 이것을 마치 원반原盤처럼 둘러싸고 도니, 이것만이 하늘의 지도리가 되는 것이다. 해와 달에 일식과 월식이 생기는 것은 단지 둘이 만나는 곳에서 둘이 합쳐지기 때문에 그 빛이 가려 없어지는 것이다. 합삭合朔에는 일식이 되고 보름에는 월식이 된다."

[27-1-10]

"邵康節謂, '日太陽也, 月太陰也, 星少陽也, 辰少陰也.' 辰非星也."[14]

(주자가 말했다.) "소강절邵康節은 '해는 태양太陽이고 달은 태음太陰이며, 별[星]은 소양少陽이고 신辰은 소음少陰'[15]이라고 했는데, 신辰은 별이 아니다."

又曰："'辰弗集於房.' 房者, 舍也. 故十二辰亦謂之十二舍. 上辰字謂日月也, 所謂三辰. 北斗去辰爭十二來度. 日蝕是日月會合處. 月合在日之下, 或反在上, 故蝕. 月蝕是日月正相照. 伊川謂'月不受日光', 意亦相近. 蓋陰盛亢陽, 而不少讓陽故也."

(주자가) 또 말했다. "(『서경』에서) '일월이 모이는 것이 방수房宿에서 이루어지지 않았다.'[16]라고 했는데, 방房은 자리[舍]이다. 그러므로 12신을 또 12사舍라고도 한다. 위의 '신辰'자는 해와 달을 말하니 이른바 삼신三辰[17]이다. 북두北斗는 북신에서의 거리가 12도 정도 차이난다. 일식은 해와 달이 만나는 것이다.

. . . .

12 『朱子語類』 권2, 20조목

13 '해와 달은 … 빛난다.' : 『河南程氏遺書』 권2상에 "(해와 달의) 기가 인방에 도달하면 인방 위에 빛이 있고, 묘방에 도달하면 묘방 위에 빛이 있다.(氣行到寅, 則寅上有光 ; 行到卯, 則卯上有光.)"고 한 구절이 있다.

14 辰非星也. : 『朱子語類』 권2, 32조목에는 '星辰非星也.'로 되어 있다.

15 '해는 太陽이고 … 少陰' : 『皇極經世書』 권11 「觀物篇」에 "태양은 해이고, 태음은 달이며, 소양은 별[星]이고, 소음은 辰이다.(太陽爲日, 太陰爲月, 少陽爲星, 少陰爲辰.)"라고 했다.

16 '일월이 모이는 … 않았다.' : 『書經』 「胤征」에 "羲和가 덕을 뒤집고 술에 빠져서 관직을 어지럽히고 位次를 버렸다. 天紀를 어지럽히고 맡은 일을 멀리 내팽개치니 季秋 月朔에 일월이 모이는 것이 房宿에서 이루어지 않았다.(惟時羲和, 顚覆厥德, 沈亂于酒, 畔官離次, 擾天紀, 退棄厥司, 乃季秋月朔, 辰弗集于房.)"라고 했다.

17 三辰 : 해·달·별을 가리킨다. 『春秋左傳』 「桓公·2년」에 "三辰을 그린 깃발은 그 밝음을 드러낸 것이다.(三辰旂旗, 昭其明也.)"라고 했는데, 『春秋左傳註疏』 杜預의 주에 "삼신은 해·달·별이다.(三辰, 日月星也.)"라고 했다.

달은 마땅히 해 아래에 있어야 하지만 간혹 반대로 해 위에 있기 때문에 일식이 일어난다. 월식은 해와 달이 정확히 서로 비추는 것이다. 이천伊川은 '달이 해의 빛을 받지 못한 것'[18]이라고 했는데, 뜻이 서로 가깝다. 음이 성하여 양에 대항하면서 양에게 조금도 양보하지 않기 때문이다."

又曰 : "日月會合, 故初一初二月全無光, 初三漸開, 方微有弦上光, 是哉生明也. 開後漸有光, 至望則相對, 故圓. 此後復漸相近, 至晦則復合, 故暗. 月之所以虧盈者此也."[19]

(주자가) 또 말했다. "해와 달이 만나기 때문에 초하루와 초이틀에는 달에 전혀 빛이 없다가 초삼일에 점점 거리가 벌어져서 비로소 미미하게 활시위 모양의 빛이 생기니, 이것이 재생명哉生明[20]이다. 벌어진 후에 점차 빛이 있게 되어, 보름이 되면 서로 마주하므로 둥글다. 이후에 다시 점점 서로 가까워져서 그믐이 되면 다시 합하므로 어둡게 된다. 달이 이지러지고 차는 것은 이 때문이다."

[27-1-11]
"曆家舊說, '月朔則去日漸遠, 故魄死而明生 ; 旣望則去日漸近, 故魄生而明死. 至晦而朔, 則又遠日而明復生, 所謂死而復育也.' 此說誤矣. 若果如此, 則未望之前, 西近東遠, 而始生之明當在月東 ; 旣望之後, 東近西遠, 而未死之明却在月西矣. 安得未望載魄於西, 旣望終魄於東, 而逆日以爲明手?

(주자가) 말했다. "역법가들의 옛 이론에, '달은 합삭合朔에 해와의 거리가 점점 멀어지므로 백魄은 다하고 명明(달의 밝은 부분)은 살아나며, 기망旣望(16일)에 해와의 거리가 점점 가까워지므로 백은 살아나고 명은 줄어든다. 그믐에서 초하루에 이르면 또 해와 멀어져서 명이 다시 생기니, 이른바 죽었다가 다시 자라난다는 것이다.'라고 했는데, 이 설은 잘못되었다. 만약 이와 같다면, 보름 이전에는 서쪽이 가깝고 동쪽이 멀기 때문에 처음 생기는 명은 달의 동쪽에 있어야 하고, 16일 이후에는 동쪽이 가깝고 서쪽이 멀기 때문에 아직 죽지 않은 명이 오히려 달의 서쪽에 있어야 한다. 어찌 16일 이전에 서쪽에서 백이 시작되었다가 16일 이후에 동쪽에서 백이 끝나서 해를 향해 가면서 밝아지겠는가?

故唯近世沈括之說, 乃爲得之. 蓋括之言曰, '月本無光, 猶一銀丸, 日耀之乃光耳. 光之初生, 日在其傍, 故光側而所見纔如鈎, 日漸遠, 則斜照而光稍滿.' 大抵如一彈丸, 以粉塗其半, 側

---

18 '달이 해의 … 것' : 『河南程氏遺書』 권11에 "달이 해의 빛을 받지 못하여 월식이 일어난다. 달의 빛을 받지 못한다는 것은 달이 정면으로 마주하니 음이 성하여 양에 대항하는 것이다.(月不受日光故食. 不受日光者, 月正相當, 陰盛亢陽也.)"라고 했다. 주희는 程頤의 말이라고 했지만, 『河南程氏遺書』에 따르면 程顥의 말이다.
19 『朱子語類』 권2, 32조목
20 哉生明 : 달에 처음 밝은 부분이 생기는 것, 즉 초삼일을 말한다. 『書經集傳』「周書·武成」에 "그 4월 哉生明에 왕이 商에서 와서 豊에 이르러 ….(厥四月哉生明, 王來自商至于豊, ….)"이라고 했는데, 蔡沈의 주에 "哉는 처음이니, 처음 밝음이 생겨나는 것은 달의 3일째다.(哉, 始也, 始生明, 月三日也.)"라고 했다.

視之則粉處如鈎, 對視之則正圓也. 近歲王普又補其說, '月生明之夕, 但見其一鈎. 至日月相望而人處其中, 方得見其全明. 必有神人能凌倒景傍日月而往參其間, 則雖弦晦之時, 亦復見其全明, 而與望夕無異耳.' 以此觀之, 則知月光常滿. 但自人所立處視之有偏有正, 故見其光有盈有虧. 非旣死而復生也."[21]

그러므로 오직 근세의 심괄沈括의 이론이 옳다. 괄의 말에 '달은 본래 빛이 없고, 하나의 은빛 탄환과 같아서 해가 비추어야 빛날 뿐이다. 빛이 처음 생길 때에는 해가 그 옆에 있으므로 곁을 비춰서 보이는 것이 마치 갈고리와 같고, 해가 점점 멀어지면 비스듬히 비춰서 빛이 조금씩 찬다.'라고 했다. 이는 마치 하나의 탄환에 그 절반을 분칠하고서 옆에서 보면 분칠한 곳이 갈고리 같고, 정면으로 보면 동그란 원이 되는 것과 같다. 최근의 왕보王普도 그 설을 보충했는데, '달이 빛을 내는 저녁에 다만 하나의 갈고리를 볼 뿐이다. 해와 달이 서로 바라보고 사람이 그 중간에 있을 때에야 비로소 그것의 온전히 밝은 것을 볼 수 있다. 반드시 신묘한 사람이 있어서 도경倒景[22]에 올라가 해와 달을 옆에 끼고 그 사이에 참여할 수 있다면, 상·하현이나 그믐 때에도 또한 온전히 밝아서 보름 저녁과 다르지 않은 달을 볼 것이다.'라고 했다. 이것으로 보면 달빛이 항상 가득함을 알 수 있다. 그러나 사람이 서 있는 곳으로부터 보면, 치우친 것도 있고 바른 것도 있기 때문에 그 빛의 차고 이지러짐을 볼 뿐이다. 죽었다가 다시 살아나는 것이 아니다."

"若顧兔在腹之間, 則世俗桂樹蛙兔之傳, 其惑久矣. 或者以爲'日月在天, 如兩鏡相照, 而地居其中, 四傍皆空水也. 故月中微黑之處, 乃鏡中大地之影. 略有形似而非眞有是物也.' 斯言有理, 足破千古之疑矣."[23]

"토끼가 달 가운데 있다고 하는 것을 돌아보니, 세속의 계수나무나 개구리, 토끼의 전설은 의혹이 오래된 것이다. 어떤 사람이 '해와 달은 하늘에서 마치 두 개의 거울이 서로를 비추는데 땅은 그 중간에 있고 사방이 모두 컴컴한 허공인 것과 같다. 그러므로 달 속의 약간 어두운 곳은 바로 거울 속 대지의 그림자이다. 대략 비슷한 형체가 있는 것으로서 모양은 비슷하지만 진짜 이 사물은 아니다.'라고 했는데, 이 말이 일리가 있으니 천고千古의 의혹을 깰 만하다."

[27-1-12]
或問弦望之義.

曰: "上弦是月盈及一半, 如弓之上弦; 下弦是月虧了一半, 如弓之下弦."

又問: "是四分取半否?"

. . . .

21 『天原發微』 권2하
22 倒景: '倒影'이라고도 하며, 하늘의 가장 높은 곳을 말한다. 해와 달빛이 오히려 아래로부터 위로 비추니, 도경에서 아래로 해와 달을 보면 그림자가 모두 거꾸로 서 있는 모양을 띤다.
23 『理學類編』 권2

曰: "如二分二至, 也是四分取半."

因說曆家謂'紓前縮後, 近一遠三.' "以天之圍言之, 上弦與下弦時, 日月相看, 皆四分天之一."[24]

어떤 사람이 현弦과 망望의 뜻을 물었다.

(주자가) 대답했다. "상현은 달이 차기 시작하여 반이 채워진 것으로 마치 활의 시위가 위에 있는 것과 같고, 하현은 달이 기울기 시작하여 반이 이지러진 것으로 마치 활의 시위가 아래에 있는 것과 같다."

또 물었다. "이는 사 등분해서 절반을 취한 것입니까?"

(주자가) 대답했다. "춘분과 추분, 동지와 하지 같은 것도 사 등분해서 절반을 취한 것이다."

이어서 역법가들이 '느린 것이 앞이고 빠른 것이 뒤라서, 가까운 것은 1이고 먼 것은 3이다.'[25]라고 한 것을 가지고 말했다. "하늘의 둘레로 말하면 상현과 하현일 때에 해와 달이 마주보니, 모두 하늘을 넷으로 나눈 것 중 하나이다."

[27-1-13]

問: "月本無光, 受日而有光. 蔡季通云, '日在地中, 月行天上, 所以光者, 以日氣從地四傍周圍空處迸出, 故月受其光.'"

曰: "若不如此, 月何緣受得日光? 方合朔時, 日在上, 月在下, 則月面向天者有光, 向地者無光, 故人不見. 及至望時, 月面向人者有光, 故見其圓滿.[26] 若至弦時, 所爲近一遠三,[27] 只合有許多光."

又曰: "月常有一半光. 月似水, 日照之, 則水面光倒射壁上, 乃月照也."[28]

물었다. "달은 본래 빛이 없고, 햇빛을 받아서 빛이 있습니다. 채계통은 '해가 땅 아래쪽에 있고 달이 하늘 위를 지나갈 때 빛이 나는 것이니, 해의 기氣가 땅의 사방 둘레의 빈 곳을 따라 함께 나오기 때문에 달이 그 빛을 받아서 그런 것'이라고 했습니다."

(주자가) 대답했다. "만약 이와 같지 않다면 달이 어떻게 햇빛을 받을 수 있겠는가? 바야흐로 합삭 때는 해가 위에 있고 달이 아래에 있으니, 달 표면이 하늘을 향한 쪽에 빛이 있고 땅을 향한 쪽에는 빛이 없기 때문에 사람에게 보이지 않는다. 보름 때에는 달의 표면이 사람을 향한 쪽에 빛이 있기 때문에 그 둥글고 가득 찬 것을 볼 수 있다. 만약 상·하현 때라면 이른바 '가까운 것은 1이고 먼 것은 3'이라는

. . . .

24 『朱子語類』 권2, 28조목

25 '느린 것이 … 3이다.': 『後漢書』 권13 「律曆志」에 "해와 달은 서로 옮겨가는데 해는 느리고 달은 빠르니, 그것이 같은 데 온 것을 합삭이라고 한다. 느린 것(달)이 앞에 가고 뒤의 달은 빨라서 가까운 것이 1/4이고 먼 것이 3/4이니, 그것을 弦이라고 한다.(日月相推, 日舒月速, 當其同, 謂之合朔. 舒先速後, 近一遠三謂之弦.)" 라고 했다.

26 月面向人者有光, 故見其圓滿.: 『朱子語類』 권2, 29조목에는 "月面向人者有光, 向天者無光, 故見其圓滿."으로 되어 있다.

27 所爲近一遠三: 『朱子語類』 권2, 29조목에는 "所謂近一遠三"으로 되어 있다.

28 『朱子語類』 권2, 29조목

것이라 빛이 많이 있다."

또 말했다. "달은 항상 절반이 빛난다. 달은 물과 비슷하니, 햇빛이 비추면 수면에서 빛이 나와 벽에 반사되는데, 이것이 달이 비추는 빛과 같다."

[27-1-14]
問: "月中黑影是地影否?"

曰: "前輩有此說, 看來理或有之. 然非地影, 乃是地形倒去遮了他光耳. 如鏡子中被一物遮住其光, 故不甚見也. 蓋日以其光加月之魄, 中間地是一塊實底物事, 故光照不透而有此黑暈也."

問: "日光從四邊射入月光, 何預地事, 而礙其光?"

曰: "終是被這一塊實底物事隔住, 故微有礙耳."[29]

물었다. "달 속의 검은 그림자는 땅의 그림자입니까?"

(주자가) 대답했다. "선배들에게 이러한 설이 있었는데, 살펴보니 이치상 혹 그러한 것이 있다. 그러나 땅의 그림자는 아니고 땅의 형체가 그 빛을 막았을 뿐이다. 이는 마치 거울이 어떤 물체에 의해 그 빛이 차단되어 어떤 것도 보이지 않는 것과 같다. 해가 그 빛으로 달의 백魄을 비추지만, 그 사이에 있는 땅이 하나의 실제 사물이라 빛이 통과하지 못해서 이러한 검은 점이 있는 것이다."

물었다. "햇빛이 사방에서 달빛에 쏘아주는데, 어찌 땅의 간섭을 받아 그 빛이 막히겠습니까?"

대답했다. "결국 한 덩어리의 실제 사물에 의해 막히는 까닭에 조금 막히는 것이 있을 뿐이다."

[27-1-15]
問: "月受日光, 只是得一邊光?"

曰: "日月相會時, 日在月上, 不是無光, 光都載在上面一邊, 故地上無光. 到得日月漸漸相遠時, 漸擦挫, 月光漸漸見於下. 到得望時, 月光渾在下面一邊, 望後又漸漸光向上去."[30]

물었다. "달이 햇빛을 받을 때, 단지 한쪽의 빛만을 받습니까?"

(주자가) 대답했다. "해와 달이 서로 만날 때는 해가 달 위에 있으니, 빛이 없는 것은 아니지만 빛이 모두 위쪽에만 실리기 때문에 지상地上 쪽에는 빛이 없다. 해와 달이 점점 서로 멀어질 때가 되면 점차 (해와 달이) 스쳐지나가면서 달빛이 점점 아래쪽으로 드러난다. 보름 때가 되면 달빛이 온통 아랫면 한쪽에만 있다가, 보름 이후에 또 점차 빛이 위로 올라간다."

[27-1-16]
"日蝕是爲月所掩, 月蝕是與日爭敵. 月饒日些子, 方好無蝕."[31]

· ·
29 『朱子語類』 권2, 31조목
30 『朱子語類』 권2, 30조목

(주자가 말했다.) "일식은 해가 달에 가려지는 것이고, 월식은 달이 해와 다투는 것이다. 달과 해의 간격이 조금이라도 넉넉하다면 식蝕이 일어나지 않는다."

[27-1-17]

"曆家謂, '日光以望時遥奪月光, 故月蝕, 日月交會, 日爲月掩, 則日蝕.' 然聖人不言月蝕日, 而以有蝕爲文者, 闕於所不見."³²

(주자가 말했다.) "역법가들은 '햇빛이 보름에 달빛을 빼앗기 때문에 월식이 일어나고, 해와 달이 서로 만났을 때, 해가 달에게 가리기 때문에 일식이 일어난다.'³³고 한다. 그러나 성인聖人은 달이 해를 침식浸蝕한다고 하지 않고 '식蝕이 있다'는 정도로 말한 것은, 직접 못 본 것을 비워두는 의미³⁴이다."

[27-1-18]

問: "日月陰陽之精氣. 所謂終古不易與光景常新者, 其判別如何? '非以今日已映之光復爲來日將升之光', 固可略見大化無息而不資於已散之氣也. 然竊嘗觀之, 日月虧蝕, 隨所蝕分數. 則光沒而魄存, 是魄常在而光有聚散也. 所謂魄者, 在天豈有形質耶? 或乃氣之所聚而所謂終古不易者耶?"

曰: "日月之說, 沈存中『筆談』中說得好. 日蝕時亦非光散, 但爲物掩耳. 若論其實, 須以終古不易者爲體, 但其光氣常新耳. 然亦非但一日一箇, 蓋頃刻不停也."³⁵

물었다. "일월日月은 음양陰陽의 정기精氣입니다. 이른바 '옛날부터 변하지 않았다'는 것과 '빛은 항상 새롭다'는 말의 시비를 어떻게 판별해야 합니까? '오늘 이미 밝았던 빛이 다시 내일 떠오르는 빛이 되는 것은 아니다.'라고 한 말씀³⁶을 통해, 진실로 큰 조화는 멈춤이 없어서 이미 흩어진 기에 의지하지 않는다

. . . .

31 『朱子語類』 권2, 35조목
32 『朱子語類』 권2, 34조목
33 '햇빛이 보름에 … 일어난다.' : 『春秋左傳』 「桓公 3년」에 "칠월 壬申朔에 일식이 있었다.(秋七月壬申朔, 日有食之.)"고 했는데, 『春秋左傳註疏』 杜預의 주에 "역법가의 설에 다음과 같이 말했다. '햇빛이 보름에 달빛을 흔들어 빼앗기 때문에 월식이 되며, 해와 달이 함께 만나면 달이 해를 가리기 때문에 일식이 된다.'(曆家之說, 謂日光以望時遥奪月光, 故月食, 日月同會, 月掩日, 故日食.)"라고 했다.
34 직접 못 … 의미 : 『論語』 「子路」에 "子路가 말했다. '衛나라 군주가 선생님을 기다려 정사를 하려고 하십니다. 선생께서는 장차 무엇을 가장 먼저 하시겠습니까? 공자가 말했다. '반드시 명분을 바로잡겠다.' 자로가 말하였다. '이러하십니다. 선생님의 우활하심이여! 어떻게 바로잡을 수 있겠습니까? 공자가 말했다. '비루하구나, 由여! 군자는 자기가 알지 못하는 것은 비워두는 법이다.(子路曰, "衛君, 待子而爲政, 子將奚先?" 子曰, "必也正名乎," 子路曰, "有是哉, 子之迂也, 奚其正?" 子曰, "野哉, 由也, 君子於其所不知, 蓋闕如也.)"라고 했다.
35 『朱文公文集』 권47 「答呂子約」
36 '옛날부터 변하지 … 말씀 : 『朱文公文集』 권47의 여자약에게 답한 이전 편지에서 "해와 달이 아주 옛날부터 항상 떠올랐으되 그 빛은 언제나 새로웠으니, 그 이치가 참으로 이와 같았습니다. 그러나 '항상 떠오른다는 것'과 '항상 새롭다는 것'은 분명 다릅니다.(日月終古常見而光景常新, 其理固如此. 然所謂常見, 所謂常新, 必

는 점을 소략하게나마 알았습니다. 그러나 가만히 살펴보니, 일식과 월식이 일어나는 것은 그 식蝕의 분수에 따르는 것입니다. 즉 빛이 없어지면 백魄이 드러나는데, 이 백은 항상 있지만 빛은 모이고 흩어지는 것이 있습니다. 이른바 백은 하늘에 있는 것이니 어찌 형질이 있겠습니까? 혹 기가 모이는 것이 이른바 '옛날부터 변하지 않았다'는 것입니까?"

(주자가) 대답했다. "해와 달의 설은 심존중沈存中의 『몽계필담』의 설이 좋다. 일식 때에는 빛이 흩어지는 것이 아니라, 다만 사물에 의해 가리는 것일 뿐이다. 만약 그 실상을 논하자면, 반드시 옛날부터 변하지 않은 것을 체體로 삼아야 하는데, 다만 그 빛 기운은 항상 새로운 것이다. 그러나 하루에 하나씩 있는 것이 아니고, 한 순간도 멈추지 않는 것이다."

[27-1-19]

問：“自古以日月之蝕爲災異, 如今曆家却自預先算得, 是如何?

曰：“只大約可算, 亦自有不合處. 曆家有以爲當蝕而不蝕者,[37] 有以爲不當蝕而蝕者.”[38]

물었다. "예로부터 일식과 월식을 재이災異로 여겼는데, 지금의 역법가들은 오히려 미리 계산해 내니, 이는 어떻게 된 것입니까?"

(주자가) 대답했다. "단지 대략 계산할 수 있을 뿐, 맞지 않는 곳도 있다. 역법가들이 식蝕이 일어날 것이라고 했는데 일어나지 않는 경우도 있고, 식이 일어나지 않을 것이라고 했는데 일어나는 경우도 있다."

[27-1-20]

問：“月蝕如何?

曰：“至明中有暗虛, 其暗至微. 望之時月與之正對, 無分毫相差, 月爲暗虛所射, 故蝕. 雖是陽勝陰, 畢竟不好. 若陰有退避之意, 則不相敵而不蝕矣.”[39]

물었다. "월식은 무엇입니까?"

(주자가) 대답했다. "지극히 밝은 것 속에 암허暗虛(해의 어두운 부분, 흑점)가 있는데, 그 어둠은 지극히 미미하다. 보름 때에 달이 그곳과 정확히 대면하여 털끝만큼도 차이가 없으면 암허가 달을 비추기 때문에 월식이 일어난다. 비록 결국은 양이 음을 이기기는 하지만 (월식은) 좋지 않은 것이다. 만약 음이 물러나 피할 뜻이 있다면 서로 대적하지 않아서 월식은 일어나지 않는다."

有科別.)”라는 여자약의 질문에 "해와 달 그리고 음과 양의 정기가 아주 옛날부터 바뀌지 않았지만, 오늘 이미 밝았던 빛이 다시 내일 떠오르는 빛이 되는 것은 아니다. 그러므로 항상 떠오르되 항상 새롭다.(日月陰陽之精終古不易, 然非以今日已昳之光復爲來日將升之光也, 故常見而常新.)”라고 대답한 바 있다.

37　曆家有以爲當蝕而不蝕者 : 『朱子語類』권2, 33조목에는 “有曆家以爲當食而不食者”로 되어 있다.

38　『朱子語類』권2, 33조목

39　『理學類編』권2 ; 『天原發微』권2상

[27-1-21]

或問: "日蝕之變, 精於數者皆於數十年之前知之. 以爲人事之所感召, 則天象亦當與時盈虧."
潛室陳氏曰: "日月交會, 日爲月掩則日蝕; 日月相望, 月與日亢則月蝕. 自是行度分道到此
交加去處, 應當如是. 曆家推算專以此定疎密, 本不足爲變異. 但天文才遇此際, 亦爲陰陽厄
會, 於人事上必有災戾. 故聖人畏之, 側身脩行, 庶幾可弭災戾也."[40]

어떤 사람이 물었다. "일식의 변괴를 수리數理에 정밀한 사람은 모두 수십 년 전에 알았습니다. 그런데도
(일식이) 인사에 감응感應하여 일어나는 것으로 여긴다면 하늘의 상象도 그 때에 맞추어 차고 이지러져야
할 것입니다."
잠실 진씨潛室陳氏[陳埴]가 말했다. "해와 달이 서로 만날 때 해가 달에 가려지면 일식이 되고, 해와 달이
서로 바라볼 때 달이 해와 대항하면 월식이 된다. (해와 달의) 운행 도수의 나누어진 길이 여기에서
이르러 교차하면 응당 이와 같이 되는 것이다. 역법가의 추산은 오직 이것을 가지고 빈도를 정한 것이라,
본래 변이가 되기에는 부족하다. 다만 천문이 이때를 만날 즈음에 음양의 재앙이 되면 인사人事 상에
반드시 재이災異가 있게 된다. 그래서 성인聖人은 이를 두려워하여 홀로 수행하면서 재앙을 막을 수
있기를 바랐다."

[27-1-22]

西山眞氏曰: "月, 太陰也, 本有質而無光. 其盈虧也, 以受日光之多少. 月之朔也始與日合,
越三日而明生, 八日而上弦其光半, 十五日而望其光滿, 此所謂三五而盈也. 旣望而漸虧, 二
十三日而下弦其虧半, 三十日而晦其光盡, 此所謂三五而闕也. 方其晦也, 是謂純陰, 故魄存
而光泯. 至日月合朔而明復生焉."[41]

서산 진씨西山眞氏[眞德秀]가 말했다. "달은 태음太陰이니 본래 형질은 있지만 빛은 없다. 그 차고 이지러지
는 것은 햇빛을 받는 정도의 차이 때문이다. 달은 합삭合朔에 처음으로 해와 합하여, 3일이 지나서 명明이
생기고, 8일이 지나서 상현달이 되면 그 빛이 반이 되며, 15일이 지나서 보름달이 되면 그 빛이 가득
차니, 이것이 이른바 3·5일에 가득 찬다는 것이다. 기망旣望에 점점 이지러지기 시작하는데, 23일이
지나서 하현달이 되면 그 이지러지는 것이 반이고, 30일이 지나서 그믐이 되면 그 빛이 다하니, 이것이
이른바 3·5일에 비워진다는 것이다. 바야흐로 그믐일 때를 순음純陰이라고 하니, 그러므로 백魄만 있고
빛은 없다. 해와 달이 합삭이 되어 명明이 다시 생겨난다."

[27-1-23]

魯齋許氏曰: "天地陰陽精氣爲日月星辰. 日月不是有輪郭生成, 只是至精之氣到處, 便如此
光明. 陰精無光, 故遠近隨日所照. 日月行有度數, 人身血氣周流亦有度數. 天地六氣運轉亦

40 『木鐘集』 권10
41 『西山讀書記』 권39

如是, 到東方便是春, 到南方便是夏, 行到處便主一時, 日行十二時亦然. 萬物都隨他轉, 過去便不屬他."[42]

노재 허씨魯齋許氏[許衡]가 말했다. "천지天地 음양陰陽의 정기가 일월성신日月星辰이 된다. 해와 달은 어떤 만들어진 윤곽이 있는 것이 아니라, 단지 지극한 정기精氣가 모인 곳이 이와 같이 밝게 빛나는 것이다. '음의 정기[陰精(달)]'는 빛이 없기 때문에 멀고 가까운 곳에서 해가 비추는 것에 따른다. 해와 달의 운행에는 도수가 있고, 사람 몸에 혈기가 흐르는 것도 도수가 있다. 천지와 육기六氣[43]가 운행하는 것도 이와 같아서, 동쪽에 이르면 봄이 되고 남쪽에 이르면 여름이 되듯, 운행하여 이르는 곳에서 한 철을 주관하니, 하루 12시진時辰이 운행되는 것 또한 그러하다. 만물이 모두 그것에 따라 순환하는데, 지나간 것은 거기에 속하지 않는다."

[27-1-24]

臨川吳氏曰 : "古今人率謂月盈虧, 蓋以人目之所覩者言, 而非月之體然也. 月之體如彈丸. 其逈日者常明, 常明則常盈而無虧之時. 當其望也, 日在月之下而月之明向下, 是以下之人見其體之盈. 及其弦也, 日在月之側, 自下而觀者僅得見其明之半, 於是以弦之月爲半虧. 及其晦也, 日在月之上而月之明亦向上, 自下而觀者悉不見其明之全, 於是以晦之月爲全虧. 儻能飛步太虛, 傍觀于側, 則弦之月如望; 乘凌倒景, 俯視于上, 則晦之月亦如望. 月之體常盈, 而人之目有所不見. 以目所不見而遂以爲月體之虧可乎? 知在天有常盈之月, 則知人之曰盈曰虧, 皆就所見而言爾. 曾何損於月哉?"[44]

임천 오씨臨川吳氏[吳澄]가 말했다. "고금의 사람들이 대개 달의 차고 이지러진다고 말하는 것은 사람이 육안으로 본 것으로 말하는 것이지 달의 실체가 그렇다는 것이 아니다. 달의 형체는 마치 탄환과 같아서 해와 마주하고 있는 곳은 항상 밝으니 항상 밝으면 항상 차 있고 이지러질 때가 없다. 보름에는 해가 달의 아래에 있어서 달의 밝은 부분이 아래로 향하기 때문에 아래쪽의 사람들이 그 형체가 가득 찬 것을 본다. 상·하현에는 해가 달의 옆쪽에 있어서, 아래에서 보는 사람은 겨우 그 밝은 부분의 반만 볼 수 있으므로 상·하현에는 달이 반이 이지러졌다고 여긴다. 그믐에 이르면 해가 달의 위쪽에 있고 달의 밝은 부분이 위를 향하기 때문에, 아래에서 보는 사람은 그 온전한 밝음을 보지 못하므로 그믐의 달이 완전히 이지러진다고 여긴다. 만일 태허로 날아올라 걸어 다니며 옆에서 볼 수 있다면 상·하현의 달은 마치 보름달과 같을 것이고, 도경倒景에 올라 위에서 내려다볼 수 있다면 그믐의 달도 마치 보름달

42 『魯齋遺書』권1 「語錄上」

43 六氣 : 『春秋左傳』「召公元年」에 "하늘에는 六氣가 있는데 이것이 내려와서 五味가 생겨나고, 발해서 五色이 되고 드러나 五聲이 되니, 넘치면 여섯 가지 질병이 됩니다. 육기는 음·양·바람·비·어둠·밝음입니다.(天有六氣, 降生五味, 發爲五色, 徵爲五聲, 淫生六疾. 六氣曰陰陽風雨晦明也.)"라고 했다. 또 『莊子』「逍遙遊」에서는 六氣를 風·熱·火·濕·燥·寒이라고 했다.

44 『吳文正集』권45 「山間明月樓記」

과 같을 것이다. 달의 형체는 항상 차 있는데 사람의 눈으로 보지 못하는 것이 있을 뿐이다. 눈으로 보지 못하는 것을 가지고 끝내 달의 형체가 이지러진다고 여기는 것이 옳은가? 하늘에 항상 가득 차 있는 달이 있다는 사실을 안다면, 가득 찬다고 하든 이지러진다고 하든, 모두 보이는 것을 가지고 말한 것일 뿐임을 알 것이다. 일찍이 어찌 달에 덜어진 것이 있겠는가?"

[27-2]

星辰 성신

[27-2-1]

程子曰 : "北辰不動. 只不動便是爲氣之主, 故爲星之最尊者."[45]

정자程子가 말했다. "북신北辰은 움직이지 않는다. 움직이지 않는 것만이 기氣의 주인이 되니, 그래서 별 중에서 가장 존귀한 것이 된다."

[27-2-2]

張子曰 : "五緯, 五行之精氣也. 所以知者, 以天之星辰, 獨此五星動. 以色言之又有驗, 以心取之亦有此理."[46]

장자張子[張橫渠]가 말했다. "오위五緯[47]는 오행五行의 정기精氣이다. 그것을 알 수 있는 까닭은 하늘의 성신星辰 중에 다만 이 오성만이 움직이기 때문이다. 현상으로 말해도 증거가 있고, 마음으로 헤아려 보아도 이 이치가 있다."

[27-2-3]

朱子曰 : "帝坐惟在紫微者, 據北極七十二度常見不隱之中, 故有北辰之號, 而常居其所. 蓋天形運轉, 晝夜不息, 而此爲之樞, 如輪之轂, 如磑之臍. 雖欲動而不可得, 非有意於不動也. 若太微之在翼, 天市之在尾, 攝提之在亢, 其南距赤道也皆近, 其北距天極也皆遠, 則固不容於不動, 而不免與二十八宿同其運行矣. 故其或東或西, 或隱或見, 各有定數, 仰而觀之, 蓋無晷

---

45 『河南程氏遺書』권15
46 『張子全書』권12 「語錄」
47 五緯 : 金・木・水・火・土의 五星을 말한다. 『書經』 「堯典」의 "이에 羲와 和를 명하시어 호천을 경건히 하여 일월성신을 역법으로 헤아려 백성의 경작 시기를 경건히 주라고 하셨다.(乃命羲和, 欽若昊天, 曆象日月星辰, 敬授人時.)"라는 구절에 대하여 『尙書注疏』 孔穎達의 疏에 "별은 五緯를 말하고 辰은 해와 달이 만나는 12위차를 말한다. 별과 신은 두 가지가 되니 오위와 28수가 모두 하늘의 별이다.(星謂五緯, 辰謂日月所會十二次者. 以星辰爲二者, 五緯與二十八宿, 俱是天星.)"라고 했다.

刻之或停也. 今日'是與在紫微者皆居其所而爲不動者四', 則是一天而四樞, 一輪而四轂, 一
磑而四臍也. 分寸一移, 則其輻裂而瓦碎也無日矣, 若之何而能爲運轉之無窮哉? 此星家淺
事, 不足深辨. 然或傳寫之誤, 則不可以不正也."[48]

주자朱子가 말했다. "제帝의 자리는 오직 자미원紫微垣에 있는데[49] 북극 72도의 항상 드러나 있는 곳에
거하기 때문에 북신北辰이라는 칭호가 있고 항상 그 곳에 있다. 대개 천체의 운행은 밤낮으로 멈추지
않는데 이것이 지도리가 되니 마치 바퀴의 축, 맷돌의 중쇠와 같다. 움직이려 해도 그러지 못하는 것이지
움직이지 않으려고 하는 것은 아니다. 태미원太微垣이 익성翼星에 있고[50] 천시원天市垣이 미성尾星에 있으
며[51] 섭제攝提가 항성亢星에 있는데,[52] 그 남쪽으로 적도와의 거리가 모두 가깝고 북쪽으로 천극天極과의
거리는 모두 멀어서 움직이지 않을 수 없어 28수와 운행을 같이할 수밖에 없다. 그러므로 동쪽에 있기도
하고 서쪽에 있기도 하며, 보이기도 하고 보이지 않기도 하니, 각각 일정한 수數가 있어서 우러러 보면
한 순간도 정지해 있을 때가 없다. 이제 '자미원에 있는 것과 더불어, 모두 그 자리에 있어서 움직이지
않는 것이 넷이다.'[53]라고 하면, 이는 하나의 하늘에 지도리가 넷이라는 것이니, 하나의 바퀴에 축이
네 개이고 하나의 맷돌에 중쇠가 네 개라고 하는 것과 같다. 일 분 일 촌이라도 움직이면 바큇살이

48 『朱文公文集』권72「北辰辨」

49 帝의 자리는 … 있는데 : 자미원은 28수를 동서남북으로 7수씩으로 정리한 후에 남은 성좌를 구분한 紫微垣・
太微垣・天市垣의 하나를 가리킨다. 야마다 케이지는 제의 자리가 자미원에 있다고 한 이유를 다음과 같이
설명했다. "자미원은 이른바 人君이 거주하는 궁전, 태미원・천시원은 앞뜰과 기타 궁전, 28수는 궁전을 둘러
싼 성벽이다. 따라서 어떤 의미에서는 질서지움의 원리 그 자체의 변화라고 보아도 좋다. 아마도 관료기구의
변화와 관료제의 변질에 대응할 것이다. 垣이라 불리는 세 개의 영역은 다음과 같이 구분된다. 북극을 중심으
로 하는 72도 이내, 이른바 '언제나 보이며 가려지지 않는[常見不隱]' 범위[圈] 내, 좀 더 알기 쉽게 말한다면
북두칠성을 거의 포함하는 범위가 자미원이며, 황도에 따르는 성좌가 28수이다. 그런데 황도가 적도에 대해서
어느 정도 경사를 가지기 때문에 북극과 황도가 조금 벗어난 곳에서는 자미원에도 28수에도 속하지 않는
성좌군이 생기게 된다. 그것을 둘로 나눈 것이 태미원・천시원이다." 야마다 케이지 저, 김석근 역, 『주자의
자연학』(서울 : 통나무, 1992), 213~214쪽

50 太微垣이 翼星에 있고 : 28수의 남방은 모양이 새와 같다고 하여 朱鳥(朱雀) 7수라고 하는데, 井星・鬼星・柳
星・星星・張星・翼星・軫星 등이 여기에 해당한다. 翼星은 주작의 왼쪽 날개 부분에 해당하고, 꼬리에 해당
하는 곳은 軫星인데, 태미원은 진과 익성의 북쪽에 있는 성좌군을 가리킨다.

51 天市垣이 尾星에 있으며 : 28수의 동방은 모양이 龍과 같다고 하여 蒼龍(靑龍) 7수라고 하는데, 角星・亢星・
底星・旁星・心星・尾星・箕星 등이 여기에 해당한다. 尾는 청룡의 꼬리가 시작되는 부분을 가리키는데,
천시원은 미성의 위치에 있는 성좌군을 가리킨다.

52 攝提가 亢星에 있는데 : 亢星은 동방 창룡 7수 중 청룡의 목에서 가슴 부분을 가리키는데, 섭제는 항성의
위치에 있는 모두 여섯 개의 별로 이루어진 성좌군이다.

53 '자미원에 있는 … 넷이다.' : 호굉이 『五峯集』권4「五帝北極」에서 "황천의 상제는 하나일 뿐인데, 천문에
참여하는 것에 五帝가 있는 것은 무엇 때문인가? 오제는 천지의 참 근원으로서 변화를 일으키고, 귀신의
각용을 행하여 만물을 일으키는 것이기 때문이다. 하나는 태미에 있고 하나는 자미에 있으며 하나는 섭제에
있고 하나는 천시에 있다.(皇天上帝一而已矣, 參之天文而有五帝, 何也? 五者天地之眞元也, 所以起變化行鬼
神而成萬物者也. 一在太微, 一在紫微, 一在攝提, 一在天市.)"라고 한 것을 가리키는 듯하다.

찢어지고 돌이 부서지는 데는 하루도 걸리지 않을 것인데, 어떻게 무궁하게 운행할 수 있겠는가? 이것은 천문가의 쉬운 일이라 깊이 변론할 것은 없다. 그러나 간혹 옮겨 적으면서 잘못이 있을 수 있으니, 바로 잡지 않으면 안 된다."

[27-2-4]
"緯星是陰中之陽, 經星是陽中之陰. 蓋五星皆是地上木火土金水之氣上結而成, 却受日光. 經星却是陽氣之餘凝結者, 疑得也受日光. 但經星則閃爍開闔, 其光不定. 緯星則不然, 縱有芒角, 其本體之光亦自不動. 細視之可見."[54]

(주자가 말했다.) "위성緯星은 음陰 가운데 양陽이고 경성經星은 양 가운데 음이다. 대개 오성五星은 모두 땅의 목·화·토·금·수의 기氣가 올라가 엉켜서 생성된 것으로 햇빛을 받는다. 경성은 양기의 남은 것이 응결한 것으로 또한 햇빛을 받는 것 같다. 다만 경성은 반짝반짝 빛나는 것인데 그 빛은 일정하지 않다. 위성은 그렇지 않아서 비록 광채가 있지만 그 본체의 빛은 본래 움직이지 않는다. 자세히 살펴보면 알 것이다."

[27-2-5]
"水星貼著日行, 故半月日見."[55]

(주자가 말했다.) "수성水星은 해와 붙어서 운행하기 때문에 반달이 뜨는 날에 보인다."

[27-2-6]
"天道左旋, 日月星並左旋. 星不是貼天. 天是陰陽之氣在上面, 下人看, 見星隨天去耳."[56]

(주자가 말했다.) "천도天道는 좌선左旋하고, 해와 달, 별도 모두 좌선한다. 별은 하늘에 붙어있는 것이 아니다. 하늘은 음양의 기가 위쪽에 있는 것이라서 아래에 있는 사람이 볼 때, 별이 하늘을 따라서 가는 것으로 보인다."

[27-2-7]
"星有墮地, 其光燭天而散者, 有變爲石者."[57]

(주자가 말했다.) "별이 땅에 떨어질 때, 그 빛이 하늘에서 비추고 흩어지는 것도 있고, 변해서 돌이 되는 것도 있다."

---

54 『朱子語類』 권2, 40조목
55 『朱子語類』 권2, 41조목
56 『朱子語類』 권2, 15조목
57 『朱子語類』 권2, 43조목

[27-2-8]

"橫渠言, '日月五星亦隨天轉. 如二十八宿隨天而定, 皆有光芒. 五星逆行而動, 無光芒.'"[58]

(주자가 말했다.) "횡거橫渠는 '해와 달과 오성五星은 하늘을 따라서 돈다. 28수의 경우는 하늘에 박혀 있는데 모두 빛이 있다. 오성은 역으로 움직이는 것이라 빛이 없다.'[59]라고 했다."

[27-2-9]

問 : "星辰有形質否?"

曰 : "無. 只是氣之精英凝聚者."

或云 : "如燈光否?"[60]

曰 : "然."[61]

물었다. "성星과 신辰은 형질이 있습니까?"

(주자가) 대답했다. "없다. 단지 기氣의 정화精華가 모인 것이다."

어떤 사람이 말했다. "등불과 같은 것입니까?"

대답했다. "그렇다."

[27-2-10]

問 : "極星只在天中, 而東西南北皆取正於極, 而極星皆在其上, 何也?"

曰 : "只是極星便是北, 而天則無定位."[62]

물었다. "북극성이 하늘의 중심에 있어서 동서남북이 모두 북극성을 기준으로 정방향을 취하는데, 북극성이 별들의 위쪽에 있는 것은 어째서인가?"[63]

(주자가) 대답했다. "단지 북극성만이 북쪽일 뿐, 하늘은 정해진 위치가 없다."

[27-2-11]

"南極上下七十二度,[64] 常隱不見. 『唐書』說'有人至海上, 見南極下有數大星甚明.' 此亦在七十二度之內."[65]

· ·

58 『朱子語類』 권2, 39조목

59 『張子全書』 권14, 「性理拾遺」

60 如燈光否? : 『朱子語類』 권2, 74조목에는 "如燈花否?"로 되어 있다.

61 『朱子語類』 권2, 74조목

62 『朱子語類』 권2, 24조목

63 "북극성이 하늘의 … 어째서인가?" : 『朱子語類』 권2, 24조목에 따르면 이 질문은 제자의 질문이 아닌 蔡元定의 질문이다.

64 南極上下七十二度 : 『朱子語類』 권2, 25조목에는 "南極在下七十二度"로 되어 있다.

65 『朱子語類』 권2, 25조목

(주자가 말했다.) "남극은 땅 아래 72도에 있어서 항상 감추어져 보이지 않는다. 『당서唐書』에 '어떤 사람이 바닷가에 가서 남극 아래쪽에 몇 개의 큰 별이 매우 밝게 빛나고 있는 것을 보았다.'[66]고 했는데, 이 또한 72도 안에 있는 것이다."

[27-2-12]

或問北辰.

曰: "北辰是天之樞紐, 中間些子不動處. 緣人要取此爲極, 不可無箇記認, 所以就其傍取一小星謂之極星. 天之樞紐, 如門簨子相似, 又似簺輪藏心. 藏在外面動, 心却不動."[67]

어떤 사람이 북신北辰에 대해 물었다.

(주자가) 대답했다. "북신은 하늘의 지도리로서 (별) 사이의 움직임이 없는 조그마한 곳이다. 다만 사람들이 이것을 취하여 극으로 삼으려 하는데 표시할 것이 없어서는 안 되므로 그 옆의 작은 별을 선택하여 극성極星이라고 했다. 하늘의 지도리는 문의 틀과 같고 또 바퀴 둘레의 중심心과 같다. 둘레는 바깥에서는 움직이지만, 중심은 움직이지 않는다."

又問: "極星動不動?"

曰: "極星也動. 只是他近那辰, 故雖動而不覺. 如射糖盤子樣, 北辰便是中心椿子, 極星便是椿底點子, 雖是也隨盤轉, 緣近椿子, 便轉得不覺. 向來人說北極便是北辰, 皆只說'北極不動.' 至本朝, 人方推得是北極只在北辰邊頭, 而極星依舊動.[68]"[69]

또 물었다. "북극성은 움직입니까, 움직이지 않습니까?"

(주자가) 대답했다. "북극성 또한 움직인다. 다만 그것은 북신北辰에 가깝기 때문에 움직이지만 알아채지 못하는 것이다. 맷돌과 같은 것에 비유하자면, 북신이 중심의 중쇠라면 북극성은 중쇠에 찍힌 점이니, 이것 또한 맷돌을 따라 돌고 있지만 중쇠에 가깝기 때문에 그 회전을 알아챌 수 없는 것과 같다. 과거 사람들은 북극성이 곧 북신이라고 하여, 모두 '북극성은 움직이지 않는다'고 했다. 본조本朝에 이르러서

---

66 '어떤 사람이 … 보았다.' : 『新唐書』 권31 「天文志」에 "8월에 바다에서 노인성을 바라보니, 아래에 여러 별들이 빛나고 있고, 밝기가 큰 별이 매우 많았다. (八月, 海中望老人星下列星粲然, 明大者甚衆.)"라고 한 것을 가리키는 것으로 보인다.

67 北辰是天之樞紐 … 心却不動. : 『朱子語類』 권23, 9조목의 원문은 다음과 같다. "北辰是那中間無星處, 這些子不動, 是天之樞紐. 北辰無星, 緣是人要取此爲極, 不可無箇記認, 故就其傍取一小星謂之極星. 這是天之樞紐, 如那門筍子樣. 又似簺輪藏心, 藏在外面動, 這裏面心都不動."

68 極星也動. … 而極星依舊動. : 『朱子語類』 권23, 9조목의 원문은 다음과 같다. "極星也動. 只是它近那辰後, 雖動而不覺. 如那射糖盤子樣, 那北辰便是中心椿子. 極星便是近椿底點子, 雖也隨盤子轉, 却近那椿子, 轉得不覺. 今人以管去窺那極星, 見其動來動去, 只在管裏面, 不動出去. 向來人說北極便是北辰, 皆只說北極不動. 至本朝人方去推得是北極只是北辰頭邊, 而極星依舊動."

69 『朱子語類』 권23, 9조목

야 사람들이 비로소 북극성이 북신의 바로 옆에 있고 북극성이 여전히 움직인다는 것을 헤아려냈다."

[27-3]

雷電 우레와 번개

[27-3-1]
程子曰 : "電者陰陽相軋, 雷者陰陽相擊也."[70]

정자가 말했다. "번개는 음양이 서로 마찰하는 것이고, 우레는 음양이 서로 부딪히는 것이다."

[27-3-2]
問 : "人有死於雷霆者, 無乃素積不善, 常歉然於其心, 忽然聞震則懼而死乎?"

曰 : "非也. 雷震之也."

　　"然則雷孰使之?"

曰 : "夫爲不善者, 惡氣也 ; 赫然而震者, 天地之怒氣也, 相感而相遇故也."

曰 : "雷電相因, 何也?"

曰 : "動極則陽形也. 是故鑽木憂竹, 皆可以得火. 夫二物者, 未嘗有火也, 以動而取之故也. 擊石火出亦然. 惟金不可以得火, 至陰之精也. 然軋磨旣極, 則亦能熱矣, 陽未嘗無也."[71]

물었다. "사람들 중에 천둥벼락으로 죽는 자가 있으니, 평소에 불선을 쌓아 늘 마음이 불안했는데, 갑자기 천둥소리를 듣고 두려워서 죽는 것 아닙니까?"

(정자가) 대답했다. "아니다. 우레와 벼락이 (그 사람을) 친 것이다."

(물었다.) "그렇다면 우레는 누가 시키는 것입니까?"

대답했다. "불선을 저지르는 것은 악한 기운이고, 불끈 진동하는 것은 천지天地의 노한 기운인데, 서로 감응해서 만났기 때문이다."

물었다. "우레와 번개가 서로 따르는 것은 무엇 때문입니까?"

대답했다. "동動이 극에 달하면 양陽 드러난다. 이 때문에 나무를 비비고 대나무를 문질러서 불을 얻을 수 있다. 두 사물에는 불이 없었지만 움직임으로써 취하기 때문이다. 돌을 부딪쳐서 불이 나게 하는 것도 또한 그러하다. 쇠만은 불을 얻을 수 없으니, 지극한 음陰의 정기精氣이기 때문이다. 그러나 마찰해서 극에 달하면 또한 뜨거워질 수 있으니, 양이 없지 않기 때문이다."

----

70 『河南程氏遺書』 권2하
71 『二程粹言』 권2

[27-3-3]

或問: "雷霆何爲而然者? 有形耶, 有神耶?"

致堂胡氏曰: "古人未之言也. 然先達大儒亦嘗明其理矣. 蓋天地之間, 無非陰陽聚散闔闢之所爲也. 可以神言, 不可以形論, 非如異端所謂龍車·石斧·鬼鼓·火鞭, 怪誕之難信也. 故其言曰, '陰氣凝聚, 陽在內而不得出, 則奮擊而爲雷霆. 雖聖人復起, 不能易矣.' 凡聲, 陽也; 光, 亦陽也. 光發而聲隨之, 陽氣奮擊欲出之勢也. 電緩小, 則震亦緩小; 電迅大, 則震亦迅大. 震電交至, 則必有雨, 震而不電, 電而不震, 則無雨. 由陰氣凝聚之有疎緩迅密也."

어떤 사람이 물었다. "천둥은 어느 것이 그렇게 한 것입니까? 형체입니까, 귀신입니까?"

치당 호씨致堂胡氏[胡寅][72]가 말했다. "옛사람들은 (이에 대해) 말하지 않았다. 그러나 선각先覺한 대유大儒들은 일찍이 그 이치를 알고 있었다. 대개 천지 사이는 음양의 취산聚散과 합벽闔闢의 작용이 아닌 것이 없다. 신神으로는 말할 수 있지만, 형체로는 논할 수 없으니, 이는 이단들이 말하는 용거龍車·석부石斧·귀고鬼鼓·화편火鞭[73] 등의 괴이해서 믿기 어려운 것과는 다르다. 그러므로 그[張載]의 말에 '음기가 응결하는데 양이 안에서 나갈 수 없게 되면 격렬하게 부딪혀 우레와 천둥이 된다.'[74]라고 했는데, 이 말은 성인聖人이 다시 나와도 바꿀 수 없다. 소리는 양이고 빛 또한 양이다. 빛이 발하고 소리가 따르는 것은 양기가 격분하여 나오려고 하는 형세이다. 번개가 느리고 작으면 천둥 또한 느리고 작으며, 번개가 빠르고 크면 천둥 또한 빠르고 크다. 천둥과 번개가 번갈아 이르면 반드시 비가 내리지만, 천둥이 치고 번개는 치지 않거나 번개는 치고 천둥이 치지 않으면 비는 내리지 않는다. 음기가 모이는 밀도와 속도에 따른 것이다."

曰: "世人所得雷斧者何物也?"

曰: "此猶星隕而爲石也. 本乎天者氣而非形, 偶隕于地則成形矣. 然而不盡然也."

물었다. "세상 사람들이 줍는 뇌부雷斧[75]는 어떤 물건입니까?"

대답했다. "이것은 별이 떨어져서 돌이 되는 것과 같다. 하늘에 근원을 둔 것은 기氣이지 형체는 아니나, 우연히 땅에 떨어지면 형체를 이룬다. 그러나 모두 그런 것은 아니다."

---

72 胡寅(1098~1156): 송나라 建寧 崇安 사람으로 자는 明仲이며, 사람들이 致堂先生이라 불렀고, 시호는 文忠이다. 胡安國의 조카다. 徽宗 宣和 3년(1121) 進士가 되었다. 楊時에게 수학했고, 高宗 建炎 연간에 起居郎에 발탁되었다. 관직은 禮部侍郎兼直學士院까지 이르렀다. 저서에 『論語詳說』·『讀史管見』·『斐然集』 등이 있다.

73 龍車·石斧·鬼鼓·火鞭: 雷神이 가지고 있는 네 가지 神物을 말한다.

74 '음기가 응결하는데 … 된다.': 『張子全書』 권2 「正蒙·參兩篇」에 "음기가 엉겨 모일 때 안에 있는 양이 나오지 못하면 격렬하게 부딪혀 우레와 천둥이 되고, 밖에 있는 양이 들어가지 못하면 빙빙 돌며 자리 잡지 못해서 바람이 된다.(凡陰氣凝聚, 陽在內者不得出, 則奮擊而爲雷霆; 陽在外者不得入, 則周旋不舍而爲風.)"라고 했다.

75 雷斧: 우레신이 벼락을 칠 때 쓴다는 도끼인데, 落雷로 인해 형성된 도끼모양의 돌을 벼락이 떨어뜨린 것으로 잘못 알고 이렇게 이르게 된 것이다.

曰 : “雷之破山壞廟折樹殺人者, 何也?”

曰 : “先儒以爲陰陽之怒氣也. 氣鬱而怒, 方爾奮擊, 偶或值之, 則遭震矣. 然而不盡然也.”

물었다. “우레가 산을 무너뜨리고 사당을 부수며 나무를 꺾고 사람을 죽이는 것은 어째서입니까?”

대답했다. “선유들은 음양의 노한 기운이라고 생각했다. 기가 꽉 막혀서 노하면 이윽고 격분하니, 우연히 맞아떨어지면 벼락을 만난다. 그러나 모두 그런 것은 아니다.”

曰 : “電之閃爍激疾, 如金蛇飛騰之狀, 何謂也?”

曰 : “光之發也惟光耳, 適映雲際則如是. 不當乎雲之際而在同雲之中, 則無是矣. 凡天地造化之迹, 苟不以理推之, 必入于幻怪僞誕之說而終不能明. 故君子窮理之爲要也.”[76]

물었다. “번개의 번쩍이는 것이 금사金蛇가 하늘로 날아오르는 형상[77]과 같다는 것은 무슨 말입니까?”

대답했다. “빛이 발하는 것은 빛일 뿐인데, 마침 구름 끝자락에 비추면 이와 같다. 구름 가에 해당하지 않고 구름 속에 있다면 이것이 생기지 않는다. 모든 천지天地 조화造化의 자취는 진실로 이치로 추론하지 않으면, 반드시 괴이하고 허튼 소리로 빠져서 끝내 밝힐 수 없을 것이다. 그러므로 군자는 이치를 궁구하는 것을 중요하게 여긴다.”

[27-3-4]

朱子曰 : “雷如今之爆杖, 蓋鬱積之極而迸散者也.”[78]

주자가 말했다. “우레는 지금의 폭죽과 같으니, 꽉 채운 것이 극에 달하면 터져 흩어지는 것이다.”

[27-3-5]

“雷雖只是氣, 但有氣便有形. 如蝃蝀本只是薄雨爲日所照成影, 然亦有形能吸水吸酒. 人家有此, 或爲妖, 或爲祥.”[79]

(주자가 말했다.) “우레는 비록 기氣일 뿐이지만, 기가 있으면 형체가 있게 된다. 무지개 같은 것은 본래 단지 이슬비에 해가 비추어 그림자가 생긴 것이지만, 또한 형체가 있어서 물이나 술을 빨아들인다. 사람 집에도 이러한 것이 생겨서 재앙이 되기도 하고 복이 되기도 한다.”

[27-3-6]

或問 : “程子謂‘雷電只是氣相摩軋’, 是否?”

---

76 『周易集說』 권38 「說卦傳三」

77 金蛇가 하늘로 … 형상 : 당나라 顧雲의 「天威行」이라는 시에 “금사가 날아오르자 번개가 빛을 뿜고, 白日이 하늘에 걸리자 銀 줄이 길어지네.(金蛇飛狀霍閃過, 白日倒掛銀繩長.)”라고 한 구가 있다.

78 『朱子語類』 권2, 52조목

79 『朱子語類』 권2, 54조목

曰：“然.”

“或以爲有神物.”

曰：“氣聚則須有. 然纔過便散. 如雷斧之類, 亦是氣聚而成者. 但已有查滓, 便散不得, 此亦屬‘成之者性.’ 張子云, ‘其來也, 幾微易簡；其究也, 廣大堅固.’ 卽此理也.”[80]

어떤 사람이 물었다. “정자가 ‘우레와 번개는 단지 기氣가 서로 마찰하는 것[81]이라고 한 것은 옳습니까?’ (주자가) 대답했다. “그렇다.”

(물었다.) “어떤 사람은 신물神物이 있다고 생각합니다.”

대답했다. “기가 모이면 반드시 (그러한 신물이) 있다. 그러나 조금 지나면 곧 흩어진다. 뇌부雷斧와 같은 것 또한 기가 모여서 이루어진 것이다. 다만 이미 찌꺼기가 있으면 흩어지지 못하니, 이 또한 ‘이루어진 것이 성[成之者性][82]이라 한 부류에 속한다. 장자張子가 ‘그 오는 것은 미세하고 간단하지만 그 끝은 광대하고 견고하다.’[83]라고 한 것은 곧 이 이치이다.”

[27-3-7]

問十月雷鳴.

曰：“恐發動了陽氣. 所以大雪爲豐年之兆者, 雪非豐年, 蓋爲凝結得陽氣在地, 來年發達生長萬物.”[84]

10월의 천둥에 대해 물었다.

(주자가) 대답했다. “아마도 양기陽氣를 발동한 것이다. 큰 눈이 풍년의 조짐이 되는 까닭은 눈이 풍년을 가져오는 것이 아니라, 양기를 땅에 모아서 내년에 만물의 생장을 촉진시키기 때문이다.”

[27-3-8]

問：“雷者陰陽擊搏之氣, 然有時而擊人, 是豈氣之所爲乎? 且擊人之時, 有所謂石與火, 又有書背字曰某人有此惡者, 豈其氣又有神物主之耶?”

南軒張氏曰“橫渠有言, ‘陽在內者爲陰氣所蒙而不得出, 則震擊而爲雷霆.’ 蓋雷霆是天地間義氣, 人爲不善, 又適與之感會, 則雷震之. 有所謂火者, 氣之擊搏自有火生也；有所謂石斧者, 氣之墜則爲石. 星隕亦然. 若所謂書字則無是理. 曰神物主之者, 繆悠之說也.”

---

80 『朱子語類』권2, 51조목
81 ‘우레와 번개는 … 것’ : 『河南程氏遺書』권2하에 “번개는 음양이 서로 마찰하는 것이고, 우레는 음양이 서로 부딪히는 것이다.(電者陰陽相軋, 雷者陰陽相擊也.)”라고 했다. [27-3-1] 참조
82 ‘이루어진 것이 성[成之者性]’ : 『周易』「繫辭上」5장에 “한 번은 음이 되고 한 번은 양이 되는 것을 도라고 하니, 이어가는 것이 선이고, 이루어진 것은 性이다.(一陰一陽之謂道, 繼之者善也, 成之者性也.)”라고 했다.
83 ‘그 오는 … 견고하다.’ : 『張子全書』권2「正蒙・太和篇」
84 『朱子語類』권2, 53조목

물었다. "우레는 음양陰陽이 부딪히는 기氣인데, 때로 사람에게 치기도 하니, 이것이 어떻게 기의 작용입니까? 또 사람을 칠 때에 이른바 석부石斧(뇌부)나 화재도 있고, 등에다 아무개가 이러한 악이 있다고 글자를 쓰는 경우도 있으니, 어찌 그 기에 신물神物이 있어서 주재하는 것이겠습니까?"

남헌 장씨南軒張氏가 말했다. "횡거가 한 말이 있으니, '양기가 안에서 음기에 둘러싸여 나오지 못하면 요동쳐서 우레와 천둥이 된다.'85고 했다. 대개 천둥은 천지 사이의 의로운 기운이니, 사람이 불선을 할 때 또한 마침 그와 감응하면 우레가 친다. 이른바 불은 기가 부딪쳐서 저절로 불이 발생한 것이고, 이른바 석부는 기가 땅에 떨어져서 돌이 된 것이다. 별똥별 또한 그렇다. 이른바 글자를 쓴다는 것은 그러한 이치가 없다. 신물이 주재한다고 한 것도 잘못된 설이다."

[27-3-9]

問 : "雷者陰陽二氣相摩而成聲. 『春秋』有所謂'震夷伯之廟', 不知陰陽二氣亦能震物也耶?"

潛室陳氏曰 : "雷震固是陰陽相搏而成聲. 然以陰陽之怒氣與沴氣適相值, 故震. 要之此等陰陽自虛而有, 自氣而形, 自聲而發, 皆摩盪之甚也. 故人或見其形, 或拾其物. 此二氣極摩盪處, 小而言之, 則人間之灼火 ; 大而言之, 則虹霓之氣化. 若蛟龍之生物, 皆無而爲有也."

물었다. "우레는 음양의 두 기가 서로 마찰하여 소리를 내는 것입니다. 『춘추春秋』에 '이백夷伯의 사당에 벼락이 쳤다.'86고 한 것은 음양의 두 기가 또한 사물을 진동시킨 것이 아닐까요?"

잠실 진씨潛室陳氏가 말했다. "우레와 벼락이 치는 것은 진실로 음양이 서로 쳐서 소리를 내는 것이다. 음양의 노기怒氣와 여기沴氣(요사한 기운)가 마침 서로 만났기 때문에 친다. 요컨대 이러한 음양은 빈 곳에서 생기는 것이고, 기에서 형체가 되는 것이며, 소리로부터 발하는 것이니, 모두 마찰하여 일으킨 진동의 심한 것이다. 그러므로 사람이 그 형체를 보기도 하고 그 물건을 줍기도 한다. 이 두 기는 매우 마찰하여 진동한 것이니, 작은 것으로 말하면 사람이 불을 피우는 것이고, 큰 것으로 말하면 무지개의 기화이다. 교룡蛟龍이 사물을 낳는 것도 모두 무無에서 유有가 된 것이다."

[27-3-10]

西山眞氏曰 : "雷霆雖威, 初非爲殺物設也. 易稱鼓萬物者莫疾乎雷, 其與日之烜, 雨之潤, 風之散, 同於生物而已. 世人惡戾之氣, 適與之會而震死者有之, 非雷霆求以殺之也."87

서산 진씨西山眞氏가 말했다. "천둥은 비록 무섭지만, 애초에 사물을 죽이려고 있는 것은 아니다. 만물을 쉽게 고무시킬 수 있는 것에 우레보다 빠른 것이 없으니,88 그것은 해의 따뜻함과 비의 적심, 바람의

85 '양기가 안에서 … 된다.' : 『張子全書』 권2 「正蒙 · 三楊篇」 [27-3-3] 참조

86 '夷伯의 사당에 … 쳤다.' : 『春秋左傳』 「僖公 15년」에 "이백의 사당에 천둥이 친 것은 죄를 준 것이다.(震夷伯之廟, 罪之也.)"라고 했다.

87 『大學衍義』 권25 「格物致知之要 3 · 辨人材」

88 만물을 쉽게 … 없으니 : 『周易』 「說卦傳」 제6장에 "神이란 만물을 신묘하게 하는 것을 말하는 것이다. 만물을 움직이는 것은 우레보다 빠른 것이 없고, 만물을 흔드는 것은 바람보다 빠른 것이 없으며, 만물을 건조시키는

흩어줌과 함께 똑같이 사물을 살게 하는 것이다. 악하고 어그러진 기운을 가진 세인世人 중에 마침 그와 만나 벼락 맞아 죽은 자가 있기는 하지만, 천둥이 그를 찾아 죽인 것은 아니다."

[27-4]

風雨雪雹霜露 바람·비·눈·우박·서리·이슬

[27-4-1]
程子曰：“長安西風而雨, 終未曉此理. 須是自東自北而風則雨, 自南自西則不雨. 何者? 自東自北皆屬陽, 坎卦本陽. 陽唱而陰和, 故雨. 自西自南陰也, 陰唱則陽不和. 「蝀蝀」之詩曰, ‘朝隮于西, 崇朝其雨.’ 是陽來唱也, 故雨. 『易』言‘密雲不雨, 自我西郊’,[89] 言自西, 則是陰先唱也, 故雲雖密而不雨. 今西風而雨, 恐是山勢使然."[90]

정자程子가 말했다. "장안長安에서 서풍이 불고 비가 오니 끝내 이 이치를 알지 못하겠다. 반드시 동쪽이나 북쪽에서 바람이 불어야 비가 오고, 남쪽이나 서쪽에서 불면 비가 오지 않아야 한다. 왜 그런가? 동풍과 북풍은 모두 양에 속하는데, 감괘坎卦가 본래 양이다. 양이 창도唱導하고 음이 화합하기 때문에 비가 온다. 서풍과 남풍은 음인데, 음이 창도하면 양은 화합하지 않는다. 「체동蝀蝀(무지개)」 시에 ‘아침에 서쪽에 무지개가 오르니 아침 내내 비가 오도다.’[91]라고 했으니, 양이 와서 창도했기 때문에 비가 온 것이다. 『주역周易』에서 ‘구름이 시커먼데도 비가 내리지 않는 것은 나의 서쪽 교외에서 왔기 때문이다.’[92]라고 한 것은, 서풍은 음이 먼저 창도한 것이기 때문에 구름이 새카만데도 비가 내리지 않는다고 말한 것이다. 지금 서풍이 부는데 비가 오는 것은 아마도 산세山勢가 그렇게 하는 것인가 보다."

[27-4-2]
"雹者, 陰陽相搏之氣, 蓋沴氣也. 聖人在上無雹, 雖有不爲災."[93]

(정자가 말했다.) "우박은 음양이 서로 부딪힌 기氣이니 대체로 여기沴氣이다. 성인聖人이 윗자리에 있으

것은 불보다 더 잘 말리는 것이 없고, 만물을 기쁘게 하는 것은 못보다 더 기쁘게 하는 것이 없으며, 만물을 적시는 것은 물보다 더 잘 적시는 것이 없고, 만물을 끝내고 만물을 시작하는 것은 艮(산) 보다 왕성한 것이 없다.(神也者, 妙萬物而爲言者也. 動萬物者莫疾乎雷, 撓萬物者莫疾乎風, 燥萬物者莫熯乎火, 說萬物者莫說乎澤, 潤萬物者莫潤乎水, 終萬物始萬物者莫盛乎艮.)"라는 구절이 있다.

89 是陽來唱也故雨. 『易』言‘密雲不雨, 自我西郊’ : 『河南程氏遺書』 권2상에는 이 두 구 사이에 ‘蝀蝀在東, 則是陰先唱也 ; 莫之敢指者, 非謂手指莫敢指陳也, 猶言不可道也.’라는 문장이 더 있다.

90 『河南程氏遺書』 권2상

91 ‘아침에 서쪽에 … 오도다.’ : 『詩經』 「國風·鄘風·蝀蝀」

92 ‘구름이 시커먼데도 … 때문이다.’ : 『周易』 「小畜」

93 『理學類編』 권3

면 우박이 없고, 비록 있다 하더라도 재이災異가 되지는 않는다."

[27-4-3]

朱子曰: "風只如天相似, 不住旋轉. 今此處無風, 蓋或旋在那邊, 或旋在上面, 都不可知. 如夏多南風, 冬多北風, 此亦可見."[94]

주자朱子가 말했다. "바람은 하늘과 비슷하여 멈추지 않고 돈다. 지금 이곳에는 바람이 없어도, 혹 저쪽에서 돌고 있거나 혹 위에서 돌고 있는지, 모두 알 수 없다. 예컨대 여름에는 남풍이 많고 겨울에는 북풍이 많다는 것에서 이것을 또한 알 수 있다."

[27-4-4]

"雨如飯甑有蓋, 其氣蒸鬱而汗下淋漓則爲雨. 如飯甑不蓋, 其氣散而不收則爲霧."[95]

(주자가 말했다.) "비는 마치 밥솥에 뚜껑을 덮었을 때, 그 수증기가 꽉 차서 땀이 흐르듯 뚝뚝 떨어지는 것과 같으니, 그렇게 되면 비가 된다. 만일 밥솥에 뚜껑을 덮지 않으면, 그 기가 흩어져서 모이지 않으니 안개가 된다."

[27-4-5]

"龍, 水物也. 其出而與陽氣交蒸, 故能成雨. 但尋常雨自是陰陽氣蒸鬱而成, 非必龍之爲也. '密雲不雨, 尚往也.' 蓋止是下氣上升, 所以未能雨. 必是上氣蔽蓋無發洩處, 方能有雨. 橫渠『正蒙』論風雷雲雨之說最分曉."[96]

(주자가 말했다.) "용은 수중水中 동물이다. 그것이 나와서 양기陽氣와 서로 상승하므로 비를 만들 수 있다. 다만 보통 비는 본래 음양의 기가 꽉 차면 이루어지는 것이므로 반드시 용이 그렇게 하는 것은 아니다. '시키면 구름이 비를 내리지 않는 것은 오히려 올라가기 때문[97]이라는 것은 단지 이 하기下氣가 상승할 뿐이기 때문에 비가 내리지 못한다는 것이다. 반드시 상기上氣가 덮어서 새는 곳이 없어야 비로소 비가 올 수 있다. 횡거橫渠『정몽正蒙』의 바람·천둥·구름·비를 논한 것[98]이 가장 명료하다."

· ·

94 『朱子語類』권2, 46조목

95 『朱子語類』권100, 30조목. 『朱子語類』에는 "氣蒸而爲雨, 如飯甑蓋之, 其氣蒸鬱而汗下淋漓; 氣蒸而爲霧, 如飯甑不蓋, 其氣散而不收."로 되어 있다.

96 『朱子語類』권2, 50조목

97 '시키면 구름이 … 때문': 『周易』「小畜·象傳」

98 『正蒙』의 바람 … 것: 『張子全書』권2「正蒙·三楊篇」에 "음의 성질은 엉겨 모으고 양의 성질은 펼쳐 흩트리니, 음이 모으면 양은 반드시 흩트리는데, 그 세는 모두 흩어진다. 양이 음의 방해를 받으면 서로 붙잡아 비가 되어 내리고, 음이 양의 도움을 얻으면 휘날려서 구름이 되어 오른다. 그러므로 구름이 태허에 분포된 것은 음이 바람에 몰려서 모여 흩어지지 않는 것이다. 음기가 엉겨 모일 때 안에 있는 양이 나오지 못하면 격렬하게 부딪쳐 우레와 천둥소리가 되고, 밖에 있는 양이 들어가지 못하면 빙빙 돌며 자리 잡지 못해서 바람이 된다. 그 모임에 밀고 가까움, 허술함과 단단함이 있으므로 우레와 바람에 크기와 속도의 차이가

[27-4-6]

"虹非能止雨也. 而雨氣至是已薄, 亦是日色射散雨氣了."[99]

(주자가 말했다.) "무지개는 비를 그치게 할 수 있는 것이 아니다. 비의 기운이 이에 이르러 이미 엷어진 데다, 햇빛의 색이 비의 기운을 쏘아 흩트린 것이다."

[27-4-7]

"雪花所以必六出者, 蓋只是霰下, 被猛風拍開. 故成六出. 如人擲一團爛泥於地, 泥必濆開成稜瓣也. 又六者陰數. 大陰玄精石亦六稜, 蓋天地自然之數."[100]

(주자가 말했다.) "눈 모양이 반드시 육각으로 되는 까닭은 아마도 싸락눈이 내릴 때 맹렬한 바람에 부딪혔기 때문이다. 그래서 육각이 된 것이다. 가령 사람이 한 덩어리의 무른 진흙을 땅에 던지면, 진흙은 반드시 퍼져나가 모가 만들어질 것이다. 또 6은 음수陰數이다. 태음현정석大陰玄精石[101] 또한 모서리가 여섯인데, 이는 천지자연의 수이다."

[27-4-8]

"伊川說, '世間人說雹是蜥蜴做.' 初恐無是理, 看來亦有之. 只謂之全是蜥蜴做, 則不可耳. 自有是上面結作成底, 也有是蜥蜴做底. 昔聞王參議云, '嘗登五臺山, 見蜥蜴含水吐之爲雹.' 及『夷堅志』載'劉法師, 嘗在隆興府西山, 見多蜥蜴如手臂大, 一日無限入井中飲水皆盡, 卽吐爲雹.' 蓋蜥蜴形狀亦如龍, 是陰屬.[102] 是這氣相感應, 使作得他如此, 正是陰陽交爭之時, 所以

있다. 조화롭게 흩어지면 서리와 눈과 비와 이슬이 되고, 조화롭지 않게 흩어지면 사나운 기와 음산한 흙비가 된다. 음은 흩어짐이 늦으니 양기와 교류하면 바람과 비가 조화롭게 되고 추위와 더위도 정상적으로 된다.(陰性凝聚, 陽性發散; 陰聚之, 陽必散之, 其勢均散. 陽爲陰累, 則相持爲雨而降; 陰爲陽得, 則飄揚爲雲而升. 故雲物班布太虛者, 陰爲風驅, 歛聚而未散者也. 凡陰氣凝聚, 陽在內者不得出, 則奮擊而爲雷霆; 陽在外者不得入, 則周旋不舍而爲風. 其聚有遠近虛實, 故雷風有小大暴緩. 和而散, 則爲霜雪雨露; 不和而散, 則爲戾氣曀霾. 陰常散緩, 受交於陽, 則風雨調, 寒暑正.)"라고 한 곳을 가리킨다.

99 『朱子語類』 권2, 55조목
100 『朱子語類』 권2, 49조목
101 大陰玄精石: 중국 서부의 습지에서 산출되는 석고가 주성분인 광물이다. 심괄의『夢溪筆談』 권26에 "태음현정은 해주의 소금물 염전에서 생성되는데, 도랑의 흙더미 속에서 얻을 수 있다. … 자르면 육각형이 되는데 마치 버들잎 같다. … 이것은 축적된 음기를 받아 응결된 것이라 모두 육각형이다.(太陰玄精, 生解州鹽澤大滷中溝渠土內得之. … 折六角, 如柳葉. … 此乃稟積陰之氣凝結, 故皆六角.)"라고 했다.
102 昔聞王參議云, '嘗登五臺山, … 是陰屬.:『朱子語類』 권2, 56조목의 "또 얼마 전 王三哥 祖廟의 參議가 말했다. '일찍이 五臺山에 오르는데 산은 매우 높고 추워서 한여름인데도 솜이불을 가지고 갔다. 스님이 「당신이 가지고 온 이불로는 모자란다.」고 하니, 나王參議는 매우 이상하게 여겼는데, 스님이 또 두세 장의 이불을 빌려주었다. 밤중에 추위가 매우 심해서 솜이불을 몇 장이나 깔고 덮었지만 여전히 따뜻해지지 않았다. 아마도 산꼭대기에서 도마뱀이 물을 마시고 토해서 우박을 만들었기 때문인 듯하다. 조금 지나서 비바람이 크게 일어나 토해낸 우박은 보이지 않았다. 다음날 산에서 내려오는데, 사람들이 어젯밤에 우박이 크게

下電時必寒. 今電之兩頭皆尖有稜, 疑得初間圓, 上面陰陽交爭, 打得如此碎了. 電字從雨從包. 是這氣包住, 所以爲電也."[103]

(주자가 말했다.) "이천이 '세간의 사람들은 우박은 도마뱀이 만드는 것'[104]이라 하였는데, 처음에는 아마이러한 이치가 없다고 생각했지만, 나중에 보니 또한 있는 것 같다. 다만 모든 우박을 도마뱀이 만든다고할 수는 없다. 하늘 위에서 응결하여 만들어지는 것도 있고 도마뱀이 만드는 것도 있다. 옛날 왕참의王參議가 하는 말을 들으니, '일찍이 오대산五臺山에 올랐을 때, 도마뱀이 물을 머금었다가 뱉자 우박이 되는것을 본 적이 있다'고 했다. 또 『이견지夷堅志』[105]에는 '유법사劉法師가 일찍이 융흥부隆興府 서산西山에있을 때, 팔뚝만큼 큰 도마뱀들이 많았는데, 하루는 끝도 없이 우물 속에 들어가 물을 다 마시고는 우박을 뱉어내는 것을 본적이 있다.'는 내용이 실려 있다. 도마뱀은 형상이 용과 비슷하고 음에 속하는 것이다. 이 기氣가 서로 감응하여 우박을 이와 같이 만드는 것인데, 바로 음양이 서로 다투는 때라서 우박이내릴 때는 반드시 춥다. 지금 우박의 양 끝이 모두 뾰족하고 모서리가 있으니, 아마도 처음에는 둥글었는데 공중에서 음양이 서로 다투는 사이에 부딪혀서 이와 같이 부서졌을 것이다. '박電'이라는 글자는 '비[雨]'와 '뭉침[包]'이라는 글자의 모양과 뜻이 결합된 것이다. 이 기가 꼭꼭 뭉쳐서 우박이 되는 것이다."

[27-4-9]

"霜只是露結成, 雪只是雨結成. 古人說露是星月之氣, 不然. 今高山頂上雖晴亦無露, 露只是

내렸다고 말하는 것을 보고는 물었더니, 모두 절에서 보았던 우박과 같았다.' 또 『夷堅志』에 실려 있는 劉法師라는 사람은 말년에 隆興府 西山에서 도를 닦았다. 산에 도마뱀이 많았는데 모두 팔뚝만큼이나 커서 그들에게 떡을 주면 모두 먹어치웠다. 하루는 갑자기 수없이 많은 도마뱀들이 암자로 들어가 우물에 있는 물을모두 마셔 없앴다. 물이 마를 때까지 마시고는 토해서 우박을 만들었는데, 조금 지나자 비바람이 크게 몰아쳐 토해낸 우박이 보이지 않았다. 다음날 산에서 내려오는데 사람들이, 내린 우박이 모두 도마뱀이 토한것과 같다고 말했다. 도마뱀의 형상은 용과 비슷하니, 음에 속하는 것이다.(又此間王三哥之祖參議者云, '嘗登五臺山, 山極高寒, 盛夏携綿被去. 寺僧曰, 「官人帶被來少」, 王甚怪之, 寺僧又爲借得三兩條與之. 中夜之間寒甚, 擁數床綿被, 猶不煖. 蓋山頂皆蜥蜴含水, 吐之爲電. 少間, 風雨大作, 所吐之電皆不見. 明日下山, 則見人言, 昨夜電大作, 問, 皆如寺中所見者.' 又『夷堅志』中載劉法師者, 後居隆興府西山修道. 山多蜥蜴, 皆如手臂大, 與之餅餌, 皆食. 一日, 忽領無限蜥蜴入菴, 井中之水皆爲飮盡. 飮乾, 卽吐爲電, 已而風雨大作, 所吐之電皆不見. 明日下山, 則人言所下之電皆如蜥蜴所吐者. 蜥蜴形狀亦如龍, 是陰屬.)"라고 한 부분을 요약한 것으로 보인다.

103 『朱子語類』권2, 56조목

104 '세간의 사람들은 … 것': 『河南程氏遺書』권10에 "正叔[程頤]이 말했다. '도마뱀이 물을 마시고는 비가 오면우박을 일으킨다.' 子厚[張載]가 말했다. '반드시 그렇지는 않다. 우박이 가끔 큰 것이 있는데, 어찌 도마뱀이만든 것이겠는가? 지금 도마뱀이 비를 원한다고 해서 그들에게 가서 빌고 있는데, 그들이 무슨 수로 비를오게 할 수 있겠는가?(正叔言, '蜥蜴含水, 隨雨電起.' 子厚言, '未必然. 電儘有大者, 豈盡蜥蜴所致也? 今以蜥蜴求雨, 枉求他, 他又何道致雨?')"라는 대화가 수록되어 있다.

105 『夷堅志』: 宋代의 洪邁(1123~1202)가 엮어 낸 설화집이다. 송초부터 그가 살아 있을 때까지의 민간에 전하는 괴이한 이야기들을 모았다. 전체 420권 중 절반 정도만이 전해진다.

自下蒸上. 人言極西高山上亦無雨雪."106

(주자가 말했다.) "서리는 이슬이 얼어서 만들어진 것이고, 눈은 비가 얼어서 만들어진 것이다. 옛날 사람들은 이슬이 별과 달의 기氣라고 했는데, 그렇지 않다. 지금 높은 산 정상이 맑은데도 이슬이 없으니, 이슬은 아래에서 증발해 올라가는 것이다. 사람들은 극서極西지방의 높은 산 위에는 비와 눈이 없다고 한다."

[27-4-10]

"高山無霜露却有雪. 某嘗登雲谷, 晨起穿林薄中, 並無露水沾衣. 但見煙霞在下, 茫然如大洋海, 衆山僅露峯尖, 煙雲環繞往來, 山如移動. 天下之奇觀也."

或問: "高山無霜露, 其理如何?"

曰: "上面氣漸清, 風漸緊, 雖微有霧氣都吹散了, 所以不結. 若雪則只是雨遇寒而凝, 故高寒處雪先結也."107

(주자가 말했다.) "높은 산에는 서리와 이슬은 없고 눈만 있다. 내가 일찍이 운곡雲谷108에 올랐을 때, 새벽에 일어나 수풀을 헤치고 가는데, 전혀 이슬이 옷을 적시는 일이 없었다. 다만 안개가 아래에서 망망히 큰 바다와 같이 펼쳐져서 여러 산들이 겨우 봉우리 꼭대기만 드러내고 연기 같은 구름이 감싸며 왕래하는 모습을 보니, 산이 마치 이동하는 것 같았다. 천하의 기이한 풍경이었다."

어떤 사람이 물었다. "높은 산에 서리와 이슬이 없는 것은 그 이치가 무엇입니까?"

대답했다. "위쪽은 공기가 점차 맑아지고 바람이 점차 빨라지니, 비록 안개의 기운이 조금 있더라도 모두 흩어지기 때문에 응결하지 않는다. 눈은 비가 찬 기운을 만나 응결된 것이기 때문에 높고 추운 곳에서 눈이 먼저 응결한다."

[27-4-11]

或問: "伊川云'露是金之氣', 如何?"

曰: "露自是有清肅之氣. 古語云, '露結爲霜', 今觀之誠是. 然露氣與霜氣不同, 露能滋物而霜殺物也. 雪霜亦有異, 霜能殺物而雪不殺物也. 雨與露不同, 雨氣昏而露氣清也. 露與霧不同, 露氣肅而霧氣昏也."109

어떤 사람이 물었다. "이천이 '이슬은 금金의 기氣이다.'110라고 한 것은 무엇입니까?"

----

106 『朱子語類』 권2, 47조목
107 『朱子語類』 권2, 48조목
108 雲谷: 福建省 建陽縣에 있는 산으로 武夷山과 가깝다. 일찍이 주희는 여기에서 초막을 짓고 공부를 하기도 했다. 주희는 自號를 雲谷老人이라고 하기도 하고, 『雲谷記』를 지어 이 산의 특징을 묘사하기도 했다.
109 『朱子語類』 권100, 30조목
110 '이슬은 金의 氣이다.': 『河南程氏遺書』 권18에 "서리와 이슬은 같지 않다. 서리는 金氣이고 별과 달의 기이

(주자가) 대답했다. "이슬은 본래 맑은 기를 가진 것이다. 옛말에 '이슬이 얼어서 서리가 된다.'[111]고 했는데, 지금 보니 진실로 그러하다. 그러나 이슬의 기와 서리의 기는 같지 않으니, 이슬은 사물을 자라게 하고 서리는 사물을 죽인다. 눈과 서리도 또한 다르니, 서리는 사물을 죽일 수 있지만 눈은 사물을 죽이지 않는다. 비와 이슬도 같지 않으니, 비는 기가 어둡고 이슬은 기가 맑다. 이슬과 안개도 같지 않으니, 이슬은 기가 맑고 안개는 기가 어둡다."

[27-4-12]

"天氣降而地氣不接則爲霧, 地氣升而天氣不接則爲雰."[112]

(주자가 말했다.) "하늘의 기氣가 내려오는데 땅의 기가 맞이하지 않으면 안개[霧]가 되고, 땅의 기가 올라가는데 하늘의 기가 맞이하지 않으면 짙은 안개[雰]가 된다."

[27-4-13]

勉齋黃氏曰 : "陰陽和則雨澤作. 『詩』不云乎? '習習谷風, 以陰以雨!' 亦以陰陽和而雨. 春之所以雨多者, 以當春之時, 地氣上騰, 天氣下降, 故蒸潤而成雨. 秋亦然. 夏則陽亢, 冬則陰過, 是以多晴."

면재 황씨勉齋黃氏[黃榦]가 말했다. "음양陰陽이 화합하면 비가 내린다. 『시경詩經』에서 말하지 않았던가? '온화한 동풍[谷風]에 구름이 끼고 비가 내리누나!'[113]라 했으니, 또한 음양이 화합하여 비가 온 것이다. 봄에 비가 많은 것은 봄이 되었을 때 땅의 기가 올라가고 하늘의 기가 내려오기 때문에 구름이 일어 비가 되는 것이다. 가을도 그렇다. 여름은 양이 드세고 겨울은 음이 과하기 때문에 맑은 날이 많다."

[27-5]

陰陽 음양

[27-5-1]

程子曰 : "陰陽之氣有常存而不散者, 日月是也. 有消長而無窮者, 寒暑是也."[114]

다. 이슬 또한 별과 달의 기이다. 어떤 기와 감응하면 이슬이 되고 어떤 기와 감응하면 서리가 되는지 보아야 한다. 이슬이 응결하여 서리가 된다고 하는 것은 잘못된 것이다.(霜與露不同. 霜, 金氣, 星月之氣. 露亦星月之氣. 看感得甚氣即爲露, 甚氣即爲霜. 如言露結爲霜, 非也.)"라고 했다.

111 '이슬이 얼어서 … 된다.': 『千字文』
112 『朱子語類』 권99, 22조목
113 '온화한 동풍[谷風]에 … 내리누나!': 『詩經』「國風·邶風·谷風」
114 『二程粹言』 권2

정자程子가 말했다. "음양陰陽의 기氣가 일정하게 존재하여 흩어지지 않는 것이 있으니 해와 달이 이것이고, 줄어들고 자라나며 끝이 없는 것이 있으니 추위와 더위가 이것이다."

[27-5-2]

"老氏言'虛能生氣', 非也. 陰陽之開闔相因, 無有先也, 無有後也. 可謂今日有陽而後明日有陰, 則亦可謂今日有形而後明日有影也."[115]

(정자가 말했다.) "노씨老氏[老子]가 '허虛가 기를 생겨나게 할 수 있다.'고 한 것[116]은 잘못이다. 음양이 열리고 닫힘은 서로 이어지는 것이니 먼저인 것도 없고 나중인 것도 없다. 오늘 양이 있은 후에 내일 음이 있다고 말할 수 있다면, 오늘 형체가 있은 후에 내일 그림자가 있다고 말할 수도 있을 것이다."

[27-5-3]

"陰陽於天地間, 無截然爲陰爲陽之理, 須去參錯. 然一箇升降生殺之分, 不可無也."

(정자가 말했다.) "음양은 천지 사이에서 딱 잘라 음이 되거나 양이 되는 이치는 없으니 반드시 섞여 있다. 그러나 올라감과 내려감, 삶과 죽음의 분별은 없을 수 없다."

[27-5-4]

"冬至一陽生, 却須陡寒, 正如欲曉而反暗也. 陰陽之際, 亦不可截然不相接, 厮侵過便是道理. 天地之間如是者極多. 艮之爲義, 終萬物始萬物, 此理最妙. 須玩索這箇理."[117] 潛室陳氏曰 : "大率陰陽消長之理, 一氣不頓消, 不頓長. 欲消之氣, 却侵帶些在初長之中 ; 初長之氣, 却侵帶些在欲消之中. 大凡寒暑晦明之交接頭處, 須兩下侵帶些. 所以艮居八卦之中, 宜只是止萬物, 然分於東北之間, 一頭接坎之殺氣, 固是終萬物 ; 一頭接震之生氣, 又爲始萬物. 蓋震豈能頓生? 惟於殺氣未盡之時, 已是侵帶些子氣了, 故至震方發生也."[118]

(정자가 말했다.) "동지는 하나의 양이 생겨나는 시점이지만 도리어 반드시 매우 추우니, 이는 바로 마치 새벽이 되려 할 때가 오히려 어두운 것과 같다. 음양의 관계는 또한 딱 자르듯 서로 떨어질 수 없으니 서로 침투하는 것이 도리道理이다. 천지 사이에는 이와 같은 것이 매우 많다. 간괘艮卦의 의미는 만물을 끝내고 만물을 시작하는 것[119]이니, 이 이치가 매우 묘하다. 반드시 이 이치를 완색해야 한다." 잠실

---

115 『二程粹言』 권2
116 '허虛가 기를 … 것 : 『道德經』 제40장에 "천하 만물은 有에서 생겨나고, 有는 無에서 생겨난다.(天下萬物生於有, 有生於無.)"라고 했고, 『淮南子』 「天文訓」에는 "도는 虛霏에서 시작하니, 허확은 우주를 낳고, 우주는 기를 낳는다.(道始于虛霏, 虛霏生宇宙, 宇宙生氣.)"라고 했다.
117 『河南程氏遺書』 권2상
118 『木鍾集』 권10
119 艮卦의 의미는 … 것 : 『周易』 「說卦傳」 6장에 "만물을 끝내고 만물을 시작하는 것은 艮보다 왕성한 것이 없다.(終萬物始萬物者, 莫盛乎艮.)"라고 했다.

진씨潛室陳氏가 말했다. "대저 음양이 사그라지고 자라는 이치상 하나의 기氣도 갑자기 사그라지거나 갑자기 자라나지 않는다. 사그라지려는 기는 도리어 처음 자라나려는 기 속에 얼마간 침투해 있고, 처음 자라나는 기는 도리어 사그라지려는 기 속에 침투해 있다. 무릇 추위와 더위, 어둠과 밝음이 교차하는 처음에는 반드시 두 가지가 모두 침투해 있다. 그래서 간艮이 팔괘 중에서 만물을 멈추게 하기에 적합하지만, 동쪽과 북쪽으로 나뉘지는데 한쪽은 감坎의 살기殺氣에 접해 있어 진실로 만물의 끝이 되고, 한쪽은 진震의 생기生氣에 접해 있어 또한 만물의 시작이 된다. 진震에서 어떻게 갑자기 생生할 수 있겠는가? 단지 죽음의 기가 다하기 전에 이미 이러한 (생의) 기가 침투해 있었기 때문에 진震에 이르러서 비로소 생生이 발하는 것이다."

[27-5-5]

"早梅冬至已前發. 方一陽未生, 然則發生者, 何也? 其榮其枯, 此萬物一箇陰陽升降大節也. 然逐枝自有一箇榮枯, 分限不齊, 此各有一乾坤也. 各自有箇消長, 只是箇消息, 惟其消息, 此所以不窮. 至如松栢亦不是不彫, 只是後彫, 彫得不覺, 怎少得消息? 方夏生長時, 却有夏枯者, 則冬寒之際有發生之物, 何足怪也?"[120]

(정자가 말했다.) "이른 매화는 동지 이전에 핀다. 바야흐로 하나의 양이 아직 생기지 않았지만, 그럼에도 꽃을 피우는 것은 무엇 때문인가? 꽃이 피고 시드는 것은 만물의 음양이 오르내리는 큰 절목이다. 그러나 가지마다 본래 각자 하나의 꽃의 피고 시듦이 있어 분계가 일정하지 않으니, 이는 각각 하나의 건乾과 곤坤이 있어서이다. 각자의 자라나고 시듦이 있는 것은 단지 기氣의 소식消息(자라나고 사그라지는 것) 뿐인데, 그 소식消息은 끝나는 일이 없다. 소나무와 잣나무 또한 시들지 않는 것은 아니지만, 다만 나중에 시들기 때문에 시드는 줄 모를 뿐, 어찌 소식이 없어서이겠는가? 한창 여름 생장할 때에 도리어 시들어버리는 것도 있으니, 겨울 추울 때에 생겨나는 사물이 있는 것도 무엇이 괴이할 일인가?"

[27-5-6]

問: "張子云, '陰陽之精, 互藏其宅.' 然乎?"

曰: "此言甚有味, 由人如何看. 水離物不得, 故水有離之象; 火能入物, 故火有坎之象."[121]

물었다. "장자張子는 '음양의 정기를 서로 그 집에 저장한다.'[122]고 했는데, 그렇습니까?"

. . . .

120 『河南程氏遺書』 권2상
121 『河南程氏外書』 권7
122 '음양의 정기를 … 저장한다.': 『張子全書』 권2 「正蒙·三楊篇」에 "음양의 정기를 서로 그 집에 저장하니, 각기 편안한 곳을 얻은 것이다. 그러므로 해와 달의 형체는 영원히 변하지 않는다. 만약 음양의 기라면 서로 갈마들며 순환하게 하고, 서로 밀어서 모이고 흩어지게 하며, 서로 쫓아가며 오르락내리락 하게 하고, 서로 끌어당겨 비비게 한다. 서로 합치거나 서로 제어하기를 하나로 하고자 하여도 할 수 없다. 이것이 굽힘과 폄에 제한이 없고 운행이 쉬지 않는 까닭이다. 그러나 그렇게 하도록 시킨 자는 없으니, 性命의 理라고 말하지 않고 무엇이라고 말하겠는가?(陰陽之精, 互藏其宅, 則各得其所安. 故日月之形, 萬古不變. 若陰陽之氣, 則循環迭至, 聚散相盪, 升降相求, 絪縕相揉. 蓋相兼相制, 欲一之而不能. 此其所以屈伸無方, 運行不息. 莫或使之, 不曰性命之理, 謂之何哉?)"라고 했다.

(정자가) 대답했다. "이 말이 매우 맛이 있으니 사람이 어떻게 보는가에 달려 있다. 물은 사물을 떠날 수 없기 때문에 물에는 '리離(불)'의 상이 있고, 불은 사물에 들어갈 수 있기 때문에 불에는 '감坎(물)'의 상이 있다."

[27-5-7]
五峯胡氏曰 : "觀日月之盈虛, 知陰陽之消息 ; 觀陰陽之消息, 知聖人之進退."[123]

오봉 호씨五峯胡氏[胡宏]가 말했다. "해와 달이 차고 비는 것을 보면 음양의 소식消息을 알 수 있고, 음양의 소식을 보면 성인聖人의 진퇴進退를 알 수 있다."

[27-5-8]
延平李氏曰 : "陰陽之精, 散而萬物得之. 凡麗于天, 附于地, 列于天地之兩間, 聚有類, 分有群. 生者, 形者, 色者, 莫不分繫於陰陽."[124]

연평 이씨延平李氏[이통李侗][125]가 말했다. "음양의 정기精氣는 흩어져서 만물이 그것을 얻는다. 하늘에 매이고 땅에 붙고 하늘과 땅 사이에 펼쳐져 있는 모든 것은 모으면 종류가 있고 나누면 무리가 있다.[126] 살아 있는 것, 형체가 있는 것, 색이 있는 것은 음양으로 분류되지 않는 것이 없다."

[27-5-9]
"陽以燥爲性, 以奇爲數, 以剛爲體, 其爲氣炎, 其爲形圓. 浮而明, 動而吐, 皆物於陽者也. 陰以濕爲性, 以耦爲數, 以柔爲體, 其爲氣涼, 其爲形方. 沈而晦, 静而翕, 皆物於陰者也."[127]

(연평 이씨가 말했다.) "양陽은 건조함이 그 성질이고 홀수가 그 수이며 강건함이 본바탕이니, 그 기氣는 뜨겁고 그 형체는 둥글다. 위로 뜨고 밝으며 움직이고 내뱉는 것은 모두 양에 속하는 것들이다. 음은 습함이 그 성질이고 짝수가 그 수이며 부드러움이 그 본바탕이 되니, 그 기는 서늘하고 그 형체는 네모지다. 가라앉고 어두우며 가만있고 흡수하는 것은 모두 음에 속하는 것들이다."

---

123 『知言』권1
124 『閩中理學淵源考』권5
125 李侗(1093~1163) : 자는 愿中이고, 세칭 延平先生이라 불렸으며, 시호는 文靖이다. 宋代 南劍州劍浦(현 福建省 南平) 사람으로 楊時·羅從彦과 함께 '南劍三先生'이라 불렸다. 나종언에게 二程의 학문을 배우고, 40여 년간 세속을 끊고 연구한 후, 이정의 학문을 주희에게 전수해 주었다. 저서는 『延平文集』이 있다.
126 하늘에 매이고 … 있다. : 『周易』「繫辭上」 1장에 "하늘은 높고 땅은 낮으니 乾坤이 정해지고, 낮은 것과 높은 것이 펼쳐지니 貴賤이 자리하며, 動과 静이 일정함이 있으니 剛柔가 결정된다. 지방은 종류[類]로 모아지고 사물은 무리[群]로 나누어지니 吉凶이 생긴다. 하늘에서는 象이 이루어지고 땅에서는 형체가 이루어지니 변화가 나타난다.(天尊地卑, 乾坤定矣, 卑高以陳, 貴賤位矣, 動静有常, 剛柔斷矣. 方以類聚, 物以群分, 吉凶生矣. 在天成象, 在地成形, 變化見矣.)"라고 했다.
127 『閩中理學淵源考』권5

[27-5-10]

朱子曰 : "陰陽是氣, 五行是質. 有這質, 所以做得物事出來. 五行雖是質, 他又有五行之氣做這物事方得. 然却是陰陽二氣截做這五箇, 不是陰陽外別有五行. 如十干甲乙, 甲便是陽, 乙便是陰."[128]

주자朱子가 말했다. "음양陰陽은 기氣이고 오행五行은 질質이다. 이 질이 있기 때문에 사물을 만들어낼 수 있다. 오행이 비록 질이지만, 그것도 오행의 기가 있어야만 만들어 질 수 있다. 그러나 이 음양 두 기가 나누어져 이 오행이 되는 것이지, 음양 밖에 별도로 오행이 있는 것은 아니다. 십간十干의 갑甲과 을乙을 예로 들면 갑은 양이고 을은 음인 것과 같다."

[27-5-11]

"五行相爲陰陽, 又各自爲陰陽."[129]

(주자가 말했다.) "오행은 서로 음양이 되고 또 각자 음양이 된다."

[27-5-12]

"天地統是一箇大陰陽. 一年又有一年之陰陽, 一月又有一月之陰陽. 一日一時皆然."[130]

(주자가 말했다.) "천지 전체가 하나의 큰 음양이다. 일 년에도 일 년의 음양이 있고, 한 달에도 한 달의 음양이 있다. 하루와 한 시時도 모두 그렇다."

[27-5-13]

"陰陽只是一氣. 陽之退, 便是陰之生, 不是陽退了, 又別有箇陰生."[131]

(주자가 말했다.) "음양은 단지 하나의 기氣일 뿐이다. 양의 물러남이 곧 음의 생겨남이지, 양이 물러가고 나서 별도의 음이 생겨나는 것이 아니다."

[27-5-14]

"陰陽做一箇看亦得, 做兩箇看亦得. 做兩箇看, 是'分陰分陽, 兩儀立焉.' 做一箇看, 只是一箇消長."[132]

(주자가 말했다.) "음양은 하나로 보아도 되고 두 개로 보아도 된다. 두 개로 보는 것은 '음과 양으로 나누어져 양의가 정립된다.'[133]는 것이고, 하나로 보는 것은 단지 한 기氣가 소장消長하는 것이다."

· ·

128 『朱子語類』 권1, 48조목
129 『朱子語類』 권1, 50조목
130 『朱子語類』 권1, 46조목
131 『朱子語類』 권65, 1조목
132 『朱子語類』 권65, 2조목
133 '음과 양으로 … 정립된다.': 周敦頤의 「太極圖說」에 "태극이 움직여 양을 낳고, 움직임이 극단에 이르면

[27-5-15]

"陰陽各有淸濁偏正."[134]

(주자가 말했다.) "음양에는 각각 맑고 탁함, 치우치고 바름이 있다."

[27-5-16]

"陰陽之理, 有會處, 有分處."[135]

(주자가 말했다.) "음양의 이치는 모이는 곳도 있고 나누어지는 곳이 있다."

[27-5-17]

"陰陽只是一氣. 陰氣流行卽爲陽, 陽氣凝聚卽爲陰, 非直有二物相對也."[136]

(주자가 말했다.) "음양은 단지 하나의 기일 뿐이다. 음기陰氣가 유행하면 곧 양이 되고, 양기陽氣가 엉겨 모이면 곧 음이 되니, 둘이 서로 대립만 하는 것은 아니다."

[27-5-18]

"陰陽生殺, 固無間斷, 而亦不容並行."[137]

(주자가 말했다.) "음양이 (만물을) 살리고 죽이는 것은 진실로 끊어짐이 없지만 병행할 수도 없다."

[27-5-19]

"天地間無兩立之理, 非陰勝陽, 卽陽勝陰. 無物不然, 無時不然. 寒暑, 晝夜, 君子小人, 天理人欲."[138]

(주자가 말했다.) "천지 사이에는 양립하는 이치는 없으니, 음이 양을 이기지 않으면 곧 양이 음을 이긴다. 그렇지 않은 것이 없고 그렇지 않을 때도 없다. 추움과 더움, 낮과 밤, 군자와 소인, 천리와 인욕."

[27-5-20]

"陰陽不可分先後說."[139]

. . . .

고요하다. 고요하여 음을 낳고, 고요함이 극단에 이르면 다시 움직인다. 한 번 움직이고 한 번 고요함이 서로 뿌리가 된다. 음과 양으로 나뉘어 양의가 정립된다.(太極動而生陽, 動極而靜. 靜而生陰, 靜極復動. 一動一靜, 互爲其根. 分陰分陽, 兩儀立焉.)"라고 했다.

134 『朱子語類』 권65, 3조목
135 『朱子語類』 권65, 4조목
136 『朱文公文集』 권50 「答楊元範」
137 『朱文公文集』 권49 「答王子合」
138 『朱子語類』 권65, 12조목
139 『朱子語類』 권65, 13조목

(주자가 말했다.) "음양은 선후로 나누어 말할 수 없다."

[27-5-21]

"陽氣只是六層, 只管上去. 上盡後, 下面空闊處便是陰."[140]

(주자가 말했다.) "양기陽氣는 단지 여섯 층일 뿐인데 위로 올라가기만 한다. 다 올라간 뒤 아래쪽 빈 곳이 곧 음이 된다."

[27-5-22]

"方其有陽, 那裏知道有陰? 天地間只是一箇氣, 自今年冬至到明年冬至, 是他一氣周帀. 把來切做兩截時, 前面底便是陽, 後面底便是陰. 又切做四截也如此, 便是四時. 天地間只有六層陽氣, 到地面上時, 地下便冷了. 只是這六位, 陽長到那第六位時, 極了無去處, 上面只是漸次消了. 上面消了些箇時, 下面便生了些箇, 那便是陰. 這只是箇噓吸, 噓是陽, 吸是陰, 喚做一氣固是如此. 然看他日月男女牝牡處, 方見得無一物無陰陽. 如至微之物, 也有箇背面. 若說流行處, 却只是一氣."[141]

(주자가 말했다.) "바야흐로 양이 있을 때 어떻게 음이 있음을 아는가? 천지 사이는 단지 하나의 기氣일 뿐인데, 금년 동지冬至에서 내년 동지까지 그 하나의 기가 돈다. 두 절로 나누었을 때, 전반은 양이고 후반은 음이다. 또 네 절로 나누어도 이와 같으니 이것이 곧 사계절이다. 천지 사이에는 여섯 층의 양기가 있는데, (양기가) 지면에 도달했을 때 지하는 차갑다. 단지 이 여섯 층뿐이니, 양이 자라 제6층에 도달했을 때 극에 달해 갈 곳이 없으면, 위쪽은 점차 사그라진다. 위쪽에서 조금씩 줄어들 때 아래쪽에서는 조금씩 생겨나니, 그것이 곧 음이다. 이는 호흡에서 내쉬는 것은 양이고 들이쉬는 것은 음이지만 하나의 기라고 할 수 있는 것과 진실로 같다. 그러나 해와 달, 남과 여, 암과 수를 보면 비로소 하나라도 음과 양이 없는 것이 없다는 사실을 알 것이다. 지극히 미미한 사물 같은 것도 뒷면이 있다. 만약 유행하는 곳을 말하면 또한 단지 하나의 기일 뿐이다."

[27-5-23]

"盈天地之間, 所以爲造化者, 陰陽二氣之終始盛衰而已. 陽生於北, 長於東而盛於南. 陰始於南, 中於西而終於北. 故陽常居左, 而以生育長養爲功. 其類則爲剛爲明爲公爲義, 而凡君子之道屬焉. 陰常居右, 而以夷傷慘殺爲事. 其類則爲柔爲暗爲私爲利, 而凡小人之道屬焉."[142]

(주자가 말했다.) "천지 사이에 가득차서 조화造化하게 하는 것은 음양 두 기의 끝과 시작, 성盛함과 쇠衰함일 뿐이다. 양은 북쪽에서 생겨나서 동쪽에서 자라고 남쪽에서 성해진다. 음은 남쪽에서 시작하여

140 『朱子語類』 권65, 8조목
141 『朱子語類』 권65, 9조목
142 『朱文公文集』 권76 「傅伯拱字序」

서쪽에서 중간이 되고 북쪽에서 끝난다. 그러므로 양은 항상 왼쪽에 거하며 낳고 기르는 것을 공功으로 삼는다. 그 종류는 강건함 · 밝음 · 공변됨 · 의로움과 같은 것이니, 모든 군자의 도가 거기에 속한다. 음은 항상 오른쪽에 거하며 해하고 죽이는 것을 일로 삼는다. 그 종류는 유약함 · 어두움 · 사사로움 · 이익과 같은 것이니, 모든 소인의 길이 거기에 속한다."

[27-5-24]

"以陰陽善惡論之, 則陰陽之正皆善也, 其沴皆惡也. 以象類言, 則陽善而陰惡 ; 以動静言, 則陽客而陰主."[143]

又曰 : "天地之間, 陰陽而已. 以人分之, 則男女也 ; 以事言之, 則善惡也. 何適而不得其類哉?"[144]

(주자가 말했다.) "음양의 선악善惡을 논하면 음양의 바른 것은 모두 선이고 그 어그러진 것은 모두 악이다. 상象으로 말하면 양은 선이고 음은 악이며, 동정動靜으로 말하면 양은 객客이고 음은 주인이다." 또 말했다. "천지 사이는 음양일 뿐이다. 사람으로 말하면 남자와 여자이고, 일로 말하면 선과 악이다. 무엇이든 (음양으로) 분류하지 못하겠는가?"

[27-5-25]

"陰陽有相對言者, 如夫婦, 男女, 東西南北, 是也. 有錯綜言者, 如晝夜, 春夏秋冬, 弦望晦朔, 一箇間一箇輥去, 是也."[145]

(주자가 말했다.) "음양은 대대對待로 말한 것이 있으니, 부부, 남녀, 동서남북이 이것이다. 갈마드는 것으로 말한 것이 있으니, 밤 · 낮, 봄 · 여름 · 가을 · 겨울, 초하루 · 상하현 · 보름 · 그믐 등 하나의 사이로 하나가 섞여가는 것이 이것이다.

[27-5-26]

問 : "自十一月至正月方三陽, 是陽氣自地上而升否?"

曰 : "然. 只是陽氣旣升之後, 看看欲絕, 便有陰生, 陰氣將盡, 便有陽生, 其已升之氣便散矣. 所謂消息之理, 其來無窮."

又問 : "雷出地奮, 豫之後, 六陽一半在地上, 一半在地下,[146] 是天與地平分否?"

曰 : "若謂平分, 則天却包著地在, 此不必論."[147]

물었다. "11월에서 정월까지 세 양이 있는데, 이는 양기가 지상으로부터 올라오는 것입니까?"

143 『朱文公文集』 권49 「答王子合」
144 『朱文公文集』 권44 「答方伯謨」
145 『朱子語類』 권65, 7조목
146 六陽一半在地上, 一半在地下 : 『朱子語類』 권65, 10조목에는 "六陽一半在地下"로 되어 있다.
147 『朱子語類』 권65, 10조목

(주자가) 대답했다. "그렇다. 단지 양기가 이미 올라온 후에 잠깐씩 단절되려 하면 음이 생겨나고, 음기가 다하려 하면 곧 양이 생겨나니 이미 올라간 기는 곧 흩어진다. 이른바 '자라나고 줄어드는 이치[消息之理]'는 오는 것이 끝이 없다."

또 물었다. "우레가 땅에서 나와 떨쳐서 예豫괘가 된 후[148]에 여섯 개의 양 중에서 반은 땅 위에 있고 반은 땅 아래에 있으니, 이것은 하늘과 땅이 균분된 것입니까?'

대답했다. "만약 균분이라고 말한다면, 하늘이 오히려 땅을 싸고 있는 것이므로, 이것은 논할 필요가 없다."[149]

[27-5-27]

魯齋許氏曰: "萬物皆本於陰陽, 要去一件去不得. 天依地, 地附天. 如君臣·父子·夫婦皆然."[150]

노재 허씨魯齋許氏[許衡]가 말했다. "만물은 모두 음양에 근본을 두고 있으니, 하나를 없애려 해도 그럴 수 없다. 하늘은 땅에 의지하고 있고 땅은 하늘에 붙어 있다. 군신·부자·부부와 같은 경우도 모두 그러하다."

[27-5-28]

臨川吳氏曰: "陽本實, 陰本虛也. 陽爲氣, 陰爲精; 陽成象, 陰成形; 陽主用, 陰主體, 則陽反似虛, 陰反似實, 是不然. 天之積氣雖似虛, 然其氣急勁如鼓皮, 物之大莫能禦. 故曰健, 曰剛, 曰静專, 曰動直, 則實莫實於天. 地之成形雖似實, 然其形疎通如肺, 氣升降出入其中. 故曰順, 曰柔, 曰静翕, 曰動闢, 則虛莫虛於地. 然則陽實陰虛者, 正說也; 陽虛陰實者, 偏說也."[151]

임천 오씨臨川吳氏가 말했다. "양陽은 본래 실하고, 음陰은 본래 허하다. 양은 기氣이고 음은 정精이며, 양은 상象을 이루고 음은 형체를 이루며, 양은 용用을 주로 하고 음은 체體를 주로 하니, 양이 오히려 허한 것 같고 음이 오히려 실한 것 같지만 그렇지 않다. 하늘에 쌓인 기는 비록 허한 것 같지만, 그 기는 팽팽하고 단단한 것이 북의 가죽과 같아서, 큰 사물도 그것을 막을 수 있는 것이 없다. 그래서 '건실하다健', '강하다剛'고 하며, '고요함은 전일하고', '움직임은 곧다'고 하니, 실함으로서는 하늘보다 더 실한 것이 없다. 땅이 형체를 이룬 것은 비록 실한 것 같지만, 그 형체가 성글어서 통하는 것이

---

148 우레가 땅에서 … 후:『周易』「豫卦·象傳」에 "우레가 땅에서 나와 떨치는 것이 豫이니, 先王이 보고서 樂을 지어 德을 높여서 성대하게 上帝께 올려 祖考로 配享했다.(雷出地奮, 豫, 先王以, 作樂崇德, 殷薦之上帝, 以配祖考.)"라고 했다.

149 "만약 균분이라고 … 없다.":『朱子語類考文解義』제11에 "균분이라고 말한다면 하늘과 땅이 비슷해야 한다. 그러나 하늘이 땅을 싸고 있으므로 땅보다 큰 것이니, 이와 같이 말해서는 안 된다는 말이다.(謂若曰平分, 則是天地兩相齊等, 然而天則包地而大於地, 不可如此論也.)"라고 했다.

150 『魯齋遺稿』권1「語錄上」

151 『吳文正集』권1「原理有跋」

마치 폐와 같아서, 기가 그 사이를 오르내리고 들락날락한다. 그래서 '순順하다', '부드럽다[柔]'고 하며, '고요함은 닫음이고', '움직임은 열림이다'고 하니, 허함으로는 땅보다 더 허한 것이 없다. 그렇다면 양이 실하고 음이 허하다는 것이 바른 설[正說]이며, 양이 허하고 음이 실하다는 것은 치우친 설[偏說]이다."

[27-6]

五行 오행[152]

[27-6-1]

周子曰: "五行之序, 以質之所生而言, 則水本是陽之濕氣, 以其初動爲陰所陷而不得遂, 故水陰勝; 火本是陰之燥氣, 以其初動爲陽所揜而不得達, 故火陽勝. 蓋生之者微, 成之者盛. 生之者形之始, 成之者形之終也. 然各以偏勝也, 故雖有形而未成質, 以氣升降, 土不得而制焉. 木則陽之濕氣浸多, 以感於陰而舒, 故發而爲木, 其質柔, 其性暖. 金則陰之燥氣浸多, 以感於陽而縮, 故結而爲金, 其質剛, 其性寒. 土則陰陽之氣各盛, 相交相搏, 凝而成質.

주자周子[周濂溪]가 말했다. "오행五行의 순서를 질質이 생겨나는 것으로 말하면, 수水는 본래 양의 습한 기운인데 그것이 처음 동할 때 음에 묻혀서 (양이) 뻗어나가지 못했기 때문에 수水는 음기가 이긴 것이고, 화火는 본래 음의 건조한 기운인데 그것이 처음 동할 때 양에 가려져서 (음이) 뻗어나가지 못하기 때문에 화火는 양기가 이긴 것이다. 생겨나게 하는 것은 미약하고 이루어 주는 것은 왕성하다. 생겨나게 하는 것은 형체의 처음이고 이루어 주는 것은 형체의 끝이다. 그러나 각각 한쪽이 우월하기 때문에 비록 형태는 있지만 질質을 갖추지 못하여 기로써 승강하므로 토土가 제어하지 못한다. 목木은 양의 습한 기운이 점점 많아진 것으로, 음에 감하여 펴지기 때문에 발하여 목木이 되니 그 질은 부드럽고 그 성질은 따뜻하다. 금金은 음의 건조한 기운이 점점 많아진 것으로, 양에 감하면 움츠러들기 때문에 뭉쳐서 금金이 되니 그 질은 강하고 그 성질은 차갑다. 토土는 음양의 기가 각각 왕성한 것이니, 서로 교류하고 서로 부딪히며 엉겨서 질을 이룬다.

以氣之行而言, 則一陰一陽往來相代, 木火金水云者, 各就其中而分老少耳. 故其序各由少而老. 土則分旺四季, 而位居中者也. 此五者序若參差, 而造化所以爲發育之具, 實並行而不相悖. 蓋質則陰陽交錯凝合而成, 氣則陰陽兩端循環不已. 質曰水火木金, 蓋以陰陽相間言, 猶曰東西南北, 所謂對待者也. 氣曰木火金水, 蓋以陰陽相因言, 猶曰東南西北, 所謂流行者也. 質雖一定而不易, 氣則變化而無窮, 所謂易也."[153]

• • • • • • • • • • • • • • • • • • •

152 '水 · 火 · 木 · 金 · 土'가 오행의 구성요소를 가리킬 경우 '수 · 화 · 목 · 금 · 토'라는 한자어를 그대로 사용하였고, 실제 사물을 가리킬 경우, '물 · 불 · 나무 · 금속 · 흙'이라는 용어로 표기했음을 밝혀둔다.

(오행의 순서를) 기氣의 운행으로 말하면, 한번 음하고 한번 양한 것이 왕래하여 서로 교대하는 것이니, 목木·화火·금金·수水라고 하는 것은 각각 그 중에서 노老·소少를 나눈 것일 뿐이다. 그러므로 그 순서는 각각 소少에서 노老로 간다. 토土는 왕旺을 사계에 분속했고 위치로는 가운데이다. 이 다섯 가지의 순서는 들쭉날쭉한 것 같지만, 조화造化가 발육의 도구로 삼은 것이니 실제로는 병행해서 서로 어그러지지 않는다. 아마도 질質은 음양이 교차하고 엉겨서 이루어지는 것이고, 기氣는 음양의 양 끝이 멈추지 않고 순환하는 것이기 때문인 듯하다. 질質로서 '수·화·목·금'이라고 말하는 것은 대개 음양의 서로 섞임을 가지고 말한 것으로, 이는 '동·서·남·북'이라고 하는 것과 같으니, 이른바 대대對待라는 것이다. 기氣로서 '목·화·금·수'라고 하는 것은 대개 음양의 서로 따름을 가지고 말한 것으로 이는 '동·남·서·북'이라고 말하는 것과 같으니, 이른바 유행流行이라는 것이다. 질은 비록 일정하여 바뀌지 않지만, 기는 변화하여 끝이 없으니, 이른바 역易이다."

[27-6-2]
程子曰: "動靜者, 陰陽之本也. 五氣之運, 則參差不齊矣."[154]

정자程子가 말했다. "동정動靜은 음양의 근본이다. 오행의 운행은 들쭉날쭉하여 가지런히 않다."

[27-6-3]
或曰: "五行一氣也, 其本一物耳."

曰: "五物也. 五物備然後生, 猶五常一道也, 無五則亦無道. 然而旣曰五矣, 則不可混而爲一也."[155]

어떤 사람이 말했다. "오행은 하나의 기이니, 그것은 본래 하나의 사물입니다."

(정자가) 말했다. "다섯 가지 사물이다. 다섯 가지 사물이 갖추어진 다음 생성되니, 이는 오상五常(仁·義·禮·智·信)이 하나의 도道이지만 다섯 가지가 없으면 도가 없는 것과 같다. 그리고 이미 다섯이라고 했으면 뒤섞어서 하나로 만들서는 안 된다."

[27-6-4]
朱子曰: "氣之精英者爲神. 金木水火土非神, 所以爲金木水火土者是神. 在人則爲理, 所以爲仁義禮智信者是也."[156]

주자朱子가 말했다. "기의 정밀하고 빼어난 것이 신神이 된다. 금·목·수·화·토가 신이 아니라 금·목·수·화·토가 되게 하는 것이 신이다. 사람에게서는 리理이니, 인·의·예·지·신이 되게 하는 것

---

153 『周元公集』 권1 「五行說」
154 『二程粹言』 권2
155 『二程粹言』 권2
156 『朱子語類』 권1, 51조목

이 이것이다."

[27-6-5]

"金木水火土, 雖曰'五行各一其性', 然一物又各具五行之理."[157]

(주자가 말했다.) "금·목·수·화·토를 비록 '오행이 각각 하나의 성性을 가진다.'[158]고는 하지만, 하나가 또한 각각 오행의 이치를 갖추고 있다."

[27-6-6]

"天一自是生水, 地二自是生火. 生水只是合下便具得濕底意思. 木便是生出得一箇輭底, 金便是生出得一箇硬底. 五行之說, 「正蒙」中說得好."

又曰: "木者, 土之精華也."

又記曰: "水火不出於土. 「正蒙」一段說得最好, 不胡亂下一字."[159]

(주자가 말했다.) "천일天一이 본래 수水를 생하고, 지이地二가 본래 화火를 생한다.[160] '수水를 생한다'는 것은 본래 습한 성질을 갖추었다는 뜻이다. 목木은 부드러운 것을 생할 수 있는 것이고, 금金은 딱딱한 것을 생할 수 있는 것이다. 오행五行의 설은 「정몽」에서 잘 말했다."[161]

또 말했다. "목木은 토土의 정화精華(정수)이다."

또 기록에서 말했다. "수水와 화火는 토土에서 나오지 않는다. 「정몽」에서 가장 잘 말했으니, 한 글자도 함부로 쓰지 않았다."

[27-6-7]

"水火淸, 金木濁. 土又濁."[162]

(주자가 말했다.) "수水와 화火는 맑고, 금金과 목木은 탁하다. 토土는 더 탁하다."

- -

157 『朱子語類』 권1, 52조목

158 '오행이 각각 … 가진다.': 周敦頤는 『太極圖說』에서 "오행은 하나의 음양이고 음양은 하나의 태극이며 태극은 본래 무극이니, 오행의 생성에 각각 그 성을 하나씩 가진다.(五行一陰陽也, 陰陽一太極也, 太極本無極也, 五行之生也, 各一其性.)"라고 하였다.

159 『朱子語類』 권1, 53조목

160 天一이 본래 … 생한다. : 『周易』「繫辭上」 9장에 "하늘은 1이고 땅은 2, 하늘은 3이고 땅은 4, 하늘은 5이고 땅은 6, 하늘은 7이고 땅은 8, 하늘은 9이고 땅은 10이다. 하늘의 수는 다섯이고 땅의 수가 다섯이니 다섯 자리가 서로 얻으며 각각 합이 있어서, 하늘의 수가 25이고 땅의 수는 30이다. 하늘과 땅의 수는 55이니 이것이 변화를 이루고 귀신을 행하게 한다.(天一, 地二, 天三, 地四, 天五, 地六, 天七, 地八, 天九, 地十. 天數五, 地數五, 五位相得而各有合. 天數二十有五, 地數三十, 凡天地之數五十有五. 此所以成變化而行鬼神也.)"라고 했다.

161 五行의 설은 … 말했다. : 이에 대해서는 [27-6-14]의 間註 참조

162 『朱子語類』 권1, 55조목

[27-6-8]

"五行之序, 木爲之始, 水爲之終, 而土爲之中. 以「河圖」·「洛書」之數言之, 則水一木三而土五, 皆陽之生數而不可易者也. 故得以更迭爲主而爲五行之綱. 以德言之, 則木爲發生之性, 水爲貞靜之體, 而土又包育之母也. 故木之包五行也, 以其流通貫徹而無不在也; 水之包五行也, 以其歸根反本而藏於此也. 若夫土則水火之所寄, 金木之所資, 居中而應四方, 一體而載萬類者也. 故孔子贊乾之四德, 而以貞元擧其終始; 孟子論人之四端, 而不敢以信者列序於其間, 蓋以爲無適而非此也."163

(주자가 말했다.) "오행의 순서는 목木이 시작이 되고 수水가 끝이 되며 토土가 중간이 된다. 「하도河圖」·「낙서洛書」의 수數로 말하면, 수水는 1, 목木 3이고 토土는 5이니, 모두 양의 생수生數164로서 바꿀 수가 없는 것이다. 그러므로 번갈아 주인이 되고, 오행의 기강紀綱이 된다. 덕德으로 말하면, 목木은 시작하고 낳는 성性이 되고 수水는 곧고 고요한 체體가 되며, 토土는 또한 안아 기르는 모체母體가 된다. 그러므로 목이 오행을 포괄하는 것은 그것이 흐르고 통하고 관철하여 없는 곳이 없기 때문이고, 수가 오행을 포괄하는 것은 (오행이) 근본으로 돌아가 여기에서 저장되기 때문이다. 토는 수와 화가 깃들고 금과 목이 바탕으로 삼는 것으로, 가운데에 있으면서 사방四方에 응하니, 하나의 몸체로 모든 종류를 싣는 것이다. 그래서 공자가 건괘의 사덕四德을 찬술하면서 정貞과 원元을 그 끝과 시작으로 들고, 맹자가 사람의 사단四端을 논하면서 신信을 그 사이에 배열하지 않았으니, 어떠한 경우에도 이것이 아님이 없다고 여겼기 때문일 것이다."

[27-6-9]

"陰以陽爲質, 陽以陰爲質. 水內明而外暗, 火內暗而外明."165

(주자가 말했다.) "음은 양을 바탕으로 삼고, 양은 음을 바탕으로 삼는다. 물은 안쪽은 밝지만 바깥쪽은 어둡고, 불은 안쪽은 어둡지만 바깥쪽은 밝다."

[27-6-10]

"清明内影, 濁明外影. 清明金水, 濁明火日."166

---

163 『朱文公文集』 권72 「聲律辨」

164 生數: 『書經』「洪範」의 "五行은, 하나는 水이고 둘은 火이며 셋은 木이고 넷은 金이며 다섯은 土이다.(五行, 一曰水, 二曰火, 三曰木, 四曰金, 五曰土.)"라고 한 구절의 孔穎達 疏에 『周易』「繫辭傳」에 '하늘은 1, 땅은 2, 하늘은 3, 땅은 4, 하늘은 5, 땅은 6, 하늘은 7, 땅은 8, 하늘은 9, 땅은 10이다.'라고 했는데, 이는 오행이 생성하고 완성하는 수이다. 하늘의 수 1이 水를 낳고, 땅의 수 2가 火를 낳으며, 하늘의 수 3이 木을 낳고, 땅의 수 4가 金을 낳으며 하늘의 수 5가 土를 낳으니 이것이 그 生數이다.(『易』「繫辭」曰, '天一, 地二, 天三, 地四, 天五, 地六, 天七, 地八, 天九, 地十.' 此即是五行生成之數, 天一生水, 地二生火, 天三生木, 地四生金, 天五生土, 此其生數也.)"라고 했다.

165 『朱子語類』 권1, 61조목

(주자가 말했다.) "맑으면서 밝은 것[淸明]'은 안쪽으로 비추고, '탁하면서 밝은 것[濁明]'은 바깥쪽으로 비춘다. 맑으면서 밝은 것은 금속과 물이고, 탁하면서 밝은 것은 불과 해[日]이다."

[27-6-11]

"火中有黑, 陽中陰也. 水外黑洞洞地而中却明者, 陰中之陽也. 故水謂之陽, 火謂之陰亦得."[167]

(주자가 말했다.) "불 속에 있는 검은 것은 양 중의 음이다. 물은 외면은 어두컴컴하지만 속은 오히려 밝으니, 음 중의 양이다. 그러므로 수水를 양이라 하고 화火를 음이라고 해도 된다."

[27-6-12]

"得五行之秀者爲人. 只說五行而不言陰陽者, 蓋做這人須是五行, 方做得成. 然陰陽便在五行中, 所以周子云'五行一陰陽也.' 舍五行無別討陰陽處. 如甲乙屬木, 甲便是陽, 乙便是陰. 丙丁屬火, 丙便是陽, 丁便是陰. 不須更說陰陽, 而陰陽在其中矣."

或曰: "如言四時而不言寒暑爾?"

曰: "然."[168]

(주자가 말했다.) "'오행五行의 빼어난 것을 얻은 것이 사람이 된다.'[169]고 했는데, 단지 오행만 말하고 음양을 언급하지 않은 것은 사람은 반드시 이 오행에 의해서라야 이루어질 수 있기 때문이다. 음양은 오행 안에 있는 것이기 때문에 주자周子가 '오행이 하나의 음양이다.'[170]라고 했다. 오행을 버리고 별도로 음양을 찾을 곳은 없다. 예를 들면, 갑甲과 을乙은 목木에 속하는데, 갑은 양이고 을은 음이다. 병丙과 정丁은 화火에 속하는데, 병은 양이고 정은 음이다. 그러므로 다시 음양을 논할 필요가 없으니, 음양이 그 안에 있기 때문이다."

어떤 사람이 물었다. "사계절을 말하면서 추움과 더움을 말하지 않는 것과 같은 것입니까?"

대답했다. "그렇다."

166 『朱子語類』권1, 62조목
167 『朱子語類』권1, 60조목
168 『朱子語類』권30, 52조목
169 '五行의 빼어난 … 된다.': 『二程文集』권8 「雜著·顏子所好何學論」에서, 정자는 "천지가 精氣를 저축한 것에서 오행의 빼어난 것을 얻은 존재가 사람이 된다. 그 본체는 참되고 고요하다. 그것이 아직 발동하기 이전의 상태에 五性을 갖추니, 仁·義·禮·智·信이라고 한다. 형체가 이미 생겨나면 외부 사물이 그 형체에 접촉하여 마음을 움직인다. 마음이 움직이면 七情이 나오게 되니 喜·怒·哀·樂·愛·惡·欲이라고 한다. 情이 이미 왕성해져서 더욱 제멋대로 움직이면 그 性이 손상을 입게 된다.(天地儲精, 得五行之秀者爲人. 其本也眞而靜, 其未發也五性具焉, 曰仁義禮智信. 形旣生矣, 外物觸其形而動於中矣. 其中動而七情出焉, 曰喜怒哀樂愛惡欲. 情旣熾而益蕩, 其性鑿矣.)"라고 했다.
170 '오행이 하나의 음양이다.': 『周敦頤集』권1 「太極圖說」

[27-6-13]

或問: "'陰陽五行之爲性, 各是一氣所稟, 而性則一也.' 兩性字同否?"

曰: "一般."

又曰: "同者理也, 不同者氣也."

復問: "這箇莫是木自是木, 火自是火, 而其理則一?"

曰: "且如這箇光, 也有在硯蓋上底, 也有在墨上底, 其光則一也."[171]

어떤 사람이 물었다. "'음양陰陽·오행五行의 성은 각각 하나의 기를 품부 받은 것이지만, 성性은 하나일 뿐이다.'[172]라고 한 것에서 두 '성'은 같은 것입니까?"

(주자가) 대답했다. "마찬가지다."

또 말했다. "같은 것은 리理이고 같지 않은 것은 기氣이다."

다시 물었다. "이것은 목木은 목이고 화火는 화지만, 그 리理는 하나입니까?"

대답했다. "가령 이 빛이 벼루뚜껑에도 있고 먹에도 있지만, 그 빛은 하나인 것과 같다."

[27-6-14]

問: "金木水火體質屬土?"

曰: "橫渠說得好.[173] 只說金與木之體質屬土, 水與火則不屬土."

問: "火附木而生, 莫亦屬土?"

曰: "火自是箇虛空中物事."

물었다. "금金·목木·수水·화火의 질質은 토土에 속합니까?"

(주자가) 대답했다. "횡거橫渠의 설이 좋다. 금과 목의 질은 토에 속하지만, 수와 화는 토에 속하지 않는다."

물었다. "불은 나무에 붙어서 나는 것이니, 또한 토에 속하지 않습니까?"

대답했다. "불은 본래 허공 속의 사물이다."

問: "只溫暖之氣, 便是火否?"

曰: "然."[174] 「正蒙」云: "木曰曲直, 能旣屈而返伸也; 金曰從革, 一從革而不能自返也. 水火氣也, 故炎上潤

---

171 『朱子語類』 권1, 49조목

172 '陰陽·五行의 … 뿐이다.': 『朱文公文集』 권61 「答嚴時亨」에서 "陰陽·五行의 性이 되는 것이 각각 하나의 기를 품부 받았지만 性은 하나일 뿐이다. 그러므로 음양·오행 자체로 말한다면 치우침이 없을 수 없지만, 사람은 그 온전한 것을 품부받기 때문에 빼어난 것을 얻어 가장 신령한 것이다.(陰陽五行之爲性, 各是一氣所稟, 而性則一也. 故自陰陽五行而言之, 則不能無偏, 而人稟其全, 所以得其秀而最靈也.)"라고 한 것을 가리킨다.

173 橫渠說得好.: 『朱子語類』 권1, 54조목에는 "「正蒙」中說得好."로 되어 있다.

174 『朱子語類』 권1, 54조목

下, 與陰陽升降, 土不得而制焉. 木金者, 土之華實也, 其性有水火之雜. 故木之爲物, 水漬則生, 火然而不離也, 蓋得土之浮華於水火之交也. 金之爲物, 得火之精於土之燥, 得水之精於土之濡, 故水火相待而不相害, 爍之反流而不耗也, 蓋得土之精實於水火之際也. 土也者, 物之所以成始而成終也. 地之質也, 化之終也, 水火之所以升降, 物兼體而不遺者也."[175]

물었다. "온난한 기운이 곧 화火입니까?"

대답했다. "그렇다."「정몽正蒙」에 말했다. "목木은 굽기도 하고 곧기도 한데,[176] 굽었다가도 다시 펴질 수 있다. 금金은 바꾸는 대로 변하는데,[177] 변함을 따르면 스스로 돌아올 수 없다. 수水와 화火는 기이므로 위로 타오르고 아래로 적시며 음양과 함께 오르내리므로 토土가 그것을 제어할 수 없다. 목木과 금金은 토土의 꽃과 열매이니, 그 성性은 수와 화가 섞여 있다. 그러므로 목은 수가 적시면 생겨나고 화가 태우더라도 사라지지 않으니, 수와 화의 만남에서 토의 부화浮華(화려하게 드러난 것)를 얻은 것이다. 금은 토의 건조한 곳에서 화의 정수를 얻고, 토의 젖은 것에서 수의 정수를 얻는다. 그러므로 수와 화가 서로 의지하면서 서로 해치지 않고, 녹이더라도 오히려 흐를 뿐 사라지지 않으니, 수와 화의 만남에서 토의 정실精實(알맹이)을 얻는다. 토는 만물의 시작을 이루고 끝을 이루게 하는 것이다.[178] 땅의 바탕이며 변화의 끝이고 수와 화가 오르내리도록 하는 곳이니, 만물이 모두 골자로 하여 빠트리지 못하는 것이다."[179]

[27-6-15]

問 : "'以質而語其生之序', 不是相生否? 只是陽變而助陰, 故生水; 陰合而陽盛, 故生火. 木金各從其類, 故在左右."

曰 : "水陰根陽, 火陽根陰, 錯綜而生. 其端是天一生水, 地二生火, 天三生木, 地四生金. 到得運行處, 便水生木, 木生火, 火生土, 土生金, 金又生水, 水又生木, 循環相生. 又如甲乙丙丁戊己庚辛壬癸, 都是這箇物事."[180]

물었다. "'질質을 가지고 그 생하는 순서를 말한다'는 것[181]이 상생相生이 아닙니까? 단지 양陽이 변하여 음陰을 돕기 때문에 수水를 생하고, 음이 합하여 양이 성해지기 때문에 화火를 생하는 것입니다. 목木과 금金도 각각 그 부류를 따르니 좌우에 있습니다."

(주자가) 대답했다. "음인 수水는 양을 뿌리로 하고, 양인 화火는 음을 뿌리로 하니, 서로 착종하여 생한다. 그 단초는 하늘은 1로서 수水를 생하고, 땅은 2로서 화火를 생하고, 하늘은 3으로서 목木을 생하고, 땅은 4로서 금金을 생한다. 운행하는 데 이르면, 수가 목을 생하고, 목이 화를 생하고, 화가 토를 생하고,

175 『張子全書』 권2 「正蒙·三楊篇」

176 木은 굽기도 … 한데 : 『書經』「洪範」

177 金은 바꾸는 … 변하는데 : 『書經』「洪範」

178 토는 만물의 … 것이다. : 『周易』「說卦傳」 5장에 "간은 동북의 괘이니, 만물의 끝을 이루는 것이면서 시작을 이루는 것이므로 간에서 이룬다고 한다.(艮東北之卦也, 萬物之所成終而所成始也, 故曰成言乎艮.)"라고 했다.

179 만물이 모두 … 것이다. : 『中庸』 16장

180 『朱子語類』 권94, 20조목

181 '質을 가지고 … 것 : 『周元公集』 권1 「五行說」. 본서 [27-6-1] 참조

토가 금을 생하고, 금이 또 수를 생하고, 수가 또 목을 낳으니 순환 상생한다. 또 갑·을·병·정·무·기·경·신·임·계도 모두 이러한 것이다."

[27-6-16]

"'以氣而語其行之序, 則木火土金水', 而木火陽也, 金水陰也, 此豈卽其運用處而言之耶? 而木火何以謂之陽, 金水何以謂之陰?'

曰 : "此以四時而言, 春夏爲陽, 秋冬爲陰."[182]

(물었다.) "'기를 가지고 그 운행 순서를 말하면, 목木·화火·토土·금金·수水'라는 것[183]인데, 목과 화는 양이고 금과 수는 음이니, 이것은 혹시 그 운용하는 것으로 말한 것인가요? 목·화를 왜 양이라 하고 금·수를 왜 음이라 합니까?"

(주자가) 대답했다. "이것은 사시四時를 가지고 말한 것이니, 봄과 여름은 양이고 가을과 겨울은 음이다."

[27-6-17]

問 : "'木之神爲仁, 火之神爲禮', 如何見得?"

曰 : "神字猶云意思也. 且如一枝柴, 却如何見得他是仁? 只是他意思却是仁. 火那裏見得他是禮? 却是他意思是禮."[184]

물었다. "'목木의 신神은 인仁이고 화火의 신은 예禮'라고 하니, 어떻게 알 수 있습니까?"

(주자가) 대답했다. "신神자는 '뜻[意思]'이라는 것과 같다. 우선 장작 하나를 예로 들어보면, 어떻게 그것이 인한지 알 수 있는가? 단지 그것의 뜻이 인할 뿐이다. 불은 어디에서 그것이 예인지 알 수 있는가? 또한 그것의 뜻이 예이다."

[27-6-18]

問 : "二氣五行, 造化萬物, 一闔一闢, 萬變是生. 所謂五行之氣, 卽雷風水火之運耶? 又卽二氣之參差散殊者耶? 先儒謂'物物皆具', 則人之氣禀有偏重者, 謂之皆具可乎? 或謂'雖物皆具, 而就五行之中有得其多者, 有得其少者.' 於此思之, 殊茫然未曉."

曰 : "五行之氣, 如溫涼寒暑燥濕剛柔之類, 盈天地之間者皆是. 擧一物無不具此五者, 但其間有多少分數耳."[185]

물었다. "음양 두 기와 오행이 만물을 조화造化하는데, 한 번 열고 한 번 닫는 데에서 만 가지 변화가 생겨납니다. 오행의 기라는 것은 우레·바람·물·불의 움직임입니까? 또 두 기가 들쑥날쑥 흩어지는

---

182 『朱文公文集』 권49 「答林子玉」
183 '기를 가지고 … 것 : 『周元公集』 권1 「五行說」. 본서 [27-6-1] 참조
184 『朱子語類』 권62, 48조목
185 『朱文公文集』 권47 「答呂子約」

것입니까? 선유先儒가 '사물마다 모두 갖추고 있다'고 했는데, 사람의 기품에 편중이 있는 데도 모두 갖추어졌다고 할 수 있습니까? 어떤 사람은 '비록 사물이 오행을 모두 갖추었지만, 오행 중에 많이 얻은 것도 있고 적게 얻은 것도 있다'고 합니다. 이것을 생각해 보면 더욱 아득하여 깨닫기 어렵습니다." (주자가) 대답했다. "오행의 기는 예컨대 따뜻함과 서늘함, 추움과 더움, 건조함과 습함, 강함과 부드러움 따위로서, 천지 사이에 가득 찬 것이 모두 이것이다. 어떤 한 사물에 이 다섯 가지가 갖추어지지 않은 것이 없으나, 다만 거기에 많고 적음의 차이가 있을 뿐이다."

[27-6-19]

"陰陽播而爲五行, 五行中各有陰陽. 甲乙木, 丙丁火; 春屬木, 夏屬火. 年月日時, 無有非五行之氣. 甲乙丙丁, 又屬陰屬陽, 只是二五之氣. 人之生適遇其氣, 有得淸者, 有得濁者. 貴賤壽夭皆然. 故有參差不齊如此."[186]

(주자가 말했다.) "음양이 퍼져서 오행이 되니, 오행 속에 각각 음양이 있다. 갑甲·을乙은 목木이고 병丙·정丁은 화火이며, 봄은 목에 속하고 여름은 화에 속한다. 연年·월月·일日·시時도 오행의 기가 아닌 것이 없다. 갑·을·병·정은 또 음에 속하고 양에 속하니 모두 음양과 오행의 기이다. 사람이 태어나서 마침 그 기를 만나는데, 맑은 것을 얻는 자도 있고 탁한 것을 얻는 자도 있다. 귀천貴賤과 요수夭壽가 모두 그러하다. 그러므로 들쭉날쭉하여 가지런하지 않음이 이와 같다."

[27-6-20]

李氏希濂曰: "近見勉齋黃氏論五行, 多所未解. 其曰'生之序, 便是行之序', 而以「太極圖解」氣質之說爲不然. 以「洪範」五行一曰二曰爲非有次第, 但言其得數之多寡, 以夏後繼以秋爲火能生金, 惟其能生, 是以能尅.

이희렴李希濂이 말했다. "근래 면재 황씨勉齋黃氏가 오행을 논한 것을 보니 이해하지 못할 것이 많았다. '생성의 순서가 바로 운행의 순서'[187]라고 했고, 『태극도해太極圖解』의 기질의 설을 부정했다.[188] 「홍범洪

---

186 『朱子語類』권1, 45조목

187 '생성의 순서가 … 순서': 『勉齋集』권13 「復甘吉甫」에 "오행의 생성 순서는 水·火·木·金·土라고 하고 운행 순서는 목·화·토·금·수라고 하는데, 무엇 때문에 이러한 두 양태가 있는가? 살펴보면 하나의 이치일 뿐이니, 생성의 순서가 곧 운행의 순서이다. 처음에 단지 물만이 있었고 나무가 타서 불이 되니 (물과 불) 이 두 가지가 어머니이다. 나무는 물의 아들이고 쇠는 불의 아들이다. 겨울은 태음이고 봄은 소양이며 여름은 태양이고 가을은 소음이다. 겨울로부터 시작되므로 수·목·화·금이 생성 순서이니 수가 목을 생하고 화가 금을 생한다. 그러므로 생성 순서가 바로 운행 순서이다.(五行, 生之序則曰水火木金土, 行之序則曰木火土金水, 何故造物却有此兩樣? 看來只是一理, 生之序便是行之序. 元初只是一箇水, 水燠便是火, 此兩箇是母. 木者水之子, 金者火之子. 冬是太陰, 春是少陽, 夏是太陽, 秋是少陰. 從冬起, 故水木火金自成次序, 以水生木, 以火生金. 故生之序, 便是行之序也.)"라고 했다.

188 『太極圖解』의 기질의 … 부정했다.: 『天原發微』권2상 「衍五」에 "『太極圖解』에 한 가지 의심스러운 곳이 있으니, 「太極圖」는 '수가 음이 왕성하므로 오른쪽에 자리 잡고, 화는 양이 왕성하므로 왼쪽에 자리하며,

範」의 '오행의 하나는一曰, 둘은二曰'이라고 한 것[189]은 순서가 아니라 다만 얻은 수의 많고 적음을 말한 것이라 했고,[190] 여름에서 가을로 이어지는 것을 화火가 금金을 생한 것으로 여겨서, 생할 수 있기 때문에 이길 수도 있다고 했다.[191]

夫五行一也, 而以爲有生與行之異, 則誠若近於支離者. 然天地之間, 未有不以兩而化成者 也. 以二氣言, 則互爲其根者氣也, 分陰分陽者質也. 以五行言, 則有形體而分峙於昭昭之間 者其質也, 無形體而黙運於冥冥之表者其氣也. 夫豈混然而無別哉?

오행은 하나인데 생성과 운행의 다름이 있다고 하면 정말로 지리支離한 데 가까울 것 같다. 그러나 천지 사이에는 (음양) 둘이서 조화造化를 이루지 않는 것이 없다. 두 기로 말하면, 서로 뿌리가 되는 것은 기氣이고, 음과 양으로 나누어진 것은 질質이다. 오행으로 말하면, 형체가 있어서 눈에 보이는 세계에서 두드러지게 나누어진 것은 그 질이고, 형체는 없이 조용히 깊고 그윽한 중심에서 운행되는 것은 그

· · · · · · · · · · · · · · · · ·

금은 음이 어리므로 수 다음에 두었고, 목은 양이 어리므로 화 다음에 두었다.'고 하였는데, 이것은 생성하는 순서를 말한 것이다. 그러나 아래 글에는 또한 '수와 목은 양이고 화와 금은 음이다.'고 말하였으니, 도리어 수를 양이라 하고 화를 음이라고 하였다. 따져보면 만물이 처음 생길 때에는 본래 연약하다. 예컨대 양이 처음 생겨서 수가 될 때에는 아직 유약하지만 목을 낳게 되면 이미 강성해지며, 음이 처음 생겨서 화가 될 때에는 아직 미약하지만 금을 낳게 되면 이미 質을 이룬다. 이와 같다면 수는 양이 어린 것이 되고 목은 양이 왕성한 것이 되며, 화는 음이 어린 것이 되고 금은 음이 왕성한 것이 된다.(太極圖解自一處可疑, 圖以 '水陰盛, 故居右. 火陽盛, 故居左. 金陰穉, 故次水. 木陽穉, 故次火.' 此是說生之序. 下文却說水木, 陽也. 火金, 陰也.' 却以水爲陽, 火爲陰. 論來物之初生, 自是幼嫩. 如陽始生爲水尙柔弱, 到生木已强盛, 陰始生爲火尙微, 到生金已成質. 如此, 則水爲陽穉, 木爲陽盛. 火爲陰穉, 金爲陰盛也.)"라고 한 황간의 말이 수록되어 있다.

189 「洪範」의 '오행의 … 것 : 『書經』「洪範」 "五行은, 하나는 水이고 둘은 火이며 셋은 木이고 넷은 金이며 다섯 은 土이다.(五行, 一曰水, 二曰火, 三曰木, 四曰金, 五曰土.)"라고 한 것을 가리킨다.

190 「洪範」의 … 했고 : 『勉齋集』 권3 「復甘吉甫」에 "이른바 1·2·3·4라고 한 것은 다만 하나는 많고 하나는 적으니 많은 것의 극과 적은 것의 극을 말한 것이지 애초에 순서를 가지고 말한 것이 아니다. 이는 사람이 1문·2문이라고 한 것이 첫 번째 사람·두 번째 사람이라고 하는 것이 아닌 것과 같다. 과연 순서로 말한 것이라면 1이 水를 생성한다고는 하지만 수가 되지 못하고, 반드시 오행이 모두 갖추어진 후에 오히려 제6이 되기를 기다린 후에 수가 생성될 것이며, 2가 火를 생성한다고 하지만 화가 되지 못하고, 반드시 오행이 모두 갖추어지기를 기다린 후에 제7이 되어서야 화가 생성되겠는가? (所謂一二三四, 但言一多一少, 多之極 少之極也, 初非以次序而言. 猶人言一文兩文, 非謂第一名第二名也. 果以次序而言, 則一生水而未成水, 必至 五行俱足, 猶待第六而後成水, 二生火而未成火, 必待五行俱足, 然後第七而成火耶?)"라고 한 것을 가리킨다.

191 여름에서 가을로 … 했다. : 『勉齋集』 권3 「復甘吉甫」에 "어째서 여름 다음에 가을이 되는가? 가령 '중앙에 戊·己·土가 있다'고 한다면 몇월 몇일이 무와 기에 속하는지 알지 못한다. 토는 사계절에 다 왕성하니 어느 것인들 토가 아닌 것이 있는가? 낳는 것이 어찌 金뿐이겠는가? 금은 본래 토이니, 가을에 건조하고 뜨거워서 금을 낳으니, 화가 금을 생한다고 말하는 것이 왜 안 되겠는가? 화는 금을 이길 수 있으니, 생할 수 있기 때문에 이길 수도 있는 것을 의심할 것이 있겠는가?(何故夏之後便爲秋耶? 借曰中央有戊己土, 不知 何月何日屬戊己耶. 土旺四季, 則何物非土? 所生豈特金耶? 金本土也, 以秋燥熱而生金, 謂之火生金何不可也? 火能尅金, 惟其能生, 所以能尅, 又何疑焉?)"라고 한 것을 가리킨다.

기이다. 어찌 혼연하여 분별이 없겠는가?

故就質而原其生出之始, 則水火以陰陽之盛而居先, 木金以陰陽之釋而居後,[192] 此質之序然也. 就氣而探其運行之常, 則木火以陽而居先, 金水以陰而居後, 此氣之序然也. 質雖以氣而成, 然其體一定而不可易. 氣雖行乎質之內, 而其用則循環而不可窮. 二者相次以成造化. 今必混而一之, 則是天地之間, 不過輪一死局而無經緯錯綜之妙, 其爲造化亦小矣. 此其一也.

그러므로 질質에 있어서 그 생겨나는 초기로 거슬러 올라가면, 수水와 화火는 음양의 성한 것으로서 앞에 있고, 목木과 금金은 음양의 어린 것으로서 뒤에 있으니, 이는 질의 순서가 그러한 것이다. 기氣에 있어서 그 운행의 법칙을 탐구하면, 목과 화는 양으로서 앞에 있고, 금과 수는 음으로서 뒤에 있으니, 이는 기의 순서가 그러한 것이다. 질은 기로 이루어지지만, 그 형체는 한번 정해지면 바뀔 수 없다. 기는 질 속에서 운행하지만, 그 용用은 순환하여 끝이 없다. 이 둘은 서로 차례로 이어지면서 조화造化를 이룬다. 지금 반드시 섞어서 하나로 한다면, 이는 천지 사이에 하나의 고착된 형국이 반복할 뿐, 가로세로로 짜이는 오묘함은 없을 것이며, 그 조화도 또한 작을 것이다. 이것이 첫째이다.

五行之生, 同出於陰陽. 有則俱有, 誠若不可以次第言. 然水火者, 陰陽變合之初, 氣之至精且盛者也, 故爲五行之先. 水陰而根於陽, 火陽而根於陰, 故水又爲火之先也. 有水火而木金生焉, 木華而疏, 金寶而固, 故木金次於水火, 而木又爲金之先也. 土則四者之所成終而成始也, 故次五焉. 『易大傳』自天一至地十, 以爲'五位相得而各有合', 正指五行生成之數而言. 按之「河圖」可見, 而「洪範」五行亦以是爲次, 此「河圖」·「洛書」所以相爲經緯也.

오행이 생겨나는 것은 함께 음양에서 나온다. 있으면 모두 있으니 참으로 순서로 말할 수는 없는 듯하다. 그러나 수와 화는 음양이 변하고 합하는 초기의 기의 지극한 정수이자 성한 것이니 오행 중의 앞부분이다. 수는 음인데 양에 뿌리를 두고, 화는 양인데 음에 뿌리를 두었으니, 수는 또 화의 앞이다. 수·화가 있어서 목·금이 생겨나는데, 목은 펼쳐져서 성기고 금은 꽉 차고 견고하니, 그러므로 목·금은 수·화의 다음이 되고, 목은 또 금의 앞이 된다. 토는 이 넷의 끝과 시작이 되는 것이므로 순서가 다섯 번째이다. 『역전易傳』에서 천일天一에서 지십地十에 이르기까지 '다섯 자리가 서로 얻고 각각 합이 있다'고 한 것[193]은 바로 오행의 생수生數와 성수成數[194]를 가리켜 말한 것이다. 생각건대, 「하도河圖」에서 볼 수 있고,

---

192 木金以陰陽之釋而居後 : 『圖書編』에 "木金以陰陽之釋而居後"로 되어 있다. 이에 따라 해석했다.

193 天一에서 地十에 … 것 : 『周易』「繫辭上」 9장에 "하늘은 1이고 땅은 2, 하늘은 3이고 땅은 4, 하늘은 5이고 땅은 6, 하늘은 7이고 땅은 8, 하늘은 9이고 땅은 10이다. 하늘의 수는 다섯이고 땅의 수가 다섯이니 다섯 자리가 서로 얻으며 각각 합이 있어서, 하늘의 수가 25이고 땅의 수는 30이다. 하늘과 땅의 수는 55이니 이것이 변화를 이루고 귀신을 행하게 한다.(天一, 地二, 天三, 地四, 天五, 地六, 天七, 地八, 天九, 地十. 天數五, 地數五, 五位相得而各有合. 天數二十有五, 地數三十, 凡天地之數五十有五, 此所以成變化而行鬼神也.)"라고 했다.

194 오행의 生數와 成數 : 『書經』「洪範」의 "五行은, 하나는 水이고 둘은 火이며 셋은 木이고 넷은 金이며 다섯은

또 「홍범洪範」의 오행도 또한 이것을 순서로 삼았으니, 이것이 「하도」·「낙서」가 서로 씨줄과 날줄이 되는 까닭이다.

今必削其次第, 而但以得多寡爲說, 則是以五行之質, 水木皆陽之所爲而無與乎陰, 火金皆陰之所爲而無與乎陽. 旣乖生成之序, 復戾變合之旨, 所謂五行一陰陽者, 皆爲虛語矣. 然勉齋亦云, '初只是一箇水, 水暖後便是火, 此兩箇是母. 木是水之子, 金是火之子.' 是四者之序亦未嘗無. 但所謂水暖後便是火, 與金是火之子, 亦未詳其義而恐其未安耳. 按水暖是火, 蓋取旣生魄陽曰魂之意. 但二者恐自不同. 此其二也.

지금 (면재 황씨처럼) 꼭 그 순서를 무시하고 다만 얻은 것의 많고 적음만 말하면, 이것은 오행의 질 중에서 수·목은 모두 양의 운동이라 음과 관계가 없고, 화·금은 모두 음의 운동이라 양과 관계가 없게 되므로, 생성의 순서를 무너뜨리고, 또 변하고 합하는 뜻을 어그러뜨리니, 이른바 '오행은 하나의 음양'이라는 것이 모두 공허한 말이 되고 만다. 그러나 면재는 또한 '처음에 단지 수 하나인데, 수가 더워진 후에 화가 되니 이 둘은 어머니이다. 목은 수의 자식이고 금은 화의 자식이다.'[195]라고 했으니, 이 넷의 순서 또한 없지 않았다. 다만 이른바 수가 더워진 후에 화가 된다는 것과 금이 화의 아들이라는 것은 그 뜻을 알 수 없으니, 또한 온당치 않은 듯하다. 생각건대, 수가 더워져 화가 된다는 것은 아마도 '백魄이 생긴 뒤의 양陽을 혼魂이라고 한다.'[196]고 한 뜻을 취한 것 같다. 그러나 이 양자는 본래 같지 않다. 이것이 둘째이다.

若火生金之說, 則尤不可曉. 若以相生爲序, 則曰木火土金水 ; 若以相剋爲序, 則當曰水火金木土. 未有其四以生相受, 而其一獨以剋相生也. 「禮運」曰'播五行於四時', 周子亦曰'五氣順

<hr />

土이다.(五行, 一曰水, 二曰火, 三曰木, 四曰金, 五曰土.)"라고 한 구절의 孔穎達 疏에 "『周易』「繫辭傳」에 '하늘은 1, 땅은 2, 하늘은 3, 땅은 4, 하늘은 5, 땅은 6, 하늘을 7, 땅은 8, 하늘은 9, 땅은 10이다.'라고 했는데, 이는 오행이 생성하고 완성하는 수이다. 하늘의 수 1이 水를 낳고, 땅의 수 2가 火를 낳으며, 하늘의 수 3이 木을 낳고, 땅의 수 4가 金을 낳으며 하늘의 수 5가 土를 낳으니 이것이 그 生數이다. 이와 같으면 양과 음이 서로 짝이 없다. 그러므로 땅의 수 6은 水를 완성하고, 하늘의 수 7은 火를 완성하며, 땅의 수 8은 木을 완성하고, 하늘의 수 9는 金을 완성하며, 땅의 수 10은 土를 완성한다. 이에 음양이 각각 짝이 있어서 사물이 완성될 수 있다. 그러므로 이것을 成數라 한다.(『易』「繫辭」曰, '天一, 地二, 天三, 地四, 天五, 地六, 天七, 地八, 天九, 地十.' 此即五行生成之數, 天一生水, 地二生火, 天三生木, 地四生金, 天五生土, 此其生數也. 如此則陽無匹陰無偶. 故地六成水, 天七成火, 地八成木, 天九成金, 地十成土. 於是陰陽各有匹偶, 而物得成焉. 故謂之成數也.)"라고 했다.

195 '처음에 단지 … 자식이다.' : 『勉齋集』권13 「復甘吉甫」
196 '魄이 생긴 … 한다.' : 『春秋左傳』「昭公 7년」에 "사람이 태어나서 처음으로 변화한 것을 魄이라고 하고, 魄이 생긴 뒤의 陽을 魂이라고 한다. 쓰는 사물이 자세하고 많으면 혼과 백이 강하다. 이 때문에 정신이 신명의 경지에 이르는 경우도 있다.(人生始化曰魄, 旣生魄, 陽曰魂. 用物精多, 則魂魄强. 是以有精爽至於神明.)"라고 했다.

布, 四時行焉', 是四時之內, 固備五行之氣也. 惟土無定位, 寄旺於四季, 辰·未·戌·丑之月, 土之所旺也. 土旺則皆可以生金矣. 然辰未, 陽也; 戌丑, 陰也. 陽則生, 陰則成. 辰未固皆陽也, 春木之氣盛, 則土爲之傷, 夏火之氣盛, 則土爲之息. 故季夏本土旺之月, 而又加之以火, 則爲尤旺, 故能生金而爲秋. 此其相生之序, 豈不瞭然甚明也哉? 按五行家金生於巳, 蓋辰之所生也. 但孕育方微, 必至季夏, 然後成體而爲壯耳.

화火가 금金을 생한다는 설은 더욱 알 수가 없다. 만약 상생의 순서라면 목·화·토·금·수라고 하고, 상극의 순서라면 마땅히 수·화·금·목·토라고 해야 한다. 그 넷이 서로 생生으로 이어지다가 하나만 홀로 극尅이 생生이 되는 경우는 없다. 「예운禮運」에서는 '사계절에 오행을 분포한다.'[197]고 했고, 주자周子 또한 '오기五氣가 순조롭게 펴져서 사계절이 운행한다'[198]고 한 것은 이 사계절 안에 진실로 오행의 기가 갖추어져 있다는 것이다. 오직 토土만이 정해진 위치가 없고 사시의 계월季月(마지막달)에 모두 붙어서 왕성하니, 진월辰月·미월未月·술월戌月·축월丑月은 토土가 왕성한 달이다. 토가 왕성하면 모두 금을 생할 수 있다. 그러나 진辰과 미未는 양이고 술戌과 축丑은 음이다. 양은 낳고 음은 완성한다. 진과 미는 본래 모두 양이기는 하지만, 봄에 목의 기가 성해서 토가 그것에 의해 상하고, 여름에 화의 기가 성하면 토가 그것 때문에 불어난다. 그러므로 계하季夏(6월, 늦여름)는 본래 토가 왕성한 달인데, 또 화를 더하면 그 때문에 더욱 왕성해지므로 금을 생할 수 있어 가을이 된다. 이것이 그 상생의 순서이니, 명료하게 매우 밝지 않은가? 생각건대, 오행가五行家는 금金이 사巳에서 생겨난다고 했지만, 진辰이 낳는 것이다. 다만 잉태하고 기르는 것이 아직 미미하고, 반드시 계하季夏가 된 후에 형체를 이루어 장성해지는 것이다.

今但見夏之後便繼以秋, 思而不得其說, 遽斷之曰'火能生金', 竊恐其爲疎矣. 「月令」以中央土繼於季夏之後, 『素問』於四時之外以長夏屬土, 皆是此意, 與十干之序脗合. 自炎黃以迄于今, 未之有改. 周子·朱子, 蓋皆取之. 今一旦創立孤論以行其獨見, 愚恐其不合乎造化本然之體也."[199]

지금 다만 여름 이후에 가을로 이어지는 것만을 보고, 생각해서 그 설을 얻지 못한 채, 급히 판단하여 '화가 금을 생할 수 있다'고 했는데, 아마도 그 때문에 소략해진 것 같다. 「월령月令」에서 중앙의 토를 계하季夏의 뒤에 이어놓은 것[200] 『소문素問』에서 사계절 외에 장하長夏(6월)를 토에 배속시킨 것[201]이 모

. . . .

197 '사계절에 오행을 분포한다.' : 『禮記』「禮運」에 "그러므로 하늘은 陽을 부려서 해와 별을 드리우고, 땅은 음기를 부려서 산천에 구멍을 뚫었으며, 사계절에 오행을 분포했으니, 이것이 조화를 이룬 이후에 달이 생겨난다.(故天秉陽, 垂日星, 地秉陰, 竅於山川, 播五行於四時, 和而后月生也.)"라고 했다.

198 '五氣가 순조롭게 … 운행한다.' : 『太極圖說』

199 『圖書編』 권22

200 「月令」에서 중앙의 … 것 : 『禮記』「月令」에 "중앙은 토이니 그 날日로는 戊와 己이고, 그 帝는 黃帝이고, 그 신은 后土神이며, 그 동물은 倮蟲(털이나 날개가 없는 동물)이고, 그 음은 宮이고, 그 율은 黃鐘의 宮에 맞는 것이며, 그 수는 5이고, 그 맛은 단맛이며, 그 냄새는 향기이다.(中央土, 其日戊己, 其帝黃帝, 其神后土, 其蟲倮, 其音宮, 律中黃鐘之宮, 其數五, 其味甘, 其臭香.)"라고 했는데, 이 중앙에 대한 설명이 季夏(6월)와

두 이 뜻이니, 십간十干의 순서와 정확하게 합치한다. 염제·황제 이래로 지금에 이르기까지 바뀐 적이 없었고, 주자周敦頤周敦頤와 주자朱子도 모두 그것을 취했다. 지금 하루아침에 외로운 이론을 만들어 내어 그 독견獨見을 행하려 하니, 아마도 조화造化 본연의 체體와 맞지 않은 듯하다."

[27-6-21]

或問: "氣行於天, 質具於地, 則是有氣, 便有是質, 氣如是, 質便如是. 以氣而語其行之序, 則木火土金水; 以質而言其生之序, 則水火木金土. 氣之序如此, 質之序如此."

潛室陳氏曰: "五行始生, 謂太極流行之後, 自氣而成質, 自柔而成剛. 水最柔, 故居一; 火差剛, 故居次. 至木至金至土, 則浸堅剛. 故「洪範」與『易』言所生之序皆如此. 氣則成四時之序, 卽五行之序也."[202]

어떤 사람이 물었다. "기氣는 하늘에서 운행하고 질質은 땅에 갖추어져 있으니, 기가 있으면 곧 질이 있고, 기가 이 같으면 질도 곧 이 같습니다. 기를 가지고 그 운행의 순서를 말하면 목·화·토·금·수이고 질을 가지고 그 생성의 순서를 말하면 수·화·목·금·토입니다. 기의 순서도 이와 같고 질의 순서도 이와 같습니다."

잠실 진씨潛室陳氏가 대답했다. "오행이 처음 생겨나는 것은 태극이 유행한 후에 기로부터 질이 이루어지고 부드러운 것으로부터 강건한 것이 이루어짐을 말한다. 수는 가장 부드럽기 때문에 첫 번째이고, 화는 조금 강하기 때문에 그 다음이다. 목·금·토에 이르면서 점점 견고하고 강해진다. 그러므로 「홍범洪範」과 『주역周易』에서 말한 생성의 순서가 모두 이와 같다. 기는 사계절의 순서를 이루니, 바로 오행의 순서이다."

[27-6-22]

臨川吳氏曰: "十幹十二支之名立而相配爲六十, 不知其所始. 世傳黃帝命大撓作甲子, 或然也. 漢之時術家以六十之四十八, 配『周易』八純卦之六爻, 謂之渾天納甲. 不過以寅卯二支爲木, 巳午二支爲火, 申酉二支爲金, 亥子二支爲水, 辰戌丑未四支爲土而已. 後世所謂納音者, 每支五行備, 而每行周乎十二支, 幹則否. 壬癸各二水而四金四木, 丙丁各二火而四土四水, 戊己各二土而四木四火, 庚辛各二金而四木四土. 甲乙不爲木而四火四水四金焉. 予嘗謂納甲之五行, 猶先天之卦; 納音之五行, 猶後天之卦也. 且納音始於誰乎? 五行之上曰, 某水某火某土某金某木者, 又始於誰乎? 疑末世術家猥瑣之所爲也."[203]

· ·

　　孟秋(7월) 사이에 배치되어 있는 것을 말한다.
201　『素問』에서 사계절 … 것: 송대 劉溫舒가 찬한 『素問入式運氣論奧』 권상에 "토가 변한 것이 습기와 비인데, 장하를 주관한다. 장하는 6월을 말한다.(土之化濕與雨, 主於長夏. 長夏謂六月也.)"라고 했다.
202　『木鍾集』 권10 「近思雜問附」
203　『吳文正集』 권18 「甲子釋義後序」

임천 오씨臨川吳氏가 말했다. "십간十干과 십이지十二支의 이름을 정립하고 서로 배합하니 60가지가 되는데, 그 시작은 알 수 없다. 세간에 전하는 것은 황제黃帝가 대요大撓에게 명하여 갑자를 만들도록 했다[204]고 하는데, 혹 그럴 수도 있다. 한나라 때의 역술가들은 60갑자 중의 48개를 『주역周易』의 여덟 순괘純卦의 육효에 배합하여 '혼천납갑渾天納甲'[205]이라고 했다. 이는 인寅·묘卯 두 지지地支를 목木으로 하고 사巳·오午 두 지지를 화火로 하고, 신申·유酉 두 지지를 금金으로 하고, 해亥·자子 두 지지를 수水로 하고, 진辰·술戌·축丑·미未 네 지지를 토土로 한 것에 불과하다. 후세에 말하는 '납음納音'[206]이라는 것은 매 지지에 오행이 갖추어지고 매 행에 두루 십이지가 배열된 것인데, 십간은 그렇지 않다. 임壬·계癸는 각각 수水 둘에 금金 넷, 목木 넷이고, 병丙·정丁은 각각 화火 둘에 토土 넷, 수水 넷이며, 무戊·기己는 각각 토土 둘에 목木 둘, 화火 둘이고, 경庚·신辛은 각각 금金 둘에 목木 넷, 토土 넷이다. 갑甲·을乙은 목木이 없고 화火 넷, 수水 넷, 금金 넷이다. 나는 일찍이 납갑納甲의 오행은 선천의 괘와 같고, 납음納音의 오행은 후천의 괘와 같다고 생각했다. 또 납음은 누구에게서 시작되었을까? 오행에서 말하는 ○수, ○화, ○토, ○금, ○목이라는 것은 또 누구에게서 시작되었을까? 아마도 말세의 역술가들이 외람되고 자질구레하게 한 일일 것이다."

[27-7]

四時 사시

[27-7-1]

朱子曰 : "天有春夏秋冬, 地有金木水火, 人有仁義禮智, 皆以四者相爲用也."[207]

주자朱子가 말했다. "하늘에는 춘·하·추·동이 있고, 땅에는 금·목·수·화가 있으며, 사람에게는 인·의·예·지가 있으니, 모두 네 가지로 서로 작용을 하는 것이다."

· · · · · · · · · · · · · · ·

204 黃帝가 大撓에게 … 했다. : 『資治通鑑外紀』권1 「包犧以來紀·黃帝」에 "황제가 하도를 얻어서 일월성신의 상을 보고 비로소 星官의 책을 만들었다. 그 스승 대요가 오행의 실상을 탐구하고 斗剛(북두칠성의 자루 부분의 별)의 별을 점쳐서 처음으로 갑자를 만들었다.(帝受河圖, 見日月星辰之象, 始有星官之書. 其師大撓, 探五行之情, 占斗剛所建, 始作甲子.)"고 했다.

205 納甲 : 한대 京房이 주장한 역학의 한 방법론으로서, 역 64괘의 6개 효마다 10간 혹은 5행 등을 배속하여, 그것으로 모든 괘상의 기미와 길흉을 추단하는 방법이다. 모든 납갑은 초효에서부터 상효를 향해 순서대로 배속되는데, 양괘는 子·寅·辰·午·申·戌의 순행하는 순서로 붙여나가며, 음괘는 丑·亥·酉·未·巳·卯의 역행하는 순서로 붙여 나간다.

206 納音 : 五音을 六十甲子에 맞추어 오행을 나타내는 말이다.

207 『朱子語類』권1, 63조목

[27-7-2]

"春爲感, 夏爲應, 秋爲感, 冬爲應. 若統論春夏爲感, 秋冬爲應, 明歲春夏又爲感."[208]

(주자가 말했다.) "봄은 감感하고 여름은 응應하며, 가을은 감하고 겨울은 응한다. 통괄해서 말하면 봄·여름은 감하고 가을·겨울은 응하며, 다음해의 봄·여름이 또 감한다."

[27-7-3]

"只是一箇道理, 界破看. 以一歲言之, 有春夏秋冬；以乾言之, 有元亨利貞；以一月言之, 有晦朔弦望；以一日言之, 有旦晝暮夜."[209]

(주자가 말했다.) "단지 하나의 도리일 뿐이지만 구획지어 보면 다음과 같다. 한 해로 말하면 봄·여름·가을·겨울이 있고, 하늘로 말하면 원·형·이·정이 있으며, 한 달로 말하면 그믐·초하루·상하현·보름이 있고, 하루로 말하면 아침·낮·저녁·밤이 있다."

[27-7-4]

"天地只是一箇春氣. 發生之初爲春氣, 長得過便爲夏, 收斂便爲秋, 消縮盡便爲冬, 明年又復從春處起. 渾然只是一箇發生之氣."[210]

(주자가 말했다.) "천지는 단지 하나의 봄기운일 뿐이다. 발생하는 처음이 봄의 기운인데, 자라면 여름이 되고, 수렴하면 가을이 되며, 다 줄어들면 겨울이 되어, 다음 해에 다시 봄부터 시작된다. 온통 하나의 발생하는 기운일 뿐이다."

[27-7-5]

魯齋許氏曰："長生, 長春, 如何長得? 春夏秋冬, 寒暑代謝, 天之道也. 如春可長, 亦不足貴矣."[211]

노재 허씨魯齋許氏가 말했다. "장생長生, 장춘長春이라고 하지만 어떻게 오래 갈 수 있겠는가? 봄·여름·가을·겨울에 추위와 더위가 갈마드는 것은 하늘의 도이다. 봄을 늘일 수 있다고 해도 귀하게 여길 만한 것이 못된다."

[27-7-6]

"南北東西, 是定體相對, 春夏秋冬, 是流行運用, 却便相循環. 一體一用."[212]

....

208 『朱子語類』 권1, 64조목
209 『朱子語類』 권18, 77조목
210 『朱子語類』 권95, 9조목
211 『魯齋遺稿』 권1 「語錄上」
212 『魯齋遺稿』 권1 「語錄上」. 『魯齋遺稿』에는 上句와 합쳐 있다.

(노재 허씨가 말했다.) "동서남북은 고정된 체體이니 서로 대대對待가 되고, 춘하추동은 유행하고 운용하는 것이니 서로 순환한다. 하나는 체體이고 하나는 용用이다."

[27-7-7]
臨川吳氏曰 : "風木, 冬春之交, 北東之維, 艮震也. 君火, 春夏之交, 東南之維, 震巽也. 相火, 正夏之時, 正南之方, 離也. 濕土, 夏秋之交, 南西之維, 坤兌也. 燥金, 秋冬之交, 西北之維, 兌乾也. 寒水, 正冬之時, 正北之方, 坎也. 此主氣之定布者也.

임천 오씨臨川吳氏가 말했다. "풍목風木은 겨울과 봄이 교차하는 때이고 북과 동의 사이이니 간艮괘와 진震괘이다. 군화君火는 봄과 여름이 교차하는 때이고 동과 남의 사이이니 진震괘와 손巽괘이다. 상화相火는 여름이고 정남방이니 리離괘이다. 습토濕土는 여름과 가을이 교차하는 때이고 남과 서의 사이이니 곤坤괘와 태兌괘이다. 조금燥金은 가을과 겨울이 교차하는 때이고 서와 북의 사이이니 태兌괘와 건乾괘이다. 한수寒水는 겨울이고 정북방이니 감坎괘이다. 이것이 주기主氣의 정해진 배치[213]이다.

地初正氣, 子中而丑中, 震也 ; 地後間氣, 丑中而卯中, 離也. 天前間氣, 卯中而巳中, 兌也 ; 天中正氣, 巳中而未中, 乾巽也 ; 天後間氣, 未中而酉中, 坎也. 地前間氣, 酉中而亥中, 艮也 ; 地終正氣, 亥中而子中, 坤也. 此客氣之加臨者也.

지초地初는 정기正氣로서 자중子中에서 축중丑中이니 진震괘이고, 지후地後는 간기間氣로서 축중丑中에서 묘중卯中이니 리離괘이다. 천전天前은 간기로서 묘중卯中에서 사중巳中이니 태兌괘이고, 천중天中은 정기로서 사중巳中에서 미중未中이니 건乾괘와 손巽괘이며, 천후天後는 간기로서 미중未中에서 유중酉中이니 감坎괘이다. 지전地前은 간기로서 유중酉中에서 해중亥中이니 간艮괘이고, 지종地終은 정기로서 해중亥中에서 자중子中이니 곤坤괘이다. 이것이 객기客氣가 더해지는 것[214]이다.

主氣土居二火之後, 客氣土行二火之間. 終艮始艮, 後天卦位也 ; 始震終坤, 先天卦序也. 世

---

213 主氣의 정해진 배치 : 胡方平의 『易學啓蒙通釋』 권상 「本圖書」 제1에 "六氣는 子와 午가 少陰 君火로서 하늘을 주관하여 主氣가 되고, 寅과 申은 少陽 相火로서 하늘을 주관하여 주기가 되며, 丑과 未는 太陰 濕土로서 하늘을 주관하여 주기가 되고, 卯와 酉는 陽明 燥金으로서 하늘을 주관하여 주기가 되며, 辰과 戌은 太陽 寒水로서 하늘을 주관하여 주기가 되고, 巳와 亥는 厥陰 風木으로서 하늘을 주관하여 주기가 되는 것이 이것이다.(六氣者, 子午少陰君火司天爲主氣, 寅申少陽相火司天爲主氣, 丑未太陰濕土司天爲主氣, 卯酉陽明燥金司天爲主氣, 辰戌太陽寒水司天爲主氣, 巳亥厥陰風木司天爲主氣, 是也.)"라고 했다. 이를 표로 하면 다음과 같다.

君火	相火	濕土	燥金	寒水	風木
子·午	寅·申	丑·未	卯·酉	辰·戌	巳·亥
少陰	少陽	太陰	陽明	太陽	厥陰

214 客氣가 더해지는 것 : 이 내용을 표로 만들면 다음과 같다.

以歲氣起大寒者, 似協後天終艮始艮之文, 然而非也. 楊子建以歲氣起冬至者, 冥契先天始震終坤之義. 子午歲之冬至起燥金, 而生丑中之寒水, 丑未歲之冬至起寒水, 而生丑中之風木. 寅申歲起風木, 卯酉歲起君火, 辰戌歲起濕土, 巳亥歲起相火, 皆肇端於子半. 六氣相生, 循環不窮, 豈歲歲間斷於傳承之際哉? 然則終始乎艮者, 可以分主氣所居之位, 而非可以論客氣所行之序也."215

주기主氣는 토土가 두 화火의 뒤에 자리하고 있는 것이고, 객기客氣는 토가 두 화의 사이에 움직이고 있는 것이다. 간艮에서 끝나고 간艮에서 시작하는 것은 후천後天의 괘 위치이며, 진震에서 시작하여 곤坤에서 끝나는 것은 선천先天의 괘 순서이다. 세속에서 세기歲氣(그 해의 기)가 대한大寒 때 시작된다고 하는 것은 후천의 '간에서 끝나고 간에서 시작하는 무늬'와 합치하는 것 같지만, 그렇지 않다. 양자건楊子建양강후楊康候216이 '세기歲氣가 동지에서 시작된다'고 한 것은 '선천의 진에서 시작하여 곤에서 끝난다'는 뜻에 은연히 합치한다. 자子·오午 해의 동지에 조금燥金에서 시작하여 축중丑中의 한수寒水를 생하고, 축丑·미未 해의 동지에 한수寒水에서 시작하여 축중丑中의 풍목風木을 생한다. 인寅·신申 해는 풍목風木에서 시작하고, 묘卯·유酉 해는 군화君火에서 시작하며, 진辰·술戌 해는 습토濕土에서 시작하고, 사巳·해亥 해는 상화相火에서 시작하니, 모두 자반子半(자정)에서 시작된다. 육기六氣는 상생하여 끝없이 순환하니, 어찌 해마다 이어지는 사이에 단절이 있겠는가? 그렇다면 간艮에서 시작하고 끝나는 것은 주기主氣가 자리하는 위치로 나눌 수 있는 것이지, 객기가 운행되는 순서로 논할 수 있는 것이 아니다."

[27-7-8]
"天地陰陽之運, 往過來續. 木火土金水, 始終終始, 如環斯循, 六氣相生之序也. 歲氣起於子中, 盡於子中, 故曰'冬至子之半, 天心無改移.' 子午之歲, 始冬至燥金三十日, 然後禪於寒水以至相火, 日各六十者五, 而小雪以後其日三十, 復終於燥金. 丑未之歲, 始冬至寒水三十日, 然後禪於風木以至燥金, 日各六十者五, 而小雪以後其日三十, 復終於寒水. 寅申以下皆然. 如是六十年, 至千萬年, 氣序相生而無間. 非小寒之末無所於授, 大寒之初無所於承, 隔越一氣不相接續, 而截自大寒爲次年初氣之首也. 此造化之妙, 『內經』秘而未發, 啓玄子闕而未言, 近代楊子建昉推而得之."217

(임천 오씨가 말했다.) "천지와 음양의 운행은 가는 것은 지나가고 오는 것은 계속된다. 목木·화火·토

地初	地後	天前	天中	天後	地前	地終
正氣	間氣	間氣	正氣	間氣	間氣	正氣
子~丑	丑~卯	卯~巳	巳~未	未~酉	酉~亥	亥~子
震	離	兌	乾·巽	坎	艮	坤

215 『吳文正集』 권17 「運氣考定序」
216 楊康候: 북송대의 의학자로 子建은 그의 字이다. 『十産論』을 저술했다.
217 『吳文正集』 권17 「運氣新書序」

土·금金·수水는 시작이 끝이 되어 끝이 시작이 되어 고리처럼 순환하니, 육기六氣가 상생하는 순서이다. 세기歲氣는 자중子中에서 시작하여 자중에서 다하기 때문에 '동짓날 한 밤중[子之半]에 하늘의 마음은 바뀜이 없다.'[218]고 했다. 자子·오午해는 동지에서 시작하여 조금燥金 30일이 지난 후에 한수寒水로 물려주고 상화相火에 이르니, 날이 각각 60일인 것이 다섯이고, 소설小雪 이후에 30일이 되어 다시 조금燥金에서 끝난다. 축丑·미未해는 동지에서 시작하여 한수寒水 30일이 지난 후에 풍목風木으로 물려주고 조금燥金에 이르니, 날이 각각 60일인 것이 다섯이고, 소설小雪 이후 날이 30일이 되어 다시 한수寒水에서 끝난다. 인寅·신申 이하도 모두 그렇다. 이와 같이 60년을 하여 천년·만년에 이르러도 기가 순서대로 서로 생하여 단절이 없다. 소한小寒 끝에 줄 것이 없고 대한大寒의 초에 받을 것이 없는 것이 아니지만, 한 절기를 건너뛰어서 서로 이어지지 않게 되니, 대한大寒에서부터 끊어서 이듬해 초의 기氣의 시작으로 삼은 것이다. 이 조화造化의 신묘함은 『황제내경』에서 숨겨서 발설하지 않았고 계현자啓玄子[王冰][219]는 빠뜨리고 말하지 않았는데, 근대의 양자건楊子建이 비로소 미루어 터득했다."

[27-8]

地理 潮汐附   지리 조석설을 붙임

[27-8-1]

朱子曰: "山河大地初生時, 須尙輭在."[220]

주자朱子가 말했다. "산하와 대지가 처음 생겼을 때, 분명 아직 말랑말랑한 상태였을 것이다."

[27-8-2]

"河圖言崑崙者, 地之中也. 『素問』曰, '天不足西北, 地不滿東南.' 註云, '中原地形西北高, 東南下.' 今百川滿湊東之滄海, 則東西南北高下可知矣.'"[221]

(주자가 말했다.) "황하의 그림[河圖]에서 말한 곤륜崑崙[222]은 땅의 중심이다. 『소문素問』에 '하늘은 서·북이 부족하고, 땅은 동·남이 모자란다.'고 했고, 그 주에는 '중원의 지형은 서·북이 높고 동·남이 낮다.'[223]고

··········

218 '동짓날 한 … 없다.': 『擊壤集』 권18에 수록되어 있는 邵雍의 復卦詩이다. 전문은 다음과 같다. "동짓날 한 밤중에 하늘마음 바뀜 없어. 한 陽이 막 싹텄으나, 만물은 아직 미동 없네. 물맛이 그렇게 담박하듯, 아름다운 음악은 소리가 가느다랗네. 내 말 만일 믿기지 않거든, 청하노니 복희씨께 물어보시게.(冬至之半, 天心無改移. 一陽方動處, 萬物未生時, 玄酒味方淡, 大音聲正希, 此言如不信, 更請問庖犧.)"
219 王冰: 唐의 의학자로 啓玄子는 그의 자호이다. 太僕令을 지냈고, 저서에 『注黃帝素問』이 있다.
220 『朱子語類』 권1, 32조목
221 『楚辭集注』 권3
222 崑崙: 중국의 서쪽에 있는 靈山이다. 현재 新疆과 티벳 사이에 있어 서쪽으로는 파미르 고원과 접하고 동쪽으로는 靑海까지 뻗어 있다.

했다. 지금 모든 내川가 가득히 동쪽의 창해滄海로 흘러가니, 동서남북의 높낮이를 알 수 있다."

[27-8-3]

"『水經』云, '崐崘取嵩山五萬里.' 看來不會如此遠. 蓋中國至于闐二萬里, 于闐去崐崘無緣更有三萬里. 『文昌雜錄』記于闐遣使來貢獻, 使者自言其西千三百餘里卽崐崘山. 今中國在崐崘之東南, 而天竺諸國在其正南. 大抵地形如饅頭, 其捺尖則崐崘也."[224]

(주자가 말했다.) "『수경水經』에 '곤륜산은 숭산嵩山[225]에서 거리가 5만 리이다.'라고 했는데, 내가 보기에 이렇게 멀 수는 없다. 대개 중원中原에서 우전于闐[226]까지의 거리가 2만 리인데, 우전에서 곤륜까지 3만 리가 더 있을 리가 없다. 『문창잡록文昌雜錄』에 우전에서 사절을 보내 조공을 바치는데, 사자使者가 스스로 그 서쪽 1300여리가 곧 곤륜산이라고 했다고 기록[227]되어 있다. 지금 중국은 곤륜산의 동남쪽에 있고 천축天竺의 국가들은 그 정남쪽에 있다. 대략 지형은 만두 모양과 같은데 비틀려 뾰족 튀어나온 곳이 곤륜산이다."

[27-8-4]

"冀都是正天地中間, 好箇風水. 山脉從雲中發來, 雲中正高脊處. 自脊以西之水, 則西流入于龍門西河 ; 自脊以東之水, 則東流入于海. 前面一條黃河環繞, 右畔是華山聳立爲虎, 自華來至中爲嵩山, 是爲前案. 遂過去爲泰山, 聳于左是爲龍. 淮南諸山, 是第二重案, 江南諸山及五嶺, 又爲第三四重案."[228]

(주자가 말했다.) "기도冀都[229]는 천지의 중앙으로 풍수가 좋다. 산맥은 운중雲中[230]에서 시작되어 왔는데, 운중은 바로 (산맥의) 등마루이다. 등마루의 서쪽 물은 서쪽으로 흘러 용문龍門[231]의 서하西河로 흘러들어가고, 등마루의 동쪽 물은 동쪽으로 흘러 바다로 들어간다. 앞쪽은 한 줄기 황하黃河가 감싸며 도는데,

---

223 '하늘은 서 … 낮다.' : 『黃帝內經素問』 권20 「五常政大論」

224 『朱子語類』 권86, 27조목

225 嵩山 : 河南省 登封縣 북쪽에 있는 산이다. 五嶽의 하나인 中嶽이다.

226 于闐 : 한나라 때 西域 蔥嶺의 북쪽, 현재의 新疆 和闐城 일대에 있던 나라이다.

227 『文昌雜錄』에 우전에서 … 기록 : 『文昌雜錄』 권1에 "우전국의 성 동쪽에 白玉이 있고, 黃河의 서쪽에는 綠玉이 있으며, 황하의 더 서쪽에는 烏玉이 있습니다. 황하는 그 근원이 나라 서쪽 1300여리에 있는 곤륜산에서 발원합니다.(于闐國城之東有白玉, 河西有綠玉, 河次西有烏玉. 河其源同出崑崙山在其國西千三百餘里.)"고 한 내용이 있다.

228 『朱子語類』 권2, 83조목

229 冀都 : 冀州를 가리킨다. 陝西와 山西 사이의 황하 동쪽, 하남과 산서 사이의 황하 북쪽, 山東 북서부와 河北 남동쪽 지역에 해당한다. 『爾雅』 「釋地」에 "(동하에서 서하에 이르는) 두 황하 사이를 冀州라 한다.(兩河之間曰冀州)"라고 했다.

230 雲中 : 지금의 山西省 大同市를 가리킨다.

231 龍門 : 황하 중류에 있는 여울목으로, 山西省 河津縣 북서쪽과 陝西省 韓城市 북동쪽에 있다.

오른쪽은 화산華山[232]이 우뚝 솟아서 백호白虎가 되고, 화산으로부터 중앙에 이르면 숭산嵩山인데, 이것이 안산案山이 된다. 계속 지나가면 태산泰山인데 왼쪽에 우뚝 솟아 청룡靑龍이 된다. 회남淮南의 여러 산들은 이것이 이중二重 안산이고, 강남江南의 여러 산과 오령五嶺[233]은 또 삼·사중 안산이 된다.”

[27-8-5]

“堯都中原, 風水極佳. 左河東太行諸山相繞, 海島諸山亦皆相向. 右河南遶直至太山湊海.[234] 第二重自蜀中出湖南, 出盧山諸山. 第三重自五嶺至明越. 又黑水之類, 自北纏繞至南海.”[235]

(주자가 말했다.) “요임금은 중원中原[236]에 도읍을 정했으니 풍수가 매우 좋다. 왼쪽은 하동河東의 태항太行의 여러 산[237]이 감싸고 있고, 바다의 섬에 있는 여러 산도 모두 바라보고 있다. 오른쪽으로는 하남河南의 황하黃河가 휘감아 곧장 태산泰山에 이르고 바다로 흘러들어간다. 이중 안산은 촉중蜀中에서 호남湖南으로 나아가고 여산盧山[238] 등 여러 산으로 나아간다. 삼중 안산은 오령五嶺에서부터 명주明州와 월주越州[239]에 이른다. 또 흑수黑水[240]와 같은 종류는 북쪽에서 휘감아 돌아 남해南海에 이른다.”

[27-8-6]

“河東地形極好, 乃堯舜禹故都, 今晉州河中府是也. 左右多山, 黃河繞之, 嵩華列其前.”[241]

(주자가 말했다.) “하동河東은 지형이 매우 좋으니, 요·순·우의 옛 도읍인데, 지금의 진주晉州 하중부河

----

232 華山 : 五嶽의 하나로 陝西省 華陰縣의 남쪽에 있다.
233 五嶺 : 『前漢書』 권32 “北爲長城之役, 南有五嶺之戍.”의 顔師古 주에 “배씨의 「廣州記」에 ‘대경·시안·임하·계양·게양이 오령이다.’(裵氏廣州記云, ‘大庾·始安·臨賀·桂陽·揭陽, 是爲五嶺.’)”라고 했다.
234 右河南遶直至太山湊海. : 『朱子語類』 권2, 84조목에는 “右河南遶直至泰山湊海.”으로 되어 있다.
235 『朱子語類』 권2, 84조목
236 中原 : 冀州를 가리킨다. 『朱子語類』 권2, 74조목에 “요·순이 도읍으로 삼았던 冀州의 땅은 북방과의 거리가 매우 가깝다.(如堯舜所都冀州之地, 去北方甚近.)”고 했다.
237 太行의 여러 산 : 태항산맥을 가리킨다. 山西省, 河北省, 河南省의 경계에 걸친 산맥으로 主峰은 태항산이다.
238 盧山 : 江西省 九江市 남쪽에 있는 산이다.
239 明州와 越州 : 明州는 寧波, 越州는 紹興을 가리킨다.
240 黑水 : 흑수라는 명칭을 가진 물은 여러 곳이 있는데, 여기서는 『書經』「下書·禹貢」의 “흑수를 이끌어, 삼위에 이르러 남해로 들어가게 했다.(導黑水, 至于三危, 入于南海)”고 한 흑수를 가리키는 듯하다. 이 구절의 채침의 전에 “黑水는 「地理志」에 ‘犍爲郡 南廣縣 汾關山에서 나온다.’고 했고, 『水經』에는 ‘張掖 鷄山에서 나와 남쪽으로 燉煌에 이르고, 三危山을 지나 남쪽으로 흘러 南海로 들어간다.’고 했다. 당나라의 樊綽은 ‘西夷의 물에 남쪽으로 가서 남해에 흘러 들어가는 것이 모두 넷인데, 區江·西珥河·麗水·瀰渃江이니, 모두 南海로 들어간다. 麗水라고 칭하는 것이 곧 옛날의 黑水인데, 三危山이 그 위에 높이 임해 있다.’고 했다. … 「地理志」와 『水經』, 樊氏의 말이 확실한 것인지는 상세하지 않으나 요컨대 이 지역이다.(黑水, 「地志」, 在犍爲郡南廣縣汾關山, 『水經』, 出張掖雞山, 南至燉煌過三危山, 南流入于南海. 唐樊綽云, ‘西夷之水, 南流入于南海者凡四, 曰區江曰西珥河曰麗水曰瀰渃江, 皆入于南海. 其曰麗水者, 即古之黑水也, 三危山臨峙其上.’ … 「地志」『水經』樊氏之說, 雖未詳之實, 要是其地也.)”라고 했다.
241 『朱子語類』 권2, 85조목

中府[242]가 이곳이다. 좌우로 산이 많고 황하가 감싸며 숭산과 화산이 그 앞에 펼쳐져 있다."

[27-8-7]

"河東河北, 皆繞太行山. 堯舜禹所都, 皆在太行下."[243]

(주자가 말했다.) "하동河東과 하북河北은 모두 태항산太行山을 감싼다. 요·순·우가 도읍으로 삼은 곳이 모두 태항산 아래에 있다."

[27-8-8]

"太行山一千里, 河北諸州皆旋其趾, 潞州·上黨, 在山脊最高處. 過河時便見太行在半天, 如黑雲然."[244]

(주자가 말했다.) "태항산맥은 천리千里인데, 하북河北의 여러 주州가 모두 그 아래를 맴돌고, 노주潞州·상당上黨[245]이 산맥의 가장 높은 곳에 있다. 황하를 지날 때, 태항산맥이 마치 검은 구름처럼 하늘의 반을 차지하고 있는 것을 볼 수 있다."

[27-8-9]

"上黨卽今潞州, 春秋赤狄潞氏, 卽其地也. 以其地極高, 與天爲黨, 故曰上黨. 上黨, 太行山之極高處. 平陽·晉州·蒲坂, 山之盡頭, 堯舜之所都也. 河東河北諸州, 如太原·晉陽等處, 皆在山之兩邊窠中, 山極高潤. 伊川云, '太行千里一塊石.' 山後是忻·代諸州. 泰山却是太行之虎山."

或問 : "平陽·蒲坂, 自堯舜後何故無人建都?"

曰 : "其地磽瘠不生物. 人民朴陋儉嗇, 故惟堯舜能都之. 後世侈泰, 如何都得?"[246]

(주자가 말했다.) "상당上黨은 지금의 노주潞州인데, 춘추시대 적적赤狄 노씨潞氏가 그 땅에 있었다. 그 땅이 매우 높아서 하늘과 한 무리[黨]가 되므로 상당이라고 부른다. 상당은 태항산맥의 매우 높은 곳이다. 평양平陽·진주晉州·포판蒲坂은 산맥의 끄트머리로 요와 순이 도읍으로 삼은 곳이다. 하동河東과 하북河北의 여러 주, 즉 태원太原 진양晉陽[247]은 모두 산맥의 양 끝 오목한 곳에 있는데, 산이 매우 높고 트여

---

242 晉州 河中府 : 晉州는 지금의 山西省 臨汾市 일대에 해당하며, 하중부는 蒲坂, 즉 지금의 山西省 永濟市에 두었던 府이다.
243 『朱子語類』 권2, 87조목
244 『朱子語類』 권2, 88조목
245 潞州·上黨 : 지금의 山西省 長治市에 해당한다.
246 『朱子語類』 권2, 86조목
247 太原 晉陽 : 太原府 晉陽을 가리킨다. 요임금의 옛 도읍으로 지금의 山西省 太原市이다. 『毛詩』「國風·唐」 주에 "당은 오임금이 옛 도읍으로 삼은 땅이니, 지금은 태원부 진양이라고 한다. 여기에 요임금이 처음 자리를 잡았다가 후에 하동의 평양으로 옮겼다.(唐者, 帝堯舊都之地, 今曰太原晉陽. 是堯始居, 此後乃遷河

있다. 이천伊川은 '태항산맥 천리는 한 덩어리의 돌이다.' 라고 했다. 산의 뒤쪽은 흔주忻州·대주代州[248] 등의 여러 주가 있다. 태산泰山은 태항산의 백호이다."

어떤 사람이 물었다. "평양·포판에 요와 순의 후대에는 왜 도읍을 세운 사람이 없었습니까?"

대답했다. "그 땅이 척박하여 만물이 살지 못한다. 백성들이 소박하고 검소했기 때문에 오직 요·순만이 도읍으로 삼을 수 있었다. 후세 사람은 사치스럽고 태만하니 어찌 도읍으로 삼을 수 있었겠는가?"

[27-8-10]

"前代所以都關中者, 以黃河左右旋繞, 所謂'臨不測之淵', 是也. 近東獨有函谷關一路通山東, 故可據以爲險. 又關中之山, 皆自蜀漢而來, 至長安而盡. 他錄作, '關中之山, 皆自西而東.' 若橫山之險, 乃山之極高處. 橫山皆黃石, 山不生草木."[249]

(주자가 말했다.) "전대前代에 관중關中[250]에 도읍을 정했던 것은 황하黃河가 좌우로 휘감기 때문이니, 이른바 '깊이를 헤아릴 수 없는 연못가에 임한다.'[251]는 것이 이것이다. 동쪽 가까이는 함곡관函谷關 하나만 산동山東으로 통하는 길이 있기 때문에 거기에 웅거雄據하여 요해처要害處로 삼을 수 있었다. 또 관중의 산은 모두 촉한蜀漢에서 이어져 와서 장안長安에 이르러서 끝난다. 다른 기록에는 '관중의 산은 모두 서쪽에서 동쪽으로 뻗어 있다.'라고 되어 있다. 횡산橫山[252]이 요해처가 된 것은 산이 매우 높기 때문이다. 횡산은 모두 황석黃石으로 되어 있어서 산에 초목이 살지 않는다."

[27-8-11]

"東南論都, 所以必要都建康者, 以建康正諸方水道所湊, 一望則諸要害地都在面前, 有相應處. 臨安如入屋角房中, 坐視外面, 殊不相應. 武昌亦不及建康. 然今之武昌, 非昔之武昌. 吳都武昌, 乃今武昌縣, 地勢廻窄, 只恃前一水爲險耳. 鄂州正今之武昌, 亦是好形勢. 上可以通關陝, 中可以向許洛, 下可以通山東. 若臨安, 進只可通得山東及淮北而已."[253]

(주자가 말했다.) "동남東南에서 도읍을 논할 때 반드시 건강建康에 도읍 하려고 했던 것[254]은 건강이

東平陽.)"라고 했다.

248 忻州·代州: 흔주는 현재의 山西省 忻州市이며, 대주는 山西省 代縣이다.

249 『朱子語類』 권133, 13조목

250 關中: 函谷關 서쪽 전국시대 秦나라에 해당하는 곳으로 지금의 陝西省 渭河 유역 일대를 가리킨다.

251 '깊이를 헤아릴 … 임한다.': 『魏書』 권102에 "阿鉤羌國은 … 나라의 서쪽에 縣度山이 있는데 그 사이 400리 중에는 자주 棧道가 있어서 아래는 깊이를 헤아릴 수 없는 연못가에 임한 듯하다. 사람들이 다닐 때는 새끼 줄을 서로 잡고 건너곤 하니 이 때문에 그 이름이 생겼다.(阿鉤羌國, … 國西有縣度山, 其間四百里中往往有棧道, 下臨不測之淵, 人行以繩索相持而度, 因以名之.)"라고 했다.

252 橫山: 陝西省 橫山縣에 있는 산을 가리키는 듯하다.

253 『朱子語類』 권127, 46조목

254 東南에서 도읍을 … 것: 建康은 지금의 江蘇省 南京市이다. 당시 陳亮을 비롯한 일부 사람들이 風水를 이유로 건강에 천도할 것을 주장했다.

바로 여러 지역의 물길이 모이는 곳으로, 한눈에 보면 여러 요해지要害地가 모두 그 앞에 펼쳐져서, (요해지로 삼기에) 합당한 것 있기 때문이다. 임안臨安[255]은 집의 구석방에 들어가 있는 듯하여 앉아서 바깥을 보면 적합하지 않다. 무창武昌[256] 또한 건강建康만 못하다. 그러나 지금의 무창은 옛날의 무창과는 다르다. 오나라의 도읍 무창은 지금의 무창현으로 지세가 좁고 다만 앞에 물 하나만을 요해처로 믿을 뿐이다. 악주鄂州가 바로 지금의 무창이니 또한 좋은 형세를 가지고 있다. 위로는 관중關中·섬서陝西와 통할 수 있고, 중간으로는 허창許昌·낙양洛陽에 향할 수 있고, 아래로는 산동山東과 통할 수 있다. 임안臨安 같은 곳은 나아간다 해도 단지 산동山東·회북淮北 통할 수 있을 뿐이다."

[27-8-12]

"天下之山, 西北最高. 自關中一支生下函谷,[257] 以至嵩少,[258] 東盡泰山, 此是一支. 又自嶓冢漢水之北, 生下一支, 至揚州而盡. 江南諸山, 則又自岷山分一支, 以盡乎兩浙閩廣."[259]

(주자가 말했다.) "천하의 산은 서북西北이 가장 높다. 관중關中으로부터 하나의 줄기가 함곡函谷을 만들고, 숭산嵩山과 소실산少室山에 이르러 동쪽으로는 태산泰山에서 끝나니 이것은 하나의 줄기이다. 또 파총산嶓冢山[260]·한수漢水의 북쪽에서 하나의 줄기가 만들어져서 양주揚州[261]에 이르러 끝난다. 강남江南의 여러 산은 또 민산岷山[262]에서 하나의 줄기가 나누어진 것인데, 양절兩浙[263]과 민閩·광廣[264]에서 끝난다."

[27-8-13]

"大凡兩山夾行, 中間必有水 ; 兩水夾行, 中間必有山. 江出岷山, 岷山夾江兩岸而行, 那邊一支去爲江北許多去處, 這邊一支爲湖南. 又一支爲建康, 又一支爲福建二廣."[265]

(주자가 말했다.) "대체로 두 산이 끼고 가면 중간에는 반드시 물이 있고, 두 물이 끼고 흐르면 중간에는 반드시 산이 있다. 장강長江은 민산岷山에서 나오니, 민산은 강의 양 기슭을 끼고 뻗어 가는데, 저쪽 한 줄기는 강북江北의 여러 곳으로 흘러가고, 이쪽 한 줄기는 호남湖南으로 간다. 또 한 줄기는 건강建康이 되고 또 한 줄기는 복건福建과 양광兩廣[266]이 된다."

---

255 臨安 : 남송의 수도로서 지금의 浙江省 杭州市이다.

256 武昌 : 湖北省 武漢市의 한 地區이다.

257 天下之山, … 自關中一支生下函谷 : 『朱子語類』 권2, 89조목에는 "或問, '天下之山西北最高?' 曰, '然. 自關中一支生下函谷'"으로 되어 있다.

258 以至嵩少 : 『朱子語類』 권2, 89조목에는 "以至嵩山"으로 되어 있다.

259 『朱子語類』 권2, 89조목

260 嶓冢山 : 陝西省 勉縣의 서남쪽에 있는 산으로 漢水가 발원하는 곳이다.

261 揚州 : 지금의 江蘇省 揚州市이다.

262 岷山 : 四川省 북쪽과 甘肅省 경계에 있는 산으로 岷江의 발원지이다. 汶山이라고도 한다.

263 兩浙 : 浙東과 浙西를 말한다. 지금의 江蘇省의 長江 남쪽과 浙江省 전역에 해당한다.

264 閩·廣 : 閩은 지금의 福建省을, 廣은 廣東省과 廣西壯族自治區에 해당한다.

265 『朱子語類』 권79, 10조목

[27-8-14]

“岷山之脈, 其一支爲衡山者, 已盡於九江之西. 其一支又南而東度桂嶺者, 則包湘源而北, 經袁潭之境, 以盡於廬阜. 其一支又南而東度庾嶺者,[267] 則包彭蠡之源, 以北盡於建康. 其一支則又東包溮江之源,[268] 而北其首以盡會稽, 南其尾以盡乎閩粤也.[269]”[270]

(주자가 말했다.) “민산산맥에서, 형산衡山[271]을 이루는 한 줄기는 구강九江[272]의 서쪽에서 끝난다. 그 한 줄기가 또 남쪽으로 갔다가 동쪽으로 계령桂嶺으로 건너간 것은 상수湘水의 발원처를 감싸 안고 북쪽으로 가서 원담袁潭의 경계를 경유하여 여부廬阜에서 끝난다. 그 한 줄기가 또 남쪽으로 갔다가 동쪽으로 유령庾嶺에 건너간 것은 팽려彭蠡의 발원지를 감싸 안고, 북쪽으로 가서 건강建康에서 끝난다. 또 한 줄기는 동쪽 절강浙江의 발원지를 감싸 안으니 북쪽으로 뻗어서 회계會稽[273]에서 끝나고 남쪽으로 내려와 민월閩粤에서 끝난다.”

[27-8-15]

“仙霞嶺在信州分水之右, 其脊脈發去爲臨安, 又發去爲建康.”[274]

(주자가 말했다.) “선하령仙霞嶺[275]은 신주信州 분수分水[276]의 오른쪽에 있으니, 그 산맥이 뻗어서 임안臨安이 되고 더 뻗어서 건강建康이 된다.”

[27-8-16]

“江西山皆自五嶺贛上來, 自南而北, 故皆逆. 閩中却是自北而南, 故皆順.”[277]

(주자가 말했다.) “강서江西 지방의 산은 모두 오령五嶺과 감수贛水 상류에서 나오니, 남쪽에서 북쪽으로 갔으므로 모두 (다른 산맥과는) 역방향이다. 민중閩中은 북쪽에서 남쪽으로 갔으므로 모두 순방향이다.”

· ·

266 兩廣: 廣東과 廣西를 말한다.
267 其一支又南而東度庾嶺者: 『朱文公文集』 권72에는 “其一支又南而東度大庾者”로 되어 있다.
268 其一支則又東包溮江之源: 『朱文公文集』 권72에는 “其一支則又東包浙江之源”로 되어 있어 따른다.
269 南其尾以盡乎閩粤也.: 『朱文公文集』 권72에는 “南其尾以盡乎閩越也.”로 되어 있다.
270 『朱文公文集』 권72 「九江彭蠡辨」
271 衡山: 중국 五嶽의 하나로서 南嶽, 南山, 霍山, 衡霍이라고도 불린다. 湖南省 洞定湖 남쪽에 있다.
272 九江: 『書經集傳』 「禹貢」 “九江孔殷.”의 蔡沈 傳에 “九江은 곧 지금의 洞庭湖이다. … 지금의 沅水·漸水·元水·辰水·敍水·酉水·澧水·資水·湘水가 모두 洞庭湖에서 합류하니, 짐작컨대 이 때문에 九江이라 이름한 듯하다.(九江, 卽之洞庭也. … 今沅水·漸水·元水·辰水·敍水·酉水·澧水·資水·湘水, 皆合於洞庭, 意以是名九江也.)”라고 했다.
273 會稽: 지금의 浙江省 紹興市이다.
274 『朱子語類』 권2, 92조목
275 仙霞嶺: 浙江省·江西省·福建省의 境界에 있는 산으로 錢塘江의 상원, 信江·閩江의 상원, 南浦溪의 分水嶺을 형성한다.
276 信州 分水: 분수는 절강성의 진 이름이다.
277 『朱子語類』 권2, 90조목

[27-8-17]

"閩中之山, 多自北來, 水皆東南流. 江淛之山,[278] 多自南來, 水多北流. 故江淛冬寒夏熱.[279]"[280]

(주자가 말했다.) "민중閩中의 산은 대부분 북쪽에서 오고 물은 모두 동남으로 흐른다. 강소江蘇와 절강浙江의 산은 대부분 남쪽에서 오고 물은 대부분 북쪽으로 흐른다. 그러므로 강소와 절강은 겨울이 춥고 여름이 덥다."

[27-8-18]

"荆襄山川平曠, 得天地之中, 有中原氣象. 爲東南交會處, 耆舊人物多, 最好卜居. 但有變, 則正是兵交之衝.[281]"[282]

(주자가 말했다.) "형주荆州[283]과 양주襄州[284]는 산천山川이 평평하고 넓어 천지의 중심이 되니 중원中原의 기상이 있다. 동쪽과 남쪽이 만나는 곳으로 원로 인물이 많아서 가장 살기에 좋은 곳이다. 다만 변란이 있으면 병사들이 충돌하는 자리가 된다."

[27-8-19]

"蔡伯靖言, '山本同而末異, 水本異而末同.'"[285]

(주자가 말했다.) "채백정蔡伯靖[蔡淵][286]은 '산은 근원은 같지만 끝이 다르고, 물은 근원은 다르지만 끝은 같다.'고 했다."

[27-8-20]

"西北地至高. 地之高處, 又不在天之中."[287]

(주자가 말했다.) "서북쪽은 땅이 지극히 높다. 땅의 높은 곳이라고 해서 또한 하늘의 중앙에 있지 않다."

. . . .

278 江淛之山:『朱子語類』권2, 91조목에는 "江浙之山"으로 되어 있다. 淛는 浙과 같다.

279 故江淛冬寒夏熱:『朱子語類』권2, 91조목에는 "故江浙冬寒夏熱."으로 되어 있어 이에 따른다.

280 『朱子語類』권2, 91조목

281 『朱子語類』권2, 94조목에는 이 뒤에 "又恐無噍類"라는 구가 더 있다.

282 『朱子語類』권2, 94조목

283 荆州: 춘추전국시대 초나라의 도읍이 있던 곳으로 江陵이라고도 한다. 현재의 湖北省 地級市이다.

284 襄州: 현재의 湖北省 襄樊市이다.

285 『朱子語類』권2, 81조목

286 蔡淵(1156~1236): 자는 伯靜이고, 호는 節齋이다. 채원정의 아들로서 부친의 뜻을 이어 주경야독하였다. 특히『易』에 조예가 깊어 그에 관한 저술이 많다. 저서는『周易訓解』·『易象意言』·『卦爻辭旨』등이 있다.

287 『朱子語類』권1, 34조목

[27-8-21]

"地有絶處. 唐太宗收至骨利幹, 置堅昆都督府. 其地夜易曉, 夜亦不甚暗. 蓋當地絶處, 日影所射也. 其人髮皆赤."[288]

(주자가 말했다.) "땅은 끊어진 곳이 있다. 당唐 태종太宗이 골리간骨利幹[289]까지 접수하여 견곤도독부堅昆都督府를 설치했다. 그 땅은 밤이 금방 새벽이 되고 밤에도 또한 그다지 어둡지 않았다. 아마도 땅의 가장자리에 해당하여 햇빛이 반사된 것이다. 그 사람들의 머리칼은 모두 빨간색이었다."

"至鐵勒則又北矣. 極北之地人甚少. 所傳有二千里松木, 禁人斫伐. 此外龍蛇交雜不可去."[290]

"철륵鐵勒[291]은 더 북쪽이다. 극히 북쪽 땅에는 사람이 매우 적다. 전하는 바로는 2,000리에 달하는 소나무 숲이 있어 사람들의 벌목을 금한다고 한다. 그 바깥에는 용과 뱀이 우글우글하여 갈 수가 없다."

[27-8-22]

"『通鑑』說, '有人適外國, 夜熟一羊胛而天明', 此是地之角尖處. 日入地下, 而此處無所遮蔽, 故常光明. 及從東出而爲曉, 其所經遮蔽處, 亦不多耳."[292]

(주자가 말했다.) "『자치통감』에 '어떤 사람이 외국에 갔는데 밤에 양의 넓적다리 하나를 삶았더니 날이 밝았다.'고 하는데, 이곳은 땅이 돌출된 곳이다. 해가 땅 아래로 들어가도 여기는 (햇빛) 가리는 것이 없기 때문에 항상 밝다. 동쪽에 해가 떠서 새벽이 되는 사이에도 그 지난 길에 가리는 곳이 또 많지 않다."

[27-8-23]

"自古無人窮至北海. 想北海只挨著天殼邊過, 緣北邊地長, 其勢北海不甚濶, 地之下與地之四邊皆海水周流, 地浮在水上與天接. 天包水與地."[293]

(주자가 말했다.) "자고自古로 북해北海 끝까지 가본 사람은 없다. 상상컨대, 북해는 하늘의 껍질[天殼]과 맞닿아 있을 것이다. 북쪽은 땅이 길기 때문에 그 형세 상 북해는 그리 넓지 못하다. 땅의 아래와 땅의 네 변은 모두 바닷물이 흐르고 있고, 땅은 물위에 떠서 하늘과 접하고 있다. 하늘은 물과 땅을 감싼다."

---

288 『朱子語類』 권1, 36조목
289 骨利幹: 러시아 바이칼호 북쪽에 있던 부족명이다.
290 『朱子語類』 권86, 30조목
291 鐵勒: 수당시대 돌궐 이외의 투르크 계열 여러 부족이다. 丁零·敕勒으로도 불렀다. 바이칼호 남쪽에서 아랄해·카스피해 북쪽에 걸친 지역에 분포했다.
292 『朱子語類』 권1, 37조목
293 『朱子語類』 권2, 74조목

[27-8-24]

"海那岸便與天接."

或疑百川赴海而海不溢.

曰 : "蓋是乾了. 有人見海邊作旋渦吸水下去者."[294]

(주자가 말했다.) "바다의 저 끝은 하늘과 접해 있다."

어떤 사람이 여러 강이 바다로 흘러가는데 바다가 넘치지 않는 것에 의문을 가졌다.

(주자가) 말했다. "아마도 마르기 때문일 것이다. 해변에서 소용돌이가 일어나 물을 아래로 빨아들이는 것을 보았다는 사람도 있다."

[27-8-25]

"海水無邊, 那邊只是氣蓄得在."[295]

(주자가 말했다.) "바닷물은 끝이 없고 저 끝에는 단지 기氣가 쌓여 있을 뿐이다."

[27-8-26]

"海水未嘗溢者, 莊周所謂沃焦土, 是也."[296]

(주자가 말했다.) "바닷물은 넘친 적이 없으니, 장주莊周가 말한 '옥초토沃焦土'[297]가 이것이다."

[27-8-27]

"柳子云, '歸墟之泄, 非出之天地之外也. 但水入於東而復繞於西, 又滲縮而升, 乃復出於高原而下流於東耳.' 此其說亦近似矣. 然以理驗之, 則天地之化, 往者消而來者息, 非以往者之消, 復爲來者之息也. 水流東極, 氣盡而散, 如沃焦釜, 無有遺餘. 故歸墟尾閭, 亦有沃焦之號. 非如未盡之水, 山澤通氣而流注不窮也."[298]

(주자가 말했다.) "류자柳子는 '귀허歸墟[299]에서 샌 물은 천지의 밖으로 나가는 것이 아니다. 다만 물이

---

294 『朱子語類』 권2, 76조목

295 『朱子語類』 권2, 77조목

296 『朱子語類』 권2, 78조목

297 沃焦土 : 尾閭를 이른다. 『莊子』 「秋水」에 "천하의 물은 바다보다 큰 것이 없다. 온갖 강이 흘러들어와 언제 그칠지 모를 정도이지만 넘치지 않고, 尾閭에서 새는 것이 언제 그칠지 모를 정도이지만 비지 않는다.(天下之水, 莫大於海, 萬川歸之, 不知何時止而不盈, 尾閭泄之, 不知何時已而不虛.)"라고 했는데, 王先謙은 『莊子集解』에서 司馬彪의 말을 빌려 "물이 바다 밖으로 나가는 것을 일명 '옥초'라고 하는데, 동쪽 큰 바다 가운데에 있다. 尾는 온갖 강의 아래에 있기 때문에 尾라고 부르는 것이고, 閭는 모이는 것이니, 물이 같은 부류가 모이는 곳이기 때문에 閭라고 한다.(水之往海外出者也, 一名沃焦, 在東大海之中. 尾者, 在百川之下, 故稱尾, 閭者, 聚也, 水聚族之處, 故稱閭也.)"라고 했다.

298 『理學類編』 권4 「地理」

동쪽으로 흘러들어갔다가 다시 서쪽으로 휘돌고, 또 스며들었다가 올라와서 다시 고원으로 나와 아래로 흘러 동쪽으로 간다.'고 했는데, 이 설이 그럴듯하다. 그러나 이치로 증험해 보면 천지의 조화는 가는 것은 사라지고 오는 것은 불어나는데, 가서 사라진 것이 다시 와서 불어나는 것이 아니다. 물의 흐름이 동쪽 끝에 이르면 기는 다해서 흩어지니, 마치 옥초부沃焦釜와 같아서 남는 것이 없다. 그러므로 귀허歸墟와 미려尾閭[300]도 또한 옥초라는 이름이 있다. 없어지지 않는 물이 산과 연못에 기를 통해서[301] 끝없이 흘러 보내도 다하지 않는 것과는 다르다."

[27-8-28]

"女眞起處有鴨綠江. 傳云, '天下有三處大水, 曰黃河, 曰長江, 幷鴨綠, 是也.' 若以浚儀與潁川爲中, 則今之襄漢淮西等處爲近中."[302]

(주자가 말했다.) "여진족女眞族이 일어난 곳에 압록강鴨綠江이 있다. 전하는 말에 따르면, '천하에 세 개의 큰 강이 있으니, 황하黃河와 장강長江과 압록鴨綠이 그것이다.' 라고 한다. 만약 준의浚儀와 영천潁川이 중간이라면, 지금의 양수襄水와 한수漢水, 회수淮水, 서수西水 등은 중간에 가깝다."

[27-8-29]

問: "周公定豫州爲天地之中, 東西南北各五千里. 今北邊無極, 而南方交趾便際海, 道里長短夐殊, 何以云各五千里?"

물었다. "주공周公은 예주豫州를 천지의 중심으로 정했는데 동서남북으로 각각 5,000리입니다. 지금은 북변은 끝이 없고 남방의 교지交趾[303]는 바다와 접해 있으니, 길의 길이가 크게 다른데 어떻게 각각 5,000리라고 합니까?"

曰: "此但以中國地段四方相去言之, 未說到極邊與際海處. 南邊雖近海, 然地形則未盡. 如海外有島夷諸國, 則地猶連屬, 彼處海猶有底. 至海無底處, 地形方盡. 周公以土圭測天地之中, 則豫州爲中, 而南北東西際天各遠許多. 至於北遠而南近, 則地形有偏爾, 所謂'地不滿東南'

299 歸墟: 渤海 동쪽에 있다는 전설상의 큰 구렁[壑]을 이른다. 『列子』「湯問」에 "발해의 동쪽 몇 만 리 되는지 알 수 없는 곳에 큰 구렁이 있는데 실로 바닥이 없는 골짜기이다. 그 아래는 바닥이 없어서 歸墟라고 이름 붙였다.(渤海之東, 不知幾億萬里, 有大壑焉, 實有無底之谷. 其下無底, 名曰歸墟.)"라고 했다.
300 尾閭: 동쪽 바다 가운데 있어서 바닷물을 빨아들인다고 하는 큰 구멍을 말한다. [27-8-26] 참조
301 산과 연못에 … 통해서: 『周易』「說卦傳」에 "하늘과 땅이 위치를 정하니 산과 연못이 氣를 통하고 우레와 바람이 서로 부딪히며, 물과 불이 서로 쏘지 않아서 팔괘가 서로 섞인다.(天地定位, 山澤通氣, 雷風相薄, 水火不相射, 八卦相錯. 數往者順, 知來者逆, 是故易逆數也.)"라고 했다.
302 『朱子語類』 권86, 30조목
303 交趾: 지금의 베트남 북부 통킹·하노이 지방의 옛 이름이다. 한 武帝가 南越을 滅亡시키고 交趾郡을 설치했었다.

也. 「禹貢」言東西南北各二千五百里, 不知周公何以言五千里. 今視中國, 四方相去無五千里, 想他周公且恁大說教好看. 如堯舜所都冀州之地, 去北方甚近. 是時中國土地甚狹, 想只是略羈縻, 至夏商已後, 漸漸開闢. 如三苗只在今洞庭彭蠡湖湘之間, 彼時中國已不能到, 三苗所以也負固不服."[304]

(주자가) 대답했다. "이는 다만 중국 관할지역의 사방 거리를 말한 것이지, 극지의 가장자리와 바다에 접한 곳까지 말한 것은 아니다. 남쪽 변경이 비록 바다에 가깝지만, 땅덩어리는 끝난 것이 아니다. 예컨대 바다 밖에는 섬 오랑캐 여러 나라가 있으니, 땅은 여전히 연결되어 있고 그 바다는 바닥이 있다. 바다의 바닥이 없는 곳에 이르러야 땅이 비로소 끝난다. 주공이 토규土圭(해 그림자의 장단을 재는 데 쓰던 도구)를 가지고 천하의 중심을 측정하니 예주가 중심이 되었는데, 동서남북으로 하늘과 맞닿은 곳이 각각 매우 멀었다. 북쪽은 멀고 남쪽은 가까운 것은 지형에 편차가 있기 때문인데, 이른바 '땅은 동남쪽이 가득 차 있지 않다'[305]는 것이다. 『서경書經』「우공禹貢」에서 '동서남북이 각각 2,500리里'라고 했는데, 주공이 왜 5,000리라고 말했는지 모르겠다. 지금 중국을 살펴보면 사방 서로의 거리가 5,000리가 되지 않으니, 생각건대 주공이 우선 이와 같이 크게 말하여 보기 좋도록 한 것 같다. 요·순이 도읍으로 삼은 기주冀州의 땅은 북방에서의 거리가 매우 가깝다. 그때 중국은 토지가 매우 좁아서, 생각건대 기미정책羈縻政策[306]을 펼쳤는데 하夏·상商 이후에 점점 넓혀나갔다. 예컨대 삼묘三苗는 지금의 동정호洞庭湖와 팽려호彭蠡湖, 호상湖湘 사이에 있는데, 그때의 중국이 이미 도달할 수 없었으니, 삼묘가 지형의 견고함을 믿고 복종하지 않았던 까닭이다."

[27-8-30]
東萊呂氏曰: "關中是形勢之地, 洛是都會之中. 欲據形勢須都關中, 欲施政令須都洛."[307]

동래 여씨東萊呂氏[呂祖謙][308]가 말했다. "관중關中은 형세가 좋은 땅이고, 낙양洛陽은 모두 모이는 중심지이다. 형세에 의거하려면 모름지기 관중에 도읍해야 하고, 정령政令을 베풀려면 낙양에 도읍해야 한다."

[27-8-31]
問: "阻三面而守之, 以一面東制諸侯, 此關中之形勢. 然漢高道南陽, 過酈祈以叩武關, 而關

304 『朱子語類』 권2, 74조목

305 '땅은 동남쪽이 … 않다': 『黃帝內經素問』 권20 「五常政大論」. [27-8-2] 참조

306 羈縻政策: 고삐를 느슨하게 하되 놓지는 않는다는 의미로 중국이 이민족을 통제하는 정책의 하나이다.

307 『東萊外集』 권6 「己亥秋所記」

308 呂祖謙(1137~1181): 자는 伯恭이고, 세칭 東萊先生이라 한다. 송대 金華(현 절강성 소속) 사람으로 주희·張栻과 함께 '東南三賢'으로 불리었다. 直秘閣著作郎·國史院編修·實錄院檢討를 역임하였다. 『詩』·『書』·『春秋』에 대하여 많은 古義를 궁구했다. 1175년 주희와 『近思錄』을 편찬하였고, 信州(현 강서성 上饒) 鵝湖寺에 주희와 육구연을 초청하여 두 사람의 논쟁을 중재하려 하였다. 저서는 『古周易』·『東萊左氏博儀』·『東萊集』 등이 있다.

中無擊柝之限. 旣而從山東之師, 稍益以關中之士, 固守謹關, 而項羽破圍入之. 及其領漢蜀之封, 地形少瘦矣, 乃由故道以定三秦之壤. 夫以天險不可升之勢, 而楚漢分爭之始, 或自東南而入武關, 或自西南而抵陳倉, 或自東方而越殽函, 何耶?"

물었다. "삼면이 막혀서 (저절로) 지켜주고 있으니 동쪽 한 면으로 모든 징후를 제어하도록 되어 있으니, 이것이 관중關中의 형세입니다. 그러나 한고조漢高祖가 남양南陽을 향할 때, 역현酈縣 지역을 지나면서 무관武關[309]을 살펴보니 관중에 경비하는 사람이 없었습니다. 조금 후에 산동山東의 군사를 따라가면서 관중의 병사를 조금 보태어 관문을 굳게 지키고 있었는데, 항우項羽가 포위를 깨고 들어 왔습니다. 한漢과 촉蜀의 봉지封地를 점령하고 있을 때, 지형이 협소하여 (유방이) 옛길을 경유하여 삼진三秦[310]의 땅을 평정했습니다. 천험天險의 요새라 오를 수 없는 형세를 가지고도 초楚와 한漢이 분쟁하기 시작할 때, 혹은 동남에서 무관武關에 들어가고, 혹은 서남에서 진창陳倉에 이르고, 혹은 동방에서 효산殽山과 함곡관函谷關을 넘어갔다는데 어떻습니까?"

潛室陳氏曰: "自古入關有三道. 一自河北入爲正道, 項羽, 漢光武, 安禄山. 一自河南入爲間道, 漢高祖, 桓溫, 檀道濟, 劉裕. 一自蜀入爲險道. 漢高祖關中由中道入巴蜀爲漢王, 已而又從此路出定關中. 諸葛亮亦從此出師. 關中雖號天險, 豈無可入之道? 第不比他戰場可長驅而進耳."[311]

잠실 진씨潛室陳氏가 대답했다. "예로부터 관중에 들어가는 것은 세 가지 길이 있었다. 하나는 하북河北에서 들어가는 정도正道이고, 항우項羽, 한 광무제[漢光武], 안록산安禄山이 이용했다. 하나는 하남河南에서 들어가는 사잇길[間道]이며, 한고조漢高祖, 환온桓溫, 단도제檀道濟, 유유劉裕가 이용했다. 하나는 촉에서 들어가는 험한 길[險道]이다. 한고조가 관중에서 중간 길을 거쳐 파촉巴蜀으로 들어가 한나라 왕이 되었으니, 얼마 후 또 이 길을 따라 나와서 관중을 평정했다. 제갈량諸葛亮 또한 이 길로 출사出師했다. 관중이 천험天險이라고 불리지만, 어찌 들어갈 수 있는 길이 없겠는가? 다만 길게 말을 달려 진입할 수 있는 다른 전장戰場에는 비할 수 없다."

[27-8-32]
問: "巴蜀四塞, 非進取之地. 惟一江陵, 然諸葛亮不勸先主都之. 及關羽之危, 又不聞救之, 何也?"

曰: "江陵屬荆州, 武侯首陳取荆州之策, 先主不能用. 其後爭之於吳而不得, 吳止分數郡以與之. 至關羽之敗, 并數郡而失之, 況得而都之邪? 況荆襄爲南北咽喉, 在三國爲必爭之地. 乃戎馬之場, 非帝之都也."[312]

....
309 武關: 고대 秦·楚, 晉·楚의 국경에 있던 관문. 지금의 陝西省 丹鳳縣에 있다.
310 三秦: 項羽가 劉邦을 巴蜀으로 보내 놓고, 關中을 삼등분으로 나누어 秦나라의 항복한 장수 章邯, 司馬欣, 董翳를 왕으로 삼아서 유방을 견제하게 한 지역이다.
311 『木鍾集』 권11
312 『木鍾集』 권11

물었다. "파촉巴蜀은 사방이 막혀 있으니, 진격해서 취할 수 있는 땅이 아닙니다. 오직 강릉江陵뿐인데, 제갈량諸葛亮은 선주先主[劉備]에게 도읍으로 삼도록 권하지 않았습니다. 관우關羽가 위기에 닥쳤을 때 구원했다는 말을 듣지 못했으니 어째서입니까?"

(잠실 진씨가) 대답했다. "강릉江陵은 형주荊州에 속하는데, 무후武侯[諸葛亮]가 처음에 형주를 취하는 책략을 진언했지만, 선주가 활용하지 못했다. 그 후에 오吳나라와 형주를 다투었으나 얻지 못하고, 오나라가 단지 몇 개의 군郡을 떼어 주었다. 관우關羽가 패하자 몇 개 군을 아울러 잃어버렸으니, 어찌 얻어서 도읍으로 삼을 수 있었겠는가? 더욱이 형주荊州와 양주襄州는 남북을 통하는 요충지이니 세 나라로서는 반드시 쟁탈해야 하는 땅이다. 그러니 곧 전쟁하는 땅이지, 황제의 도읍이 아니다."

[27-8-33]
九峯蔡氏曰: "河北諸山根本脊脈, 皆自代北寰武嵐憲諸州乘高而來. 其脊以西之水, 則西流以入龍門西河之上流. 其脊以東之水, 則東流而爲桑乾幽冀以入于海. 其西一支爲壺口太岳, 次一支包汾晉之源, 而南出以爲析城王屋, 而又西折以爲雷首. 又次一支乃爲太行, 又次一支乃爲恒山. 此大河北境之山也. 其江漢南境之山, 則岷山之脈, 其北一支爲衡山而盡於洞庭之西. 其南一支度桂嶺, 北經袁筠之地, 至德安之敷淺原. 二支之間, 湘水間斷, 衡山在湘水西南, 敷淺原在湘水東北. 孔氏以爲衡山之脉連延而爲敷淺原者, 非也."[313]

구봉 채씨九峯蔡氏[蔡沈]가 말했다. "하북河北 여러 산의 뿌리와 산맥은 모두 대북代北[314]의 환주寰州·무주武州·남주嵐州·헌주憲州 등 여러 주로부터 높은 산맥을 이루어 온다. 그 등마루 서쪽의 물은 서쪽으로 흘러 용문龍門·서하西河의 상류로 들어간다. 그 등마루 동쪽의 물은 동쪽으로 흘러 상건桑乾[315]과 유주幽州·기주幽冀의 물이 되어 바다로 들어간다. 그 서쪽의 한 줄기는 호구산壺口山과 태악산太岳山이 되고 다음 한 줄기는 분진汾晉의 근원이 되어 남쪽으로 나가서 석성산析城山과 왕옥산王屋山이 되고 또 서쪽으로 꺾여 뇌수산雷首山이 된다. 또 다음 한 줄기는 태항산太行山이 되고 또 다음 한 줄기는 항산恒山이 된다. 이것이 황하黃河 북쪽 경계의 산이다. 그 장강長江·한수漢水 남쪽 경계의 산은 민산산맥岷山山脈인데 그 북쪽의 한 줄기는 형산衡山이 되어 동정호洞庭湖의 서쪽에서 끝난다. 그 남쪽의 한 줄기는 계령桂嶺을 건너 북쪽으로 원균袁筠의 땅을 거쳐 덕안德安의 부천원敷淺原이 된다. 두 줄기의 사이는 상수湘水가 끊어 놓았다. 형산은 상수의 서남에 있고 부천원은 상수의 동북에 있다. 공씨孔氏가 '형산산맥이 이어져 부천원이 된다'고 한 것[316]은 잘못이다."

• •
313 『理學類編』 권4 ; 『書蔡傳旁通』 권2
314 代北 : 지금이 山西省 북부 및 河北省 서북부 일대에 해당한다.
315 桑乾 : 지금의 永定河의 상류이다.
316 孔氏가 '형산산맥이 … 것 : 孔安國의 『尙書注疏』에 있다.

[27-8-34]

臨川吳氏曰："天下之山脉起於崑崙. 山脉之所起, 卽水原之所發也. 水之發自崑崙者, 其原爲最遠, 惟中國之河爲然. 漢之發原於嶓冢, 江之發原於岷山以西, 視他水亦可謂遠, 而非極於山脉初起之處, 則不得與河原並也. 故天下有原之水, 河爲第一. 古人祭川, 先河後海, 重其原也."[317]

임천 오씨臨川吳氏[吳澄]가 말했다. "천하의 산맥은 곤륜산崑崙山에서 시작되었다. 산맥이 시작된 것은 곧 물의 근원이 발원하는 곳이다. 물의 발원이 곤륜산에서부터 된 것은 그 근원이 가장 먼 것이니 오직 중국의 황하黃河만이 그러하다. 한수漢水는 파총嶓冢에서 발원했고 장강長江은 민산岷山 서쪽에서 발원한 것이니, 다른 강과 비교하면 또한 멀다고 할 수 있지만, 산맥이 처음 시작된 곳 끝까지 거슬러 올라간 것은 아니니, 황하의 발원지와 나란히 할 수 없다. 그러므로 천하에 근원 있는 물 중에서 황하가 첫 번째이다. 옛사람이 강에 제사를 지내면서 황하를 먼저하고 바다를 뒤로 한 것은 그 근원을 중시한 것이다."

[27-9-1]

程子曰："今夫海水潮, 日出則水涸, 是潮退也. 其涸者已無也. 月出則潮水復生, 却不是將已涸之水爲潮. 水自然能生也."[318] 以下論潮汐

정자程子가 말했다. "지금 바닷물의 조수는 해가 나오면 물이 마르니, 이것이 조수의 물러남이다. 그 마른 것은 이미 없어진 것이다. 달이 나오면 조수가 다시 생겨나는데, 이미 말랐던 물이 조수가 되는 것은 아니다. 물은 저절로 생겨날 수 있다." 이하는 조수潮水와 석수汐水를 논함.

[27-9-2]

朱子曰："潮汐之說, 余襄公言之尤詳. 大抵天地之間, 東西爲緯, 南北爲經. 故子午卯酉爲四方之正位, 而潮之進退以月至此位爲節耳. 以氣之消息言之, 則子者陰之極而陽之始, 午者陽之極而陰之始, 卯爲陽中, 酉爲陰中也."[319] 余襄公安道曰："潮之漲退, 海非增減. 蓋月之所臨, 則水往從之. 日月右轉而天左轉, 一日一周臨於四極. 故月臨卯酉, 則水漲乎東西；月臨子午, 則潮平乎南北. 彼竭此盈, 往來不絶, 皆繫於月. 何以知其然乎? 夫晝夜之運, 日東行一度, 月行十三度有奇, 故太陰西没之期, 常緩於日三刻有奇. 潮之日緩, 其期率亦如是. 自朔至望, 常緩一夜潮；自望而晦, 復緩一晝潮. 朔望前後月行差疾, 故晦前三日潮勢長, 朔後三日潮勢大. 望亦如之. 月弦之際, 其行差遲, 故潮之去來, 亦含沓不盡. 盈虛消息, 一之於月, 陰陽之所以分也. 夫春夏晝潮常大, 秋冬夜潮常大, 蓋春爲陽中, 秋爲陰中. 歲之有春秋, 猶月之有朔望也. 故潮之極漲, 常在春秋之中；潮之極大, 常在朔望之後. 此又天地之常數也."[320]

---

317 『吳文正集』 권8 「姜河道原字說」
318 『理學類編』 권4
319 『朱文公文集』 권58 「答張敬之」

주자朱子가 말해다. "조수와 석수의 설은 여양공余襄公여정余靖[321]이 말한 것이 매우 상세하다. 대저 하늘과 땅 사이에서 동서東西는 위도緯度가 되고 남북南北은 경도經度가 된다. 그러므로 자子·오午·묘卯·유酉는 사방의 정위正位가 되는데, 조수가 드나드는 것은 달이 이 자리에 이르는 것으로 기준을 삼을 뿐이다. 기氣가 줄어들고 늘어나는 것으로 말하면, 자子는 음의 극이자 양의 시작이고, 오午는 양의 극이자 음의 시작이며, 묘卯는 양의 중간이 되고, 유酉는 음의 중간이 된다." 여양공 안도安道가 말했다. "조수의 밀물과 썰물은 바닷물이 많아지거나 적어지는 것이 아니다. 아마도 달이 다다르는 곳에 물이 따라가는 것이다. 해와 달은 우선右旋하고 하늘은 좌선左旋하는데, 하루에 한 바퀴를 돌며 네 극점에 가까이 다다른다. 그러므로 달이 묘卯나 유酉에 다다르면 동쪽과 서쪽에 밀물이 일어나고, 달이 자子나 오午에 다다르면 남쪽과 북쪽에서 조수는 평평해진다. 저쪽이 비면 이쪽이 가득차서 끊임없이 오가는 것은 모두 달에 달려 있는 것이다. 어떻게 그렇다는 것을 아는가? 낮과 밤의 운행에 있어서, 해가 동쪽으로 1도 갈 때 달은 13도 남짓 가므로, 달이 서쪽으로 질 무렵에는 항상 해보다 3각刻 남짓 느리다. 조수는 날로 느려지지만 그 주기율이 또한 이와 같다. 초하루부터 보름까지 항상 하룻밤만큼 조수가 늦어지고, 보름부터 그믐까지 다시 하루 낮만큼 조수가 늦어진다. 초하루와 보름 전후에 달의 운행이 조금 빠르므로, 그믐 전 3일 동안 조수의 기세가 길고, 초하루 후 3일 동안 조수의 기세가 크다. 보름 또한 그와 같다. 상·하현 때는 달의 운행이 조금 더디므로 조수가 오가는 것도 다 일치하지는 않는다. 차고 비고 줄어들고 자라는 것은 모두 달에 달려 있으니 그것으로 음양이 나누어지는 것이다. 봄과 여름은 낮 조수가 항상 크고, 가을과 겨울은 밤 조수가 항상 크다. 봄은 양의 중간이 되고 가을은 음의 중간이 된다. 한 해에 봄과 가을이 있는 것은 한 달에 초하루와 보름이 있는 것과 같다. 그러므로 조수 중 지극히 가득 차는 것은 항상 봄·가을에 있고, 조수 중 지극히 큰 것은 항상 초하루와 보름 직후에 있다. 이것이 하늘과 땅의 정해진 법칙이다."

[27-9-3]

"潮之遲速大小自有常. 舊見明州人說'月加子午則潮長', 自有此理. 沈存中『筆談』說亦如此. 謂月在地子午之方, 初一卯, 十五酉."[322]

(주자가 말했다.) "조수의 속도와 크기는 항상 일정한 것이 있다. 옛날 명주明州 사람이 '달이 자子와 오午 위에 가면 조수가 길다'고 하는 말을 들었는데, 나름대로 이러한 이치가 있다. 심존중沈存中의 『몽계필담』의 설도 또한 이와 같다.[323] '달이 땅의 자·오방에 있을 때 초하루는 묘시卯時이고, 15일은 유시酉時에 생기는 것'이라고 생각했다."

· ·

320 『武溪集』 권3 「海潮圖序」

321 余靖(1000~1064) : 북송의 관리로 慶曆 네 諫官의 한 명이다. 본명은 希古, 자는 安道, 호는 武溪이며, 韶州 曲江 사람이다. 『武溪集』 20권이 남아 있다.

322 "潮之遲速大小自有常. … 沈存中『筆談』說亦如此."는 『朱子語類』 권2, 79조목의 말이고, "謂月在地子午之方, 初一卯, 十五酉."는 『朱子語類』 권2, 80조목의 말이다.

323 沈存中의 『夢溪筆談』의 … 같다. : 『夢溪筆談·補筆談』 권상에 "매번 달이 정확히 자·오방에 임하면 조수가 생기는 징후가 거의 틀림이 없다. 달이 正午方에 갈 때 생기는 것이 조수라면 정자방에 갈 때 생기는 것은 석수이며, 정자방에 갈 때 생기는 것이 조수라면 정오방에 갈 때 생기는 것은 석수이다.(每至月正臨子午, 則潮生候萬萬無差, 月正午而生者爲潮, 則正子而生者爲汐, 正子而生者爲潮, 則正午而生者爲汐.)"라고 한 것을 가리킨다.

[27-9-4]

問："晦翁謂月加子午則潮長, 未識其說."

潛室陳氏曰："此說不可曉. 今海居者但云'月上潮長, 月落潮退.' 誠驗其言, 是乃月加卯酉方位, 非子午也. 朔日之潮可驗, 朔日月與日會, 日才出卯方卽潮長, 才入酉方卽潮又長. 是月與日相隨出沒."[324]

물었다. "회옹晦翁이 말한 '달이 자방子方·오방午方 위에 가면 밀물이 된다.'는 설을 아직 이해하지 못하겠습니다."잠실 진씨潛室陳氏가 말했다. "이 설은 이해할 수 없다. 지금 바닷가에 사는 사람이 단지 '달이 뜨면 밀물이 되고, 달이 지면 썰물이 된다.'고 했는데, 정말로 그 말을 시험해 보니 달이 묘卯와 유酉의 방위에 있을 때이지 자와 오가 아니었다. 초하루에 조수를 체험할 수 있는데, 초하루는 달과 해가 만나는 날이니 해가 묘방에 뜨면 밀물이 들고, 유방에 지면 또 밀물이 진다. 이는 해와 달이 서로 교차해서 들고 지기 때문이다."

[27-9-5]

古洲馬氏曰："禮祀日曰朝, 致月曰夕. 江海之水, 朝生爲潮, 夕至爲汐. 日, 太陽也, 歷一次而成月. 月, 太陰也, 合於日以起朔. 陰陽消息, 晦朔弦望, 潮汐應焉. 由朔至望, 明生而爲息；自望及晦, 魄見而爲消. 水, 陰物也, 而生於陽. 潮汐依日而滋長, 隨月而漸移. 日起於朔, 月盈於望. 一朔一望, 天西運一周有奇. 月東行迎日之所次, 月合於地下之中, 則日之所次也. 故潮平于地下之中而會於月.

고주 마씨古洲馬氏가 말했다. "『예禮』에, 해에 제사지내는 것을 '조朝'라고 하고 달에 치제하는 것을 '석夕'이라고 했다. 강과 바다의 물이 아침에는 생겨나서 조수潮水가 되고 저녁에는 다하여 석수汐水가 된다. 해는 태양太陽인데, 한 차次(해와 달이 신辰에서 만나는 것)를 거쳐서 한 달이 된다. 달은 태음太陰인데 해와 합하여 합삭이 된다. 음양이 줄어들고 자라나는 사이에 그믐과 초하루 상·하현과 보름이 되는데, 조수와 석수가 여기에 응한다. 초하루에서 보름에 이르기까지 명明이 생겨나 자라나고, 보름에서 그믐에 이르기까지 백魄이 나타나 줄어든다. 물은 음에 해당하는 사물이지만 양에서 생겨난다. 조수와 석수는 해에 의하여 불어나고 달을 따라서 점차 옮겨간다. 해는 합삭에서 출발하고 달은 보름에 가득 찬다. 한번의 초하루에서 보름까지 하늘이 서쪽으로 한 바퀴 남짓 움직인다. 달은 동쪽으로 가서 해가 머무는 곳에서 맞이하는데, 달이 땅 하면에서 합하는 곳이 해가 머무는 곳이다. 그러므로 조수는 땅 아래에서 평평하게 있다가 달 쪽으로 몰려든다.

潮於寅則汐於申；潮於巳則汐於亥. 兩辰而盈, 兩辰而縮. 日百刻, 刻爲三分, 時得八刻三分刻之一. 周天三百六十五度四分度之一, 分十二次, 次得三十度八十分度之三十五. 日行一度,

· ·

324 『木鍾集』 권10 「近思錄問附」

月行十三度有奇, 漸遠於日. 故潮汐之期浸移, 日後六刻三分刻之一. 一朝夕而再至, 故一晦朔而再周. 朔後三日明生而潮壯, 望後三日魄見而汐湧. 每歲仲春, 月落水生而汐微, 仲秋, 月明水落而潮倍. 減於大寒, 極陰而凝, 弱於大暑, 畏陽而縮. 陰陽消長不失其時, 故曰潮信."325

인시寅時에 조수가 들면 신시申時에 석수가 들고, 사시巳時에 조수가 들면 해시亥時에 석수가 들어, 두 번 가득 찼다가 두 번 줄어든다. 하루는 100각刻인데, 1각을 3등분하면 한 시진時辰은 8각과 1/3이다. 주천周天은 365와 1/4도인데 12차次로 나누면 1차는 30과 35/80도가 된다. 해가 1도를 가면 달은 13도 남짓을 가서 점점 해에서 멀어진다. 그러므로 조수와 석수의 주기는 점점 바뀌는데 날마다 6과 1/3각이 늦어진다. 하루에 조석潮汐이 두 번 이르기 때문에 한 달 사이에 두 번 반복한다. 합삭 후 3일에 명明이 생겨나 조수가 강하고, 보름 후 3일에 백魄이 나타나 석수가 힘차다. 매년 중춘仲春(2월)에 달이 지면 수위가 올라와 석수가 약해지며, 중추中秋(8월)에 달이 밝아지면 수위가 낮아져서 조수가 배倍가 된다. 대한大寒에 줄어드는 것은 극음極陰에 엉긴 것이고, 대서大暑에 약해지는 것은 양이 두려워 움츠린 것이다. 음양이 소장消長이 때를 잃지 않는 까닭에 조신潮信(조수의 일정함)이라고 한다."

---

325 『理學類編』 권4

鬼神 귀신

鬼神
귀신

[28-1]

總論 총론

[28-1-1]

程子曰 : "聚爲精氣, 散爲游魂 ; 聚則爲物, 散則爲變. 觀聚散, 則鬼神之情狀著矣. 萬物之終始, 不越聚散而已. 鬼神者, 造化之功也."[1]

정자程子[程頤]가 말했다. "모여서 정기精氣가 되고 흩어져서 유혼游魂이 되니, 모이면 사물이 되고 흩어지면 변화가 된다. 모임과 흩어짐을 살펴보면 귀신의 실상이 드러난다.[2] 만물의 처음과 끝은 모임과 흩어짐을 벗어나지 않는다. 귀신은 조화造化의 공용功用이다."[3]

[28-1-2]

"鬼, 是往而不反之義."[4]

....

1 『二程粹言』 권下 「人物篇」
2 모여서 精氣가 … 드러난다. : 『易』 「繫辭上」 제4장에 "精氣가 만물이 되고 游魂이 변화하니, 이 때문에 귀신의 실상을 안다.(精氣爲物, 遊魂爲變, 是故知鬼神之情狀.)"라고 하였다.
  朱熹는 『周易本義』에서 "역은 음양일 뿐이다. 幽明·死生·鬼神은 모두 음양의 변화이고 천지의 도이다. … 음인 精(정수)과 양인 氣가 모여서 만물을 이루는 것은 神의 펼침이다. 혼이 떠돌아다니고 백이 가라앉아 흩어져서 변화하는 것은 鬼의 돌아감이다.(易者, 陰陽而已. 幽明·死生·鬼神, 皆陰陽之變, 天地之道也. … 陰精陽氣, 聚而成物, 神之伸也. 魂遊魄降, 散而爲變, 鬼之歸也.)"라고 하였다.
3 귀신은 造化의 功用이다. : 『河南程氏遺書』 권22상에 "형체로 말하면 天이라고 하고, 주재함으로 말하면 帝라고 하며, 功用으로 말하면 鬼神이라고 하고, 妙用으로 말하면 神이라고 하며, 性情으로 말하면 乾이라고 한다.(以形體言之謂之天, 以主宰言之謂之帝, 以功用言之謂之鬼神, 以妙用言之謂之神, 以性情言之謂之乾.)"라고 하였다.

(정자가 말했다.) "귀鬼는 가서 돌아오지 않는다는 의미이다."

[28-1-3]

"物形有大小・精粗之不同, 神則一而已."[5]

(정자가 말했다.) "사물의 형체는 큼과 작음, 정밀함과 조잡함의 다름이 있지만, 신神은 하나일 뿐이다."[6]

[28-1-4]

或問鬼神之有無.

曰 : "吾爲爾言無, 則聖人有是言矣 ; 爲爾言有, 爾得不於吾言求之乎?"[7]

어떤 사람이 귀신의 유무有無에 대해 물었다.

(정자가) 대답했다. "내가 그대에게 없다고 말하면 성인이 이렇게 (없다고) 말한 것이 있을 것이고, 그대에게 있다고 말하면 그대는 어찌 내 말에서 그것을 찾아내려 하지 않겠는가?"

[28-1-5]

張子曰 : "天地變化至著至速者, 目爲鬼神. 所謂吉凶害福, 誅殛窺伺, 豈天所不能耶? 必有耳目口鼻之象而後能之耶?"[8]

장자張子[張載]가 말했다. "천지의 변화 가운데 지극히 두드러지고 지극히 빠른 것을 가리켜 귀신이라고 한다. 이른바 길흉화복과 주살誅殺하는 것과 살펴보는 것을 어찌 하늘이 할 수 없는 것이겠는가? 반드시 이목구비의 모습을 가진 뒤에라야 그것을 할 수 있겠는가?"

[28-1-6]

藍田呂氏曰 : "萬物之生, 莫不有氣, 氣也者, 神之盛也 ; 莫不有魄, 魄也者, 鬼之盛也. 故人亦鬼神之會爾. 鬼神者周流天地之間無所不在. 雖寂然不動, 而有感必通 ; 雖無形無聲, 而有所謂昭昭不可欺者."

남전 여씨藍田呂氏[呂大臨][9]가 말했다. "만물이 생겨나는 데에는, 기氣가 있지 않음이 없으니 기라는 것은

....

4 『河南程氏遺書』 권6

5 『二程粹言』 권下「人物篇」

6 神은 하나일 뿐이다. : 『河南程氏遺書』 권15에는 "사물의 형체에는 큼과 작음, 정밀함과 조잡함이 있지만, 신에는 정밀함과 조잡함이 없다. 신은 곧 신이니 작용을 말할 필요가 없다.(物形便有大小・精粗, 神則無精粗. 神則是神, 不必言作用.)"라고 하였다.

7 『二程粹言』 권下「天地篇」

8 장재, 『張子全書』 권14「性理拾遺」

9 呂大臨(1040~1092) : 자는 與叔이고, 당시 藝閣先生으로 불리었다. 송대 藍田(현 섬서성 소속) 사람으로 『呂氏鄕約』을 쓴 呂大鈞의 동생이다. 처음에는 張載를 스승으로 모셨으나, 장재가 죽은 뒤 二程에게 배워 謝良佐・

신神의 왕성함이며, 백魄이 있지 않음이 없으니 백이라는 것은 귀鬼의 왕성함이다. 그러므로 사람도 귀와 신이 모인 것일 뿐이다. 귀와 신은 천지간에 두루 유행하여 있지 않은 곳이 없다. 비록 적연寂然하여 움직이지 않아도 감동이 있으면 반드시 통하며,[10] 비록 형체가 없고 소리가 없어도 이른바 밝아서 속일 수 없음이 있다."

[28-1-7]

朱子曰:"天下大底事自有箇大底根本, 小底事亦自有箇緊切處. 若見得, 天下亦無甚事. 如鬼神之事, 聖賢說得甚分明, 只將禮熟讀便見. 二程初不說無鬼神, 但無而今世俗所謂鬼神耳. 古來聖人所制,[11] 皆是察見得天地之理如此.[12]"[13]

주자朱子[朱熹]가 말했다. "세상에 큰일은 본래 큰 근본이 있고, 작은 일도 본래 긴요하고 절실한 점이 있다. 만약 그것을 안다면 세상에 또한 별로 어려운 일은 없을 것이다.[14] 예컨대 귀신에 대한 일은 성현께서 말씀하신 것이 매우 분명하니, 다만 예서禮書를 숙독하면 곧 알게 될 것이다. 이정二程(程顥·程頤)은 애초에 귀신이 없다고 말하지 않았지만, 지금 세속에서 말하는 귀신은 없다. 예로부터 성인이 제정한 것은 모두 천지의 이치를 살펴본 것이 이와 같다는 것이다."

[28-1-8]

"神, 伸也; 鬼, 屈也. 如風雨雷電初發時, 神也; 及至風止雨過, 雷住電息, 則鬼也."[15]

(주자가 말했다.) "신神은 펼침이고, 귀鬼는 움츠림이다. 예컨대 바람과 비와 우레와 번개가 처음 일어날 때는 신이고, 바람이 멈추고 비가 지나가며 우레가 멎고 번개가 그치게 되면 귀이다."

[28-1-9]

"鬼神不過陰陽消長而已. 亭毒化育, 風雨晦冥皆是. 在人則精是魄, 魄者鬼之盛也; 氣是魂, 魂者神之盛也. 精氣聚而爲物, 何物無鬼神? '遊魂爲變', 魂遊則魄之降可知."

· ·

游酢·楊時와 함께 '程門四先生'이라 일컫는다. 太學博士·秘書省正字를 역임하였다. 저서는 『禮記傳』·『考古圖』 등이 있다.

10 寂然하여 움직이지 … 통하며: 『易』「繫辭上」 제10장에 "역은 생각함이 없고 인위로 하는 일이 없으니, 寂然하여 움직이지 않는 가운데 감동하여 마침내 세상의 일에 통한다. 세상에 지극히 신령한 자가 아니라면 그 누가 여기에 참여할 수 있겠는가?(易无思也, 无爲也, 寂然不動, 感而遂通天下之故. 非天下之至神, 其孰能與於此?)"라고 하였다.

11 古來聖人所制: 『朱子語類』 권3, 4조목에는 '古來聖人所制祭祀'라고 되어 있다.

12 皆是察見得天地之理如此.: 『朱子語類』 권3, 4조목에는 '皆是他見得天地之理如此'라고 되어 있다.

13 『朱子語類』 권3, 4조목

14 또한 별로 … 것이다.: 李宜哲의 『朱子語類古文解義』에는 '亦無甚事.'를 "별로 어려운 일이 없음을 말한다.(言無甚難事也.)"라고 풀이하였다.

15 『朱子語類』 권3, 5조목

(주자가 말했다.) "귀신은 음양의 줄어듦과 늘어남에 지나지 않을 뿐이다. 잘 길러서 화육하는 것과 비바람에 어두컴컴한 것이 모두 이것이다. 사람의 경우에는, 정精은 백魄이니 백은 귀鬼가 왕성함이고, 기氣는 혼魂이니 혼은 신神이 왕성함이다. 정과 기가 모여서 만물이 되니 그 어떤 것인들 귀와 신이 없겠는가? '유혼游魂은 변화가 되니',[16] 혼이 돌아다니면 백이 가라앉는 것을 알 수 있다."

[28-1-10]

"鬼神只是氣. 屈伸往來者氣也. 天地間無非氣. 人之氣與天地之氣常相接無間斷, 人自不見. 人心纔動必達於氣, 便與這屈伸往來者相感通. 如卜筮之類, 皆是心自有此物, 只說你心上事. 纔動必應也."[17]

(주자가 말했다.) "귀와 신은 다만 기일 뿐이다. 움츠림과 폄, 감과 옴이 기氣이다. 천지간에는 기 아닌 것이 없다. 사람의 기와 천지의 기는 언제나 서로 붙어있어서 잠시라도 떨어진 적이 없는데, 사람이 스스로 보지 못한다. 사람의 마음은 움직이자마자 반드시 기에 도달하니, 곧 이 움츠림·폄, 감·옴과 서로 감동하여 소통한다. 예컨대 점치는 따위는 모두 마음에 본래 이러한 것이 있으므로, 다만 너의 마음속의 일을 말할 뿐이다. (마음이) 움직이자마자 반드시 감응이 있다."

[28-1-11]

問鬼神有無.

曰 : "此豈卒乍可說? 便說, 公亦豈能信得及? 須於衆理看得漸明, 則此惑自解. '樊遲問知, 子曰, 「務民之義, 敬鬼神而遠之, 可謂知矣.」' 人且理會合當理會底事, 其理會未得底, 且推向一邊, 待日用常行處理會得透, 則鬼神之理將自見得, 乃所以爲知也. '未能事人, 焉能事鬼?' 意亦如此."[18]

귀신이 있는지 없는지에 대해 물었다.

(주자가) 대답했다. "이것에 대해 어찌 대번에 설명할 수 있겠는가? 설명한다고 해서 그대는 또 어찌 그것을 믿을 수 있겠는가? 모름지기 많은 이치에 대해 차츰 분명하게 이해해가면 이 의혹은 저절로 풀릴 것이다. '번지가 지혜에 대해 질문하니, 공자는 「사람의 도의에 힘쓰고, 귀신을 공경하되 멀리하면 지혜라고 할 수 있다.」라고 대답했다.'[19] 사람은 우선 마땅히 이해해야할 일을 이해하되 이해할 수 없는 것은 일단 한편으로 밀쳐두고, 일상생활에서 투철하게 이해하기를 기다린다면 귀신의 이치는 장차 저절로 알게 될 것이니, 이것이 지혜가 되는 것이다. '아직 사람도 섬길 수 없는데 어찌 귀신을 섬길 수

. . . .

16 '游魂은 변화가 되니': 『易』「繫辭上」 제4장에 "精氣가 만물이 되고 游魂은 변화가 되니, 이 때문에 귀신의 실상을 안다.(精氣爲物, 遊魂爲變, 是故知鬼神之情狀.)"라고 하였다.

17 『朱子語類』 권3, 7조목

18 『朱子語類』 권3, 3조목

19 『論語』「雍也」

있겠는가?[20]라고 한 것의 의미도 이와 같다.”

[28-1-12]

問 : “鬼神便只是此氣否?”

曰 : “又是這氣裏面神靈相似.”[21]

물었다. “귀신은 곧 기일 뿐입니까?”

(주자가) 대답했다. “또 이 기의 이면에 있는 신령함과 비슷하다.”

[28-1-13]

問 : “先生說鬼神自有界分, 如何?”

曰 : “如日爲神, 夜爲鬼, 生爲神, 死爲鬼, 豈不是界分?”[22]

물었다. “선생께서는 귀와 신이 본래 구분이 있다고 말하는데, 왜 그렇습니까?”

(주자가) 대답했다. “예컨대 낮은 신이고 밤은 귀이며, 생겨남은 신이고 죽음은 귀이니, 어찌 구분이 있는 것이 아니겠는가?”

[28-1-14]

問 : “先生前說日爲神夜爲鬼, 所以鬼夜出, 如何?”

曰 : “間有然者, 亦不能皆然. 夜屬陰, 且如妖鳥皆陰類, 皆是夜鳴.”[23]

물었다. “선생께서 전에 낮은 신神이고 밤은 귀鬼이므로 귀가 밤에 나온다고 말했는데, 왜 그렇습니까?”

(주자가) 대답했다. “간혹 그런 것도 있지만 모두 다 그렇다고 할 수 없다. 밤은 음에 속하며, ‘요사한 새[妖鳥]’와 같은 것은 모두 음의 부류이니 모두 밤에 운다.”

[28-1-15]

“雨風露雷, 日月晝夜, 此鬼神之迹也. 此是白日公平正直之鬼神. 若所謂‘有嘯于梁, 觸于胷’, 此則所謂不正邪暗, 或有或無, 或去或來, 或聚或散者. 又有所謂禱之而應, 祈之而獲, 此亦所謂鬼神, 同一理也. 世間萬事皆此理, 但精粗·大小之不同爾.”

又曰 : “以功用謂之鬼神, 卽此便見.”[24]

(주자가 말했다.) “비·바람·이슬·우레와 해·달·밤·낮 등은 귀신의 자취이다. 이것은 대낮의 공평하

20 『論語』「先進」
21 『朱子語類』 권3, 8조목
22 『朱子語類』 권3, 9조목
23 『朱子語類』 권3, 10조목
24 『朱子語類』 권3, 11조목

고 정직한 귀신이다. 이른바 '다리 위에서 휘파람 소리가 들리고 가슴에 무언가가 닿는 것과 같은 것은'[25] 이른바 바르지 않고 사악하여, 있기도 하고 없기도 하며, 가기도 하고 오기도 하며, 모이기도 하고 흩어지기도 하는 것이다. 또 이른바 기도함에 응답하고 빔에 얻는 것도 역시 이른바 귀신이니, 똑같은 이치이다. 세상만사가 모두 이러한 이치이지만 정밀함과 조잡함, 큼과 작음이 같지 않을 뿐이다."
(주자가) 또 말했다. "공용을 귀신이라고 하는 것을 여기에서 볼 수 있다."

[28-1-16]

"鬼神·死生之理, 定不如世俗所見.[26] 然又有其事昭昭, 不可以理推者, 此等處且莫要理會."[27]
(주자가 말했다.) "귀신과 생사의 이치는 꼭 세속에서 아는 것과 같지는 않다. 그러나 또 그 일이 명백하게 있지만 이치로 추론할 수 없는 것도 있으니, 이러한 것들은 이해할 필요가 없다."

[28-1-17]

問: "理有明未盡處, 如何得意誠? 且如鬼神事, 今是有是無? 張仲隆曾至金沙堤見巨人迹, 此是如何?"
或謂: "冊子說, 并人傳說, 皆不可信, 須是親見. 某平昔見冊子上, 并人說得滿頭滿耳, 只是都不曾自見."
曰: "只是不曾見, 畢竟其理如何?[28] 張南軒亦只是硬不信, 有時戲說一二, 如禹鼎鑄魑魅魍魎之屬, 便是有這物. 深山大澤, 是彼所居處, 人往占之, 豈不爲祟?"
問: "'敬鬼神而遠之', 則亦是言有. 但當敬而遠之, 自盡其道, 便不相關."
曰: "聖人便只是如此說.[29] 嘗以此理問李先生, 曰, '此處不須理會.'"[30]
(주자가) 물었다. "이치에 아직 다 밝히지 못한 것이 있다면 어찌 뜻이 진실할 수 있겠는가? 귀신에 대한 일 같은 것은 있는 것인가 없는 것인가? 장중륭張仲隆[31]이 전에 금사제金沙堤[32]에서 거인의 발자국을

---

25 '다리 위에서 … 것은': 韓愈는 「原鬼」에서, "다리 위에서 휘파람 소리가 들려서 가서 불을 비춰보니 보이는 것이 없었는데, 이것이 귀신인가? 아니다. 귀신은 소리가 없다. 집안에 무언가가 서있어서 들어가서 보니 보이는 것이 없었는데, 이것이 귀신인가? 아니다. 귀신은 형체가 없다. 내 몸에 닿는 것이 있어서 잡아보니 잡히는 것이 없었는데, 이것이 귀신인가? 아니다. 귀신은 소리와 형체가 없는데 어찌 氣가 있겠는가?(有嘯於梁, 從而燭之, 無見也, 斯鬼乎? 曰, 非也. 鬼無聲. 有立於堂, 從而視之, 無見也, 斯鬼乎? 曰, 非也. 鬼無形. 有觸吾躬, 從而執之, 無得也, 斯鬼乎? 曰, 非也. 鬼無聲與形, 安有氣?)"라고 하였다.
26 定不如世俗所見.: 『朱子語類』 권3, 12조목에는 '定不如釋家所云, 世俗所見'이라고 되어 있다.
27 『朱子語類』 권3, 12조목
28 只是不曾見, 畢竟其理如何?: 『朱子語類』 권3, 14조목에는 '只是公不曾見, 畢竟其理如何?'라고 되어 있다.
29 聖人便只是如此說.: 『朱子語類』 권3, 14조목에는 '聖人便說只是如此.'라고 되어 있다.
30 『朱子語類』 권3, 14조목
31 張仲隆: 남송 營邱(현 산동성 昌樂縣 소속) 사람이다. 복건성 지방을 유람하다가 崇安의 光化禪室에서 『資治通鑑』 100질을 암송하여 주희의 칭송을 받았다. 숭안에 기거하면서 주희와 학문을 논했다. 『朱文公文集』

보았다고 했는데, 이것은 어떠한가?"

어떤 사람[33]이 말했다. "책의 말과 사람들이 전하는 말은 모두 믿을 수 없으니 반드시 직접 보아야 합니다. 제가 예전에 책에서 본 것과 사람들의 말을 들은 것이 머릿속에 가득하고 귀에 가득합니다만 모두 직접 본적이 없는 것입니다."

(주자가) 말했다. "다만 본적이 없는 것이지만, 그래도 그 이치가 없다고 하겠는가? 장남헌張南軒張栻[34]도 전혀 믿지 않았으나, 어떤 때 우스갯소리로 한두 가지를 얘기하는데, 예컨대 우임금의 솥에 산신·수신水神과 괴물의 형상을[35] 주조한 것과[36] 같은 부류는 곧 이러한 것이 있다는 것이다. 깊은 산과 큰 못은 그것이 거처하는 곳이고, 사람들이 거기에 가서 점을 치니 어찌 빌미가 되지 않겠는가?"

(포양이) 물었다. "귀신을 공경하되 멀리한다.'[37]고 했으니, 역시 귀신이 있다는 말입니다. 그러나 마땅히

• •

　　권75에 「送張仲隆序」가 있다.

32　金沙堤 : 절강성 杭州 西湖에 있는 제방 가운데 하나이다.

33　어떤 사람 : 『朱子語類』권3, 14조목에 의하면, 주자 문인 包揚이다.

34　張栻(1133~1180) : 자는 敬夫·欽夫·樂齋이고, 호는 南軒이다. 송대 漢州 錦竹(현 사천성 廣漢縣)사람이다. 高宗, 孝宗 양 조정에서 丞相을 지낸 張浚의 아들로 知撫州·知嚴州·湖北安撫使·吏部侍郎兼侍講 등을 역임하였다. 주희보다 세 살 어리지만 呂祖謙과 더불어 주희와 친구로 지냈으며, 후대에 이들 셋을 '東南三賢'이라고 부른다. 스승 胡宏으로부터 이어지는 胡湘學派를 정립하였으며, 그의 察識端倪說은 주희의 中和舊說을 확립하는데 중요한 역할을 하였다. 저서는 『南軒易說』·『論語解』·『孟子說』·『伊川粹言』·『南軒集』등이 있다.

35　산신·水神과 괴물의 형상 : 원문은 '魑魅魍魎'인데 『說文』에서 "螭는 산신으로 짐승의 형상이고, 魅는 괴물이며, 魍魎은 水神이다.(螭, 山神, 獸形 ; 魅, 怪物 ; 魍魎, 水神.)"라고 풀이하고 있다.

36　우임금의 솥에 … 것과 : 『春秋左傳』「宣公」3년 조에 "楚子가 육군의 오랑캐를 토벌하고, 마침내 雒에 이르러 周나라 국경에서 군사로 시위하니, 定王이 王孫 滿을 보내어 楚子를 위로 하였다. 초자가 왕손 滿에게 鼎(천자를 상징하는 솥)의 크기와 무게를 물으니 왕손 滿이 다음과 같이 대답했다. '왕이 되는 것은 덕을 갖추었는지에 달려있지 鼎을 가지고 있는가에 달려있지 않습니다. 옛날 夏나라에 덕이 있을 때 멀리 있는 나라에서 각각 그 산천의 기이한 물건들을 그려서 올리니, 九州의 牧伯에게 金을 바치게 하여 9개의 솥을 주조하여 그 그림속의 물건을 새겨 넣고 온갖 물건을 새겨 넣어 백성들에게 귀신의 간사한 실상을 알 수 있게 갖추어 두었다. 그러므로 백성들이 강이나 못, 산림에 들어가도 不若(사람을 해치는 요괴)을 만나지 않고, 螭(짐승 형상의 산신)·魅(괴물)·罔兩(물귀신)을 만나지 않았다. 이에 상하가 화목하여 하늘의 복을 만났다. 桀이 악덕을 가지게 되자 鼎은 商나라로 옮겨가서 600년을 지냈다. 商紂가 포학하자 鼎은 周나라로 옮겨갔다. 군주의 덕이 아름답고 밝으면 정이 비록 작아도 무거워서 옮겨지지 않고, 군주의 덕이 간사하고 혼란하면 鼎이 비록 커도 가벼워서 옮겨질 수 있다. 하늘은 밝은 덕이 있는 사람에게 복을 내리니 鼎이 와서 머무르는 곳이 따로 있다. 成王이 鼎를 郟鄏(주나라의 동쪽 수도로서 현 낙양시이다.)에 안치할 때 占辭에 30代 700년을 누릴 것이라고 했으니, 이것은 하늘이 命한 것이다. 주나라의 덕이 비록 쇠해졌지만 천명은 아직 바뀌지지 않았으니, 이 때에 鼎의 무게를 물을 수 없다.'(楚子伐陸渾之戎, 遂至於雒, 觀兵于周疆. 定王使王孫滿勞楚子. 楚子問鼎之大小·輕重焉. 對曰, '在德不在鼎. 昔夏之方有德也, 遠方圖物, 貢金九牧, 鑄鼎象物, 百物而爲之備, 使民知神·姦. 故民入川澤·山林, 不逢不若. 螭魅罔兩, 莫能逢之. 用能協于上下, 以承天休. 桀有昏德, 鼎遷于商, 載祀六百. 商紂暴虐, 鼎遷于周. 德之休明, 雖小, 重也. 其姦回昏亂, 雖大, 輕也. 天祚明德, 有所底止. 成王定鼎于郟鄏, 卜世三十, 卜年七百, 天所命也. 周德雖衰, 天命未改, 鼎之輕重, 未可問也.')"라고 하였다.

37　『論語』「雍也」

공경하되 멀리하고 스스로 그 도리를 다하면 상관이 없을 것입니다."

(주자가) 대답했다. "성인께서 다만 이와 같이 말했을 뿐이다. 일찍이 이러한 이치를 이선생李先生[李侗][38]에게 물었는데, '이것에 대해 이해할 필요는 없다.'고 말씀하셨다."

[28-1-18]

南軒張氏曰 : "鬼神之說, 合而言之, 來而不測謂之神, 往而不返謂之鬼. 分而言之, 天地・山川・風雷之屬, 凡氣之可接者皆曰神, 祖考祠饗於廟曰鬼. 就人物而言之, 聚而生爲神, 散而死爲鬼. 又就一身而言之, 魂氣爲神, 體魄爲鬼. 凡六經所稱, 蓋不越是數端. 然一言以蔽之, 莫非造化之跡. 而語其德則誠而已.

남헌 장씨南軒張氏[張栻]가 말했다. "귀신에 대한 이론은 합해서 말하면, 오는데 헤아릴 수 없는 것을 신神이라고 하고, 가서 돌아오지 않는 것을 귀鬼라고 한다. 나누어서 말하면, 기氣를 접할 수 있는 천지와 산천과 바람・우레의 부류를 모두 신이라 하고, 사당에서 제사를 모시는 조상신을 귀라고 한다. 사람과 만물로 말하면, 모여서 생겨나는 것은 신이고, 흩어져서 죽는 것은 귀이다. 또 한 몸으로 말하면, 혼기魂氣는 신이고, 체백體魄은 귀이다. 6경에서 일컫은 것은 대개 이 몇 가지 분류를 넘어서지 않는다. 그러나 한 마디 말로 총괄하면 조화造化의 자취가 아님이 없다. 그리고 그 덕을 말하면 성誠일 뿐이다.

昔者季路蓋嘗問事鬼神之說矣, 夫子之所以告之者, 將使之致知力行而自得之, 故示其理而不詳語也. 至於後世異說熾行, 禱張爲幻, 莫可致詰. 流俗眩於怪誕, 怵於恐畏, 胥靡而從之. 聖學不明, 雖襲儒衣冠, 號爲英才敏識, 亦往往習熟崇尚而不以爲異. 至於其說之窮, 則曰焉知天地間無有是事, 委諸茫昧而已耳. 信夫事之妄而不察夫理之眞, 於是鬼神之說淪於空虛, 而所爲交於幽明者皆失其理.

예전에 계로季路가 귀신을 섬기는 일에 대해 물은 적이 있었는데,[39] 공자께서 알려준 것은 그에게 지식을 끝까지 넓히고 힘써 실천하여 스스로 터득하도록 하였으니, 그 이치를 보여주었으나 자세하게 알려주지 않았다. 후세에 이설異說이 성행하여 터무니없는 말로 남을 속여서 미혹하게 되니 따져 물을 수 없게 되었다. 세속은 괴이하고 허황된 것에 현혹되고 두려움에 떨면서 서로 쏠리듯이 그것을 좇았다. 성인의 학문이 밝혀지지 않아, 비록 유가의 의관을 착용하고 영재나 총명・박식하다고 일컬어지는 사람도 종종 습관에 익숙하고 숭상하여 괴이하게 여기지 않았다. 그 말이 막히면 천지간에 이런 일이 없다는 것을

----

38 李侗(1093~1163) : 자는 愿中이고, 세칭 延平先生이라 한다. 송대 南劍州 劍浦(현 복건성 南平)사람으로 楊時・羅從彦과 함께 '南劍三先生'이라 불리운다. 나종언에게서 二程의 학문을 배우고, 40여 년간 세속을 끊고 연구한 뒤에 '理一分殊' 등 이정의 학문을 주희에게 전수해 주었다. 저서는 『延平文集』이 있다.
39 예전에 季路가 … 있었는데 : 『論語』「先進」에서 "계로가 귀신을 섬기는 일에 대해 물었다. 공자가 '아직 사람을 섬길 줄도 모르는데 어찌 귀신을 섬길 수 있겠는가?'라고 대답했다.(季路問事鬼神. 子曰, '未能事人, 焉能事鬼?')"라고 하였다.

어찌 알겠는가? 라고 말하고는 애매모호한 일로 몰아갈 뿐이었다. 터무니없는 일을 믿으면서도 참된 이치를 살피지 않았으니, 이에 귀신에 대한 이론은 공허한 데에 빠지고 이른바 유명幽明(이승과 저승, 혹 삶과 죽음)을 교류한다고 하는 일들은 모두 그 이치를 잃게 되었다.

禮壞而樂廢, 人心不正, 浮僞日滋, 其間所謂因其說而爲善者, 亦莫匪私利之流. 亂德害敎, 孰此爲甚! 故河南二程子, 橫渠張子, 與學者反復講論而不置, 夫豈好辯哉? 蓋有所不得已也. 若夫程子發明感通之妙, 張子推極聚散之蘊, 所以示來世深矣.

예가 무너지고 악이 폐지되며, 인심이 바르지 않게 되고, 근거 없는 거짓이 날로 불어나니, 그 사이에 이른바 그 이론에 따라서 선을 실행하는 자도 사사로운 이익을 추구하는 무리가 아님이 없었다. 덕을 혼란시키고 가르침을 해치는 것이 그 무엇이 이것보다 심한가! 그러므로 하남 이정자河南二程子(程顥·程頤)와 횡거 장자橫渠張子(張載)가 학자들과 반복해서 강론하고 그만두지 않았으니, 어찌 논변을 좋아한 것이겠는가? 어쩔 수 없을 뿐이다. 그런데 정자程子가 감통感通의 오묘함을 드러내 밝히고, 장자張子가 모임과 흩어짐의 심오한 이치를 끝까지 추구한 것은 후세에 보여준 것이 대단하다.

學者誠能致知以窮其理, 則不爲衆說所咻; 克己以去其私, 則不爲血氣所動. 於其有無是非之故, 毫分縷析, 了然於中, 各有攸當而不亂, 然後昔人事鬼神之精意可得而求, 德可立而經可正也. 不然, 辨之不明, 守之不固, 眩於外而怵於內, 一理之蔽, 則爲一事之礙; 一念之差, 則爲一物之誘. 聞見雖多, 亦鮮不爲異說所溺矣."[40]

학자들이 진실로 지식을 끝까지 넓혀서 이치를 궁구하면 뭇 사람들의 이론에 휩싸이지 않을 것이며, 자신을 극복하여 사사로움을 제거하면 혈기에 움직이지 않을 것이다. 귀신의 유무와 시비是非의 까닭에 대해 자세하게 분석해서 마음속에 명백하여, 각각 합당하여 혼란하지 않은 점이 있은 다음에야 옛 사람들이 귀신을 섬기는 정밀한 뜻을 구할 수 있으며, 덕을 세울 수 있고 법도를 바르게 할 수 있다. 그렇지 않으면, 분명하게 변별하지 못하고 굳게 지키지 못하여 밖으로 현혹되고 안으로 두려워하게 되니, 한 가지 이치가 가려지면 한 가지 일에 장애가 있게 되고, 하나의 생각이 잘못되면 하나의 사물에 유혹될 것이다. 견문이 비록 많아도 이설異說에 빠지지 않는 경우가 드물 것이다."

[28-1-19]
北溪陳氏曰: "程子云, '鬼神者造化之迹', 張子云, '鬼神者二氣之良能', 二說皆精切.[41] '造化之迹', 以陰陽流行著見於天地間言之; '良能', 言二氣之屈伸往來自然能如此. 大抵鬼神只是陰陽二氣. 主屈伸往來者言之,[42] 神是陽之靈, 鬼是陰之靈. 靈云者, 只是自然屈伸往來恁地

....
40 장식, 『南軒集』 권33 「題周㬇所編鬼神說後」
41 二說皆精切.: 陳淳의 『北溪字義』 권하 「鬼神」에는 '說得皆精切'이라고 되어 있다.
42 大抵鬼神只是陰陽二氣. 主屈伸往來者言之: 진순의 『北溪字義』 권하 「鬼神」에는 '大抵鬼神只是陰陽二氣之

活爾. 自一氣言之, 則氣之方伸而來者屬陽爲神, 氣之已屈而往者屬陰爲鬼. 如春夏是氣之方長屬陽爲神, 秋冬是氣之已退屬陰爲鬼. 其實二氣亦只是一氣耳.

북계 진씨北溪陳氏[陳淳][43]가 말했다. "정자程子[程頤]는 '귀신은 조화造化의 자취이다.'[44]라고 말했고, 장자張子[張載]는 '귀신은 음과 양 두 기의 양능良能(자연적인 능력)[45]이다.'[46]라고 말했으니, 이 두 말은 모두 정확하고 적절하다. '조화造化의 자취'는 음양의 유행이 천지간에 두드러지게 드러나는 것으로 말한 것이고, 양능良能은 음과 양 두 기의 움츠림과 폄, 감과 옴이 저절로 이렇게 할 수 있다는 것을 말한다. 대개 귀신은 음과 양 두 기일 뿐이다. 움츠림과 폄, 감과 옴을 위주로 말하면, 신은 양의 영험함이고 귀는 음의 영험함이다. 영험하다는 것은 저절로 그러한 움츠림과 폄, 감과 옴이 그와 같이 생동적이라는 것일 뿐이다. 하나의 기로 말하면, 기가 막 펼쳐서 오는 것은 양에 속하여 신이 되고, 기가 이미 움츠려들어간 것은 음에 속하여 귀가 된다. 예컨대 봄·여름은 기가 막 자라나는 것으로 양에 속하여 신이 되고, 가을·겨울은 기가 이미 물러난 것으로 음에 속하여 귀가 된다. 그러나 사실 음과 양 두 기는 또한 하나의 기일 뿐이다.

天地間無物不是陰陽.[47] 陰陽無所不在, 則鬼神亦無所不有. 大抵神之爲言伸也,[48] 伸是氣之方長者也; 鬼之爲言歸也,[49] 歸是氣之已退者也."[50]

천지간에는 그 어떠한 것도 음양이 아닌 것이 없다. 음양이 존재하지 않는 곳이 없으니 귀신도 있지 않는 곳이 없다. 대개 신은 펼치는 것을 말하니 펼치는 것은 기가 막 자라나는 것이며, 귀는 되돌아가는 것을 말하니 되돌아가는 것은 기가 이미 물러난 것이다."

• •
屈伸往來. 自二氣言之'라고 되어 있다.

43 陳淳(1159~1223) : 자는 安卿이고, 호는 北溪이다. 송대 龍溪(현 복건성 漳州)사람으로 주희가 장주 지사일 때 제자가 되어, 주희에게 '남쪽에 와서 나의 도가 진순 한 사람을 얻었다.'라는 칭찬을 받았다. 시호는 文安이다. 저서는 『北溪字義』·『論孟學庸口義』·『北溪大全集』 등이 있다.

44 程頤, 『周易程氏傳』 권1 「乾卦·文言」

45 良能(자연적인 능력) : 『朱子語類』 권125, 63조목에서 "橫渠(張載)는 항상 매우 심오한 말을 하는데, 예컨대 「귀신은 음과 양 두 기의 良能(자연적인 능력)이다.」고 말한 것은 훌륭한 말이다. 伊川(程頤)이 「귀신은 造化의 자취이다.」라고 말한 것은 도리어 별로 명백하지 않다.' 良能의 의미에 대해 물었다. (주자가) 대답했다. '다만 음과 양 두 기의 자연스러운 것일 뿐이다.'('橫渠尋常有太深言語, 如言「鬼神二氣之良能」, 說得好. 伊川言「鬼神造化之跡」, 卻未甚明白.' 問良能之義. 曰, 只是二氣之自然者耳.')라고 하였다.

46 張載, 『張子全書』 권2 「太和篇」

47 天地間無物不是陰陽. : 陳淳, 『北溪字義』 권하 「鬼神」에는 '天地間無物不具陰陽'이라고 되어 있다.

48 大抵神之爲言伸也 : 『漢語大詞典』에 의하면, '之爲言'은 雙聲(음의 앞부분이 같음)과 疊韻(음의 뒷부분이 같음)으로 주석하는 訓詁 용어이다. '神'은 船聲 眞韻의 平聲이고, '伸'은 書聲 眞韻의 平聲이므로, '神'과 '伸'은 모두 '眞韻'이어서 첩운이다.

49 鬼之爲言歸也 : 『漢語大詞典』에 의하면, '鬼'는 見聲 尾韻의 上聲이고, '歸'는 見聲 微韻의 平聲이므로, '鬼'와 '歸'는 모두 '見聲'이어서 쌍성이다.

50 陳淳, 『北溪字義』 권하 「鬼神」

"自天地言之, 天屬陽神也, 地屬陰鬼也. 就四時言之, 春夏氣之伸屬神, 秋冬氣之屈屬鬼. 又
自晝夜分之, 晝屬神, 夜屬鬼. 就日月言之, 日屬神, 月屬鬼. 又如鼓之以雷霆, 潤之以風雨,
是氣之伸屬神；及至收歛後, 帖然無蹤迹, 是氣之歸屬鬼. 以一日言之, 則早起日方升屬神,⁵¹
午以後漸退屬鬼. 以月言之, 則月初三生來屬神,⁵² 到十五以後屬鬼. 如草木生枝生葉時屬神,
衰落時屬鬼. 如潮之來屬神, 潮之退屬鬼. 凡氣之伸者皆爲陽屬神, 凡氣之屈者皆爲陰屬鬼.
古人論鬼神大槪如此, 更在人自體究."⁵³

(북계 진씨가 말했다.) "천지로 말하면, 하늘은 양에 속하고 신이며, 땅은 음에 속하고 귀이다. 사계절로
말하면, 봄·여름은 기의 펼침으로 신에 속하며, 가을·겨울은 기의 움츠림으로 귀에 속한다. 밤낮으로
구분하면, 낮은 신에 속하고 밤은 귀에 속한다. 해와 달로 말하면, 해는 신에 속하고 달은 귀에 속한다.
또 예컨대 격렬하게 천둥을 쳐서 고무시키고, 비바람으로 윤택하게 하는 것은 기의 펼침으로 신에 속하
며, 그것이 수렴된 뒤에 복종하듯이 종적이 없는 것은 기의 되돌아감으로 귀에 속한다. 해로 말하면,
아침에 해가 막 뜨는 것은 신에 속하고 정오 이후 점점 해가 지는 것은 귀에 속한다. 달로 말하면,
달이 매월 초삼일에 생겨나는 것은 신에 속하고 보름 이후는 귀에 속한다. 예컨대 초목에 가지가 생기고
잎이 돋을 때는 신에 속하고 시들어 떨어질 때는 귀에 속한다. 예컨대 조수가 밀려오는 것은 신에 속하고
물러가는 것은 귀에 속한다. 무릇 기가 펼치는 것은 모두 양이 되어 신에 속하고, 기가 움츠리는 것은
모두 음이 되어 귀에 속한다. 옛 사람들이 귀신을 논한 것이 대체로 이와 같으니, 인간사에서 더욱더
자신이 몸소 탐구해야 할 것이다."

[28-1-21]

問："先儒謂'鬼神造化之迹', 又曰'二氣之良能.'"

潛室陳氏曰："鬼神只陰陽屈伸之氣, 所以爲寒爲暑, 爲晝爲夜, 爲榮爲枯, 有迹可見. 此處便
是鬼神. 蓋陰陽是氣, 鬼神是氣之良能流轉活動處, 故曰'良能.'"⁵⁴

물었다. "선대 유학자가⁵⁵ '귀신은 조화造化의 자취이다.'라고 말했고, 또 '(귀신은) 음과 양 두 기의 양능良
能이다.'라고 말했습니다."

잠실 진씨潛室陳氏陳埴⁵⁶가 대답했다. "귀신은 다만 음양이 움츠리고 펼치는 기일 뿐이니, 그 때문에

---

51 以一日言之, 則早起日方升屬神：陳淳의『北溪字義』권하「鬼神」에는 '以日言, 則日方升屬神'이라고 되어 있
    다. 번역문은『北溪字義』원문을 따랐다.
52 以月言之, 則月初三生來屬神：陳淳의『北溪字義』권하「鬼神」에는 '以月言, 則初三生明屬神'이라고 되어 있다.
53 陳淳,『北溪字義』권하「鬼神」
54 陳埴,『木鍾集』권10
55 선대 유학자：程頤와 張載를 가리킨다. 본문 [28-1-19] 참조
56 陳埴：자는 器之이고, 호는 木鍾이며, 세칭 潛室先生이라 하였다. 송대 永嘉(현 절강성 溫州)사람으로 通直郞
    을 역임하였다. 어려서는 葉適에게 배우고 나중에는 주희에게서 배웠다. 저서는『木鍾集』·『禹貢辨』·『洪範

추위가 되고 더위가 되며, 낮이 되고 밤이 되며, 무성하게 되고 시들게 되어 볼 수 있는 자취가 있다. 이것이 바로 귀신이다. 음양은 기이고, 귀신은 기의 양능이 이리저리 떠돌아다니며 활동하는 곳이므로 '양능'이라고 말했다."

[28-1-22]

"天地造化, 萬物露生于天地之間者, 皆造化之迹也. 是孰爲之耶? 鬼神也. 造化之迹, 猶言造化之可見者, 非粗迹之迹.[57] 于今一禽一獸, 一花一木, 鍾英孕秀, 有雕斲繪畫所不能就者, 倏忽見于人間, 是孰爲之耶? 卽造化之迹, 鬼神也."[58]

(북계 진씨가 말했다.) "천지가 조화造化함에 만물이 천지간에 노출되어 생겨나는 것이 모두 조화造化의 자취이다. 무엇이 그렇게 하는가? 귀신이 그렇게 한다. 조화의 자취는 또한 조화造化에서 알 수 있는 것을 말하지, 큰 자취라고 할 때의 자취가 아니다. 이제 한 마리의 새와 짐승, 한 포기의 풀과 나무도 극히 뛰어남을 지니고 있어[鍾英孕秀] 조각이나 그림으로 이뤄낼 수 없는 것을 홀연히 인간 세상에 드러내고 있으니 무엇이 그렇게 하는가? 곧 조화의 자취이니 귀신이다."

[28-1-23]

西山眞氏曰: "鬼神之理, 雖非始學者所易窮, 然亦須識其名義. 若以'神·示·鬼'三字言之, 則天之神曰神, 以其造化神妙不測也. 地之神曰示, 以其山川草木有形可見顯然示人也. 示, 古祇字. 人之神曰鬼. 鬼, 謂氣之已屈者也. 若以'鬼·神'二字言之, 則神者氣之伸, 鬼者氣之屈. 氣之方伸者屬陽故爲神, 氣之屈者屬陰故爲鬼. 神者伸也. 鬼者歸也.

서산 진씨西山眞氏[眞德秀][59]가 말했다. "귀신의 이치는 비록 처음 배우는 자가 쉽게 궁구할 수 있는 것이 아니지만 또한 그 명칭과 의미는 반드시 알아야 한다. 만약 '신神·기示·귀鬼'라는 세 글자로 말하면, 하늘의 신을 신神이라 하고, 그 조화造化가 신묘하여 헤아릴 수 없기 때문이다. 땅의 신을 기示라고 하며 산천초목이 볼 수 있는 형체가 있어 사람들에게 뚜렷이 보여주기 때문이다. '기示'자는 '기祇'의 고자古字이다. 사람의 신을 귀鬼라고 한다. 귀鬼는 기가 이미 움츠린 것을 말한다. 만약 '귀鬼·신神'이라는 두 글자로 말하면, 신神은 기의 펼침이고 귀鬼는 기의 움츠림이다. 기가 막 펼치는 것은 양에 속하므로 신神이 되고, 기가 움츠리는 것은 음에 속하므로 귀鬼가 된다. 신은 펼치는 것이고 귀는 되돌아가는 것이다.

. . . .

解』 등이 있다.

57 非粗迹之迹. : 진식의 『木鍾集』 권10에는 小注로 되어 있다.

58 陳埴, 『木鍾集』 권10

59 眞德秀(1178~1235): 자는 希元·景元·景希이고, 호는 西山이다. 송대 浦城(복건성 蒲城)사람으로 1199년에 진사시에 급제하여 太學正·參知政事에 이르렀다. 어려서는 주희의 문인인 詹體仁에게 배우고, 스스로 '주희를 사숙하여 얻은 것이 있다.'라고 하였다. 특히 『大學』을 중시하여 窮理·持敬을 강조하였다. 저서는 『大學衍義』·『四書集編』·『西山文集』 등이 있다.

且以人之身論之, 生則曰人, 死則曰鬼, 此生死之大分也. 然自其生而言之, 則自幼而壯, 此氣之伸也; 自壯而老, 自老而死, 此又伸而屈也. 自其死而言之, 則魂遊魄降, 寂無形兆, 此氣之屈也; 及子孫享祀, 以誠感之, 則又能來格, 此又屈而伸也. 姑擧人鬼一端如此.

또 사람의 몸으로 말하면, 살아있으면 사람[人]이라고 하고, 죽으면 귀신[鬼]이라고 하니, 이것이 삶과 죽음의 큰 구분이다. 그러나 삶으로 말하면, 유년에서부터 장년까지는 기가 펼치는 것이고, 장년에서부터 늙기까지와 노년에서부터 죽기까지는 또한 펼치지만 움츠리는 것이다. 죽음으로 말하면, 혼이 돌아다니고 백이 가라앉아서 고요히 형적이 없는 것은 기가 움츠린 것이고, 자손이 제사를 받들어 정성으로 감동시키면 또 올 수 있으니, 이것은 움츠리지만 펼치는 것이다. 우선 사람과 귀신의 경우를 들면 이와 같다.

至若造化之鬼神, 則山澤·水火·雷風是也. 日與電皆火也, 月與雨亦水也, 此數者合而言之, 又只是陰陽二氣而已. 陰陽二氣流行於天地之間, 萬物賴之以生, 賴之以成, 此卽所謂鬼神也. 今人只以塑像畫像爲鬼神, 及以幽暗不可見者爲鬼神. 殊不知山峙川流, 日照雨潤, 雷動風散, 乃分明有迹之鬼神. 伊川云, ‘鬼神者造化之迹’, 又云, ‘鬼神天地之功用’, 橫渠云, ‘鬼神二氣之良能’, 凡此皆指陰陽而言. 天地之氣, 卽人身之氣; 人身之氣, 卽天地之氣也.”[60]

(천지의) 조화造化에서의 귀신과 같은 경우에는 산과 못, 물과 불, 우레와 바람이 이것이다. 해와 우레는 모두 불이고 달과 비는 물이니, 이 몇 가지를 합해서 말하면, 또한 다만 음과 양 두 기일 뿐이다. 음과 양 두 기가 천지간에서 유행할 때 만물이 그것에 의지하여 생겨나고 이루어지니, 이것이 곧 이른바 귀신이다. 요즘 사람들은 다만 소상塑像(형상을 빚어낸 것)·화상畫像(형상을 그린 것)을 귀신이라 여기고, 그윽해서 볼 수 없는 것을 귀신이라고 여긴다. 그러나 산이 치솟고 냇물이 흐르며 해가 비추고 비가 적시며 우레가 치고 바람이 흩날리는 것이 분명히 자취가 있는 귀신이라는 것을 전혀 모르는 것이다. 이천伊川[程頤]이 ‘귀신은 조화造化의 자취이다.’라고 말했고, 또 ‘귀신은 천지의 공용功用이다.’고 말했으며, 횡거橫渠[張載]가 ‘귀신은 음과 양 두 기의 양능良能이다.’라고 말한 것은 모두 음양을 가리켜 말한 것이다. 천지의 기는 곧 사람의 기이고, 사람의 기는 곧 천지의 기이다.”

[28-1-24]
鶴山魏氏曰: “鬼神之說尚矣. 自聖賢不作, 正塗壅底, 士不知道, 民罔常心, 非置諸茫昧, 則怵於奇衺. 或又諉曰, ‘夫子所不語也, 季路所弗知也. 吁! 是難言也.’ 其果難言也, 而聖謨孔彰, 實理莫揜, 其有獨不可見者乎? 天有四時, 地載神氣, 亘古今, 薄宇宙, 盪摩而罔息者, 孰非鬼神之功用乎? 反之吾身, 而噓吸之屈伸, 視聽之往來, 浩乎博哉! 妙萬物而無不在也.”[61]

- -

60 眞德秀, 『西山文集』 권30 「問非其鬼而祭章」
61 魏了翁, 『鶴山集』 권41 「眉州威顯廟記」

학산 위씨鶴山魏氏[魏了翁][62]가 말했다. "귀신에 대한 설명이 오래되었다. 성현이 일어나지 않아 올바른 길이 막히고부터 선비는 도를 모르고 백성들은 평상심을 잃어서, (귀신을) 애매모호한 것으로 내버려두지 않으면 그 기이하고 사특함을 두려워했다. 어떤 사람은 또 핑계를 대면서 '부자夫子[孔子]는 말하지 않았고 계로季路는 알지 못했다.[63] 아! 이것은 말하기 어렵다.'고 말했다. 그것은 과연 말하기 어렵지만 성인의 가르침이 매우 빛나고[64] 진실한·이치는 숨길 수 없으니 어찌 유독 볼 수 없는 것이 있겠는가? 하늘에 사계절이 있고 땅이 '신묘한 기[神氣]'를 실은 것은,[65] 고금에 걸쳐 우주에 두루 넓게 퍼져있으면서 서로 부딪히고 변화함이 그치지 않으니, 그 어느 것이 귀신의 공용이 아니겠는가? 우리 몸으로 돌이켜보면, 숨을 내쉬고 들이쉬는 펼침과 움츠림, 보고 듣는 것의 감과 옴이니, 크고도 넓다! 만물을 오묘하게 하면서도 있지 않은 곳이 없다."

[28-1-25]

"宇宙之間, 氣之至而伸者爲神, 反而歸者爲鬼. 其在人焉, 則陽魂爲神, 陰魄爲鬼. 二氣合, 則魂聚魄凝而生；離則魂升爲神, 魄降爲鬼.『易』所謂'精氣, 游魂',『記』所謂'禮樂, 鬼神', 夫子所謂'物之精, 神之著', 而子思所謂'德之盛, 誠之不可掩'者, 其義蓋若此. 而古之聖賢所貴乎知者, 亦惟知此而已."[66]

. . . .

62 魏了翁(1178~1237) : 자는 華父, 호는 鶴山, 시호는 文靖이다. 사천성 邛州(현 邛崍市) 蒲江 사람이다. 張栻의 문인인 范子長, 范子該 형제와 함께 학문을 익혔으며, 중원에 나아가 벼슬할 때에 주희의 문인인 輔廣, 李燔과 교유하며 주자학을 접하고 추숭하게 되었다. 또 陸九淵의 아들 陸持之와 친분이 두터워 心學의 정수에도 상당히 밝았다. 1199년에 진사가 되어 成都節度判官을 지낸 뒤, 조정에 들어가 禮部尚書, 端明殿學士 등을 역임했다. 경전 가운데 특히『禮記』를 좋아하였는데,『禮記』의 요지를 天人의 도를 말한 것으로 보았다. 眞德秀와 함께 理學을 통치 이념으로 확립하는 데 큰 공헌을 하였다. 邛崍市 서쪽 白鶴山 밑에 집을 짓고 강학을 하였는데 배우는 사람들이 많았다. 저술에『九經要義』·『易擧隅』·『經外雜抄』·『師友雅言』·『鶴山集』 등이 있다.

63 夫子[孔子]는 … 못했다. :『論語』「述而」에서 "공자는 괴이한 일과 무력에 관한 일과 난리를 일으키는 일과 귀신에 대한 일을 말하지 않았다.(子不語怪, 力, 亂, 神.)"라고 하였다. 또『論語』「先進」에서 "계로가 귀신을 섬기는 일에 대해 물었다. 공자가 '아직 사람을 섬길 줄도 모르는데 어찌 귀신을 섬길 수 있겠는가?'라고 대답했다.(季路問事鬼神. 子曰, '未能事人, 焉能事鬼?')"라고 하였다.

64 성인의 가르침이 … 빛나고 :『書』「商書·伊訓」에서 "성인의 가르침이 크고, 훌륭한 말이 매우 빛난다.(聖謨洋洋, 嘉言孔彰.)"라고 하였다.

65 하늘에 사계절이 … 것은 :『禮記』「孔子閑居」에 "하늘에 사계절이 있어서 봄·여름·가을·겨울에 바람이 불고 비가 내리며 서리가 내리고 이슬이 맺히는 것은 가르침이 아닌 것이 없다. 땅이 '신묘한 기[神氣]'를 싣고 있으니 신묘한 기는 바람과 천둥소리이고, 바람과 천둥소리로 그 형체를 유포하여 여러 종류의 많은 것들이 드러나 생겨나도록 하는 것은 가르침이 아닌 것이 없다.(天有四時, 春秋冬夏, 風雨霜露, 無非敎也. 地載神氣, 神氣風霆, 風霆流形, 庶物露生, 無非敎也.)"라 하였고, 孔穎達은 疏에서 "神氣는 신묘한 기를 말한다.(神氣, 謂神妙之氣.)"라고 하였다.

66 魏了翁,『鶴山集』 권39「中江縣靈感廟神墓記」

(학산 위씨가 말했다.) "우주간에 기가 이르러 펼치는 것이 신神이 되고, (기가) 돌이켜 되돌아가는 것이 귀鬼가 된다. 사람의 경우에는 양인 혼이 신이 되고 음인 백이 귀가 된다. 음과 양 두 기가 합하면 혼이 모이고 백이 응결하여 생겨나며, 분리되면 혼은 올라가서 신이 되고 백은 내려가서 귀가 된다. 『역』의 이른바 '정기精氣·유혼游魂'[67]과 『예기』의 이른바 '예악·귀신'[68]과 공자의 이른바 '만물의 정기, 신의 드러남'[69] 이라는 것과 자사子思의 이른바[70] '(귀신의) 덕의 융성함, 진실의 가릴 수 없음'[71]이라고 한 것은 그 의미가 대개 이와 같다. 옛 성현이 귀하게 여긴 지혜도 오직 이것을 아는 것일 뿐이다."

[28-2]

論在人鬼神兼精神·魂魄 사람에 있어서의 귀신과 정신·혼백을 논함

[28-2-1]

程子曰: "心所感通者, 只是理也. 知天下事有卽有, 無卽無, 無古今前後. 至如夢寐皆無形, 只是有此理. 若言涉於形聲之類, 則是氣也. 物生則氣聚, 死則散而歸盡. 有聲則須是口, 旣觸則須是身. 其質旣壞, 又安得有此? 乃知無此理, 便不可信."[72]

정자程子程頤가 말했다. "마음이 감통하는 것은 단지 리理이다. 세상의 일은 있으면 있고 없으면 없으니 옛날과 지금, 이전과 이후가 없음을 알겠다. 예컨대 꿈속의 일 같은 것도 모두 형체가 없지만 다만 이 리가 있을 뿐이다. 만약 형체·소리와 관련된 부류를 말하면 이것은 기氣이다. 사물이 생겨나면 기가

---

67 精氣·游魂: 『易』「繫辭上」 제4장에 "精氣가 만물이 되고 游魂이 변화하니, 이 때문에 귀신의 실상을 안다.(精氣爲物, 遊魂爲變, 是故知鬼神之情狀.)"라고 하였다.

68 예악·귀신: 『禮記』「樂記」에서 "예악의 도는 하늘에 이르고 땅에 쌓이며, 음양에서 행해지고 귀신에 통하여, '해·달·별의 도[高遠]'를 다하고 '산천의 감응[深厚]'을 안다.(及夫禮樂之極乎天而蟠乎地, 行乎陰陽而通乎鬼神, 窮高極遠而測深厚.)"라고 하였다.

69 만물의 정기 … 드러남: 『禮記』「祭義」에 "그 기가 위로 발양하여 밝게 빛나게 되고 '냄새가 피어올라 처량하기도 하고 슬퍼하기도 하니[焄蒿凄愴]', 이것이 만물의 정기이고 신이 드러난 것이다.(其氣發揚於上, 爲昭明, 焄蒿凄愴, 此百物之精也, 神之著也.)"라고 하였다.

70 子思의 이른바: 『中庸』에 이 말이 나오지만, 공자의 말로 되어있다.

71 (귀신의) 덕의 … 없음: 『中庸』 제16장에서 "공자가 말했다. '귀신의 덕이 융성하다! 보아도 보이지 않고 들어도 들리지 않으면서 만물의 體가 되어 빠뜨리지 않는다. 세상 사람들에게 목욕재계하고 깨끗이 의복을 갖추어 제사를 받들게 하니, 그 활동이 충만하다! 마치 위에 있는 것 같고 좌우에 있는 것 같다. 『詩』「大雅·抑」에서 「신이 강림하는 것을 헤아릴 수 없는데 하물며 싫어할 수 있겠는가!」라고 하였다. 이것은 은미한 것이 드러난 것이니 그 진실됨을 가릴 수 없음이 이와 같구나!(子曰, "鬼神之爲德, 其盛矣乎! 視之而弗見, 聽之而弗聞, 體物而不可遺. 使天下之人齊明盛服以承祭祀, 洋洋乎! 如在其上, 如在其左右. 『詩』曰, 「神之格思, 不可度思, 矧可射思!」 夫微之顯, 誠之不可揜如此夫!)"라고 하였다.

72 程顥·程頤, 『河南程氏遺書』 권2下

모이고, 죽으면 흩어져서 없어진다. 소리가 있으면 반드시 입이 있고 이미 감촉하게 되면 반드시 몸이
있다. 그 質이 없어져버렸는데 또 어찌 이것(소리와 감촉)이 있을 수 있겠는가? 이에 이러한 이치가
없으면 믿을 수 없다는 것을 알겠다."

[28-2-2]

"古之言鬼神, 不過著於祭祀, 亦只是言如聞嘆息之聲, 亦不曾道聞如何言語, 亦不曾道見如何
形狀. 如漢武帝之見李夫人, 只爲道士先說與在甚處, 使端目其地, 故想出也. 然武帝作詩, 亦
曰'是耶非耶?' 嘗聞好談鬼神者, 皆所未曾聞見, 皆是見說. 燭理不明, 便傳以爲信也. 假使實
所聞見, 亦未足信, 或是心病, 或是目病. 如孔子言人之所信者目, 目亦有不足信者邪. 此言極
善."[73]

(정자가 말했다.) "옛날에 귀신을 말한 것은 제사지낼 때 나타난 것에 지나지 않으니, 또한 다만 탄식하는
소리를 들은 것[74] 같다고 말했을 뿐, 게다가 어떤 말을 들었다고 말한 적이 없고, 게다가 어떤 모습을
보았다고 말한 적도 없다. 예컨대 한무제가 이부인李夫人[75]을 보았다는 것은 다만 도사가 먼저 그에게
어디에 있다고 말해주고 그 곳을 주시하게 했으므로 생각해 내었다. 그러나 무제가 시를 지을 때는
또한 '(이부인이) 맞는가? 아닌가?'라고 하였다.[76] 일찍이 귀신얘기를 좋아하는 사람에게 들어보니 모두
직접 보고 들은 적이 없고 모두 다른 사람에게 들은 것이었다. 사리를 분명하게 살펴보지 못하면 곧
전해들은 것을 믿게 된다. 가령 실제로 보고 들은 것이라 하더라도 믿기에 충분하지 않으니, 마음에

- - - - - - - - - - - - - - - - -
73 程顥·程頤, 『河南程氏遺書』 권2下
74 탄식하는 소리를 … 것: 『禮記』 「祭義」에서 "제사지내는 날 주인이 묘당에 들어갈 때 은은하게 반드시 신위에
   돌아가신 분이 있는 것을 보게 된다. 주인이 몸을 돌려 되돌아 문을 나설 때는 숙연히 반드시 돌아가신 분의
   음성을 듣게 된다. 문을 나서서 들으면 마음속에 사무치게도 반드시 돌아가신 분의 탄식하는 소리를 듣게
   된다.(祭之日, 入室, 僾然必有見乎其位. 周還出戶, 肅然必有聞乎其容聲. 出戶而聽, 愾然必有聞乎其嘆息之
   聲.)"라고 하였다.
75 李夫人: 한무제 때 中山(현 하북성 定州市)사람이다. 부모형제가 모두 음악과 춤에 능한 예능인인데 오빠인
   李延年의 도움으로 무제의 총애를 받아 夫人(당시 황후 다음의 지위임)에 봉해지고, 무제의 다섯째 아들인
   昌邑王 劉髆을 낳았다. 일찍 죽었는데 霍光의 追封 건의에 의해 孝武皇后에 봉해지고, 무제의 능인 茂陵에
   천장되었다. 뛰어난 미녀에 대한 호칭인 '절세가인'과 '경국지색'이 그녀를 묘사한 이연년의 노래 가사에서
   비롯하였다.
76 한무제가 李夫人을 … 하였다. : 『前漢書』 권97上 「外戚列傳」 제67上에 "무제가 (죽은) 이부인을 끊임없이
   생각하고 있었는데, 方士인 제나라 사람 少翁이 이부인의 혼백을 불러올 수 있다고 말했다. 이에 밤에 등불을
   밝히고 휘장을 치고 술과 고기를 진설하고는, 무제에게 휘장 곁에서 이부인과 같은 모습을 한 미인을 바라보
   도록 했다. (그녀는) 또한 휘장 안에 앉아 있다가 걷기도 하였는데 (무제는) 또 다가가 볼 수 없었다. 무제는
   더욱 비통한 생각이 들어 다음과 같은 시를 지었다. '(이부인이) 맞는가? 아닌가? 일어서서 바라보는데 사뿐사
   뿐 걸어오는 게 어찌 이토록 늦은가?(上思念李夫人不已, 方士齊人少翁言能致其神. 廼夜張燈燭, 設帳帷, 陳酒
   肉, 而令上居他帳, 遙望見好女如李夫人之貌. 還幄坐而步, 又不得就視. 上愈益相思悲感, 爲作詩曰, '是邪非邪?
   立而望之, 偏何姍姍其來遲?')"라고 하였다.

병이 들었거나 눈에 병이 들었을 것이다. 예컨대 공자는, 사람이 믿는 것은 눈인데 눈조차도 믿기에 충분하지 않은 점이 있다고 말했다.[77] 이 말은 매우 훌륭하다."

[28-2-3]

"楊定鬼神之說, 只是道人心有感通. 如有人平生不識一字, 一日病作, 却念得一部杜甫詩, 却有此理. 天地間事, 只有一箇有, 一箇無 ; 旣有卽有, 無卽無. 如杜甫詩者, 是世界上實有杜甫詩, 故人之心病, 及至精一, 有箇道理自相感通. 以至人心在此, 託夢在彼, 亦有是理, 只是心之感通也."[78]

(정자가 말했다.) "양정楊定[79]의 귀신에 대한 이론은 다만 사람의 마음에 감통이 있다는 것을 말할 뿐이다. 예컨대 어떤 사람이 평생토록 한 글자도 몰랐는데 어느 날 병이 나서 두보의 시 한 편을 외우는 것도 또한 이러한 이치가 있다. 천지간의 일은 다만 있음[有]과 없음[無]이 있을 뿐이니, 이미 있으면 있고 없으면 없다. 두보의 시 같은 것은 세상에 실제로 있는 것이므로, 사람이 마음에 병이 생겨 '마음이 순수하게 하나가 되면[精一]' 어떤 도리가 저절로 서로 감통하게 된다. 사람의 마음은 이것에 있는데 꿈에 나타난 것은 저것에 있는 경우도 이러한 이치가 있으니, 다만 마음이 감통한 것일 뿐이다."

[28-2-4]

"世間有鬼神馮依言語者, 蓋屢見之, 未可全不信, 此亦有理. '莫見乎隱, 莫顯乎微'而已."[80]

(정자가 말했다.) "세간에서 귀신이 어떤 사람의 몸에 의탁하여 말을 하는 것을 여러 번 보았는데, 전혀 믿지 않을 수만은 없으니, 이 또한 이치가 있다. '은밀한 것보다 더 잘 드러나는 것이 없고, 미세한 것보다 더 잘 나타나는 것이 없다.'[81]는 것일 뿐이다."

[28-2-5]

"神與氣未嘗相離, 不以生存, 不以死亡."[82]

· ·

77 공자는, 사람이 … 말했다. : 『呂氏春秋』 권17 「審分覽」에 "공자가 탄식하며 말했다. '믿는 것은 눈인데 눈조차도 믿을 수 없고, 믿는 것은 마음인데 마음조차도 믿기에 충분하지 않다. 제자들은 기억하라! 사람을 아는 것이 참으로 쉽지 않다.' 그러므로 아는 것이 어려운 것이 아니라 공자가 사람을 안다고 하는 것이 어렵다는 것이다.(孔子歎曰, '所信者目也, 而目猶不可信 ; 所恃者心也, 而心猶不足恃. 弟子記之! 知人固不易矣.' 故知非難也, 孔子之所以知人難也.)"라고 하였다.

78 程顥 · 程頤, 『河南程氏遺書』 권2上

79 楊定 : 자호는 陇西王이고, 시호는 武王이다. 북위 仇池(현 섬서성 소속) 사람이다. 仇池 수령의 한 사람인 楊難敵의 증손이다. 16국 시기 前秦의 황제인 符堅에게 尙書令軍을 제수 받았고, 孝武帝에게 秦州刺史로 인정받았다.

80 程顥 · 程頤, 『河南程氏遺書』 권2上

81 『中庸』 제1장

82 程顥 · 程頤, 『二程粹言』 권2 「心性篇」

(정자가 말했다.) "신과 기는 서로 떨어진 적이 없으니, 살아있다고 해서 보존되지 않으며 죽었다고 해서 없어지지 않는다."

[28-2-6]

"魂, 謂精魂. 其死也魂歸于天,[83] 消散之意."[84]

(정자가 말했다.) "혼은 영혼(精魂)을 말한다. 죽으면 혼은 하늘로 돌아가니 흩어져 사라진다는 뜻이다."

[28-2-7]

張子曰 : "范巽之嘗言神姦物怪, 某以言難之, 謂'天地之雷霆·草木至怪也, 以其有定形, 故不怪. 人之陶冶·舟車亦至怪也, 以其有定理, 故不怪. 今言鬼者不可見其形, 或云有見者且不定, 一難信. 又以無形而移變有形之物, 此不可以理推, 二難信. 又嘗推天地之雷霆·草木, 人莫能爲之, 人之陶冶·舟車, 天地亦莫能爲之. 今之言鬼神, 以其無形則如天地, 言其動作則不異於人, 豈謂人死之鬼, 反能兼天人之能乎?'"[85]

장자張子[張載]가 말했다. "범손지范巽之[范育][86]가 일찍이 귀신의 간사함과 사물의 괴이함을 말했는데, 나는 그 말을 비난하여 다음과 같이 말했다. '천지의 우레와 초목은 지극히 괴이하지만, 그것이 정해진 형체가 있기 때문에 괴이하지 않다. 사람이 질그릇을 굽고 쇠붙이를 불리며 배와 수레를 만드는 것도 지극히 괴이하지만, 그것이 정해진 이치가 있기 때문에 괴이하지 않다. 이제 귀신은 그 형체를 볼 수 없다고 말하기도 하고 혹은 본 사람이 있어도 일정하지 않다고 하니, 믿기 어려운 이유의 하나이다. 또 형체가 없는 것으로서 형체가 있는 사물로 바뀐다는 것은 이치로 추론할 수 없으니, 믿기 어려운 이유의 둘이다. 또 일찍이 추론해 보건대, 일찍이 천지의 우레와 초목은 사람이 그렇게 할 수 없고, 사람이 질그릇을 굽고 쇠붙이를 불리며 배와 수레를 만드는 것은 천지도 그렇게 할 수 없다. 지금 귀신을 말하는 것은, 그것이 형체가 없는 것으로 본다면 천지와 같고 그 동작을 말하면 사람과 다름이 없다고 하니, 어찌 죽은 사람의 귀신이 도리어 하늘과 사람의 능력을 겸할 수 있다고 하겠는가?'"

[28-2-8]

"今更就世俗之言評之. 如'人死皆有知', 則慈母有深愛其子者, 一旦化去, 獨不日日憑人言語, 託人夢寐存恤之耶? 言'能福善禍淫', 則或小惡反遭重罰, 而大慝反享厚福, 不可勝數. 又謂人

83 其死也魂歸于天:『河南程氏遺書』권3에는 '其死也魂氣歸於天'이라고 되어 있다.

84 程顥·程頤,『河南程氏遺書』권3

85 張載,『張子全書』권14「性理拾遺」

86 范育 : 자는 巽之이며, 북송시대 轉運副使로서 섬서성 등 변방의 안정에 크게 기여한 範祥의 아들이다. 송대 邠州三水(현 섬서성 旬邑縣) 사람이다. 진사에 급제한 뒤 涇陽縣令, 崇文校書, 監察禦史裏行, 樞密都承旨, 戶部侍郎 등을 역임했다. 일찍이 張載 문하에 들어가서 장재와 가장 많은 토론을 벌였고 특히 귀신에 대한 일로 스승인 장재와 논변을 한 것이 유명하다. 저서는『張子正蒙序』·『呂大臨先生行狀』등이 남아있다.

之精明者能爲厲', 秦皇獨不罪趙高, 唐太宗獨不罰武后耶? 又謂衆人所傳不可全非, 自古聖人
獨不傳一言耶? 聖人或容不言. 自孔 · 孟而下, 荀况 · 揚雄 · 王仲淹 · 韓愈, 學未能及聖人, 亦
不見略言者. 以爲有, 數子又或偶不言. 今世之稍信實, 亦未嘗有言親見者."[87]

(장자가 말했다.) "이제 다시 세속의 말로써 논평하겠다. 예컨대 '사람이 죽어서 모두 지각이 있다.'고
한다면, 그 자식을 매우 사랑하는 자애로운 어머니가 하루아침에 죽으면 단지 날마다 다른 사람의 말에
의탁하고 다른 사람의 꿈속에 의탁해서 그 자식을 돌보아주지 않겠는가? '착한 사람에게 복을 내리고
나쁜 사람에게 재앙을 줄 수 있다.' 말한다면, 조금 악한 사람이 도리어 중벌을 받기도 하고 아주 나쁜
사람이 도리어 두터운 복을 누리기도 하는 경우가 이루다 헤아릴 수 없다. 또 '총명한 사람이 여귀厲鬼가
될 수 있다.'고 말하는데, 진시황이 유독 조고趙高[88]를 죄주지 않았고 당태종은 유독 무후武后[武則天][89]를
처벌하지 않았는가! 또 뭇 사람들이 전하는 (귀신에 대한) 말을 전혀 그르다고 할 수 없다면, 예로부터
성인이 (귀신에 대해) 유독 한 마디 말도 전하지 않았을까! 성인이 어쩌면 말하지 않았을 수도 있다.
공자 · 맹자 아래로 순황 · 양웅揚雄[90] · 왕중엄王仲淹[王通][91] · 한유韓愈[92]는 학문이 성인에 미치지 못하였

∙∙∙∙∙∙∙∙∙∙∙∙∙∙∙∙∙∙∙∙∙
87 張載, 『張子全書』 권14 「性理拾遺」
88 趙高(?~B.C.207) : 秦나라 때의 환관으로 법률에 정통하여, 中車府令, 兼行符璽令事 등을 역임하면서 진시황
   의 신임을 받았다. 진시황이 죽자 승상 李斯와 공모하여 詔書를 고쳐서 장자인 扶蘇와 장군 蒙恬을 자결하게
   하고, 진시황의 막내아들 胡亥를 황제(秦二世)로 삼고 郎中令을 맡았다. B.C.208년에 승상 李斯를 죽이고
   스스로 승상이 되어 온갖 횡포한 짓을 많이 저질렀다. B.C.207년에 진이세를 폐위시키고 부소의 아들 子嬰을
   옹립하였으나 곧 자영에게 죽임을 당하고, 그의 3족도 함께 처벌되었다.
89 武則天(624~705) : 중국 역사상 유일한 여황제이다. 14세에 입궁하여 당태종에게 才人으로 봉해지고, 武媚라
   는 호를 하사받았다. 당태종이 죽은 뒤 비구니가 되어 感業寺에 있다가 당고종이 즉위하고 다시 입궁하여
   昭儀가 되고 655년에는 황후가 되었다. 황후의 신분으로 국가정사에 참여하다가 당고종이 병들면서 660년부
   터는 정식으로 국가대사를 위탁받았다. 683년 고종이 죽은 뒤 자신의 두 아들인 中宗과 睿宗을 차례로 황제로
   세웠다가 폐위하였고, 690년에서 705년까지의 15년 동안 國號를 周로 바꾸고 직접 황제가 되었다. 705년
   무측천의 병이 위중하자 재상 張柬之가 무측천의 측근을 제거하고 中宗을 옹립하면서 국호를 다시 당으로
   바꾸었다.
90 揚雄(B.C.53~18) : 자는 子雲이다. 서한시대 城都(현 사천성 성도) 사람으로 成帝 때 給事黃門郎이 되고 王莽
   때는 校書天祿閣으로 대부의 반열에 올랐다. 王莽이 정권을 찬탈한 뒤 새 정권을 찬미하는 문장을 썼고 괴뢰
   정권에 협조하였기 때문에, 지조가 없는 사람으로 宋學 이후에는 비난의 대상이 되기도 하지만 그의 식견은
   漢나라를 대표한다. 사람의 본성에 대해서는 '性善惡混說'을 주장하였다. 초기에는 형식상 司馬相如를 모방하
   여 『甘泉』, 『河東』, 『羽獵』, 『長楊』 四賦를 지었으나, 후기에는 『易』을 본떠서 『太玄』을 짓고 『論語』를 본떠
   서 『法言』을 지었다.
91 王通(584~617) : 자는 仲淹이고, 隋나라 絳州龍門(현 산서성 河津) 사람이다. 唐나라 시인 王勃의 조부이다.
   어려서부터 영민해서 『詩』, 『書』, 『禮』, 『易』에 통달했다. 스스로 儒者임을 자부하고 講學에 힘을 쏟아 문하
   에서 당의 명신 魏徵 · 房玄齡 등이 배출되었다 제자들이 文中子라고 시호를 올렸다. 송대 程子나 朱子 등은
   그를 犬儒로 평가했다. 저서에 『論語』를 모방하여 대화 형식으로 편찬한 『文中子』 10권과 『元經』이 있다.
92 韓愈(768~824) : 자는 退之이고, 세칭 韓昌黎 · 韓吏部라고 한다. 당대 鄧州南陽(현 하남성 孟縣) 사람으로
   792년에 진사에 급제하여 四門博士 · 監察御史 · 國子祭酒 · 吏部侍郎 등을 역임하였다. 고문운동을 창도하여

으나, 역시 대충이라도 언급한 것을 볼 수 없다. (귀신이) 있다고 여겼어도, 이 몇 사람들은 또 어쩌면 우연히 말하지 않았을 수도 있다. 요즘 (귀신에 대해) 조금 믿음이 진실한 사람도 역시 직접 보았다고 말한 사람은 없었다."

[28-2-9]

朱子曰: "二氣之分, 卽一氣之運, 所謂 '一動一靜, 互爲其根 ; 分陰分陽, 兩儀立焉' 者也. 在人者, 以分言之, 則精爲陰而氣爲陽, 故魄爲鬼而魂爲神 ; 以運言之, 則消爲陰而息爲陽, 故伸爲神而歸爲鬼. 然魂性動, 故當其伸時非無魄也, 而必以魂爲主 ; 魄性靜, 故方其歸時非無魂也, 而必以魄爲主. 則亦初無二理矣."[93]

주자가 말했다. "음과 양 두 기의 나뉨은 곧 하나의 기의 운행이니, 이른바 '한 번 움직이고 한 번 고요함이 서로 그 뿌리가 된다. 음으로 나뉘고 양으로 나뉘어 양의雨儀가 정립된다.'[94]는 것이다. 사람의 측면에서 나누어 말하면, 정精은 음이 되고 기氣는 양이 되므로 백魄은 귀가 되고 혼魂은 신이 되며, (사람의 측면에서) 운행으로 말하면, 사그라지는 것은 음이 되고 불어나는 것은 양이 되므로 펼침[伸]은 신이 되고 되돌아감[歸]은 귀가 된다. 그러나 혼의 성질은 움직이므로 펼칠 때 백이 없는 것은 아니지만 반드시 혼을 위주로 하고, 백의 성질은 고요하므로 되돌아갈 때 혼이 없는 것은 아니지만 반드시 백을 위주로 한다. 그렇다면 역시 애초에 두 가지 이치는 없다."

[28-2-10]

問生死鬼神之理. 一云,[95] "問 : '鬼神生死雖知得是一理, 然未見得端的.' 曰 : '精氣爲物, 游魂爲變, 便是生死底道理.' 未達. 曰 : '精氣凝則爲人, 散則爲鬼.' 又問 : '精氣凝時, 此理便附在氣上否?'

생사와 귀신의 이치에 대해 물었다. 어떤 사람은 다음과 같이 기록했다. "물었다. '귀신과 생사는 비록 한 가지 이치라고 알고 있지만 확실한 것을 알지 못하겠습니다.' (주자가) 대답했다. '정기精氣는 사물이 되고 유혼游魂은 변화가 된다는 것이 바로 생사의 도리이다.' (질문자가) 깨닫지 못했다. (주자가) 말했다. '정기精氣가 응취하면 사람이 되고 흩어지면 귀신이 된다.' 또 물었다. '정기가 응취할 때 리理는 기氣에 붙어있습니까?'

曰 : "天道流行, 發育萬物, 有理而有氣. 雖是一時都有, 畢竟以理爲主. 人得之以有生, 氣之淸者爲氣,[96] 濁者爲質. 一云, "淸者屬陽, 濁者屬陰." 知覺運動, 陽之爲也. 形體,[97] 陰之爲也. 氣

송명리학의 선구자가 되었으며,「論佛骨表」를 지어 불교배척운동에도 앞장섰다. 그의 性三品論은 후대의 심성론에 영향을 끼쳤다. 문장은 당송팔대가의 으뜸으로 꼽는다. 저서는『昌黎先生集』이 있다.

93 『朱文公文集』권49「答王子合」
94 周敦頤,『太極圖說』
95 一云 : 『朱子語類』권3, 19조목에는 '明作錄云(명작이 기록했다.)'이라고 되어 있다. 이 문단 아래도 마찬가지이다.
96 氣之淸者爲氣 : 『朱子語類』권3, 19조목에는 이 구절 앞에 "明作錄云 : '然氣則有淸濁.(그러나 기라면 맑음과 탁함이 있다.)'"이라는 소주가 더 있다.

曰魂. 體曰魄. 高誘『淮南子註』曰, ‘魂者陽之神, 魄者陰之神.’ 所謂神者, 以其主乎形氣也. 人
所以生, 精氣聚也. 人只有許多氣, 須有箇盡時; 一云, “醫家所謂陰陽不升降, 是也.” 盡則魂氣歸
于天, 形魄歸于地而死矣. 人將死時, 熱氣上出, 所謂魂升也; 下體漸冷, 所謂魄降也. 此所以
有生必有死, 有始必有終也.

(주자가) 대답했다. "천도가 유행하여 만물을 발육할 때 리가 있고 기가 있다. 비록 동시에 모두 있지만
결국 리를 위주로 한다. 사람은 그것을 얻어서 태어날 때, 기氣 가운데 맑은 것은 기氣가 되고 택한
것은 질質이 된다. 어떤 사람은 다음과 같이 기록했다. "맑은 것은 양에 속하고, 탁한 것은 음에 속한다." 지각운동
은 양이 하는 것이고 형체를 이루는 것은 음이 하는 것이다. 기는 혼이고 형체는 백이다. 고유高誘[98]는
『회남자주淮南子註』에서 ‘혼은 양의 신神이고 백은 음의 신이다.’라고 하였다. 신神이라고 말한 것은 그것
이 형기形氣를 주재하기 때문이다. 사람이 태어나는 것은 정기가 모인 것이다. 사람은 다만 많은 기를
가지고 있지만 반드시 다 없어질 때가 있으며, 어떤 사람은 다음과 같이 기록했다. "의학에서 말하는 음양이
오름과 내림이 없다는 것이 이것이다." 다 없어지면 혼기魂氣는 하늘로 되돌아가고 형백形魄은 땅으로 되돌아
가서 죽는다. 사람이 죽으려 할 때 열기가 위로 나가는 것은 이른바 혼이 올라가는 것이고, 하체가 점점
차가워지는 것은 이른바 백이 내려가는 것이다. 이것이 태어남이 있으면 반드시 죽음이 있고 시작이
있으면 반드시 끝이 있는 까닭이다.

夫聚散者氣也. 若理則只泊在氣上, 初不是凝結自爲一物. 但人分上所合當然者便是理, 不可
以聚散言也. 然人死雖終歸於散, 然亦未便散盡, 故祭祀有感格之理. 先祖世次遠者, 氣之有
無不可知. 然奉祭祀者旣是他子孫, 畢竟只是一氣, 所以有感通之理. 然已散者不復聚.[99] 至
如伯有爲厲, 伊川謂別是一般道理. 蓋其人氣未當盡而强死, 自是能爲厲. 子産爲之立後使有
所歸, 遂不爲厲, 亦可謂知鬼神之情狀矣."

무릇 모이는 것과 흩어지는 것은 기이다. 리의 경우에는 다만 기에 머무를 뿐 애초에 응결해서 별도로
하나의 사물이 되는 것이 아니다. 단지 사람의 본분상 합당한 것이 바로 리이니 모임과 흩어짐으로
말할 수 없다. 그러나 사람이 죽어서 비록 끝내 흩어짐으로 되돌아가지만 또한 아직 다 흩어지지는
않기 때문에, 제사에 감동해서 이르는 이치가 있다. 세대수가 먼 선조는 기가 있는지 없는지 알 수 없다.
그러나 제사를 받드는 자가 이미 그의 자손이니 끝내 다만 같은 기이기 때문에 감통하는 이치가 있다.

. . . .

97 形體: 『朱子語類』 권3, 19조목에는 이 구절 뒤에 “明作錄作骨肉皮毛”라는 소주가 더 있다.

98 高誘: 東漢 涿郡涿縣(현 하북성 탁현) 사람이다. 어려서 같은 현에 사는 盧植에게 배웠다. 建安 10년(205)에
    司空掾에 임명되고 東郡濮陽令, 監河東 등을 역임하였다. 저술에는 『戰國策注』·『淮南子注』·『呂氏春秋注』
    등의 주석서가 현존하고, 『孟子章句』와 『孝經注』가 실전되었다.

99 然已散者不復聚: 『朱子語類』 권3, 19조목에는 이 구절 뒤에 “釋氏卻謂人死爲鬼, 鬼復爲人. 如此, 則天地間
    常只是許多人來來去去, 更不由造化生生, 必無是理.(불교에서는 도리어 사람이 죽으면 귀신이 되고 귀신은
    다시 사람이 된다고 하였다. 이와 같으면 천지간에는 항상 다만 수많은 사람이 왔다가 갈 뿐 다시는 조화를
    통하여 낳고 낳는 것이 없으니, 반드시 이러한 이치는 없을 것이다.)"라는 말이 더 있다.

그러나 이미 흩어진 것은 다시 모이지 않는다. 백유伯有[良霄][100]가 여귀厲鬼가 된 것과 같은 경우에 대하여 이천伊川[程頤]은 또 다른 하나의 도리라고 하였다.[101] 대개 사람의 기가 아직 다 끝나지 않았는데 비명횡사하면 또 달리 여귀가 될 수 있다. 자산子産[公孫僑][102]이 그를 위해 후사를 세워주어 되돌아 갈 곳이 있게 하여 마침내 여귀가 되지 않았으니,[103] 또한 귀신의 실상을 알았다고 할 수 있다."

問: "伊川言, '鬼神造化之迹', 此豈亦造化之迹乎?"
曰: "皆是也. 蓋論正理, 則似樹上忽生出花葉, 此便是造化之迹. 又如空中忽然有雷霆風雨, 皆是也. 但人所常見, 故不之怪. 忽聞鬼嘯·鬼火之屬, 則便以爲怪. 不知此亦造化之迹, 但不是正理, 故爲怪異. 如『家語』云, '山之怪曰夔魍魎, 水之怪曰龍罔象, 土之怪羵羊', 皆是氣之雜揉乖戾所生, 亦非理之所無也. 專以爲無則不可. 如冬寒夏熱, 此理之正也. 有時忽然夏寒冬熱, 豈可謂無此理? 但旣非理之常, 便謂之怪, 孔子所以不語, 學者亦未須理會也."[104]
물었다." 이천伊川[程頤]이 '귀신은 조화의 자취이다.'[105]고 말했는데, 이것이 어찌 또한 조화의 자취입니까?'

(주자가) 대답했다. "모두 그렇다.(즉 모두 조화의 자취이다.) 만약 정상적인 이치를 논하면 나무에 홀연히 꽃과 잎이 생겨나오는 것과 같은 것은 바로 조화의 자취이다. 또 공중에 홀연히 천둥 번개가 치고 바람이 불고 비가 내리는 것과 같은 것도 모두 이것이다. 그러나 사람들이 늘 보는 것이므로 그것을 괴이하게 여기지 않는다. 홀연히 귀신의 휘파람 소리를 듣거나 귀신불 따위를 보면 곧 괴이하게 여긴다. 이러한 것 또한 조화의 자취임을 알지 못하고 다만 정상적인 이치가 아니기 때문에 괴이하게 여긴다. 예컨대 『공자가어孔子家語』에 '산의 괴이함을 기망량夔魍魎이라 하고 물의 괴이함을 용망상龍罔象이라 하며 땅의 괴이함을 분양羵羊이라 한다.'[106]라고 말한 것은 모두 혼잡하게 뒤섞여 어그러진 기가 낳는 것으

. . . .
100 良霄[?~B.C.543]: 자는 伯有이고 춘추시대 鄭나라 대부였다. 『春秋左傳』「襄公30년」과 「昭公7년」에 의하면 그는 국정을 주관할 때 당시 유력한 대부인 駟帶와 투쟁하다가 피살되었고, 죽은 뒤에 여귀가 되어 재앙을 일으켜서 정나라 사람들이 두려워했다고 한다. 나중에 억울하거나 원통하게 죽은 사람의 대명사가 되었다.
101 伯有[良霄]가 … 하였다. : 『河南程氏遺書』권3에서 "伯有爲厲之事, 別是一理."라고 하였다.
102 公孫僑[?~B.C.522]: 자는 子産·子美이고, 일명 國僑라고도 한다. 춘추시대 鄭나라 대부였으므로 세칭 鄭子産이라고도 한다. 그는 40여 년간 약소국인 정나라를 다스리면서 세금제도와 부역의 개선 등으로 나라를 안정시키고, 이웃한 강대국과도 슬기롭게 대처하여 공자의 칭찬을 받았다. 『春秋左傳』「襄公 22년」, 「昭公 원년·4년·6년·7년」 등에 그에 관한 기록이 보인다.
103 子産[公孫僑]이 그를 … 않았으니: 『春秋左傳』「襄公 30년」조와 「昭公 7년」조에서, 백유가 지하실을 만들어 놓고 매일 술만 마시다 쫓겨난 뒤 다시 몰래 들어와 난을 일으켰다가 양고기 파는 점포에서 죽었는데, 그 뒤 厲鬼가 되어 駟帶와 公孫段을 죽이자 자산이 그의 아들 良止를 후사로 세워 재앙을 그치게 했다고 하였다.
104 『朱子語類』권3, 19조목
105 程頤, 『周易程氏傳』권1「乾卦·文言」
106 '산의 괴이함을 … 한다.': 『孔子家語』권4「辨物」에는 "木石之怪夔魍魎, 水之怪龍罔象, 土之怪羵羊也."라고

로 또한 이치가 없는 것이 아니니 오로지 없다고 하면 안된다. 겨울에 춥고 여름에 더운 것은 정상적인 이치이다. 어떤 때 홀연히 여름에 춥고 겨울에 덥다고 해서 어찌 이러한 이치가 없다고 할 수 있겠는가? 다만 이미 정상적인 이치가 아니므로 괴이하다고 하여 공자가 말하지 않았는데,[107] 배우는 사람들이 또한 아직 이해하지 못했다."

[28-2-11]

問: "伯有之事別是一理, 如何?"

曰: "是別是一理. 人之所以病而終盡, 則其氣散矣. 或遭刑, 或忽然而死者, 氣猶聚而未散, 然亦終於一散. 御寃憤者亦然,[108] 故其氣皆不散."[109]

물었다. "백유伯有良霄의 일은 또 다른 하나의 도리라고 하는데, 왜 그렇습니까?"

(주자가) 대답했다. "이것은 또 다른 하나의 도리이다. 사람이 병들어 죽으면 그 기는 흩어진다. 혹 형벌을 받거나 홀연히 죽은 자는 기가 여전히 모여 있어 아직 흩어지지 않지만 또한 언젠가 흩어지는 것으로 끝난다. 원한과 분통을 머금은 자도 그러하므로 그 기가 모두 흩어지지 않는다."

[28-2-12]

"伯有爲厲之事自是一理, 謂非生死之常理. 人死則氣散, 理之常也. 他却用物宏, 取精多, 族大而强死, 故其氣未散耳."[110]

(주자가 말했다.) "백유伯有良霄가 여귀가 된 일은 또 다른 하나의 이치이니, 삶과 죽음의 정상적인 이치가 아님을 말한다. 사람이 죽으면 기가 흩어지는 것이 정상적인 이치이다. 그는 또한 기물을 사용한 것이 많고 정기를 취한 것이 많으며,[111] 일족一族이 대단한데도 비명횡사하였으므로 그 기가 아직 흩어지지 않았을 뿐이다."

되어 있다.

107 괴이하다고 하여 … 않았는데: 『論語』「述而」에서 "공자는 괴이한 일과 무력에 관한 일과 난리를 일으키는 일과 귀신에 대한 일을 말하지 않았다.(子不語怪力亂神.)"라고 하였다.

108 御寃憤者亦然: 『朱子語類』 권3, 44조목에는 '御寃憤者亦然'이라고 되어있다. 번역문은 내용상 『朱子語類』에 따른다. 또 이 구절 앞에 "불교와 도교에서 그 몸을 스스로 사사롭게 여기는 까닭은 곧 죽을 때 또한 그 몸을 남겨둘 수 없어 끝내 마음이 달갑지 않았기 때문이고, 죽을 때(釋道所以自私其身者, 便死時亦只是留其身不得, 終是不甘心, 死)"라는 말이 더 있다.

109 『朱子語類』 권3, 44조목

110 『朱子語類』 권3, 42조목

111 기물을 사용한 … 많으며: 『春秋左傳』「昭公 7년」 조에는 "기물을 사용하였고 정기가 많다.(用物, 精多.)"라고 하였다. 杜預는 "物은 권세이다.(物, 權勢.)"라고 주석했다. 李宜哲의 『朱子語類古文解義』에는 '기물[物]'을 "物은 事이니 권세를 말한다.(物, 事也, 謂權勢也.)"라고 풀이 하였고, '정기[精]'를 "精은 사람의 정신이다.(精者, 人之精神.)"라고 풀이하였다.

[28-2-13]

問: "來而伸者爲神, 往而屈者爲鬼. 凡陰陽魂魄, 人之噓吸皆然, 不獨死者爲鬼, 生者爲神. 故橫渠云, '神祇者歸之始, 歸往者來之終.'"

曰: "此二句, 正如俗語罵鬼云, '你是已死我, 我是未死你.' 『楚詞』中說終古, 亦是此義." 『楚詞』

云: "去終古之所之兮, 今逍遙而來東. 羌靈魂之欲歸兮, 何須臾而忘反!"

(재경才卿(陳文蔚, 주자 문인)이) 물었다. "오고 펴는 것은 신神이며, 가고 움츠리는 것은 귀鬼입니다. 무릇 음양과 혼백, 사람의 호흡이 모두 그러하니, 다만 죽은 것이 귀가 되고 산 것이 신이 되는 것만은 아닐 것입니다. 그러므로 횡거橫渠張載는 '천신天神·지기地祇는 되돌아감의 시작이고, 되돌아가는 것은 옴의 끝이다.'라고 했습니다."

(주자가) 대답했다. "이 두 구절은 꼭 속어에서 귀신을 나무라며 '너는 이미 죽은 나이고, 나는 아직 죽지 않은 너이다.'라고 말하는 것과 같다. 『초사楚詞』에서 영원함終古[112]을 말한 것도 이러한 의미이다." 『초사』에서 말했다. "영원히 대대로 살던 집을 떠나서 이제 소요하며 동쪽으로 왔다. 아! 정신이 몽롱하게 되돌아가려고 하니 어찌 잠시라도 돌아가는 것을 잊겠는가!"[113]

問: "旣屈之中, 恐又自有屈伸."

曰: "祭祀致得鬼神來格, 便是就旣屈之氣又能伸也."[114]

(용지用之(劉礪, 주자 문인)가) 물었다. "이미 움츠린 가운데 또 본래 움츠림과 펼침이 있는 것 같습니다."

(주자가) 대답했다. "제사를 받들어 귀신이 와서 이르도록 할 수 있는 것이 곧 이미 움츠린 기에서 또 펼칠 수 있는 것이다."

[28-2-14]

問: "魂氣則能旣屈而伸, 若祭祀來格是也. 若魄旣死, 恐不能復伸矣."

曰: "也能伸. 蓋他來則俱來, 如祭祀報魂報魄, 求之四方上下, 便是皆有感格之理."

(한견(沈僩, 주자 문인)이) 물었다. "혼기魂氣는 이미 움츠렸다가 펼칠 수 있으니, 제사에 와서 이르는 것과 같은 것이 이것입니다. 만약 백魄의 경우는 이미 죽으면 다시 펼칠 수 없을 것입니다."

(주자가) 대답했다. "그 또한 펼칠 수 있다. 대개 그것은 오면 모두 오니, 예컨대 제사를 받들어 혼백에 보답하는 것을 상하 사방에서 구하면 곧 모두 감동하여 이르는 이치가 있다."

問: "游魂爲變, 聖愚皆一否?"

. . . .

112 영원함[終古]: 주자는 『楚辭集注』에서 "영원함[終古]은 옛날이 끝나는 것이니 내일의 무궁함을 말한다.(終古者, 古之所終, 謂來日之無窮也.)"라고 주석하였다.

113 『楚辭』 권4 「九章」

114 『朱子語類』 권3, 20조목

曰: "然."

(용지用之(劉礪, 주자 문인)가) 물었다. "유혼游魂이 변화가 되는 것은 성인이나 어리석은 사람이나 모두 마찬가지입니까?"

(주자가) 대답했다. "그렇다."

又問: "人之禱天地山川, 是以我之有感彼之有. 子孫之祭先祖, 是以我之有感他之無."

曰: "神祇之氣, 常屈伸而不已; 人鬼之氣, 則消散而無餘矣. 其消散亦有久速之異. 人有不伏其死者, 所以旣死而此氣不散, 爲妖爲怪. 如人之凶死, 及僧道旣死, 多不散. 僧道務養精神, 所以凝聚不散. 若聖賢則安於死, 豈有不散而爲神怪者乎? 如黃帝·堯·舜, 不聞其旣死而爲靈怪也. 嘗見輔漢卿說, '某人死, 其氣溫溫然熏蒸滿室, 數日不散', 是他氣盛所以如此. 劉元城死時, 風雷轟于正寢, 雲霧晦冥, 少頃辨色, 而公已端坐薨矣. 他是什麼樣氣魄?"

(용지用之(劉礪, 주자 문인)가) 또 물었다. "사람이 천지 산천에 비는 것은 나에게 있는 것(形氣가 있는 것을 가리킴)으로 저에게 있는 것을 감동시키는 것입니다. 자손이 선조에게 제사를 받드는 것은 나에게 있는 것으로 저에게 없는 것(형기가 흩어져 사라진 것을 가리킴)을 감동시키는 것입니다."

(주자가) 대답했다. "천신天神·지기地祇의 기는 항상 움츠리고 펼치면서 그치지 않지만, 사람이 죽은 귀신의 기는 흩어져 사라져서 남은 것이 없다. 그 흩어져 사라짐은 또한 늦고 빠른 차이가 있다. 자신의 죽음을 받아들이지 않는 사람이 있으니, 그런 사람은 이미 죽었더라도 기가 흩어지지 않아서 요괴가 된다. 예컨대 불길하게 죽은 사람과 스님·도사와 같은 경우는 이미 죽었어도 대부분 기가 흩어지지 않는다. 스님과 도사는 정신력을 기르는데 힘쓰기 때문에 기가 응취하여 흩어지지 않는다. 만약 성현 같으면 죽음에 편안하니 어찌 흩어지지 않고 괴이한 신령이 되겠는가? 예컨대 황제黃帝와 요·순같은 분이 이미 죽은 뒤에 괴이한 신령이 되었다는 것은 듣지 못했다. 일찍이 보한경輔漢卿[輔廣][115]이 '어떤 사람이 죽었는데 따뜻한 기가 피어올라 방안을 가득 채운 것이 며칠 동안 흩어지지 않았습니다.'라고 한 말을 들었는데, 이것은 그의 기가 왕성하기 때문에 이와 같은 것이었다. 유원성劉元城[劉安世][116]이 죽을 때 정침正寢에

115 輔廣 : 자는 漢卿이고 호는 潛菴이다. 송대 趙州慶源(현 강서성 婺源縣 동북) 사람이다. 여조겸과 주자에게 배웠다. 慶元 초기 僞學을 금하는 일이 일어나 학자들이 대부분 흩어졌지만 보광은 홀로 변함없이 주자를 곁에서 모셨다. 黃幹·魏了翁과 동문수학하여 주희의 학문을 많이 토론하였다. 傳貽書院을 세워 후학들이 궁행실천에 힘쓰도록 가르쳤다. 당시 사람들이 傳貽先生이라고 불렀다. 저서에 『四書纂疏』·『六經集解』·『朱子讀書法』·『通鑑集義』·『詩童子問』·『日新錄』이 있다.

116 劉安世(1048~1125) : 자는 器之이고 시호는 忠定이다. 북송대 元城(현 하북성 소속) 사람이다. 젊은 나이에 진사에 급제하였으나 벼슬에 나아가지 않고 司馬光에게 배웠다. 사마광이 재상이 되었을 때 秘書省正字로 천거되었고, 祐間 연간(1086~1093)에 左諫議大夫寶文閣待制를 역임하였다. 일을 처리하는 데에 강직해서 황제 앞에서도 서슴없이 간쟁하여 殿上虎라고 불렸다. 『宋史』「劉安世列傳」에, 간신 章惇·蔡卞의 모함으로 귀양 갔는데, 그들이 죽게 하기 위하여 사람을 시켜 자결하도록 위협하자, 그는 두려워하지 않으며 "임금이 죽으라고 명하면 곧 죽을 것이지만, 자결해서 무엇 하겠는가!" 라고 했다고 한다. 저서에 『盡言集』이 있다.

바람과 천둥소리가 울리고 안개가 아득하게 끼더니 조금 있다가 밝아졌는데 공은 이미 단정하게 앉아서 돌아가셨다. 이런 것은 어떠한 기백氣魄인가?"

曰 : "莫是元城忠誠感動天地之氣否?"

曰 : "只是元城之氣自散爾. 他養得此氣剛大, 所以散時如此. 「祭義」云, '其氣發揚于上爲昭明·焄蒿·悽愴, 此百物之精也.' 此數句說盡了. 人死時其魂氣發揚于上. 昭明, 是人死時自有一般光景 ; 焄蒿, 旣前所云溫溫之氣也 ; 悽愴, 是一般肅然之氣令人悽愴, 如漢武帝時'神君來則風肅然', 是也. 此皆萬物之精, 旣死而散也."[117]

(용지用之(劉礪, 주자 문인)가) 물었다. "원성元城[劉安世]의 충성忠誠이 천지의 기를 감동시켜 그런 것이 아닙니까?"

(주자가) 대답했다. "다만 원성의 기가 저절로 흩어졌을 뿐이다. 그는 이런 강직한 기를 굳고 크게 길렀기 때문에 기가 흩어질 때 이와 같았다. 『예기』「제의祭義」에서 '그 기가 위로 발양하여 귀신이 빛을 드러내는 것昭明과 그 기가 위로 증발하는 것焄蒿과 사람의 정신을 오싹하게 만드는 것悽愴이[118] 되는 것이 온갖 사물의 정精(정수)이다.'라고 하였는데, 이 몇 구절이 충분히 다 말했다. 사람이 죽을 때 그 혼기魂氣는 위로 발양한다. 소명昭明은 사람이 죽을 때 본래 한줄기 광채가 나는 것이고, 훈호焄蒿는 이미 앞에서 말한 따뜻한 기이며, 처창悽愴은 일단의 숙연한 기가 사람들에게 비통하게 하는 것이니, 한 무제 때 '신군神君[119]이 오면 숙연한 바람이 분다.'[120]는 것이 이것이다. 이것은 모두 만물의 정精이지만 죽은 뒤에는 흩어진다."

[28-2-15]

問 : "鬼神便是精神·魂魄, 如何?"

曰 : "然. 且就這一身看, 自會笑語, 有許多聰明知識, 這是如何得恁地? 虛空之中, 忽然有風有雨, 忽然有雷有電, 這是如何得恁地? 這都是陰陽相感, 都是鬼神. 看得到這裏, 見一身只是箇軀殼在這裏, 內外無非天地陰陽之氣. 所以說道,[121] '「天地之塞, 吾其體 ; 天地之帥, 吾其性」, 思量來只是一箇道理.'"

又曰 : "如魚之在水, 外面水便是肚裏面水. 鱖魚肚裏水與鯉魚肚裏水, 只一般."

---

117 『朱子語類』 권3, 20조목

118 귀신이 빛을 … 것悽愴이 : 『朱子語類』 권68, 17조목에서 "'昭明·焄蒿·悽愴, 此百物之精也, 神之著也.' 如鬼神之露光處是昭明, 其氣蒸上處是焄蒿, 使人精神竦動處〈淳錄作'閃爍'.〉 是悽愴."라고 하였다.

119 神君 : 현명한 관리에 대한 경칭이다. 『後漢書』「荀淑傳」에서 "出補朗陵侯相, 莅事明理, 稱爲神君."이라고 하였다.

120 '神君이 오면 … 분다.' : 『史記』 권12 「孝武本紀」에 "神君最貴者大夫, 其佐曰大禁·司命之屬, 皆從之. 非可得見, 聞其音, 與人言等. 時去時來, 來則風肅然也."라고 하였다.

121 所以說道 : 『朱子語類』 권3, 21조목에는 '所以夜來說道'라고 하였다.

問：“魂魄如何是陰陽?”

曰：“魂如火, 魄如水.”[122]

물었다. “귀신이 곧 정신·혼백이라고 하는 것은 어떻습니까?”

(주자가) 대답했다. “그렇다. 우선 이 한 몸에서 보면, 스스로 담소할 수 있고 많은 총명한 지식이 있는 것은 어떻게 그렇게 할 수 있는 것인가? 허공에 홀연히 바람이 불고 비가 내리고 천둥·번개가 치는 것은 어떻게 그렇게 할 수 있는 것인가? 이것은 모두 음양이 서로 감응한 것이고 모두 귀신이다. 이것을 보면 한 몸은 다만 육체가 여기에 있고 안팎으로 천지의 음양의 기가 아닌 것이 없다는 것을 알 수 있다. 그러므로 「천지에 충만한 것을 나의 몸으로 삼고, 천지의 장수를 나의 성性으로 삼는다.」[123]는 말을 생각해보니, 다만 하나의 도리이다.’라고 말했다.”

(주자가) 또 말했다. “예컨대 물고기가 물에 있을 때 물고기 밖의 물이 곧 물고기 뱃속의 물이다. 쏘가리 뱃속의 물과 잉어 뱃속의 물은 마찬가지다.”

(인보仁父徐容, 주자 문인이) 물었다. “혼백이 어째서 음양입니까?”

(주자가) 대답했다. “혼은 화火와 같고, 백은 수水와 같다.”

[28-2-16]

“只今生人, 便自一半是神, 一半是鬼了. 但未死以前, 則神爲主；已死之後, 則鬼爲主, 縱橫在這裏. 以屈伸往來之氣言之, 則來者爲神, 去者爲鬼；以人身言之, 則氣爲神, 而精爲鬼. 然其屈伸往來也各以漸.”[124]

(주자가 말했다.) “지금 살아있는 사람은 본래 절반은 신이고 절반은 귀이다. 그러나 죽기 전에는 신이 위주가 되고 죽은 뒤에는 귀가 위주가 되니, 종횡으로 얽혀 있다. 움츠림과 펼침, 감과 옴의 기로 말하면, 오는 것은 신이 되고 가는 것은 귀가 되며, 사람의 몸으로 말하면, 기氣는 신이 되고 정精은 귀가 된다. 그러나 그 움츠림과 펼침, 감과 옴은 각각 점차적으로 진행한다.”

[28-2-17]

問魂魄.

曰：“氣質是實底, 魂魄是半虛半實底. 鬼神是虛分數多, 實分數少底.”[125]

혼백에 대해 물었다.

(주자가) 대답했다. “기질은 실질[實]적인 것이고 혼백은 절반은 공허[虛]하고 절반은 실질적인 것이다. 귀신은 공허한 부분이 많고 실질적인 부분이 적은 것이다.”

---

122 『朱子語類』 권3, 21조목
123 張載, 『張載全書』「西銘」
124 『朱子語類』 권3, 22조목
125 『朱子語類』 권3, 23조목

[28-2-18]

"魄是一點精氣, 氣交時便有這神. 魂是發揚出來底, 如氣之出入息. 魄是如水, 人之視能明, 聽能聰, 心能強記底. 有這魄, 便有這神, 不是外面入來. 魄是精, 魂是氣；魄主静, 魂主動."

又曰："草木之生自有箇神, 它自不能生. 在人則心便是. 所謂'形旣生矣, 神發知矣', 是也."[126]

(주자가 말했다.) "백魄은 한 점의 정기精氣이니, 기가 교접할 때 곧 이 신神이 있게 된다. 혼魂은 발양해 나오는 것이니 마치 기가 드나드는 호흡과 같다. 백은 수水와 같은 것이니, 사람의 시각이 밝을 수 있고, 청각이 총명할 수 있으며, 마음이 잘 기억할 수 있는 것이다. 이 백이 있으면 곧 이 신이 있으니, 밖에서 들어온 것이 아니다. 백은 정精이고 혼은 기氣이며, 백은 고요함을 위주로 하고 혼은 움직임을 위주로 한다."

(주자가) 또 말했다. "초목이 생겨남에 저절로 신神이 있게 되니, 신 스스로는 생겨날 수 없다. 사람에 있어서는 마음이 곧 이것이다. 이른바 '형체가 이미 생겨나니 신神이 지각을 일으킨다.'[127]는 것이 이것이다."

[28-2-19]

問生魄·死魄.

曰："古人只說'三五而盈, 三五而闕', 近時人方推得它所以圓闕, 乃是魄受光處, 魄未嘗無也. 人有魄先衰底, 有魂先衰底. 如某近來覺得重聽多忘, 是魄先衰."[128]

생백生魄과 사백死魄[129]에 대해 물었다.

(주자가) 대답했다. "옛 사람은 다만 '15일에 (달이) 차고 15일에 (달이) 이지러진다.'[130]고 말했는데, 요즘 사람이 비로소 그것이 둥글고 이지러지는 까닭이 바로 백魄이 빛을 받는 곳임을 미루어 짐작해 내었으니, 백은 없은 적이 없다. 사람에 있어서는 백이 먼저 쇠하는 사람도 있고, 혼이 먼저 쇠하는 사람도 있다. 예컨대 내가 근래에 귀가 어두워지고 기억력이 나빠지는 것을 느꼈는데 이것은 백이 먼저 쇠하는 것이다."

[28-2-20]

"先儒言'口鼻之噓吸爲魂, 耳目之聰明爲魄', 也只說得大槪. 都更有箇母子,[131] 這便是坎離水火. 煖氣便是魂, 冷氣便是魄. 魂便是氣之神, 魄便是精之神；會思量計度底便是魂, 會記當

---

126 『朱子語類』 권3, 24조목

127 周濂溪, 『太極圖說』

128 『朱子語類』 권3, 24조목

129 生魄과 死魄: 『尙書』「康誥」 공안국의 주석에서, 달의 검은 부분이 처음 생기기 시작하는 16일이 生魄이고, 달의 검은 부분이 없어지기 시작하는 초하루가 死魄이라고 하였다.

130 '15일에 (달이) … 이지러진다.' : 『禮記』「禮運」에 "是以三五而盈, 三五而闕."이라고 하였다.

131 都更有箇母子: 『朱子語類』 권3, 25조목에는 "却更有箇母子"라고 되어 있다.

去底便是魄."

又曰: "*見於目而明, 耳而聰者, 是魄之用.*"

又曰: "*無魂, 則魄不能以自存. 今人多思慮役役, 魂都與魄相離了.*"[132]

(주자가 말했다.) "선대 유학자가 '입과 코가 호흡하는 것은 혼이고 귀와 눈이 총명한 것은 백이다.'[133]고 말한 것은 또한 다만 대강을 말한 것이다. 그러나 다시 본원[母子]이 있으니, 이것이 바로 감坎인 수水와 리離인 화火이다. 따뜻한 기는 곧 혼이고 차가운 기는 백이다. 혼은 곧 기의 신神이고 백은 곧 정精의 신이며, 생각하여 헤아리고 분별할 수 있는 것은 혼이고 기억해둘 수 있는 것은 백이다."

(주자가) 또 말했다. "보는데 분명히 보는 것과 듣는데 뚜렷하게 듣는 것에서 나타나는 것이 백의 작용이다."

(주자가) 또 말했다. "혼이 없으면 백은 스스로 존재할 수 없다. 요즘 사람들이 수고롭게 사려하는 것이 많은데, 이에 혼이 온통 백과 서로 떨어지게 되었다."

[28-2-21]

"*陰陽之始交, 天一生水. 物生始化曰魄. 旣生魄, 煖者爲魂. 先有魄而後有魂, 故魄常爲主爲幹.*"[134]

(주자가 말했다.) "음과 양이 처음 교접할 때 '하늘 1[天一]'이 수水를 낳는다. 사물이 생겨나서 처음 변화[化]하는 것을 백魄이라고 한다. 이미 백이 생겨나면 따뜻한 것이 혼이 된다. 먼저 백이 있은 다음에 혼이 있으므로, 백이 항상 위주가 되고 근간이 된다."

又曰: "*先輩說魂魄多不同, 『左傳』說魄先魂而有, 看來也是. 以賦形之初言之, 必是先有此體象, 方有陽氣來附也.*"[135]

(주자가) 또 말했다. "선배들이 혼백을 말한 것이 대부분 같지 않은데, 『좌전』에서 백이 혼보다 앞서 있다고 말한 것은[136] 보아하니 옳은 것 같다. 처음 형체를 부여하는 때로 말하면, 반드시 먼저 이 몸체의 모습이 있어야 비로소 양기가 와서 붙음이 있다."

. . . .

132 『朱子語類』 권3, 25조목
133 '입과 코가 … 백이다.': 송대 衛湜의 『禮記集說』 권112에서 "鄭玄은 '입과 코가 호흡하는 것은 혼이고 귀와 눈이 총명한 것은 백이다. 이것은 대개 血氣의 부류로 말한 것이니, 입과 코가 호흡하는 것은 氣로서 말한 것이고 귀와 눈이 총명한 것은 血로서 말한 것이다.'고 말했다.(鄭氏說云, '口鼻之噓吸者爲魂, 耳目之精明者爲魄. 此蓋指血氣之類言之, 口鼻之噓吸是以氣言也, 耳目之精明是以血言也.')"라고 하였다.
134 『朱子語類』 권3, 26조목
135 『朱子語類』 권3, 58조목
136 『左傳』에서 백이 … 것은: 『春秋左傳』 召公 7년에 "사람이 생겨나서 처음 변화하는 것을 백이라고 한다. 백이 생겨난 다음에 양을 혼이라고 한다.(人生始化曰魄. 旣生魄, 陽曰魂.)"라고 하였다.

[28-2-22]

"動者, 魂也; 靜者, 魄也. ‘動靜’二字, 括盡魂魄. 凡能運用作爲, 皆魂也, 魄則不能也. 今人之所以能運動, 都是魂使之爾. 魂若去, 魄則不能也.[137] 月之黑暈便是魄. 其光者乃日加之光耳, 他本無光也. 所以說‘哉生魄’, ‘旁死魄.’ 莊子曰, ‘日火外影, 金水內影’, 此便是魂魄之說."[138]

(주자가 말했다.) "움직이는 것은 혼이고 고요한 것은 백이다. ‘움직임과 고요함[動靜]’ 두 글자는 혼백을 다 포괄한다. 무릇 운용하고 작위할 수 있는 것은 모두 혼이고 백은 그것을 할 수 없다. 이제 사람이 운동할 수 있는 까닭은 모두 혼이 그렇게 시키는 것일 뿐이다. 혼이 만약 떠나면 백은 운동할 수 없다. 달의 검은 부분은 곧 백이다. 그 빛은 또한 해가 비춰준 빛일 뿐이니 달은 본래 빛이 없다. 그러므로 (『서경書經』에서) ‘백이 생겨나는 시작’,[139] ‘백이 없어지는 곁’[140]이라고 하였다. 장자莊子는 ‘해와 불은 빛을 밖으로 드러내고, 쇠붙이[金]와 물은 빛을 안으로 머금는다.’[141]라고 했는데, 이것은 바로 혼백에 대한 이론이다."

[28-2-23]

問: "氣之出入者爲魂, 耳目之聰明爲魄, 然則魄中復有魂, 魂中復有魄耶?"

曰: "精氣周流, 充滿於一身之中, 噓吸‧聰明, 乃其發而易見者耳. 然旣周流充滿於一身之中, 則鼻之知臭, 口之知味, 非魄乎? 耳目之中皆有煖氣, 非魂乎? 推之遍體, 莫不皆然."[142]

물었다. "기가 드나드는 것이 혼이 되고 눈과 귀가 총명한 것이 백이 됩니다. 그렇다면 백 가운데 다시 혼이 있고 혼 가운데 다시 백이 있습니까?"

(주자가) 대답했다. "정기精氣가 두루 유행하여 한 몸에 충만하니 호흡과 총명함은 그것이 드러나 쉽게 보이는 것일 뿐이다. 그러나 이미 한 몸에 두루 유행하여 충만해 있으니, 코가 냄새를 아는 것과 입이 맛을 아는 것은 백이 아닌가? 눈과 귀 속에 모두 따뜻한 기가 있는 것은 혼이 아닌가? 그것을 온몸에 미루어보면 모두 그렇지 않은 것이 없다."

---

137 魄則不能也. : 『朱子語類』 권3, 28조목에는 이 구절 뒤에 "今魄之所以能運, 體便死矣.(이제 백이 운용할 수 있으면, 몸은 곧 죽는다.)"라는 말이 더 있다.

138 『朱子語類』 권3, 28조목

139 ‘백이 생겨나는 시작’: 『書經』「周書‧康誥」에서 "惟三月哉生魄"이라고 하여 ‘哉生魄’은 역법으로 16일을 가리킨다.

140 ‘백이 없어지는 곁’: 『書經』「周書‧武成」에서 "惟一月壬辰旁死魄"이라고 하여 ‘旁死魄’은 역법으로 초이틀날을 가리킨다.

141 ‘해와 불은 … 머금는다.’ : 『莊子』「寓言」에서 "불과 해는 내(그림자)가 취하고, 음과 밤은 내(그림자)가 필요하지 않다.(火與日, 吾屯也 ; 陰與夜, 吾代也.)"라고 하였다.

142 『朱子語類』 권3, 32조목

[28-2-24]

問: "先生嘗言, 體·魄自是二物. 然則魂·氣亦爲兩物耶?"

曰: "將魂·氣細推之, 亦有精粗. 但其爲精粗也甚微, 非若體·魄之懸殊耳."

問: "以目言之, 目之輪, 體也; 睛之明, 魄也. 耳則何如?"

曰: "竅卽體也, 聰卽魄也."

又問: "月魄之魄, 豈只指其光而言之, 而其輪則體耶?"

曰: "月不可以體言, 只有魂魄耳. 月魄卽其全體, 而光處乃其魂之發也."[143]

물었다. "선생(주자)께서는 일찍이 체體(몸체)와 백은 본래 두 가지라고 말했습니다. 그렇다면 혼과 기도 두 가지 입니까?"

(주자가) 대답했다. "혼과 기를 세밀하게 미루어보면 역시 정밀함과 조잡함이 있다. 그러나 그 정밀함과 조잡함은 매우 미세하니, 체와 백처럼 현저하게 다르지 않다."

물었다. "눈으로 말하면 눈의 안구는 체이고 눈동자가 밝음은 백입니다. 귀라면 어떻습니까?"

(주자가) 대답했다. "귓구멍은 체이고 귀의 밝음은 백이다."

또 물었다. "월백月魄(달이 이지러지면서 빛을 발산하지 않는 부분)의 백은 어찌 다만 그 빛나는 부분만을 가리켜 말한 것이며, 어찌 그 둥근 달이 체體이겠습니까?"

(주자가) 대답했다. "달은 체로써 말할 수 없으니 다만 혼백이 있을 뿐이다. 월백은 그 전체이고 빛나는 곳은 바로 그 혼이 발산하는 것이다."

[28-2-25]

"魂屬木, 魄屬金. 所以說'三魂·七魄', 是金·木之數也."[144]

(주자가 말했다.) "혼은 목木에 속하고 백은 금金에 속한다. 그러므로 (도교에서) '삼혼三魂·칠백七魄'[145]이라고 말하는 것은 금과 목의 수이다."

---

143 『朱子語類』 권3, 32조목
144 『朱子語類』 권3, 33조목
145 三魂·七魄: 葛洪, 『抱樸子』「地眞」에서 "신을 통달하려고 하면 금과 수가 형체를 나누어야 하는데, 형체가 나뉘면 저절로 그 몸의 三魂·七魄을 보게 된다.(欲得通神, 當金水分形, 形分則自見其身中之三魂·七魄.)"고 하였다. 張君房, 『雲笈七籤』 권54에는 "사람의 몸에는 三魂이 있다. 하나는 胎光이라고 하니 매우 맑은 양의 온화한 기이다. 하나는 爽靈이라고 하니 음기가 변한 것이다. 하나는 幽精이라고 하니 음기가 섞인 것이다.(人身有三魂. 一名胎光, 太淸陽和之氣也; 一名爽靈, 陰氣之變也. 一名幽精, 陰氣之雜也.)"라고 하였고, 또 같은 권54에서 "그 제1백은 尸狗라 하고, 제2백은 伏矢라 하며, 제3백은 雀陰이라 하고, 제4백은 呑賊이라 하며, 제5백은 非毒이라 하고, 제6백은 除穢라 하며, 제7백은 臭肺라 한다. 이 七魄은 몸 가운데 탁한 鬼이다.(其第一魄名尸狗, 其第二魄名伏矢, 其第三魄名雀陰, 其第四魄名呑賊, 其第五魄名非毒, 其第六魄名除穢, 其第七魄名臭肺. 此七魄身中之濁鬼也.)"라고 하였다.

[28-2-26]

問: "人有盡記得一生以來履歷事者, 此是智以藏往否?"

曰: "此是魄強, 所以記得多."[146]

물었다. "사람들 중에 평생토록 겪은 일을 다 기억하는 사람도 있는데, 이런 사람은 지혜로써 지난 것을 저장하고 있는 것[147]입니까?"

(주자가) 대답했다. "이것은 백이 강하기 때문에 많이 기억하고 있는 것이다."

[28-2-27]

問: "魂氣升於天, 莫只是消散, 其實無物歸于天上否?"

曰: "也是氣散, 只是才散便無. 如火將滅, 也有煙上, 只是便散. 蓋緣木之性已盡, 無以繼之. 人之將死, 便氣散, 旣是這裏無箇主子, 一散便死. 大率人之氣常上, 且如說話, 氣都出上去."[148]

물었다. "혼기魂氣가 하늘로 올라가는 것은 다만 흩어져 사라지는 것일 뿐이니, 사실 하늘로 되돌아가는 것은 없지 않습니까?"

(주자가) 대답했다. "또한 기가 흩어지는 것이니 다만 흩어지자마자 곧 없어지는 것일 뿐이다. 예컨대 불이 꺼지려고 할 때 또한 연기가 위로 올라가지만 다만 곧 흩어지는 것일 뿐이다. 대개 목木의 성性이 이미 다했기 때문에 이어갈 것이 없다. 사람이 죽으려고 하면 기가 흩어지니, 이미 여기에 주인이 없는 것이므로 한 번 흩어지면 곧 죽는다. 대체로 사람의 기는 항상 위로 올라가니, 예컨대 말을 하면 기는 모두 위로 나간다."

[28-2-28]

"魂散, 則魄便自沈了. 今人說虎死則眼光入地, 便是如此."[149]

(주자가 말했다.) "혼이 흩어지면 백은 곧 저절로 가라앉는다. 요즘 사람들이 호랑이가 죽으면 안광眼光이 땅에 들어간다고 말하는 것이 바로 이와 같은 것이다."

[28-2-29]

問: "或云, '氣散而非無.' 某竊謂人稟得陰陽五行之氣以生, 到死後, 其氣雖散, 只反本還原去."

曰: "不須如此說. 若說無, 便是索性無了. 惟其可以感格得來, 故只說得散. 要之, 散也是無了."

---

146 『朱子語類』 권3, 35조목
147 지혜로써 지난 … 것: 『易』 「繫辭上」에서 "神以知來, 知以藏往."이라고 하였다.
148 『朱子語類』 권3, 36조목
149 『朱子語類』 권3, 37조목

又問: "燈焰衝上, 漸漸無去. 要之不可謂之無, 只是其氣散在此一室之内."

曰: "只是他有子孫在, 便是不可謂之無."[150]

물었다. "어떤 사람(黃幹, 주자 수제자)이 '기는 흩어져도 없어지는 것은 아니다.'고 했는데, 저(胡泳, 주자 문인)는 사람이 음양오행의 기를 품부하여 생겨나고 죽은 뒤에는 그 기가 비록 흩어지지만 다만 본원으로 되돌아갈 뿐이라고 생각합니다."

(주자가) 대답했다. "이와 같이 말할 필요가 없다. 만약 없다고 말하면 곧 아예 없어지는 것이다. 오직 그것(귀신)이 감동하여 이르러 올 수 있기 때문에 다만 흩어진다고 말할 뿐이다. 요컨대 흩어지는 것도 없어지는 것이다."

또 물었다. "등잔의 불꽃은 위로 치솟아서 점점 갈 곳이 없어집니다. 요컨대 없어진다고 할 수 없으니 다만 그 기가 이 방안에 흩어져 있을 뿐입니다."

(주자가) 대답했다. "다만 그것에 자손이 있다면 곧 없어졌다고 할 수 없다."

[28-2-30]

"死而氣散, 泯然無跡者, 是其常. 道理恁地. 有托生者, 是偶然聚得氣不散, 又怎生去湊著那生氣, 便再生, 然非其常也."[151]

(주자가 말했다.) "죽어서 기가 흩어지면 완전히 사라져서 자취가 없는 것이 정상적인 것이다. 도리가 그와 같다. 탁생托生하는 경우가 있는 것은 우연히 기를 모아서 흩어지지 않는 것이고, 또 어떻게 해서든 그 생기生氣에 의지해서 살게 된다. 다시 생겨난다고 하더라도 그것은 정상이 아니다."

[28-2-31]

問: "'遊魂爲變', 間有爲妖孽者, 是如何得未散?"

曰: "'遊'字是漸漸散. 若是爲妖孽者, 多是不得其死, 其氣未散, 故欝結而成妖孽. 若是尫羸病死底人, 這氣消耗盡了方死, 豈復更欝結成妖孽? 然不得其死者, 久之亦散. 如今打麵做糊, 中間自有成小塊核不散底, 久之漸漸也自會散. 橫渠云, '物之初生, 氣日至而滋息; 物之旣盈, 氣日反而遊散. 至之謂神, 以其伸也; 反之謂鬼, 以其歸也.' 天下萬物萬事, 自古及今, 只是箇陰陽消息屈伸. 橫渠將屈伸說得貫通. 上蔡說却似不說得循環意思."[152]

물었다. "'유혼遊魂이 변화한다.'고 했는데 간혹 요얼妖孽(요사스러운 마귀 따위)이 되는 경우가 있으니, 어떻게 (기가) 흩어지지 않을 수 있습니까?"

(주자가) 대답했다. "'유遊'자는 점점 흩어지는 것이다. 예컨대 요얼이 되는 것은 대부분 온당히 죽지 못하여 그 기가 아직 흩어지지 않았기 때문에, 한이 맺혀 요얼이 되는 것이다. 예컨대 기력이 쇠해서

---

150 『朱子語類』권3, 39조목
151 『朱子語類』권3, 41조목
152 『朱子語類』권3, 45조목

병들어 죽은 사람이라면 이 기가 다 소모되어 죽은 것인데, 어찌 다시 한이 맺혀 요얼이 되겠는가? 그러나 온당히 죽지 못한 자도 오래되면 역시 (기가) 흩어진다. 지금 밀가루로 묽은 죽을 쑬 때 죽 속에 저절로 작은 밀가루 덩어리가 생겨서 풀어지지 않는 것이 있지만, 오래되면 점점 저절로 풀어지게 된다. 횡거橫渠[張載]는 '사물이 처음 생겨날 때에는 기가 나날이 이르러 불어나지만, 사물이 이미 왕성하고 나면 기는 나날이 돌이켜서 점점 흩어진다. 이르는 것을 신神이라고 하니 그것이 펼치기 때문이며, 돌이키는 것을 귀鬼라고 하니 그것이 되돌아가기 때문이다.'[153]라고 하였다. 천하의 만사만물은 예로부터 지금까지 다만 음양의 사그라짐과 불어남, 움츠림과 폄일 뿐이다. 횡거는 움츠림과 폄을 가지고 관통하여 말했다. 상채上蔡[謝良佐][154]의 설명은 도리어 순환의 의미를 말하지 않은 것 같다."[155]

[28-2-32]

"萇弘死三年而化爲碧, 此所謂魄也, 如虎威之類. 弘以忠死, 故其氣凝結如此."[156]

(주자가 말했다.) "장홍萇弘[157]은 죽은 뒤 3년 만에 변화化하여 벽옥이 되었다고 하는데, 이것이 이른바 백魄이니 호위虎威[158]와 같은 부류이다. 장홍이 충성스럽게 죽었으므로 그 기가 이와 같이 응결되었다."

[28-2-33]

問: "鬼神·魂魄, 就一身而總言之, 不外乎陰陽二氣而已. 然旣謂之鬼神, 又謂之魂魄, 何耶? 某竊謂以其屈伸往來而言, 故謂之鬼神; 以其靈而有知有覺而言, 故謂之魂魄. 或者乃謂屈伸往來不足以言鬼神. 蓋合而言之, 則一氣之往來屈伸者是也; 分而言之, 則神者陽之靈, 鬼者

- -

153 張載,『正蒙』「動物篇」

154 謝良佐(1050~1103) : 자는 顯道이고, 시호는 文肅이며, 上蔡先生이라고 불리었다. 游酢·呂大臨·楊時와 함께 '程門四先生'이라 일컫고 상채학파의 시조가 되었다. 처음에 정호에게 배우다가 정호가 죽자 정이에게 배웠다. 송대 上蔡(현 하남성 소속) 사람으로 知應城縣·京師에 이르렀다. 그는 우주의 근원적 理法을 직관적으로 파악하여 따른다는 정호학설을 이어받아 발전시켜서 남송 陸象山 心學의 선구가 되었다. 저서는 『論語解』·『上蔡語錄』 등이 있다.

155 上蔡[謝良佐]의 설명은 … 같다. : 본 번역문 [28-3-4]부터 [28-3-6]까지 여기에 대한 설명이 있다.

156 『朱子語類』권3, 46조목

157 萇弘 : 자는 叔이고 萇宏이라고도 한다. 周나라 景王과 敬王의 대신인 劉文公 휘하의 大夫이다. 유문공 집안과 晉나라 范氏 집안은 대대로 혼인을 맺으며 유대를 맺고 있었다. 진나라에 내란이 일어났을 때 장홍이 범씨를 도와준 일로 晉卿 趙鞅이 이를 성토하여 장홍은 周나라 사람에 의해 피살되었다. 『春秋左傳』「哀公 3년」 조에 의하면, 장홍이 장렬하게 죽은 뒤 3년 만에 그 피가 변화하여 벽옥이 되었다고 한다. 『莊子』「外物」에는 "군주는 그 신하의 충성을 바라지 않지는 않지만 충성을 반드시 믿지는 않기 때문에, 伍員은 강물에 떠내려갔고, 장홍은 촉 땅에서 죽어서 그 피를 3년 동안 저장해 두었는데 변화하여 백옥이 되었다.(人主莫不欲其臣之忠, 而忠未必信, 故伍員流於江, 萇弘死於蜀, 藏其血三年, 而化爲碧.)"라고 하였다. 나중에 이 벽옥을 원통하게 죽은 자의 형상으로 삼았다.

158 虎威 : 호랑이의 위엄을 상징하는 '乙'자 모양의 뼈로서, 호랑이의 양 옆구리와 꼬리 부근에 있다고 한다. 관리가 이것을 차고 다니면 위엄이 생긴다고 하고 일반인도 이것을 패용하면 질병에 걸리지 않는다고 한다.

陰之靈也. 以其可合而言, 可分而言, 故謂之鬼神. 以其可分而言, 不可合而言, 故謂之魂魄.

(양전梁琭(주자 문인)이) 물었다. "귀신과 혼백은 한 몸에서 총괄해서 말하면, 음과 양 두 기를 벗어나지 않을 뿐입니다. 그러나 귀신이라고 하고 또 혼백이라고 하는 것은 무엇 때문입니까? 저[梁琭]는 움츠림과 폄, 감과 옴으로 말했기 때문에 귀신이라고 말하고, 영험하여 지각이 있는 것으로 말했기 때문에 혼백이라고 말했다고 생각합니다. 어떤 사람은 이에 움츠림과 폄, 감과 옴으로는 귀신을 말하기에 부족하다고 말합니다. 대개 합해서 말하면 하나의 기의 감과 옴, 움츠림과 폄이 이것이지만, 나누어서 말하면 신神은 양의 영험함이고 귀鬼는 음의 영험함입니다. 합해서 말할 수 있고 나누어 말할 수 있기 때문에 귀신이라고 말하며, 나누어 말할 수 있지만 합해서 말할 수 없기 때문에 혼백이라고 말합니다.

或又執南軒'陽魂爲神, 陰魄爲鬼'之說, 乃謂鬼神·魂魄不容更有分別. 某竊謂如『中庸或問』雖曰'一氣之屈伸往來', 然屈者爲陰, 伸者爲陽, 往者爲陰, 來者爲陽, 而所謂陽之靈者, 陰之靈者, 亦不過指屈伸往來而爲言也."

어떤 사람은 또 남헌南軒張栻의 '양인 혼은 신이 되고 음인 백은 귀가 된다.'는 이론을 취해서, 귀신과 혼백은 다시 분별을 용납하지 않는다고 말합니다. 저[梁琭]는 예컨대『중용혹문中庸或問』에서 비록 '하나의 기가 움츠리고 펴며, 가고 오는 것'을 말했지만,[159] 움츠리는 것은 음이 되고 펼치는 것은 양이 되며, 가는 것은 음이 되고 오는 것은 양이 되니, 이른바 양의 영험함, 음의 영험함이라는 것도 역시 움츠림과 폄, 감과 옴을 가리켜서 말하는 것에 지나지 않는다고 생각합니다."

曰: "鬼神通天地間一氣而言, 魂魄主於人身而言. 方氣之伸, 精·魄固具, 然神爲主. 及氣之屈, 魂·氣雖存, 然鬼爲主. 氣盡則魄降而純於鬼矣, 故人死曰鬼. 南軒說不記首尾云何, 然只據二句, 亦不得爲別矣."[160]

(주자가) 대답했다. "귀신은 천지간의 하나의 기를 통틀어서 말한 것이고, 혼백은 사람의 몸을 위주로 말한 것이다. 기가 펼칠 때에는 정精과 백魄이 본디 갖추어지지만 신神이 위주가 된다. 기가 움츠릴 때에는 혼魂과 기氣가 비록 보존되지만 귀鬼가 위주가 된다. 기가 다 사라지면 백은 내려가서 순전히 귀鬼가 되므로 사람이 죽은 것을 귀鬼라고 한다. 남헌南軒張栻의 말은 그 처음과 끝을 어떻게 말했는지 기록하지 않았지만, 단지 이 두 구절에만 의거하면 역시 구별할 수 없다."[161]

---

159 『中庸或問』에서 비록 … 말했지만 :『中庸或問』에서 "程子[程頤]와 張子[張載]가 다시 음양의 조화로서 설명하여 그것(귀신)의 의미가 또 넓어졌고, 천지만물의 움츠림과 폄, 감과 옴이 모두 그 가운데 있게 되었다.(程子·張子更以陰陽造化爲說, 則其意又廣, 而天地萬物之屈伸往來, 皆在其中矣.)"라고 하였다.

160 朱熹,『朱文公文集』권44「答梁文叔」

161 南軒張栻의 말은 … 없다. :『朱文公文集』권44「答梁文叔」에는 '亦不得爲無別矣.'라고 되어 있다.『朱文公文集』에 따르면, "南軒張栻의 말은 그 처음과 끝을 어떻게 말했는지 기록하지 않았지만, 단지 이 두 구절에만 의거해도 역시 구별이 없을 수 없다."라고 번역할 수 있다.

[28-2-34]

問: "聖人凡言鬼神, 皆只是以理之屈伸者言也. 鬼者屈也, 神者伸也, 屈者往也, 伸者來也, 屈伸往來之謂也.¹⁶² 至言鬼神·禍福·凶吉等事, 此亦只是以理言. 蓋人與鬼神·天地同此一理, 而理則無有不善. 人能順理則吉, 逆理則凶, 其於禍福亦然. 此豈謂天地鬼神一一下降於人哉? 且如『書』稱'天道福善禍淫', 『易』言'鬼神害盈而福謙', 亦只是這箇意思. 蓋盈者逆理者也, 自當得害. 謙者順理者也, 自應獲福. 自是道理合如此, 安有所謂鬼神降之哉?¹⁶³

물었다. "성인이 귀신에 대해 말한 것은 모두 다만 리理의 움츠림과 펼침을 가지고 말한 것입니다. 귀는 움츠림이고 신은 펼침이며, 움츠림은 감이고 펼침은 옴이니, 움츠림과 펼침, 감과 옴을 말합니다. 귀신·화복·길흉 등의 일을 말하기에 이르면 이것도 역시 다만 리로써 말한 것입니다. 대개 사람과 귀신·천지는 이 하나의 리를 같이 가지고 있으며, 리는 선하지 않음이 있은 적이 없습니다. 사람은 리에 순응할 수 있으면 길하고 리를 거스르면 흉하니, 화복에 대해서도 역시 그러합니다. 이것을 어찌 천지·귀신이 사람에게 일일이 내린 것이라고 하겠습니까? 예컨대 『서書』에서 '천도는 선에 복을 주고 음淫[恩]에는 화禍를 내린다.'¹⁶⁴라고 일컬은 것과 『역』에서 '귀신은 가득 찬 것에는 해를 끼치고 겸손한 것에는 복을 준다.'¹⁶⁵라고 말한 것은 역시 다만 이러한 의미입니다. 대개 가득 찬 것은 리를 거스르는 것이니 당연히 해를 입습니다. 겸손한 것은 리에 순응하는 것이니 마땅히 복을 얻습니다. 본래 도리가 마땅히 이와 같은데 어찌 이른바 귀신이 그것을 내리겠습니까?

嘗讀『禮記』「祭義」, '宰我曰「吾聞鬼神之名, 不知其所謂.」孔子曰「神也者, 氣之盛也 ; 魄也者, 鬼之盛也.」又曰「眾生必死, 死必歸土, 是之謂鬼. 骨肉斃于下, 陰爲野土, 其氣發揚于上, 爲昭明·焄蒿·悽愴, 百物之精, 神之著也.」' 魄旣歸土, 此則不問. 其曰氣, 曰精, 曰昭明, 又似有物矣. 旣只是理, 則安得有所謂氣與昭明者哉? 及觀「禮運」論祭祀, 則曰, '以嘉魂魄, 是謂合莫.' 注謂, '莫, 無也. 又曰「上通無莫.」' 此說又似與「祭義」不合."

일찍이 『예기』「제의祭義」를 읽었는데, 거기에서 '재아宰我가 「내가 귀신이라고 말한 것을 들었는데 그것이 무엇을 말하는지 모르겠습니다.」라고 말하자, 공자는 「신神이라는 것은 기氣가 왕성한 것이고 백魄이라는 것은 귀鬼가 왕성한 것이다.」라고 말했고, 또 「중생은 반드시 죽고, 죽으면 반드시 흙으로 되돌아가는 것을 귀鬼라고 한다. 골육은 지하에 묻혀서 들판의 흙이 되고, 그 기는 위로 발양하여 밝게 빛나며 훈훈하게 증발하고 숙연하여 비통하니, 이것이 만물의 정精이고 신神이 드러난 것이다.」고 말했다.'¹⁶⁶라

----

162 鬼者屈也, 神者伸也 … 屈伸往來之謂也. : 『朱子語類』권87, 171조목에는 이 구절이 없고, 眞德秀의 『西山讀書記』권40 「鬼神」에 주자의 말로 되어있다.

163 蓋盈者逆理者也, 自當得害. … 安有所謂鬼神降之哉? : 『朱子語類』권87, 171조목에는 이 구절이 없고, 진덕수의 『西山讀書記』권40 「鬼神」에 주자의 말로 되어있다.

164 『書』「商書·湯誥」

165 『易』「謙卦·象傳」

고 하였습니다. 백은 이미 땅으로 되돌아갔으니 이것은 따질 것이 없습니다. 거기에서 기氣, 정精, 소명昭明(밝게 빛나는 것)이라고 한 것은 또 어떤 것이 있는 것 같습니다. 이미 다만 리일 뿐이라면 어찌 이른바 기氣와 소명昭明이 있을 수 있겠습니까? 그러나 「예운禮運」편에서 제사를 논한 것을 보면, '혼백을 기쁘게 하는 것은 없는 것[奠]과 감통하는 것이다.'라고 말했으며, 주注(정현의 주)에서 '없는 것[奠]은 무無이다. 또 (『효경설孝經說』에서) 「상고시대에는 무無자와 막莫자를 통용했다.」라고 말했다.'[167]라고 했습니다. 이 말은 또 「제의祭義」와 합치되지 않는 것 같습니다."

曰: "如子所論, 是無鬼神也. 鬼神固是以理言, 然亦不可謂無氣. 所以先王祭祀, 或以燔燎, 或以鬱鬯, 以其有氣, 故以類求之爾. 至如禍福吉凶之事, 則子之言是也."[168]
(주자가) 대답했다. "그대가 논한 것 같이 한다면 귀신이 없는 것이다. 귀신은 본디 리로써 말하는 것이지만 또한 기가 없다고 할 수 없다. 그러므로 선왕께서 제사를 올릴 때 혹은 번료燔燎[169]를 쓰기도 하고 혹은 울창鬱鬯[170]을 쓰기도 한 것은, 기가 있기 때문에 서로 같은 부류로써 귀신을 구한 것일 뿐이다. 화복과 길흉 같은 일의 경우는 그대의 말이 옳다."

[28-2-35]
"橫渠所謂'物怪神姦'不必辨, 且只'守之不失.' 如'精氣爲物, 遊魂爲變', 此是理之常也. '守之勿失'者, 以此爲正, 且恁地去, 他日當自見也. 若'要之無窮,[171] 求之不可知', 此又溺於茫昧, 不能以常理爲主者也. 伯有爲屬, 別是一種道理, 此言其變, 如世之妖妄者也."[172]
(주자가 말했다.) "횡거橫渠張載의 이른바 '사물의 괴이함과 신의 간사함'[173]은 군이 논변할 필요가 없고 또 다만 지켜서 잃지 않아야 한다.[174] 예컨대 '정精·기氣가 만물이 되고 유혼游魂이 변화한다.'는 것은

---

166 『禮記』「祭義」
167 注(정현의 주)에서 … 말했다.': 『禮記注疏』 권21 「禮運」에 정현은 "莫, 虛無也. 『孝經說』曰'上通無莫.'"이라고 주석하였다.
168 『朱子語類』 권87, 171조목
169 燔燎: 제사를 지낼 때 쑥을 태우고 오곡밥을 찌는 향기를 피우는 것을 말하며, 하늘에 제사지내는 것을 의미한다.
170 鬱鬯: 제사를 지낼 때 검은 기장에 울금을 배합하여 빚은 울창주를 땅에 부어 강신하는 것을 말하며, 땅에 제사지내는 것을 의미한다.
171 要之無窮: 張載, 『張子全書』 권13 「文集·答范巽之書」에는 '委之無窮'이라고 되어 있다.
172 『朱子語類』 권98, 115조목
173 張載, 『張子全書』 권13 「文集·答范巽之書」
174 '사물의 괴이함과 … 한다.': 장재의 『張子全書』 권13 「文集·答范巽之書」에서, "질문한 '사물의 괴이함과 신의 간사함'은 설명하기 어려운 것은 아니지만 돌이켜 생각하건대 말을 꼭 믿을 수 없을 뿐입니다. 맹자가 논한 '性을 알면 하늘을 안다.'는 것에서, 배움이 하늘을 아는 데에 이르면 사물이 유래하는 곳은 당연히 끊임없이 저절로 드러나며, 사물이 유래하는 곳을 알면 사물이 마땅히 있어야 하고 마땅히 없어야 하는 것에 대해서도 마음으로 깨닫지 않음이 없으니, 또한 말할 필요도 없이 알게 됩니다. 여러분들이 논한 것은

정상적인 이치이다. '지켜서 잃지 않도록 한다.'는 것은 이것을 바른 것으로 삼아서 우선 이와 같이 해나가면 나중에는 당연히 저절로 알 수 있을 것이다. '무궁함에 맡겨서 구해도 알 수 없다.'[175] 라는 것은 또 막연하고 모호한 것에 빠져서 정상적인 이치를 위주로 할 수 없다는 것이다. 백유가 여귀가 되었다는 것은 또 다른 일종의 도리로서, 이것은 그 변화가 세상의 터무니없는 것과 같음을 말한다."

[28-2-36]

南軒張氏曰: "向在淮上宿一小寺, 中夜聞小雞聲以數萬計, 起視之, 見彌望燈明滿地. 問之寺僧, 云'此舊戰場也, 遇天氣陰晦則有此.' 夫氣不散, 則因陰陽蒸薄而有聲. 氣自爲聲, 於人何預?"

又曰: "鬼神之說, 須自窮究眞是無疑方得. 不然, 他人說得分明, 亦不濟事."

남헌 장씨南軒張氏[張栻]가 말했다. "예전에 회수淮水가의 어떤 작은 절에서 묵었는데, 한밤중에 수 만 마리로 간주되는 병아리 울음소리를 듣고 일어나서 보니, 아득히 등불이 땅을 가득 비추고 있는 것을 보았다. 절의 중에게 물어보니, '이곳은 옛날 전쟁터로서 날이 흐리고 어두울 때는 이런 일이 있다.'고 말했다. 기가 흩어지지 않으면 음양이 증발하면서 부딪히기 때문에 소리가 난다. 기가 저절로 소리가 나는데 사람에게 무슨 관계가 있겠는가?"

또 말했다. "귀신에 대한 주장은 반드시 스스로 궁구하여 참으로 의심이 없어야 된다. 그렇지 않으면 다른 사람이 분명하게 말해도 소용없다."

[28-2-37]

勉齋黃氏曰: "夫人之生, 惟精與氣; 爲毛骨肉血者精也, 爲呼吸冷熱者氣也. 然人爲萬物之靈, 非木石, 故其精其氣莫不各有神焉. 精之神謂之魄, 氣之神謂之魂. 耳目之所以能視聽者, 魄爲之也; 此心之所以能思慮者, 魂爲之也. 合魄與魂, 乃陰陽之神, 而理實具乎其中. 惟其魂魄之中有理具焉, 是以靜則爲仁·義·禮·智之性, 動則爲惻隱·羞惡·恭敬·是非之情, 胥此焉出也. 人須如此分作四節看, 方體認得著實."

면재 황씨勉齋黃氏[黃榦][176]가 말했다. "사람이 생겨나는 것에는 오직 정精과 기氣가 있으니, 털과 뼈와

다만 지켜서 잃지 않으면 되니, 이단의 학설에 겁탈당하지 않고 앞으로 나아가기를 그치지 않으면 사물의 괴이함에 대해서는 이단을 공격할 필요도 없이 1년도 지나지 않고도 우리의 학문이 이기게 될 것입니다. 만약 무궁함에 맡겨서 구해도 알 수 없게 되면, 배움은 의심스러워 혼란하고 지혜는 사물에 어두워지게 되어 교차해서 오는 것이 틈이 없어서, 마침내 스스로 보존할 수 없게 되어 기필코 괴이하고 거짓됨에 빠질 것입니다.(所訪'物怪神姦', 此非難說, 顧語未必信耳. 孟子所論'知性知天', 學至於知天, 則物所從出當源源自見; 知所從出, 則物之當有當無莫不心喻, 亦不待語而知. 諸公所論, 但守之不失, 不爲異端所刦, 進進不已, 則物怪不須辨, 異端不必攻, 不逾期年, 吾道勝矣. 若欲委之無窮, 付之以不可知, 則學爲疑撓, 智爲物昏, 交來無間, 卒無以自存, 而溺於怪妄矣.)"라고 하였다.

175 張載, 『張子全書』 권13 「文集·答范巽之書」

피와 살이 되는 것은 정이고, 들숨 날숨과 차가움과 따뜻함이 되는 것은 기이다. 그러나 사람은 만물의 영장으로서 목석이 아니기 때문에 그 정과 기에는 각기 신神이 있지 않음이 없다. 정의 신을 백魄이라 하고 기의 신을 혼魂이라고 한다. 눈과 귀가 보고 들을 수 있는 까닭은 백이 그렇게 하는 것이고, 마음이 사려할 수 있는 까닭은 혼이 그렇게 하는 것이다. 혼과 백을 합친 것이 음양의 신이고 리理는 그 속에 실질적으로 갖추어진다. 오직 혼백 속에 리를 갖추고 있기 때문에, 고요할 때에는 인·의·예·지의 성性이 되고 움직일 때에는 측은·수오·공경·시비의 정情이 되니, 모든 것이 여기에서 나온다. 사람은 모름지기 이와 같이 네 마디로 나누어 보아야만 비로소 확실하게 체인할 수 있다."

或問:"朱文公但將理與氣對看, 今先生分作四節, 何也?"
曰:"理與氣對, 是自天地生物而言 ; 今之說, 是自人稟受而言. 若但言氣, 『大易』何以謂精氣爲神.' 但言理, 橫渠何以謂'合性與知覺爲心'耶? 此意玩味當自知之. 若以語人, 徒起紛紛也."
어떤 사람이 물었다. "주문공朱文公[朱熹]은 다만 리와 기를 짝지어 보았는데, 이제 선생(황간)이 네 마디로 나눈 것은 무엇 때문입니까?"
(면재 황씨가) 대답했다. "리와 기를 짝지어 보는 것은 천지가 사물을 낳는 것으로부터 말한 것이고, 여기에서 설명한 것은 사람이 품수받은 것으로부터 말한 것이다. 만약 다만 기氣만을 말한다면 『역』에서 무엇 때문에 '정精과 기氣가 신神이 된다.'[177]고 말했으며, 다만 리理만을 말한다면 횡거橫渠[張載]는 무엇 때문에 '성性과 지각知覺이 합하여 마음이 된다.'[178]고 말했는가? 이 의미는 완미하여 스스로 알아야 한다. 만약 다른 사람에게 알려주면 단지 의론만 분분하게 일어날 것이다."

[28-2-38]
因論虛靈知覺曰:"人只有箇魂與魄. 人記事自然記得底是魄. 如會恁地搜索思量底這是魂. 魂日長一日, 魄是稟得來合下恁地. 如月之光彩是魂, 無光處是魄. 魄亦有光, 但是藏在裏面."
又曰:"氣之呼吸爲魂, 耳目之精明爲魄. 耳目精明, 是光藏在裏面. 如今人聽得事, 何嘗是去聽他? 乃是他自入耳裏面來, 因透諸心便記得, 此是魄. 魄主受納, 魂主經營, 故魄屬陰, 魂屬陽. 陰凝靜, 陽發散."

. . . .

176 黃榦(1152~1221) : 자는 直卿이고, 호는 勉齋이다. 송대 福州閩縣(현 복건성 福州) 사람으로 주희의 고족제자인 동시에 사위이다. 주희의 蔭補로 知漢陽軍·知安慶府 등을 역임하고, 뒤에 直學士를 지냈다. 주자가 편찬한 『儀禮經傳通解』 가운데 「喪」과 「祭」 2편을 집필하고, 나중에 이를 바탕으로 『儀禮經傳通解續編』을 편찬했다. 저서는 『書說』·『六經講義』·『五經通義』·『四書記聞』·『繫辭傳解』·『勉齋集』 등이 있고, 『朱子行狀』을 집필했다.

177 '精과 氣가 … 된다.' : 『易』 「繫辭上」 제4장에 "精과 氣가 만물이 되고 游魂이 변화하니, 이 때문에 귀신의 실상을 안다.(精氣爲物, 遊魂爲變, 是故知鬼神之情狀.)"라고 하였다.

178 '性과 知覺이 … 된다.' : 張載의 『張子全書』 권2 「正蒙」에서, "性과 知覺이 합하여 心이라는 명칭이 있게 된다.(合性與知覺, 有心之名.)"라고 하였다.

(면재 황씨가) 허령虛靈한 지각에 대해 논하면서 말했다. "사람은 다만 혼과 백을 가지고 있다. 사람이 어떤 일을 기억하는 데에 저절로 기억하는 것은 백이다. 예컨대 이렇게 머리를 짜내서 생각할 수 있는 것은 혼이다. 혼은 나날이 증진하지만 백은 품수한 원래 그대로이다. 예컨대 달의 빛은 혼이고 빛이 없는 곳은 백이다. 백 또한 빛이 있지만 속에 감추어져 있다."

(황간이) 또 말했다. "기의 호흡이 혼이고, 눈과 귀의 총명함이 백이다. 눈과 귀의 총명함은 빛이 그 속에 감추어져 있는 것이다. 지금 사람이 어떤 일에 대해 들었을 때 어찌 (그 일에) 나아가서 그것을 들었겠는가? 곧 그것이 저절로 귓속에 들어와 마음에 스며들면 기억하는 것이니 이것이 백이다. 백은 받아들이는 것을 주로 하고 혼은 운영하는 것을 주로 하기 때문에 백은 음에 속하고 혼은 양에 속한다. 음은 응결되어 고요하고 양은 발산한다."

[28-2-39]

"『易』云, '精氣爲物', 精是精血, 氣是煖氣. 有這兩件, 方始成得簡好物出來. 如人在胞胎中, 卽是這兩簡物, 骨肉肌體是精血一路做出, 會呼吸活動是煖氣一路做出. 然而精血·煖氣, 則自有簡虛靈知覺在裏面. 精血之虛靈知覺便是魄, 煖氣之虛靈知覺便是魂. 這虛靈知覺, 又不是一簡虛浮底物, 裏面却又具許多道理. 故木神曰仁是虛靈知覺. 人受木之氣, 其虛靈知覺則具仁之理. 木便是氣血, 神便卽是魂魄, 仁便是簡道理. 如此看方是."

(면재 황씨가 말했다.) 『역』에서 '정精과 기氣가 만물이 된다.'고 하였는데, 정은 정혈精血(정결한 혈액)이고 기는 난기煖氣(따뜻한 기운)이다. 이 두 가지가 있어야 비로소 완성품을 이루어 낼 수 있다. 예컨대 사람이 태중에 있을 때는 곧 이 두 가지가 있는 것이니, 뼈와 살과 피부와 몸체는 정혈 쪽에서 만들어내는 것이고, 호흡하고 활동할 수 있는 것은 난기 쪽에서 만들어내는 것이다. 그렇지만 정혈과 난기는 스스로 그 속에 허령지각을 가지고 있다. 정혈의 허령지각은 곧 백이고, 난기의 허령지각은 곧 혼이다. 이 허령한 지각은 또 어떤 허황된 것이 아니라 그 속에 또한 많은 도리를 갖추고 있다. 그러므로 목신木神을 인仁이라고 한 것[179]은 허령지각이다. 사람이 목의 기를 받으면 그 허령지각은 인仁의 리를 갖춘다. 목木은 곧 기혈氣血이고 신神은 곧 혼백이며, 인仁은 곧 도리이다. 이와 같이 보아야만 옳다."

[28-2-40]

北溪陳氏曰: "「禮運」言'人者陰陽之交, 鬼神之會', 說得亦親切. 此眞聖賢之遺言, 非漢儒所能道也. 蓋人受陰陽二氣而生, 此身莫非陰陽. 如氣陽血陰, 脉陽體陰, 頭陽足陰, 上體爲陽, 下體爲陰, 至於口之語黙, 目之寤寐, 鼻息之呼吸, 手足之屈伸, 皆是陰陽分屬. 不特人如此, 凡萬物皆然. 「中庸」所謂'體物而不遺'者, 言陰陽二氣爲物之體而無不在耳. 天地間無一物不是陰陽, 則無一物不是鬼神."[180]

---

179 木神을 仁이라고 … 것: 『禮記正義』 권52 「中庸」에서 鄭玄은 "목신은 인이고, 금신은 의이며, 화신은 예이고, 수신은 신이며, 토신은 지이다.(木神則仁, 金神則義, 火神則禮, 水神則信, 土神則知.)"라고 하였다.

북계 진씨北溪陳氏[陳淳]가 말했다. "『예기』「예운禮運」에서 '사람은 음과 양이 교접한 것이고 귀와 신이 모인 것이다.'[181]라고 말한 것은 말한 것이 또한 친밀하고 절실하다. 이 말은 참으로 성현이 남긴 말이지 한漢대 유학자가 말할 수 있는 것이 아니다. 대개 사람은 음과 양 두 기를 받아서 생겨나니 이 몸은 음과 양 아닌 것이 없다. 예컨대 기氣는 양이고 혈血은 음이며, 맥脉은 양이고 몸[體]은 음이며, 머리는 양이고 발은 음이며, 상체는 양이고 하체는 음이며, 입이 말하고 침묵하는 것과 눈이 깨어있고 잠자는 것과 콧숨으로 호흡하는 것과 손발이 움츠리고 펴는 것에 이르기까지 모두 음과 양으로 분속된다. 단지 사람만이 이와 같을 뿐 아니라 만물이 모두 그러하다. 「중용」에서 이른바 '만물의 체體(근간)가 되어 떨쳐낼 수 없다.'[182]라고 한 것은 음과 양 두 기가 만물의 체가 되어 있지 않은 곳이 없다는 것을 말할 뿐이다. 천지간에는 그 어떠한 것도 음과 양이 아닌 것이 없으니, 그 어떠한 것도 귀신이 아닌 것이 없다."

[28-2-41]
"子産謂'人生始化曰魄, 旣生魄陽曰魂.' 斯言亦眞得聖賢之遺旨. 所謂'始化', 是胎中略成形時. 人初間纔受得氣, 便結成箇胚胎模樣是魄. 旣成魄, 便漸漸會動屬陽曰魂. 及形旣生矣, 神發知矣, 故人之知覺屬魂, 形體屬魄. 陽爲魂, 陰爲魄. 魂者陽之靈而氣之英, 魄者陰之靈而體之精. 如口鼻呼吸是氣, 那靈處便屬魂; 視聽是體, 那聰明處便屬魄."[183]

(북계 진씨가 말했다.) "자산子産[公孫僑]이 '사람이 생겨나서 처음 변화하는 것을 백魄이라 하고, 이미 백이 생겨난 뒤에 양陽을 혼이라고 한다.'[184]라고 하였는데, 이 말 또한 참으로 성현이 남긴 뜻을 얻었다. 이른바 '처음 변화하는 것'은 태중에서 대략 형체를 이루는 때이다. 사람이 초기에 기를 받자마자 바로 초기 태아의 모양을 결합하여 이루는 것이 백이다. 이미 백을 이루고 나서 점점 움직일 수 있어 양에 속하는 것을 혼이라고 한다. 형체가 이미 생겨나게 되면 정신[神]이 지각작용을 일으키므로 사람의 지각은 혼에 속하고 형체는 백에 속한다. 양은 혼이 되고 음은 백이 된다. 백은 양의 영험함이고 기의 뛰어남

180 陳淳, 『北溪字義』 권下 「鬼神」
181 '사람은 음과 … 것이다.' : 『禮記』 권9 「禮運」에는 "그러므로 사람은 천지의 덕이고 음양이 교접한 것이며 귀신이 모인 것이고 오행의 빼어난 기이다.(故人者, 其天地之德, 陰陽之交, 鬼神之會, 五行之秀氣也.)"라고 하였다.
182 '만물의 體(근간)가 … 없다.' : 『禮記』 권31 「中庸」에는 "공자가 말했다. '귀신의 덕이 성대하다! 보아도 보지 못하고 들어도 듣지 못하는데 만물의 體가 되어 떨쳐낼 수 없다.(子曰, '鬼神之爲德, 其盛矣乎! 視之而弗見, 聽之而弗聞, 體物而不可遺.')"라고 하였다.
       주자는 『中庸章句』에서 "이것은 만물의 체가 되어 만물이 떨쳐낼 수 없는 것이다. 만물의 체가 된다는 말은 마치 『易』에서 이른바 일을 주관한다고 하는 것과 같다.(是其爲物之體, 而物所不能遺也. 其言體物, 猶『易』所謂幹事.)"라고 주석하였다.
183 陳淳, 『北溪字義』 권下 「鬼神」
184 '사람이 생겨나서 … 한다.' : 『春秋左傳』「召公 7년」 조에 "子産曰, '能人生始化曰魄, 旣生魄, 陽曰魂.'"이라고 하였다.

이며, 백은 음의 영험함이고 체體의 정결함이다. 예컨대 코와 입으로 호흡하는 것은 기이고 그 영험함이 곧 혼에 속하며, 보고 듣는 것은 체이고 그 총명함이 곧 백에 속한다."

[28-2-42]

"就人身上細論, 大槩陰陽二氣會在吾身之中爲鬼神, 以寤寐言, 則寤屬陽, 寐屬陰 ; 以語默言, 則語屬陽, 默屬陰 ; 及動靜 · 進退 · 行止, 皆有陰陽. 凡屬陽者皆爲魂爲神, 凡屬陰者皆爲魄爲鬼. 人自孩提至於壯, 是氣之伸屬神 ; 中年以後漸漸衰老, 是氣之屈屬鬼. 以生死論, 則生者氣之伸, 死者氣之屈. 就死上論, 則魂之升者爲神, 魄之降者爲鬼. 魂氣本乎天, 故騰上 ; 體魄本乎地, 故降下. 『書』言'帝乃殂落', 正是此意. 殂是魂之升上, 落是魄之降下者也."[185]

(북계 진씨가 말했다.) "사람의 몸에서 자세히 논하면, 대개 음과 양 두 기가 우리 몸속에 모여서 귀와 신이 되는데, 깨어있음과 잠자는 것으로 말하면 깨어있음은 양에 속하고 잠자는 것은 음에 속하며, 말하는 것과 침묵으로 말하면 말하는 것은 양에 속하고 침묵은 음에 속하며, 움직임과 고요함, 나아감과 물러남, 활동과 정지에 이르기까지 모두 음과 양이 있다. 양에 속하는 것은 모두 혼魂이 되고 신神이 되며, 음에 속하는 것은 모두 백魄이 되고 귀鬼가 된다. 사람이 어린아이에서 장년에 이르기까지는 기의 펼침으로 신神에 속하고, 중년 이후로 점점 노쇠하게 되는 것은 기의 움츠림으로 귀鬼에 속한다. 태어남과 죽음으로 논하면, 태어남은 기의 펼침이고, 죽음은 기의 움츠림이다. 죽음에서 논하면, 혼이 올라가는 것이 신神이 되고, 백이 내려가는 것이 귀鬼가 된다. 혼기魂氣는 하늘에 근본하므로 위로 올라가고 체백體魄은 땅에 근본하므로 아래로 내려간다. 『서』에서 '임금[堯]이 돌아가셨다[殂落].'[186]라고 말한 것이 바로 이 뜻이다. 조殂는 혼이 위로 올라가는 것이고, 낙落은 백이 아래로 내려가는 것이다."

[28-2-43]

"『易』云'精氣爲物, 遊魂爲變, 故知鬼神之情狀', 言陰精陽氣聚而生物, 乃神之伸也, 而屬乎陽 ; 魂遊魄降散而爲變, 乃鬼之歸也, 而屬乎陰. 鬼神情狀, 大槩不過如此."

(북계 진씨가 말했다.) "『역易』에서 '정기精氣가 만물이 되고 유혼游魂이 변화하니, 이 때문에 귀신의 실상을 안다.'[187]라고 말한 것은, 음인 정精(정수)과 양인 기氣가 모여서 만물을 이루는 것이 신神의 펼침이고 양에 속하며, 혼이 떠돌아다니고 백이 가라앉아 흩어져서 변화하는 것은 귀鬼의 돌아감이고 음에 속한다는 것을 말한다. 귀신의 실상은 대체로 이와 같은 것에 지나지 않는다."

- - - - - - - - - - - - - - - - - - - -

185 陳淳, 『北溪字義』 권下 「鬼神」
186 '임금[堯]이 돌아가셨다[殂落].' : 『書』 권2 「舜典」에서, "堯가 돌아가시니 백성들이 그들의 부모가 돌아가신 듯이 상을 치렀다.(帝乃殂落, 百姓如喪考妣.)"라고 하였다.
　　孔穎達은 疏에서 "죽음을 殂落이라고 했으니, 대개 殂는 가는 것으로 사람이 천명이 다해서 가는 것을 말하며, 落은 초목의 잎이 떨어지는 것과 같은 것이다.(乃死謂之殂落者, 蓋殂爲往也, 言人命盡而往 ; 落者, 若草木葉落也.)"라고 하였다.
187 『易』 「繫辭上」 제4장

西山眞氏曰 : "人之生也, 精與氣合而已. 精者血之類, 是滋養一身者, 故屬陰 ; 氣是能知覺 · 運動者, 故屬陽. 二者合而爲人. 精卽魄也, 目之所以明, 耳之所以聰者, 卽精之爲也, 此之謂 魄. 氣充乎體, 凡人心之能思慮有所識, 身之能擧動, 與夫勇決敢爲者, 卽氣之所爲也, 此之謂 魂. 人之少壯也血氣強, 血氣強故魂魄盛, 此所謂伸. 及其老也, 血氣旣耗, 魂魄亦衰, 此所謂 屈也.

서산 진씨西山眞氏(眞德秀)가 말했다. "사람이 생겨나는 것은 정精과 기氣가 합하는 것일 뿐이다. 정은 혈血의 부류로서 몸을 양육하는 것이므로 음에 속하며, 기는 지각 · 운동하는 것이므로 양에 속한다. 그 둘이 합쳐져서 사람이 된다. 정은 곧 백魄으로서, 눈이 밝게 보는 것과 귀가 총명하게 듣는 것이 바로 정이 하는 것이니, 이것을 백이라고 한다. 기는 몸에 가득 찬 것으로서, 사람의 마음이 생각하여 아는 것이 있을 수 있고, 몸이 거동할 수 있으며, 용감하게 결단해서 과감하게 행동하는 것이 바로 기가 하는 것이니, 이것을 혼이라고 한다. 사람이 젊어서 힘이 있을 때는 혈기가 강하고, 혈기가 강하므로 혼백이 왕성하니 이것이 이른바 펼침이다. 늙게 되면 혈기가 이미 소모되고 혼백도 쇠퇴하니 이것이 이른바 움츠림이다.

旣死, 則魂升于天以從陽, 魄降于地以從陰, 所謂 '各從其類' 也. 魂魄合則生, 離則死. 故先王 制祭享之禮, 使爲人子孫者盡誠致敬, 以炳蕭之屬求之於陽, 灌鬯之屬求之於陰. 求之旣至, 則魂魄雖離而可以復合. 故『禮記』曰, '合鬼與神, 敎之至也.' 神指魂而言, 鬼指魄而言, 此所 謂屈而伸也."[188]

죽으면 혼은 하늘로 올라가서 양을 따르고 백은 땅으로 내려가서 음을 따르니, 이른바 '각각 그 부류를 따른다.'[189]는 것이다. 혼과 백이 합쳐지면 생겨나고 떨어지면 죽는다. 그러므로 선왕이 제사지내는 예禮를 제정하여 사람의 자손된 자가 정성과 공경을 다하도록 하여 쑥을 태우는[190] 부류로 양에서 구하고, 울창주를 붓는 부류로 음에서 구하였다. 구하는 것이 이미 지극해지면 혼과 백이 비록 떨어져있더라도 다시 합쳐질 수 있다. 그러므로 『예기』에서 '귀와 신을 합치는 것이 지극한 가르침이다.'[191]라고 하였다.

. . . .

188 眞德秀, 『西山文集』 권30
189 '각각 그 … 따른다.' : 『易』 「文言」에서, "九五에서 '나는 용이 하늘에 있으니, 대인을 만나봄이 이롭다.'라고 말한 것은 무엇을 말하는가? 공자가 말했다. "같은 소리는 서로 응하고 같은 기운은 서로 구하여, 물은 습한 곳으로 흐르고 불은 건조한 곳으로 나아가며, 구름은 용을 따르고 바람은 범을 따른다. 성인이 나옴에 만물이 우러러본다. 하늘에 근본한 것은 위를 친히 하고 땅에 근본한 것은 아래를 친히 하니, 각각 그 부류를 따른다.(九五曰, '飛龍在天, 利見大人', 何謂也? 子曰, '同聲相應, 同氣相求. 水流濕, 火就燥. 雲從龍, 風從虎. 聖人作而萬物睹, 本乎天者親上, 本乎地者親下, 則各從其類也.')"라고 하였다.
190 쑥을 태우는 : 『禮記』 권11 「郊特生」에서 "故旣奠, 然後炳蕭合羶薌."이라고 하였다.
191 '귀와 신을 … 가르침이다.' : 『禮記』 권24 「祭義」에서, "재아가 물었다. '저는 귀신이라는 말을 들었는데 그것이 무엇을 말하는지 모르겠습니다.' 공자가 대답했다. '기는 신이 왕성한 것이고 백은 귀가 왕성한 것이

신은 혼을 가리켜 말하고 귀는 백을 가리켜 말하니, 이것이 이른바 움츠렸지만 펼치는 것이다."

[28-3]

論祭祀祖考·神祇 조상신과 천신·지신에 대한 제사를 논함

[28-3-1]
程子曰："致敬乎鬼神者, 理也. 暱鬼神而求焉, 斯不智矣."[192]

정자程子가 말했다. "귀신에게 경의를 표하는 것은 도리이다. 그러나 귀신을 가까이하여 무언가를 구하는 것은 지혜롭지 못하다."

[28-3-2]
"古人祭祀用尸極有深意, 不可不深思. 蓋人之魂氣旣散, 孝子求神而祭, 無尸則不享, 無主則不依. 故『易』於渙·萃, 皆言'王假有廟', 卽渙散之時事也. 魂氣必求其類而依之, 人與人旣爲類, 骨肉又爲一家之類. 己與尸各旣以潔齊至誠相通, 以此求神, 宜其享之. 後世不知此, 直以尊卑之勢, 遂不肯行爾."[193]

(정자가 말했다.) "옛 사람들이 제사에 시동尸童을 쓰는 것은 매우 깊은 뜻이 있으니, 깊이 생각하지 않을 수 없다. (죽은) 사람의 혼기魂氣가 흩어지고 나서는 효자가 신神을 구하여 제사를 올리려고 해도, 시동이 없으면 흠향하지 못하고 신주가 없으면 의지하지 못한다. 그러므로 『역』의 환渙괘와 췌萃괘에는 모두 '왕이 사당에 이른다.'라고 말했으니,[194] 곧 혼기가 흩어질 때의 일이다. 혼기는 반드시 그 부류를 구하여 의지하니, 사람과 사람이 이미 부류이고 골육지간은 게다가 또 한 집안의 부류이다. 자신과 시동이 각각 이미 청결한 재계와 지극한 정성으로 서로 통하고 나서, 이것으로써 신神을 구하면 신은 마땅히 흠향할 것이다. 후세에는 이것을 알지 못하고 다만 존비尊卑의 형세로 말미암아 마침내 시행하려 하지

다. 귀와 신을 합치는 것이 지극한 가르침이다.'(宰我曰, '吾聞鬼神之名, 不知其所謂.' 子曰, '氣也者, 神之盛也 ; 魄也者, 鬼之盛也. 合鬼與神, 敎之至也.')"라고 하였다.

192 程顥·程頤의 『河南程氏粹言』 권2 「天地篇」에는 "子曰, '致敬乎鬼神, 理也. 暱鬼神而求焉, 斯不知矣."라고 되어 있다.

193 程顥·程頤, 『河南程氏遺書』 권1

194 그러므로 『易』의 … 말했으니 : 『易』 「萃卦」에서 "萃괘는 형통하니 왕이 사당에 이르며, 대인을 만남이 이롭다.(萃, 亨, 王假有廟, 利見大人.)"라고 하였고, 또 "왕이 사당에 이른다는 것은 효로 祭享함을 지극히 하는 것이다.(王假有廟, 致孝享也.)"라고 하였다.
　　『易』 「渙卦」에서 "渙괘는 형통하니 왕이 사당에 이르며, 큰 냇물을 건넘이 이롭다.(渙, 亨, 王假有廟, 利涉大川.)"라고 하였고, 또 "왕이 사당에 이른다는 것은 왕이 마침내 中에 있는 것이다."라고 하였다.

않았을 뿐이다."

[28-3-3]

"祖考來格者, 惟至誠爲有感必通."[195]

(정자가 말했다.) "돌아가신 조상이 와서 이른다는 것은 오직 지극히 정성을 다할 때라야만 감동하여 반드시 통한다는 것이다."

[28-3-4]

上蔡謝氏曰 : "陰陽交而有神, 形氣離而有鬼. 知此者爲智, 事此者爲仁. 推仁智之合者,[196] 可以制祀典. 祀典之意, 可者使人格之, 不使人致死之 ; 不可者使人遠之, 不使人致生之. 致生之, 故其鬼神 ; 致死之, 故其鬼不神. 則鬼神之情狀, 豈不昭昭乎!"[197]

상채 사씨上蔡謝氏[謝良佐]가 말했다. "음과 양이 교류하여 신神이 있게 되고, 형形과 기氣가 떨어져서 귀鬼가 있게 된다. 이것을 아는 사람은 지혜롭고[智], 이것을 섬기는 사람은 어질다[仁]. 오직 지혜로움과 어짊이 합쳐진 사람이라야 제사의 전례典禮를 제정할 수 있다. 제사의 전례의 의미는, 제사를 지낼 수 있는 것에 대해서는[198] 사람들에게 귀신을 이르도록 하여 사람들에게 귀신을 죽은 사람으로 삼지 않게 하고, 제사를 지낼 수 없는 것에 대해서는 사람들에게 귀신을 멀리하도록 하여 사람들에게 귀신을 산 사람으로 삼지 않게 하는 것이다.[199] 귀신을 산 사람으로 삼으므로 그 귀鬼가 신령하고, 죽은 사람으로 삼으므로

---

195 程顥·程頤, 『河南程氏遺書』 권11
196 推仁智之合者 : 朱熹의 『論孟精義』 권1下에는 "惟仁智之合者"로 되어 있다. 문맥상 『論語正義』에 따라 번역한다.
197 朱熹, 『論孟精義』 권1下
198 제사를 지낼 … 대해서는 : 『朱子語類』 권101, 53조목에, "물었다. '謝氏(謝良佐)는 또「제사를 지낼 수 있는 것에 대해서는 사람들에게 귀신을 이르도록 하여 사람들에게 귀신을 죽은 사람으로 삼지 않게 하고(可者使人格之, 不使人致死之)」라고 말했는데,「제사를 지낼 수 있는 것[可者]」은 제사를 지낼 수 있다는 것입니까? (주자가) 대답했다. '그렇다.'(問, 謝又云,「可者使人格之, 不使人致死之.」可者, 是可以祭祀底否? 曰, '然.')" 라고 하였다.
199 제사의 전례의 … 것이다. : 『朱子語類』 권101, 54조목에, "귀신에 대해서 上蔡(謝良佐)가 말한 것이 훌륭하다. 다만 '음과 양이 교류하여 神이 있게 되고'라고 말한 것과 뒤에서 말한 '神'자가 조금은 같지 않은 것 같다. 다만 그가 대강 말한 것이 매우 훌륭하니, 예컨대, '제사를 지낼 수 있는 것에 대해서는 사람들에게 귀신을 이르도록 하여 사람들에게 귀신을 죽은 사람으로 삼지 않게 하고(可者使人格之, 不使人致死之)'라고 말한 것이다. 여기에서 '제사를 지낼 수 있는 것[可者]'은 마땅히 제사지내야 하는 것이니, 조상과 부모와 같은 경우는 다만 정성을 다해서 그것이 감동하여 이르도록 해야지 사람들이 귀신을 죽은 사람으로 대우하지 말라는 것이다. 또 예컨대 '제사를 지낼 수 없는 것에 대해서는 사람들에게 귀신을 멀리하도록 하여 사람들에게 귀신을 산 사람으로 삼지 않게 하는 것이다.(不可者使人遠之, 不使人致生之.)'라고 말한 것이다. 여기에서 '제사를 지낼 수 없는 것[不可者]'은 마땅히 제사지내지 않아야 하는 것이니, 미신에서 말하는 유랑하는 귀신과 같은 경우는 성인이 사람들에게 그것을 멀리하도록 하여 사람들이 귀신을 살아있는 사람으로 대우하지 말라는 것이다. 제사를 지낼 수 있는 것에 대해서 귀신을 이르도록 하는 것은 반드시 그것이 오게

그 귀가 신령하지 않다. 이렇다면 귀신의 실상이 어찌 분명하지 않겠는가!"

[28-3-5]

"動而不已其神乎, 滯而有迹其鬼乎! 往來不息神也, 推仆歸根鬼也. '致生之故其鬼神, 致死之故其鬼不神', 何也? 人以爲神則神, 以爲不神則不神矣. 知死而致生之不智, 知死而致死之不仁,[200] 聖人所以神明之也."[201]

(상채 사씨가 말했다.) "움직여서 그치지 않는 것은 신神이고, 정체되어 자취가 있는 것은 귀鬼일 것이다! 왕래함이 쉬지 않는 것은 신이고, 밀어 넘어져서 근본으로 되돌아가는 것은 귀이다. '귀신을 산 사람으로 삼으므로 그 귀鬼가 신령하고, 죽은 사람으로 삼으므로 그 귀가 신령하지 않다.'는 것은 무엇 때문인가? 사람들이 신령하다고 여기면 신령하고, 신령하지 않다고 여기면 신령하지 않다. '죽은 것을 아는데도 그것을 산 것으로 여기는 것은 지혜롭지 못하고, 죽은 것을 아는데도 그것을 죽은 것으로 여기는 것은 어질지 못한 것이니, 성인이 그것을 신명神明으로 받든 것이다.'"[202]

[28-3-6]

問死生之說.
曰 : "人死時氣盡也."

생사에 관한 이론을 물었다.
(상채 사씨가) 대답했다. "사람은 죽을 때 기가 다한다."

曰 : "有鬼神否?"

......

된다는 것이고, 제사를 지낼 수 없는 것에 대해서 귀신을 멀리하도록 하는 것은 내가 그를 내버려두는 것이니 곧 모두 없어지는 것이다.(鬼神, 上蔡說得好. 只覺得'陰陽交而有神'之說, 與後'神'字有些不同. 只是他大綱說得極好, 如曰, '可者使人格之, 不使人致死之.' 可者, 是合當祭, 如祖宗父母, 只須著盡誠感格之, 不要人便做死人看待他. '不可者使人遠之, 不使人致生之.' 不可者, 是不當祭, 如閑神野鬼, 聖人便要人遠之, 不要人做生人看待他. 可者格之, 須要得他來 ; 不可者遠之, 我不管他, 便都無了.)"라고 하였다.

200 知死而致死之不仁 : 謝良佐의 『上蔡語錄』 권1에는 "知生而致死之不仁"으로 되어 있다.
201 謝良佐, 『上蔡語錄』 권1
202 '죽은 것을 … 것이다.' : 『禮記』 권3 「檀弓上」에서, "공자가 말했다. '죽은 사람을 보내면서 죽은 사람을 완전히 죽었다고 여기는 것은 어질지 않은 것이니 그렇게 하지 않는다. 죽은 사람을 보내면서 죽은 사람을 아직도 살았다고 여기는 것은 지혜롭지 못한 것이니 그렇게 하지 않는다. 그러므로 隨葬하는 대나무 용기는 테두리를 마무리 하지 않고, 옹기는 광택을 내지 않으며, 목기는 조각을 하지 않고, 거문고와 비파는 줄을 느슨하게 해서 음을 맞추지 않으며, 피리와 생황은 외형만 구비하되 불 수 없도록 하고, 종과 경쇠는 있지만 걸어두는 나무선반은 없으니, 그것을 明器라고 하며 그것을 神明(사람이 헤아릴 수 없음)으로 받드는 것이다.(孔子曰, '之死而致死之, 不仁而不可爲也. 之死而致生之, 不知而不可爲也. 是故竹不成用, 瓦不成味, 木不成斲, 琴瑟張而不平, 竽笙備而不和, 有鐘磬而無簨虡, 其曰明器, 神明之也.')라고 하였다.

曰: "余當時亦曾問明道先生, 明道云, '待向你道無來, 你怎生信得及? 待向你道有來, 你但去尋討看.' 此便是答底語."

又曰: "橫渠說得來別. 這箇便是天地間妙用, 須是將來做箇題目入思議始得. 講說不濟事."

물었다. "귀신이 있습니까?"

(상채 사씨가) 대답했다. "나도 예전에 명도선생明道先生[程顥]에게 물은 적이 있었는데, 명도선생이 '너에게 없다고 말한다면, 너는 어떻게 그것을 믿을 수 있겠는가? 너에게 있다고 말한다면, 너는 단지 찾으려 나설 것이다.'라고 말했었다. 이것이 바로 너에게 대답할 말이다."

(상채 사씨가) 또 말했다. "횡거橫渠[張載]가 말한 것이 특별하다. 이것은 곧 천지간의 '오묘한 작용[妙用]'이니, 반드시 앞으로 문제를 삼아서 생각해서 헤아려야만 된다. 말로 하는 것은 소용없다."

曰: "沈魂滯魄影響底事如何?"

曰: "須是自家看得破始得."

물었다. "침체된 혼백이[203] 끼치는 영향은 어떻습니까?"

(상채 사씨가) 대답했다. "반드시 스스로 간파해야만 비로소 알 수 있다."

曰: "先王祭享鬼神則甚?"

曰: "是他意思別. 三日齋五日戒, 求諸陰陽四方上下, 蓋是要集自家精神. 所以假有廟必於萃與渙言之. 如武王伐商, 所過名山大川致禱. 山川何知, 武王禱之者以此. 雖然如是, 以爲有亦不可, 以爲無亦不可, 這裏有妙理. 於若有若無之間, 須斷置得去始得."

물었다. "선왕이 귀신에게 제향祭享하는 것은 무엇 때문입니까?"

(상채 사씨가) 대답했다. "그 의미는 특별하다. 3일을 근신하고[齋] 5일을 조심하는[戒] 것은 사방 상하에서 구하는 것이니 자기의 정신을 모으려는 것이다. 그러므로 '왕이 사당에 이른다.'라는 것을 환渙괘와 췌萃괘에서 말했다.[204] 예컨대 무왕이 상商나라를 징벌할 때 거쳐 지나가는 이름난 산과 큰 하천에 기도를 드린 것은 이 때문이다. 산천이 무엇을 알겠는가만 무왕은 이것(혼백이 모임과 흩어짐)을 가지고 기도를 드렸다. 비록 이와 같지만 귀신이 있다고 해도 안되고 없다고 해도 안되니, 여기에 오묘한 이치가 있다. 있는 것 같기도 하고 없는 것 같기도 한 그 사이에서 반드시 결정을 내려야 된다."

曰: "如此却是鶻突也."

曰: "不是鶻突. 自家要有便有, 自家要無便無始得. 鬼神在虛空中辟塞滿, 觸目皆是, 爲他是天地間妙用. 祖考精神, 便是自家精神."[205]

• • • • • • • • • • • • • • • • • •
203 침체된 혼백이 : 죽은 뒤에 아직 흩어지지 않은 혼백을 가리킨다.
204 그러므로 '왕이 … 말했다. : 본문 [28-3-6] 참조

물었다. "이와 같은 것은 도리어 불분명합니다."

(상채 사씨가) 대답했다. "불분명하지 않다. 자신이 있기를 바라면 있고, 자신이 없기를 바라면 곧 없다고 해야 된다. 귀신은 허공에 가득 차 있어서 눈길이 닿는 곳마다 모두 이것이니, 그것이 천지사이의 오묘한 작용이기 때문이다. 조상의 정신은 곧 자신의 정신이다."

[28-3-7]

朱子曰："自天地言之, 只是一箇氣. 自一身言之, 我之氣卽祖先之氣, 亦只是一箇氣, 所以纔感必應."[206]

주자朱熹가 말했다. "천지 차원에서 말하면, 다만 하나의 기일 뿐이다. 한 몸의 차원에서 말하면, 나의 기가 곧 조상의 기이며 역시 다만 하나의 기인 까닭에 감동하자마자 반드시 응하게 되는 것이다."

[28-3-8]

問："何故天曰神, 地曰祇, 人曰鬼?"

曰："此又別. 氣之淸明者爲神, 如日月星辰之類是也. 此變化不可測. 祇本'示'字. 以有迹之可示, 山河草木是也. 比天象又差著. 至人則死爲鬼矣."

물었다. "무엇 때문에 하늘에 대해서는 신神이라 하고, 땅에 대해서는 기祇라 하며, 사람에 대해서는 귀鬼라고 합니까?"

(주자가) 대답했다. "이것은 또 다르다. 기 가운데 맑고 깨끗한 것이 신神이 되니, 일월성신日月星辰과 같은 따위가 이것이다. 이것은 변화를 헤아릴 수 없다. 기祇는 '기示'자가 본자本字이다. 보일 수 있는 자취가 있기 때문이니, 산하초목山河草木이 이것이다. 이것은 하늘의 모습에 비해서 또 조금 덜 드러난다. 사람의 경우는 죽어서 귀鬼가 된다."

又問："旣曰往爲鬼, 何故謂祖考來格?"

曰："此以感而言. 所謂來格, 亦略有些神底意思. 以我之精神, 感彼之精神, 蓋謂此也. 祭祀之禮全是如此. 且'天子祭天地, 諸侯祭山川, 大夫祭五祀', 皆是自家精神抵當得他過, 方能感召得他來. 如諸侯祭天地, 大夫祭山川, 便沒意思了."[207]

또 물었다. "이미 가서 귀鬼가 된다고 했는데, 무엇 때문에 조상이 와서 이른다고 합니까?"

(주자가) 대답했다. "이것은 감동하는 것으로 말한 것이다. 이른바 와서 이른다는 것은 또한 대략 조금은 신神의 의미가 있다. 나의 정신으로 그의 정신을 감동시키는 것이 이것을 말한다. 제사지내는 예禮는 전부 이와 같은 것이다. 또 '천자는 천지에 제사지내고, 제후는 산천에 제사지내며, 대부는 오사五祀[208]에

---

205 謝良佐, 『上蔡語錄』 권1

206 『朱子語類』 권3, 54조목

207 『朱子語類』 권3, 55조목

제사지낸다.'[209]는 것은 모두 자신의 정신이 그것을 감당해 낼 수 있어야만 비로소 그것을 감동시켜 불러올 수 있다. 만약 제후가 천지에 제사지내고 대부가 산천에 제사지내면 의미가 없다."

[28-3-9]

問: "祖宗是天地間一箇統氣, 因子孫祭享而聚散?"

曰: "這便是上蔡所謂'若要有時便有, 若要無時便無', 是皆由乎人矣. 鬼神是本有底物事, 祖宗亦只是同此一氣, 但有箇總腦處. 子孫這身在此, 祖宗之氣便在此, 他是有箇血脉貫通. 所以'神不歆非類, 民不祀非族', 只爲這氣不相關. 如'天子祭天地, 諸侯祭山川, 大夫祭五祀', 雖不是我祖宗, 然天子者天下之主, 諸侯者山川之主, 大夫者五祀之主. 我主得他, 便是他氣又總統在我身上, 如此便有箇相關處."[210]

물었다. "조종祖宗은 천지간에서 동일한 계통의 기氣로서, 자손이 제향祭享하는 데에 따라서 모이고 흩어집니까?"

(주자가) 대답했다. "이것이 바로 상채上蔡謝良佐가 말한 '만약 있기를 바랄 때면 있고, 없기를 바랄 때면 없다.'[211]는 것이니, 이것은 모두 사람에게서 말미암는다. 귀신은 본래 있는 어떤 것이고, 조종祖宗도 다만 똑같이 이 하나의 기氣이지만 총괄하는 것이 있다. 자손의 몸이 여기에 있으면 조종祖宗의 기도 바로 여기에 있으니, 그것은 혈맥이 관통하는 것이다. 그러므로 '신神은 같은 무리가 아니면 흠향하지 않고, 백성은 같은 종족이 아니면 제사지내지 않는다.'[212]라고 한 것은 다만 이 기氣가 서로 관련되지 않기 때문일 뿐이다. 예컨대 '천자는 천지에 제사지내고, 제후는 산천에 제사지내며, 대부는 오사五祀에 제사지낸다.'는 것은, 비록 나의 조종祖宗이 아니지만 천자는 천하의 주인이고 제후는 산천의 주인이며 대부는 오사五祀의 주인이기 때문이다. 내가 그것을 주관할 수 있는 것은 그 기氣가 또 나의 몸에서 총괄되는 것이니, 이와 같으면 바로 서로 관련되는 곳이 있게 된다."

[28-3-10]

問: "上蔡說鬼神云, '道有便有, 道無便無.' 初看此二句, 與'有其誠則有其神, 無其誠則無其神'一般, 而先生言上蔡之語未穩, 如何?"

曰: "'有其誠則有其神, 無其誠則無其神', 便是合有底, 我若誠則有之, 不誠則無之. '道有便有, 道無便無', 是合有的當有, 無的當無. 上蔡而今都說得儱了. 合當道: '合有底, 從而有之,

---

208 五祀: 鄭玄은 『禮記正義』 권5 「曲禮下」 제2에서 "오사는 戶·灶·中霤·門·行이다. 이것(대부가 오사에 제사지내는 것)은 은대의 제도이다.(五祀, 戶·灶·中霤·門·行也. 此蓋殷時制也.)"라고 주석하였다.

209 『禮記』 권2 「曲禮下」

210 『朱子語類』 권3, 56조목

211 '만약 있기를 … 없다.': 본문 [28-3-6] 참조

212 『春秋左傳』 「僖公 10년」

則有；合無底, 自是無了, 便從而無之.' 今却只說'道有便有, 道無便無', 則不可."[213]

물었다. "상채上蔡謝良佐는 귀신을 설명하면서 '있다고 말하면 곧 있고, 없다고 말하면 곧 없다.'라고 했습니다. 처음에는 이 두 구절이 '정성이 있으면 신神이 있고, 정성이 없으면 신神이 없다.'[214]는 말과 마찬가지로 보았는데, 선생(주자)께서 상채의 말이 온당하지 않다고 말한 것은 무엇 때문입니까?" (주자가) 대답했다. "정성이 있으면 신神이 있고, 정성이 없으면 신神이 없다.'라는 말은, 원래 있는 것인데 내가 만약 정성스러우면 있게 되고 정성스럽지 않으면 없게 된다는 것이다. '있다고 말하면 곧 있고, 없다고 말하면 곧 없다.'라는 말은, 원래 있는 것은 마땅히 있어야 하고 없는 것은 마땅히 없어야 한다는 것이다. 상채는 지금 말한 것이 모두 거칠다. 마땅히 다음과 같이 말해야 할 것이다. '당연히 있는 것인 경우 그 도리에 따라 그것을 두게 되면 있게 되고, 당연히 없는 것인 경우 본디 없는 것이니 그 도리에 따라 없다고 해야 한다.'고 해야 한다. 이제 다만 '있다고 말하면 곧 있고, 없다고 말하면 곧 없다.'라고 말하면 안된다."

[28-3-11]

"上蔡言鬼神, 我要有便有, 以天地·祖考之類. 要無便無, 以非其鬼而祭之者, 你氣一正而行, 則彼氣皆散矣."[215]

(주자가 말했다.) "상채가 귀신에 대해 말하면서, 내가 있기를 바라면 곧 있다고 한 것은 천지와 죽은 조상과 같은 부류이다. 없기를 바라면 곧 없다는 것은 자신이 제사지내야할 귀鬼가 아닌데도 제사지내는 것을 말한 것이니,[216] 너의 기를 한 번 바르게 해서 행하면 저들 기는 모두 흩어질 것이다."

[28-3-12]

"鬼神, 上蔡說得好. 只覺得'陰陽交而有神'之說, 與後'神'字有些不同. 只是他大綱說得極好, 如曰'可者使人格之, 不使人致死之.' 可者, 是合當祭, 如祖宗父母, 這須著盡誠感格之, 不要人便做死人看待他. '不可者使人遠之, 不使人致生之.' 不可者, 是不當祭, 如閑神野鬼, 聖人便要人遠之, 不要人做生人看待他. 可者格之, 須要得他來；不可者遠之, 我不管他, 便都無了."[217]

(주자가 말했다.) "귀신에 대해서 상채上蔡謝良佐가 말한 것이 훌륭하다. 다만 '음과 양이 교류하여 신神이 있게 되고'[218]라고 말한 것은 뒤에서 말한 '신神'자가[219] 조금은 같지 않은 것 같다. 다만 그가 대강

---

213 『朱子語類』권101, 55조목
214 '정성이 있으면 … 없다.' : 주희의 『論語集註』「八佾」 "祭如在, 祭神如神在."에 대한 주석에서 范祖禹의 말이라고 하였다.
215 『朱子語類』권101, 56조목
216 상채가 귀신에 … 것이니 : 본문 [28-3-9] 참조
217 『朱子語類』권101, 54조목
218 '음과 양이 … 되고' : 주희의 『論孟精義』권1下에서 사량좌의 말로 인용하고 있다.

말한 것이 매우 훌륭하니, 예컨대 '제사를 지낼 수 있는 것에 대해서는 사람들에게 귀신이 이르도록 하여 사람들에게 귀신을 죽은 사람으로 삼지 않게 하고'라고 말한 것이다. 여기에서 '제사를 지낼 수 있는 것[可者]'은 마땅히 제사지내야 하는 것이니, 조종祖宗과 부모와 같은 경우는 반드시 정성을 다해서 그것이 감응하여 이르도록 하고 사람들이 귀신을 죽은 사람으로 대우하지 말라는 것이다. 또 예컨대 '제사를 지낼 수 없는 것에 대해서는 사람들에게 귀신을 멀리하도록 하여 사람들에게 귀신을 산 사람으로 삼지 않게 하는 것이다.'라고 말한 것이다. 여기에서 '제사를 지낼 수 없는 것[不可者]'은 마땅히 제사지 내지 않아야 하는 것이니, 미신에서 말하는 유랑하는 귀신과 같은 경우는 성인이 사람들에게 그것을 멀리하도록 하고 사람들이 귀신을 살아있는 사람으로 대우하지 말라는 것이다. 제사를 지낼 수 있는 것이 이르도록 한다는 것은 반드시 그것이 올 수 있게 해야 한다는 것이고, 제사를 지낼 수 없는 것은 그것을 멀리해야 한다는 것은 내가 그것을 내버려두면 모두 없어진다는 것이다."

[28-3-13]
問 : "上蔡云'陰陽交而有神, 形氣離而有鬼. 知此者爲智, 事此者爲仁.' 上兩句, 只是說伸而爲神, 歸而爲鬼底意思."
曰 : "是如此."
물었다. "상채는 '음과 양이 교류하여 신神이 있게 되고, 형과 기가 떨어져서 귀鬼가 있게 된다. 이것(귀신)을 아는 사람은 지혜롭고 이것을 섬기는 사람은 인仁하다.'라고 말했습니다. 위의 두 구절은 다만 펼침이 신神이 되고 돌아감이 귀鬼가 된다는 의미를 말할 뿐입니다."
(주자가) 대답했다. "과연 그렇다."

問 : "'事此者爲仁', 只是說能事鬼神者, 必極其誠敬以感格之, 所以爲仁否?"
曰 : "然."
물었다. "'이것을 섬기는 사람은 인仁하다.'라고 한 것은, 다만 귀신을 잘 섬길 수 있는 사람이 반드시 그 정성과 공경을 다하여 귀신을 감동시켜 이르게 하므로 인仁하다는 것을 말할 뿐입니까?"
(주자가) 대답했다. "그렇다."

問 : "『禮』謂致生爲不知, 此謂致生爲知."
曰 : "那只是說明器. 如'三日齋 · 七日戒', 直是將做箇生底去祭他, 方得."
물었다. "『예기』에서 산 것으로 여기는 것은 지혜롭지 않다고 했는데[220] 여기에서는 산 것으로 여기는

. . . .

219 뒤에서 말한 '神'자가 : 주희의 『論孟精義』 권1下에서 인용한 사량좌의 말에 의하면, 제사의 대상인 귀신으로서의 '神'을 가리킨다. 본문 [28-3-4] 참조
220 『禮記』에서 산 … 했는데 : 『禮記』 권3 「檀弓上」에서 "공자가 말했다. '죽은 사람을 보내면서 죽은 사람을 완전히 죽었다고 여기는 것은 어질지 않은 것이니 그렇게 하지 않는다. 죽은 사람을 보내면서 죽은 사람을

것이 지혜롭다고 했습니다."

(주자가) 대답했다. "그것(『예기』의 말)은 다만 명기明器를 말한 것일 뿐이다. 예컨대 '3일을 근신하고齋 7일을 조심한다戒.'[221]는 것은 다만 산 것으로 여겨서 제사를 지내야 된다는 것이다."

問 : "謝又云'致死之, 故其鬼不神.'"

曰 : "你心不嚮他, 便無了."

물었다. "사량좌는 또 '죽은 것으로 여기기 때문에 그 귀鬼가 신령하지 않다.'라고 했습니다."

(주자가) 대답했다. "너의 마음이 그를 향하지 않으면 곧 없다."

又問 : "齋戒只是要團聚自家精神. 然'自家精神, 卽祖考精神,' 不知天地 · 山川 · 鬼神, 亦只以 其來處一般否?"

曰 : "是如此. 天子祭天地, 諸侯祭封內山川, 是他是主. 如古人祭墓, 亦只以墓人爲尸."[222]

또 물었다. "재계하는 것은 다만 스스로의 정신을 결집시키려는 것일 뿐입니다. 그러나 '자기의 정신이 곧 조상의 정신이다.'라는 것은, 천지와 산천과 귀신도 역시 그것이 온 곳이 마찬가지일 뿐이라는 것을 모르는 것이 아닙니까?'

(주자가) 대답했다. "과연 그렇다. 천자가 천지에 제사지내고 제후가 그 봉지封地 내의 산천에 제사지내 는 것은 그가 주인이기 때문이다. 예컨대 옛 사람이 묘에 제사지내는 것도 역시 다만 묘인墓人[223]을 시동으로 삼은 것일 뿐이다."

....

　　아직도 살았다고 여기는 것은 지혜롭지 못한 것이니 그렇게 하지 않는다. 그러므로 隨葬하는 대나무 용기는 테두리를 마무리 하지 않고, 옹기는 광택을 내지 않으며, 목기는 조각을 하지 않고, 거문고와 비파는 줄을 느슨하게 해서 음을 맞추지 않으며, 피리와 생황은 외형만 구비하되 불 수 없도록 하고, 종과 경쇠는 있지만 걸어두는 나무선반은 없으니, 그것을 明器라고 하며 그것을 神明(사람이 헤아릴 수 없음)으로 받드는 것이 다.(孔子曰, '之死而致死之, 不仁而不可爲也. 之死而致生之, 不知而不可爲也. 是故竹不成用, 瓦不成味, 木不 成斲, 琴瑟張而不平, 竽笙備而不和, 有鐘磬而無簨虡, 其曰明器, 神明之也.')"라고 하였다.

221　'3일을 근신하고齋 … 조심한다戒.' : 『禮記』 권30 「坊記」에서 "공자가 말했다. '7일을 조심하고 3일을 근신 하며, 한 사람을 받들어 시동으로 삼고 시동 앞을 지나가는 사람은 작은 걸음걸이로 재빨리 지나가게 하여 공경을 가르쳤다.(子云, '七日戒, 三日齊, 承一人焉以爲尸, 過之者趨走, 以敎敬也.')"라고 하였다.

222　『朱子語類』 권101, 53조목

223　墓人 : 『朱子語類』 권90, 65조목에서, "지금 세상에는 귀신을 산 사람에게 부착시키는 이야기가 매우 많은데, 이 또한 조상이 그 자손에게 강신하는 것이 있다. 또 요즘의 무당도 역시 강신하는 것이 있다. 이런 것들은 모두 그 기가 같은 것들이 서로 감동하므로 신이 그에게 부착하는 것이다. 『周禮』의 祭墓에서 墓人을 시동으 로 삼는다고 했는데 역시 이러한 의미이다.(今世鬼神之附著生人而說話者甚多, 亦有祖先降神於其子孫者. 又 如今之師巫, 亦有降神者. 蓋皆其氣類之相感, 所以神附著之也. 『周禮』祭墓則以墓人爲尸, 亦是此意.)"라고 하였다.

[28-3-14]

問: "鬼神之義, 來教云, '只思上蔡「祖考精神, 便是自家精神」一句, 則可見其苗脉矣.' 某嘗讀『太極圖義』有云, '人物之始, 以氣化而生者也. 氣聚成形, 則形交氣感, 遂以形化, 而人物生生變化無窮.' 是知人物在天地間, 其生生不窮者, 固理也; 其聚而生·散而死者, 則氣也. 有是理, 則有是氣; 氣聚於此, 則其理亦命於此. 今所謂氣者旣已化而無有矣, 則所謂理者抑於何而寓耶?

물었다. "귀신의 의미에 대하여 보내온 편지에서 '다만 상채上蔡謝良佐의 「조상의 정신이 곧 자기의 정신이다.」라는 구절을 생각하면 그 실마리를 알 수 있다.'라고 했습니다. 나(吳伯豐, 주자 문인)는 전에 『태극도의太極圖義』에서, '사람과 사물의 시작은 기화氣化로써 생겨난다. 기가 모여 형체를 이루면, 형체가 교접하고 기가 감응하여 마침내 형화形化하며, 사람과 사물이 낳고 낳아 변화가 끝이 없다.'224라고 한 말을 읽은 적이 있습니다. 이에 사람과 사물이 천지 사이에서 낳고 낳아 끝나지 않는 것은 본래 리理이고, 그것이 모여서 생겨나고 흩어져서 죽는 것은 기임을 알았습니다. 이 리가 있으면 이 기가 있으니, 기가 여기에 모이면 그 리 역시 여기에 부여됩니다. 이제 이른바 기가 이미 화化하여 없어지고 나면 이른바 리는 또한 어디에 붙어 있겠습니까?

然吾之此身, 卽祖考之遺體; 祖考之所具以爲祖考者, 蓋具於我而未嘗亡也. 是其魂升魄降, 雖已化而無有, 然理之根於彼者旣無止息, 氣之具於我者復無間斷. 吾能致精竭誠以求之, 此氣旣純一而無所雜, 則此理自昭著而不可掩. 此其苗脉之較然可睹者也. 上蔡云, '三日齋, 七日戒, 求諸陰陽上下, 只是要集自家精神.' 蓋我之精神, 卽祖考之精神, 在我者旣集, 卽是祖考之來格也. 然古人於祭祀必立之尸, 其義精甚. 蓋又是因祖考遺體, 以凝聚祖考之氣. 氣與質合, 則其散者庶乎復聚, 此教之至也. 故曰'神不歆非類, 民不祀非族.'"

그러나 나의 이 몸은 곧 조상이 남겨준 몸이니, 조상이 갖추어서 조상이 된 것은 나에게 갖추어져서 없어진 적이 없습니다. 이에 그 혼이 올라가고 백이 내려가서 비록 이미 화化하여 없어졌지만, 거기에 뿌리를 두고 있는 리가 이미 멈춘 적이 없으니, 나에게 갖추어진 기도 다시 끊어짐이 없습니다. 내가 정성을 다해 그것을 구할 수 있으면 이 기는 이미 순일하여 섞인 것이 없게 되니, 이 리도 저절로 밝게 드러나서 가릴 수 없습니다. 이것이 그 실마리를 뚜렷하게 볼 수 있는 것입니다. 상채는 '3일을 근신하고[齋] 7일을 조심하여[戒] 음양과 아래 위에서 구하는 것이 다만 자기의 정신을 모으려고 하는 것일 뿐이다.'라고 했습니다. 대개 나의 정신은 곧 조상의 정신이니, 나에게 있는 것이 이미 모여지고 나면 곧 조상이 와서 이르게 될 것입니다. 그러나 옛 사람들이 제사를 지낼 때 반드시 시동을 세워두는 것은 그 의미가

---

224 '사람과 사물이 … 없다.': 주희가 『太極解義』에서, 주돈이의 "무극의 진실함과 음양·오행의 순수함이 오묘하게 결합하여 응취한다. 하늘의 도는 남성을 이루고 땅의 도는 여성을 이룬다. 두 기가 교접하고 감응하여 만물을 변화·생성한다. 만물이 낳고 낳아 변화가 끝이 없다.(無極之眞, 二五之精, 妙合而凝. 乾道成男, 坤道成女. 二氣交感, 化生萬物. 萬物生生而變化無窮焉.)"라는 구절에 대해 붙인 주석이다.

매우 정밀합니다. 그 또한 조상이 남겨준 몸에 따라서 조상의 기를 응취한 것입니다. 기와 질質이 합쳐지면 흩어진 것이 거의 다시 모이게 될 것이니, 이것은 지극한 가르침입니다. 그러므로 '신神은 같은 무리가 아니면 흠향하지 않고, 백성은 같은 종족이 아니면 제사지내지 않는다.'225라고 하였습니다."

曰: "所喻鬼神之說甚精密. 大抵人之氣傳於子孫, 猶木之氣傳於實也. 此實之傳不泯, 則其生木雖枯毀無餘, 而氣之在此者猶自若也."226

(주자가) 대답했다. "귀신에 대하여 깨우쳐준 설명은 매우 정밀합니다. 대개 사람의 기가 자손에게 전해지는 것은 마치 나무의 기가 열매에 전해지는 것과 같습니다. 이 열매가 전해지는 것이 사라지지 않으면 그 살아 있던 나무가 완전히 말라비틀어지더라도 열매에 있는 기는 여전히 변함이 없습니다."

[28-3-15]
"鬼・神二事, 古人誠實, 於此處直是見得幽明一致. '如在其上下左右', 非心知其不然, 而姑爲是言以設教也."227

(주자가 말했다.) "귀와 신에 대한 일은 옛 사람들이 참으로 진실하여, 여기에서 다만 유명幽明(이승과 저승, 혹 삶과 죽음)이 일치함을 알았다. '마치 귀신이 상하좌우에 있는 듯하다.'228라고 한 것은 마음으로 그것이 그렇지 않다는 것을 알고도, 우선 이렇게 말해서 가르침을 베푼 것이 아니다."

[28-3-16]
問: "性卽是理, 不可以聚散言. 聚而生・散而死者, 氣而已. 所謂精神魂魄有知有覺者, 氣也, 故聚則有, 散則無. 若理則亘古今常存, 不復有聚散消長也."

물었다. "성은 곧 리이니 모임과 흩어짐으로 말할 수 없습니다. 모여서 생겨나고 흩어져서 죽는 것은 기일 뿐입니다. 이른바 정신・혼백과 지각이 있는 것은 기이므로 모이면 있게 되고 흩어지면 없어집니다. 리라면 예로부터 지금까지 늘 존재하니 다시 모임과 흩어짐, 줄어듦과 늘어남이 없습니다."

曰: "只是這箇天地陰陽之氣, 人與萬物皆得之. 氣聚則爲人, 散則爲鬼. 然其氣雖已散, 這箇天地陰陽之理生生而不窮. 祖考之精神魂魄雖已散, 而子孫之精神魂魄自有些小相屬. 故祭

. . . .

225 『春秋左傳』「僖公 10년」
226 朱熹, 『朱文公文集』 권52 「答吳伯豐」
227 朱熹, 『朱文公文集』 권56 「答鄭子上」
228 '마치 귀신이 … 듯하다.': 『中庸』 16장에서, "공자가 말했다. '귀신의 덕이 성대하다! 보아도 보지 못하고 들어도 듣지 못하지만, 만물의 근간이 되어 빠뜨리지 않는다. 세상 사람들에게 재계하고 깨끗이 하며 의복을 성대히 하여 제사를 받들게 한다. 충만하다! 그것이 위에 있는 듯하고 그 좌우에 있는 듯하다.'(子曰, '鬼神之爲德, 其盛矣乎! 視之而弗見, 聽之而弗聞, 體物而不可遺. 使天下之人齊明盛服, 以承祭祀. 洋洋乎! 如在其上, 如在其左右.")라고 하였다.

祀之禮盡其誠敬, 便可以致得祖考之魂魄. 這箇自是難說. 看旣散後, 一似都無了, 能盡其誠敬, 便有感格, 亦緣是理常只在這裏也."229

(주자가) 대답했다. "다만 이 천지음양의 기는 사람과 만물이 모두 얻은 것일 뿐이다. 기가 모이면 사람이 되고 흩어지면 귀鬼가 된다. 그러나 그 기가 이미 흩어졌더라도 이 천지음양의 리는 낳고 낳아서 끝나지 않는다. 조상의 정신·혼백이 이미 흩어졌더라도 자손의 정신·혼백은 원래 조금 이어짐이 있다. 그러므로 제사지내는 예禮에 정성과 공경을 다하면 곧 조상의 혼백을 불러올 수 있다. 이것은 원래 설명하기 어렵다. 혼백이 이미 흩어진 뒤에 곧 모두 없어진 것 같이 보이지만, 정성과 공경을 다하면 곧 조상의 혼백이 감동해서 이르니, 역시 리가 항상 여기에 있기 때문이다."

[28-3-17]

問 : "鬼神以祭祀而言, 天地·山川之屬, 分明是一氣流通, 而兼以理言之 ; 人之先祖, 則大槩以理爲主, 而亦以氣魄言之. 若上古聖賢, 則只是專以理言之否?"

曰 : "有是理, 必有是氣, 不可分說. 都是理, 都是氣, 那箇不是理? 那箇不是氣?"

물었다. "귀신을 제사로서 말하면, 천지·산천 따위는 분명히 하나의 기가 유통하는 것이지만 리를 겸해서 말하는 것이며, 사람의 선조는 대개 리를 위주로 하지만 또한 기와 백魄으로 말하는 것입니다. 그런데 옛날 성현과 같은 이는 다만 오로지 리로써 말하는 것일 뿐입니까?"

(주자가) 대답했다. "이 리가 있으면 반드시 이 기가 있으니 나누어서 말할 수 없다. 모두 리이고 모두 기인데, 어느 것인들 리가 아니며 어느 것인들 기가 아니겠는가?"

又問 : "上古聖賢所謂氣者, 只是天地間公共之氣. 若祖考精神, 則畢竟是自家精神否?"

曰 : "祖考亦只是此公共之氣. 此身在天地間, 便是理與氣凝聚底. 天子統攝天地, 負荷天地間事, 與天地相關, 此心便與天地相通, 不可道他是虛氣, 與我不相干. 如諸侯不當祭天地, 與天地不相關, 便不能相通. 聖賢道在萬世, 功在萬世. 今行聖賢之道, 傳聖賢之心, 便是負荷這物事, 此氣便與他相通. 如釋奠列許多籩豆, 設許多禮儀, 不成是無此, 姑謾爲之. 人家子孫負荷祖宗許多基業, 此心便與祖考之心相通. 「祭義」所謂'春禘秋嘗'者, 亦以春陽來則神亦來, 秋陽退則神亦退, 故於是時而設祭. 初間聖人亦只是略爲禮以達吾之誠意, 後來遂加詳密."230

또 물었다. "옛날 성현이 말한 기는 다만 천지간의 공공의 기일 뿐입니다. 그런데 조상의 정신은 끝내 자기의 정신입니까?"

(주자가) 대답했다. "조상도 역시 다만 공공의 기일 뿐이다. 천지 사이에서 이 몸은 곧 리와 기가 응취한 것이다. 천자가 천지를 통섭하고 천지간의 일을 담당하는 것은 천지와 서로 관련하여 이 마음이 곧

---

229 『朱子語類』 권3, 52조목
230 『朱子語類』 권3, 53조목

천지와 서로 통하니, 그것이 공허한 기라고 하여 나와는 상관없다고 말할 수 없다. 예컨대 제후는 천지에 제사지내서는 안되니, 천지와 서로 관련하지 않으므로 서로 통할 수 없는 것이다. 성현의 도는 만세에 걸쳐 존재하고 공로도 만세에 걸쳐 존재한다. 이제 성현의 도를 실행하고 성현의 마음을 전하는 것은 곧 이것을 담당하는 것이니 이 기가 바로 그와 서로 통하는 것이다. 예컨대 석전釋奠(문묘에서 성현을 제사 지내는 전례)에 많은 제기를 진열하고 많은 의례를 시행하는 것에 대하여, 이것(성인의 도와 마음)이 없는데 잠시 거짓으로 하는 것이라고 해서는 안된다. 한 집안의 자손이 조종祖宗의 많은 기반 사업을 담당하는 것은 이 마음이 곧 조상의 마음과 서로 통하는 것이다. 『예기』「제의祭義」에서 이른바 '봄에 체禘제사를 지내고 가을에 상嘗제사를 지낸다.'231라고 한 것도 역시 봄에 양기가 오면 신神도 오고 가을에 양기가 물러가면 신도 물러가기 때문에 이때 제사를 지낸다는 것이다. 처음에는 성인도 다만 대략 예로써 자신의 성의를 표현했을 뿐인데, 뒤에 와서 마침내 더 상세하고 세밀해졌다."

[28-3-18]

問 : "人之死也, 不知魂魄便散否?"

曰 : "固是散."

물었다. "사람이 죽으면 혼백이 곧 흩어집니까?"

(주자가) 대답했다. "본래 흩어진다."

又問 : "子孫祭祀, 却有感格者, 如何?"

曰 : "畢竟子孫是祖宗之氣. 他氣雖散, 他根却在這裏 ; 盡其誠敬, 則亦能呼召得他氣聚在此. 如水波漾, 後水非前水, 後波非前波, 然却通只是一水波. 子孫之氣與祖考之氣, 亦是如此. 他那簡當下自散了, 然他根却在這裏. 根旣在此, 又却能引聚得他那氣在此. 此事難說, 只要人自看得."

또 물었다. "자손이 제사를 지내면 도리어 감동하여 이르는 것은 어떻습니까?"

(주자가) 대답했다. "결국 자손은 조종祖宗의 기이다. 그의 기가 비록 흩어졌지만 그의 근본은 도리어 여기에 있으니, 그 정성과 공경을 다하면 또한 그의 기를 불러서 여기에 모을 수 있다. 예컨대 파도가 출렁이는 것에서 나중의 물은 이전의 물이 아니고 나중의 물결은 이전의 물결이 아니지만, 또한 통틀어서 다만 하나의 파도일 뿐인 것과 같다. 자손의 기와 조상의 기도 역시 이와 같다. 그의 혼백은 죽은 그때 바로 흩어지지만 그의 근본은 도리어 여기에 있다. 근본이 이미 여기에 있으니, 또한 그의 기를

---

231 '봄에 禘제사를 … 지낸다.' : 『禮記』권24 「祭義」에서 "제사는 자주 지내려고 하면 안되니, 자주 지내면 번거롭고 번거로우면 공경하지 않기 때문이다. 제사는 소홀히 하려고 하면 안되니, 소홀히 하면 게을러지고 게을러지면 잊기 때문이다. 이 때문에 군자는 천도에 부합하여 봄에 禘제사를 지내고 가을에 嘗제사를 지낸다.(祭不欲數, 數則煩, 煩則不敬. 祭不欲疏, 疏則怠, 怠則忘. 是故君子合諸天道, 春禘, 秋嘗.)"라고 하였다. 정현은 『禮記正義』에서 "禘제사는 양이 왕성한 것이고, 嘗제사는 음이 왕성한 것이다(禘者, 陽之盛也 ; 嘗者, 陰之盛也.)"라고 주석하였다.

여기에 끌어 모을 수 있다. 이 일은 설명하기 어려우니 다만 사람들이 스스로 이해해야 한다."

問: "「下武」詩'三后在天', 先生解云'在天, 言其旣沒而精神上合于天', 此是如何?"

曰: "便是又有此理."

물었다. 『시』「하무下武」에서 '3명의 임금이 하늘에 계신다.'[232]라고 한 것에 대하여 선생(주자)은 '하늘에 계신다는 것은 이미 죽었지만 정신이 위로 올라가 하늘과 합쳐졌다는 것을 말한다.'라고 풀이했는데, 이것은 무슨 말입니까?"

(주자가) 대답했다. "이것은 또한 이 리가 있다는 것이다."

問: "恐只是此理上合於天耳."

曰: "旣有此理, 便有此氣."

물었다. "아마 다만 이 리가 위로 올라가 하늘과 합쳐졌을 뿐인 것 같습니다."

(주자가) 대답했다. "이미 이 리가 있으면 이 기가 있다."

又問: "想是聖人稟得淸明純粹之氣, 故其死也, 其氣上合于天."

曰: "也是如此. 這事又微妙難說, 要人自看得. 世間道理有正當易見者, 又有變化無常不可窺測者, 如此方看得這箇道理活. 又如云'文王陟降, 在帝左右', 如今若說文王眞箇在上帝之左右, 眞箇有上帝如世間所塑之像, 固不可. 然聖人如此說, 便是有此理."

또 물었다. "생각건대 성인은 청명하고 순수한 기를 품부하였으므로 그가 죽으면 그 기가 위로 올라가 하늘과 합쳐지는 것 같습니다."

(주자가) 대답했다. "또한 그와 같다. 이 일은 또 미묘하여 설명하기 어려우니 사람들이 스스로 이해해야 된다. 세간의 도리는 바르고 곧아서 쉽게 볼 수 있는 것도 있고, 변화무상하여 추측할 수 없는 것도 있으니, 이와 같다고 해야 비로소 도리를 생동적으로 볼 수 있다. 또 예컨대 '문왕이 오르락내리락 상제의 좌우에 계시다.'[233]고 하는 말에 대하여, 이제 만약 문왕이 정말로 상제의 좌우에 계시다고 말하면, 세간에서 흙으로 빚어 만든 상像과 같은 상제가 정말로 있다는 것이니, 참으로 그럴 수 없다. 그러나 성인이 이와 같이 말한 것은 곧 이러한 이치가 있다는 것이다."

問: "先生「答廖子晦書」云, '氣之已散者, 旣化而無有矣, 而根於理而日生者, 則固浩然而無窮也. 故上蔡謂「我之精神, 卽祖考之精神」, 蓋謂此也.' 且'根於理而日生者浩然而無窮', 此是說

---

232 '3명의 임금이 … 계신다.': 『詩』「大雅·文王之什·下武」에 "文王과 武王의 周나라에 대대로 현철한 왕이 계셨다. 3명의 임금(太王, 王季, 文王)이 하늘에 계시니 무왕이 주나라 수도에서 짝하고 있다.(下武維周, 世有哲王. 三后在天, 王配于京.)"라고 하였다.

233 『詩』「大雅·文王之什·文王」

天地氣化之氣否?"

물었다. "선생(주희)께서는 「답요자회서答廖子晦書」에서 '이미 흩어진 기는 화化해서 없어지지만 리에 뿌리를 두어 나날이 생겨나는 것은 참으로 성대하여 끝이 없다. 그러므로 상채上蔡謝良佐가 「나의 정신이 곧 조상의 정신이다.」라고 한 것은 이것을 말한다.'[234]라고 했습니다. 또 '리에 뿌리를 두어 나날이 생겨나는 것은 참으로 성대하여 끝이 없다.'는 것은 천지의 기화氣化에서의 기를 말하는 것입니까?"

曰: "此氣只一般. 『周禮』所謂'天神·地示·人鬼', 雖有三樣, 其實只一般. 若說有子孫底引得他氣來, 則不成無子孫底他氣便絶無了. 他血氣雖不流傳, 他那箇亦自浩然日生無窮. 如禮書, 諸侯因國之祭, 祭其國之無主後者, 如齊太公封於齊, 便用祭甚爽鳩氏·季萴·逢伯陵·蒲姑氏之屬, 蓋他先主此國來, 禮合祭他. 然聖人制禮, 惟繼其國者, 則合祭之; 非在其國者, 便不當祭. 便是理合如此. 道理合如此, 便有此氣.

(주자가) 대답했다. "이 기도 마찬가지일 뿐이다. 『주례周禮』에서 이른바 '천신天神·지기地示·인귀人鬼'라고 한 것도 비록 3가지이지만 사실은 마찬가지일 뿐이다. 만약 자손이 있는 사람이라야 그의 기를 이끌어낼 수 있다고 말하더라도, 자손이 없는 사람은 그의 기가 곧 끊어져 없어져버린다고 해서는 안된다. 그의 혈기는 비록 유전流傳하지 않더라도 그의 (리에 뿌리를 두어 나날이 생겨나는) 기는 역시 성대하게 나날이 생겨나서 끝이 없다. 마치 예서禮書(『예기』를 지칭함)에서 제후가 인국因國[235]에 제사지내는 것은 그 나라의 종묘사직에 제사지낼 계승자가 없는 경우에 대신 제사지내는 것과 같으니,[236] 예컨대 제齊나라 태공太公이 제齊나라에 봉封해졌을 때 곧 무슨 상구씨爽鳩氏·계즉季萴·봉백릉逢伯陵·포고씨蒲姑氏에게[237] 제사지낸 것 따위는, 그들이 이 나라 땅에 앞서 군주노릇 했기 때문이니 예에 따라 마땅히 그들에게 제사지낸 것이다. 그러나 성인이 예를 제정한 것은 오직 그 나라를 계승하는 자만이 마땅히 제사지내지, 그 나라에 있지 않은 자는 곧 제사지내서는 안된다는 것이었다. 곧 이치가 마땅히 이와 같다는 것이다. 도리가 마땅히 이와 같으면 이 기가 있게 된다.

234 朱熹, 『朱文公文集』 권45 「答廖子晦書」

235 因國: 현재 어떤 나라가 자기나라 땅에서 예전에 멸망한 옛 나라를 가리키는 명칭이다.

236 禮書(『禮記』를 지칭함)에서 … 같으니: 『禮記』 권5 「王制」에 "천자와 제후는 자기나라 땅에서 예전에 멸망한 옛 나라이면서 그 나라의 종묘사직에 제사지낼 계승자가 없기 때문에 대신 제사지낸다.(天子諸侯, 祭因國之在其地而無主後者.)"라고 하였다.
鄭玄은 『禮記正義』에서 "자기나라 땅에서 예전에 멸망한 옛 나라의 경우는, 先王과 先公이 공덕이 있어 마땅히 대대로 제사를 흠향해야 되는데, 이제 나라가 멸망해서 계승자가 없기 때문에 그를 위해 祭主가 되는 것을 말한다.(謂所因之國, 先王先公有功德宜享世祀, 今絶無後, 爲之祭主者.)"라고 주석하였다.

237 爽鳩氏·季萴·逢伯陵·蒲姑氏 등에게: 제나라 땅은 본래 營丘라고 하였는데, 少昊 때에는 爽鳩氏가 자리잡고 있었으며, 夏나라 때에는 季萴이 다스렸고, 湯임금 때에는 逢伯陵이 다스렸으며, 商나라 말기와 태공이 봉해지기 이전 周나라 초기에는 蒲姑氏가 다스리던 땅이었다.

如衛侯夢康叔云, ‘相奪予饗.’ 蓋衛徙都帝丘, 夏后相亦都帝丘, 則都其國自合當祭. 不祭, 宜
其如此. 又如晋侯夢黃熊入寢門, 以爲鯀之神, 亦是此類. 不成說有子孫底方有感格之理. 便
使其無子孫, 其氣亦未嘗亡也. 如今祭勾芒, 他更是遠, 然旣合當祭他, 便有些_{一作此}氣. 要之,
通天地人只是這一氣, 所以說‘洋洋然如在其上, 如在其左右.’ 虛空偪塞, 無非此理, 自要人看
得活, 難以言曉也."[238]

예컨대 위후衛侯(위성공衛成公을 가리킴)가 꿈에서 강숙康叔[239]이 '상相(하나라 계啓왕의 손자)이 내 제사를 빼앗
았다.'고 말하는 것을 들었다[240]고 한 것과 같다. 위나라는 도읍을 제구帝丘로 옮겼고 하나라의 임금인
상相도 제구를 도읍으로 하였으니, 그 나라에 도읍을 두었으면 본래 마땅히 제사지내야 한다. 제사지내
지 않았으니 이와 같은 일이 일어나게 되는 것은 당연하다. 또 예컨대 진후晋侯가 꿈에서 누런 곰이
침실 문을 넘어 들어오는 것을 보고는 곤鯀의 신神으로 여긴 것과 같은 것[241]도 이러한 부류이다. 자손이
있어야만 비로소 감동하여 이르는 이치가 있다고 말해서는 안된다. 설령 그 자손이 없더라도 그 기는

<hr>

238 『朱子語類』권3, 57조목

239 康叔 : 성은 姬이고 이름은 封이다. 주나라 文王의 8째 아들로 武王의 친동생이다. 형인 武王에 의해 畿內의
康國에 封해져서 康叔封으로도 불렸으며 조카인 成王에 의해 옛 은나라의 도읍인 衛나라에 봉해져서 衛康叔
으로도 불렸다. 형인 주공의 훈계를 잘 받아들여 위나라를 안정적으로 다스렸으며 나중에 衛씨 성의 시조가
되었다.

240 衛侯(衛成公을 가리킴)가 꿈에서 … 말하는 것을 들었다 : 『春秋左傳』「僖公 31년」 조목에 "겨울에 狄이 衛나
라를 포위하니 위나라가 帝丘로 천도할 때 천도의 길흉에 대해 점을 치니, 국운이 3백 년은 갈 것이라고
하였다. 衛成公의 꿈에 康叔이 나타나 '相이 내 제사를 빼앗았다.'라고 말했다. 위성공이 相에게 제사지내
고 명령하니, 甯武子가 안된다고 하며 말했습니다. '귀신은 그 동족이 아니면 그 제사를 흠향하지 않는 것인
데, 杞나라와 鄫나라는 무엇 때문에 相의 제사를 지내지 않는다는 말입니까? 相이 이곳에서 제사를 흠향하지
못한지 오래되었으니, 우리 衛나라의 죄가 아닙니다. 성왕과 주공이 제사를 지내라고 한 명령을 범할 수
없으니 제사지내라는 명령을 고치십시오.'(冬, 狄圍衛, 衛遷于帝丘, 卜曰三百年. 衛成公夢康叔曰, '相奪予享.'
公命祀相. 甯武子不可, 曰, '鬼神非其族類, 不歆其祀. 杞·鄫何事? 相之不享於此久矣, 非衛之罪也, 不可以間
成王·周公之命祀, 請改祀命.')"라고 하였다.

241 예컨대 晋侯가 … 것 : 『春秋左傳』「昭公 7년」 조에, "정자산이 晉나라에 방문하였는데, 이 때 晉侯가 병을
앓고 있었다. 韓宣子가 정자산을 맞이하면서 은밀히 '우리 임금이 병들어 누운지 지금 3개월이 되었습니다.
마땅히 제사지낼 모든 산천에 달려가서 기도하였으나 병이 심해지기만 하지 낫지 않았습니다. 오늘 임금이
꿈에서 누런 곰이 침실 문을 넘어 들어왔으니, 그것은 무슨 厲鬼입니까?'라고 말했다. 자산이 '진나가 임금이
영명하여 그대를 大政으로 삼았으니, 어찌 厲鬼가 있겠습니까? 옛날에 요임금이 鯀을 羽山에서 죽이자 그
귀신이 누런 곰으로 변해서 羽淵으로 들어갔는데, 이 신이 실로 夏郊가 되었으므로 삼대가 모두 그 신에게
제사지냈습니다. 진나라는 맹주가 되어 혹시 그 신에게 제사지내지 않아서 그렇게 된 것인지 모르겠습니다!'
라고 대답했다. 韓子가 夏郊에 제사를 지내니, 晉侯의 병에 차도가 있었다. 진후는 자산에게 莒나라에서
바친 方鼎 두 개를 하사하였다.(鄭子産聘于晉, 晉侯有疾. 韓宣子逆客, 私焉, 曰, '寡君寢疾, 於今三月矣. 並走
羣望, 有加而無瘳. 今夢黃熊入于寢門, 其何厲鬼也!' 對曰, '以君之明, 子爲大政, 其何厲之有? 昔堯殛鯀于羽
山, 其神化爲黃熊, 以入于羽淵, 實爲夏郊, 三代祀之. 晉爲盟主, 其或者未之祀也乎!' 韓子祀夏郊, 晉侯有間,
賜子産莒之二方鼎.)"라고 하였다.

또한 아직 없어진 적이 없다. 오늘날 구망勾芒[242]에게 제사지내는데, 그것은 더욱 상고시대의 것이지만 이미 그것에 대해 제사지내는 것이 마땅하니 곧 '약간의 기'(다른 판본에는 「이 기」라고 되어 있음)가 있기 때문이다. 요컨대 천·지·인을 통틀어 다만 이 하나의 기일 뿐이므로 '충만하게 그 위에 있는 것 같고 그 좌우에 있는 것 같다.'[243]라고 하였다. 허공에 꽉 차있는 것이 이 도리가 아닌 것이 없으니, 본래 사람들이 생동적으로 보아야지 말로 깨우쳐주기 어렵다."

[28-3-19]

問 : "死者精神旣散, 必須生人祭祀盡誠以聚之, 方能凝聚. 若'相奪予饗'事, 如伊川所謂'別是一理'否?"

曰 : "他夢如此, 不知是如何. 或是他有這念, 便有這夢, 也不可知."[244]

물었다. "죽은 자는 정신이 이미 흩어졌으니 반드시 살아있는 사람이 제사를 지내 정성을 다해서 흩어진 것을 모아야만 비로소 응취할 수 있습니다. '상相(하나라 계啓왕의 손자)이 내 제사를 빼앗았다.'라고 하는 것과 같은 일은 마치 이천伊川[程頤]이 말한 '별도로 하나의 이치이다.'[245]라고 하는 것과 같습니까?" (주자가) 대답했다. "그가 이와 같은 것을 꿈꾸었는데 이것이 어찌해서 인지는 알지 못하겠다. 혹시 그가 이러한 생각을 가지고 있어서 이러한 꿈을 꾸었는지도 모르겠다."

[28-3-20]

問 : "人祭祖先, 是以己之精神去聚彼之精神, 可以合聚. 蓋爲自家精神便是祖考精神, 故能如此. 諸侯祭因國之主, 與自家不相關, 然而也呼喚得他聚. 蓋爲天地之氣便是他氣底母, 就這母上聚他, 故亦可以感通."

曰 : "此謂無主後者, 祭時乃可以感動. 若有主後者, 祭時又也不感通."

물었다. "사람들이 조상에게 제사지내는 것은 자기의 정신으로 조상의 정신을 모아서 한데 합쳐질 수 있어서입니다. 그것은 자기의 정신이 조상의 정신이기 때문에 이와 같을 수 있습니다. 제후가 인국因國의 군주에게 제사지내는 것은 자기와는 서로 관련이 되지 않지만 또한 그를 불러서 모을 수 있습니다. 그것은 천지의 기가 곧 그의 기의 근원이고 이 근원에서 그를 모으기 때문에 역시 감동시켜 통할 수 있습니다." (주자가) 대답했다. "이것은 그 나라의 종묘사직에 제사지낼 계승자가 없는 경우를 말하는 것이니 제사 지내면 감동할 수 있다. 만약 그 나라의 종묘사직에 제사지낼 계승자가 있는 경우라면 제사지내도 감동

242 勾芒 : 『禮記正義』 제14 「月令」 제6에서 정현은 "勾芒은 少皞氏의 아들로 이름을 重이라고 하는데, 木官이 되었다.(勾芒, 少皞氏之子, 曰重, 爲木官.)"라고 주석하였다.

243 '충만하게 그 … 같다.' : 『中庸』 16장에서, 공자의 말로 "충만하구나! 그 위에 있는 것 같고, 그 좌우에 있는 것 같다.(洋洋乎! 如在其上, 如在其左右.)"라고 하였다.

244 『朱子語類』 권3, 66조목

245 伊川[程頤]이 … 이치이다.' : 본문 [28-2-11] 참조

시켜 통하지 않는다."

問 : "若理不相關, 則聚不得他 ; 若理相關, 則方可聚得他."

曰 : "是如此."

又曰 : "若不是因國, 也感他不得. 蓋爲他元是這國之主, 自家今主他國土地, 他無主後, 合是
自家祭他, 便可感通."[246]

물었다. "만약 이치상 서로 관련이 되지 않으면 그를 모을 수 없고, 이치상 서로 관련이 되면 비로소
그를 모을 수 있습니다."

(주자가) 대답했다. "과연 그렇다."

(주자가) 또 대답했다. "만약 인국因國이 아니라면 또한 그를 감동하게 할 수 없다. 대개 그는 원래 이
나라의 군주였고 자기는 지금 그의 나라 땅의 군주이기 때문에, 그에게 종묘사직에 제사지낼 계승자가
없는 경우라면 자신이 그에게 제사지내는 것이 당연하니, 곧 감동시켜 통할 수 있다."

[28-3-21]

問 : "鬼神恐有兩樣. 天地之間二氣氤氳, 無非鬼神, 祭祀交感, 是以有感有. 人死爲鬼, 祭祀
交感, 是以有感無."

曰 : "是. 所以道天神·人鬼. 神便是氣之伸, 此是常在底 ; 鬼便是氣之屈, 便是已散了底. 然
以精神去合他, 又合得在."

물었다. "귀신은 두 가지가 있는 것 같습니다. 천지간에 두 기가 교류하고 화합하는 것은 귀신이 아닌
것이 없으니, 여기에 제사를 지내 교감하는 것은 유有로써 유有를 감동하는 것입니다. 사람이 죽어서
귀鬼가 되었는데, 여기에 제사를 지내 교감하는 것은 유有로써 무無를 감동하는 것입니다."

(주자가) 대답했다. "그렇다. 그러므로 천신天神·인귀人鬼라고 말한다. 신神은 곧 기의 펼침이니 이것은
항상 있는 것이고, 귀鬼는 기의 움츠림이니 곧 이미 흩어져버린 것이다. 그러나 정신으로 그것과 합치면
또 합쳐져 있을 수 있다."

問 : "不交感時常在否?"

曰 : "若不感而常有, 則是有餒鬼矣."[247]

물었다. "교감하지 않을 때도 귀신은 늘 있습니까?"

(주자가) 대답했다. "만약 교감하지 않는데도 귀신이 늘 있으면, 이에 굶주린 귀鬼가 있게 될 것이다."

---

246 『朱子語類』 권3, 76조목
247 『朱子語類』 권3, 58조목

[28-3-22]

"鬼神以主宰言. 然以物言不得. 又不是如今泥塑底神之類, 只是氣. 且如祭祀, 只是你聚精神以感, 祖考是你所承流之氣, 故可以感."[248]

(주자가 말했다.) "귀신은 주재主宰로서 말한 것이다. 그러나 구체적인 어떤 것으로 말할 수 없다. 또 지금 흙으로 빚어낸 신상神象 따위가 아니라, 다만 기일 뿐이다. 제사를 지내는 것과 같은 것은 다만 네가 정신을 모아서 감동하게 하는 것일 뿐인데, 조고祖考는 네가 그 흐름을 이어받은 기이기 때문에 감동시킬 수 있다."

[28-3-23]

問事鬼神.

曰: "古人交神明之道, 無些子不相接處. 古人立尸, 便是接鬼神之意."[249]

귀신을 섬기는 것에 대해 물었다.

(주자가) 대답했다. "옛 사람이 신명神明과 교류하는 방법은 조금이라도 서로 교감하지 않는 점이 없었다. 옛 사람이 시동을 세우는 것은 곧 귀신을 접속시키려는 의미이다."

[28-3-24]

問: "祭祀之理, 還是有其誠則有其神, 無其誠則無其神否?"

曰: "鬼神之理, 卽是此心之理."[250]

물었다. "제사의 이치는 또한 정성이 있으면 신神이 있고 정성이 없으면 신이 없다는 것입니까?"

(주자가) 대답했다. "귀신의 이치는 곧 마음의 이치이다."

[28-3-25]

"祭祀之感格, 或求之陰, 或求之陽, 各從其類, 來則俱來. 然非有一物積于空虛之中, 以待子孫之求也. 但主祭祀者旣是他一氣之流傳, 則盡其誠敬, 感格之時, 此氣固寓此也."[251]

(주자가 말했다.) "제사에서 감동하여 이르는 것은, 혹은 음에서 구하기도 하고 혹은 양에서 구하기도 하여[252] 각각 그 부류를 따라서 오지만, 올 때는 모두 다 온다. 그러나 어떤 것이 허공에 쌓여 있다가

---

248 『朱子語類』 권3, 59조목
249 『朱子語類』 권3, 60조목
250 『朱子語類』 권3, 61조목
251 『朱子語類』 권3, 62조목
252 제사에서 감동하여 … 하여: 『禮記』 권11 「郊特牲」에서 "魂氣는 하늘로 돌아가고 形魄은 땅으로 돌아가므로, 제사에는 음과 양에서 구하는 의미가 있다. 은나라 사람들은 먼저 양에서 구하였고 주나라 사람들은 먼저 음에서 구했다.(魂氣歸于天, 形魄歸于地, 故祭, 求諸陰陽之義也. 殷人先求諸陽, 周人先求諸陰.)"라고 하였다.

자손이 구하기를 기다리는 것은 아니다. 다만 제사를 주관하는 자는 이미 조상의 기가 유전流傳한 것이니, 그가 정성과 공경을 다하여 조상의 기를 감동시켰을 때 이 기가 본디 여기에 깃드는 것이다."

[28-3-26]

問: "子孫祭祀, 盡其誠意以聚祖考精神, 不知是合他魂魄, 只是感格其魂氣."

曰: "焫蕭祭脂, 所以報氣; 灌用鬱鬯, 所以招魂, 便是合他. 所謂'合鬼與神, 敎之至也.'"

물었다. "자손이 제사를 지내는 것은 그 성의를 다하여 조상의 정신을 모으는 것인데, 이것이 그의 혼과 백을 합치는 것인지 다만 그 혼기魂氣를 감동하여 이르게 하는 것일 뿐인지 모르겠습니다."

(주자가) 대답했다. "쑥을 불사르고 희생犧牲 소의 창자기름을 불태우는 것은 기氣에 알리는 것이며, 울창주를 땅에 부어 강신降神하는 것은 혼魂을 부르는 것이니, 곧 그것을 합치는 것이다. 이른바 '귀鬼와 신神을 합친 것은 지극한 가르침이다.'[253]라는 것이다."

又問: "不知常常恁地, 只是祭祀時恁地."

曰: "但有子孫之氣在, 則他便在. 然不是祭祀時, 如何得他聚?"[254]

또 물었다. "언제나 늘 그러한지 다만 제사를 지낼 때만 그러한지 모르겠습니다."

(주자가) 대답했다. "다만 자손의 기가 여기에 있으면 그도 곧 여기에 있다. 그러나 제사를 지낼 때가 아니면 어떻게 그가 모일 수 있겠는가?"

[28-3-27]

"人死, 雖是魂魄各自飛散, 要之, 魄又較定, 須是招魂來復這魄, 要他相合. 復, 不獨是要他活, 是要聚他魂魄, 不敎散了. 聖人敎人子孫常常祭祀, 也是要去聚得他."[255]

(주자가 말했다.) "사람이 죽으면 비록 혼과 백이 각각 날아서 흩어지지만 요컨대 백이 또 비교적 안정되어 있으므로, 반드시 혼을 불러서 이 백을 돌아오게 하여 그것이 서로 합쳐지도록 해야 한다. 돌아오게 한다는 것은 다만 그가 생동적이게 하려는 것일 뿐 아니라 그의 혼과 백이 모이게 하여 흩어지지 않도록 하는 것이다. 성인이 사람의 자손된 자들에게 자주 제사지내도록 한 것도 그것을 모을 수 있게 하려는 것이다."

· · · · · · · · · · · · · · · · · ·

253 '鬼와 神을 … 가르침이다.': 『禮記』 권24 「祭義」에서, "재아가 말했다. '저는 귀신이라는 말을 들었는데 그것이 무엇을 말하는지 모르겠습니다.' 공자가 말했다. '氣는 神이 왕성한 것이고, 魄은 鬼가 왕성한 것이다. 귀와 신을 합친 것은 지극한 가르침이다.'(宰我曰, '吾聞鬼神之名, 不知其所謂.' 子曰, '氣也者, 神之盛也, 魄也者, 鬼之盛也. 合鬼與神, 敎之至也.')"라고 하였다.

254 『朱子語類』 권3, 63조목

255 『朱子語類』 권3, 64조목

[28-3-28]

問 : "祖考精神旣散, 必須'三日齊, 七日戒', '求諸陽, 求諸陰', 方得他聚. 然其聚也倏忽其聚,
到得禱祠旣畢, 誠敬旣散, 則又忽然而散."

曰 : "然."[256]

물었다. "조상의 정신이 이미 흩어졌으면 반드시 '3일을 근신하고[齊] 7일을 조심하며[戒]', '양에서 구하고 음에서 구해야만', 비로소 그것이 모일 수 있습니다. 그러나 그 모임은 갑자기 홀연히 모인 것이기 때문에 제사지내는 것이 이윽고 마치게 되어 정성과 공경이 이미 흩어지게 되면, 또 홀연히 흩어집니다." (주자가) 대답했다. "그렇다."

[28-3-29]

問 : "祖考精神便是自家精神, 故齊戒祭祀, 則祖考來格. 若祭旁親及子, 亦是一氣, 猶可推也.
至於祭妻及外親, 則其精神非親之精神矣, 豈於此但以心感之, 而不以氣乎?"

曰 : "但所祭者, 其精神魂魄無不感通. 蓋本從一源中流出, 初無間隔, 雖天地山川鬼神亦然
也."[257]

물었다. "조상의 정신이 곧 자기의 정신이기 때문에 재계하여 제사를 지내면 조상이 와서 이릅니다. 만약 방계 친족과 자식을 제사지내는 경우에도 역시 같은 기이니 여전히 미루어갈 수 있습니다. 아내와 외가 친족을 제사지내는 경우라면 그 정신이 친족의 정신이 아니니, 어찌 여기에서는 다만 마음으로만 감동시킬 수 있을 뿐 기로서는 감동시킬 수 없지 않겠습니까?" (주자가) 대답했다. "다만 제사지내는 대상이 있다면 그 정신과 혼백이 감동하여 통하지 않음이 없다. 본래 하나의 근원에서 나왔기 때문에 애초에 간격이 없으니, 비록 천지와 산천의 귀신이라도 역시 그러하다."

[28-3-30]

問 : "死者魂氣旣散, 而立主以主之, 亦須聚得些子氣在這裏否?"

曰 : "古人自始死, 弔魂復魄, 立重設主, 便是常要接續他些子精神在這裏. 古有釁龜用牲血,
便是覺見那龜久後不靈了, 又用些子生氣去接續他.『史記』上「龜筮傳」, 占春, 將雞子就上面
開卦, 便也是將生氣去接他, 便是釁龜之意."

又曰 : "古人立尸, 也是將生人生氣去接他."[258]

물었다. "죽은 자는 혼기魂氣가 이미 흩어졌는데 신주를 세워서 주인으로 삼는 것도 역시 반드시 조금의 기를 여기에 모으려는 것입니까?

---

256 『朱子語類』권3, 65조목
257 『朱子語類』권3, 75조목
258 『朱子語類』권3, 67조목

(주자가) 대답했다. "옛 사람들이 처음 죽었을 때부터 혼을 위로하여 백을 돌이키며, 중重을 세우고[259] 신주를 설치하는 것은 곧 항상 그의 정신을 조금이라도 여기에 접속시키려는 것이다. 옛날에 희생犧牲의 피를 써서 거북껍질에 피를 칠한 것은, 곧 거북껍질이 오래 지난 뒤에 영험하지 않게 된다는 것을 깨닫고 또 조금의 생기로 그것에 접속시키려는 것이다. 『사기』에는 「귀서전龜筮傳」을 실어서 봄을 점칠 때 달걀을 깨서 거북껍질에 칠해 놓고 괘를 펼쳤다고 했는데,[260] 곧 또한 생기로 그것을 접속시키려는 것이니 바로 거북껍질에 피를 칠하는 의미이다."

(주자가) 또 말했다. "옛 사람들이 시동을 세우는 것도 역시 살아있는 사람의 생기로 그것에 접속시키려는 것이다."

[28-3-31]

勉齋黃氏曰 : "古人奉先追遠之誼至重. 生而盡孝, 則此身此心無一念不在其親. 及親之歿也, 升屋而號, 設重以祭, 則祖考之精神魂魄亦不至於遽散. 朝夕之奠, 悲慕之情, 自有相爲感通 而不離者. 及其歲月旣遠, 若未易格, 則祖考之氣雖散, 而所以爲祖考之氣, 未嘗不流行於天 地之間 ; 祖考之精神雖亡, 而吾所受之精神卽祖考之精神. 以吾受祖考之精神, 而交於所以爲 祖考之氣, 神氣交感, 則洋洋然在其上在其左右者, 蓋有必然而不能無者矣. 學者但知世間可 言可見之理, 而稍幽冥難曉, 則一切以爲不可信, 是以其說率不能合於聖賢之意也."[261]

면재 황씨勉齋黃氏[黃榦]가 말했다. "옛 사람들이 조상에게 제사를 받들어 추념追念하는 정의情誼는 지극히 두터웠다. 살아계실 때는 효도를 다하니, 몸과 마음이 한 순간도 그 부모에게 있지 않은 적이 없었다. 부모가 돌아가시게 되면, 지붕에 올라가 혼을 부르고 중重을 설치하여 제사지내니, 조상의 정신과 혼백 도 역시 갑자기 흩어지는 지경에 이르지 않았다. 아침저녁으로 전奠을 올림에 비통해하고 사모하는 정은 저절로 서로 감동하여 통해서 떨어지지 않는 것이 있었다. 세월이 이미 멀어져서 만약 쉽게 이르지 못하면, 조상의 기가 비록 흩어졌어도 조상의 기가 되는 것은 천지간에 유행하지 않은 적이 없으며, 조상의 정신이 비록 없어졌어도 내가 받은 정신은 바로 조상의 정신이다. 내가 조상의 정신을 받아서

---

259 重을 세우고 : 『禮記』 「檀弓下」에서 "重은 신주의 도이다.(重, 主道也.)"라고 하였고, 鄭玄은 "죽은 처음에 아직 신주를 만들지 않았을 때 重으로써 그 신을 붙여놓는다.(始死未作主, 以重主其神也.)"라고 주석하였다. 곧 신주를 만들기 전에 신주를 대신하여 죽은 사람의 영혼을 붙여놓는 것으로서, 길이 三尺으로 나무를 깎아서 만든다고 한다.

260 『史記』에는 「龜筮傳」을 … 했는데 : 『史記』 권128 「龜策列傳」에서, "점을 치는 데에 금기는 다음과 같다. '子시 · 亥시 · 戌시에는 점을 치거나 거북을 죽이지 않는다. 정오에 만약 일식이 있으면 점치기를 중지한다. 황혼이 질 무렵에는 거북의 영험이 떨어지니 점을 칠 수 없다. 庚시 · 辛시에는 거북을 죽일 수 있고 거북 의 껍질에 구멍을 뚫을 수 있다. 보통 매월 초 거북의 不淨을 떨어낼 때, 먼저 맑은 물로 거북을 닦고 달걀을 칠해서 不淨을 떨어내고 나서 거북을 가지고 점을 치는데, 이렇게 하는 것이 일반적인 방법이다.(卜禁曰, '子 · 亥 · 戌不可以卜及殺龜. 日中如食已卜, 暮昏龜之徹也, 不可以卜. 庚 · 辛可以殺, 及以鑽之. 常以月旦祓 龜, 先以淸水澡之, 以卵祓之, 乃持龜而逐之, 若常以爲祖.)"라고 하였다.

261 黃榦, 『勉齋集』 권16 「復李貫之兵部」

그것으로 조상의 기가 되는 것과 교류하여 신神과 기氣가 교감하면, 충만하여 위에 있는 듯 좌우에 있는 듯함이 필연적으로 없을 수 없을 것이다. 배우는 사람이 다만 세간에서 말할 수 있고 볼 수 있는 이치만을 알고 조금이라도 미묘해서 깨닫기가 곤란해지면, 모든 것을 믿을 수 없는 것으로 여기니, 이 때문에 그 말이 대개 성현의 뜻에 부합할 수 없게 되었다."

[28-3-32]

北溪陳氏曰: "古人祭祀, 以魂氣歸于天, 體魄歸于地, 故或求諸陽, 或求諸陰. 如「祭義」曰, '燔燎羶音馨薌音香, 見以蕭光, 以報氣也.' 薦黍稷, 羞肝肺首心, 加以鬱鬯, 以報魄也.'「郊特牲」曰, '周人尚臭, 灌用鬯臭, 鬱合鬯, 臭陰達於淵泉.' '旣灌然後迎牲, 致陰氣也. 蕭合黍稷, 臭陽達於牆屋, 故旣奠然後炳蕭合羶薌, 凡祭謹諸此.' 又曰, '祭黍稷加肺, 祭齊加明水, 報陰也; 取膟膋燔燎升首, 報陽也.' 所以求鬼神之義, 大槩亦不過如此."[262]

북계 진씨北溪陳氏陳淳가 말했다. "옛 사람들이 제사지내는 것은 혼기魂氣가 하늘로 돌아갔고 체백體魄이 땅으로 돌아갔기 때문에 혹은 양에서 구하기도 하고 혹은 음에서 구하기도 하였다. 예컨대 『예기』「제의祭義」에서는 다음과 같이 말했다. '향기 나는 나무를 태우고 오곡밥 찌는 냄새를 내어서 쑥을 태우는 향기를 나타내는 것은 기氣로 알리는 것이다.' '기장을 바치고 희생犧牲의 간과 폐와 머리와 심장을 바치며 울창주를 보태는 것은 백魄에 보답하는 것이다.'또 예컨대 『예기』「교특생郊特牲」에는 다음과 같이 말했다. '주나라 사람들은 향기를 숭상하여 땅에 부어 강신하는 술에 기장쌀 익은 향기를 쓰는데, 울금鬱金과 기장쌀을 배합해서 그 향기가 음(땅)으로 깊은 샘에 도달하도록 하였다.' '이미 울창주를 땅에 부은 뒤에 희생을 맞이하는 것은 음기에 정성을 다하는 것이다. 쑥 태우는 향기와 기장밥 찌는 냄새를 배합하여 향기가 양(하늘)으로 담장과 지붕에 도달하였으므로, 이미 전奠을 올린 뒤에 쑥 태우는 향기와 오곡밥 찌는 냄새를 배합하니, 무릇 제사지내는 데에는 이러한 것들을 신중히 하는 것이다.'또 '기장밥에 허파 고기를 보태어 제사지내고 각종 술에 정간수明水를 보태는 것은 음에 알리는 것이며, 희생의 뱃속 지방과 향기 나는 나무를 태우고 희생의 머리를 사당 안에 올리는 것은 양에 알리는 것이다.'라고 하였다. 귀신을 구하는 뜻은 대개 또한 이와 같은 것에 지나지 않는다."

[28-3-33]

"人與天地萬物, 皆是兩間公共一箇氣. 子孫與祖宗, 又是就公共一氣中有箇脉絡相關繫尤親切. 謝上蔡曰, '祖考精神便只是自家精神', 故子孫能極盡其誠敬, 則己之精神便聚, 而祖宗之精神亦聚, 便自來格. 今人於祭自己祖宗正合著實處, 却都鹵莽. 只管外面祀他鬼神必極其誠敬, 不知他鬼神與己何相干涉. 假如極其誠敬, 備其牲牢, 若是正神, 不歆非類, 必無相交接之理; 若是淫邪, 苟簡竊食而已, 亦必無降福之理."[263]

· ·

262 陳淳, 『北溪字義』 권下 「鬼神」
263 陳淳, 『北溪字義』 권下 「鬼神」

(북계 진씨가 말했다.) "사람과 천지 만물은 모두 하늘과 땅 사이의 공공연한 하나의 기이다. 자손과 조상도 또한 공공연한 하나의 기 가운데 맥락이 있어서 서로 관계되는 것이 특히 친밀한 것이다. 사상채謝上蔡謝良佐는 '조상의 정신이 곧 자기의 정신일 뿐이라고' 말했으므로, 자손이 그 성誠과 경敬을 극진히 할 수 있으면 자기의 정신이 모이고 조상의 정신도 모여서 곧 저절로 와서 이르게 된다. 요즘 사람들은 자기의 조상에게 제사지낼 때 반드시 진지해야 하는데 도리어 경솔하다. 오로지 밖으로 남의 귀신에게 제사지내는 것에 반드시 그 성과 경을 다할 뿐, 남의 귀신이 자기와 어떻게 서로 관련되는지를 모른다. 가령 그 성과 경을 극진히 하고 희생을 갖춘다고 하더라도, 만약 바른 신神이라면 다른 부류의 것은 흠향하지 않을 것이니 반드시 서로 교접하는 이치가 없으며, 만약 잘못된 신이라면 비루하게 음식을 훔치는 것일 뿐이니, 또한 반드시 복을 내릴 리가 없다."

[28-3-34]

"范氏謂'有其誠則有其神, 無其誠則無其神', 此說得最好. 誠只是眞實無妄, 雖以理言, 亦以心言. 須是有此實理, 然後致其誠敬而副以實心, 方有此神. 苟無實理, 雖有實心, 亦不歆享. 且如季氏不當祭泰山而冒祭, 是無此實理矣. 假饒極盡其誠敬之心, 與神亦不相干涉, 泰山之神決不吾享. 大槩古人祭祀, 須是有此實理相關, 然後三日齋·七日戒, 以聚吾之精神. 吾之精神旣聚, 則所祭者之精神亦聚, 必自有來格底道理."[264]

(북계 진씨가 말했다.) "범씨范氏范育가 '성誠이 있으면 그 신神이 있고 성이 없으면 그 신이 없다.'[265]고 말했는데, 이 말은 매우 훌륭하다. 성誠은 다만 진실하여 허망함이 없는 것이니, 비록 리理로써 말하는 것이지만 또한 마음心으로써 말하는 것이기도 하다. 모름지기 이 '실질적인 리[實理]'가 있는 뒤에 그 성과 경을 다하여 '실질적인 마음[實心]'으로 부합시켜야만 비로소 이 신神이 있게 된다. 만약 실질적인 리가 없으면, 비록 실질적인 마음이 있더라도 역시 흠향하지 않는다. 즉 계씨季氏는 태산에 제사지내서는 안되는데 무모하게 제사지내는 것과 같은 것은[266] 이 실질적인 리가 없는 것이다. 만약 그 성·경의 마음을 극진히 하더라도 신과는 또한 서로 관련이 없으니, 태산의 신은 결코 내가 바친 것을 흠향하지 않을 것이다. 대개 옛 사람의 제사에는 반드시 이 실질적인 리가 서로 관련됨이 있은 뒤에, 3일을 근신하고[齋] 7일을 조심하여[戒] 나의 정신을 모은다. 나의 정신이 모이고 나면 제사를 받는 자의 정신도 역시 모여서, 반드시 저절로 와서 이르는 도리가 있게 된다."

• •

264 陳淳, 『北溪字義』 권下 「鬼神」

265 '誠이 있으면 … 없다.' : 주희는 『論語集註』에서 「八佾」의 "공자가 말했다. '내가 제사에 참여하지 않으면 제사를 지내지 않은 것과 같다.(子曰, '吾不與祭, 如不祭.')"라는 구절에 대하여, 주석하면서 범육의 이 말을 인용하고 있다.

266 季氏는 태산에 … 것은 : 『論語』「八佾」에서 "계씨가 태산에 旅祭를 지냈다.(季氏旅於泰山.)"라고 한 것을 가리킨다.

[28-3-35]

鶴山魏氏曰：“或曰, ‘盈宇宙之間, 其生生不窮者, 理也；其聚而生, 散而死者, 氣也. 氣聚於此, 則其理亦命於此. 今氣化而無有矣, 而理惡乎寓?’ 曰, ‘是不然. 先儒謂致生之故其鬼神, 致死之故其鬼不神. 古人修其祖廟, 陳其宗器, 設其裳衣, 薦其時食者, 將以致其如在之誠, 庶幾享之. 其昭明焄蒿悽愴, 洋洋乎承祀之際者, 是皆精誠之攸寓, 而實理之不可揜也.’”267

학산 위씨鶴山魏氏[魏了翁]가 말했다. “어떤 사람이 ‘우주 사이에 가득차서 낳고 낳아 끝이 없는 것이 리이며, 그것이 모여서 생겨나고 흩어져서 죽는 것은 기氣입니다. 기가 여기에 모이면 그 리 또한 여기에 명령으로 내려집니다. 이제 기가 화化하여 아무것도 없는데 리가 어찌 깃들 수 있겠습니까?라고 물었다. 나魏了翁는 ‘이것은 그렇지 않다. 선대 학자들은 산 사람으로 여기기 때문에 그 귀鬼가 신령하고 죽은 사람으로 여기기 때문에 그 귀가 신령하지 않는다고 말했다. 옛 사람들이 조상의 신주를 모신 사당을 수리하고, 종묘의 제기祭器를 진설하며, 조상의 의상衣裳을 펴놓고, 제철의 음식을 올린 것은268 그것으로 죽은 사람이 있는 것 같이 여기는 정성을 다하여 흠향하기를 바라는 것이다. 그 기氣가 밝게 빛나고 훈훈하게 증발하며 숙연하여 비통한 것이269 충만하게 제사를 받드는 때라고 한 것은270 모두 정성이 깃든 곳이고 실질적인 이치를 가릴 수 없다는 것이다.’라고 대답했다.”

[28-4]

論祭祀神祇 천신·지신에 대한 제사를 논함

[28-4-1]

程子曰：“俗人酷畏鬼神, 久亦不復敬畏.”271

. . . .

267 『鶴山集』 권39 「瀘州顯惠廟記」
268 옛 사람들이 … 것은:『中庸』 19장에 “봄가을에 조상의 신주를 모신 사당을 수리하고, 종묘의 祭器를 진설하며, 조상의 衣裳을 펴놓고, 제철의 음식을 올린다. (春秋修其祖廟, 陳其宗器, 設其裳衣, 薦其時食.)”라고 하였다.
269 그 氣가 … 것이:『禮記』 권24 「祭義」에서 “그 기가 위로 發揚하여 밝게 드러나고, 쑥 향기가 피어올라 사람을 비통하게 하니, 이것이 온갖 사물의 精이고 神의 드러남이다. (其氣發揚于上, 爲昭明, 焄蒿悽愴, 此百物之精也, 神之著也.)”라고 공자가 말했다고 하였다.
270 그 氣가 … 것은: 주자가『中庸』 16장 “천하의 사람들에게 재계하고 깨끗이 하며 의복을 성대히 하여 제사를 받들게 하고는, 충만하게 그 위에 있는 듯하며 그 좌우에 있는 듯하다. (使天下之人, 齊明盛服, 以承祭祀, 洋洋乎如在其上, 如在其左右.)”라고 한 구절에 대해, “공자가 ‘그 氣가 위로 發揚하여, 밝게 드러나고, 쑥 향기가 피어올라 사람을 비통하게 하니, 이것이 온갖 사물의 精이고 神의 드러남이다.’라고 말한 것이 바로 이것을 말한 것이다. (孔子曰, ‘其氣發揚于上, 爲昭明焄蒿悽愴, 此百物之精也, 神之著也.’ 正謂此爾.)”라고 주석한 것을 말한다.
271 程顥·程頤,『河南程氏遺書』 권2上

정자程子가 말했다. "일반 사람들은 귀신을 매우 두려워하니, 오래되어도 다시 공경하면서 두려워하지 않는다."

[28-4-2]
問："『易』言'知鬼神情狀', 果有情狀否?"

曰："有之."

又問："旣有情狀, 必有鬼神矣."

曰："『易』說鬼神, 便是造化也."[272]

물었다. "『역』에서 '귀신의 실상을 안다.'[273]고 말했는데, 과연 실상이 있습니까?"

(정자程子[程頤]가) 대답했다. "있다."

또 물었다. "이미 실상이 있다면 반드시 귀신이 있겠습니다."

(정자가) 대답했다. "『역』에서 귀신에 대해 설명한 것은 곧 조화造化이다."

又問："如名山大川能興雲致雨, 何也?"

曰："氣之蒸成耳."

又問："旣有祭, 則莫須有神否?"

曰："只氣便是神也. 今人不知此理, 纔有水旱, 便去廟中祈禱, 不知雨露是甚物, 從何處出, 復於廟中求邪. 名山大川能興雲致雨, 却都不說著, 却只於山川外木・土・人身上討雨露, 木・土・人身上有雨露邪."

또 물었다. "예컨대 이름난 산과 큰 강물이 구름을 일으키고 비를 내리게 하는 것은 무엇 때문입니까?"

(정자가) 대답했다. "기가 증발해서 그렇게 되는 것일 뿐이다."

또 물었다. "이미 제사를 지냈으면 반드시 신이 있는 것이 아니겠습니까?"

(정자가) 대답했다. "다만 기가 곧 신神일 뿐이다. 요즘 사람들은 이 이치를 알지 못하고 홍수나 가뭄이 있으면 바로 사당으로 가서 기도를 하는데, 비와 이슬이 어떤 것이며 어디에서 나오는지를 모르고 사당에 아뢰어서 구한다. 이름난 산과 큰 강물이 구름을 일으키고 비를 내리게 하는데, 도리어 그것을 전혀 말하지 않고 또 다만 산천 이외에 나무와 흙과 사람에게서 비와 이슬을 구하니, 나무와 흙과 사람에게 비와 이슬이 있겠는가?"

又問："莫是人自興妖?"

· ·

272 程顥・程頤, 『河南程氏遺書』 권22上

273 '귀신의 실상을 안다.'：『易』「繫辭上」 제4장에 "精과 氣가 만물이 되고 游魂이 변화하니, 이 때문에 귀신의 실상을 안다.(精氣爲物, 遊魂爲變, 是故知鬼神之情狀.)"라고 하였다.

曰: "只妖亦無, 皆人心興之也. 世人只因祈禱而有雨, 遂指爲靈驗耳. 豈知適然?"

또 물었다. "사람이 스스로 요괴를 일으키는 것이 아닙니까?"

(정자가) 대답했다. "요괴도 역시 없으니, 모두 사람의 마음이 그것을 일으킬 뿐이다. 세상 사람들이 다만 기도를 드리고 비가 내렸기 때문에 마침내 그것을 가리켜 영험하다고 했을 뿐이다. 어찌 그것이 우연임을 알겠는가?"

[28-4-3]

張子曰: "所謂山川·門·雷之神, 與郊社一作祀·天地·陰陽之神, 有以異乎? 『易』謂'天且不違, 而況於鬼神乎? 仲尼以何道而異其稱耶? 又謂'遊魂爲變', 魂果何物? 其遊也情狀何如? 試求之使無疑, 然後可以拒怪神之說, 知亡者之歸. 此外學素所援據以質成其論者, 不可不察以自袪其疑耳."274

장자張子[張載]가 말했다. "이른바 산천·대문[門]·창문[雷]의 신神과 교사郊社275·천지·음양의 신은 다름이 있는가? 『역』에서 '하늘도 어기지 않는데 하물며 귀신에게 있어서야 어떻겠는가?'276라고 하였다. 중니仲尼(공자)가 무엇 때문에 그 명칭을 달리 하였겠는가? 또 『역』에서 '유혼游魂이 변화한다.'277라고 하였는데, 혼魂은 과연 어떠한 것인가? 그 혼이 떠돌아다니는 실상을 어떻게 알겠는가? 시험 삼아 그것을 구해서 의심이 없도록 한 다음에, 괴이한 신에 대한 주장을 거부할 수 있고 죽은 자가 돌아갈 곳을 알 것이다. 이것 이외에 학자가 인용하는 근거로 삼는 것을 바탕으로 하여 그 이론을 다른 사람에게 질의하여 완성한 것은, 자세히 살펴서 스스로 그 의심나는 것을 떨쳐버리지 않을 수 없다."

[28-4-4]

或問: "鬼神事, 伊川以爲造化之迹, 但如'敬'與'遠'字, 却似有跡. 不知'遠'箇甚底."

和靖尹氏正色曰: "非其鬼而祭之, 詔也. 又如今人將鬼神來邀福, 便是不敬不遠."

어떤 사람이 물었다. "귀신에 관한 일에 대하여 이천伊川[程頤]은 조화造化의 자취라고 여겼는데,278 예컨

---

274 張載, 『張載集』「橫渠易說·繫辭上」

275 郊社: 『書』「周書·泰書下」의 "郊社를 수리하지 않고 종묘에서 제향하지 않는다.(郊社不修, 宗廟不享.)"에 대한 蔡沈의 주석에, "郊는 하늘에 제사지내는 곳이고, 社는 땅에 제사지내는 곳이다.(郊, 所以祭天; 社, 所以祭地.)"라고 하였다.

276 '하늘도 어기지 … 어떻겠는가?': 『易』「乾卦·文言」에서 "무릇 대인은 천지와 그 덕을 합하고, 日月과 그 밝음을 합하며, 사계절과 그 질서를 합하고, 귀신과 그 길흉을 합한다. 하늘보다 앞서도 하늘이 어기지 않으며 하늘보다 뒤서도 天時를 받든다. 하늘도 어기지 않는데 하물며 사람에게 있어서야 어떻겠으며, 귀신에게 있어서도 어떻겠는가?(夫大人者, 與天地合其德, 與日月合其明, 與四時合其序, 與鬼神合其吉凶. 先天而天弗違, 後天而奉天時. 天且弗違, 而況於人乎, 況於鬼神乎?)"라고 하였다.

277 '游魂이 변화한다.': 『易』「繫辭上」 제4장에 "精과 氣가 만물이 되고 游魂이 변화하니, 이 때문에 귀신의 실상을 안다.(精氣爲物, 遊魂爲變, 是故知鬼神之情狀.)"라고 하였다.

278 伊川[程頤]은 造化의 … 여겼는데: 程頤의 『周易程氏傳』 권1 「乾卦·文言」에서, "귀신은 조화의 자취이다.

대 '공경함[敬]'과 '멀리함[遠]'이라는 글자에는[279] 도리어 자취가 있는 것 같습니다. 무엇을 멀리한다는 것인지 모르겠습니다."

화정 윤씨和靖尹氏[尹焞][280]가 정색을 하고 대답했다. "제사지내야 할 귀신이 아닌데 제사지내는 것은 아첨이다.[281] 또 요즘 사람들이 귀신에게 복을 구하는 것은 곧 공경하지 않고 멀리하지 않는 것이다."

又曰: "鬼神事無他, 却只是箇誠."

呂堅中曰: "如在其上, 如在其左右?"

曰: "然."

(화정 윤씨가) 또 말했다. "귀신에 관한 일은 다른 것이 없으니, 또한 다만 진실함[誠]일 뿐이다."

여견중呂堅中(윤돈의 문인)이 말했다. "마치 위에 있는 것 같고, 좌우에 있는 것 같다는[282] 것이지요?"

(화정 윤씨가) 대답했다. "그렇다."

[28-4-5]

朱子曰: "地祇者, 『周禮』作'示'字, 只是示見著見之義."[283]

주자가 말했다. "지기地祇(땅의 신)를 『주례』에서 '기示'자로 쓴 것은[284] 다만 '보인다[示見]'·'드러난다[著見]'는 의미이다."

(鬼神者, 造化之迹.)"라고 하였다.

279 '공경함[敬]'과 '멀리함[遠]'이라는 글자에는: 『論語』「雍也」에서 공자가 "귀신을 공경하되 멀리한다.(敬鬼神而遠之.)"라고 말한 것에서의 '공경함[敬]'과 '멀리함[遠]'이라는 글자를 가리킨다.

280 尹焞(1071~1142): 자는 彦明·德充이고, 호는 三畏齋와 황제가 하사한 호인 和靖處士가 있으며, 시호는 肅公이다. 송대 洛陽(현 하남성 낙양) 사람으로 과거에 응시하지 않았으나, 천거에 의해 崇政殿說書 겸 侍講을 역임하였다. 어려서부터 程頤에게 사사하여 스승의 학설을 가장 돈독하게 이어받았다고 한다. 저서는 『論語解』·『孟子解』·『和靖集』 등이 있다.

281 제사지내야 할 … 아첨이다.: 『論語』「爲政」에서, 공자가 한 말이다. "공자가 말했다. '제사지내야 할 귀신이 아닌데 제사지내는 것은 아첨이다.'(子曰, '非其鬼而祭之, 諂也.')"

282 마치 위에 … 같다는: 『中庸』 제16장의 공자의 말이다. "공자가 말했다. '귀신의 덕이 융성하다! 보아도 보이지 않고 들어도 들리지 않으면서 만물의 體가 되어 빠트리지 않는다. 세상 사람들에게 목욕재계하고 깨끗이 의복을 갖추어 제사를 받들게 하니, 그 활동이 충만하다! 마치 위에 있는 것 같고 좌우에 있는 것 같다.(子曰, "鬼神之爲德, 其盛矣乎! 視之而弗見, 聽之而弗聞, 體物而不可遺. 使天下之人齊明盛服以承祭祀, 洋洋乎! 如在其上, 如在其左右.)"

283 『朱子語類』 권3, 70조목

284 『周禮』에서 '示'자로 … 것은: 『周禮』 권3 「春官宗伯」에서 "대종백의 직무는 나라의 天神·人鬼·地示의 예를 세워서 왕이 나라를 세워서 보전하는 것을 보좌하는 것을 관장한다.(大宗伯之職, 掌建邦之天神·人鬼·地示之禮以佐王建保邦國.)"라고 하였다.

[28-4-6]

"地之神, 只是萬物發生 · 山川出雲之類."285

(주자가 말했다.) "땅의 신은 다만 만물이 발생하고 산천이 구름을 일으키는 것 따위이다."

[28-4-7]

"鬼神若是無時, 古人不如是求. '七日戒 · 三日齊', '或求諸陽 · 或求諸陰', 須是見得有. 如天子祭天地, 定是有箇天, 有箇地; 諸侯祭境内名山大川, 定是有箇名山大川; 大夫祭五祀, 定是有箇門 · 行 · 户 · 竈 · 中霤. 今廟宇有靈底, 亦是山川之氣會聚處. 久之, 被人掘鑿損壞, 於是不復有靈, 亦是這些氣過了."286

(주자가 말했다.) "귀신이 만약 없는 경우라면 옛 사람들이 이와 같이 구하지 못했을 것이다. '7일을 조심하고[戒] 3일을 근신하며[齊]',287 '혹 양陽에서 구하기도 하고 혹 음陰에서 구하기도 한 것'288은 반드시 귀신이 있다는 것을 안 것이다. 예컨대 천자가 천지에 제사지내면 반드시 하늘의 신이 있고 땅의 신이 있다는 것이며, 제후가 국내의 이름난 산과 큰 강물에 제사지내면 반드시 이름난 산의 신과 큰 강물의 신이 있다는 것이며, 대부가 오사五祀289에 제사지내면 반드시 대문[門] · 복도[行] · 방문[户] · 부엌[竈] · 창문[中霤]의 신이 있다는 것이다. 지금 사당이 영험함이 있는 것은, 역시 산천의 기가 모여 있어서이다. 오래되어 사람들에 의해 패이고 뚫리며 훼손되면 다시는 영험함이 있지 않게 되는데, 이것 역시 이 기가 지나가버려서다."

[28-4-8]

問: "祭天地山川, 而用牲 · 幣 · 酒 · 醴者, 只是表吾心之誠耶? 抑眞有氣來格也?"

曰: "若道無物來享時, 自家祭甚底? 肅然在上, 令人奉承敬畏, 是甚物? 若道眞有雲車擁從而來, 又妄誕."290

물었다. "천지와 산천에 제사지낼 때 희생犧牲 · 폐백幣帛 · 술 · 단술을 쓰는 것은 다만 자기 마음의 정성[誠]을 표시하는 것입니까? 아니면 참으로 기가 와서 이르는 것입니까?"

---

285 『朱子語類』 권3, 71조목

286 『朱子語類』 권3, 72조목

287 '7일을 조심하고[戒] … 근신하며[齊]': 『禮記』 권30 「坊記」에서 "子云, '七日戒, 三日齊, 承一人焉以爲尸, 過之者趨走, 以敎敬也."라고 하였다.

288 혹 陽에서 … 것: 『禮記』 권11 「郊特生」에서 "魂氣는 하늘로 돌아가고 形魄은 땅으로 돌아가므로, 제사에는 음과 양에서 구하는 의미가 있다. 은나라 사람들은 먼저 양에서 구하였고 주나라 사람들은 먼저 음에서 구했다.(魂氣歸于天, 形魄歸于地, 故祭, 求諸陰陽之義也. 殷人先求諸陽, 周人先求諸陰.)"라고 하였다.

289 五祀: 鄭玄은 『禮記正義』 권5 「曲禮下」 제2에서 "오사는 户 · 灶 · 中霤 · 門 · 行이다. 이것(대부가 오사에 제사지내는 것)은 은대의 제도이다.(五祀, 户 · 灶 · 中霤 · 門 · 行也. 此蓋殷時制也.)"라고 주석하였다.

290 『朱子語類』 권3, 68조목

(주자가) 대답했다. "만약 어떤 것도 와서 흠향하지 않는다고 말하면, 자신이 무엇에 제사를 지낸다는 것인가? 숙연하게 위에 있으면서 사람들에게 받들어 공경하고 두려워하게 하는 것은 무엇인가? 만약 참으로 '신선이 타는 수레[雲軒]'를 타고 시종의 호위를 받으며 온다고 말하면 또 터무니없다."

[28-4-9]

問天神·地示之義.

曰 : "「注疏」謂天氣常伸謂之神, 地道常黙以示人謂之示."[291]

천신天神과 지기地示의 뜻에 대해 물었다.

(주자가 대답했다.) "「주소注疏」에 하늘의 기氣가 항상 펴는 것을 신神이라 하고, 땅의 도道가 항상 묵묵히 사람들에게 보여주는 것을 기示라고 한다고 하였다."

[28-4-10]

問 : "鬼者, 陰之靈 ; 神者, 陽之靈. 司命·中霤·竈與門·行, 人之所用者, 有動有靜, 有作有止, 故亦有陰陽鬼神之理, 古人所以祀之, 然否?"

曰 : "有此物便有此鬼神, 蓋莫非陰陽之所爲也. 五祀之神, 若細分之, 則戶·竈屬陽, 門·行屬陰, 中霤兼統陰陽. 就一事之中, 又自有陰陽也."[292]

물었다. "귀鬼는 음의 신령[靈]이고 신神은 양의 신령입니다. 사명司命[293]·창문[中霤]·부엌[竈]·대문[門]·복도[行]는 사람이 사용하는 것으로서 움직임과 고요함이 있고 작동과 멈춤이 있기 때문에, 역시 음양·귀신의 이치가 있으니 옛 사람들이 그것에 제사를 지낸 것입니까?"

(주자가) 대답했다. "이 사물이 있으면 곧 이 귀신이 있으니, 음양이 하는 것이 아님이 없기 때문이다. 오사五祀의 신을 만약 세분하면, 방문[戶]과 부엌[竈]의 신은 양에 속하고 대문[門]과 복도[行]의 신은 음에 속하며 창문[中霤]의 신은 음양을 함께 통괄한다. 한 가지 가운데도 또한 본래 음양이 있다."

[28-4-11]

問 : "子之祭先祖, 固是以氣而求. 若祭其他鬼神, 則如之何? 有來享之意否?"

曰 : "子之於祖先, 固有顯然不易之理. 若祭其他, 亦祭其所當祭. '祭如在, 祭神如神在.' 如天子則祭天, 是其當祭, 亦有氣類, 烏得而不來歆乎! 諸侯祭社稷, 故今祭社亦是從氣類而祭, 烏得而不來歆乎! 今祭孔子必於學, 其氣類亦可想."[294]

---

291 『朱子語類』 권3, 69조목

292 『朱子語類』 권3, 73조목

293 司命 : 『禮記正義』 권46 「祭法」 제23에서 孔穎達은 "司命은 궁중의 작은 신이다.(司命者, 宮中小神.)"라고 주석하였다.

294 『朱子語類』 권3, 74조목

물었다. "자손이 선조에게 제사지내는 것은 본디 기로써 구하는 것입니다. 만약 기타의 귀신에게 제사지내면 어떻습니까? 귀신이 와서 흠향하는 뜻이 있습니까?"

(주자가) 대답했다. "자손이 조상에게 대하는 것은 본디 분명해서 바뀔 수 없는 이치가 있다. 만약 기타의 귀신에게 제사지낸다면 또한 마땅히 제사지내야할 대상에게 제사지내야 한다. '제사를 지낼 때에는 조상이 있는 듯이 하고, 신神에 제사지낼 때에는 신이 있는 듯이 한다.'295 예컨대 천자가 하늘에 제사지내는 것은 마땅히 제사지내야 할 대상에게 제사지내는 것이고 또한 기의 같음이 있는데, 어찌 하늘의 신이 와서 흠향하지 않을 수 있겠는가? 제후는 사직에 제사지내므로 이제 사직에 제사지내는 것도 역시 기의 같음을 따라서 제사지내는 것인데, 어찌 사직의 신이 와서 흠향하지 않을 수 있겠는가? 이제 공자에게 제사지내는 것은 반드시 학문을 대상으로 하니 그 기의 같음도 역시 미루어 알 수 있다."

問: "天地·山川, 是有箇物事則祭之, 其神可致. 人死氣已散, 如何致之?"

曰: "只是一氣. 如子孫有箇氣在此, 畢竟是因何有此? 其所自來, 蓋自厥初生民氣化之祖相傳到此, 只是此氣."

問: "祭先賢·先聖, 如何?"

曰: "有功德在人, 人自當報之. 古人祀五人帝, 只是如此. 後世有箇新生底神道, 緣衆人心邪(都)向他,296 他便盛. 如狄仁傑只留吳泰伯·伍子胥廟, 壞了許多廟, 其鬼亦不能爲害. 緣是他見得無這物事了. 上蔡云, '可者欲人致生之, 故其鬼神; 不可者欲人致死之, 故其鬼不神.'"297

물었다. "천지와 산천은 그것이 있어서 제사지내는 것이니 그 신이 이를 수 있습니다. 그런데 사람이 죽으면 기가 이미 흩어졌는데 어떻게 그것을 이르게 할 수 있겠습니까?"

(주자가) 대답했다. "다만 하나의 기일 뿐이다. 예컨대 자손이 어떤 기를 가지고 여기에 있다면 결국 무엇으로 인하여 이것을 가지게 되었겠는가? 그 근원은 태초의 사람이 기화氣化한 조상으로부터 서로 전하여 여기에 다다른 것이니, 다만 이 기일 뿐이다."

물었다. "선대의 현인과 성인에게 제사지내는 것은 어떻습니까?"

(주자가) 대답했다. "공덕이 있는 사람에게는 사람들이 마땅히 그에게 보답해야 한다. 옛 사람들이 5명의 황제에게 제사지낸 것은298 다만 이와 같을 뿐이다. 후세에 새로 생겨난 '신에 대한 도리[神道]'가 있게 된 것은 많은 사람들의 마음이 그것에 심취되어 그것이 곧 왕성해졌기 때문이다. 예컨대 적인걸狄仁傑299

· ·

295 『論語』「八佾」

296 緣衆人心邪向他: 『朱子語類』 권3, 77조목에는 "緣衆人心都向他"라고 되어 있다.

297 『朱子語類』 권3, 77조목

298 옛 사람들이 … 것은: 『周禮』 권1 「天官·冢宰」에서 "5명의 황제에게 제사지내면 백관들의 맹세와 갖추고 소제할 것을 관장하게 된다.(祀五帝, 則掌百官之誓戒與其脩.)"라고 하였다.

299 狄仁傑(630~700): 자는 懷英이고, 幷州 太原(현 산서성 太原) 사람이다. 明經科에 급제하여 하남의 汴州 判佐로 근무하다가, 그 지방을 시찰하던 工部尙書 閻立本의 눈에 띄어 幷州都督府 法曹로 발탁되었다. 高宗 (재위 649~683) 儀鳳 연간(676~679)에 조정에 들어가 사법기관의 관리인 大理丞이 되었다. 그는 성격이

이 다만 오태백吳泰伯[300]과 오자서伍子胥[301]의 사당만 남겨놓고 많은 사당을 허물어 버렸는데,[302] 그 귀신들이 또한 그를 해칠 수 없었다. 이것은 그가 이러한 것(귀신)이 없다는 것을 알았기 때문이다. 상채上蔡[謝良佐]는 '제사를 지낼 수 있는 것은 사람들에게 그것을 산 것으로 삼도록 하므로 그 귀鬼가 신령하고, 제사를 지낼 수 없는 것은 사람들에게 그것을 죽은 것으로 삼도록 하므로 그 귀가 신령하지 않다.'라고 하였다."

[28-4-12]

問 : "道理有正則有邪, 有是則有非, 鬼神之事亦然. 世間有不正之鬼神, 謂其無此理則不可."
曰 : "老子謂'以道涖天下者, 其鬼不神.' 若是王道脩明, 則此等不正之氣都消鑠了." 一云 : "老子云, '以道治世, 則其鬼不神', 此有理. 行正當事, 人自不作怪. 棄常則妖興."

물었다. "도리는 바름이 있으면 삿됨이 있고, 옳음이 있으면 그름이 있으니, 귀신의 일도 역시 그러합니다. 세간에 바르지 않은 귀신이 있다는 것에 대하여, 그럴 리가 없다고 말하면 안됩니다."
(주자가) 대답했다. "노자는 '도로써 천하를 다스리면 그 귀鬼가 신령하지 않다.'[303]라고 했다. 만약 왕도王道가 조리가 있어 밝게 드러나면 이러한 바르지 않은 기는 모두 사라져버릴 것이다." 어떤 사람은 다음과 같이 기록했다. "노자는 '도로써 세상을 다스리면 그 귀鬼가 신령하지 않다.'라고 말했는데, 이 말은 일리가 있다. 정당한 일을 행하면 사람은 본래 괴이한 일을 하지 않는다. 정상적인 것을 버리면 요괴가 일어난다."

강직하고 청렴하여 1만 7천여 건의 사건을 판결하면서도 잘못된 판결이나 억울한 자가 생기지 않아 이름이 널리 알려졌다. 측천무후 시대에 宰相을 지내며 張柬之, 桓彦范, 敬暉, 竇懷貞, 姚崇 등 새로운 인재들을 추천하여 정치의 기풍을 쇄신하였다. 그리고 이들은 모두 唐을 중흥시키는 데 크게 기여하였다. 張柬之, 桓彦范 등은 705년 측천무후를 압박하여 唐 왕조가 부활될 수 있도록 하였으며, 姚崇 등은 玄宗 시대 唐의 전성기를 이끌었다.

300 吳泰伯 : 일명 太伯이라고도 한다. 周太王 즉 古公亶父의 長子로서, 태왕이 셋째 아들인 季曆에게 왕위를 넘겨주어 계력의 아들인 昌(周文王)으로 왕위가 계승되기를 바라자, 둘째 仲雍과 荊蠻으로 도피하여 왕위가 셋째 동생으로 이어지도록 했다. 자호를 勾吳라고 하여 뒤에 吳나라 제1대 군주가 되었다.

301 伍子胥(?~B.C.484) : 춘추 시대 楚나라 사람으로 吳나라에 망명하여 오나라의 大夫를 지냈다. 이름은 員이고, 자는 子胥다. 楚平王이 小人의 참소를 듣고 오자서의 아버지 伍奢와 형 伍尚을 죄 없이 죽이자 오나라로 망명하여 장수가 되어 초나라를 쳤다. 이미 평왕이 죽은 다음이라 묘를 파내어 시체를 매질하여 아버지와 형의 복수를 했다. 춘추시대 오나라가 패권을 잡는 데에 크게 기여했다. 그러나 오나라 왕 夫差가 西施의 미색에 빠져 정사를 게을리 하고 오히려 그것을 간하던 오자서에게 칼을 주어 자살하도록 했다. 오자서는 자살하면서 자기의 눈을 오나라 성의 東門에 걸어서 자기의 말을 듣지 않고 자기를 죽이는 오나라가 멸망하는 것을 보도록 하라는 유언을 남겼다. 그로부터 9년 뒤 월나라가 오나라를 멸망시켰다.

302 狄仁傑이 다만 … 버렸는데 : 狄仁傑이 江南巡撫使가 되었을 때, 吳越땅에 음란한 사당이 많다고 하여 夏禹, 吳太伯, 季札, 伍子胥의 사당만을 남겨둔 채 나머지 1,700여개의 사당을 모두 헐어버렸다고 한다.(『新唐書』 「列傳」 권115)

303 『道德經』 60장

[28-4-13]

北溪陳氏曰: "古人祭天地山川皆立尸, 誠以天地山川只是陰陽二氣, 用尸要得二氣來聚這尸上, 不是徒然歆享. 所以用灌用燎用牲用幣, 大要盡吾心之誠敬. 誠敬旣盡, 則天地山川之氣便自聚."[304]

북계 진씨北溪陳氏[陳淳]가 말했다. "옛 사람들은 천지 산천에 제사지낼 때 모두 시동을 세웠는데, 이는 진실로 천지 산천이 다만 음·양 두 기이기 때문에 시동을 써서 음·양 두 기가 이 시동에게 와서 모이게 하려는 것이지 헛되이 흠향하게 한 것이 아니다. 그러므로 관灌(울창주를 땅에 부어 땅에 제사지내는 것)·요燎(향을 피워 하늘에 제사지내는 것)·생牲[犧牲]·폐幣[幣帛]를 쓰는 것은 그 의미가 우리 마음의 정성과 공경을 다하는 것이다. 정성과 공경을 다하고 나면 천지 산천의 기는 저절로 모인다."

[28-4-14]

"天子是天地之主, 天地大氣關繫於一身, 極盡其誠敬, 則天地之氣關聚有感應處. 諸侯是一國之主, 只祭境內之名山大川, 極盡其誠敬, 則山川之氣便聚於此而有感應. 皆是各隨其分限小大如此."[305]

(북계 진씨가 말했다.) "천자는 천지의 주인으로서 천지의 큰 기氣가 천자 한 몸에 관련되니, 그의 정성과 공경을 극진히 하면 천지의 기가 모여서 감응함이 있게 된다. 제후는 한 나라의 주인으로서 다만 그 나라 국경 안의 이름난 산과 큰 강에 제사지내니, 그의 정성과 공경을 극진히 하면 산천의 기가 여기에 모여서 감응함이 있게 된다. 이는 모두 각각 그 직분에 따라서 크고 작음이 이와 같은 것이다."

[28-4-15]

"'敬鬼神而遠之', 此一語說得圓而盡. 如正神能知敬矣, 又易失之不能遠: 邪神能知遠矣, 又易失之不能敬. 須是都要敬而遠, 遠而敬, 始兩盡幽明之義. 文公『論語』解, 說'專用力於人道之所宜, 而不惑於鬼神之不可知', 此語示人極爲親切. '未能事人, 焉能事鬼?' 須是盡事人之道, 則事鬼之道斷無二致, 所以發子路者深矣."

(북계 진씨가 말했다.) "귀신을 공경하되 멀리하라.'[306]라고 한 말은 원만하면서도 할 말은 다했다. 만약 올바른 신神에 대해서라면 공경할 줄 알지만 또 멀리하지 못하는 잘못에 빠지기 쉬우며, 잘못된 신에 대해서라면 멀리할 줄은 알지만 또 공경하지 못하는 잘못에 빠지기 쉽다. 반드시 양쪽 모두에 대해 공경하되 멀리하고, 멀리하되 공경해야만 비로소 유명幽明(이승과 저승, 혹 삶과 죽음)의 의리를 양쪽 모두에 다할 수 있다. 문공文公[朱熹]이 『논어』의 이 말을 풀이하면서, '사람의 도리[人道]의 마땅히 해야 할 일에 오로지 힘을 쓰고, 귀신의 알 수 없는 것에 미혹되지 않는다.'[307]라고 한 말은 사람들에게 매우

. . . .

304 陳淳, 『北溪字義』 권下 「鬼神」
305 陳淳, 『北溪字義』 권下 「鬼神」
306 『論語』「雍也」

친절하게 설명한 것이다. '사람을 잘 섬기지 못한다면 어떻게 귀신을 섬기겠는가?[308]라고 하였으니, 사람을 섬기는 도리를 다하면 귀신을 섬기는 도리는 결단코 둘이 아니므로, (공자께서) 자로子路를 깊이 계발시킨 것이다."[309]

[28-5]

論生死 생과 사를 논함

[28-5-1]

程子曰: "死生存亡, 皆知所從來, 胷中瑩然無疑, 止此理爾. 孔子言'未知生, 焉知死?', 蓋略言之, 死之事卽生是也. 更無別理."[310]

정자程子가 말했다. "삶과 죽음, 생존과 멸망에 대해 모두 그 유래를 알면 가슴속이 환해져 의심이 없어질 것이니, 다만 이 이치일 뿐이다. 공자가 '삶을 모른다면 어떻게 죽음을 알겠는가?[311]라고 말했는데, 대개 간략히 말하면 죽음이라는 것이 곧 태어남이라는 것이 이것이다. 다시 또 다른 이치가 있겠는가?"

[28-5-2]

"凡物參和交感則生, 離散不和則死.[312]"[313]

(정자가 말했다.) "만물은 서로 화합하여 교감하면 생겨나고, 흩어져서 화합하지 않으면 죽는다."

---

307 '「사람의 도리[人道]」의 … 않는다.': 『論語』「雍也」의 "귀신을 공경하되 멀리하라.(敬鬼神而遠之.)" 구절에 대해, 주희는 "人道의 마땅히 해야 할 것에 오로지 힘을 쓰고, 귀신의 알 수 없는 것에 미혹되지 않는 것은 智者의 일이다.(專用力於人道之所宜, 而不惑於鬼神之不可知, 知者之事也.)"라고 주석하였다.

308 『論語』「先進」

309 사람을 섬기는 … 것이다. : 주희는 『論語集註』「先進」에서 "사람을 잘 섬기지 못한다면 어떻게 귀신을 섬기겠는가?(未能事人, 焉能事鬼?)"라는 구절에 대해 程子의 다음과 같은 말을 싣고 있다. "程子가 말했다. '낮과 밤은 삶과 죽음의 도리이다. 삶의 도리를 알면 죽음의 도리를 알 것이고, 사람 섬기는 도리를 다하면 귀신 섬기는 도리를 다할 것이다. 삶과 죽음, 사람과 귀신은 하나이면서 둘이고, 둘이면서 하나이다. 어떤 사람이, 夫子(공자)께서 子路에게 말해 주지 않았다고 하는데, 이는 바로 깊이 일러 준 것임을 알지 못하고 하는 말이다.'(程子曰, '晝夜者, 死生之道也. 知生之道, 則知死之道; 盡事人之道, 則盡事鬼之道. 死生人鬼, 一而二, 二而一者也. 或言夫子不告子路, 不知此乃所以深告之也.')"

310 程顥·程頤, 『河南程氏遺書』 권2上

311 『論語』「先進」

312 離散不和則死. : 『河南程氏遺書』 권6에는, "不和分散則死."라고 되어 있다.

313 程顥·程頤, 『河南程氏遺書』 권6

[28-5-3]

“合而生, 非來也 ; 盡而死, 非往也. 然而精氣歸於天, 形魄歸於地, 謂之往亦可矣.”[314]

(정자가 말했다.) “합쳐져서 생겨나는 것은 오는 것이 아니고, 다해서 죽는 것은 가는 것이 아니다. 그러나 정기精氣는 하늘로 돌아가고 형백形魄은 땅으로 돌아가는데, 그것을 간다고 해도 된다.”

[28-5-4]

“原始則足以知其終, 反終則足以知其始. 死生之說, 如是而已矣. 故以春爲始, 而原之必有冬 ; 以冬爲終, 而反之其必有春. 死生者, 其與是類也.”[315]

(정자가 말했다.) “‘시초를 추구하면[原始]’ 그 끝을 알기에 충분하고, ‘끝을 되돌아보면[反終]’ 그 시초를 알기에 충분하다. 생겨남과 죽음에 대한 설명은 이와 같을 따름이다.[316] 그러므로 봄을 시초로 여기지만 그것을 추구하면 반드시 겨울이 있고, 겨울을 끝으로 여기지만 그것을 되돌아보면 반드시 봄이 있다. 삶과 죽음도 이와 같은 부류이다.”

[28-5-5]

五峯胡氏曰 : “物之生死, 理也. 理者, 萬物之貞也. 生聚而可見, 則爲有 ; 死散而不可見, 則爲無. 見者物之形也, 物之理則未嘗有無也.”[317]

오봉 호씨五峯胡氏[胡宏]가 말했다. “만물의 생겨남과 죽음은 이치이다. 이치는 만물의 곧음[貞]이다. 생겨나 모여서 볼 수 있으면 유有가 되고, 죽어 흩어져서 볼 수 없으면 무無가 된다. 보이는 것은 만물의 형체이고, 만물의 이치는 없은 적이 없다.”

[28-5-6]

朱子曰 : “氣聚則生, 氣散則死.”[318]

주자朱子[朱熹]가 말했다. “기가 모이면 생겨나고 기가 흩어지면 죽는다.”

[28-5-7]

問 : “死生一理也. 死而爲鬼, 猶生而爲人也, 但有去來幽顯之異耳. 如一晝一夜, 晦明雖異, 而天理未嘗變也.”

---

314 程顥・程頤, 『二程粹言』 권下 「人物篇」
315 程顥・程頤, 『河南程氏遺書』 권25
316 '시초를 추구하면[原始]' … 따름이다. : 『易』 「繫辭上」에, “시초를 추구하고 끝을 되돌아 봄으로 생겨남과 죽음의 이치를 안다.(原始反終, 故知死生之說.)”라고 하였다. 이 구절의 '原始反終'에 대해 주희는 『周易本義』에서 '原'을 '앞으로 미루어봄[推之於前]', '反'을 '뒤로 탐구함[要之於後]'이라고 하였다.
317 胡宏, 『知言』 권1
318 『朱子語類』 권3, 17조목

曰 : “死者去而不來, 其不變者只是理, 非有一物常在而不變也.”[319]

물었다. “죽음과 생겨남은 한 가지 이치입니다. 죽어서 귀鬼가 되는 것은 마치 생겨나서 사람이 되는 것과 마찬가지인데, 다만 감과 옴, 이승과 저승의 다름이 있을 뿐입니다. 예컨대 낮과 밤은 어두움과 밝음이 다르지만 천리는 변한 적이 없는 것과 같습니다.”

(주자가) 대답했다. “죽은 자는 가서 오지 않는데, 거기에 변하지 않는 것은 리理이지만 어떤 것이 늘 거기에 있어서 변하지 않는 것은 아니다.”

[28-5-8]

問 : “人死時, 只當初稟得許多氣, 氣盡則無否?”

曰 : “是.”

曰 : “如此, 則與天地造化不相干.”

曰 : “死生有命, 當初稟得氣時便定了, 便是天地造化. 只有許多氣, 能保之亦可延.”[320]

물었다. “사람이 죽을 때, 다만 애초에 많은 기氣를 품수 받았지만 그 기가 다하면 없어지는 것입니까?”

(주자가) 대답했다. “그렇다.”

물었다. “이와 같으면 천지의 조화造化와 서로 관련되지 않습니다.”

(주자가) 대답했다. “태어남과 죽음에는 명命이 있으니,[321] 애초에 기를 품부 받을 때 곧 정해지니, 이것이 바로 천지의 조화造化이다. 다만 많은 기를 가지고 있으니 그것을 잘 보존할 수 있으면 또한 (명命을) 연장할 수 있다.”

[28-5-9]

魯齋許氏曰 : “人生天地間, 生死常有之理, 豈能逃得? 却要尋箇不死, 寧有是理?”

노재 허씨魯齋許氏[許衡][322]가 말했다. “사람이 천지간에 태어났으니, 태어남과 죽음은 불변하는 리理인데 어찌 그것을 피할 수 있겠는가? 그런데 도리어 죽지 않으려 하니 어찌 이러한 리가 있겠는가?”

· · · · · · · · · · · · · · · · · ·

319 『朱文公文集』 권41 「答程允夫」

320 『朱子語類』 권3, 38조목

321 태어남과 죽음에는 … 있으니 : 『論語』 「顔淵」 에, “태어남과 죽음에는 命이 있고, 富와 貴는 하늘에 달려 있다.(死生有命, 富貴在天.)”라고 하였다.

322 許衡(1209~1281) : 원 河內 출신. 이름은 衡. 자는 仲平. 호는 魯齋. 程朱學者로 魯齋先生이라고 불린다. 시호는 文正. 經學, 子史, 禮樂, 名物, 星曆, 兵刑, 食貨, 水利에 널리 통달했다. 특히 程朱의 학을 받들었다. 劉因과 함께 원의 두 大家라고 불렸다. 世祖 때 벼슬에 나아가 國子祭酒, 中書左丞을 지냈다. 阿哈馬特의 擅權을 논하고 관직을 떠났다. 가르치기를 잘하여 따라서 배우는 사람이 많았다. 저서에 『讀易私言』·『魯齋心法』·『魯齋遺書』가 있다.

해제解題

성리대전 권22~23 「율려신서律呂新書」 해제

Ⅰ. 『율려신서』의 저자와 저작이 갖는 의미

『율려신서律呂新書』는 송대의 대표적 악률이론가인 채원정蔡元定(1135~1198)의 저작이다. 채원정은 주자朱子의 제자이지만 주자가 벗으로 대하였다[1]고 할 만큼 뛰어난 식견을 지닌 인물이다. 그는 악률樂律뿐 아니라 천문, 지리, 역수曆數 등에도 밝았으며, 주자와 더불어 실제로 『역학계몽易學啓蒙』을 저술하였다고 일컬어진다.[2] 성리대전 소재 『율려신서』 주자의 서문 아래 소주에는 주자가 채원정의 학문내력과 공력을 칭찬한 내용들을 싣고 있다. 또 주자가 『율려신서』에 대해 구체적 내용을 언급한 것을 인용하면서, 이 책이 실상 주자와 채원정의 사제師弟간에 완성한 것이라고 평가하고 있다.[3] 『율려신서』는 송대宋代까지 이루어졌던 악률에 대한 중요한 논의들을 심도있게 다루고 있어서, 후대 악률론의 전개에 큰 영향을 미쳤다.

유가문화에 있어 음악은 심미적, 예술적 감상의 차원뿐 아니라 제도의 확립과 심성의 교화라는 측면에서 중요한 도구였다. 유가의 왕도정치王道政治는 예禮와 악樂이라는 두 수레바퀴로 굴러가는 것이라 할 수 있다. 『예기』「악기」에는 다음과 같은 기록이 있다.

"음音이란 사람의 마음에서 생기는 것이고, 악樂이란 윤리에 통하는 것이다. … 군자만이 악樂을 알 수가 있다. 그러므로 소리를 살펴 음音을 알고, 음을 살펴 악樂을 알며, 악을 살펴 정사政事를 알아 다스리는 도리가 갖추어 진다. 그러니 소리를 모르는 자와는 음音을 말할 수 없고, 음을 모르는 자와는 악樂을 더불어 말할 수 없다. 악樂을 안다면 예禮를 거의 아는 것이다. 예禮와 악樂을 모두 얻는 것을 '덕이 있다'고 하니 덕스러운 자는 얻는다."[4]

---

1 『性理大全·律呂新書』朱子序文아래 소주: 西山眞氏曰, 先生嘗特召, 堅辭不起, 世謂之聘君. 聘君以師事文公, 而文公顧曰, 季通吾老友也.

2 『역학계몽』을 채원정과 주자의 공동저술로 볼만한 근거는 곳곳에서 발견된다. 주자는 채원정에게 보내는 편지에서 "『계몽』은 다 고쳤소? 빨리 보고 싶구먼"이라 하거나 "『계몽』에서 몇 곳을 고쳤으면 하는데 이제 추려서 보내니 살펴주면 좋겠소."라 한다.

3 『性理大全·律呂新書』朱子序文아래 소주: 季通律書法度深精, 近世諸儒皆莫能及. ○季通理會樂律, 大段有心力看得許多書. ○律呂書蓋朱蔡師弟子相與成之者. 朱子與西山書云, 但用古書古語, 或注疏而以己意附其下方, 甚簡約而極周盡. 學者一覽, 可得梗槩其他推說之泛濫, 旁正之異同, 不盡載也.

4 「禮記·樂記」: 凡音者, 生於人心者也. 樂者, 通倫理者也. 是故知聲而不知音者, 禽獸是也. 知音而不知樂者,

'예禮는 천리天理의 절문節文이자 인사人事의 의칙儀則'이란 말과 같이 예禮는 자연의 이치를 의례화한 것이며, 악樂은 거짓없는 자연의 질서를 모델로 한다. 유가의 통치자들은 예악사상에 따라 천리天理와 인사人事의 합일을 추구하였다. 율관의 기본음이 되는 황종음 찾기는 천리와 인사를 구체적으로 매개하는 기준점이 되었다고 할 수 있다. 황종음은 자연의 질서 속에서 도출된 것이며, 바른 황종음 찾기는 바른 악률을 정비하는 시발점이자, 올바른 도량형을 제정하는 기초가 된다. 따라서 바른 악률을 통해 제정된 음악이 쓰일 때, 사회적 교화는 물론 제사를 통해 조상이 감통하고 더 나아가 천지만물이 화합할 수 있다. 유가문화권에서 음악이론은 이러한 배경을 지니고 전개되는 것이다. 음악이론의 정비는 단순히 음악의 문제가 아니라 자연의 질서에 입각하여 수신, 제가, 치국, 평천하를 도모하는 문제인 것이다. 채원정이 『율려신서』에서 황종음을 구하는 방법으로 누서법累黍法 보다 후기법候氣法을 지지하며, '성기지원聲氣之元'을 소리의 근원으로 추구하는 것에서도 인사의 근원으로서 천리를 추구하려는 태도를 볼 수 있다.

> "율律은 기장에서 생겨나는 것이 아니다. 먼 훗날에 먼 옛날의 율을 구하고자 한다면, 역시 '성기의 근원'에서 구해야지, 굳이 기장에서 구할 것이 없다."[5]

이와 같은 채원정의 이론은 우주의 근원으로서 태극의 리理를 추구하는 송대의 이학理學전통을 배경으로 한다고 하겠다. 한편 『율려신서』는 조선 건국 초기에 유입되어, 조선전기 악률의 정비와 이론의 발전에도 크게 기여하였다. 또한 후기에는 실학자들을 중심으로 비판적 검토의 대상이 됨으로써 조선의 악률론이 활성화되는 촉매로 작용하였다.

Ⅱ. 기번역본과 판본의 종류들

본 번역은 성리대전 전체 번역사업의 일환으로 이루어진 것으로, 1994년 학민문화사에서 영인한 성리대전에 포함된 『율려신서律呂新書』를 저본으로 한다. 기존의 『율려신서』 번역본은 2005년 발행된 『국역 율려신서』(송방송·박정련 외, 민속원) 와 2011년 발행된 『국역 율려신서』(이후영,

---

衆庶是也. 唯君子爲能知樂. 是故審聲以知音, 審音以知樂, 審樂以知政, 而治道備矣. 是故不知聲者不可與言音, 不知音者, 不可與言樂, 知樂則幾於禮矣. 禮樂皆得, 謂之有德. 德者, 得也.
5 『律呂新書·律呂證辨·造律』: 非律生於黍也. 百世之下, 慾求百世之前之律者, 其亦求之於聲氣之元, 而毋必之於秬黍則得之矣.

문진)의 두 종류가 있다. 송방송·박정련본은 『문연각사고전서文淵閣四庫全書』에 수록된 『율려신서』를 저본으로 하였는데, 이는 한방기韓邦奇(1479~1555)의 주석이 달린 흠정사고전서欽定四庫全書를 영인한 것이다. 이후영본은 성리대전본과 사고전서본의 두 가지를 저본으로 하였는데, 역자는 '제요提要'가 있는 사고전서본을 번역의 대본으로 하고 성리대전본을 참고로 하였다고 밝히고 있다.[6] 송방송·박정련본은 한국에서 최초로 시도된 『율려신서』 번역본으로서 난해한 『율려신서』의 내용을 독자들이 쉽게 접근할 수 있도록 하였다는데 의의가 있다. 그러나 오역과 비문이 적지 않고, 주석이 미비하여 아쉬움이 있다. 두 번째 번역서인 이후영본은 번역이 정교하고 주석이 전체 분량의 30%에 달할 정도로 상세하여 연구자들에게 많은 도움을 준다. 다만 교감과정에서 대부분의 교감이 정밀함에도 불구하고 몇 개의 사례에서 교감의 정확성과 원문을 교감자로 대체한 방식에 대한 타당성 여부가 지적된다.[7]

『율려신서』판본에 대해서는 송·박본의 해제에 상세하게 실려 있다. 『율려신서』판본의 종류를 송방송·박정련본의 해제에 의거하여 정리해 보면 다음과 같다.

<『율려신서』판본의 종류>[8]

	판본종류		간행연도	특기사항
중국	성리대전본	①	1415	- 명 영락제의 명으로 호광胡廣 등이 편찬 - 1419(세종원년)년 조선에 유입 - 이후 여러 차례 복간됨
		②	16세기	- 현재 미국 국회도서관·하버드 옌칭연구소 도서관 소장
	한방기韓邦奇, (1479~1555) 주석본			- 한방기 문집 『원락지락苑洛志樂』에 수록 - 흠정사고전서 권23 경부經部에 포함됨 - 청 왕훤汪烜의 『악경율려통해樂經律呂通解』에 실림
	공간공지락 恭簡公志樂		1806	- 한방기의 주석본을 복간한 것
	율려신서잔주 律呂新書棧註		1897	
	송채심율려신서			- 심괄沈括의 보필담을 추가수록

6 이후영, 『국역 율려신서』, 문진, 2011, 4쪽.
7 이 부분에 대해서는 김병애, 「『율려신서』의 번역·교감·주석 고찰」, 『동양철학연구』 72집, 동양철학연구회, 2012, 11. 참조. 김병애는 이 논문에서 송·박본과 이후영본을 상세히 비교고찰하여 그 득실을 논의하고 있다.
8 이 표는 송방송·박정련 외, 『국역 율려신서』(민속원, 2005), 11~15쪽의 내용에 의거하여 정리한 것이다.

판본종류		간행연도	특기사항
宋蔡沈律呂新書			- 『중국음악사료』 권5 『고금도서집성古今圖書集成·율려부律呂部』에 전함
한국	성리대전본 ①	1427 (세종9)	- 성리대전을 복간하면서 함께 출간된 것 - 『성리대전서』에 변계량의 발문이 수록되어 있음
	성리대전본 ②	1644 (인조22)	- 이 복간본에 실린 『율려신서』는 현재 서울대 규장각 소장
	성리대전본 ③	정조연간 (1776~1800)	- 현재 한국학중앙연구원 장서각 소장 - 현재 경북대 도서관 소장
	기타		이외에 연대가 불분명한 10종의 판본이 남아 있다.

Ⅲ. 『율려신서』의 구성과 내용적 특징

성리대전본 『율려신서律呂新書』의 구성을 보면 먼저 주자의 서문이 있고, 본문은 크게 「율려본원律呂本原」과 「율려증변律呂證辨」의 두 부분으로 구성되어 있다. 「율려본원」은 13편으로 원론적 이론이고, 「율려증변」은 그 이론에 대한 근거를 여러 전적을 통해 논증하는 방식으로 구성되어 있다.[9] 「율려본원」에서는 황종율관과 12율관, 변율變律, 오성五聲과 변성變聲, 84성聲과 60조調와 같은 음계론과 악조론, 후기법候氣法, 황종율관으로부터 생성되는 도량권형度量權衡의 문제 등을 다루고 있다.[10] 『율려신서』의 구성을 도표로 만들어 보면 그 전체의 대강을 일목요연하게 살펴볼 수 있다.[11]

性理大全 권22~권23 律呂新書			
朱子序文			
律呂新書 1		律呂新書 2	
律呂本原		律呂證辨	
제1	黃鐘	제1	造律
		제2	律長短圍徑之數

---

9 김수현, 「『詩樂和聲』의 악률론 연구」, 한국학중앙연구원, 박사논문, 2010, 87쪽.
10 김병애, 앞의 논문, 301쪽 참조.
11 김수현, 위의 논문 같은 곳 참조.

性理大全 권22~권23 律呂新書			
제2	黃鐘之實	제3	黃鐘之實
제3	黃鐘生十一律	제4	三分損益上下相生
제4	十二律之實		
제5	變律	제5	和聲
제6	律生五聲圖	제6	五聲小大之次
제7	變聲	제7	變宮變徵
제8	八十四聲圖	제8	六十調
제9	六十調圖		
제10	候氣	제9	候氣
제11	審度	제10	度量權衡
제12	嘉量		
제13	謹權衡		

김수현의 연구에 따르면 『율려신서』에 나타난 채원정 악률론의 특징은 크게 3가지로 정리할 수 있다.

① 황종율관의 길이 9촌에 대해 9분법과 10분법을 모두 썼다.

② 황종율관의 길이 9촌에서 나머지 11율을 산출하는데 있어 9분척을 사용해 무리수가 생기지 않도록 계산하였다.

③ 무엇보다 변율의 수치를 고안하여, 음의 흐트러짐을 방지하고 60조 이론을 체계화하였다.

이를 항목별로 살펴보면 다음과 같다.[12]

〈1〉 황종율관의 길이 9촌에 대해 9분법과 10분법을 모두 적용

채원정은 황종율관 길이 9촌을 설명하면서, 1촌을 9분이라 한 곳이 있고, 10분이라 한 곳이 있어서 모순을 일으키고 있다.[13] 그 당시에도 이러한 모순을 지적한 사례가 있었는데, 이에 대해

....

12 이하의 내용은 김수현의 연구를 정리한 것이다.

13 채원정은 『律呂新書』 안에서 『한서』 「율력지」의 황종관의 길이를 설명할 때는 10분법을 말하고, "기장 한 알의 넓이로 그것을 재면 90분이 황종율관의 길이이다"라 한다. 그러나 「율려본원」 〈황종지실〉에서 황종율관을 설명할 때는 9분법을 사용한다. 또 황종율관의 길이에 대해 "황종율관의 길이는 9촌인데 1촌이 9분이다. 모두 81분이 된다. 그리고 또 10으로 그것을 묶으면 1촌이 된다. 그러므로 8촌과 10분의 1이 된다고 하였다"라고 하여, 앞서 말한 황종율관 90분의 설명과 모순을 일으키고 있다.(김수현, 앞의 논문, 88쪽 참조)

채원정은 체용론體用論을 도입하여 10은 체體로 9는 용用으로 설명한다.

> "어떤 이가 물었다: 지름과 원둘레의 푼은 10을 법도로 삼고, 상생할 때의 푼·리·호·사는 9를 법도로 삼는 것은 왜 그렇습니까?
> 내가 답하였다: 10을 법도로 삼는 것은 천지의 온전한 수이기 때문이고, 9를 법도로 삼는 것은 3으로 나누어 덜고 보태는 것에 따라 성립된 것입니다. 온전한 수는 10에 나아가 9를 취합니다. 상생은 10을 간략하게 해서 9를 삼는데, 10에 나아가 9를 취하는 것은 체體가 서는 것이고, 10을 간략하게 해서 9를 삼는 것은 용用이 행해지는 것이다. 체體란 중성中聲을 정하는 것이고, 용用이란 11율을 생생生生하는 것입니다."[14]

실제로 삼분손익三分損益해서 11율을 도출하는데 쓰이는 것은 9분법이지만, 그 체體가 되는 중성中聲을 정하는 데에는 10분법이 필요하다는 것이다. 이는 채원정이 일관된 수리적 계산법을 추구하기 이전에, 체용론에 입각한 형이상학적 세계관을 지닌 인물이었음을 보여준다.

⟨2⟩ 황종율관의 길이 9촌에서 나머지 11율을 산출하는데 있어 9분척을 사용해 무리수가 생기지 않도록 계산한 탁월성

최원정은 『한서』『사기』『회남자』등의 내용에 따라 자子 1로부터 나머지 11진辰을 돌아가면서 3배하여, 황종의 실수實數를 3^{11}=177147로 제시하였다.[15] 뿐만 아니라 임종의 실實, 태주의 실實 등 나머지 11개의 실實도 모두 계산하여 그 의미를 밝혀내었다. 이로써 177147로 통분하는 의미를 명확하게 하였다.

⟨3⟩ 변율의 수치를 고안하여, 음의 흐트러짐을 방지하고 60조 이론을 체계화 함.

변율론變律論은 채원정 이론에서 가장 핵심적인 것이라 할 수 있다. 삼분손익법에 따라 계산해 보면, 마지막 12율이 다시 처음의 황종율의 높이와 똑같게 돌아가지 않고 조금 높게 되는 문제가 발생한다. 더군다나 율律 사이의 간격이 일정하지 않기 때문에, 황종을 궁宮으로 할 때 구성된 음계와 다른 율을 궁으로 할 때 구성되는 음계의 간격이 일치 하지 않는 문제가 발생한다. 채원정은 6변율을 고안하여, 변율이 발생하는 궁에서 그 변율을 써줌으로써 어떤 궁에서도 음간격이

---

14 『律呂新書·律呂本原·黃鐘之實』: 或曰, 徑圍之分, 以十爲法, 而相生之分釐毫絲, 以九爲法, 何也. 曰, 以十爲法者, 天地之全數也. 以九爲法者, 因三分損益而立也. 全數者, 卽十而取九, 相生者, 約十而爲九卽, 十而取九者, 體之所以立. 約十而爲九者, 用之所以行. 體者所以定中聲, 用者所以生十一律也.

15 이후영, 앞의 책, 10쪽 참조.

흐트러지지 않도록 하였다. 이것이 12율에 6변율이 더해진 19율 이론이다. 또한 채원정은 변율을 반영하여 60조 이론을 보완하고 체계화 하였다.[16]

Ⅳ. 조선시대 『율려신서』의 수용과 연구

『율려신서』는 세종 원년(1419) 명나라에 파견한 사은사를 통해서 처음으로 조선에 유입된 것으로 알려져 있다. 사은사謝恩使로 갔던 태종의 아들 경녕군敬寧君이 명나라에서 『성리대전性理大全』을 받아왔는데, 그 안에 『율려신서』가 포함되어 있었다. 『율려신서』는 경연의 교재로 채택될 만큼 중요하게 취급되었으며, 특히 세종대 음악정비사업의 주춧돌이 되어, 황종율관의 제정, 아악기 제작 및 제사와 조회를 위한 「아악보」의 악조이론 정립에 많은 영향을 주었다.[17]

성리학을 기반으로 하는 조선은 그 개국과 더불어 아악과 이를 뒷받침할 음악이론의 정비가 시급한 과제였다. 조선 성종成宗시기 발간된 『악학궤범樂學軌範』서문에는 음악과 치도治道의 관계를 다음과 같이 논한다.

> "악樂이란 자연에서 나와 사람에게 깃들이는 것이요, 허虛에서 피어나 저절로 그러함에서 이루어지니, 그래서 사람의 마음으로 하여금 감동하여 혈맥을 뛰게 하고 정신을 유통시킨다.… 그 같지 않은 소리를 합하여 하나로 할 수 있는 것은 임금이 어떻게 인도하느냐에 달렸을 뿐이다. 인도하는 바가 바른가 비뚤어졌는가에 따라 풍속의 흥성과 침체가 달렸으니, 이것이 악樂의 도가 정치와 교화에 크게 관련되는 이유이다."[18]

이는 유가의 예악禮樂사상을 잘 드러내고 있으며, 유가적 이상국가를 향한 문물제도의 정비에 음악이 지니는 중요성을 설명해준다. 세종世宗 시기에 『율려신서』가 경연의 교재로 채택되고, 중점적으로 연구되었던 것은 이러한 시대적 요청에 따른 것이었다. 이는 정인지鄭麟趾의 언급에서도 볼 수 있다.

---

16 이에 대한 상세한 내용은 김수현 위의 논문 86~91쪽 참조.
17 김세종, 「세종조 『율려신서』의 유입과 아악정비에 미친 영향」『호남문화연구』제51집, 호남문화연구원, 2012. 6, 2쪽 참조.
18 『樂學軌範』序文: 樂也者, 出於天而寓於人, 發於虛而成於自然. 所以使人心感而動盪血脈, 流通精神也 … 能合其聲之不同而一之者, 在君上上導之如何耳. 所導有正邪之殊, 而俗之隆替係焉. 此樂之道, 所以大關於治化者也.

"예전에 세종대왕께서 신에게 하교하시기를, '나라를 다스림에 예禮보다 중한 것이 없으나, 악樂의 쓰임 또한 큰 것이다. 세상 사람들은 모두 예禮는 중히 여기나 악樂에는 소홀하여 이를 익히지 않는 일이 많으니 이는 한탄할 일이다.' 하시고, 곧 명하여 『오례五禮』를 찬정撰定하셨고 또 태조와 태종의 공덕을 나타내고자 하여 정대업定大業의 악樂을 제정하게 하셨습니다. 생각건대 신이 비록 음률은 알지 못하지만 고금古今의 일을 약간 알고 있는 까닭에 신을 명하여 제조提調로 삼으시고 그 일을 맡게 하셨으며, 경연經筵에서까지도 『율려신서律呂新書』를 진강進講하게 하시어 친히 헤아리고 고증考證하여 그 악을 제정하시고 우선 궁인과 두 기생妓生으로 하여금 궁중에서 익히게 하셨으니, 장차 종묘宗廟와 조정에서 쓰려고 하신 것입니다."[19]

『율려신서』가 세종대의 아악 정비사업에만 영향을 끼친 것은 아니었다. 『율려신서』는 조선의 대표적 음악이론서이자 해설서인 『악학궤범』의 편찬에 지대한 영향을 미쳤으며, 세조, 성종, 중종 시기에도 경연에서 강의되는 등 지속적으로 연구되었음을 볼 수 있다.[20] 또 후기에는 다수의 학자들에 의해 비판의 대상이 됨으로써 이후 조선의 음악이론 연구의 촉매가 되었다. 조선후기의 악률론은 『율려신서』를 계승하고 보완하려는 경향과 이를 비판하고 새로운 악률론으로 나아가려는 경향으로 대별할 수 있다. 전자로는 이만부李萬敷(1664~1732)의 『율려추보律呂推步』, 박치화朴致和(1680~1764)의 『설계수록雪溪隨錄』에 실린 「율려신서」, 황윤석黃胤錫(1729~1791)의 『이재난고頤齋亂藁』에 수록된 「율려신서해律呂新書解」 「오음심변五音審辨」 「오음논고五音論考」 「칠현논고七絃論考」 등이 있다. 후자는 대체로 실학자들에 의해 이루어졌는데, 이형상李衡祥(1653~1733)의 『악학편고樂學便考』, 이익李瀷(1681~1763)의 『성호사설星湖僿說』에 실린 「악률樂律」 「박연율관朴堧律管」 「척尺」 「구등제관簋燈制管」, 홍대용洪大容(1731~1783)의 『담헌서湛軒書』에 실린 「율관해律管解」 「변율變律」 「황종고금이동지의黃鐘古今異同之疑」, 그리고 조선후기 악론의 대표적 이론서인 서명응徐命膺(1716~1787)의 『시악화성詩樂和聲』을 들 수 있다.[21]

이상에서 살펴본 바와 같이 동북아시아 학술문화사에서 『율려신서』가 지니는 의의는 매우 크다고 할 수 있다. 『율려신서』는 송대 이전의 주요한 음악이론들을 망라하고 있으며, 또한 후대

---

19 『朝鮮王朝實錄·端宗1年』(1453): "昔世宗大王敎臣曰, '治國莫重於禮, 而樂之爲用亦大矣. 世人率以禮爲重, 而緩於樂, 多不習焉, 是可恨也. 卽令撰定五禮, 又欲象太祖太宗治功, 制爲定大業之樂. 謂臣雖不解音律, 以其粗識古今, 故命臣爲提調, 俾掌其事. 至於經筵進講律呂新書, 親算考證, 以定其樂. 姑令宮人與二妓習之宮中, 蓋將用之於宗廟朝廷也.

20 『조선왕조실록』에는 세조가 평생토록 율려학에 능한 신하들과 더불어 『율려신서』를 토의하였다는 사실과 성종대에 경연에서 隔八相生法을 연구하기 위해 『율려신서』를 진강하고 토의하였다는 기록, 중종대의 강독 기록 등이 다수 실려 있음을 볼 수 있다.(정윤희, 「조선시대 『율려신서』의 수용문제 고찰」 『한국음악사학보』 제23집, 참조)

21 김수현, 앞의 논문 2장 2절. 「조선후기 악률론 전개의 두 가지 양상」 참조.

음악이론의 토대가 되었다. 앞서 언급한 바와 같이 유가문화권에서 음악은 정치·사회·문화를 관통하는 실질적 토대가 됨을 생각할 때『율려신서』가 지니는 역사적 위상과 의의를 짐작할 수 있을 것이다. 더불어『율려신서』가 조선조의 정치제도사, 문화사에 기여한 바 역시 간과할 수 없다.

〈참고자료〉

『性理大全·律呂新書』

송방송·박정련 외,『국역 율려신서』, 민속원, 2005.

이후영,『국역 율려신서』, 문진, 2011.

김수현,「『詩樂和聲』의 악률론 연구」, 한국학중앙연구원, 박사논문, 2010,

김세종,「세종조『율려신서』의 유입과 아악정비에 미친 영향」『호남문화연구』제51집, 호남문화연구원, 2012. 6,

정윤희,「조선시대『율려신서』의 수용문제 고찰」『한국음악사학보』제23집

김병애,「『율려신서』의 번역·교감·주석 고찰」,『동양철학연구』72집, 동양철학연구회, 2012, 11.

성리대전 권24~25 「홍범황극내편洪範皇極內篇」 해제

Ⅰ. 개요

『홍범황극내편洪範皇極內篇』은 남송南宋 시대 주자朱子의 제자였던 채침蔡沈(1167~1230)이 지은 저술이다. 『영락대전永樂大典』과 사고전서四庫全書에는 모두 5권으로 편차하였으나, 본『성리대전』에는 2권으로 편차되어 있다.

채침의 아버지 서산西山 채원정蔡元定(1135~1198)도 주자의 제자로서 『율려신서律呂新書』를 지었는데, 그는 「홍범洪範」의 수數에도 관심이 많아 오래 동안 연구하였으나 미처 저술을 하지 못하고 이를 아들 채침에게 위촉하였다. 채침은 아버지의 부탁과 주자의 가르침을 받아 수십 년 동안 연구를 거듭한 끝에 이 책을 지었다. 저술 연도는 알려져 있지 않다. 이 책은 원래 내·외편內外篇으로 나누었던 것 같으나, 현전하는 판본은 모두『홍범황극내편』에 통합되어 있다. 외편外篇이라는 편명이 없음에도 불구하고 이 책을『홍범황극내편』이라고 제목 붙인 것은 이상하다.

『홍범황극』의 내·외편 구분 문제는 남송 이래 논란이 많았다. 이 때문에 책의 이름도 여러 가지로 전해지고 있다. 남송의 왕응린王應麟(1223~1296)은『옥해玉海』에서 이 책의 이름을『홍범수洪範數』라고 하였고, 명대의 왕기王圻(1530~1615)는『속통고續通考』에서『홍범황극내외편洪範皇極內外篇』이라 하였다. 청대의 주이존朱彝尊(1629~1709)은『경의고經義考』에서『홍범내외편洪範內外篇』이라 하였으며, 일반적으로『홍범황극洪範皇極』으로 약칭하는 경우가 많다. 본서의 내용과 체제를 자세히 검토해 보면『속통고』에서 제시한『홍범황극내외편』이 가장 합당한 이름으로 생각된다.

『홍범황극내편』은 만물의 근본 원리를 수數로써 상징화하고, 수의 조합에 의해 인간과 사물의 생성 변화 소멸을 설명한, 미래의 길흉화복을 점치는 상수학象數學적 저술이다. 『주역周易』이 음양의 조합 즉 1과 2의 조합으로 2에서 4가 되고, 4에서 8이 되어 팔괘八卦를 만들며, 팔괘를 중복하여 64괘를 이루어 만물의 생성 변화를 설명하고 인간과 사물의 앞날을 점치는 것과 같은 이치다. 다만 상수학에서는『주역』과 달리 3을 기준으로 하여, 1에서 3이 되고, 3에서 9가 되어 9주九疇를 만든다. 9주의 중복은 81주가 되고, 81주의 중복은 6,561이 되어 수가 완성되는 것으로 본다. 『홍범황극내편』은 이 9주疇의 조합과 응용으로 만물의 이치를 설명하고 6,561경우의 수로서 미래를 점친다. 이 책은 8과 9의 차이만 있을 뿐 그 원리와 체계에 있어서『주역』과 같은 형식으로 되어 있다.

본서는 제2의 『주역』이라고 할 수 있으며, 흔히 천지의 조화를 밝힌 책으로 칭송되고 있다. 서산西山 진덕수眞德秀(1178~1235)는 일찍이 "채씨蔡氏의 『홍범수洪範數』는 세 성인伏羲, 文王, 孔子이 만든 『주역』과 그 공적이 같다"고 한 것으로 보아, 이 책이 성리학 내지 상수학의 역사에서 얼마나 중요한 의미를 가진 것인지 알 수 있다. 이것이 명나라 때 편찬된 『성리대전』에 본서가 편입된 까닭이라 하겠다.

그러나 이 『홍범황극내편』에는 약간의 의문점이 있다. 예를 들면 본서에는 「낙서洛書」를 상수象數의 기원으로 보고 그것을 책의 첫머리에 놓았지만, 「낙서」는 『주역』에서 처음 보이는 것이며 『서경』「홍범」 편에는 보이지 않는 것이다. 또 「홍범」의 주 내용은 이理를 밝힌 것이며, 수數를 밝힌 것은 아니다. 『서경』「홍범」에 몇몇 수의 용례들이 있기는 하지만, 엄밀하게 말하자면 이들은 상수학과 별로 유기적인 관계가 없는 내용들이다.

『홍범황극내편』은 미완성의 저작이라고 할 수 있다. 그 내·외편의 구분도 애매한 점이 있지만, 핵심 중의 핵심이라고 할 수 있는 81도圖의 수數 해석에 흠결이 있다. 수를 해석한 "수왈數曰"이 제1도圖에만 있고, 여타 80도에는 공란으로 남겨져 있기 때문이다. 주역으로 치면 괘卦와 괘사卦辭는 있으나, 효사爻辭가 빠져 있는 셈이다. 『홍범황극내편』의 이 부분은 오래 동안 보완되지 못하였다가, 조선 후기의 유학자 낙저洛渚 이주천李柱天(1662~1711)의 『신증황극내편新增皇極內篇』에서 나름대로 보완되었다.

Ⅱ. 『홍범황극내편』의 체제

본서의 제1권에는 머리에 저자 채침의 서문이 있고, 그 다음에 낙서洛書, 구구원수도九九圓數圖, 구구방수도九九方數圖, 구구행수도九九行數圖, 구구적수도九九積數圖 등 5장의 도圖가 있으며, 그 다음에 이른바 「논論」 3편이 수록되어 있다. 「논」 3편은 각기 「홍범황극내편 상洪範皇極內篇上」「홍범황극내편 중洪範皇極內篇中」「홍범황극내편 하洪範皇極內篇下」로 구분되어 있다. 각기 35문단, 37문단, 6문단으로 구성되어 있다.

제2권에는 머리에 「황극내편수총명洪範皇極內篇數總名」이 있고, 이어서 이른바 「수數」 81장 즉 「팔십일도八十一圖」가 차례로 수록되어 있으며, 말미에는 「오행식물속도五行植物屬圖」「오행동물속도五行動物屬圖」「오행용물속도五行用物屬圖」「오행사류길도五行事類吉圖」「오행사류흉도五行事類凶圖」「오행간지도五行干支圖」「오행인체성정도五行人體性情圖」「역상지도易象之圖」「범수지도範數

之圖」등 9장의 도圖가 붙어 있다. 그러나 사고전서에는 「오행식물속도」이하 9장의 도가 포함되어 있지 않다. 따라서 이 9장의 도는 원본에 없었던 것인데, 후에 작성되어 첨가된 것으로 생각된다. 이것은 『가례家禮』에 「가례도家禮圖」가 덧붙여진 사정과 비슷한 예이다.

본서가 내·외편을 합쳐 『홍범황극내편洪範皇極內篇』이라고 제목을 붙인 것은 매우 이상한 일이다. 『영락대전永樂大典』과 『성리대전性理大全』에는 모두 그렇게 되어 있으나, 명대 웅종립熊宗立(1409~1482)의 주석본에는 「논論」 3편을 내편內篇으로 하였고, 「수數」 81장을 외편外篇으로 하였다. 본서의 체제와 내용을 잘 살펴보면, 「수 81장」은 『주역』의 64괘에 해당하는 것으로서, 마땅히 내편으로 해야 할 것 같고, 「논論」 3편은 『주역』의 「계사繫辭」나 「설괘說卦」와 같은 것이어서 마땅히 외편으로 해야 할 것 같다. 그러나 현전하는 각 판본에는 모두 「논」 3편을 앞부분에 편집하고 「수」 81장을 뒤 부분에 편집해 놓아, 『주역』과 비교하면 그 차례가 맞지 않은 것 같다.

명대의 여심餘深이 지은 『홍범주해洪範疇解』에는 "조용曹溶(1613-1685)이 채씨의 내편內篇을 해석하였는데, 그 주疇는 바로 81장의 수數였다."고 하였다. 또 정종순程宗舜이 지은 『홍범내편석洪範內篇釋』의 「자서自序」에서는 81수만을 해석하였고, 역시 3편의 「논」은 거론하지 않았다. 한방기韓邦奇(1479~1556)가 지은 『홍범전洪範傳』에서는 「경經」과 「전傳」으로 구분하였는데, 81수를 「경」으로, 「논」 3편을 「전」으로 하였으니, 그것은 곧 외편이었다. 따라서 「수數」 81장이 내편이고, 「논」 3편이 외편이었음은 틀림없었을 것 같은데, 『성리대전』과 『영락대전』에서는 이를 합치고 순서도 바꾸어서 『홍범황극내편洪範皇極內篇』이라고 해 놓은 것이다. 아마도 『성리대전』과 『영락대전』을 같은 시기에 편찬하면서 대본으로 삼았던 책을 잘못 선택했던 것으로 보인다. 위에서 열거한 여러 학자들의 말을 보면 명나라 때까지는 원전에 가까운 정확한 판본이 있었던 것 같기도 하다. 그러나 현재는 다른 판본이 전하지 않으므로 단정하기 어렵다.

이 책의 이름은 학자들에 따라 『홍범수洪範數』, 『홍범황극내외편洪範皇極內外篇』, 『홍범내외편洪範內外篇』, 『홍범황극洪範皇極』 등으로 불리우고 있지만, 『홍범황극내외편』으로 하는 것이 가장 합당할 것이다. 그러나 본 『성리대전』의 국역본에는 원본 그대로 둘 수 밖에 없다.

Ⅲ. 『홍범황극내편』의 주요 내용

『홍범황극내편』의 핵심과 그 저술 의도는 채침蔡沈의 서문에 잘 나타나 있다.

그에 의하면, 천지天地의 찬술을 구체화 한 것이 역易의 상象이며, 천지의 찬술을 범주화 한 것이 주疇의 상이라 하였다. 수는 1에서 시작하고, 2에서 이루어지는데. 1은 기수奇數(홀수)이며,

2는 우수偶數(짝수)이다. 기수는 수의 작용을 행하게 하는 소이가 되며, 우수는 상을 성립케 하는 소이가 된다. 이를 미루어 2에서 4가 되고, 4에서 8이 되는데, 8은 바로 팔괘八卦의 상이다. 1에서 3이 되고, 3에서 9가 되는데, 9는 바로 9주九疇의 수이다. 이것을 거듭하게 되면 8에서 64가 되고, 64에서 4,916이 되어 상이 갖추어진다. 9에서 81이 되고, 81에서 6,561이 되어 수가 일주一周하게 된다는 것이다. 여기서 그는 역학易學과 상수학象數學을 일체화시키고 있음을 볼 수 있다.

채침은 천지가 개벽되게 하는 것을 수로 보았다. 사람과 사물이 나는 것도 수이며, 만사를 잃고 얻게 하는 것도 또한 수라는 것이다. 수의 본체는 형形에서 드러나며, 수의 활용은 리理에서 오묘하게 존재한다. 신묘함을 궁리하고 변화를 알아 사물의 밖에서 홀로 선 사람만이 이러한 이치를 알 수 있다.

수는 상象과 쓰임이 다른 것 같지만 근본은 하나이고, 갈래가 다른 것 같지만 귀결은 같다. 수에 대하여 밝지 못하면 상을 이야기 할 수가 없으며, 상에 밝지 못하면 수를 이야기 할 수가 없다는 것이다. 그는 이 두 가지가 서로 결부된 것으로 보았는데, 역易의 근원은 「하도河圖」에서, 수數의 근원을 「낙서洛書」에서 찾았다. 「하도」의 상은 여러 성인을 거쳐 「주역」이 되었지만, 「낙서」의 수는 더 이상 추구하여 발전시킨 사람이 없었다. 그래서 그는 수의 원리를 추구하여 또 하나의 역易을 구상하였는데, 그것이 「황극내편」이다. 이 때문에 후세의 성리학자들 중에는 본서를 『주역』과 대비될 정도의 가치로 평가하였다.

그는 「홍범洪範」에서 영감을 얻어, 위로 천문天文을 상고하고 아래로 지리를 고찰하며, 그 가운데 있는 사람과 사물 및 고금의 변화를 참고하여 의리의 정밀한 것을 궁리하고 흥망의 징조를 탐구하여 이 책을 저술하였다고 한다. 그는 여기에서 은미한 것과 현저한 것, 밝은 것과 어두운 것이 모두 일정한 원리에서 나타나는 것으로 보았던 것이다.

1. 81주疇의 이름과 도표

『홍범황극내편』에 사실상의 '내편'이요, 「경經」이라고 할 수 있는 것은 제2권洪範皇極內篇 二에 수록된 「수數」 81장 즉 「팔십일도八十一圖」이다. 이것은 『주역』으로 치면 64괘와 괘사·효사에 해당하고, 「태극도설太極圖說」로 치면 도圖에 해당한다. 이 81장의 수를 주疇 혹은 범範이라고 부른다. 수의 조합으로 만드는 '범주'라고 할 수 있다.

각 주疇의 수는 l(1), ll(2), lll(3), llll(4), lllll(5), ㅜ(6), ㅠ(7), ㅠ(8), ㅠㅠ(9)로 도형화 되어 있으며, 이 9수의 조합이 중첩하여 81주疇를 만든다. 즉 『주역』의 8괘나 64괘와 같은 체계로 되어 있는 것이다. 81주疇 역시 64괘처럼 각기 이름이 있다. l·l(1·1)은 原이며, l·ll(1·2)는 潛이며,

Ⅰ·Ⅲ(1·3)은 守이며, ... Ⅱ·Ⅰ(2·1)은 成이며, Ⅱ·Ⅱ(2·2)는 沖이며, ... ⅢⅢ·ⅢⅢ(9·8)은 墮이며, ⅢⅢ·ⅢⅢ(9·9)는 終이다. 이러한 주의 이름들은 제2권 머리에 「황극내편 수총명皇極內篇數總名」라는 이름의 표로 정리되어 있다. 이 표의 각 범주의 이름을 알기 쉽게 다시 정리하면 아래 표와 같다.

皇極內篇 數 總名

	1	2	3	4	5	6	7	8	9
1	原	潛	守	信	直	蒙	閑	須	厲
2	成	沖	振	祈	常	柔	易	親	華
3	見	獲	從	交	育	壯	興	欣	舒
4	比	開	晉	公	益	章	盈	錫	靡
5	庶	決	豫	升	中	伏	過	疑	寡
6	飾	戾	虛	昧	損	用	卻	翕	遠
7	迅	懼	除	弱	疾	競	分	訟	收
8	實	賓	危	堅	革	報	止	戎	結
9	養	遇	勝	囚	壬	固	移	墮	終

81도는 각 범주마다 한 장씩 도표로 그린 것인데, 매 도의 첫줄에는 수로 표시된 각 주疇의 형상과 이름을 적었고, 둘째 줄에는 주사疇辭를 쓰고 각주脚註에 '수왈數曰'로 시작하는 풀이가 있다. 그러나 이는 제1도인 원주原疇에만 있고, 제2도 이하에는 공란으로 남겨져 있다. 셋째 줄 이하에는 1·1元吉, 1·2吉咎, 1·3吉祥 ..... 2·1咎吉, 2·2咎咎, 2·3咎·祥 ..... 8·1休吉, 8·2休咎, 8·3休祥 ..... 9·1凶吉, 9·2凶咎, 9·3凶祥 ..... 9·8凶休, 9·9大凶 등으로 길흉화복 등의 점사占辭가 매겨져 있다. 시초점蓍草占이나 산점算占을 칠 때 먼저 두 수를 얻어 81범주 중의 하나를 선택하고, 다시 그 범주 안에서 점을 쳐 두 수를 얻으면 이 도표에 규정된 점사占辭를 따르게 된다.

81도의 점사는 어떤 원리로 매겨지고 배정된 것인지 그 유래를 알 수 없다. 그러나 이 역시 『주역』의 괘사卦辭나 효사爻辭의 원리와 같은 것으로 생각된다. 자세한 내용은 이 방면의 연구가 더욱 심화된 후에 밝혀질 것이다.

2. 「논論」 3편의 내용

제1권〈洪範皇極內篇 一〉에는 상·중·하로 구분된 3편의 「논論」이 수록되어 있다. 이 「논論」 3편은 『주역』의 전傳이라고 할 수 있는 「단사彖辭」, 「상사象辭」, 「문언文言」, 「계사繫辭」 등의 십익十翼과 같은 성격의 것이라고 할 수 있다. 그 중에서도 특히 「계사」와 같이 형이상학적이고 본체론적인 내용들이 많다. 따라서 이 「논」 3편은 『주역』의 체계에 의하면 전傳에 해당하는 것이어서 외편이 되어야 하고 「81도」의 뒤편에 편차되어야 마땅할 것인데, 현재의 『성리대전』 등 여러 판본에는 모두 「홍범황극내편」 제1권에 수록되어 있다. 이 때문에 중국 역대의 학자들 간에 논란이 많았다.

「논」 3편은 이 책의 중추나 핵심은 아니지만, 황극 범수의 원리와 사물과 인간의 생성 변화 소멸과 마땅한 윤리를 알려주는 철학적 논변이어서, 점사占辭로 일관된 「81도」보다 더 중요한 내용으로 간주되고 있다. 특히 성리학의 원리적인 측면에서 그러하였고, 성리학자들 사이에서 채침蔡沈이 높은 평가를 받게 된 것도 이 「논」 3편 때문이라고 할 수 있다. 3편의 내용을 차례로 살펴보면 아래와 같다.

1) 「홍범황극내편 상(논 1)」의 내용

이 편의 첫머리에는 만물의 조화가 이루어지는 것은 유명굴신幽明屈信의 작용으로 보고 있다. 하늘은 밝고 펴진 것이요, 땅은 어둡고 구부러진 것이며, 더운 것은 밝고 펴진 것이요, 추운 것은 어둡고 구부러진 것이며, 낮은 밝고 펴진 것이고, 밤은 어둡고 구부러진 것이라는 것이다. 또한 천지天地, 한서寒暑, 주야晝夜는 유명굴신이 변화를 이룬 것으로 보고 있다.

만물의 근원은 음양의 작용에 의한 것으로, 양陽은 기氣를 토吐한 것이며, 음은 기를 머금은舍 것이다. 양이 베풀고 음이 변화하여 사람의 도가 서는 것이며, 만물이 번성하는 것이다. 양이 음을 박薄하게 하면 휘둘러 바람이 되고, 음이 양을 가두게囚 되면 분발하여 우레가 된다. 양이 음과 화합하면 비가 되고 이슬이 되며 음이 양과 조화되면 서리가 되고 눈이 되며, 음양이 조화되지 않으면 여기戾氣가 된다는 식이다.

만상이 갖추어지는 것은 충막무짐沖漠無朕한 가운데 이루어지는데, 동動하고 정靜하는 것이 끝이 없어서, 뒤가 곧 앞이 된다. 기器는 도道에 근거하고, 도는 기에 붙어 있다. 하나가 만 가지로 나누어지고, 만 가지가 다시 하나가 된다. 혼돈混沌하였다 열렸다 하면서 그것이 무궁하게 이어진다는 것이다. 이 때문에 수數를 계산할 수 있다, 주疇는 이와 같은 것이며, 행行은 여기에서 움직인다. 그것은 은미하면서도 드러나고, 크면서도 어두운 것이어서, 그 신비함이 측량할 수 없으므로 오묘하다고 한다.

이理가 있으면 기氣가 있고, 기가 있으므로 형形이 있으며, 형상이 생기고 기가 변화하여 생생生生의 이치가 무궁하게 이어진다. 천지의 기운이 쌓이고 만물이 화순化醇하며, 남녀가 만나서 만물이 화생化生하게 된다. 화생한 것은 막히게 되고 화순한 것은 숨는다. 땅을 덮은 언덕과 물을 채운 못에는 초목어충草木魚蟲과 형형색색의 사물이 있게 된다. 무극의 진眞과 음양오행의 정精이 오묘하게 합하여 뭉치면서 변화하고 생성하여 그 신묘함을 추측할 수 없으며 그 작용을 알 수 없게 된다. 이러한 만물 생성의 형이상학적 논리는 주돈이周敦頤의 「태극도설太極圖說」과 흡사한 것으로서 그 영향을 알 수 있다.

『홍범황극내편』의 기본 원리도 역시 음양오행설陰陽五行說에 근거하고 있다. 그에 의하면, 체體는 곧 용用이 되고, 용은 곧 체가 된다. 합쳐서 보면 그 다른 것을 알 수 있고, 쪼개어서 보면 그 같은 것을 알게 된다. 미세하게 하면 그 드러난 것을 알고, 채워서 보면 그 궁리할 수 없음을 알게 된다고 하였다. 또 음양은 순환하여 서로 수미首尾가 된다. 양은 순응하고 음은 거역하며, 양은 자라게 하고, 음은 소멸시키며, 양은 나아가게 하고 음은 물러나게 한다. 순응하는 것은 길吉하고, 거역하는 것은 흉凶한 것이며, 자라는 것은 성盛하게 되고 소멸하는 것은 쇠하게 되며, 나아가는 것은 날카롭고 물러나는 것은 무디다鈍. 길흉화복의 원리는 여기에 기초를 두고 있다.

형체가 없는 것은 리理이고, 형체가 있는 것은 사물인데, 음양오행이 바로 그 사물의 형질이 되는 것이고, 음양오행이 있게 하는 원리가 곧 리理이다. 형체가 없는 가운데 형체가 있는 실체를 갖추고 있으며, 형체의 실상을 갖추고 있으면서 무형의 묘리를 가지고 있다. 그래서 군자는 형이상形而上을 말하면서도 허무에 떨어지지 않고, 형이하形而下를 말하면서도 형기形氣에 혼잡 되지 않으며, 중립하여 기대지 않으며, 옆으로 행하면서도 미혹되지 않으며 천명을 즐기고 알아서 근심하지 않는다. 이러한 내용은 곧 형이상학에서 수행론이 나온 것을 보여준다.

형기形氣의 으뜸元에는 극極이 앞서 있으며, 극은 중정中正하다. 기氣가 치우치게 되면 형形도 치우치게 된다. 중정한 것은 선하고, 편벽된 것은 선하지 않다. 기에서 선한 것은 10 중에서 5이고, 형에서 선한 것은 10 중에서 3이다. 3과 5 중에서 또 지극한 것도 있고 지극하지 않은 것도 있다. 지극한데서 순수한 것은 1일뿐이다. 점차 치우치게 되면 점차 섞이게 되는데, 이는 기가 그렇게 하는 것이고 형形이 그렇게 하는 것이다. 기는 모남이 있고, 형은 체體가 있으니, 중정한 것은 적고 편벽된 것은 많다. 이것이 천하의 선악이 나오는 이유이며, 잘 되고 못되는 것이 나누어지는 까닭이고, 길흉화복이 나타나는 소이이다.

2)「홍범황극내편 중(논 2)」의 내용

본론은 상수학象數學의 원리에 대한 설명으로 시작된다. 「하도河圖」는 원圓을 본체로 하여 방方

을 쓴 것이니, 성인이 그것으로써 괘卦를 그렸다. 「낙서洛書」는 방을 본체로 하여 원을 쓴 것이니 성인이 그것으로써 주疇를 만들었다. 괘라는 것은 음양의 상象이며, 주는 오행의 수이다. 상은 짝수가 아니면 확립되지 않고 수는 홀수가 아니면 행해지지 않는다. 기수奇數와 우수偶數의 나뉨이 상수象數의 시작이다. 그래서 수로써 상을 만들면 기수가 0이 되어서 성립되지 않고(『태현太玄』이 이 경우이다), 상으로써 수를 만들면 우수가 많아져 통하기 어렵다.(『황극경세서皇極經世書』가 이 경우이다.)고 하였다.

음양오행은 그 본체가 다른 것이 아니고, 팔괘八卦와 구주九疇도 서로 다른 것이 아니라고 보았다. 리理는 하나에서 갈라진 것이라 하였다. 「하도」에 기수가 없는 것이 아니지만 쓰임새는 우수에 있고, 「낙서」에 우수가 없는 것이 아니지만 쓰임새는 기수에 있다. 우수란 것은 음양이 짝하여 기다리는 것이며, 오행이 번갈아 운행하는 것이다. 짝하여 기다리는 것은 능히 외롭지 않으며, 번갈아 운행하는 것은 궁하지 않게 된다. 천지의 형체와 사시의 성립과 사람과 사물이 나는 것과 만 가지 변화가 이렇게 이루어진다.

상象은 짝수로써 용用이 된 것이니 호응하게 되면 길하고, 수數는 홀수로써 활용되는 것이니 호응하면 흉하다. 상하가 상응하는 위치에 있으며, 음양이 서로 구하는 이치와 같다. 가운데 숫자인 5는 독립하여 때에 맞는 것으로서 매우 성대한 것이다. 이 때문에 천지가 바른 위치에 있게 되면, 산택山澤이 기를 통하며, 목木이 성하고 금金이 쇠하며, 물이 차고 불이 갇히게 된다. 이치는 서로 기다리지만, 사물은 두 가지가 다 클 수 없다. 수는 동작하다가 고요한 데로 가는 것이요, 상이란 고요하다가 동작하는 데로 가는 것이다. 동은 용用이 행하게 하는 소이며, 정靜은 본체가 정립하게 하는 소이니, 청탁이 갈라지지 않고 용이 앞서는 것이다. 천지가 바르게 서면 체體가 제대로 서게 되고, 용用이 본체가 되면 체가 다시 용用이 되니, 체와 용이 서로 따르게 된다고 하였다. 이것이 천지만물이 화생하여 무궁하게 되는 까닭이라 하였다.

본론에 의하면, 1은 수의 시작이요, 9는 수의 끝이다. 1은 불변이지만, 9는 모두 변한다. 3·5·7은 변한 것 중에서 적은 것이요, 2·4·6·8은 변하여 짝이 된 것이다. 변하여 짝이 된 것은 능히 기수에 미칠 수 없고, 변하여 적은 것은 능히 사물에 해당시킬 수 없다. 기수와 우수는 서로 참예하며, 많고 적은 것은 서로 따르는 것이 그 오직 9의 수라고 하였다. 이 수의 변동 원리는 윤리적인 방향으로 해석되었다. 즉 순종하는 수는 사물을 아는 시작이 되고, 거역하는 수는 사물을 아는 것의 끝이 된다. 수와 사물은 서로 다른 것이 아니고, 시작과 끝은 같은 결과를 가져온다. 크면 하늘이 되고, 작으면 털끝같이 되며, 밝으면 예악이 되고, 어두우면 귀신이 된다. 수를 알게 되면 사물을 알게 되며, 시작을 알면 끝을 알게 된다. 수와 사물은 무궁한 것이므로 그 시작과 끝을 알 수 없다.

수는 1에서 시작하여 3에서 참예하며, 9에서 궁구하고, 81에서 이루어지며 6,561에서 완비된다. 81은 수의 작은 성취요, 6,561은 수의 큰 성취이다. 천지의 변화와 사람과 사물의 시종과 고금의 전통과 변화가 모두 여기에서 나타난다고 보는 것이다. 1에서 9가 되고, 9에서 1이 되니, 한번은 역행하고 한번은 순행하면 1·9, 2·8, 3·7, 4·6이 되어 서로 변통하게 된다. 5는 항상 중앙에 있으니 길하고 흉함이 없으며, 화禍가 없어지고 복이 융성하게 된다고 본다.

「낙서」의 수는 9인데 10을 말하는 까닭은 그것이 수의 완성이기 때문이다. 수가 완성되면 오행五行이 완비된다. 수는 9가 아니면 생기지 않으며, 10이 아니면 완성되지 않는다. 9로써는 통하게 하고, 10으로써는 절제한다. 9로써는 나아가며 10으로써는 그친다. 9는 변통하는 기틀이며, 10은 오행이 실현된 것이다. 이로써 체와 용이 서로 떨어지지 않은 것을 볼 수 있으며, 「하도」와 「낙서」는 서로 경위經緯가 된다는 것이다.

3) 「홍범황극내편 하(논 3)」의 내용

이 하편은 상·중편에 비하여 그 내용이 극히 짧다. 여기서도 역시 수數의 원리와 기능을 말하고 또 그것이 사용된 용례를 역사 속에서 찾고 있다. 옛 성인에서부터 공자에 이르기까지 수로써 표시된 여러 범주의 구획이나 정치 제도 및 형벌 제도 등을 나열하고 있다. 그리고 마지막에는 수와 연관된 길흉화복의 원리를 설명하고, 수를 사용하여 점치는 법을 구체적으로 제시하고 있다.

본론에 의하면, 수의 근원은 아득한演漢 사이에서 나타나는 조짐이다. 그것은 거동儀과 형상[象]으로 나타나는데, 하나를 갈라 둘이 됨으로서 수가 나누어진다. 그것이 계속 작용하여 일월성진과 산악과 천택川澤이 전개되면서 수가 나타난다는 것이다. 계절[四時]의 변화나 오기五氣의 유통으로 인한 바람과 천둥, 비와 이슬로 인한 만물의 성장을 수가 변화한 것으로 보았다. 여기에 여러 성인이 배출되어 경천위지經天緯地하여 인간 사회의 표준적인 윤리 즉 인극人極이 세워진다. 오륜五倫이라고 할 수 있는 부자유친父子有親, 군신유의君臣有義, 부부유별夫婦有別, 장유유서長幼有序, 붕우유신朋友有信과 같은 것도 본서에서는 수의 가르침으로 보고 있다.

하늘은 구야九野로 나누고, 땅은 구주九州로 나누며, 사람은 구행九行으로 단속하고, 관직은 九品으로 임용하며, 전답은 구정九井[정전법]으로 균등하게 하고, 친족은 구족九族으로 화목하게 하며, 신분은 구례九禮로 구별하고, 음악은 구변九變으로 연주하며, 군사는 팔진八陣으로 통솔하고, 죄인은 구형九刑으로 처벌하며, 음율은 구촌九寸으로 만들고, 역사는 구분九分하여 기술한다는 것 등이다. 또한 공자가 일찍이 "천하와 국가를 다스릴 때는 구경九經이 있으니, 수신修身, 존현尊賢, 친친親親, 경대신敬大臣, 체군신體群臣, 자서민子庶民, 내백공來百工, 유원인柔遠人, 회제후懷諸侯이다."라고 한 것을 그 예로 들었다.

본서에서는 수의 기준으로 황종黃鐘찰기장 씨앗을 대단히 중시하였다. 이는 황제黃帝가 곤륜산의 대나무 중에서 구멍의 두께가 고른 것을 두 마디를 자르고 불게 하여 황종의 음 즉 황종율黃鐘律로 만든 것을 그 기원으로 보았다. 이것은 음률의 근본이 된다. 길이를 재는 도度는 찰기장 씨앗 중에서 중간쯤 되는 것 90알을 재어서 1개를 1푼分으로 하고, 10푼을 1치[寸]로 하며, 10치를 1자[尺]로 하고, 10자를 길[丈]로 하며, 10길을 1인[引]으로 정하였다는 것이다. 부피를 재는 양量은 기장 1,200개를 통에 채워 그것을 1홉[合]으로 하고, 10홉을 1되[升]로 하며, 10되를 1섬[斛]으로 하였다. 그리고 무게를 재는 형衡은 기장씨앗 100개의 무게를 재어 그것을 1수銖로 하고, 1,200개의 기장 무개를 12수로 하며, 24수를 1냥兩으로 하고, 16냥을 1근斤으로 하고, 30근을 1균鈞으로 하며 4균을 1석石으로 하였다는 것이다. 채침은 서경의 "율·도·량·형律度量衡을 같이 하였다"는 구절과 "황종은 만사의 근본이 된다."는 전문傳文에 많은 영감을 받았던 것으로 보인다.

그는 수를 궁리하여 천하의 의문을 해결하고, 천하의 사무가 이루어지며, 성명性命의 이치에 순응하고, 만사를 분석하고 사물을 변별하며, 과거를 밝히고 미래를 살필 수 있다고 보았다. 이 때문에 하늘의 수는 5가 되고, 땅의 수는 6이 되며, 5와 6은 천지의 가운데가 합치는 것이라 하였다. 5는 오행이 되고, 6은 육기六氣가 되며, 이들은 양의 성질과 음의 바탕이 된다.

본서에서는 순역順逆의 원리로 길흉화복의 전개를 설명하고 그것을 점치는 법을 해설하였다. 즉 거역하고 순종하는 것은 일의 기미이며, 길하고 흉한 것은 일이 드러난 결과라는 것이다. 이 책에서 순하고 길한 경우는 다음과 같이 분류되었다.

먼저 길한 경우이다. 목木이 되면 등용되고 과거에 급제하고, 용서하고 은혜를 베풀고 혼인하고, 출산하고 임신하며, 재물을 모으는 것이다. 화火가 되면 연집燕集하고 조근朝覲하며, 문서를 만들고, 언어가 되고, 가무가 되며, 등촉이 된다. 토土가 되면 공역이 되고, 상도常道를 따르며, 맹약을 하고 전택을 만들며, 복과 수를 누리고, 분묘를 만드는 것이다. 금金이 되면 사여賜與 받고 안찰하며, 개혁하며, 군대를 지휘하고 전화錢貨를 쓰며, 형법刑法이 된다. 수水가 되면 교역, 이사, 정벌, 술과 밥, 전렵, 제사가 된다.

거역하고 흉하게 되는 경우이다. 목木이 되면 위태하고 놀라 근심하고, 추악하고 추락하며 요절하고 사산死産한다. 화火가 되면 송사, 발광發狂, 구설수, 화상, 재난, 지진피해가 된다. 토土가 되면 번복, 사기, 이산, 빈궁, 질병, 사망을 당한다. 금金이 되면 전쟁 징집, 파면, 강등, 투쟁, 손상, 살륙을 당한다. 수水가 되면 도적, 수감, 유배, 음란, 저주, 익사가 된다.

점치는 구체적인 방법은 시초蓍草 점의 경우 50잎을 잡아, 1잎은 남겨두고(쓰지 않음) 두 손으로 잡히는 대로 반을 나눈 뒤에 오른쪽의 한 잎을 왼쪽 새끼손가락에 끼운다. 그 다음에는 좌우의 잎을 3잎씩 세어서[揲] 그 나머지를 좌우의 손가락 사이에 끼운다[扐]. 이때에 양 손의 수가 모두 홀수이면 1이 되고(이때는 初揲은 3과 1이 되고 再揲은 3과 3이 된다), 두 손의 수가 모두 짝수이면 2가 되고(初揲은 2-2이고, 再揲은 4-2이다), 양 손의 수가 각각 홀수와 짝수이면 3이 된다(初揲은 4-3이고, 再揲은 2-1이다). 초설은 강綱이고 재설은 목目이다. 강 1은 3을 포함하고 있으니 비우고서 목을 기다린다. 목 1은 1이 되니, 그 실수實數를 가지고 강을 따른다. 두 번 세어서 9수가 갖추어지며, 여덟 번 잡아서擖 6,561수가 갖추어진다. 산算 가지로 하는 점도 이와 유사하게 진행된다.

Ⅳ. 저자 채침蔡沈

채침(1167~1230)은 채침蔡沉이라고 쓰기도 한다. 자는 중묵仲默, 호는 구봉九峰으로, 남송 건주建州의 건양建陽 사람으로 오늘날의 복건성福建省 관내에 속한다. 채원정蔡元定의 차자로서 오직 학문에만 몰두하고 벼슬을 구하지 않았다. 젊었을 때부터 주자朱子에게서 배웠다. 후에는 구봉산九峰山 아래에 은거하면서 『상서尚書』를 주석하여 『상서집전尚書經集傳』을 저술하였다. 이 책은 여러 학설을 집대성하였는데, 주석이 명석하였다. 원나라 이후 중국의 과거 시험에 반드시 사용되었다.

채침은 어려서 부친에게서 배웠고, 자라서는 백록동서원白鹿洞書院에서 주자를 스승으로 삼았는데, 주자의 만년에 가장 뛰어난 제자 중 한명이었다. 채침은 많은 책을 널리 읽었고 세상의 공명功名은 초개와 같이 보았다. 나이 30세까지 과거를 보지 않았는데, 여러 신하들이 그를 천거할 때마다 그는 모두 사양하고 받지 않았다. 1196년에 경원慶元의 당금黨禁이 일어나 주자학파가 탄압을 받게 되어 부친이 도주道州[현재의 호남성 道縣]로 유배가자 그가 모시고 갔다. 채침 부자는 짚신을 신고 3천리를 도보로 걸어갔다. 그곳에서 그들은 문호를 닫아걸고 독서하면서 학도들을 가르쳤다. 부친이 사망하자 채침은 운구하여 고향으로 갔는데, 은銀으로 도와준 사람들이 많았지만, 모두 사양하고 받지 않았다.

채침은 아버지와 주자의 유명을 따라 건양의 숭태崇泰[현재의 莒口鄕]에 있는 여봉산廬峰山 기슭에 대명당大明堂[현재의 廬峰精舍]을 짓고, 밤늦게까지 저술에 몰두하였다. 그는 10여 년에 걸쳐 『홍범황극내편洪範皇極內篇』, 『상서집전尚書集傳』을 저술하였는데, 후에 이 두 책은 모두 사고전서四庫全書에 들어갔다. 『홍범황극내편』은 81개의 홍범 주수洪範疇數를 가지고 천지·음양·이기·체용·동정天地陰陽理氣體用으로부터 자연계의 동식물의 변화 등의 문제를 논술한 것이다. 『상서집전』은 주자의 부탁을 받아 저술한 것인데, 10년 공부의 결정체였다. 간결한 문장으로 경전을 풀이한 것으로, 제왕학의 오묘한 뜻을 잘 밝혔다. 주자의 『주역본의周易本義』『시집전詩集傳』과 호안국胡安國의 『춘추전春秋傳』 등과 함께 국가에서 공인된 교과서가 되어 과거 시험의 표준 답안이 되었으므로 원, 명, 청 3대에 걸쳐 선비들의 필독서가 되었다.

그는 형 채연蔡淵과 함께 조상이 물려준 무이산武夷山의 목당牧堂을 수선하고 확장하여 남산서당南山書堂으로 명명하고 제자를 가르치고 저술하는 곳으로 삼았다. 그곳이 주자의 무이정사武夷精舍와 가까웠으므로 학우들이 수시로 왕래하였다. 채침은 부친의 명을 받아 남산서당에서 『홍범황극』을 저술하였는데, 서원에서 멀지 않은 일곡一曲의 유건석儒巾石 위에 "천애만학千崖萬壑"이란 글씨를 새겨 남겼다. 1230년에 병으로 죽은 후에 "문정文正"이란 시호를 받았고, 진덕수眞德秀가 그의 묘지명墓志銘을 지었다. 채침은 스승의 가르침과 가학家學의 훈도를 받아, 성리학을 깊이 수양하여 구봉학파九峰學派를 만들었다. 주요 제자로는 진광조陳光祖 유흠劉欽 하운원何雲源과 그의 아들 채모蔡模 채항蔡杭 채권蔡權 등이 유명하다.

1256년 남송 이종理宗 황제는 그에게 태자소사太子少師를 추증하였고, 다음해 다시 태자태사太子太師, 태사太師, 영국공永國公을 추봉하였으며, 문정文正이란 시호를 내렸다. 1255년에는 이종 황제가 친서로 "여봉廬峰"이란 큰 글씨를 내려 아들 채항이 구봉九峰의 바위에 새겼다. 이종 황제는 그를 아래와 같이 찬미하였다.

"채침은 유교에 강유綱維가 되고 정통을 도왔다. 그의 예악은 나라를 세우는 경도經道가 되었고, 그의 저술은 백세에 드리웠다. 그의 상수象數는 천지의 조화를 밝혔고, 그의 제작制作은 후세의 모범이 되었다. 입신을 추구하지 않으면서 옛 성현을 빛내고 후세 학자들을 넉넉하게 하였다. 경敬을 행하는 것으로써 마음을 수양하는 학문으로 삼았고, 충성으로써 제왕 찬화贊化의 방책으로 삼았다."

그의 경론의 핵심은 부친의 가르침에서 형성되었다. 원나라 말기인 1359년에 건국공建國公을 추증하였고, 명나라 성화成化 3년(1467)에 또 숭안백崇安伯을 추증하였고, 가정嘉靖 9년(1530)에 공자의 문묘文廟에 종사하게 하였다. 청나라 강희康熙 44년(1705)에는 성조聖祖 황제의 어서御書로 『학천도주學闡圖疇』라는 황금 편액을 내렸다. 남송 이래 여러 왕조에 걸친 그에 대한 숭봉을 보면 그의 학문이 중국 유학사에서 어떠한 평가를 받았는지 잘 알 수 있다.

성리대전 권26~27 「리기理氣」 해제

리理와 기氣에 대한 논의, 즉 리기론理氣論은 성리학의 기초이자 특징을 형성하는 부분이다. 성리학은 리와 기라는 함축적인 두 개념을 사용하여 이 세계의 생성과 만물의 구성, 심지어 인간의 심리구조와 작용에 대한 정합적인 설명을 시도한다. 『성리대전』의 권26~27에 수록된 리기에 대한 언설들은 바로 방대한 성리학의 세계로 들어가는 입구에 해당한다. 성리학에서 리기의 문제는 이 세계에 대한 전반적인 관심을 포함하고 있다. 리기론은 이 세계가 어떻게 구성되고 어떻게 운행되고 있는가 하는 문제에 대한 철학적인 사색의 산물이다.

『성리대전』의 「리기」는 단지 리기론의 이론적 측면뿐 아니라, 당시로서는 과학이라고 할 수 있는 천문과 지리 등에 대한 관찰까지도 포함한다. 「리기」의 구체적 항목은 총론總論, 태극太極, 천지天地, 역법曆法을 포함한 천도天度(이상 권26), 천문天文, 음양陰陽, 오행五行, 사시四時, 지리地理, 조석潮汐(이상 권27)으로 되어 있다.

먼저 총론은 리와 기에 대한 기본적인 개념을 제시면서, 리기 각각의 특성 및 그 관계성, 즉 리기의 불상리不相離·불상잡不相雜, 리기의 선후문제 등에 대해 다루고 있다. 리는 형이상자로서 만물을 생성하는 근본이자 원리이고, 기는 형이하자로서 만물을 구성하는 재료이자 질료이다. 기는 만물의 형체와 질료를 형성하고 리는 만물에 부여되어 그것의 성性이 된다. 구체적으로 말하자면 기는 음양·오행이고 리는 원형이정元亨利貞·인의예지仁義禮智이다. 리와 기는 서로 떨어진 적이 없으나 그렇다고 일물은 아니며, 형이상과 형이하의 차이가 분명히 존재한다. 그렇기 때문에 리와 기는 존재론적으로 선후를 구분할 수는 없지만, 변화하는 기에 대해서 불변의 존재인 리는 구체적 사물에 앞서서 존재한다고 할 수 있다.

태극은 천지 만물의 리를 총괄하여 말한 것으로 리의 다른 이름이다. 태극을 주제로 다룬 부분에서는 태극을 중심으로 한 만물의 생성과 변화, 그리고 존재양식이라는 세 가지 핵심적인 메시지를 제시하고 있다. 첫째, 태극은 천지의 생성에 선행하며, 음양과 오행 그리고 만물의 근원이 된다. 태극은 하나일 뿐이지만 나뉘어 음양이 되고, 또 나뉘어 다섯 가지의 기가 되며, 또 흩어져서 만물이 된다. 만물과 사시, 오행은 이와 같은 방식으로 태극에 근원하여 형성된 것이다. 둘째, 천지 만물의 변화는 태극의 움직임을 근원으로 한다. 태극이 움직이기 이전의 상태가 음인데 그 정靜의 속성 속에 양의 뿌리가 있으며, 양의 동動의 속성 가운데에도 음의 뿌리가 있다. 동과 정이 서로 갈마드는 까닭은 음양이 서로 상대에게 뿌리를 두고 있기 때문인 것으로 설명된다. 태극은 동과 정에 끝이 없고 음과 양에 시초가 없는 이 우주의 운행을 포괄하고 있는 단 하나의 도리이다. 셋째, 태극은 천지와 만물에 존재하는 하나의 리이지만, 천지에서 말하면 천지에 하나의 태극이 있고, 만물에서 말하면 만물 가운데 각각 온전한 태극이 있다는 리일분수의 사상이 태극론으로 설명된다. 만물은 각각 하나의 리理를 갖추고 있고[萬物各具一理], 모든 리는 하나의 근원에서 나온다[萬理同出一原]. 태극은 또한 만물의 리가 모두 모인 것의 명칭이자 동시에 사람과 사물에게 부여된 리인 성性을 이르는 말이기도 하다. '만물이 각각 하나의 리를 갖추고 있다.'는 것은 사물마다 하나의 태극을 갖는다는 것이다. '모든 리理가 똑같이 하나의 근원에서 나온다.'라는 것은 '만물의 통체가 하나의 태극[萬物統體一太極]'이라는 것이다.

태극은 천지의 근원이고 형이상자이며, 그 태극의 형이하의 측면이 바로 이 천지이고 그 안에 존재하는 만물이다. '천지'에 대한 논의는 이 물질세계에 대해 성리학자들이 품고 있었던 관심을 엿볼 수 있는 부분이다. 그들의 관심은 다양하다. 하늘과 땅은 어떻게 생겨났고 어떻게 운행되고 있는지, 이 세상의 바깥에는 무엇이 있는지, 생명은 어떻게 탄생했는지, 미래 세계는 어떤 모습일지, 세상에 대한 지적 호기심은 현대인들과 전혀 다를 것이 없다. 이러한 의문을 성리학자들은 때로는 직관이나 깊은 사색으로, 때로는 세심한 격물格物을 통해 풀어 나간다. 물론 우주에 대한 그들의 이해 방식은 과학적 방법이 자리 잡은 현대인과는 많은 차이를 보인다. '천지'에서 논하고 있는 주제는 크게 두 가지이다. 즉 "천지는 어떻게 생성되고 운행되는가?" "만물과 인간은 어떻게 생겨난 것인가?"

첫째, 천지의 생성에 대해서는 맑은 기氣는 하늘을 형성하고 형체가 있는 탁한 질質은 땅을 구성한다는 것이 기본적인 관점이다. 정자程子에 따르면 우주의 중심에 네모난 땅이 있고 하늘은 지중地中을 구심점으로 하여 빠른 속도로 회전하고 있다. 주희朱熹는 "초기의 음양의 기가 운행하여 이리저리 갈리다가, 그 속도가 빨라져 수많은 찌꺼기들이 모이고, 안에서 나갈 곳이 없으면 중앙에 땅을 이루게 되었다. 맑은 기가 하늘과 일월성신이 되고, 이것이 밖에서 항상 빙빙 돌면서 운행한다."고 설명하고 있다. 또 하늘을 형성하는 기는 매우 단단하기 때문에 땅이 머물러 있도록 지탱할 수 있다고 주장한다.

둘째, 만물과 인간이 생성할 수 있는 원리를 성리학자들은 천지의 마음[天地之心]에서 찾고 있다. 말로 표현할 수 없는 천도天道는 저절로 작위함이 없이 만물을 낳고 낳아 끝이 없다. 장구長久하고 쉼 없는 천지의 운행 속에서 기의 화합[氣化]을 통해 만물이 생겨난다. 성리학자들의 눈에 이러한 쉼 없는 운행과 만물의 생성·성장의 배후에는 그것을 가능케 하는 힘이 있다고 여겨졌을 것이고 그것은 천지의 마음이라는 문학적 표현으로 제시된다. 이와 같은 그들의 천지관은 오늘날의 과학적 지식을 습득한 현대인의 입장에서는 미흡해 보이지만, 상당히 깊은 사유와 관찰의 산물이었음을 추측할 수 있다.

'천도天度'는 오늘날의 천문학에 해당하고, 천문의 관찰을 통해 '역법曆法'이 구성되어 있다. 그들의 천문학은 천동설이라고 하는 시대적 한계를 안고 있지만, 그럼에도 불구하고 그 관찰의 정교함과 정확성은 감탄을 자아내게 한다. 먼저 그들은 천체를 365와 1/4도로 나누어 보았다. 오늘날의 과학적 지식으로 본 지구의 공전 주기를 그들은 하늘의 도수度數로 본 것이다. 이 지구를 감싸고 도는 하늘은 하루에 한 바퀴를 돌고 1도를 더 움직인다. 하루 12시진時辰 동안 정확히 365와 1/4도를 일주하는 것은 태양이다. 즉 하늘이 하루에 태양보다 더 움직인 거리를 1도로 삼은 것이다. 달의 운행은 더 느려서 하늘이 운행하는 도수에 비해 13도 7/19이 미치지 못한다. 둘레가 365와 1/4도인 하늘은 땅을 감싸고 좌선左旋하는데, 항상 하루에 한 바퀴를 돌고 1도를 더 지나간다. 해는 하늘보다 조금 느려서 하루에 땅을 중심으로 일주 하지만, 하늘에 비하면 1도를 미치지 못하고, 365와 235/940일만에 하늘과 정확히 만난다. 달은 해보다 더 느려서 매일 하늘에 13과 7/19도 미치지 못하고, 29와 499/940일이 쌓여서 해와 만난다. 1년 동안 달이 운행하는 수는 354와 348/940일이다.

이와 같은 정밀한 관찰과 계산으로 매우 정확한 윤율閏率이 도출된다. "1년에는 열두 달이 있고 한 달에는 30일이 있으니, 360일은 한 해의 상수常數이다. 그러므로 해가 하늘과 만나는데 상수보다 5와 235/940일 많은 것은 기영氣盈이고, 달이 해와 만나는데 달의 운행이 상수보다 5와 592/940일 적은 것은 삭허朔虛이니, 기영氣盈과 삭허朔虛를 합하여 윤율閏率이 생긴다. 1년 동안의 윤율은 10과 827/940일이니, 3년 동안 한 번 윤달을 두면 32와 601/940일이며, 5년 동안 두 번 윤달을 두면 54와 375/940일이다. 19년 동안 일곱 번 윤달을 두면 기영과 삭허의 나머지가 없어지니, 이것이 1장章이다."라고 한 제자 채침蔡沉의 설에 대해 주희는 매우 명확한 견해라는 찬사를 내린다.

'천도天度'와 '역법曆法'에서는 이와 같은 역산曆算 외에도 북극성을 포함한 28수의 별자리와 그 운행 궤도, 황도黃道와 적도赤道, 일식과 월식, 남극과 북극에 대한 세밀한 관찰의 결과를 접할 수 있다.

권27의 「리기2」는 천문天文과 자연현상, 음양陰陽과 오행五行, 사시四時의 운행과 지리地理, 조석潮汐에 대해 언급하고 있다.

'천문天文'의 논의대상은 해와 달日月], 별과 별자리[星辰] 천둥과 번개[雷電], 바람·비·눈·우박·서리·이슬[風雨雪電霜露]과 같은 기상현상이다. 권26의 '천도' 부분에서 천문의 운행과 역법을 중심으로 소개되었다면, 여기에서는 일식이나 월식을 포함한 천문 현상을 주제로 소개되고 있다.

해와 달은 양과 음을 대표하며, 음과 양이 드러난 것 중 가장 성대한 것이다. 달은 해의 빛을 반사한다는 사실을 성리학자들은 음양론에 입각하여 제시하고 있다. 달의 변화가 실제로 차고 이지러지는 것이 아니라 땅에서 보는 각도에 의해 이루어진다는 것을 이미 그들은 간파하고 있다. 물론 당시의 많은 사람들은 달이 실제로 차고 이지러진다고 여겼지만, 주희는 빛의 반영에 의한 것이라는 심괄沈括의 설을 받아들인다. 주희는 "달은 본래 빛이 없고, 하나의 은빛 탄환과 같아서 해가 비추어야 빛날 뿐이다. 빛이 처음 생길 때에는 해가 그 옆에 있으므로 곁을 비춰서 보이는 것이 마치 갈고리와 같고, 해가 점점 멀어지면 비스듬히 비춰서 빛이 조금씩 찬다."고 한 심괄의 말을 비중 있게 인용하고 있다.

일식과 월식에 대해서도 당시의 천인감응설에서 비교적 탈피하여 자연현상으로서 해석하는 일면을 보이기 시작한다. 주희는 "일식은 해와 달이 만나는 것이다. 달은 마땅히 해 아래에 있어야 하지만 간혹 반대로 해 위에 있기 때문에 일식이 일어난다. 월식은 해와 달이 정확히 서로 비추는 것이다." 라고 해석한다. 이와 같이 일식에 대해서는 해가 달에 가려지는 현상이라고 정확히 설명하지만, 월식에 대해서는 '달이 해와 다투는 것', '음이 성하여 양에 대항하면서 양에게 조금도 양보하지 않기 때문에 일어나는 것', '암허暗虛(태양의 어두운 부분)가 달을 비추기 때문에' 일어나는 현상으로 해석하는 점에서 여전히 한계를 보이고 있다.

'성신星辰'은 별과 별자리에 관한 이야기이다. 성星은 북극성을 비롯하여 금목수화토의 오성五星, 이십팔수二十八宿 등을 가리키고, 신辰은 별이 지나가는 길을 말한다. 북극성과 북신北辰에 대한 엄밀한 구분에서 성星과 신辰의 차이를 구분할 수 있다. 주희에 따르면, 하늘의 축이 되는 곳을 북신이라 하는데, 이는 북극성이 아니라 별 사이의 움직임이 없는 조그만 곳이다. 그러나 표시할 것이 없으면 알 수 없기 때문에 그 옆에 있는 작은 별을 표식으로 삼았는데, 이 별이 바로 북극성이다. 그러므로 북극성 또한 움직이고 있지만, 북신에 매우 가깝기 때문에 그 움직임을 간파할 수 없다는 것이다.

성리학자들에 따르면 '뇌전雷電' 즉 천둥과 번개 또한 음양의 마찰과 부딪힘으로 인해 발생하는 것이다. 당시의 대부분의 사람들이 갖고 있었던 생각은 하늘의 경고라고 하는 천인감응설의 입장에 서 있었던 것으로 보인다. 성리학자들의 생각이 여기에서 완전히 탈피하지는 않았지만, 곳곳에서 이를 극복하려는 노력이 나타난다. 그러나 그것이 일종의 하늘의 격분 상태의 표출이라는 점은 대체로 동의하고 있는 듯 보인다. 장재는 양기가 안에서 음기에 둘러싸여 나오지 못하면 요동쳐서 우레와 천둥이 된다고 한다. 주희는 우레가 폭죽과 비슷한 현상이라고 하면서, 이것이 화복禍福을 가져다주는 것이라고도 했다. 기가 서로 마찰하는 것이기는 하지만, 기가 모여서 신물神物을 이루기도 하는데 우레와 천둥 역시 그러한 신물의 일종이라는 것이다. 장식張栻은 "천둥은 천지 사이의 의로운 기운이니, 사람이 불선을 할 때 또한 마침 그와 감응하면 우레가 친다."라고 하여 천인감응에 대한 긍정을 전면에 내어놓는다. 벼락이 떨어져서 만들어지는 석부石斧의 존재에 대한 언급도 보이는데, 석부는 기가 땅에 떨어짐으로써 만들어진다는 것이다. 진덕수陳德秀는 천둥이 비록 무서운 것이기는 하지만, 애초에 사물을 죽이려고 있는 것은 아니라, 만물을 쉽게 신속하게 고무시켜 살게 하는 의미로 받아들인다.

바람風·비雨·눈雪·우박雹·서리霜·이슬露 등의 기상현상 또한 음양의 조화로 설명된다. 동풍과 북풍은 양에 속하고 남풍과 서풍은 음에 속한다. 정자程子는 동풍과 북풍이 불면 양이 창도하고 음이 화합하는 것이기 때문에 비가 동반되지만, 반대의 경우는 음이 창도하는 것이기 때문에 비가 오지 않는 것이 일반적이라고 설명한다. 주자는 비가 수증기의 순환으로 발생한다고 설명한다. 음의 기가 상승하고 위에서 양의 기가 덮어주면 마치 밥솥에 수증기가 차서 물이 흐르는 것과 같은 원리로 비가 내린다는 것이다. 눈에 대해서, 그것이 육각형을 이루고 있는 것은 6이라는 숫자가 음수陰數이기 때문으로서 태음현정석太陰玄精石이 육각형을 이루고 있는 것과 같은 이치라고 설명한다. 고대인들은 여름에 하늘에서 얼음이 떨어지는 현상인 우박을 가장 괴이하게 여겼을 듯싶다. 최대한 과학적·논리적으로 자연현상을 설명하고자 했던 성리학자들 역시 우박에 대한 자연적 설명은 유보한다. 우박은 도마뱀이 물을 삼켰다가 뿜어내는 것이라는 세속의 설명에 대한 반박을 내리지 못하고 '그러한 이치가 있는 것 같다'고 양보한다. 도마뱀은 형상이 용과 비슷하여 음에 속하는 것이기 때문이라는 것이다. 우박에 대한 또 하나의 설명은, 음양이 서로 뭉쳐서 우박이 된다는 것이다. 서리와 이슬은 눈과 비의 관계와 같다. 비가 얼어서 눈이 되듯, 이슬이 얼면 서리가 된다. 다만 눈은 사물을 죽이는 작용은 하지 않지만 서리는 사물을 죽이는 역할을 한다.

'음양陰陽'과 '오행五行'은 리기론理氣論의 기氣의 측면을 구체화한 것이다. '음양'에서는 주로 음양의 대대적 특성과 동시에 양자의 조화를 언급하고 있다. 먼저 음양의 발생에 대해서 주희는 "양은 북쪽에서 생겨나서 동쪽에서 자라고 남쪽에서 성해진다. 음은 남쪽에서 시작하여 서쪽에서 중간이 되고 북쪽에서 끝난다."고 한 후 그 성격을 "그 종류는 강건함·밝음·공변됨·의로움과 같은 것이니, 모든 군자의 도가 거기에 속한다."라고 했다. 음에 대해서는 "항상 오른쪽에 거하며 해하고 죽이는 것을 일로 삼는다. 그 종류는 유약함·어두움·사사로움·이익과 같은 것이니, 모든 소인의 길이 거기에 속한다."라고 하고 있다. 이처럼 음양 두 기의 성격은 상대적이다. 공간적 측면에서 보면 음양은 부부, 남녀, 동서남북과 같이 대대적對待的인 것이다. 시간의 측면에서 보면, 밤·낮, 봄·여름·가을·겨울, 초하루·상하현·보름·그믐 등 갈마드는 것으로 말한 것이다. 그러므로 음양의 관계는 무 자르듯 구분될 수는 없다. 공간적 측면에서 파악되는 사물은 음 안에 양의 요소가 있고 양 안에 음의 요소가 있으며, 시간적 측면의 음양은 시간에 따라 서서히 상대에게 자리를 내 주기 때문이다. 예컨대 동지는 양이 시작되는 시점이지만 오히려 가장 추운 절기이며, 새벽이 밝아오려 할 때가 가장 어두운 것과 같은 이치이다. 이와 같은 음양의 상호 침투성은 만물이 끝나는 의미와 더불어 만물이 시작하는 의미가 공존하는 간괘艮卦로 대표된다.

'오행' 부분에서는 음양의 기가 다섯 가지 요소로 구체화된 오행의 생성·운행의 순서와 각각의 성질에 대해 논하고 있다. 오행을 운행 순서를 말하면 목·화·토·금·수이고, 질質의 생성 순서를 말하면 수·화·목·금·토가 된다. 이와 같이 생성과 운행에 따라 순서가 다른 이유는 운행은 기氣의 차원에서 말하는 것이고, 생성은 질質의 차원에서 말하는 것이기 때문이다. 생성은 태극이 유행한 후 기로부터 질이 이루어지는 과정에서 부드러운 것으로부터 단단한 것의 순서로 이루어진다. 수가 가장 부드럽기 때문에 첫 번째이고, 화는 조금 더 강하기 때문에 그 다음이며, 목·금·토의 순으로 점점 견고하고 강해진다고 보는 것이다. 한편 운행의 순서는 사계절이 진행되는 순서와 같다.

'오행' 역시 음과 양을 벗어나지 않는다. 기본적으로 목과 화는 양에 속하고 금과 수는 음에 속한다. 그런데 음양은 서로에게 침투하여, 음은 양을 바탕으로 삼고, 양은 음을 바탕으로 삼고 있다. 가령 물은 음에 속하는 것이라 어두운 것이지만 그 안쪽은 밝고, 양에 속하는 불은 바깥은 밝지만 안쪽은 어둡다. 즉, 불 속에 있는 검은 것은 양 중의 음이고, 물은 외면은 어두컴컴하지만 속은 오히려 밝으니, 음 중의 양이다. 그러므로 오행은 사실 음양으로 고정된 것은 아니다. 이러한 의미에서 주희는 수를 양이라 하고 화를 음이라고 해도 부방하다고 주장한다.

'사시四時'는 오행설에 기반하여 사계절의 운행원리를 논하고 있다. 자연에 사계절이 있는 것은 하늘에 원·형·이·정이 있고, 땅에 금·목·수·화, 사람에게 인·의·예·지가 있는 것과 같은 이치이다. 하늘에서는 원元, 사람에서는 인仁이 으뜸이 되는 것처럼, 자연도 단지 하나의 봄기운일 뿐이다. 발생하는 처음이 봄의 기운인데, 자라면 여름이 되고, 수렴하면 가을이 되며, 다 줄어들면 겨울이 되어, 다음 해에 다시 봄부터 시작된다. 그러나 감응感應의 법칙으로 보면, 봄은 감하고 여름은 응하며, 가을은 감하고 겨울은 응한다. 이와 같이 천지와 음양의 운행은 가는 것은 지나가고 오는 것은 계속된다. 목木·화火·토土·금金·수水는 시작이 끝이 되고 끝이 시작이 되어 고리처럼 순환하는 것이다.

'지리地理'에서는 중국의 지형과 산하山河의 위치와 규모, 주요 지방의 형세와 풍수 등이 다루어지고 있다. 성리학자들은 중심과 변방이라는 구도로 지리를 논한다. 중앙은 천지의 중심과 도읍으로서의 중앙, 변방은 중원 밖의 이방異邦에서 땅의 끝을 다루고 있다. 그들이 생각한 세계의 중심은 곤륜산崑崙山이다. 그들이 파악한 바에 따르면, 중국은 곤륜산의 동남쪽에 있고, 그리하여 지형은 서·북이 높고 동·남이 낮다. 곤륜산의 정남쪽에는 천축天竺의 국가들이 있다. 그들은 요임금이 도읍했다고 전해지는 기주冀州를 중국의 중심으로 보아, 이를 서두에 소개한 다음, 요·순·우임금이 도읍으로 삼은 태항산太行山 주변의 지역들, 즉 하동河東·하북河北·노주潞州·평양平陽·진주晉州·포판蒲坂 등지의 형세와 풍수를 다루고 있다. 또한 남송의 영토에 해당하는 절강浙江·강서江西·복건福建 일대의 지리도 아울러 논하고 있다.

중원의 변방과 육지가 끊어진 곳까지 성리학자들의 관심은 이어진다. 여진족女眞族의 발원지인 압록강鴨綠江, 현재의 바이칼호로 추정되는 골리간骨利幹, 아랄해·카스피해 북쪽에 분포했던 철륵鐵勒 등에 대한 문헌적 지식도 소개하고 있다. 천하는 바다로 둘러싸여 있는데, 땅의 아래와 땅의 네 변에서는 모두 바닷물이 흐르고 있고, 땅은 물위에 떠서 하늘과 접하고 있다. 또한 바다 위에 여러 섬들이 있는 것을 근거로 바다 역시 바닥이 있으며, 바닥이 없는 곳에서 땅이 끝난다고 생각하고 있다.

조석潮汐의 밀물과 썰물에 대해 정자程子는 물의 증발과 생성으로 설명한다. 즉 해가 뜨면 바닷물이 마르고 달이 뜨면 다시 물이 생겨난다고 했으나, 이에 대한 부연 설명은 보이지 않는다. 주희는 조석에 대해서는 여정余靖의 견해가 매우 상세하다고 했다. 여기에서는 『무계집武溪集』권3의 「해조도서海潮圖序」의 해와 달의 운행에 따른 조수설이 상세히 실려 있다. 그는 천도와 달의 운행을 계산하여, 달의 위치에 따른 조수의 크기를 계산해 냈다. 권말에는 일 년, 한 달, 하루, 시진 단위로 조수의 움직임을 상세하게 분석한 고주 마씨古洲馬氏의 설을 소개하고 있다.

성리대전 권28 「귀신鬼神」 해제

　일반적으로 유학사상은 죽음에 대해 괄호를 닫고 언급하지 않는 것으로 인식된다. 그러나 사람들은 이에 대한 의문을 결코 쉽게 버리지 못한다. 죽음은 인생의 대사大事이기 때문일 것이다. 관혼상제로 대표되는 유교의 의례도 그 절반 이상이 죽음과 관련되어 있다는 점에서 볼 때, 유학 또한 죽음에 무관심한 사상이라고는 할 수 없을 것이다. 이러한 죽음에 대한 사람들의 관심에서 귀신이라는 개념을 상정되기 시작했을 것이다. 그리고 귀신은 초자연현상, 정확히 말하자면 당시의 과학적 지식의 한계로 인해 온전히 파악할 수 없었던 자연현상과 연결된다. 귀신이나 초자연현상과 같은 이러한 의문에 대한 연역적인 답변이 바로 『성리대전』 권28에 수록되어 있는 성리학자들의 귀신론이다.

　『성리대전』의 권28 「귀신」편은 '총론總論', '사람에 있어서의 귀신과 정신·혼백을 논함論在人鬼神兼精神魂魄', '조상신과 천신·지신에 대한 제사를 논함論祭祀祖考神祇', '천신·지신에 대한 제사를 논함論祭祀神祇', '생과 사를 논함論生死'이라는 그 목차에서 볼 수 있듯, 귀신에 대한 내용뿐만 아니라 혼백과 정신, 생과 사, 나아가 조상과 제사에 관한 내용까지 포괄하고 있어, 삶과 죽음에 대한 유학자들의 관심을 엿볼 수 있다. 「귀신」편은 유학의 종교적 특성을 서술하고 있다고 볼 수 있다.

　먼저 '총론總論'은 귀신에 대한 일반적인 통념을 벗어나려고 하는 시도이다. 일반적으로 귀신은 사람이 죽어서 되는 인귀人鬼의 이미지가 강하다. 성리학자들은 이러한 미신적인 요소를 최대한 배제하고 합리적인 해석을 시도한다. 정자程子는 귀신을 '조화造化의 공용功用'이라고 했고, 장재張載는 '천지의 변화 가운데 지극히 두드러지고 지극히 빠른 것'이라고 했다. 주자朱子는 '신神은 펼침이고, 귀鬼는 움츠림'이라고 하고, 또 "귀와 신은 다만 기일 뿐이다. 움츠림과 폄, 감과 옴이 기氣이다. 천지간에는 기 아닌 것이 없다."라고 하여 귀신을 음양의 자연현상으로 파악했다.

　조화造化의 공용功用으로서 귀신은 만물의 취산의 작용이며, 음양의 소장消長이다. 자연계의 모든 작용, 즉 비바람, 이슬, 우레, 해와 달, 낮과 밤이 모두 귀신의 자취이다. 귀와 신의 작용을 나누어 보면, 오는데 헤아릴 수 없는 것을 신神이고, 가서 돌아오지 않는 것을 귀鬼라고 한다. 그래서 정자程子는 '귀신은 조화造化의 자취'라고 했고, 장재張載는 귀신을 '음과 양 두 기의 양능良能'이라고 한 것이다.

귀신은 음과 양 두 기일 뿐인데, 움츠림과 폄, 감과 옴을 위주로 말하면, 신神은 양의 영험함이고 귀鬼는 음의 영험함이다. 하나의 기氣로 말하면, 기가 막 펼쳐서 오는 것은 양에 속하여 신이 되고, 기가 이미 움츠려들어 간 것은 음에 속하여 귀가 된다. 예컨대 봄·여름은 기가 막 자라나는 것으로 양에 속하여 신이 되고, 가을·겨울은 기가 이미 물러난 것으로 음에 속하여 귀가 된다. 천지로 말하면, 하늘은 양에 속하고 신이며, 땅은 음에 속하고 귀이다. 사계절로 말하면, 봄·여름은 기의 펼침으로 신에 속하며, 가을·겨울은 기의 움츠림으로 귀에 속한다. 밤낮으로 구분하면, 낮은 신에 속하고 밤은 귀에 속한다. 해와 달로 말하면, 해는 신에 속하고 달은 귀에 속한다. 요컨대 신은 양이고 귀는 음이라고 할 수 있다. 자연의 공능으로 말하면 귀신은 이와 같이 해석될 수 있다.

귀신이 가리키는 범위는 매우 넓다. 물론 그 중에는 인귀를 지칭하는 의미도 포함된다. 장식張栻은 "귀신에 대한 이론은 합해서 말하면, 오는데 헤아릴 수 없는 것을 신神이라고 하고, 가서 돌아오지 않는 것을 귀鬼라고 한다. 나누어서 말하면, 기氣를 접할 수 있는 천지와 산천과 바람·우레의 부류를 모두 신이라 하고, 사당에서 제사를 모시는 조상신을 귀라고 한다."라고 했다. 또 진덕수는 "하늘의 신을 신神이라 하고, 땅의 신을 기示라고 하며, 사람의 신을 귀鬼라고 한다. 사람의 몸으로 말하면, 살아있으면 사람人이라고 하고, 죽으면 귀신鬼이라고 하니, 이것이 삶과 죽음의 큰 구분이다."라고 했다. 이와 같은 언설에 따르면 귀신은 광의와 협의로 나누어볼 수 있다. 광의의 귀신은 천지자연의 자취와 조화, 공능을 포함하는 것이고, 협의의 귀신은 사람이 죽어서 되는 인귀를 가리키는 것이다.

'사람에 있어서의 귀신과 정·신·혼·백을 논함論在人鬼神兼精神魂魄' 부분은 세속에서 말하는 귀신에 대한 성리학자들의 설명이다. 기본적으로 성리학자들은 형체나 소리로 나타나는 귀신을 믿지 않는다. 정자는 사람이 죽으면 그 질質이 없어져버리니 소리와 감촉은 있을 수 없을 것이라고 했고, 주자는 단지 귀신을 조화의 자취라고 했다. 즉 나무에 꽃과 잎이 생겨 나오는 정상적인 자연현상이 모두 조화의 자취인 것이다. 정자는 "일찍이 귀신 이야기를 좋아하는 사람에게 들어보니 모두 직접 보고 들은 적이 없고 모두 다른 사람에게 들은 것이었다. 사리를 분명하게 살펴보지 못하면 곧 전해들은 것을 믿게 된다. 가령 실제로 보고 들은 것이라 하더라도 믿기에 충분하지 않으니, 마음에 병이 들었거나 눈에 병이 들었을 것이다."라고 하여 형상으로 나타나는 귀신을 철저히 부정하고 있다.

비록 그렇기는 하지만 한편으로 세속의 귀신에 대해 존재의 여지를 완전히 닫은 것은 아니다. 정자는 "세간에서 귀신이 어떤 사람의 몸에 의탁하여 말을 하는 것을 여러 번 보았는데, 전혀 믿지 않을 수만은 없으니, 이 또한 이치가 있다."라고 하여, 인정의 여지를 남겨두었다. 주자는 가령 여귀厲鬼와 같은 것에 대해서 "사람의 기가 아직 다 끝나지 않았는데 비명횡사하면 또 달리 여귀가 될 수 있다."라고 하여 역시 인정의 여지를 남겨 두면서, 이러한 것은 정상적인 것이 아니라고 했다. 사람이 죽으면 기가 흩어지는 것이 정상적인 이치인 것이다. 귀신이 비록 음양의 운동이고 조화의 자취라고 하더라도 인귀人鬼의 요소를 완전히 부정할 수는 없었던 것으로 보인다.

이 부분에서는 또한 정·신·혼·백에 대해서 논하고 있다. 주자에 따르면 허공에 홀연히 바람이 불고 비가 내리고 천둥·번개가 치는 것이 모두 음양이 서로 감응한 것이고, 모두 귀신이다. "천지에 충만한 것을 나의 몸으로 삼고, 천지를 통솔하는 것으로 나의 성性으로 삼는다."는 「서명西銘」의 만물일체론으로 보았을 때, 귀신의 조화와 사람의 일은 하나의 도리라고 할 수 있다. 그러므로 주자는 "지금 살아있는 사람은 본래 절반은 신이고 절반은 귀이다. 그러나 죽기 전에는 신이 위주가 되고 죽은 뒤에는 귀가 위주가 되니, 종횡으로 얽혀 있다. 움츠림과 펼침, 감과 옴의 기로 말하면, 오는 것은 신이 되고 가는 것은 귀가 되며, 사람의 몸으로 말하면, 기氣는 신이 되고 정精은 귀가 된다."라고 한다.

천지간의 하나의 기를 통틀어서 말한 것이 귀신鬼神이라면, 사람의 몸을 위주로 말한 것이 혼백魂魄이다. 혼백에 대한 제 학자들의 견해를 종합해 보면 다음과 같다. 혼백에서 백은 정精이고 혼은 기氣이다. 백은 차가운 기운이고 혼은 따뜻한 기운이며, 백은 고요함을 위주로 하고 혼은 움직임을 위주로 한다. 생각하여 헤아리고 분별할 수 있는 것은 혼이고 기억해둘 수 있는 것은 백이다. 또 눈과 귀가 보고 들을 수 있는 까닭은 백이 그렇게 하는 것이고, 마음이 사려할 수 있는 까닭은 혼이 그렇게 하는 것이다. 달의 빛을 혼이라 하고 빛이 없는 곳은 백이라고 하는 것과 같은 맥락이다. 특히 황간의 말에 따르면 "백은 받아들이는 것을 주로하고 혼은 운영하는 것을 주로 하기 때문에 백은 음에 속하고 혼은 양에 속한다. 음은 응결되어 고요하고 양은 발산한다."

귀신과 혼백의 관계를 보면, 기가 펼칠 때에는 정精과 백魄이 본디 갖추어지지만 신神이 위주가 된다. 기가 움츠릴 때에는 혼魂과 기氣가 비록 보존되지만 귀鬼가 위주가 된다. 그리하여 기가 다 사라지면 백은 내려가서 순전히 귀鬼가 되므로 사람이 죽은 것을 귀鬼라고 한다. 진순陳淳의 견해에 따르면, 사람의 몸에서 논했을 때, 대개 음과 양 두 기가 우리 몸속에 모여서 귀와 신이 되는데, 양에 속하는 것은 모두 혼魂이 되고 신神이 되며, 음에 속하는 것은 모두 백魄이 되고 귀鬼가 된다. 사람이 어린아이에서 장년에 이르기까지는 기의 펼침으로 신神에 속하고, 중년 이후로 점점 노쇠하게 되는 것은 기의 움츠림으로 귀鬼에 속한다. 태어남과 죽음으로 논하면, 태어남은 기의 펼침이고, 죽음은 기의 움츠림이다. 죽음에서 논하면, 혼이 올라가는 것이 신神이 되고, 백이 내려가는 것이 귀鬼가 된다. 혼기魂氣는 하늘에 근본하므로 위로 올라가고 체백體魄은 땅에

性理大全 研究飜譯 役割 分擔表

卷	書名/大主題	飜譯	校閱	潤文	解題
	序・表	金在烈			尹用男, 金暎鎬
1	太極圖	尹用男			郭信煥
2~3	通書	李哲承			郭信煥
4	西銘	李哲承			李基鏞
5	正蒙 1	李哲承			李基鏞
6	正蒙 2	金炯錫			李基鏞
7~13	皇極經世書	沈義用			洪元植
14~17	易學啓蒙	尹元鉉			李善慶
18~21	家禮	秋琦淵			李迎春
22~23	律呂新書	尹元鉉			李善慶
24~25	洪範皇極內篇	秋琦淵			李迎春
26~27	理氣	李致億			李致億, 金演宰
28	鬼神	尹元鉉			李致億, 金演宰
29~31	性理 1~3	尹元鉉			李致億, 鄭相峯
32~34	性理 4~6	沈義用	共同研究員 李忠九	鄭修卿	李致億, 鄭相峯
35~37	性理 7~9	金炯錫			李致億, 鄭相峯
38	道統・聖賢	尹元鉉			沈義用, 金演宰
39~40	諸儒 1~2	金炯錫			沈義用, 金演宰
41~42	諸儒 3~4	沈義用			沈義用, 金演宰
43~45	學 1~3	李致億			沈義用, 鄭炳碩
46~48	學 4~6	沈義用			沈義用, 鄭炳碩
49~50	學 7~8	金炯錫			沈義用, 鄭炳碩
51	學 9	金昡炅			沈義用, 池俊鎬
52~54	學 10~12	尹元鉉			沈義用, 池俊鎬
55~56	學 13~14	李忠九			沈義用, 池俊鎬
57~58	諸子	金在烈			李忠九, 李相益
59~64	歷代	金在烈			李忠九, 李相益
65	君道	金在烈			李忠九, 李相益
66~69	治道	金在烈			李忠九, 李相益
70	詩・文	金在烈			李忠九, 池俊鎬